力学丛书·典藏版 4

弹性力学的变分原理及其应用

胡海昌 著

U0370018

科学出版社

1982

内 容 简 介

本书系统地叙述了弹性力学中的各种变分原理，尤其是广义变分原理，以及这些变分原理在理论方面和近似计算方面的应用．讨论到的物体形式有梁、板、扁壳和一般的弹性体，论述的内容包括平衡、稳定性和振动各方面的问题．

本书可供科研人员、工程技术人员以及高等院校师生参考．

图书在版编目 (CIP) 数据

弹性力学的变分原理及其应用／胡海昌著. —北京：科学出版社，2016.1

(力学丛书)

ISBN 978-7-03-046895-6

I. ①弹… II. ①胡… III. ①弹性力学—变分学 IV. ① 0343

中国版本图书馆 CIP 数据核字 (2016) 第 004466 号

力 学 丛 书

弹性力学的变分原理

及其应用

胡 海 昌 著

责任编辑 魏茂乐

科 学 出 版 社 出 版

北京东黄城根北街 16 号

北京京华虎彩印刷有限公司印刷

新华书店北京发行所发行 各地新华书店经售

*

1981 年第一版

2016 年印刷

开本：850×1168 1/32

印张：18 5/8

插页：2

字数：491,000

定 价：158.00元

序

变分原理是弹性力学的重要组成部分，在理论上和实用上都有重要的价值．自从本世纪初里兹提出根据变分原理的直接近似解法(即现在一般所称的里兹法)之后，对弹性力学变分原理的研究和应用出现了一个高潮．最近，随着有限元素法的诞生和广泛应用，出现了研究和应用变分原理的新高潮．这次新高潮在深度上和广度上都达到了新水平，影响到力学和数学的许多分支．

我国的科学技术工作者，一直十分重视弹性力学以及塑性力学中变分原理的研究和应用．中华人民共和国成立后不久，钱令希同志发表了“余能原理”[23]一文，打响了我国研究变分原理的第一炮，带动了一批土生土长的同志开展变分原理的研究．在活跃的学术气氛中，经过一段不长的时间，就取得了一系列成果，在赶超国际先进水平方面出现了可喜的形势．

可惜好景不长．变分原理的研究和其他的科学技术研究一样，遭到了林彪、“四人帮”的严重摧残．在林彪、“四人帮”横行的日子里，变分原理的研究几乎停止，已取得的成果也几乎被遗忘．

打倒“四人帮”，科学技术得解放．全国人民响应党中央的号召，掀起了学科学、用科学、大搞社会主义四个现代化的热潮．在这个热潮中，我应同志们的要求，在中国空间技术研究院卫星总体部讲述了关于弹性力学变分原理和它们的应用．后来应中国航空学会和北京市力学学会的要求，又讲了一遍．本书是在上述两次讲稿的基础上经过修改补充而成的．

变分原理有难讲的一面，也有易讲的一面．难讲是因为它涉及弹性力学的许多基本问题，而当前缺少有关的中文参考书．易讲是因为我国科学技术工作者有成果，不愁没有内容，只怕有遗漏.在林彪、“四人帮”横行的日子里，一切学术刊物停办，个人联系中断，过去积累的一点资料也已散失．打倒“四人帮”后，虽然逐步恢复了各种学术交流活动，但一时也难于了解全面的情况．因此，作者主观上虽希望在本书中能充分反映出我国在这方面的成就，但实际上恐怕相差很远．这是十分遗憾的事．

在写本书的过程中，得到了领导、老师、同事和出版社等方面的同志们热情的关怀和有力支持，现借此机会向上述的同志们表示衷心的感谢！

胡海昌

1979 年 7 月

目　　录

第一章　求解泛函极值问题的一些基本概念

§1.1　几个简单的例子

在高等数学中讲述过求函数的极值问题，本章扼要地讲述一类更广泛的极值问题，称为泛函的极值问题. 有些基本思想是与求函数的极值问题相同的. 本节先举几个具体的简单的例子，以说明问题的性质.

例 1　弹性地基梁的一个问题.

设有一个放在弹性地基上的梁，承受分布横向载荷 $q(x)$ 的作用. 已知梁的一端 $(x=0)$ 是固定的，另一端 $(x=l)$ 是自由的. 问梁取怎样的挠度 $w(x)$ 能使这个系统的总势能 Π 取最小值?

设梁的弯曲刚度为 EJ，于是梁的弯曲应变能 Π_b 是

$$\Pi_b=\frac{1}{2}\int_0^l EJ\left(\frac{d^2w}{dx^2}\right)^2dx.$$

再设弹性地基的刚度系数为 k，于是地基中贮存的能量 Π_f 为

$$\Pi_f=\frac{1}{2}\int_0^l kw^2dx.$$

由于梁的挠度，载荷的势能有了变化，载荷的势能 Π_l 可写成为

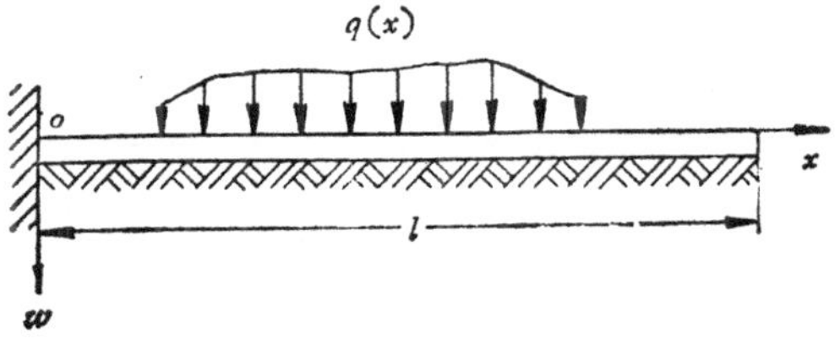

图 1.1

$$\Pi_l = -\int_0^l qw dx.$$

这个系统的总势能是上列三者之和，因此有

$$\Pi = \int_0^l \left\{ \frac{1}{2} EJ \left(\frac{d^2w}{dx^2} \right)^2 + \frac{1}{2} kw^2 - qw \right\} dx. \tag{1.1}$$

另外在提问题时已规定了 $x = 0$ 是固定端，即

$$\text{在 } x = 0 \text{ 处：} w = 0, \quad \frac{dw}{dx} = 0. \tag{1.2}$$

这样上面提出的力学问题，经化为数学问题后变为：在 $0 \leqslant x \leqslant l$ 的区间内找一个函数 $w(x)$，使它满足边界条件(1.2)，并使由公式 (1.1) 定义的 Π 取最小值.

这里要寻找的是一个未知函数 $w(x)$. $w(x)$ 必须满足的条件有两类：其一是明显提出的边界条件(1.2)，不满足边界条件(1.2)的函数不在考虑之列，其二是这个函数 $w(x)$ 应使 (1.1) 右端的积分有意义，即能够算出一个 Π 的值. 这第二个条件应该是不讲自明的条件，任何一个计算不出 Π 的函数当然不在考虑之列. 要求是使 Π 取最小值.

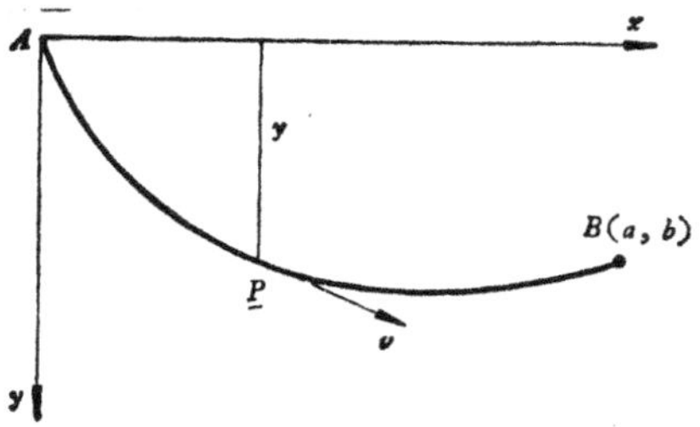

图 1.2

例 2 最速降线问题.

已知空间中两点 A 和 B，A 高于 B，要求在这两点间连接一条曲线，使得有重物从 A 沿此曲线自由滑下时，从 A 到 B 所需之时间最小(忽略摩擦力).

通过 A，B 并垂直水平面作一平面，在此平面上取一坐标系

(x, y)，以 A 为坐标原点，x 轴水平，y 轴向下．设 B 点的坐标为 $x=a, y=b$．命所求之曲线为 $y=y(x)$．已经给定：

$$\begin{aligned}&\text{在 } x=0 \text{ 处：} y=0,\\&\text{在 } x=a \text{ 处：} y=b.\end{aligned}\tag{1.3}$$

设 $P(x, y)$ 是曲线上的某一点．重物在 P 点的速度 v 可由能量守恒原理求得：

$$\frac{1}{2}mv^2=mgy.$$

这里 g 是重力加速度．由此得到

$$v=\sqrt{2gy}.$$

命 ds 为曲线的弧长的微分，则

$$\frac{ds}{dt}=v=\sqrt{2gy},$$

$$dt=\frac{ds}{\sqrt{2gy}}=\frac{\sqrt{1+\left(\frac{dy}{dx}\right)^2}dx}{\sqrt{2gy}}.$$

因此重物从 A 滑到 B 所需之时间 T 为

$$T=\int_0^a\frac{\sqrt{1+\left(\frac{dy}{dx}\right)^2}}{\sqrt{2gy}}dx.\tag{1.4}$$

上面提出的力学问题最后化为如下的数学问题：在 $0\leqslant x\leqslant a$ 的区间内找一个函数 $y(x)$，使它满足边界条件(1.3)，并使(1.4)定义的 T 取最小值．

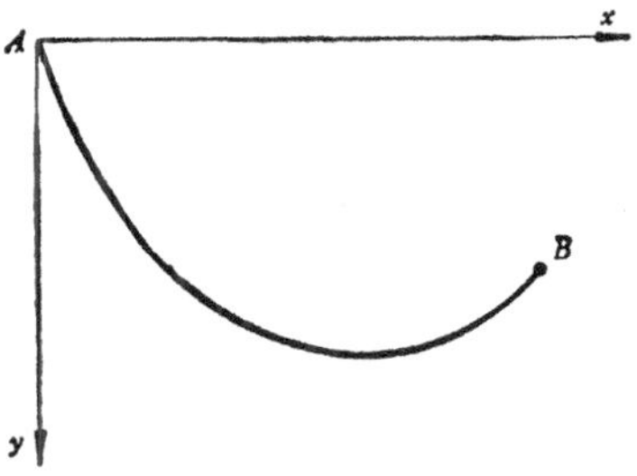

图 1.3

例 3 悬索线问题．

已知空间中 A，B 两点及一条长度 $l>\overline{AB}$ 的绳索．假定绳索的长度是不变的，而它的弯曲刚度可忽略不计．把此绳索的两端挂在 A，B 两点，求在平衡状态下绳索的形状．

和例 2 一样取一坐标系 (x, y). 命绳索所画的曲线方程是 $y=y(x)$. 已知有边界条件:

$$\begin{aligned} &在\ x=0\ 处:\ y=0, \\ &在\ x=a\ 处:\ y=b. \end{aligned} \tag{1.5}$$

由于绳索长度已知,所以还有

$$\int_0^a \sqrt{1+\left(\frac{dy}{dx}\right)^2}\, dx = l. \tag{1.6}$$

绳索在平衡状态下,它的势能 Π 应为最小值. 设绳索的单位长度的质量为 m, 那末

$$\Pi = -mg\int_0^a y\sqrt{1+\left(\frac{dy}{dx}\right)^2}\, dx.$$

要使 Π 最小,也就是要使

$$M = \int_0^a y\sqrt{1+\left(\frac{dy}{dx}\right)^2}\, dx \tag{1.7}$$

最大. 因此这个力学问题的一种数学提法是: 在 $0 \leqslant x \leqslant a$ 的区间内决定一个函数 $y(x)$, 使它满足边界条件 (1.5), 积分条件 (1.6), 并使 (1.7) 决定的 M 取最大值.

这个问题还可提成另一个类似的数学问题. 设 s 为绳索上某点到 A 点的弧长,曲线方程也可以用参数 s 来表示,即

$$x = x(s),\quad y = y(s). \tag{1.8}$$

这样边界条件变为

$$\begin{aligned} &在\ s=0\ 处:\ x=0,\ y=0, \\ &在\ s=l\ 处:\ x=a,\ y=b. \end{aligned} \tag{1.9}$$

而平衡条件可写成为使

$$M = \int_0^l y\, ds \tag{1.10}$$

取最大值. 因为参数 s 代表弧长 所以有

$$\left(\frac{dx}{ds}\right)^2 + \left(\frac{dy}{ds}\right)^2 = 1. \tag{1.11}$$

这样,上述力学问题也可以提成另外一个数学问题: 在 $0 \leqslant s \leqslant l$

的区间内决定两个函数 $x(s)$, $y(s)$，使它们满足边界条件 (1.9) 和微分方程 (1.11)，并使 (1.10) 定义的M取最大值.

§1.2 泛函、泛函极值问题的提法

上节几个例子中，都涉及到在一定的范围内可变化的函数，以及依赖于这些可变化的函数的量. 这些可变化的函数，称为自变函数. 依赖于自变函数而变的量，称为自变函数的泛函.

上节几个例子中碰到的泛函，都能用积分的形式表达出来. 但是根据泛函的定义，泛函并不一定都能用积分的形式来表达. 例如在区间 $0 \leqslant x \leqslant 1$ 内有一个可变函数 $f(x)$. 命 M 为 $f(x)$ 的最大值，那末 M 是 $f(x)$ 的一个泛函，因为选定了 $f(x)$ 后便能够决定M的大小. 但是M并不能够用积分的形式表达出来.

正像函数关系方面有显函数、隐函数之分，在泛函中也有目前难于用明显的形式表达的泛函. 下面再举这样一个例子. 假设要设计一个两端简支的变剖面梁，已知它的跨度、所用材料的杨氏模量与密度、总重量，梁剖面的形状必须为圆形，但它的半径 $r(x)$ 是一个可由设计者选定的函数. 求 $r(x)$ 使得梁的基本固有频率尽量大. 根据题意，梁的基本固有频率 ω 是函数 $r(x)$ 的一个泛函，因为在给定一个函数 $r(x)$ 后，汇同题中原先给定的其他几个条件，便可决定 ω 了. 但是 ω 与 $r(x)$ 的关系是很复杂的，目前还难于写成明显的形式 $\omega = \omega(r)$.

不过本书后面涉及到的泛函都是能用积分表达的，而且绝大多数，被积函数是自变函数及其导数的二次整式. 由公式 (1.1) 定义的泛函 Π 便是 w 和 w'' 的二次整式. 这一类特殊类型的泛函叫二次泛函. 二次泛函的极值问题用一般高等数学的办法也能解决. 学了变分法后，能对这类问题理解得更为深刻.

要提清楚一个泛函的极值问题，除应当把泛函本身讲清楚(最好写出它的算式)以外，还必须讲明自变函数的性质. 譬如有几个自变函数，每个自变函数定义在什么区间里(平面问题则在什么区

域内)，要满足什么条件(包括边界条件、积分条件、微分方程条件之类，如果有这些条件的话)等等，都必须一一说清楚．除了个别的特殊情况以外，一般情况下增加一个条件将使泛函的极值及相应的自变函数发生变化．例如极小值可能变大，极大值可能变小，而非极值的驻立值可能变为极值．所以讲清楚自变函数性质，也是十分重要的事情．

§1.3 泛函驻立值问题与微分方程问题

本章的内容是介绍如何把泛函的驻立值问题化为微分方程的问题．变分法的早期的工作都是这一类问题．这是因为微分方程发展在先，变分法发展在后，因此在早期，一旦将泛函的驻立值问题化为微分方程问题之后，便认为问题已经解决，至少认为问题已经基本解决．自从里兹提出直接求泛函极值的近似方法(即著名的里兹法)以后，人们才发现，从求近似解的角度来看，从泛函的极值或驻立值出发，常常比从微分方程出发更为方便．而从电子计算机广泛使用以后，这种观点得到愈来愈多的赞同．于是人们的研究目标，从原来把泛函的驻立值问题化为微分方程问题，逐步转变为把微分方程问题化为泛函的驻立值问题(同时也就提出了转化的可能性问题)．经过欧拉、拉格朗日以及随后的许多数学工作者的努力，对于前一类问题已经建立了比较成熟、比较系统的方法．但是对于后一类新问题，虽然也已有许多人作了研究，但总的说来还是不很成熟．因此目前用得多的主要还是根据微分方程的物理和工程背景，采取尝试和核对的办法，即先猜想一个泛函的极值或驻立值问题，然后再核对一下，看它是否与原来的微分方程问题等价．本书后面几章介绍弹性力学的经典变分原理时，就用这种方法．

§1.4 定积分$\int_a^b F(x, y, y')dx$的驻立值问题

本节先来讨论如何把一类简单泛函的极值问题，化为微分方

程的边值问题. 通过这类问题的分析，可以建立变分法的基本概念，并明了把变分问题化为微分方程问题的主要步骤.

先考虑如下的问题：在自变数 x 的区间 $a \leqslant x \leqslant b$ 内，决定一个函数 $y(x)$，使它满足边界条件：

$$\text{在 } x = a \text{ 处：} y = \alpha; \text{ 在 } x = b \text{ 处：} y = \beta, \tag{4.1}$$

并使泛函

$$V = \int_a^b F(x, y, y')dx \tag{4.2}$$

取极大(或极小)值.

参考图 4.1，其中 $G(x = a, y = \alpha)$，$H(x = b, y = \beta)$ 是已知的两点，问题是要在 G, H 间连接一条曲线使泛函 V 取极大(或极小)值. 设想已取了一条曲线 $GACH$，它的方程是

$$y = y(x).$$

设想在曲线 $GACH$ 的附近[1]另取一条曲线 $GBDH$，命这条曲线的纵坐标为

$$y(x) + \delta y(x).$$

δy 是一个无穷小量，称为自变函数的变分.

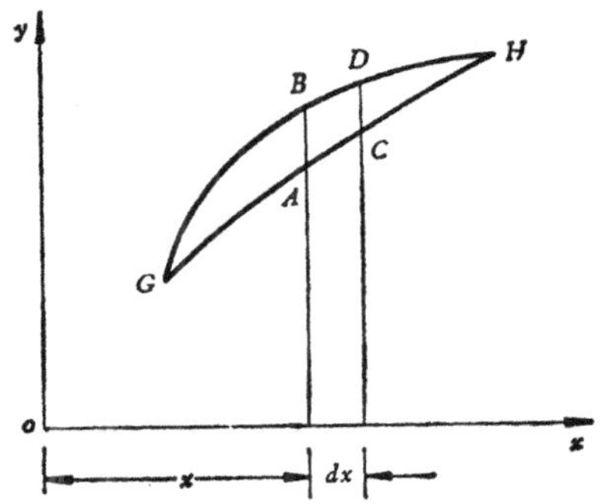

图 4.1

相应于这两条曲线，可以求得泛函的两个值：

$$V = \int_a^b F(x, y, y')dx,$$

$$V + \Delta V = \int_a^b F[x, y + \delta y, y' + (\delta y)']dx.$$

1) 两个自变函数 $y_1(x)$，$y_2(x)$ 定义为无限接近，不仅 y_1，y_2 本身要无限接近，并且在泛函中出现的各阶导数也要无限接近. 在本例中，y_1'，y_2' 要无限接近.

这里 ΔV 代表泛函的增量.

自变量不变(即 x 不变)而仅仅由于曲线(函数)的无穷小变化而引起的纵坐标的增加称为自变函数的变分，记为 δy；另外仍用高等数学中的定义，曲线不变，由于自变量 x 的变化 dx 所引起的纵坐标的增加称为函数的微分，记为 dy. 这样图 4.1 中 A, B, C 三点的纵坐标各为：

$$A: \ y,$$
$$B: \ y + \delta y,$$
$$C: \ y + dy = y + y'dx.$$

而 D 点的纵坐标，若从 C 点算过去是

$$y + y'dx + \delta(y + y'dx) = y + \delta y + (y' + \delta y')dx.$$

若从 B 点算过去，则是

$$y + \delta y + \frac{d}{dx}(y + \delta y)dx = y + \delta y + [y' + (\delta y)']dx.$$

这两个纵坐标是相等的，故有

$$(\delta y)' = \delta y'. \tag{4.3}$$

这个公式表明，一个函数的微分运算与变分运算的顺序是可以交换的. 在做变分法的推导时，常常要用到这个公式.

利用了公式 (4.3)，$V + \Delta V$ 的算式可写成

$$V + \Delta V = \int_a F[x, y + \delta y, y' + \delta y']dx.$$

于是有

$$\Delta V = \int_a^b \{F[x, y + \delta y, y' + \delta y'] - F(x, y, y')\}dx. \tag{4.4}$$

对于力学及工程上经常遇到的泛函，被积函数 $F(x, y, y')$ 是 x, y, y' 的连续可导函数，因此当 δy, $\delta y'$ 很小时，ΔV 也很小，当 δy, $\delta y'$ 是无穷小量时，ΔV 也是无穷小量. 如果取出等式两端的一阶无穷小量，则有

$$\delta V = \int_a^b \left[\frac{\partial F}{\partial y}\delta y + \frac{\partial F}{\partial y'}\delta y'\right]dx. \tag{4.5}$$

数值 δV 称为 V 的一阶变分，简称变分．用不很严格的通俗的话来讲，泛函的一阶变分便是泛函增量中的一阶小量部分(把自变函数的变分作为一阶小量)．所以变分的运算服从无穷小量的运算规则．

方程 (4.5) 的右端出现变分 δy 和 $\delta y'$，它们有内在的联系，并不能独立无关地变．可以设法把与 $\delta y'$ 有关的项转换为也只与 δy 有关的项．为此可以利用分部积分公式

$$\int_a^b uv'dx = -\int_a^b u'vdx + uv\Big|_a^b. \tag{4.6}$$

在这个公式中取

$$u = \frac{\partial F}{\partial y'},\quad v = \delta y,$$

则 (4.5) 式右端的第二项变为

$$\int_a^b \frac{\partial F}{\partial y'}\delta y'dx = -\int_a^b \frac{d}{dx}\left(\frac{\partial F}{\partial y'}\right)\delta ydx + \frac{\partial F}{\partial y'}\delta y\Big|_a^b. \tag{4.7}$$

将此代入 (4.5)，得到

$$\delta V = \int_a^b\left[\frac{\partial F}{\partial y} - \frac{d}{dx}\left(\frac{\partial F}{\partial y'}\right)\right]\delta ydx + \frac{\partial F}{\partial y'}\delta y\Big|_a^b. \tag{4.8}$$

前面已规定了函数 y 在两端为已知(见边界条件(4.1))，那末 δy 在两端不能有变化，即

$$\text{在 } x = a \text{ 及 } x = b \text{ 处：} \delta y = 0. \tag{4.9}$$

这样，算式 (4.8) 可简化为

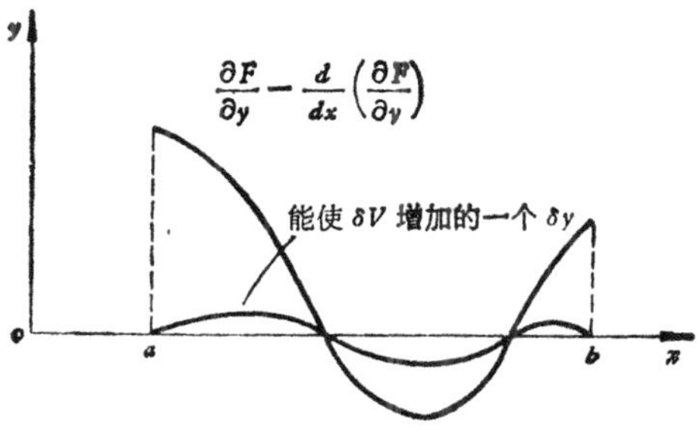

图 4.2

$$\delta V=\int_a^b\left[\frac{\partial F}{\partial y}-\frac{d}{dx}\left(\frac{\partial F}{\partial y'}\right)\right]\delta y dx. \tag{4.10}$$

根据这个公式我们能够判断函数 $y(x)$ 是否能使 V 取极大（或极小)值. 如果积分号内的方括号不等于零，那末总能找到一个 δy 使 δV 增加(或减少)，如图 4.2 所示. 所以 $y(x)$ 能使 V 取极大(或极小)值的一个必要条件是

$$\frac{\partial F}{\partial y}-\frac{d}{dx}\left(\frac{\partial F}{\partial y'}\right)=0. \tag{4.11}$$

这个方程是函数 $y(x)$ 的微分方程(通常称为欧拉方程)，汇同边界条件 (4.1)，通常便能决定 y 了. 由于 (4.11) 是一个必要条件，并非一个充分条件，所以根据方程 (4.11) 决定的函数 $y(x)$ 是否真的能使泛函 V 取极大(或极小)值，还必须辅于其它的考虑才能下结论. 对于大多数力学问题或工程问题，问题的背景常常能提供许多直观的启发，要决定求得的 y 是否真的能使 V 取极大（或极小)值，也就不十分困难.

方程 (4.11) 提供的解虽然未必能使泛函 V 取极值，但总能使 V 取驻立值，即在解的无穷小邻域内，$\delta V=0$. 所以如果原来的问题是要决定泛函的驻立值，那末欧拉方程便变为充分而又必要的条件了.

下面利用欧拉方程来求解 § 1.1 提出的最速降线的问题. 前面已经说明这个问题可归结为决定一个函数 $y(x)$，使它满足边界条件 (1.3)，并使 (1.4) 规定的泛函取最小值. 在本例中

$$F=\frac{1}{\sqrt{2g}}\cdot\frac{\sqrt{1+p^2}}{\sqrt{y}},\text{其中 } p=\frac{dy}{dx}. \tag{4.12}$$

于是有

$$\frac{\partial F}{\partial y}=-\frac{1}{\sqrt{2g}}\cdot\frac{\sqrt{1+p^2}}{2y^{3/2}},\quad \frac{\partial F}{\partial p}=\frac{1}{\sqrt{2g}}\cdot\frac{p}{\sqrt{y}\sqrt{1+}};$$

所以欧拉方程为

$$\frac{\sqrt{1+p^2}}{2y^{3/2}}+\frac{d}{dx}\cdot\frac{p}{\sqrt{y}\sqrt{1+p^2}}=0.$$

此式可简化为 p 对 y 的微分方程

$$1+\frac{2yp}{1+p^2}\cdot\frac{dp}{dy}=0.$$

积分一次得到

$$1+p^2=\frac{2\gamma}{y}.$$

这里 γ 是积分常数. 这样便有

$$\frac{dy}{dx}=p=\sqrt{\frac{2\gamma-y}{y}},$$

再积分一次[利用边界条件 (1.3)]:

$$x=\int_0^y\frac{ydy}{\sqrt{2\gamma y-y^2}}=-\sqrt{2\gamma y-y^2}+\gamma\cos^{-1}\frac{\gamma-y}{\gamma}.$$

这个曲线适合于用参数来表示. 命

$$\cos^{-1}\frac{\gamma-y}{\gamma}=\theta,$$

则有

$$x=\gamma\theta-\gamma\sin\theta,\quad y=\gamma-\gamma\cos\theta. \tag{4.13}$$

剩下的一个积分常数 γ 可以从另一个边界条件求得.

上面介绍了如何利用欧拉方程来解题. 但是我们不推荐这种解题办法,因为一类问题有一类问题的微分方程,靠记微分方程是记不胜记的. 我们希望读者记住欧拉方程的推导步骤,在每一个具体问题中自己再重复一下这个步骤.

附注: 在求泛函 (4.2) 的极值时,我们先计算它的一阶变分 (4.10),通过说理,得到欧拉方程 (4.11). 如果把 (4.11) 代回 (4.10),则有

$$\delta V=0. \tag{4.14}$$

在许多书本中,推理的步骤与此不同. 先通过说理证明,若 V 取极值则必须有 (4.14),然后由

$$\int_a^b\left[\frac{\partial F}{\partial y}-\frac{d}{dx}\left(\frac{\partial F}{\partial y'}\right)\right]\delta y dx=0,$$

推出方程(4.11). 这两种推理都是说得通的，不过本节介绍的推理不仅提供了泛函取极值的必要条件，而且在所假定的函数不能使泛函取极值时，指出了怎样改进原先假定的函数. 这在求近似解时是有用的.

§1.5 自然边界条件

在上节，假设了待求函数的边界值是已知的. 本节考虑边界值也可随意变动的情况. 本节所要考虑的问题是：在 $a \leqslant x \leqslant b$ 的区间内，决定一个函数 $y(x)$，使得泛函

$$V = \int_a^b F(x, y, y')dx \tag{5.1}$$

取驻立值.

解问题的步骤和上节一样，先求 V 的变分的算式，得到[即(4.8)]：

$$\delta V = \int_a^b \left[\frac{\partial F}{\partial y} - \frac{d}{dx}\left(\frac{\partial F}{\partial y}\right)\right] \delta y dx + \frac{\partial F}{\partial y'} \delta y \Big|_a^b. \tag{5.2}$$

欧拉方程(4.11)仍旧必须成立，否则便能找到一个 δy 使 δV 大于(或小于)零. 对于(5.2)中的边界值，必须有

$$\text{在 } x = a \text{ 及 } x = b \text{ 处：} \frac{\partial F}{\partial y'} = 0. \tag{5.3}$$

否则也能找到一个 δy 能使 δV 大于(或小于)零.

边界条件(5.3)是根据取驻立值的要求推导出来的，不是事先指定的，所以这类边界条件称为自然边界条件.

用类似的方法还可考虑稍为广泛的一些问题. 在 $a \leqslant x \leqslant b$ 的区间内决定一个函数 $y(x)$，使泛函

$$V = \int_a^b F(x, y, y')dx + Py(a) + Qy(b) \tag{5.4}$$

取驻立值，其中 P, Q 为已知数.

求 V 的变分，得到

$$\delta V = \delta \int_a^b F(x, y, y')dx + P\delta y(a) + Q\delta y(b)$$
$$= \int_a^b \left[\frac{\partial F}{\partial y} - \frac{d}{dx}\left(\frac{\partial F}{\partial y'}\right)\right] \delta y dx + \left[P - \frac{\partial F}{\partial y'}\bigg|_{x=a}\right] \delta y(a)$$
$$+ \left[Q + \frac{\partial F}{\partial y'}\bigg|_{x=b}\right] \delta y(b). \qquad (5.5)$$

由此除仍得到欧拉方程 (4.11)外，还可得到边界条件:

$$在 x = a 处: \frac{\partial F}{\partial y'} = P,$$
$$在 x = b 处: \frac{\partial F}{\partial y'} = -Q. \qquad (5.6)$$

这些边界条件也称为自然边界条件. 如果 $P = Q = 0$，则 (5.6) 化为 (5.3).

§1.6 泛函的二阶变分

继续考虑 (4.2) 式定义的泛函的极值问题. 前已导出泛函 V 的增量 ΔV 的算式 (4.4). ΔV 的一阶小量部份称为 V 的一阶变分，记为 δV，它的算式是 (4.5). ΔV 的二阶小量部份称为 V 的二阶变分，记为 $\delta^2 V$，它算式是[1]:

$$\delta^2 V = \frac{1}{2}\int_a^b \left[\frac{\partial^2 F}{\partial y^2}\delta y^2 + 2\frac{\partial^2 F}{\partial y \partial y'}\delta y \delta y' + \frac{\partial^2 F}{\partial y'^2}\delta y'^2\right] dx. \qquad (6.1)$$

前已证明，当 V 达到极值时，必有 $\delta V = 0$，因而如果 $\delta^2 V$ 不等于零，则 $\delta^2 V$ 便是 ΔV 的主部.

在求函数 f 的极值时，可以根据 $d^2 f$ 的正负来判断 f 是否取极大(或极小)值. 在求泛函 V 的极值问题时，同样可以根据 $\delta^2 V$ 来判断 V 是否取极大或极小值. 结论如下：如果对于各种可能的 δy 有

$\delta V = 0$，　$\delta^2 V < 0$，　V 取极大值，

$\delta V = 0$，　$\delta^2 V > 0$，　V 取极小值，

1) 按照习惯，$(\delta y)^2$ 简写为 δy^2. 根据这个习惯，$\delta(y^2)$ 中的括号不能省去.

$\delta V = 0$， $\delta^2 V \geqslant 0$， V 取非极大的驻立值，[1)]

$\delta V = 0$， $\delta^2 V \leqslant 0$， V 取非极小的驻立值，

$\delta V = 0$， $\delta^2 V \lesseqgtr 0$， V 取非极值的驻立值.

§1.7 涉及高阶导数的定积分的驻立值问题

先来考虑下列泛函 V 的驻立值问题：

$$V = \int_a^b F(x, y, y', y'')dx. \tag{7.1}$$

现在来把这个问题化为微分方程和相应的边界条件. 求 V 的一阶变分，得到

$$\delta V = \int_a^b \left[\frac{\partial F}{\partial y}\delta y + \frac{\partial F}{\partial y'}\delta y' + \frac{\partial F}{\partial y''}\delta y''\right]dx. \tag{7.2}$$

前已证明，利用分部积分公式可把上式中的第二项变为

$$\int_a^b \frac{\partial F}{\partial y'}\delta y' dx = -\int_a^b \frac{d}{dx}\left(\frac{\partial F}{\partial y'}\right)\delta y dx + \frac{\partial F}{\partial y'}\delta y\Big|_a^b, \tag{7.3}$$

类似地连用两次分部积分公式，可把 (7.2) 中的第三项化为

$$\begin{aligned}\int_a^b \frac{\partial F}{\partial y''}\delta y'' dx &= -\int_a^b \frac{d}{dx}\left(\frac{\partial F}{\partial y''}\right)\delta y' dx + \frac{\partial F}{\partial y''}\delta y'\Big|_a^b \\ &= \int_a^b \frac{d^2}{dx^2}\left(\frac{\partial F}{\partial y''}\right)\delta y dx - \frac{d}{dx}\left(\frac{\partial F}{\partial y''}\right)\delta y\Big|_a^b \\ &\quad + \frac{\partial F}{\partial y''}\delta y'\Big|_a^b.\end{aligned} \tag{7.4}$$

将 (7.3)、(7.4) 代入 (7.2)，归并同类项后，得到

$$\begin{aligned}\delta V = &\int_a^b \left[\frac{\partial F}{\partial y} - \frac{d}{dx}\left(\frac{\partial F}{\partial y'}\right) + \frac{d^2}{dx^2}\left(\frac{\partial F}{\partial y''}\right)\right]\delta y dx \\ &+ \left[\frac{\partial F}{\partial y'} - \frac{d}{dx}\left(\frac{\partial F}{\partial y''}\right)\right]\delta y\Big|_a^b + \frac{\partial F}{\partial y''}\delta y'\Big|_a^b.\end{aligned} \tag{7.5}$$

从此式的第一项可推论出

---

1) 驻立值包括极值的和非极值的驻立值. 驻立值英文名 stationary value，这是《数学名词》中的译名. 有些书本的作译者不同意这个译名，而自拟过另外多种译名.

$$\frac{\partial F}{\partial y}-\frac{d}{dx}\left(\frac{\partial F}{\partial y'}\right)+\frac{d^2}{dx^2}\left(\frac{\partial F}{\partial y''}\right)=0, \tag{7.6}$$

否则便能找到一个 δy，使 (7.5) 式的第一项大于(或小于)零. 现在来分析 (7.5) 中的第二项，如果在边界上已知 y，那末 $\delta y=0$，于是这第二项便恒等于零.反之，如果 δy 可取任意值，那末便应使

$$\frac{\partial F}{\partial y'}-\frac{d}{dx}\left(\frac{\partial F}{\partial y''}\right)=0,$$

否则便能找到一个 δy 使得 (7.5) 式的第二项大于(或小于)零. 最后对 (7.5) 的第三项作类似的分析，可知如果在边界上不是已知 y'，则应有

$$\frac{\partial F}{\partial y''}=0.$$

归纳起来，本问题的边界条件为

在 $x=a$ 及 $x=b$ 处:

$$y=\text{已知，或}\ \frac{\partial F}{\partial y'}-\frac{d}{dx}\left(\frac{\partial F}{\partial y''}\right)=0,$$

$$y'=\text{已知，或}\ \frac{\partial F}{\partial y''}=0. \tag{7.7}$$

例如，考虑下列泛函的极值问题:

$$V=\int_0^l\left[\frac{D}{2}\left(\frac{d^2w}{dx^2}\right)^2+\frac{N}{2}\left(\frac{dw}{dx}\right)^2+\frac{k}{2}w^2-qw\right]dx.$$

仿照上面介绍的方法，得到

$$\delta V=\int_0^l\left[\frac{d^2}{dx^2}\left(D\frac{d^2w}{dx^2}\right)-\frac{d}{dx}\left(N\frac{dw}{dx}\right)+kw-q\right]\delta w dx$$

$$+\left[-\frac{d}{dx}\left(D\frac{d^2w}{dx^2}\right)+N\frac{dw}{dx}\right]\delta w\Big|_0^l+D\frac{d^2w}{dx^2}\delta\frac{dw}{dx}\Big|_0^l.$$

由此得到下列微分方程与边界条件:

$$\frac{d^2}{dx^2}\left(D\frac{d^2w}{dx^2}\right)-\frac{d}{dx}\left(N\frac{dw}{dx}\right)+kw=q,$$

在 $x=0$ 及 $x=l$ 处:

$$w=\text{已知，或}-\frac{d}{dx}\left(D\frac{d^2w}{dx^2}\right)+N\frac{dw}{dx}=0,$$

$$\frac{dw}{dx}=\text{已知，或 } D\frac{d^2w}{dx^2}=0.$$

现在我们来考虑包含更高阶导数的泛函的驻立值问题．设

$$V=\int_a^b F(x,y,y',\cdots,y^{(n)})dx. \tag{7.8}$$

式中 $y^{(n)}$ 代表 y 的第 n 阶导数．求 δV 得到

$$\delta V=\int_a^b\left[\frac{\partial F}{\partial y}+\frac{\partial F}{\partial y'}\delta y'+\cdots+\frac{\partial F}{\partial y^{(k)}}\delta y^{(k)}+\cdots+\frac{\partial F}{\partial y^{(n)}}\delta y^{(n)}\right]dx. \tag{7.9}$$

接连利用 k 次分部积分公式，可以把 (7.9) 式中的代表项化为

$$\int_a^b\frac{\partial F}{\partial y^{(k)}}\delta y^{(k)}dx=(-1)^k\int_a^b\frac{d^k}{dx^k}\left(\frac{\partial F}{\partial y^{(k)}}\right)\delta y dx+\frac{\partial F}{\partial y^{(k)}}\delta y^{(k-1)}\bigg|_a^b-\frac{d}{dx}\left(\frac{\partial F}{\partial y^{(k)}}\right)\delta y^{(k-2)}\bigg|_a^b+\cdots+(-1)^{k-1}\frac{d^{k-1}}{dx^{k-1}}\left(\frac{\partial F}{\partial y^{(k)}}\right)\delta y\bigg|_a^b. \tag{7.10}$$

因此 δV 可以化为

$$\begin{aligned}\delta V=&\int_a^b\left[\frac{\partial F}{\partial y}-\frac{d}{dx}\left(\frac{\partial F}{\partial y'}\right)+\frac{d^2}{dx^2}\left(\frac{\partial F}{\partial y''}\right)-\cdots+(-1)^n\frac{d^n}{dx^n}\left(\frac{\partial F}{\partial y^{(n)}}\right)\right]\delta y dx\\&+\left[\frac{\partial F}{\partial y'}-\frac{d}{dx}\left(\frac{\partial F}{\partial y''}\right)+\cdots+(-1)^{n-1}\frac{d^{n-1}}{dx^{n-1}}\left(\frac{\partial F}{\partial y^{(n)}}\right)\right]\delta y\bigg|_a^b\\&+\left[\frac{\partial F}{\partial y''}-\frac{d}{dx}\left(\frac{\partial F}{\partial y^{(3)}}\right)+\cdots+(-1)^n\frac{d^{n-2}}{dx^{n-2}}\left(\frac{\partial F}{\partial y^{(n)}}\right)\right]\delta y'\bigg|_a^b\\&+\cdots\end{aligned}$$

$$+\frac{\partial F}{\partial y^{(n)}}\delta y^{(n-1)}\Big|_a^b. \tag{7.11}$$

由此得到 y 满足的微分方程和相应的边界条件

$$\frac{\partial F}{\partial y}-\frac{d}{dx}\left(\frac{\partial F}{\partial y'}\right)+\frac{d^2}{dx^2}\left(\frac{\partial F}{\partial y''}\right)-\cdots$$

$$+(-1)^n\frac{d^n}{dx^n}\left(\frac{\partial F}{\partial y^{(n)}}\right)=0, \tag{7.12}$$

在 $x=a$ 及 $x=b$ 处:

$$y=\text{已知, 或 }\frac{\partial F}{\partial y'}-\frac{d}{dx}\left(\frac{\partial F}{\partial y''}\right)+\cdots$$

$$+(-1)^{n-1}\frac{d^{n-1}}{dx^{n-1}}\left(\frac{\partial F}{\partial y^{(n)}}\right)=0,$$

$$y'=\text{已知, 或 }\frac{\partial F}{\partial y''}+\cdots$$

$$+(-1)^n\frac{d^{n-2}}{dx^{n-2}}\left(\frac{\partial F}{\partial y^{(n)}}\right)=0,$$

$$\cdots\cdots\cdots\cdots\cdots\cdots\cdots\cdots\cdots\cdots \tag{7.13}$$

$$y^{(n-1)}=\text{已知, 或 }\frac{\partial F}{\partial y^{(n)}}=0.$$

§1.8 涉及几个自变函数的定积分的驻立值问题

上面几节讨论的泛函，只涉及一个自变函数. 如果泛函中包含两个或几个可以独立变化的函数，那末可以用相同的方法导出一组微分方程和相应的边界条件. 本节来考虑涉及多个自变函数及它们的一阶导数的泛函的驻立值问题. 为了便于与理论力学中的拉格朗日方程相对照，在本节中把自变量记为 t; 待求的可独立变化的函数记为 $q_1, q_2, \cdots, q_n$; 它们的一阶导数记为 $\dot q_1, \dot q_2, \cdots, \dot q_n$. 这样，问题是求函数 $q_1(t)$, $q_2(t)$, $\cdots$, $q_n(t)$, 使泛函

$$V=\int_a^b L(t, q_1, q_2, \cdots q_n, \dot q_1, \dot q_2, \cdots, \dot q_n)dt \tag{8.1}$$

取驻立值.

求V的一阶变分，得到

$$\delta V=\int_a^b\left[\sum_{r=1}^n \frac{\partial L}{\partial q_r}\delta q_r+\sum_{r=1}^n \frac{\partial L}{\partial \dot{q}_r}\delta \dot{q}_r\right]dt. \tag{8.2}$$

利用分部积分后得到

$$\delta V=\int_a^b\left\{\sum_{r=1}^n\left[\frac{\partial L}{\partial q_r}-\frac{d}{dt}\left(\frac{\partial L}{\partial \dot{q}_r}\right)\right]\delta q_r\right\}dt$$

$$+\left\{\sum_{r=1}^n \frac{\partial L}{\partial \dot{q}_r}\delta q_r\right\}\Bigg|_a^b. \tag{8.3}$$

由此得到n个微分方程

$$\frac{\partial L}{\partial q_r}-\frac{d}{dt}\left(\frac{\partial L}{\partial \dot{q}_r}\right)=0, \tag{8.4}$$

以及多种可能的边界条件.

方程组 (8.4) 也称为欧拉方程. 在理论力学中方程组 (8.4) 是著名的拉格朗日方程，它是具有n个自由度的保守系统的运动方程. 欧拉方程与拉格朗日方程的一致性，说明了：(1) 拉格朗日方程可以从泛函的驻立值要求导出，这便是 Hamilton 原理，(2) 一个自变量多个自变函数的泛函的驻立值问题，可借用理论力学中的方法来求解. 例如能够把方程组 (8.4) 化为 Hamilton 的正则型式. 这在最优控制理论中是很有用的.

如果所求的泛函涉及几个自变函数，而每个自变函数又包含高阶导数，那末采用类似的办法可得到一组联立微分方程，其中的每一个都与 (7.12) 相似.

§ 1.9 重积分的驻立值问题

设在xy平面上有一区域Ω, Ω的边界为C. 要求在区域Ω中找一个函数$w(x, y)$，使下列重积分取驻立值:

$$J=\iint_\Omega F(x, y, w, w_x, w_y)dxdy. \tag{9.1}$$

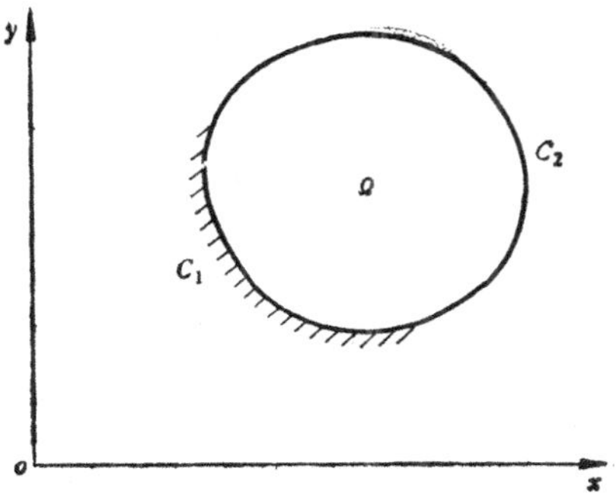

图 9.1

式中为了书写方便起见，采用了记号

$$w_x=\frac{\partial w}{\partial x},\quad w_y=\frac{\partial w}{\partial y}. \tag{9.2}$$

关于边界条件，假定在边界的一部份 C_2 上 w 可以自由地变化，而在边界的其余部分 C_1 上，w 是已知的，即

$$\text{在 } C_1 \text{ 上: } w=\bar{w},\ \bar{w} \text{ 为已知.} \tag{9.3}$$

本节的目的是要把上述问题化为偏微分方程的边界值问题.

求 J 的一阶变分得到

$$\begin{aligned}\delta J&=\iint_\Omega\left[\frac{\partial F}{\partial w}\delta w+\frac{\partial F}{\partial w_x}\delta w_x+\frac{\partial F}{\partial w_y}\delta w_y\right]dxdy\\&=\iint_\Omega\left[\frac{\partial F}{\partial w}\delta w+\frac{\partial F}{\partial w_x}\delta\frac{\partial w}{\partial x}+\frac{\partial F}{\partial w_y}\delta\frac{\partial w}{\partial y}\right]dxdy.\end{aligned} \tag{9.4}$$

在前面几节中曾用分部积分来化简线积分的算式．现在碰到的是面积分，需要利用高斯积分定理才能化简 (9.4) 式．设 $u(x,y)$, $v(x,y)$ 是 x,y 的两个函数，高斯定理指出

$$\iint_\Omega\left(\frac{\partial u}{\partial x}+\frac{\partial v}{\partial y}\right)dxdy=\int_C(u\cos\alpha+v\cos\beta)ds. \tag{9.5}$$

这里 α、β 是边界的法线（以向外者为正）与 x,y 轴的夹角，s 是边界曲线的弧长．如果在上式中设

$$u=u_1(x,y)u_2(x,y),\quad v=v_1(x,y)v_2(x,y),$$

则得到

$$\iint_{\Omega}\left(u_1\frac{\partial u_2}{\partial x}+u_2\frac{\partial u_1}{\partial x}+v_1\frac{\partial v_2}{\partial y}+v_2\frac{\partial v_1}{\partial y}\right)dxdy$$
$$=\int_C(u_1u_2\cos\alpha+v_1v_2\cos\beta)ds.$$

稍加移项后得到

$$\iint_{\Omega}\left(u_1\frac{\partial u_2}{\partial x}+v_1\frac{\partial v_2}{\partial y}\right)dxdy=-\iint_{\Omega}\left(u_2\frac{\partial u_1}{\partial x}+v_2\frac{\partial v_1}{\partial y}\right)dxdy$$
$$+\int_C(u_1u_2\cos\alpha+v_1v_2\cos\beta)ds. \tag{9.6}$$

这个公式可以看作是面积分中的分部积分公式. 在公式 (9.6) 中取

$$u_1=\frac{\partial F}{\partial w_x},\quad u_2=\delta w,$$
$$v_1=\frac{\partial F}{\partial w_y},\quad v_2=\delta w,$$

便有

$$\iint_{\Omega}\left[\frac{\partial F}{\partial w_x}\delta\frac{\partial w}{\partial x}+\frac{\partial F}{\partial w_y}\delta\frac{\partial w}{\partial y}\right]dxdy$$
$$=-\iint_{\Omega}\left[\frac{\partial}{\partial x}\left(\frac{\partial F}{\partial w_x}\right)\delta w+\frac{\partial}{\partial y}\left(\frac{\partial F}{\partial w_y}\right)\delta w\right]dxdy$$
$$+\int_C\left[\frac{\partial F}{\partial w_x}\delta w\cos\alpha+\frac{\partial F}{\partial w_y}\delta w\cos\beta\right]ds.$$

因为在 C 的一部分 C_1 上 w 已知, $\delta w=0$, 所以上式线积分中的被积函数只在 C_2 处不等于零,于是有

$$\iint_{\Omega}\left[\frac{\partial F}{\partial w_x}\delta\frac{\partial w}{\partial x}+\frac{\partial F}{\partial w_y}\delta\frac{\partial w}{\partial y}\right]dxdy$$
$$=-\iint_{\Omega}\left[\frac{\partial}{\partial x}\left(\frac{\partial F}{\partial w_x}\right)+\frac{\partial}{\partial y}\left(\frac{\partial F}{\partial w_y}\right)\right]\delta wdxdy$$
$$+\int_{C_2}\left[\frac{\partial F}{\partial w_x}\cos\alpha+\frac{\partial F}{\partial w_y}\cos\beta\right]\delta wds.$$

将此式代入 (9.4), 得到

$$\delta J = \iint_{\Omega} \left[\frac{\partial F}{\partial w} - \frac{\partial}{\partial x}\left(\frac{\partial F}{\partial w_x}\right) - \frac{\partial}{\partial y}\left(\frac{\partial F}{\partial w_y}\right) \right] \delta w dx dy$$
$$+ \int_{C_2} \left[\frac{\partial F}{\partial w_x} \cos\alpha + \frac{\partial F}{\partial w_y} \cos\beta \right] \delta w ds. \qquad (9.7)$$

以后的步骤便和以前几节相同了. 从(9.7)中的面积分可知，为了使 J 取驻立值,必须有

$$\frac{\partial F}{\partial w} - \frac{\partial}{\partial x}\left(\frac{\partial F}{\partial w_x}\right) - \frac{\partial}{\partial y}\left(\frac{\partial F}{\partial w_y}\right) = 0. \qquad (9.8)$$

从而(9.7)中的线积分可推知

$$\text{在 } C_2 \text{ 上：} \frac{\partial F}{\partial w_x} \cos\alpha + \frac{\partial F}{\partial w_y} \cos\beta = 0. \qquad (9.9)$$

方程(9.8)是关于 w 的一个偏微分方程. 条件(9.9)是一部份边界条件，汇同原有的边界条件(9.3)，便构成了一个完整的偏微分方程的边界值问题.

这一类问题还可以有许多推广，例如把面积分推广为三重或更多重积分,自变函数从一个增加到二个或更多个,而又涉及到自变函数的高阶偏导数,等等. 这里就不一一说明了,读者理解了前几节的精神实质后,解上列问题不会遇到概念上的困难.

§1.10 三自变量函数的条件驻立值问题

上面几节讨论的几类泛函的驻立值问题，习惯上称为无条件驻立值问题. 所谓无条件,并不是说在选取自变函数时,事先可以不满足任何条件. § 1.1 已经指出，自变函数首先必须使给定的泛函有意义，其次还要满足一部份边界条件. 不过这些条件是很容易满足，以致人们往往不把它们看作是一种条件. 本章以后几节所讲的条件驻立值问题，是指还有除上述两种条件以外的其它条件.

求解泛函的条件驻立值问题，常常用拉格朗日乘子法. 这个方法与求解多自变量函数的驻立值问题的拉格朗日乘子法十分相

似．鉴于在有些高等数学的教本中对拉格朗日法介绍得不多．因此本节先温习一下多自变量函数的条件驻立值问题．

考虑寻找三自变量函数

$$F=F(x, y, z) \tag{10.1}$$

的驻立值问题．为了便于直观地考虑这个问题，可以设想 (x, y, z) 是空间中某点的坐标．求 F 的无条件驻立值，也就是在整个空间中寻找能使 F 取驻立值的点．

现在对自变量作一限制

$$\varphi(x, y, z)=0. \tag{10.2}$$

这样问题变为在满足条件 (10.2) 的前提下寻求函数 F 的驻立值．这就是函数的条件驻立值问题．条件 (10.2) 可以看作是空间中某个曲面的方程．不妨把这个曲面就叫做 φ．于是问题也可解释为在曲面 φ 上寻找能使 F 取驻立值的点．

在某些情况下，上述问题可以用简单的方法化为函数的无条件驻立值问题．

首先是如果能通过方程 (10.2) 把其中的一个变量，例如 z，表达为另两个变量的函数，

$$z=f(x, y),$$

那末把此式代入 (10.1) 后便得到一个 x, y 的函数，于是原来的问题变为求 x, y 的函数的无条件驻立值问题．

第二种情况是能通过 (10.2) 把 x, y, z 用两个新变量 u, v 表示如下

$$x=x(u, v),\ y=y(u, v),\ z=z(u, v).$$

将此代入 (10.1) 得到用 u, v 表示的 F 的算式．于是原来的问题便化为求 u, v 的函数的无条件驻立值问题．

在以上两种方法都不便应用的时候，可以采用拉格朗日乘子法．

设 $P(x, y, z)$ 是曲面 φ 上的某一点，此点的函数值是 $F(x, y, z)$．设 $Q(x+dx, y+dy, z+dz)$ 是 P 的某一邻点．因为 Q 也在曲面 φ 上，故有

$$\frac{\partial \varphi}{\partial x}dx+\frac{\partial \varphi}{\partial y}dy+\frac{\partial \varphi}{\partial z}dz=0. \tag{10.3}$$

设 Q 点的函数值为 $F+dF$，则有

$$dF=\frac{\partial F}{\partial x}dx+\frac{\partial F}{\partial y}dy+\frac{\partial F}{\partial z}dz. \tag{10.4}$$

为了形象化起见，可以把 (dx, dy, dz)，$\left(\frac{\partial \varphi}{\partial x}, \frac{\partial \varphi}{\partial y}, \frac{\partial \varphi}{\partial z}\right)$，$\left(\frac{\partial F}{\partial x}, \frac{\partial F}{\partial y}, \frac{\partial F}{\partial z}\right)$ 看作是三个矢量，并把它们分别记为 $d\boldsymbol{r}$，$\nabla\varphi$，∇F. $d\boldsymbol{r}$ 是曲面 φ 的切平面内的一个无穷小矢量. 方程 (10.3) 表明矢量 $\nabla\varphi$ 与切平面内的任意矢量都垂直，所以它必然沿着曲面 φ 的法线方向. 如果 ∇F 与 $\nabla\varphi$ 平行，则 $dF=0$，即在 P 的无穷小邻域内找不到能使 dF 大于或小于零的点，所以 P 为能使 F 取驻立值的点. 若 ∇F 不与 $\nabla\varphi$ 平行，那末一定可以把 ∇F 分解成两个矢量之和，一个与 $\nabla\varphi$ 平行，命它为 $-\lambda\nabla\varphi$（λ 为某一适当的常数），另一个与 $\nabla\varphi$ 垂直，命它为 $\boldsymbol{G}$，于是有

$$\nabla F=-\lambda\nabla\varphi+\boldsymbol{G}, \tag{10.5}$$

$$\boldsymbol{G}\cdot\nabla\varphi=0. \tag{10.6}$$

设 ε 为某一无穷小数，取

$$d\boldsymbol{r}=\varepsilon\boldsymbol{G}. \tag{10.7}$$

根据 (10.6)，这样取出来的邻点仍在曲面 φ 上. 将 (10.5)，(10.7) 代入 (10.4)，得到

$$dF=d\boldsymbol{r}\cdot\nabla F=\varepsilon\boldsymbol{G}\cdot(-\lambda\nabla\varphi+\boldsymbol{G})=\varepsilon\boldsymbol{G}\cdot\boldsymbol{G}. \tag{10.8}$$

由此可见，若 $\boldsymbol{G}\neq 0$，则可以取或正或负的 ε 使 dF 大于或小于零. 所以 F 取驻立值的条件是

$$\nabla F=-\lambda\nabla\varphi, \text{ 即 } \nabla F+\lambda\nabla\varphi=0.$$

把此式写成标量形式，便为

$$\frac{\partial F}{\partial x}+\lambda\frac{\partial \varphi}{\partial x}=0, \quad \frac{\partial F}{\partial y}+\lambda\frac{\partial \varphi}{\partial y}=0, \quad \frac{\partial F}{\partial z}+\lambda\frac{\partial F}{\partial z}=0. \tag{10.9}$$

方程 (10.9) 汇同原有的方程 (10.2) 便可决定 x, y, z, λ 四个量.

方程 (10.9) 是使 F 取驻立值的充要条件.

方程 (10.9) 不便于记忆和推广. 为了便于记忆和推广, 可将方程 (10.9) 作新的解释. 根据原来提出的问题, 作一个新的函数

$$F^*(x, y, z, \lambda) = F(x, y, z) + \lambda\varphi(x, y, z). \quad (10.10)$$

现在把 x, y, z, λ 都看作是可以无条件地变化的自变量, 并在此观点下求 F^* 的驻立值. F^* 对 λ 取驻立值的条件是

$$\frac{\partial F^*}{\partial \lambda} = 0, \quad 即\ \varphi(x, y, z) = 0. \quad (10.11)$$

这便是原来给定的条件 (10.2). 将 (10.11) 引入 (10.10), F^* 便退化为 F, 于是新问题退化为老问题. 由此可知这两个问题是完全相当的. F^* 对 x, y, z 取驻立值的条件是

$$\frac{\partial F^*}{\partial x} = 0, \quad \frac{\partial F^*}{\partial y} = 0, \quad \frac{\partial F^*}{\partial z} = 0. \quad (10.12)$$

这便是原先推导得的方程 (10.9). 由于 F^* 线性地依赖于 λ, 所以不论原来的函数 F 是否有极值, 新函数 F^* 不可能有极值, 它只能有非极值的驻立值.

把求函数的条件驻立值问题, 按上述步骤化为求另外一个新的函数的无条件驻立值问题的方法, 称为拉格朗日法, 而新引进的自变量 λ, 称为拉格朗日乘子. 这样看来, 拉格朗日法的要点是通过引进拉格朗日乘子, 将旧函数改造成一个新函数, 从而把旧的有条件的驻立值问题, 转变为新的无条件的驻立值问题.

再考虑如下的问题: 在

$$\varphi_1(x, y, z) = 0, \quad \varphi_2(x, y, z) = 0 \quad (10.13)$$

的条件下, 求函数

$$F = F(x, y, z) \quad (10.14)$$

的驻立值. 设 $P(x, y, z)$ 是满足条件 (10.13) 的某一点, 再设 $Q(x + dx, y + dy, z + dz)$ 是 P 的邻点. 由于 Q 也必须满足 (10.13), 故有

$$\frac{\partial \varphi_1}{\partial x}dx + \frac{\partial \varphi_1}{\partial y}dy + \frac{\partial \varphi_1}{\partial z}dz = 0,$$

$$\frac{\partial \varphi_2}{\partial x}dx + \frac{\partial \varphi_2}{\partial y}dy + \frac{\partial \varphi_2}{\partial z}dz = 0.$$

把它们写成矢量形式，则有

$$\nabla\varphi_1 \cdot d\boldsymbol{r} = 0,\ \nabla\varphi_2 \cdot d\boldsymbol{r} = 0. \tag{10.15}$$

设在 P 点的函数值为 F，在 Q 点的函数值为 $F + dF$，则有

$$dF = \nabla F \cdot d\boldsymbol{r}. \tag{10.16}$$

现在将矢量 ∇F 分解为两个矢量之和，一个在矢量 $\nabla\varphi_1$ 与 $\nabla\varphi_2$ 所决定的平面内，设它是

$$-\lambda_1\nabla\varphi_1 - \lambda_2\nabla\varphi_2,$$

另一个与 $\nabla\varphi_1$，$\nabla\varphi_2$ 垂直，设它是 $\boldsymbol{G}$，于是有

$$\nabla F = -\lambda_1\nabla\varphi_1 - \lambda_2\nabla\varphi_2 + \boldsymbol{G}, \tag{10.17}$$

$$\boldsymbol{G} \cdot \nabla\varphi_1 = 0,\ \boldsymbol{G} \cdot \nabla\varphi_2 = 0. \tag{10.18}$$

仍设 ε 为某一无穷小数. 取

$$d\boldsymbol{r} = \varepsilon\boldsymbol{G}. \tag{10.19}$$

根据 (10.18)，这样取出来的邻点确能满足条件 (10.15). 将 (10.17)，(10.19) 代入 (10.16)，得到

$$\begin{aligned} dF = d\boldsymbol{r} \cdot \nabla F &= \varepsilon\boldsymbol{G} \cdot (-\lambda_1\nabla\varphi_1 - \lambda_2\nabla\varphi_2 + \boldsymbol{G}) \\ &= \varepsilon\boldsymbol{G} \cdot \boldsymbol{G}. \end{aligned} \tag{10.20}$$

由此可见，若 $\boldsymbol{G} \neq 0$，则可以取或正或负的 ε 使 dF 大于或小于零. 所以 F 取驻立值的条件是

$$\boldsymbol{G} = 0,\ \text{即}\ \nabla F + \lambda_1\nabla\varphi_1 + \lambda_2\nabla\varphi_2 = 0. \tag{10.21}$$

把此式写成标量形式，便是

$$\begin{aligned} &\frac{\partial F}{\partial x} + \lambda_1\frac{\partial \varphi_1}{\partial x} + \lambda_2\frac{\partial \varphi_2}{\partial x} = 0, \\ &\frac{\partial F}{\partial y} + \lambda_1\frac{\partial \varphi_1}{\partial y} + \lambda_2\frac{\partial \varphi_2}{\partial y} = 0, \\ &\frac{\partial F}{\partial z} + \lambda_1\frac{\partial \varphi_1}{\partial z} + \lambda_2\frac{\partial \varphi_2}{\partial z} = 0. \end{aligned} \tag{10.22}$$

这便是 F 取条件驻立值的充要条件. 它汇同原有的方程 (10.13)，便可以决定 x，y，z，λ_1，λ_2 五个量.

上述问题也可以化为一个相当的无条件的驻立值问题．所需的新的函数是

$$F^*(x, y, z, \lambda_1, \lambda_2) = F(x, y, z) + \lambda_1\varphi_1(x, y, z) + \lambda_2\varphi_2(x, y, z). \tag{10.23}$$

更多个自变量的函数的条件驻立值问题，可采用类似的办法求解，这里不再介绍，请读者自己去推广．

§1.11 带有定积分条件的定积分的驻立值问题

考虑如下的驻立值问题：在区域 $a \leqslant x \leqslant b$ 内寻找一个函数 $w(x)$，使它满足边界条件

$$\text{在 } x = a \text{ 及 } x = b \text{ 处：} w = \text{已知}, \frac{dw}{dx} = \text{已知}, \tag{11.1}$$

此外，还使它满足积分条件

$$\int_a^b \varphi(x, w, w', w'')dx = \alpha, \tag{11.2}$$

其中 α 是已知常数，并使下列积分取驻立值：

$$V = \int_a^b F(x, w, w, w'')dx. \tag{11.3}$$

按照拉格朗日方法，可以把此问题化为一个无条件的泛函的驻立值问题，所需的新泛函是

$$V^* = \int_a^b F(x, w, w', w'')dx + \lambda\left[\int_a^b \varphi(x, w, w', w'')dx - \alpha\right]$$

$$= \int_a^b [F(x,w,w',w'') + \lambda\varphi(x,w,w',w'')]dx - \alpha\lambda. \tag{11.4}$$

式中 λ 是新引进的一个变数，是本问题中的拉格朗日乘子．可以证明，原泛函的条件驻立值问题和新泛函的无条件（当然应继续满足边界条件(11.1)，所谓无条件，仅仅指可不管条件(11.2)）驻立值问题相当．事实上，V^* 对 λ 取驻立值的条件是

$$\frac{\partial V^*}{\partial \lambda} = 0, \tag{11.5}$$

此即原有的条件(11.2)．将(11.5)引入(11.4)，V^*便退化为V，于是新问题退化为老问题．由此可知老新两个问题完全相当．

下面再介绍一种几何概念比较明显的证明．原问题要求函数$w(x)$事先满足条件(11.2)，故有

$$\int_a \left[\frac{\partial\varphi}{\partial w}\delta w+\frac{\partial\varphi}{\partial w'}\delta w'+\frac{\partial\varphi}{\partial w''}\delta w''\right]dx=0.$$

利用分部积分及边界条件(11.1)，此式可化为

$$\int_a^b \left[\frac{\partial\varphi}{\partial w}-\frac{d}{dx}\left(\frac{\partial\varphi}{\partial w'}\right)+\frac{d^2}{dx^2}\left(\frac{\partial\varphi}{\partial w''}\right)\right]\delta w dx=0. \quad (11.6)$$

为了以后书写方便起见，引进一个微分算子∇如下：

$$\nabla(\varphi)=\frac{\partial\varphi}{\partial w}-\frac{d}{dx}\left(\frac{\partial\varphi}{\partial w'}\right)+\frac{d^2}{dx^2}\left(\frac{\partial\varphi}{\partial w''}\right). \quad (11.7)$$

这样方程(11.6)便可简写成为

$$\int_a^b \nabla(\varphi)\delta w dx=0. \quad (11.8)$$

如果把满足边界条件(11.1)的所有函数，设想构成一个函数空间，那末每一个特定的$w(x)$便可用函数空间中的一个点来代表．积分条件(11.2)在函数空间中划出一个子空间．待求的$w(x)$便应在这子空间内．算子∇是函数空间中的梯度算子．条件(11.6)的几何意义便是δw与$\nabla(\varphi)$正交．

再求泛函V的一阶变分，得到

$$\begin{aligned}\delta V&=\int_a^b\left[\frac{\partial F}{\partial w}\delta w+\frac{\partial F}{\partial w'}\delta w'+\frac{\partial F}{\partial w''}\delta w''\right]dx\\&=\int_a^b\left[\frac{\partial F}{\partial w}-\frac{d}{dx}\left(\frac{\partial F}{\partial w'}\right)+\frac{d^2}{dx^2}\left(\frac{\partial F}{\partial w''}\right)\right]\delta w dx\\&=\int_a^b\nabla(F)\delta w dx. \end{aligned}\quad (11.9)$$

仿照§1.10的做法，将$\nabla(F)$分解为两部份，一部份与$\nabla(\varphi)$平行，设它为$-\lambda\nabla(\varphi)$，其中λ为一常数，另一部份与$\nabla(\varphi)$正交，设它为G，于是有

$$\nabla(F)=G-\lambda\nabla(\varphi),$$

$$\int_a^b \nabla(\varphi) G dx = 0. \tag{11.10}$$

在上两式中消去 G，得到

$$\int_a^b \nabla(\varphi)\nabla(F) dx = -\lambda \int_a^b \nabla(\varphi)\nabla(\varphi) dx,$$

由此求得

$$\lambda = -\frac{\int_a^b \nabla(\varphi)\nabla(F) dx}{\int_a^b \nabla(\varphi)\nabla(\varphi) dx}. \tag{11.11}$$

将 (11.10) 代入 (11.9)，注意到正交条件 (11.8)，得到

$$\delta V = \int_a^b [G - \lambda\nabla(\varphi)]\,\delta w dx = \int_a^b G\delta w dx. \tag{11.12}$$

如果 G 不等于零，那末根据 (11.10)，(11.8)，取

$$\delta w = \varepsilon G, \tag{11.13}$$

其中 ε 为一无穷小常数，便是一种允许的变分．将此变分代入 (11.12)，得到

$$\delta V = \varepsilon \int_a^b G^2 dx. \tag{11.14}$$

所以如果 $G \neq 0$，那末可以取或正或负的 ε 值，便可使 δV 大于或小于零．由此可知 V 取驻立值的充要条件是

$$G = 0,$$

即

$$\nabla(F) + \lambda\nabla(\varphi) = 0,\ \text{也即}\ \nabla(F + \lambda\varphi) = 0. \tag{11.15}$$

这就是泛函 V^* 取无条件驻立值的充要条件．

作为一个例子，我们来用上面介绍的方法求解悬索线的问题．在 § 1.1 中已经把这个力学问题提成为下列数学问题：在 $0 \leqslant x \leqslant a$ 的区域内决定一个函数 $y(x)$，使它满足边界条件

$$\text{在}\ x = 0\ \text{处：}\ y = 0,\ \text{在}\ x = a\ \text{处：}\ y = b, \tag{11.16}$$

和约束条件

$$\int_0^a \sqrt{1 + y'^2}\, dx = l, \tag{11.17}$$

并使

$$M = \int_0^a y\sqrt{1+y'^2}\,dx \tag{11.18}$$

取最大值.

作一个新泛函:

$$M^* = \int_0^a (y+\lambda)\sqrt{1+y'^2}\,dx - \lambda l, \tag{11.19}$$

这里 λ 是拉格朗日乘子. 泛函 M^* 取无条件驻立值的条件是

$$\sqrt{1+y'^2} - \frac{d}{dx}\frac{(y+\lambda)y'}{\sqrt{1+y'^2}} = 0. \tag{11.20}$$

解此方程得到

$$y = -\lambda + \frac{1}{\alpha}\operatorname{ch}(\alpha x + \beta), \tag{11.21}$$

式中 α, β 是两个积分常数. α, β, λ 三个常数可以从条件(11.16), (11.17) 决定.

§1.12 带有微分方程条件的定积分的驻立值问题

在§1.1 例 3, 曾经把悬索线问题化为要找两个函数, 使它们满足一个微分方程和一定的边界条件, 并使一个泛函取最小值. 本节来考虑一般的带有微分方程条件的定积分的驻立值问题.

考虑如下的问题: 在自变数 x 的区间 $a \leqslant x \leqslant b$ 内, 找两个函数 $u(x)$, $v(x)$, 使它们满足微分方程

$$\varphi(x, u, u', v, v') = 0, \tag{12.1}$$

和边界条件

$$\begin{aligned} &\text{在 } x = a \text{ 处: } u = u_1,\ v = v_1, \\ &\text{在 } x = b \text{ 处: } u = u_2,\ v = v_2, \end{aligned} \tag{12.2}$$

并使泛函

$$V = \int_a^b F(x, u, u', v, v')\,dx \tag{12.3}$$

取驻立值.

下面用拉格朗日乘子法来解这个问题．为此先通过引进恰当的拉格朗日乘子 λ，作一个新泛函 V^*．这个泛函对 λ 取驻立值的条件应该就是原先给出的微分方程(12.1)．因此当 u，v 无变分而只有 λ 有变分 $\delta\lambda$ 时，δV^* 应该有下列形式：

$$\delta V^* = \int_a^b \varphi\delta\lambda dx. \tag{12.4}$$

由此看来，λ 应该是 x 的函数，而新泛函应为

$$V^* = \int_a^b F^*(x, u, u', v, v', \lambda)dx, \tag{12.5}$$

其中

$$F^* = F(x, u, u', v, v') + \lambda\varphi(x, u, u', v, v'). \tag{12.6}$$

现在可以复核一下．V^* 对 λ 取驻立值的条件是

$$\int_a^b \varphi\delta\lambda dx = 0. \tag{12.7}$$

因为 $\delta\lambda$ 为任意的，所以从上式便可导出 (12.1)，这样新问题回到了原来的老问题，说明这样引进的拉格朗日乘子和新泛函正是我们所希望的．

用 § 1.8 的办法求 V^* 对 u，v 取驻立值的条件，得到

$$\frac{\partial F^*}{\partial u} - \frac{d}{dx}\left(\frac{\partial F^*}{\partial u'}\right) = 0,\quad \frac{\partial F^*}{\partial v} - \frac{d}{dx}\left(\frac{\partial F^*}{\partial v'}\right) = 0. \tag{12.8}$$

这便是新导出的两个微分方程．方程 (12.1)，(12.8) 汇同边界条件 (12.2) 便可决定三个函数 $u(x)$，$v(x)$，$\lambda(x)$．

下面用本节的方法再来求解 § 1.1 例 3 的悬索线问题．继续用 § 1.1 例 3 的记号．在那里已说明，问题是要找两个函数 (1.8)，使它们满足微分方程 (1.11)，和边界条件 (1.9)，并使 (1.10) 定义的泛函取最大值．引进拉格朗日乘子 $\lambda(s)$，作新泛函

$$M^* = \int_0^l [y + \lambda(x'^2 + y'^2 - 1)]ds. \tag{12.9}$$

M^* 对 λ 取驻立值的条件是

$$x'^2 + y'^2 - 1 = 0. \tag{12.10}$$

这便是原先给定的条件 (1.11)．M^* 对 u、v 取驻立值的条件是

$$-\frac{d}{ds}(2\lambda x')=0,\quad 1-\frac{d}{ds}(2\lambda y')=0. \tag{12.11}$$

微分方程 (12.10)，(12.11) 汇同边界条件 (1.9) 便可决定 x，y，λ 三个函数.

拉格朗日乘子法可应用于许多类型的带有附加条件的泛函的驻立值问题. 自变数可以有一个、两个或更多个，自变函数可以有一个、两个或更多个，附加条件可以是一个或几个积分条件、一个或几个常微分方程、一个或几个偏微分方程. 引进拉格朗日乘子和构造新泛函的要点是：新泛函对拉格朗日乘子取驻立值的条件，恰好就是原先给定的附加条件.

§1.13 驻立值问题的几个一般性质

上面介绍了泛函驻立值问题的几种类型. 我们可以看到，为了把问题提清楚，必须说明在什么范围内找寻自变函数，使怎样一个泛函取极值或驻立值. 用一个通俗的比喻来说，前者是说明选拔范围，后者是说明评比标准.

设有同一个泛函 V 在两个不同的范围 S_1 和 S_2 内选拔极值. 在有些情况下，这样选拔出来的两个极值存在着一定的关系.

设 S_1 中的每一个函数都包含在 S_2 内，则说 S_1 包含在 S_2 之内，或者说 S_2 包含着 S_1，用数学形式表示记为

$$S_1\subset S_2,\ \text{或}\ S_2\supset S_1. \tag{13.1}$$

在这种情况下，

$$\max_{S_1} V\leqslant \max_{S_2} V,\quad \min_{S_1} V\geqslant \min_{S_2} V. \tag{13.2}$$

证明很简单，因为从 S_2 中选拔出来的最大值 $\max\limits_{S_2} V$ 大于或等于 S_2 中可能得到的任一个 V 值，当然也必大于或等于从 S_1 中可能得到的任一个 V 值，而 $\max\limits_{S_1} V$ 是这样的可能性之一. 对于 $\min\limits_{S_2} V$ 可以作同样的推理. 用通俗的话来说：大范围内选拔出来的冠军决不次于小范围内选拔出来的冠军.

如果在 S_1 中哪怕只有一个函数不包含在 S_2 之内，那末就不能说 S_1 包含在 S_2 之内，从而不等式 (13.2) 并不一定成立。

例如在下列三种范围内求

$$V = \int_0^l \left[\frac{D}{2}\left(\frac{d^2w}{dx^2}\right)^2 - qw\right] dx \quad (D > 0)$$

的最小值：

S_1：在 $x = 0$ 及 $x = l$ 处：

$$w = 0, \quad \frac{dw}{dx} = 0.$$

S_2：在 $x = 0$ 处：

$$w = 0, \quad \frac{dw}{dx} \quad 0.$$

S_3：在 $x = 0$ 处：

$$w = 0, \quad \frac{dw}{dx} = 0$$

此外还必须

$$\int_0^l mw^2 dx = l.$$

容易看到

$$S_1 \subset S_2, \quad S_3 \subset S_2,$$

但 S_1 与 S_3 之间不存在包含关系. 如果命在三种范围内求得的 V 的最小值各为 V_1, V_2, V_3, 则有

$$V_1 \geqslant V_2, \quad V_3 \geqslant V_2.$$

至于 V_1 与 V_3 谁大谁小，不能用这种方法来判断.

再考虑一个缩小范围求驻立值的问题. 先在范围 S 内求泛函 V 的驻立值. 接着附加一个限制条件，缩小选拔范围，再求 V 的驻立值. 如果这附加条件恰好就是欧拉方程或自然边界条件的一部份，那末虽然在开始时对选拔范围作了限制，但是去掉的范围正是 V 达不到驻立值的那部份，所以对泛函的驻立值的大小及个数并无影响. 不过，驻立值的性质有可能改变，例如大范围中不是极大极小的驻立值，在小范围内可能变为极值.

第二章　直　　梁

§ 2.1　直梁基本方程的回顾

弹性直梁的基本方程，是《材料力学》的主要内容之一．这里仅作一简单的回顾．

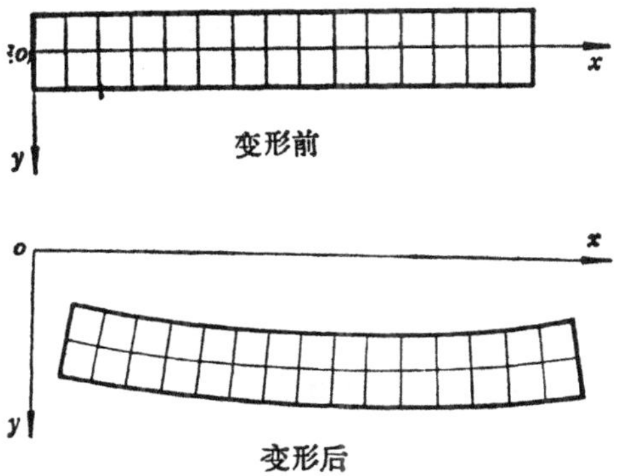

图　1.1

考虑直梁在一个主平面内的弯曲问题．取梁的剖面中心线为 x 轴．弯曲平面为 (x, y) 平面．直梁理论中的一个基本假设是：变形前垂直梁中心线的剖面，变形后仍为平面，且继续垂直变形后的梁的中心线（即挠曲线）．根据这个假设，梁内各点的位移可以用中心线的挠度 $w(x)$ 来表示如下：

$$u(x, y, z) = -y\frac{dw}{dx},\ w(x, y, z) = w(x). \tag{1.1}$$

所以 $w(x)$ 是这个理论中唯一的一个广义位移．

这个理论还推论出，梁的应力可以用剖面上的弯矩M来表示．关于弯矩 M 的正方向，没有统一的规定．这里我们规定为：能在

剖面上 $y>0$ 的一边产生正的 σ_x 的弯矩，规定为正的．这样法应力 σ_x 与 M 的关系为

$$\sigma_x=\frac{yM}{J},\quad J=\iint y^2dA. \tag{1.2}$$

这里 J 是梁剖面的惯性矩．对于等剖面梁，J 是常数，而对于变剖面梁，J 是 x 的函数．梁剖面上的剪应力与横向剪力 Q 有关．关于 Q 的正方向，也没有统一的规定．这里我们规定：能产生正的 τ_{xy} 的 Q 定义为正的．根据这个规定，Q 与 M 的关系为

$$Q=\frac{dM}{dx}. \tag{1.3}$$

设加在梁上的单位长度内的外载荷为 $q(x)$，则 M 应满足平衡方程

$$-\frac{d^2M}{dx^2}=q. \tag{1.4}$$

最后，这个理论推论出弯矩 M 与挠度 w 的关系为

$$M=-EJ\frac{d^2w}{dx^2}, \tag{1.5}$$

如果将此式代入 (1.4) 式，则得到

$$\frac{d^2}{dx^2}\left(EJ\frac{d^2w}{dx^2}\right)=q. \tag{1.6}$$

这便是熟知的常用的微分方程．

关于梁的边界条件，经常碰到的有下列几种典型情况：

$$w=\text{已知，或} \tag{1.7a}$$

$$Q=\text{已知，或} \tag{1.7b}$$

$$Q\pm k_1w=\text{已知.} \tag{1.7c}$$

$$\frac{dw}{dx}=\text{已知，或} \tag{1.8a}$$

$$M=\text{已知，或} \tag{1.8b}$$

$$M\pm k_2\frac{dw}{dx}=\text{已知.} \tag{1.8c}$$

式中 k_1、k_2 是已知数．(1.7a) 与 (1.8a) 的组合称为（广义）固支，

(1.7a) 与 (1.8b) 的组合称为 (广义) 简支，(1.7b) 与 (1.8b) 的组合称为自由，其它的还有多种可能的组合，一般不作专门的命名了。

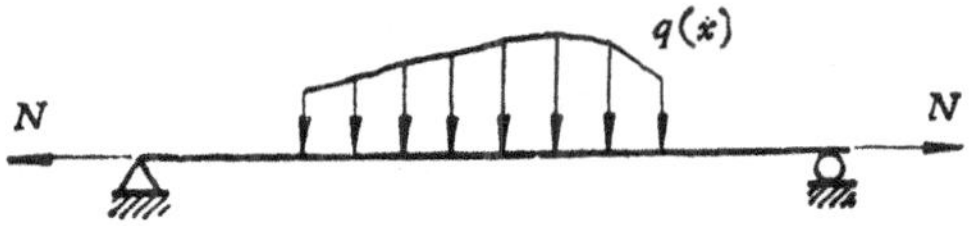

图 1.2

后面还要讨论梁在横向载荷与轴向力联合作用的问题。命轴向拉力为 N，那末平衡方程 (1.6) 应改为

$$\frac{d^2}{dx^2}\left(EJ\frac{d^2w}{dx^2}\right)-N\frac{d^2w}{dx^2}=q. \tag{1.9}$$

§ 2.2　虚功原理和功的互等定理

继续考虑梁在横向分布载荷 q 作用下的平衡问题。按照力学上的一般称呼，满足位移连续条件的位移叫做变形可能的位移，简称可能位移。在梁的弯曲问题中只有一个广义位移 $w(x)$，因此 w 是可能挠度的充要条件是[1]：w 和 w' 连续，并且在边界上满足有关位移的条件，即

$$\begin{aligned}&\text{在固支端上：}\ w=\bar{w},\ \frac{dw}{dx}=\bar{\phi},\\&\text{在简支端上：}\ w=\bar{w}.\end{aligned} \tag{2.1}$$

与可能挠度相应的曲率，称为可能曲率。

又按照力学上的一般称呼，与某种外力保持平衡的内力，称为与此种外力相应的静力可能的内力，简称可能内力。在梁的弯曲问题中，内力有 M，Q 两个。M，Q 组成一组可能内力的充要条件是：在梁的内部满足平衡方程 (1.3) 和 (1.4)，而在边界上满足

1) w' 必须连续的要求是从公式 (1.1) 的 u 导出来的。因为如果 w' 不连续，那末 u 也必不连续，这便违背了位移连续的要求。

有关力的边界条件:

$$\begin{aligned}&\text{在简支端上:}\ M=\bar{M},\\&\text{在自由端上:}\ M=\bar{M},\ Q=\bar{Q}.\end{aligned}\tag{2.2}$$

根据能量守恒原理,外力在可能位移上所作之功,等于可能内力在可能应变上所作之功. 如果把边界上的支座反力(包括反力矩)也看作是外力,那末虚功原理在梁理论中的数学表达式便是

$$\int_0^l qw\,dx+\left(Qw-M\frac{dw}{dx}\right)\Big|_0^l=\int_0^l\left(-M\frac{d^2w}{dx^2}\right)dx.\tag{2.3}$$

若从平衡方程(1.3),(1.4)解出 Q 和 q,然后代入上式,则得到

$$-\int_0^l\frac{d^2M}{dx^2}w\,dx+\left(\frac{dM}{dx}w-M\frac{dw}{dx}\right)\Big|_0^l=-\int_0^l M\frac{d^2w}{dx^2}dx.\tag{2.4}$$

这个公式实际上是任意两个函数 w 和 M [即它们不一定要满足应力应变关系式(1.5)]的一个恒等式,它是下列恒等式经移项后得到的:

$$\int_0^l\frac{d}{dx}\left(\frac{dM}{dx}w-M\frac{dw}{dx}\right)dx=\left(\frac{dM}{dx}w-M\frac{dw}{dx}\right)\Big|_0^l.$$

把虚功原理用于同一个梁在两种不同载荷作用下的两个解,便可得到功的互等定理. 设第一种情况下的分布载荷为 q_1,边界上的力为 M_{01}, Q_{01}, M_{l1}, Q_{l1},挠度为 w_1,弯矩为 M_1; 第二种情况下相当的各个量为 q_2, M_{02}, Q_{02}, M_{l2}, Q_{l2}, w_2, M_2. 如果在(2.3)式中把 q, M, Q 取为第一种情况下的各个量,w 取为第二种情况下的挠度,则有

$$\begin{aligned}&\int_0^l q_1w_2dx+Q_{l1}w_2(l)-M_{l1}w_2'(l)\\&\qquad-Q_{01}w_2(0)+M_{01}w_2'(0)=-\int_0^l M_1\frac{d^2w_2}{dx^2}dx.\end{aligned}$$

因为 M_1, w_1 是一组解,它们满足关系式(1.5),因此上式可改写为

$$\begin{aligned}&\int_0^l q_1w_2dx+Q_{l1}w_2(l)-M_{l1}w_2'(l)\\&\qquad-Q_{01}w_2(0)+M_{01}w_2'(0)=\int_0^l EJ\frac{d^2w_1}{dx^2}\cdot\frac{d^2w_2}{dx^2}dx.\end{aligned}\tag{2.5}$$

此式的右端是下标 1，2 的对称式，即将 1 与 2 互换不影响所得结果，这样 (2.5) 的左端也必有同样的对称性，即

$$\int_0^l q_1 w_2 dx + Q_{l1} w_2(l) - M_{l1} w_2'(l) - Q_{01} w_2(0) + M_{01} w_2'(0)$$

$$= \int_0^l q_2 w_1 dx + Q_{l2} w_1(l) - M_{l2} w_1'(l) - Q_{02} w_1(0) + M_{02} w_1'(0). \tag{2.6}$$

这便是功的互等定理在梁理论中的具体形式．互等定理的一个简要说法是：第一次力在第二次位移上所作之功，等于第二次力在第一次位移上所作之功．

上述功的互等定理能推广到梁内有轴向拉力 N 的情况．轴向拉力会产生一个相当的横向载荷

$$q_N = N \frac{d^2 w}{dx^2}, \tag{2.7}$$

因此在 (2.5) 式中将 q_1 代以

$$q_1 + N \frac{d^2 w_1}{dx^2},$$

便可得到适用于有轴向拉力的一个等式：

$$\int_0^l \left(q_1 + N \frac{d^2 w_1}{dx^2} \right) w_2 dx + Q_{l1} w_2(l) - M_{l1} w_2'(l)$$

$$- Q_{01} w_2(0) + M_{01} w_2'(0) = \int_0^l EJ \frac{d^2 w_1}{dx^2} \cdot \frac{d^2 w_2}{dx^2} dx.$$

因为

$$\int_0^l N \frac{d^2 w_1}{dx^2} w_2 dx = - \int_0^l N \frac{dw_1}{dx} \cdot \frac{dw_2}{dx} dx + (N w_1' w_2) \Big|_0^l,$$

所以上式可化为

$$\int_0^l q_1 w_2 dx + [Q_{l1} + N w_1'(l)] w_2(l) - M_{l1} w_2'(l)$$

$$- [Q_{01} + N w_1'(0)] w_2(0) + M_{01} w_2'(0)$$

$$= \int_0^l \left(EJ \frac{d^2 w_1}{dx^2} \cdot \frac{d^2 w_2}{dx^2} + N \frac{dw_1}{dx} \cdot \frac{dw_2}{dx} \right) dx. \tag{2.8}$$

此式的右端又是 1，2 的对称式，因此左端也必有同样的对称性，

即

$$\int_0^l q_1 w_2 dx + [Q_{l1} + Nw_1'(l)]w_2(l) - M_{l1}w_2'(l) - [Q_{01} + Nw_1'(0)]w_2(0) + M_{01}w_2'(0)$$

$$= \int_0^l q_2 w_1 dx + [Q_{l2} + Nw_2'(l)]w_1(l) - M_{l2}w_1'(l) - [Q_{02} + Nw_2'(0)]w_1(0) + M_{02}w_1'(0). \tag{2.9}$$

这便是有轴向拉力时功的互等定理.

在材料力学和结构力学中,功的互等定理常用于求影响线,下面举几个这样的例子.

为了具体起见,考虑一端固支一端简支的等剖面梁(如图 2.1)的问题. 挠度 $w(x)$ 满足下列方程和边界条件

$$EJ\frac{d^4w}{dx^4} - N\frac{d^2w}{dx^2} = q,$$

$$\text{在 } x = 0 \text{ 处: } w = \bar{w}_0, \frac{dw}{dx} = \bar{\varPhi}_0, \tag{2.10}$$

$$\text{在 } x = l \text{ 处: } w = \bar{w}_l, -EJ\frac{d^2w}{dx^2} = \bar{M}.$$

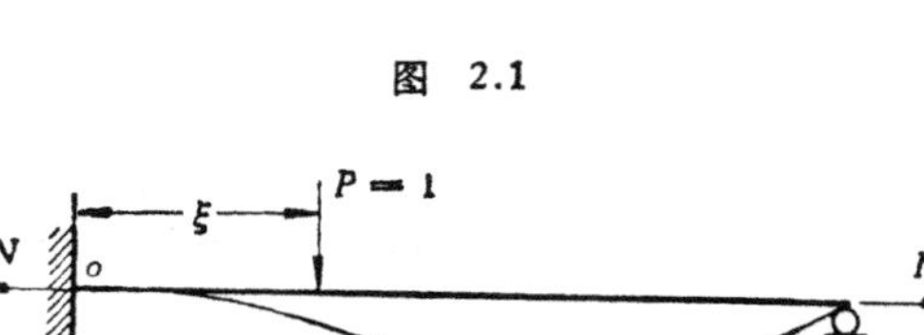

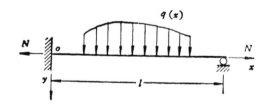

图 2.1

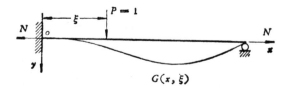

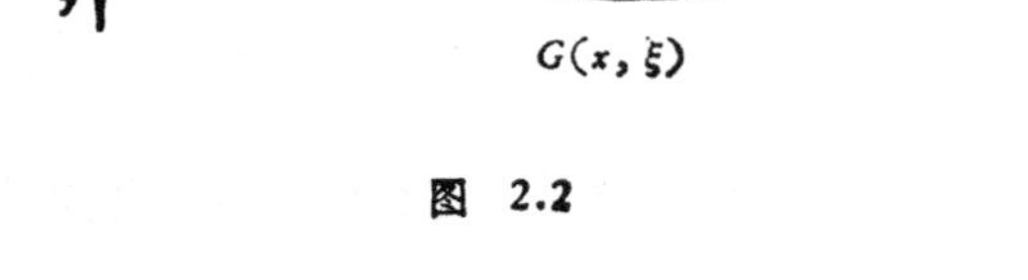

图 2.2

现在不去求解这个微分方程的边值问题而采用影响线来求挠度. 为此先来考虑图 2.2 所示的问题. 这个问题的特点是在 $x=\xi$ 处有一单位集中载荷,而边界条件都是齐次的. 若命 $G(x,\xi)$ 为图 2.2 所示梁的挠度,那末 G 满足下列方程和边界条件[1]:

$$
\begin{aligned}
&EJ\frac{d^4G}{dx^4}-N\frac{d^2G}{dx^2}=\delta(x-\xi),\\
&\text{在 } x=0 \text{ 处: } G=0,\ \frac{dG}{dx}=0,\\
&\text{在 } x=l \text{ 处: } G=0,\ EJ\frac{d^2G}{dx^2}=0.
\end{aligned}
\tag{2.11}
$$

现在把公式 (2.9) 中的第一种情况取为图 2.1 所示的情况,第二种情况取为图 2.2 所示的情况,则有

$$
\begin{aligned}
\int_0^l qGdx-\overline{M}\frac{dG}{dx}\Big|_{x=l}&=w(\xi)-\bar{w}_l\left[\frac{d}{dx}\left(EJ\frac{d^2G}{dx^2}\right)-N\frac{dG}{dx}\right]\Big|_{x=l}\\
&\quad+\bar{w}_0\left[\frac{d}{dx}\left(EJ\frac{d^2G}{dx^2}\right)-N\frac{dG}{dx}\right]\Big|_{x=0}-\bar{\varPhi}EJ\frac{d^2G}{dx^2}\Big|_{x=0},
\end{aligned}
$$

由此得到

$$
\begin{aligned}
w(\xi)=\int_0^l qGdx&+\bar{w}_l\left[\frac{d}{dx}\left(EJ\frac{d^2G}{dx^2}\right)-N\frac{dG}{dx}\right]\Big|_{x=l}-\overline{M}\frac{dG}{dx}\Big|_{x=l}\\
&-\bar{w}_0\left[\frac{d}{dx}\left(EJ\frac{d^2G}{dx^2}\right)-N\frac{dG}{dx}\right]\Big|_{x=0}+\bar{\varPhi}EJ\frac{d^2G}{dx^2}\Big|_{x=0}.
\end{aligned}
\tag{2.12}
$$

从这个公式可以看到,如果先求得了 G,那末便可以不解微分方程 (2.10) 而通过积分求得图 2.1 所示问题的解.

具有公式 (2.12) 所示一类性质的函数,在结构力学中叫影响

---

1) $\delta(x-\xi)$ 的定义是

当 $x-\xi\neq0$ 时, $\delta(x-\xi)=0$, 当 $x-\xi=0$ 时, $\delta(x-\xi)=\infty$,

且对于任意一个在 $x=\xi$ 处连续的函数,有 $\int_{-\infty}^{\infty}\delta(x-\xi)f(x)dx=f(\xi)$.

所以 $\delta(x-\xi)$ 是作用在 $x=\xi$ 处的单位集中载荷把它看作分布载荷时的表达式. 在数学中 $\delta(x-\xi)$ 称为狄拉克 δ 函数. 狄拉克函数与变分同用一个记号 δ, 可作区别标志的是: 在变分号后总跟着一个函数或泛函, 而在狄拉克函数后总跟一个坐标或坐标差.

函数，在数学中常叫格林函数．影响函数在理论上和实用上都具有重要的意义．

影响函数 $G(x,\xi)$ 是 x,ξ 两个变量的函数．按图 2.2 的定义，x 是所求挠度那点的坐标，ξ 是单位集中力作用点的坐标．但是根据功的互等定理，有

$$G(x,\xi)=G(\xi,x).$$

从公式 (2.12) 出发，通过适当的微分，便可求得斜率、弯矩以及剪力的公式．在下面的公式中，G 有时对 x 求导，有时对 ξ 求导，因此一概写成偏导数的形式．将公式 (2.12) 对 ξ 求导一次和二次，可得到

$$\begin{aligned}\psi(\xi)=\frac{\partial w(\xi)}{\partial\xi}=&\int_0^l qG_1dx+\bar{w}_l\left[\frac{\partial}{\partial x}\left(EJ\frac{\partial^2G_1}{\partial x^2}\right)-N\frac{\partial G_1}{\partial x}\right]\Bigg|_{x=l}\\&-\bar{M}\frac{\partial G_1}{\partial x}\Bigg|_{x=l}-\bar{w}_0\left[\frac{\partial}{\partial x}\left(EJ\frac{\partial^2G_1}{\partial x^2}\right)-N\frac{\partial G_1}{\partial x}\right]\Bigg|_{x=0}\\&+\bar{\phi}EJ\frac{\partial^2G_1}{\partial x^2}\Bigg|_{x=0},\end{aligned}\tag{2.13}$$

$$\begin{aligned}M(\xi)=&\int_0^l qG_2dx+\bar{w}_l\left[\frac{\partial}{\partial x}\left(EJ\frac{\partial^2G_2}{\partial x^2}\right)-N\frac{\partial G_2}{\partial x}\right]\Bigg|_{x=l}\\&-\bar{M}\frac{\partial G_2}{\partial x}\Bigg|_{x=l}-\bar{w}_0\left[\frac{\partial}{\partial x}\left(EJ\frac{\partial^2G_2}{\partial x^2}\right)-N\frac{\partial G_2}{\partial x}\right]\Bigg|_{x=0}\\&+\bar{\phi}EJ\frac{\partial^2G_2}{\partial x^2}\Bigg|_{x=0},\end{aligned}\tag{2.14}$$

其中

$$G_1=\frac{\partial G}{\partial\xi},\quad G_2=-EJ(\xi)\frac{\partial^2G}{\partial\xi^2}.\tag{2.15}$$

函数 G_1 和 G_2 也都具有力学背景．G_1 是图 2.3 所示问题的挠

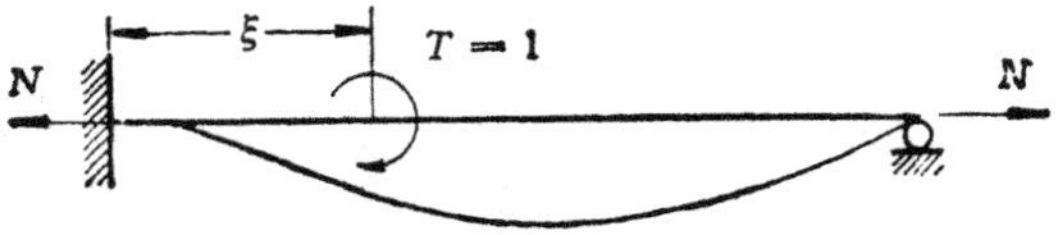

图 2.3

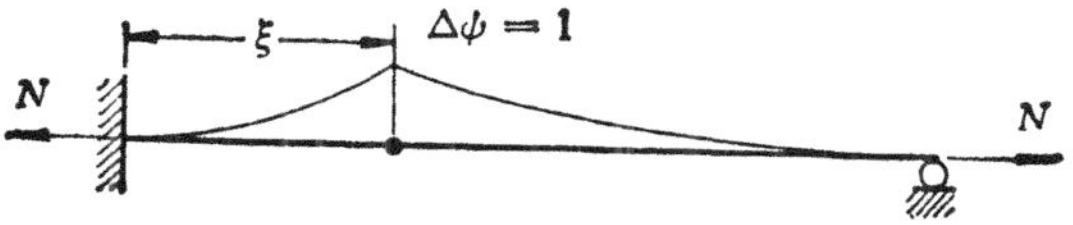

图 2.4

图 2.5

度，其中的载荷是作用在 $x = \xi$ 处的一个单位集中力矩. G_2 是图 2.4 所示问题的挠度. 在此图中先将梁在 $x = \xi$ 处切开，然后用一铰接相连，在铰接的两边施加一对适当大小的弯矩，使得铰支前后两段梁的斜率在铰接处有一单位突变. 特别是当 $\xi = 0$ 时，G_2 便是图 2.5 所示问题的挠度，这里把 $x = 0$ 处的固支端改为简支端，然后施加一个适当大小的弯矩，使得在 $x = 0$ 处产生单位斜率. 如果在某问题中我们只需要计算梁上某几点的弯矩，而不需要计算挠度，那末我们可以直接根据图 2.4 求 G_2，而不必先去求 G，然后通过求导再求 G_2.

§ 2.3 Castigliano 定理

考虑一个梁在横向分布载荷 $q(x)$ 和边界力 Q_0, M_0, Q_l, M_l 作用下的平衡问题（图 3.1）. 在四个边界力中，有几个是支座反力，另几个可能是外载荷. 在外力作用下梁内有了应变能和余应

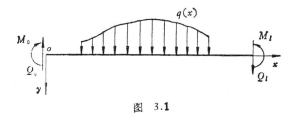

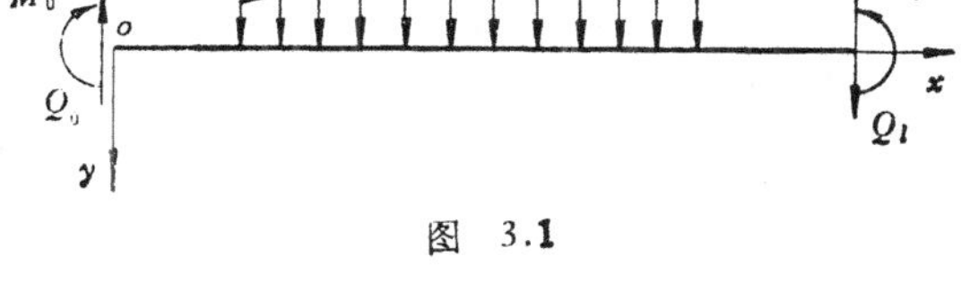

图 3.1

变能[1]．余应变能通常用弯矩 M 来表示，它的算式是[2]：

$$\Gamma^2=\int_0^l \frac{M^2}{2EJ}dx. \tag{3.1}$$

设想分布载荷和边界力有了变分 $\delta q, \delta Q_0, \delta M_0, \delta Q_l, \delta M_l$，相应地梁内的可能弯矩有了变分 δM．现在在公式(2.3)中将 q, Q, M 取为可能的变分状态 $\delta q, \delta Q, \delta M$，将 w 取为梁实际有的挠度，便有

$$\int_0^l w\delta q dx+\left(w\delta Q-\frac{dw}{dx}\delta M\right)\Big|_0^l=-\int_0^l \frac{d^2w}{dx^2}\delta M dx. \tag{3.2}$$

从公式(3.1)求 Γ^2 的变分，然后利用应力应变关系(1.5)，可得到

$$\delta\Gamma^2=\int_0^l \frac{M\,\delta M}{EJ}dx=-\int_0^l \frac{d^2w}{dx^2}\delta M dx. \tag{3.3}$$

对比(3.2)，(3.3)两式，得到

$$\delta\Gamma^2=\int_0^l w\delta q dx+\left(w\delta Q-\frac{dw}{dx}\delta M\right)\Big|_0^l. \tag{3.4}$$

根据边界条件的性质，还可对公式(3.4)作适当的处理．例如，设梁的一端 $(x=0)$ 为固支，另一端 $(x=l)$ 为简支，则有边界条件

$$\begin{aligned}&\text{在 } x=0 \text{ 处：} w=\bar{w}_0,\ \frac{dw}{dx}=\bar{\varPhi},\\&\text{在 } x=l \text{ 处：} w=\bar{w}_l,\ M=\bar{M}_l.\end{aligned} \tag{3.5}$$

在这种情况下，M_l 是已知的外载荷，而 Q_l, Q_0, M_0 是未知的支座反力．将边界条件(3.5)引入(3.4)，得到

$$\delta\Gamma^2=\int_0^l w\delta q dx+\bar{w}_l\delta Q_l-\bar{w}_0\delta Q_0-w'(l)\delta\bar{M}_l+\bar{\varPhi}\delta M_0,$$

将有关支座反力的三项移到等式的左边，得到

---

1) 在线性理论中应变能和余应变能实际上是相等的．但是如果关系式(1.5)不成立，两者就不相等了．因此本书给它们取两个名称和两个记号．

2) 本书各章节都不涉及泛函的平方．泛函 Γ^2 的右上标 2，不是指平方，而是表明这个泛函是自变函数的二次齐次整式．同样 Γ^1 中的 1 表示这个泛函是自变函数的一次齐次整式．后面将继续采用这类标注法．

$$\delta\Gamma = \int_0^l w\delta q dx - w'(l)\delta\overline{M}_l, \tag{3.6}$$

其中

$$\Gamma = \Gamma^2 - \overline{w}_l Q_l + \overline{w}_0 Q_0 - \overline{\Phi} M_0. \tag{3.7}$$

泛函 Γ 称为整个系统的余能，它包含两部分：一部分 Γ^2 是梁的余应变能，另一部分是边界上已知位移的余能.

对于其他的边界条件，也可得到类似于(3.6)的公式. 这些公式是梁理论中 Castigliano 定理的变分形式.

现在再强调一次，公式(3.4)，(3.6)中的变分状态，只要求是一种静力可能的状态，并不要求是一种实际可能的状态. 对于超静定的梁，当外载荷无变分时，内力仍有静力可能的变分，即由超静定内力的变分引起整个内力的变分. 对于这些由超静定内力引起的变分，公式(3.6)简化为

$$\delta\Gamma = 0. \tag{3.8}$$

考虑到

$$\delta^2\Gamma > 0, \tag{3.9}$$

这样便得到最小余能原理：在所有静力可能的内力状态中，真实状态使系统的余能取最小值.

在结构力学中，经常把外载荷用若干个广义载荷 $P_1, P_2, \cdots\cdots$ 来表示. 命相应的广义位移为 $\Delta_1, \Delta_2, \cdots\cdots$，那末公式(3.6)便化为

$$\delta\Gamma = \Delta_1\delta P_1 + \Delta_2\delta P_2 + \cdots\cdots. \tag{3.10}$$

若把余能 Γ 看作是广义载荷的函数，或看作广义载荷和超静定内力的函数，从(3.10)及(3.8)可得到

$$\Delta_i = \frac{\partial\Gamma}{\partial P_i}, \quad i = 1, 2, \cdots. \tag{3.11}$$

这是 Castigliano 定理的偏导数形式.

在结构力学中，Castigliano 定理常用于求结构中的超静定内力，和结构指定点上的位移. 下面举这样的两个例子.

例如，继续考虑一端 $(x = 0)$ 固支一端 $(x = l)$ 简支的梁. 边

界条件已由 (3.5) 给出． 这个梁是一次超静定的系统．若把固支端上的弯矩 M_0 作为超静定内力，那末梁内的弯矩 M 可表达为

$$M = M_s + M_0\left(1 - \frac{x}{l}\right), \tag{3.12}$$

式中 M_s 是静力可能弯矩中的任一特解，通常取为相应的静定梁(本例中为简支梁)中的弯矩．公式 (3.12) 右端的第二项，是超静定弯矩 M_0 引起的可能弯矩，它实质上是静力可能弯矩中的齐次解部分．这个系统的余能 Γ 的算式已由 (3.7) 给出． 根据最小余能原理，得到

$$\frac{\partial \Gamma}{\partial M_0} = 0. \tag{3.13}$$

在这个条件中除 M_0 外其他都是已知或已求得的量，因此从此式便可解得 M_0．将 (3.7) 代入 (3.13)，注意到

$$\frac{\partial M}{\partial M_0} = 1 - \frac{x}{l}, \quad \frac{\partial Q}{\partial M_0} = -\frac{1}{l},$$

方程 (3.13) 化为

$$\int_0^l \frac{1}{EJ}\left\{M_s + M_0\left(1 - \frac{x}{l}\right)\right\}\left(1 - \frac{x}{l}\right)dx + \frac{\bar{w}_l - \bar{w}_0}{l} - \bar{\psi} = 0. \tag{3.14}$$

求得梁的弯矩后如果需要计算梁的中点的挠度 Δ，那末可以利用偏导数形式的 Castigliano 定理．与 Δ 相对应的广义力是作用在梁中点的集中载荷 P． 如果梁上的载荷中本来已有这样一个集中力，那末简单地利用公式(3.11)便可得到 Δ．如果载荷中本来没有这样一个集中力，那末必须首先加上这个集中力，然后求 Γ 对 P 的偏导数，求毕偏导数后再命 $P = 0$． 对于以上两种情况，最后都可得到公式

$$\Delta = \int_0^l \frac{M}{EJ} \frac{\partial M}{\partial P} dx - \bar{w}_l \frac{\partial Q_l}{\partial P} + \bar{w}_0 \frac{\partial Q_0}{\partial P} - \bar{\psi} \frac{\partial M_0}{\partial P}. \tag{3.15}$$

因为 M，Q 都是 P 的一次函数，所以 $\frac{\partial M}{\partial P}$，$\frac{\partial Q}{\partial P}$ 实际上就是 $P = 1$

时由 P 单独产生的可能内力 M_1, Q_1. 这样公式 (3.15) 可改写成更便于应用的形式

$$\Delta = \int_0^l \frac{MM_1}{EJ} dx - \bar{w}_l Q_{l1} + \bar{w}_0 Q_{01} - \bar{\Phi} M_{01}. \tag{3.16}$$

可能内力 M_1, Q_1 有无穷多组可能,任选其中一组代入公式 (3.16) 都能得出相同的 Δ 值. 如果把 M_1, Q_1 选取为相应的简支梁中的内力:

$$\begin{aligned} &\text{当 } 0 \leqslant x \leqslant \frac{l}{2} \text{ 时}, \ M_1 = \frac{1}{2}x, \ Q_1 = \frac{1}{2}, \\ &\text{当 } \frac{l}{2} \leqslant x \leqslant l \text{ 时}, \ M_1 = \frac{1}{2}(l - x), \ Q_1 = -\frac{1}{2}, \end{aligned} \tag{3.17}$$

那末公式 (3.16) 便具体化为

$$\Delta = \int_0^{\frac{l}{2}} \frac{xM}{2EJ} dx + \int_{\frac{l}{2}}^l \frac{(l-x)M}{2EJ} dx + \frac{1}{2}(\bar{w}_l + \bar{w}_0). \tag{3.18}$$

从上面的例子可以看到, 用 Castigliano 定理求解梁的问题的主要特点是: 把原来求微分方程解的问题, 化为计算若干个定积分的问题.

§2.4 数值积分法(有限元素法的前身)

从上节介绍的问题可以看到, 用 Castigliano 定理解梁的问题虽然可以避开解微分方程的麻烦, 但会遇到一系列的定积分. 对于变剖面的梁,这些定积分常常难于求得精确值,而不得不应用近似的数值积分法. 数值积分法可以看作是有限元素法的前身. 重温一下数值积分法,有助于理解有限元素法.

数值积分法的要点是把原来在大区域中不便积分的函数, 分解成若干个小区域,而在每个小区域中,用容易积分的函数来近似地代替原来的函数. 下面结合定积分

$$\int_0^l f(x) dx$$

扼要地介绍一下数值积分法.

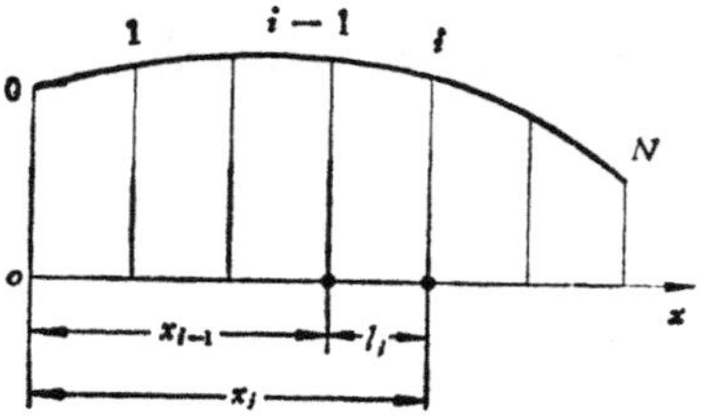

图 4.1a

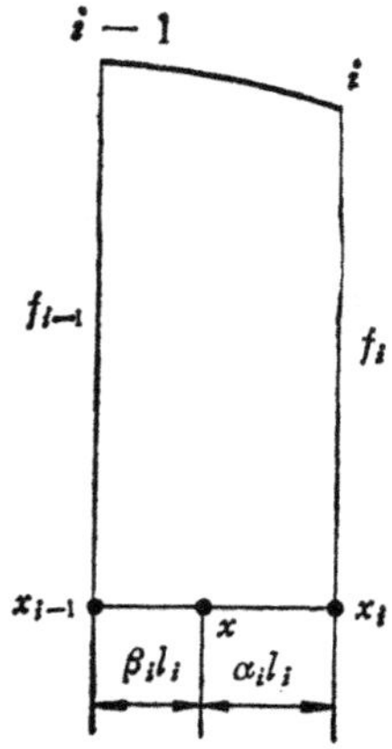

图 4.1b

数值积分法的第一步是把积分区间分成若干小段，如图 4.1a 所示. 以后我们把每一个小段叫做一个有限元素，分界点叫做结点. 把结点从 0 到 N 编号. 结点 $i-1$，i 间的有限元素编为第 i 个有限元素，它的长度记为 l_i. 图 4.1b 是第 i 个有限元素的放大图. 设结点的坐标依次为

$$x_0 = 0, x_1, x_2, \cdots, x_{N-1}, x_N = l,$$

于是有

$$l_i = x_i - x_{i-1}. \tag{4.1}$$

设各结点上函数 $f(x)$ 的值为 $f_i = f(x_i)$. 最简单的线性插入法，就是在每个有限元素内用一个线性函数来近似地代替原来的函数，即

当 $x_{i-1} \leqslant x \leqslant x_i$ 时，取

$$f(x) = f_{i-1}\alpha_i + f_i\beta_i, \tag{4.2}$$

其中

$$\alpha_i = \frac{x_i - x}{l_i}, \beta_i = \frac{x - x_{i-1}}{l_i}, \alpha_i + \beta_i = 1. \tag{4.3}$$

(α_i, β_i 是第 i 个有限元素内无量纲的局部坐标，见图 4.1b). 从图

形上来看，线性插入法就是用一条折线来逼近一条曲线，而这条折线下的面积是很容易求得的. 这样便得到积分的近似值

$$\begin{aligned}\int_0^l f(x)dx &= \frac{1}{2}l_1(f_0+f_1)+\frac{1}{2}l_2(f_1+f_2)\\&\quad+\cdots+\frac{1}{2}l_N(f_{N-1}+f_N)\\&=\frac{1}{2}l_1f_0+\frac{1}{2}(l_1+l_2)f_1\\&\quad+\cdots+\frac{1}{2}(l_{N-1}+l_N)f_{N-1}+\frac{1}{2}l_Nf_N\\&=\frac{1}{2}\sum_{n=0}^{N}(l_n+l_{n+1})f_n. \end{aligned} \tag{4.4}$$

在上列公式的第三行中，为了书写整齐起见，引进了未定义的记号 l_0 与 l_{N+1}，在实际计算时应取

$$l_0 = l_{N+1} = 0. \tag{4.5}$$

上面介绍的是最简单的线性插入求积分的方法. 此外，也还有许多大同小异的变通做法. 例如在解变剖面梁的问题时，遇到的定积分常具有下列形式：

$$\int_0^l \frac{MM_1}{EJ}dx,$$

式中 MM_1 是比较简单的函数，而 $1/EJ$ 是比较复杂的函数. 所以人们可以保持 MM_1 不变，而对函数 $1/EJ$ 进行线性插入，即

当 $x_{i-1}\leqslant x\leqslant x_i$ 时，取

$$\frac{1}{EJ}=\frac{1}{EJ_{i-1}}\alpha_i+\frac{1}{EJ_i}\beta_i. \tag{4.6}$$

将此代入原积分，得到近似值

$$\int_0^l \frac{MM_1}{EJ}dx=\sum_{i=1}^{N}\int_{x_{i-1}}^{x_i}MM_1\left[\frac{\alpha_i}{EJ_{i-1}}+\frac{\beta_i}{EJ_i}\right]dx. \tag{4.7}$$

当 MM_1 是多项式时，上列积分是容易计算出来的.

容易看到，有限元素的长度愈小，用上述方法求得的近似值愈接近精确值．而当每一个元素的长度都趋近于零时，近似值也便趋近于精确值．

为了提高近似值的精确度，人们常常不是采用很小很小的有限元素，那样会增加许多工作量，而是采用二次函数(抛物线)或更高次的函数的插入法．下面简单地介绍一下二次函数插入法．

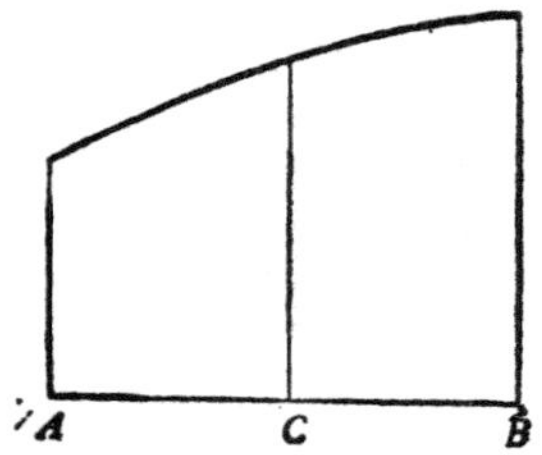

图 4.2

和前相似，先将积分区域划分成若干个有限元素．取出一个代表性的有限元素 AB 来说明二次函数插入法．参考图 4.2．在 AB 的中点再取一点 C，命 A，B 的坐标为 $x=x_1$ 及 $x=x_2$，AB 的长度 $l=x_2-x_1$．和前相似取一局部无量纲的坐标

$$\alpha=\frac{x_2-x}{l},\qquad \beta=\frac{x-x_1}{l}. \tag{4.8}$$

命被积函数在 A，B，C 三点的值为 f_1, f_2, f_3．在 AB 内把 $f(x)$ 用一个二次函数来逼近：

$$f(x)=\alpha(1-2\beta)f_1+\beta(1-2\alpha)f_2+4\alpha\beta f_3. \tag{4.9}$$

α，β 是 x 的一次函数，所以 (4.9) 式是 x 的二次函数．对 x 求积分，得到

$$\int_{x_1}^{x_2} f(x)dx=\frac{l}{6}(f_1+f_2+4f_3). \tag{4.10}$$

这个公式称为 Simpson 公式．对每个有限元素都按上列公式求积，然后相加，便得到

$$\int f(x)dx=\sum\frac{l}{6}(f_1+f_2+4f_3). \tag{4.11}$$

二次函数插入法，有时也可不是用于整个被积函数，而是只用于其中的一部分，例如只用于 $1/EJ$．

例 用数值积分法求下列积分的值[1)]

$$\int_0^{\frac{\pi}{2}} \sin x dx (=1)$$

10 个等长的有限元素，线性插入

x	$\sin x \left(\frac{1}{2}\right)$	$\sin x$	
0	0		
$\frac{1}{20}\pi$		0.15643	
$\frac{2}{20}\pi$		0.30902	
$\frac{3}{20}\pi$		0.45399	
$\frac{4}{20}\pi$		0.58779	
$\frac{5}{20}\pi$		0.70711	
$\frac{6}{20}\pi$		0.80902	
$\frac{7}{20}\pi$		0.89101	
$\frac{8}{20}\pi$		0.95106	
$\frac{9}{20}\pi$		0.98769	
$\frac{10}{20}\pi$	1.0000	5.85312	
	$1 \times \frac{1}{2} =$	0.50000	

$$6.35312 \times \frac{\pi}{20} = 0.99794.$$

在这个例子中，用相同的点数（11 点），二次函数插入的精度可比线性插入提高许多倍．在其他的例子中也常有这种情况．

1）本例的表格只是为了说明问题，并不是最合理的安排．

5 个等长的有限元素，二次函数插入

x	$\sin x$	$\sin x$ (2)	$\sin x$ (4)	
0	0			
$\frac{1}{20}\pi$			0.15643	
$\frac{2}{20}\pi$		0.30902		
$\frac{3}{20}\pi$			0.45399	
$\frac{4}{20}\pi$		0.58779		
$\frac{5}{20}\pi$			0.70711	
$\frac{6}{20}\pi$		0.80902		
$\frac{7}{20}\pi$			0.89101	
$\frac{8}{20}\pi$		0.95106		
$\frac{9}{20}\pi$			0.98769	
$\frac{10}{20}\pi$	1.00000		3.19623×4	$= 12.78492$
		2.65689	$\times 2$	$= 5.31378$
	1.00000			$= 1.00000$
			$1.00000 = \frac{\pi}{60} \times 19.09870$	

§ 2.5 最小质量的静定梁示例

设要设计一个简支梁，已知梁的跨度 $2l$，作用在跨度中点的集中力 $2P$，中点的挠度 $\bar{w}$，梁剖面的形状有一定限制，要求决定梁的剖面和材料，使梁的质量最小。

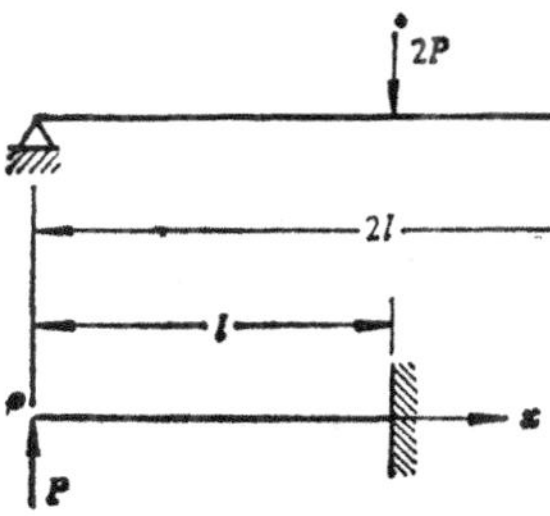

图 5.1

考虑到对称性，只要研究左边的那一半梁便可以了．这样，问题转变为设计一个悬臂梁，已知梁的跨度 l，作用在自由端的集中力 P，自由端的挠度 $\bar{w}$，梁剖面的形状有一定限制，要求决定梁的剖面和所用材料，使梁的质量最小．下面就讨论悬臂梁的问题．

设选用的材料的杨氏模量为 E，密度为 ρ，梁剖面的面积为 $A(x)$，转动惯量为 $J(x)$．由于是静定梁，梁中的弯矩 $M(x)$ 可从平衡条件求得

$$M=-Px. \tag{5.1}$$

梁的余应变能 Γ 为

$$\Gamma=\int_0^l \frac{M^2dx}{2EJ}. \tag{5.2}$$

将 M 的算式代入，得到

$$\Gamma=\frac{P^2}{2E}\int_0^l \frac{x^2dx}{J}. \tag{5.3}$$

根据 Castigliano 定理，$\partial\Gamma/\partial P$ 便是自由端的挠度，它已给定为 $\bar{w}$，所以有

$$\frac{P}{E}\int_0^l \frac{x^2dx}{J}=\bar{w}. \tag{5.4}$$

梁的质量 W 是

$$W=\rho\int_0^l A dx. \tag{5.5}$$

下面考虑几种对剖面形状的限制

1. 矩形剖面，高度 h 给定，宽度 b 可变．对于矩形剖面，

$$A = bh,\ J = \frac{1}{12}bh^3. \tag{5.6}$$

将此代入 (5.4), (5.5), 简化后得到

$$\int_0^l \frac{x^2 dx}{b} = \frac{Eh^3\overline{w}}{12P}, \tag{5.7}$$

$$W = \rho h\int_0^l b dx. \tag{5.8}$$

于是问题归结为求一个函数 $b(x)$，使 (5.7) 成立，并使 (5.8) 规定的W取最小值．这个问题用拉格朗日法求解是很容易的．先作一个新泛函

$$W^* = \rho h\int_0^l \left[b + \frac{\lambda x^2}{b}\right] dx. \tag{5.9}$$

然后求 W^* 的驻立值，这样得到

$$1 - \frac{\lambda x^2}{b^2} = 0. \tag{5.10}$$

这是一个代数方程，立即解得

$$b = \sqrt{\lambda}\, x. \tag{5.11}$$

将此代入约束条件 (5.7), 得到

$$\frac{l^2}{2\sqrt{\lambda}} = \frac{Eh^3\overline{w}}{12P},$$

由此得到

$$\sqrt{\lambda} = \frac{6l^2P}{Eh^3\overline{w}},$$

$$b = \frac{6l^2P}{Eh^3\overline{w}}x. \tag{5.12}$$

再代入 (5.8), 得到

$$W = \frac{3l^4P}{h^2\overline{w}}\cdot\frac{\rho}{E}. \tag{5.13}$$

根据这个算式，在选择材料时应使 E/ρ 尽可能大．

2. 形状相似的剖面．在这个情况下，

$$J \propto A^2,\ J = kA^2. \tag{5.14}$$

k是与剖面形状有关的一个系数，但与坐标 x 无关．将此代入(5.4)，得到

$$\int_0^l \frac{x^2 dx}{A^2} = \frac{k\bar{w}E}{P}. \tag{5.15}$$

于是问题归结为求函数 $A(x)$，使(5.15)成立，并使(5.5)规定的 W 取最小值．再用拉格朗日法解此问题：

$$W^* = \rho\int_0^l \left[A + \frac{\lambda x^2}{A^2}\right] dx,$$

$$1 - \frac{2\lambda x^2}{A^3} = 0,\quad A = \mu x^{2/3},$$

$$\frac{k\bar{w}E}{P} = \frac{3}{5}\cdot\frac{l^{\frac{5}{3}}}{\mu^2},\quad \mu = \sqrt{\frac{3}{5}}\cdot\frac{l^{\frac{5}{6}}P^{\frac{1}{2}}}{k^{\frac{1}{2}}\bar{w}^{\frac{1}{2}}E^{\frac{1}{2}}}.$$

最后得到

$$A = \sqrt{\frac{3}{5}}\cdot\frac{l^{\frac{5}{6}}P^{\frac{1}{2}}}{k^{\frac{1}{2}}\bar{w}^{\frac{1}{2}}E^{\frac{1}{2}}}x^{\frac{2}{3}},$$

$$W = \left(\frac{3}{5}\right)^{\frac{3}{2}}\cdot\frac{l^{\frac{5}{2}}P^{\frac{1}{2}}}{k^{\frac{1}{2}}\bar{w}^{\frac{1}{2}}}\cdot\frac{\rho}{E^{\frac{1}{2}}}. \tag{5.16}$$

在这种情况下，材料的选择应使 E/ρ^2 尽可能大．

3. 矩形剖面，宽度 b 给定，高度 h 可变．这时再将(5.6)代入(5.4)，(5.5)，得到

$$\int_0^l \frac{x^2 dx}{h^3} = \frac{b\bar{w}E}{12P}, \tag{5.17}$$

$$W = \rho b\int_0^l h dx. \tag{5.18}$$

于是问题归结为求一个函数 $h(x)$，使(5.17)成立，并使(5.18)规定的 W 取最小值．也用拉格朗日法解此问题：

$$W^* = \rho b\int_0^l \left[h + \frac{\lambda x^2}{h^3}\right] dx,$$

$$1 - \frac{3\lambda x^2}{h^4} = 0,\quad h = \mu\sqrt{x},$$

$$\frac{2l^{\frac{3}{2}}}{3\mu^3}=\frac{b\overline{w}E}{12P},\ \mu=\frac{2l^{\frac{1}{2}}P^{\frac{1}{3}}}{b^{\frac{1}{3}}\overline{w}^{\frac{1}{3}}E^{\frac{1}{3}}},$$

最后得到

$$h=\frac{2l^{\frac{1}{2}}P^{\frac{1}{3}}}{b^{\frac{1}{3}}\overline{w}^{\frac{1}{3}}E^{\frac{1}{3}}}\sqrt{x},$$

$$W=\frac{4}{3}\cdot\frac{l^2P^{\frac{1}{3}}b^{\frac{2}{3}}}{\overline{w}^{\frac{1}{3}}}\cdot\frac{\rho}{E^{\frac{1}{3}}}. \tag{5.19}$$

在这种情况下，材料的选择应使 E/ρ^3 尽可能大。

对比上述三种情况可以看到，由于对剖面形状的要求不同，不仅剖面变化的规律不同，而且选择材料的指标也不同。

对于铝、镁两种合金有如下的数据：

	E，公斤力/毫米^2	ρ，克/厘米^3	E/ρ	E/ρ^2	E/ρ^3
铝	6800—7200	2.7	2520—2670	933—988	345—366
镁	4100—4500	1.8	2280—2500	1260—1390	703—772

从这个表可以看到，对于上述的第一种情况，铝合金比镁合金有利，而对于后面两种情况，镁合金比铝合金有利。

上面的分析从实用的角度来看还有不少缺点，主要是没有考虑强度和稳定性问题，以致得出了在自由端梁剖面等于零的结论，其实只要稍稍多克服一些数学上的麻烦，上述缺点是可以避免的。

Barnett[63] 曾研究过工字梁的最轻设计问题，有兴趣的读者可查阅他的著作。 Haug 和 Kirmser[148] 讨论过更一般的问题。

§2.6 最小势能原理

设有一个变剖面的梁，一端 ($x=0$) 固支，另一端 ($x=l$) 简支，承受轴向拉力 N，分布横向载荷 $q(x)$ 以及端点弯矩 $\overline{M}_l$ 的作用。梁的挠度 $w(x)$ 应满足下列微分方程和边界条件

$$\frac{d^2}{dx^2}\left(EJ\frac{d^2w}{dx^2}\right)-N\frac{d^2w}{dx^2}=q, \tag{6.1}$$

$$\text{在 } x=0 \text{ 处：}\ w=\bar{w}_0,\ \frac{dw}{dx}=\bar{\Phi}_0, \tag{6.2}$$

$$\text{在 } x=l \text{ 处：}\ w=\bar{w}_l \tag{6.3a}$$

$$-EJ\frac{d^2w}{dx^2}=\bar{M}_l. \tag{6.3b}$$

这里 $\bar{w}_0$, $\bar{\Phi}_0$, $\bar{w}_l$, $\bar{M}_l$ 是已知数.

以后,把满足方程 (6.1)—(6.3) 的挠度叫做真实挠度,或叫做精确解，把满足条件 (6.2) 和 (6.3a) 但不管它是否满足 (6.1) 和 (6.3b) 的挠度叫做变形可能的挠度,简称可能挠度.

在最小势能原理中,把外载荷看作是不变的已知量,而把挠度看作是可变的自变函数. 整个系统的势能包括三部分：第一部分是梁的应变能 Π_b^2，它的算式是[1)]

$$\Pi_b^2=\frac{1}{2}\int_0^l EJ\left(\frac{d^2w}{dx^2}\right)^2dx. \tag{6.4a}$$

第二部分是轴向拉力N的势能 Π_N^2，它的算式是

$$\Pi_N^2=\frac{1}{2}\int_0^l N\left(\frac{dw}{dx}\right)^2dx. \tag{6.4b}$$

第三部分是横向载荷的势能 Π^1，它的算式是

$$\Pi^1=-\int_0^l qw\,dx+\bar{M}_l w'(l). \tag{6.4c}$$

所以总势能Π是

$$\Pi=\int_0^l\left\{\frac{1}{2}EJ\left(\frac{d^2w}{dx^2}\right)+\frac{1}{2}N\left(\frac{dw}{dx}\right)^2-qw\right\}dx+\bar{M}_l w'(l). \tag{6.5}$$

这个算式把总势能Π表达为挠度w的泛函，其中除函数w可变之外,其余的量都假定为已知的不变的量.

最小势能原理指出：在所有变形可能的挠度中，精确解使系

1）请再看一下第 42 页上的脚注 2).

统的总势能取最小值. 由于$\Pi(w)$是w的二次泛函，所以不用变分法而用较初等的方法也能作出数学证明. 下面介绍这样的较初等的证明.

设$w(x)$是精确解，它满足方程(6.1)—(6.3). 设$w_k(x)$是另一个变形可能的挠度，我们只知道它满足

$$
\begin{aligned}
&\text{在 } x=0 \text{ 处: } w_k=\bar{w}_0,\ w_k'=\bar{\varPhi}_0,\\
&\text{在 } x=l \text{ 处: } w_k=\bar{w}_l.
\end{aligned}
\tag{6.6}
$$

命

$$
\Delta w=w_k-w,\quad w_k=w+\Delta w,
\tag{6.7}
$$

Δw是一个有限的量，它是w_k相对于w的有限增量，不是w的变分. 当Δw为无穷小时，它才是w的变分. 从方程(6.2)，(6.3a)，(6.6)可知，Δw满足下列位移边界条件:

$$
\begin{aligned}
&\text{在 } x=0 \text{ 处: } \Delta w=0,\ \Delta w'=0,\\
&\text{在 } x=l \text{ 处: } \Delta w=0.
\end{aligned}
\tag{6.8}
$$

命$\Pi(w)$为与精确解相应的总势能，它的算式是(6.5). 再命$\Pi(w_k)$为与w_k相应的总势能，它的算式是

$$
\Pi(w_k)=\int_0^l\left\{\frac{1}{2}EJ\left(\frac{d^2w_k}{dx^2}\right)^2+\frac{1}{2}N\left(\frac{dw_k}{dx}\right)^2-qw_k\right\}dx+\bar{M}_l w_k'(l).
\tag{6.9}
$$

将(6.7)代入(6.9)，然后按Δw的次数排齐，得到[1]

$$
\begin{aligned}
\Pi(w_k)&=\Pi(w+\Delta w)\\
&=\Pi(w)+2\Pi^{11}(w,\Delta w)+\Pi^2(\Delta w),
\end{aligned}
\tag{6.10}
$$

其中

$$
2\Pi^{11}(w,\Delta w)=\int_0^l\left(EJ\frac{d^2w}{dx^2}\cdot\frac{d^2\Delta w}{dx^2}+N\frac{dw}{dx}\cdot\frac{d\Delta w}{dx}-q\Delta w\right)dx+\bar{M}_l\Delta w'(l),
\tag{6.11}
$$

1) Π^{11}的指标11，读作一、一，不读作十一. 意思是说: Π^{11}对w和Δw两个自变函数来说，都是一次整式.

$$\Pi^2(\Delta w) = \int_0^l \left\{\frac{1}{2} EJ\left(\frac{d^2\Delta w}{dx^2}\right)^2 + \frac{1}{2}N\left(\frac{d\Delta w}{dx}\right)^2\right\} dx. \quad (6.12)$$

Π^{11} 是一个新定义的泛函，而 Π^2 实质上就是前面定义过的两个泛函 Π_b^2, Π_N^2 之和.

在虚功原理的公式 (2.8) 中，取第一种状态为真实状态，第二种状态为增量状态（即取 $w_2 = \Delta w$），注意到 w 和 Δw 满足的边界条件，便有

$$\int_0^l q\Delta w dx - \overline{M}_l \Delta w'(l) = \int_0^l \left(EJ\frac{d^2w}{dx^2} \cdot \frac{d^2\Delta w}{dx^2} + N\frac{dw}{dx} \cdot \frac{d\Delta w}{dx}\right) dx.$$

此式表明

$$\Pi^{11}(w, \Delta w) = 0. \quad (6.13)$$

这样 (6.10) 化为

$$\Pi(w_k) = \Pi(w) + \Pi^2(\Delta w). \quad (6.14)$$

从算式 (6.12) 可以看到，当 $N \geqslant 0$ 时，$\Pi^2(\Delta w) \geqslant 0$. 当 $N < 0$ 而轴向压力尚未达到临界压力时，后面 § 2.11 将证明也有 $\Pi^2(\Delta w) \geqslant 0$. 因此对于这样的轴向力，必有

$$\Pi(w_k) \geqslant \Pi(w). \quad (6.15)$$

式中的等号只有在 Δw 为刚体位移时才能成立. 这便是希望证明的最小势能原理.

上面虽然仅对一种特殊的边界条件 (6.2), (6.3) 证明了最小势能原理，但证明的方法是普遍适用于其他类型的边界条件的. 不仅如此，上述证明步骤还适用于其他更加复杂的弹性力学问题.

精确解既然能使总势能取最小值，那末必有

$$\delta\Pi(w) = 0. \quad (6.16)$$

此式可看作是可能挠度的一个变分方程. 根据公式 (6.5) 计算 $\delta\Pi$，得到

$$\delta\Pi = \int_0^l \left[\frac{d^2}{dx^2}\left(EJ\frac{d^2w}{dx^2}\right) - N\frac{d^2w}{dx^2} - q\right]\delta w dx$$

$$+ [EJw''(l) + \overline{M}_l]\delta w'(l) = 0. \qquad (6.17)$$

对于精确解 w，(6.17) 显然成立. 反之，对于任意的变形可能的变分 δw 方程 (6.17) 都成立，便可推知 w 必满足方程 (6.1) 和边界条件 (6.3b)，这正好补足了可能挠度尚未满足的平衡条件. 所以最小势能原理与平衡条件完全等价.

§ 2.7 用三角级数解等剖面简支梁和固支梁的问题

先考虑一个等剖面的简支梁，承受轴向拉力 N 和分布横向载荷 $q(x)$ 的平衡问题. 梁的挠度 $w(x)$ 满足下列方程和边界条件

$$EJ\frac{d^4w}{dx^4} - N\frac{d^2w}{dx^2} = q, \qquad (7.1)$$

$$在\ x = 0\ 及\ x = l\ 处:\ w = 0, \frac{d^2w}{dx^2} = 0. \qquad (7.2)$$

这个边界条件表明，w 适宜展开成正弦三角级数:

$$w = \sum_{n=1}^{\infty} a_n \sin\frac{n\pi x}{l}. \qquad (7.3)$$

式中 a_n 是待定的常数. 算式 (7.3) 已满足了边界条件 (7.2)，剩下的问题是决定常数 a_n，使 (7.3) 给出的 w 满足微分方程 (7.1). 为了达到这个目的有两种做法.

第一种做法是先把 (7.3) 代入 (7.1)，得到

$$\sum_{n=1}^{\infty}\left(\frac{n^4\pi^4}{l^4}EJ + \frac{n^2\pi^2}{l^2}N\right)a_n \sin\frac{n\pi x}{l} = q(x). \qquad (7.4)$$

现在把已知函数 $q(x)$ 也展成正弦三角级数

$$q(x) = \frac{2}{l}\sum_{n=1}^{\infty} q_n \sin\frac{n\pi x}{l}, \qquad (7.5)$$

其中

$$q_n = \int_0^l q(x) \sin \frac{n\pi x}{l} dx. \tag{7.6}$$

将 (7.5) 代入 (7.4)，然后比较等式两端同类项的系数，得到

$$a_n = \frac{2q_n}{l} \cdot \frac{1}{\dfrac{\pi^4 EJ}{l^4} n^4 + \dfrac{\pi^2 N}{l^2} n^2}. \tag{7.7}$$

将此代回 (7.3)，便得到 w 的算式。

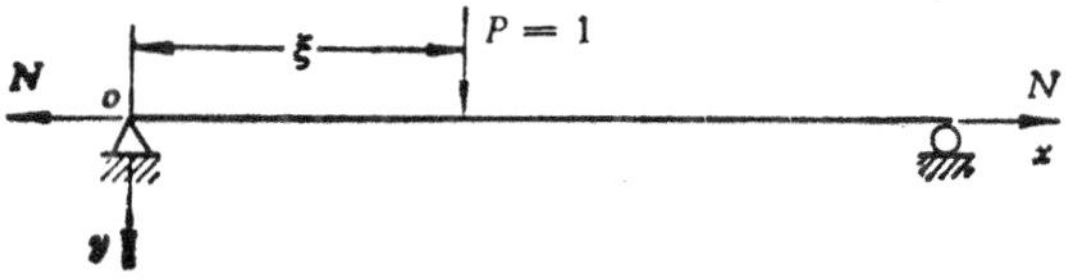

图 7.1

这个方法看起来似乎简单易行，其实隐藏着复杂的理论问题。为了暴露这些问题，让我们来考虑如图 7.1 所示的在 $x = \xi$ 处有一个单位集中载荷的情况。 此问题的挠度就是简支梁的影响函数，下面仍旧用 $G(x, \xi)$ 来代表这个挠度。从 (7.6) 得到

$$q_n = \int_0^l \delta(x - \xi) \sin \frac{n\pi x}{l} dx = \sin \frac{n\pi \xi}{l},$$

因此最后有

$$G = \frac{2l^3}{\pi^4 EJ} \sum_{n=1}^{\infty} \frac{\sin \dfrac{n\pi\xi}{l} \sin \dfrac{n\pi x}{l}}{n^4 \left(1 + \dfrac{Nl^2}{\pi^2 EJn^2}\right)}. \tag{7.8}$$

但是仔细回顾一下可以发现，在上面的推导过程中出现了两个发散级数，它们是

$$\delta(x - \xi) = \frac{2}{l} \sum_{n=1}^{\infty} \sin \frac{n\pi\xi}{l} \sin \frac{n\pi x}{l}, \tag{7.9}$$

$$\frac{d^4 G}{dx^4} = \frac{2}{lEJ} \sum_{n=1}^{\infty} \frac{\sin \dfrac{n\pi\xi}{l} \sin \dfrac{n\pi x}{l}}{1 + \dfrac{Nl^2}{\pi^2 EJn^2}}. \tag{7.10}$$

所以要把这种做法在理论上讲清楚，不可避免地要涉及发散级数．这可是一个很麻烦的事情．

为了避开这许多理论上的麻烦问题，可以采用第二种办法，即用最小势能原理来代替微分方程 (7.1)． 先回到一般的分布载荷的情况，在这个问题中，系统的总势能为

$$\Pi=\int_0^l\left\{\frac{1}{2}EJ\left(\frac{d^2w}{dx^2}\right)^2+\frac{1}{2}N\left(\frac{dw}{dx}\right)^2-qw\right\}dx. \qquad (7.11)$$

将算式 (7.3) 代入上式，算出积分，得到

$$\Pi=\sum_{n=1}^{\infty}\left\{\left(\frac{\pi^4n^4}{4l^3}EJ+\frac{\pi^2n^2}{4l}N\right)a_n^2-q_na_n\right\}. \qquad (7.12)$$

这里的 q_n 仍由公式 (7.6) 决定．根据最小势能原理，系数 a_n 应使 Π 取最小值，这样得到方程

$$\frac{\partial\Pi}{\partial a_n}=\frac{l}{2}\left(\frac{n^4\pi^4}{l^4}EJ+\frac{n^2\pi^2}{l^2}N\right)a_n-q_n=0,$$

由此立即得到公式 (7.7)．

两种方法得出完全相同的结果．但是在根据最小势能原理的推导过程中，只涉及 w 的二阶导数，这是能量法的优点之一．

下面再来考虑等剖面固支梁在轴向力 N 和对梁中点对称的分布载荷 $q(x)$ 作用下的平衡问题． 挠度 w 应满足的微分方程仍为 (7.1)，而边界条件现在变为

$$在\ x=0\ 及\ x=l\ 处:\ w=0,\ \frac{dw}{dx}=0. \qquad (7.13)$$

根据这个边界条件、以及 w 对梁中点的对称性，我们可以把 w 展开成下列余弦级数:

$$w=\sum_{n=1}^{\infty}a_n\left(1-\cos\frac{2n\pi x}{l}\right). \qquad (7.14)$$

系数 a_n 仍可以用两种办法去决定．不过在固支梁的问题中，迳直代入微分方程的办法涉及更多的理论问题，所以下面只说明利用最小势能原理的方法．

这个系统的总势能 Π 的算式仍为 (7.11)． 将算式 (7.14) 代

入 (7.11)，算出积分，得到

$$\Pi = \sum_{n=1}^{\infty} \left\{ \frac{8\pi^4 EJn^4}{2l^3} \left(1 + \frac{l^2 N}{4\pi^2 EJn^2}\right) a_n^2 - q_n a_n \right\}, \quad (7.15)$$

式中

$$q_n = \int_0^l q(x) \left(1 - \cos\frac{2n\pi x}{l}\right) dx. \quad (7.16)$$

根据最小势能原理，a_n 应使 Π 取最小值，故有

$$\frac{\partial \Pi}{\partial a_n} = \frac{8\pi^4 EJn^4}{l^3} \left(1 + \frac{l^2 N}{4\pi^2 EJn^2}\right) a_n - q_n = 0,$$

由此得到

$$a_n = \frac{l^3}{8\pi^4 EJ} \cdot \frac{q_n}{n^4 \left(1 + \dfrac{l^2 N}{4\pi^2 EJn^2}\right)}. \quad (7.17)$$

将此代回 (7.14)，得到 w 的算式

$$w = \frac{l^3}{8\pi^4 EJ} \sum_{n=1}^{\infty} \frac{q_n \left(1 - \cos\dfrac{2n\pi x}{l}\right)}{n^4 \left(1 + \dfrac{l^2 N}{4\pi^2 EJn^2}\right)}. \quad (7.18)$$

如果横向载荷中有集中载荷，那末算式 (7.18) 对 x 微分四次后也是不收敛的.

§2.8 用里兹法和有限元素法求解梁的弯曲问题

考虑一个一端 ($x = 0$) 固支一端 ($x = l$) 简支的变剖面梁，在轴向拉力和横向载荷联合作用的平衡问题. 梁的挠度满足下列微分方程和边界条件

$$\frac{d^2}{dx^2}\left(EJ \frac{d^2 w}{dx^2}\right) - N \frac{d^2 w}{dx^2} = q, \quad (8.1)$$

$$\left.\begin{aligned} &\text{在 } x = 0 \text{ 处: } w = \bar{w}_0, \ \frac{dw}{dx} = \bar{\varphi}_0, \\ &\text{在 } x = l \text{ 处: } w = \bar{w}_l, \end{aligned}\right\} \quad (8.2)$$

$$-EJ \frac{d^2 w}{dx^2} = \bar{M}_l. \quad (8.3)$$

在 EJ 是变数的情况下，求挠度的精确解是很困难的，因此通常不得不求助于近似解．在许多近似解法中，根据最小势能原理的里兹法和有限元素法用得最多．

下面先说明一下里兹法．在里兹法中，把挠度表达为

$$w=\varphi_0+\sum_{i=1}^{n}\xi_i\varphi_i. \tag{8.4}$$

式中 $\varphi_0(x)$ 是变形可能的某一特解，即 φ_0 和 $\frac{d\varphi_0}{dx}$ 是 x 的连续函数，并且满足下列非齐次的位移边界条件

$$\begin{aligned}&\text{在 } x=0 \text{ 处：}\ \varphi_0=\bar{w}_0,\ \frac{d\varphi_0}{dx}=\bar{\psi}_0,\\&\text{在 } x=l \text{ 处：}\ \varphi_0=\bar{w}_l.\end{aligned} \tag{8.5}$$

φ_i 为 n 个适当选定的变形可能的齐次解，即 φ_i 和 $\frac{d\varphi_i}{dx}$ 都是 x 的连续函数，并且满足齐次的位移边界条件

$$\begin{aligned}&\text{在 } x=0 \text{ 处：}\ \varphi_i=0\ \ \frac{d\varphi_i}{dx}=0,\\&\text{在 } x=l \text{ 处：}\ \varphi_i=0.\end{aligned} \tag{8.6}$$

ξ_i 是 n 个待定的常数．

为了书写简便起见，更重要的是为了用计算机的方便起见，将算式 (8.4) 改成矩阵形式．命 $\boldsymbol{\varphi}$ 为由 φ_i 组成的列矢量，$\boldsymbol{\xi}$ 为 ξ_i 组成的列矢量，即命

$$\begin{aligned}\boldsymbol{\varphi}&=[\varphi_1,\varphi_2,\cdots,\varphi_i,\cdots,\varphi_n]^T,\\\boldsymbol{\xi}&=[\xi_1,\xi_2,\cdots,\xi_i,\cdots,\xi_n]^T.\end{aligned}$$

这样算式 (8.4) 可写成为

$$w=\varphi_0+\boldsymbol{\varphi}^T\boldsymbol{\xi}. \tag{8.7}$$

常数矢量 $\boldsymbol{\xi}$ 应根据最小势能原理决定．在本问题中，势能的算式已由 (6.5) 给出．将 (8.7) 代入 (6.5)，算出积分，在略去无关紧要的常数项后，得到

$$\Pi=\frac{1}{2}\boldsymbol{\xi}^T(\boldsymbol{K}+N\boldsymbol{G})\boldsymbol{\xi}-\boldsymbol{F}^T\boldsymbol{\xi}, \tag{8.8}$$

式中 $\boldsymbol{K}$ 和 $\boldsymbol{G}$ 为两个对称的矩阵，$\boldsymbol{F}$ 是一个列矢量，它们的算式分别为

$$\boldsymbol{K}=\int_0^l EJ\frac{d^2\boldsymbol{\varphi}}{dx^2}\cdot\frac{d^2\boldsymbol{\varphi}^T}{dx^2}dx,\quad \boldsymbol{G}=\int_0^l\frac{d\boldsymbol{\varphi}}{dx}\cdot\frac{d\boldsymbol{\varphi}^T}{dx}dx,$$

$$\boldsymbol{F}=\int_0^l q\boldsymbol{\varphi}dx-\overline{M}_l\boldsymbol{\varphi}'(l)-\int_0^l\left(EJ\frac{d^2\varphi_0}{dx^2}\cdot\frac{d^2\boldsymbol{\varphi}}{dx^2}+N\frac{d\varphi_0}{dx}\cdot\frac{d\boldsymbol{\varphi}}{dx}\right)dx. \tag{8.9}$$

常数 $\boldsymbol{\xi}$ 应使 Π 取最小值，这样便得到方程

$$(\boldsymbol{K}+N\boldsymbol{G})\boldsymbol{\xi}=\boldsymbol{F}. \tag{8.10}$$

由此便可解出 $\boldsymbol{\xi}$.

实际应用近似解法时人们都希望计算简单而所得结果又足够精确．里兹法是否能做到这两条主要取决于可能挠度 $\varphi_0,\varphi_1,\cdots,\varphi_n$ 选取得是否恰当． 如果某问题中位移边界条件本来就是齐次的，那末人们总是取 $\varphi_0=0$． 如果位移边界条件本来是非齐次的，那末 φ_0 这一项不可少．如果级数 (8.4) 的前一、二项已颇接近精确解，级数中的以后几项只起“修正”的作用，那末少取几项也能解决问题．反之，如果级数 (8.4) 的前几项与精确解相差颇远，加重后面各项“修正”的负担，那么级数 (8.4) 的项数只好取得多一些． 所以用里兹法解问题，必须充分发挥人的主观能动作用，结合问题的性质，作出适当的选择．

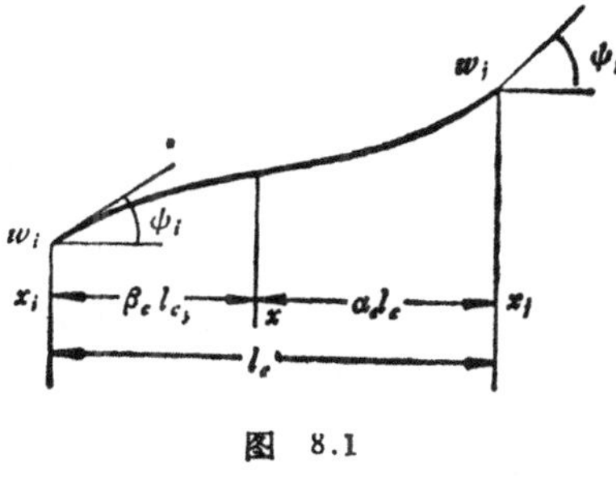

图 8.1

若用有限元素法求解梁的弯曲问题，在选取可能挠度方面比里兹法方便多了．用有限元素法时，先将梁分割成若干个(例如 n 个)有限元素，如 § 2.4 所做的那样．设第 e 个有限元素如图 8.1 所示，它的起点是 x_i，终点是 x_j[1)]，长度为

1) 在一维问题中，第 e 个有限元素两端结点的编号通常是 $(e-1)$ 和 e，如 § 2.4 那样．但是为了照顾后面的需要，本节假定结点号与元素号可以随意指定．

$$l_e = x_j - x_i. \tag{8.11}$$

再设 x 是元素内的任一点，x 点的无量纲局部坐标为 α_e, β_e:

$$\alpha_e = \frac{1}{l_e}(x_j - x),\ \beta_e = \frac{1}{l}(x - x_i). \tag{8.12a}$$

在本书的公式中，不同时出现两个元素的局部坐标，所以为简单醒目起见，可以省去 α_e, β_e 的下标 e，而简单地写成为

$$\alpha = \frac{1}{l_e}(x_j - x),\ \beta = \frac{1}{l_e}(x - x_i). \tag{8.12b}$$

命结点上的挠度为 w_i, w_j，斜率为 ψ_i, ψ_j. 在有限元素法中，不需要对整个梁的挠度的算式作出假设，而只需要在每一个元素内，分别对挠度的算式作出假设. 作这样的局部的假设，当然比较有把握些，比较简单些. 不过若把一个有限元素内的挠度假设为 x 的线性函数，那将是过分简化了，在梁的问题中是不适用的. 因为如果作了挠度线性变化的假设，那末在每一个有限元素内，梁的曲率为零，计算不出梁的应变能；在另一方面，两个相邻元素在公用结点上给出不相等的斜率，这又与位移连续的要求相矛盾. 所以在本问题中，必须把每个有限元素内的挠度，至少表达成 x 的三次以上的函数. 如果就用三次函数，则可取

$$w = w_i \mathrm{H}_0^1(\beta) + \psi_i \mathrm{H}_1^1(\beta) + w_j \mathrm{H}_0^2(\beta) + \psi_j \mathrm{H}_1^2(\beta). \tag{8.13}$$

式中 H_0^1, H_1^1, H_0^2, H_1^2 是等剖面梁的四个挠度函数，如图 8.2a～d 和公式 (8.14a ～ d) 所示. 这四个函数在刚架分析中是很基本的四个函数，在板的有限元素法中也有许多应用. 这四个函数在数学中是 Hermite 插入多项式中的四个. 我们的问题是根据两点（第一点为 $\beta = 0$，第二点为 $\beta = 1$）处的挠度及其斜率求三次插入多项式. 上面的四种情况是每一种只有一个参数等于 1，而其余的参数全等于 0 . H的上标 1 或 2 代表在那一点上有一个参数等于 1，而H的下标 0 或 1 代表挠度（0 阶导数）或它的 1 阶导数等于 1. 用熟了 Hermite 插入多项式的记号后，对推导各种插入公式是有帮助的.

系统的总势能仍由公式(6.5)给出. 为了以后的方便，先把这

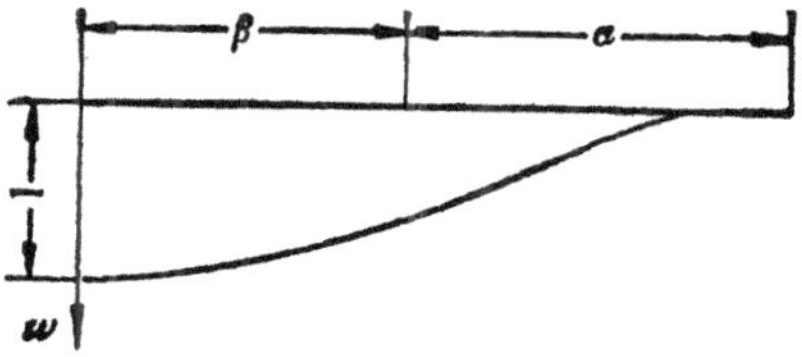

图 8.2α

$$w = \mathrm{H}_0^1(\beta) = 1 - 3\beta^2 + 2\beta^3 = \alpha^2(\alpha + 3\beta),$$

$$\frac{dw}{d\beta} = \mathrm{H}_0^{1\prime}(\beta) = -6(\beta - \beta^2) = -6\ \ \beta, \tag{8.14a}$$

$$-\frac{d^2w}{d\beta^2} = -\mathrm{H}_0^{1\prime\prime}(\beta) = 6(1 - 2\beta) = 6(\alpha - \beta).$$

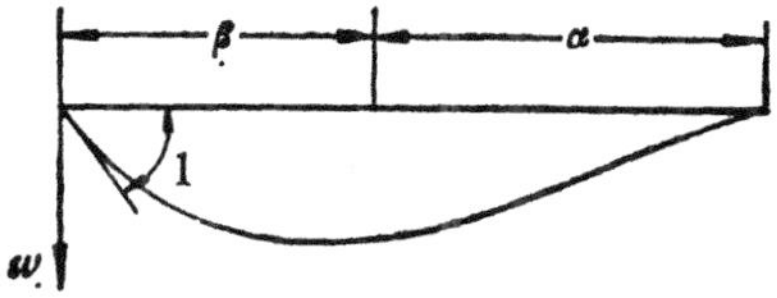

图 8.2b

$$w = \mathrm{H}_1^1(\beta) = \beta - 2\beta^2 + \beta^3 = \alpha^2\beta,$$

$$\frac{dw}{d\beta} = \mathrm{H}_1^{1\prime}(\beta) = 1 - 4\beta + 3\beta^2 = \alpha(\alpha - 2\beta),$$

$$-\frac{d^2w}{d\beta^2} = -\mathrm{H}_1^{1\prime\prime}(\beta) = 2(2 - 3\beta) = 2(2\alpha - \beta). \tag{8.14b}$$

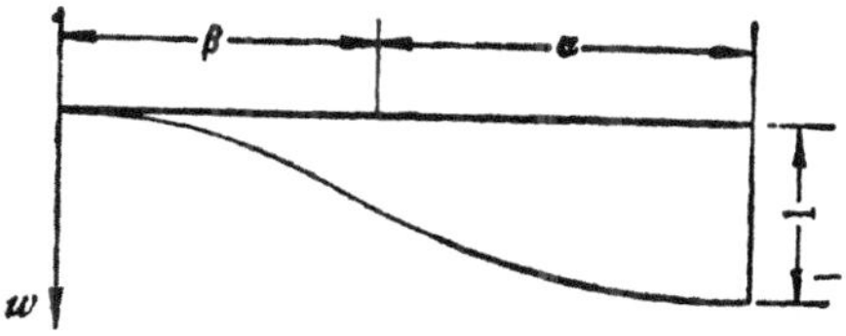

图 8.2c

$$w = \mathrm{H}_0^2(\beta) = 3\beta^2 - 2\beta^3 = \beta^2(3\alpha + \beta),$$

$$\frac{dw}{d\beta} = \mathrm{H}_0^{2\prime}(\beta) = 6(\beta - \beta^2) = 6\alpha\beta,$$

$$-\frac{d^2w}{d\beta^2} = -\mathrm{H}_0^{2\prime\prime}(\beta) = -6(1 - 2\beta) = -6(\alpha - \beta). \tag{8.14c}$$

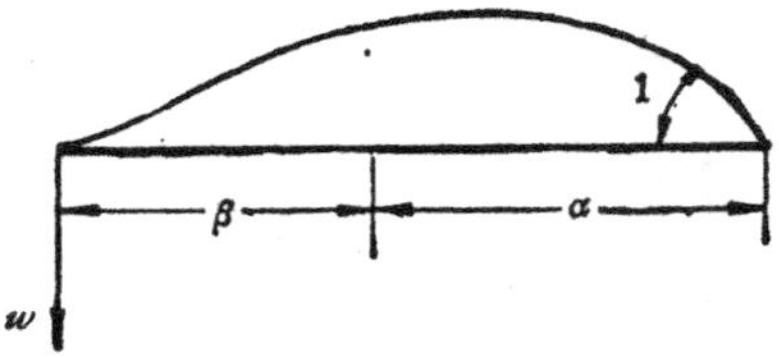

图 8.2d

$$= H_1^2(\beta) = -\beta^2 + \beta^3 = -\alpha\beta^2,$$

$$\frac{dw}{d\beta} = H_1^{2\prime}(\beta) = -2\beta + 3\beta^2 = -\beta(2\alpha - \beta),$$

$$-\frac{d^2w}{d\beta^2} = -H_1^{2\prime\prime}(\beta) = 2(1 - 3\beta) = 2(\alpha - 2\beta). \qquad (8.14d)$$

个公式改写一下．前已说明，若把单位集中载荷看作是分布载荷，它的表达式是

$$q = \delta(x - \xi).$$

集中力矩是由两个方向相反无限靠拢的集中力组成的．所以若把作用在 $x = \xi$ 点上的单位集中力矩看作是分布载荷，它的表达式是

$$q = -\delta'(x - \xi).$$

δ' 是函数 δ 对自变量的导数．利用上面的说明，我们可以把作用在简支端上的集中力矩 $\overline{M}_l$ 看作是一种分布载荷

$$q_M = \overline{M}_l\delta'(x - l). \qquad (8.15)$$

将此"广义"的分布载荷并入原有的分布载荷之中，(6.5) 式便可改写成为

$$\Pi = \int_0^l \left\{\frac{1}{2} EJ\left(\frac{d^2w}{dx^2}\right)^2 + \frac{1}{2}N\left(\frac{dw}{dx}\right)^2 - qw\right\} dx. \qquad (8.16)$$

此式中的分布载荷已包括普通的分布载荷、集中载荷和集中力矩在内．

上面既然已对 w 按元素分段进行插入，因此 (8.16) 式中的积分也应分段进行计算：

$$\Pi = \sum_{e=1}^{n} \Pi_e. \qquad (8.17)$$

其中 Π_e 是第 e 个元素的总势能，它的算式是

$$\Pi_e = \int_{x_i}^{x_j} \left\{ \frac{1}{2} EJ \left(\frac{d^2 w}{dx^2} \right)^2 + \frac{1}{2} N \left(\frac{dw}{dx} \right)^2 - qw \right\} dx. \quad (8.18)$$

如果在结点上作用集中力或集中力矩，那末这些集中载荷可计算入前一个元素或后一个元素，但不要计算重复或遗留。

当每一个有限元素都很短时，通常就认为在每一个元素中 EJ 是一个常数。 这样将 w 的算式 (8.13) 代入 (8.18) 便可简便地算出积分[1]，若将结果用矩阵来表示，则为

$$\Pi_e = \frac{1}{2} \boldsymbol{u}_e^T (\boldsymbol{K}^e + N\boldsymbol{G}^e) \boldsymbol{u}_e - \boldsymbol{F}^{eT} \boldsymbol{u}_e. \quad (8.19)$$

其中

$$\boldsymbol{u}_e^T = [w_i, \psi_i, w_j, \psi_j], \quad (8.20)$$

$$\boldsymbol{K}^e = \frac{2EJ_e}{l_e^3} \begin{bmatrix} 6, & 3l_e, & -6, & 3l_e \\ & 2l_e^2, & -3l_e, & l_e^2 \\ \text{对} & & 6, & -3l_e \\ & \text{称} & & 2l_e^2, \end{bmatrix}, \quad (8.21)$$

$$\boldsymbol{G}^e = \frac{1}{30 l_e} \begin{bmatrix} 36, & 3l_e, & -36, & 3l_e \\ & 4l_e^2, & -3l_e, & -l_e^2 \\ \text{对} & & 36, & -3l_e \\ & \text{称} & & 4l_e^2 \end{bmatrix}. \quad (8.22)$$

$$\boldsymbol{F}^{eT} = \left[\int_{x_i}^{x_j} q\, \mathrm{H}_0^1(\beta) dx, \int_{x_i}^{x_j} q\, \mathrm{H}_1^1(\beta) dx, \int_{x_i}^{x_j} q\, \mathrm{H}_0^2(\beta) dx, \right.$$
$$\left. \int_{x_i}^{x_j} q\, \mathrm{H}_1^2(\beta) dx \right]. \quad (8.23)$$

矩阵 $\boldsymbol{u}_e$ 称为元素的位移参数，$\boldsymbol{K}^e$ 称为元素的刚度矩阵，$\boldsymbol{G}^e$ 称为元素的几何刚度矩阵，$\boldsymbol{F}^e$ 称为元素的广义载荷。

---

1) 在计算积分时可利用定积分公式

$$\int_0^1 (1-t)^m t^n dt = \frac{m!n!}{(m+n+1)!}.$$

改用这里的记号则有

$$\int_{x_i}^{x_j} \alpha^m \beta^n dx = \frac{m!n!}{(m+n+1)!} l_e.$$

将各个元素的势能加起来，便得到整个系统的势能，在计算机上实现这一运算时，可采用矩阵扩张的办法. 先把各个结点上的位移参数 $w_1, \psi_1, w_2, \psi_2, \cdots\cdots$ 合在一起组成一个列矢量 $\boldsymbol{u}$:

$$\boldsymbol{u} = [w_1, \psi_1, w_2, \psi_2, \cdots]^T. \tag{8.24}$$

$\boldsymbol{u}$ 称为梁的位移参数. 然后将 $\boldsymbol{K}^e, \boldsymbol{G}^e, \boldsymbol{F}^e$ 三个矩阵按 (8.24) 规定的顺序进行扩张，使得元素的势能表达成为

$$\Pi_e = \frac{1}{2}\boldsymbol{u}^T(\boldsymbol{K}^e + N\boldsymbol{G}^e)\boldsymbol{u} - \boldsymbol{F}^{eT}\boldsymbol{u}. \tag{8.25}$$

这里我们把同一个矩阵在扩张前后的两种形式用同一个记号，这样能节省一套记号，但并不会引起混乱. 扩张后的 $\boldsymbol{K}^e, \boldsymbol{G}^e, \boldsymbol{F}^e$ 的算式是

$$\boldsymbol{K}^e \text{ 或 } \boldsymbol{G}^e = \left[\begin{array}{cccccccc} & \vdots & \vdots & & \vdots & \vdots & \\ \cdots & \triangle & \triangle & \cdots & \triangle & \triangle & \cdots \\ \cdots & \triangle & \triangle & \cdots & \triangle & \triangle & \cdots \\ & \vdots & \vdots & & \vdots & \vdots & \\ \cdots & \triangle & \triangle & \cdots & \triangle & \triangle & \cdots \\ \cdots & \triangle & \triangle & \cdots & \triangle & \triangle & \cdots \\ & \vdots & \vdots & & \vdots & \vdots & \end{array}\right] \begin{array}{c} \\ w_i \\ \psi_i \\ \\ w_j \\ \psi_j \\ \\ \end{array}. \tag{8.26}$$

$$\begin{array}{cccc} w_i & \psi_i & w_j & \psi_j \end{array}$$

$$\boldsymbol{F}^{eT} = [\cdots \triangle \quad \triangle \cdots \triangle \quad \triangle \cdots]. \tag{8.27}$$

式中除了用 $\triangle$ 表示的元素等于相应矩阵 [(8.21)，或 (8.22) 或 (8.23)] 的相应元素之外，其余的元都等于零. 所以所谓矩阵的扩张，就是在原来的矩阵中填上许多零元而组成一个高阶的矩阵.

将 (8.25) 表示的各个元素的势能加起来，便可将整个梁的势能 Π 表达成为

$$\Pi = \frac{1}{2}\boldsymbol{u}^T(\boldsymbol{K} + N\boldsymbol{G})\boldsymbol{u} - \boldsymbol{F}^T\boldsymbol{u}, \tag{8.28}$$

其中

$$\boldsymbol{K} = \sum_{e=1}^{n}\boldsymbol{K}^e, \quad \boldsymbol{G} = \sum_{e=1}^{n}\boldsymbol{G}^e, \quad \boldsymbol{F} = \sum_{e=1}^{n}\boldsymbol{F}^e. \tag{8.29}$$

矩阵 $\boldsymbol{K}$ 称为梁的刚度矩阵，$\boldsymbol{G}$ 称为梁的几何刚度矩阵，$\boldsymbol{F}$ 称为梁的广义载荷．根据最小势能原理，从 (8.28) 可得到联立方程

$$(\boldsymbol{K}+N\boldsymbol{G})\boldsymbol{u}=\boldsymbol{F}. \tag{8.30}$$

由此可求得梁的全部位移参数 $\boldsymbol{u}$.

从方程(8.30)可以看到，若在梁的结点上加上集中外力 $-\boldsymbol{F}$，那末这个 $-\boldsymbol{F}$ 正好与原有载荷产生的广义载荷 $\boldsymbol{F}$ 相抵消，从而使 $\boldsymbol{u}=0$．这表明 $-\boldsymbol{F}$ 就是结构力学中常用的固定端反力，即能使结点无挠度无转角所需的集中反力和反力矩．上面介绍的求 $\boldsymbol{F}$ 的方法，实质上就是求固定端反力的近似方法．对于等剖面的梁，如果只有横向载荷而无轴向拉力，上面得到的 $\boldsymbol{F}$ 的公式是精确的，因而最后求得的结点挠度和转角也是精确的.

对比里兹法与有限元素法可以看到，虽然两者最后都导致解算联立方程，但是有限元素法的优点更突出一些，这主要表现在下列三方面：(1) 选取插入函数比较简单有把握，(2) 所需的积分运算比较简单，因为在每一个元素中可以假设 EJ 为一常数，而假设 EJ 为一线性函数已是很接近实际情况了，(3) 联立方程的系数矩阵比较有规则，并且有很多零元，能节省计算机的容量和时间.

§ 2.9　梁在轴压下的稳定性，关于临界载荷的变分原理

考虑一个等剖面的梁，两端简支，受到轴向压力 P 及分布载荷 $q(x)$ 的作用．§ 2.7 已求得挠度 w 的一种表达式[在 (7.3)，(7.7) 中将 N 改为 $-P$ 即得]

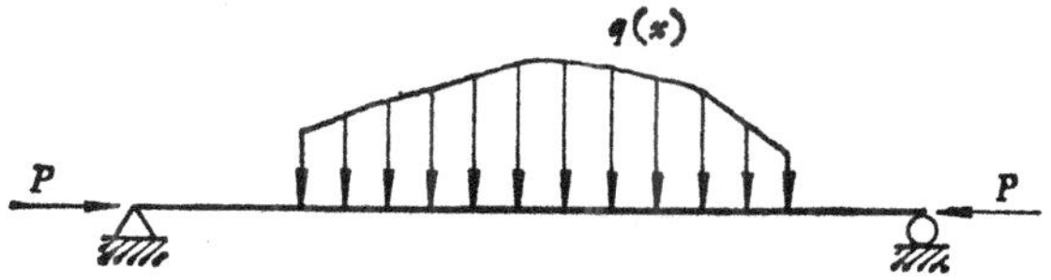

图 9.1

$$w = \sum_{n=1}^{\infty} \frac{2l^3 q_n}{\pi^4 EJ} \cdot \frac{\sin \frac{n\pi x}{l}}{n^4 \left(1 - \frac{l^2 P}{\pi^2 EJ n^2}\right)}, \tag{9.1}$$

其中

$$q_n = \int_0^l q \sin \frac{n\pi x}{l} dx. \tag{9.2}$$

当压力 P 从零逐渐增加时，级数中的每个分母都逐渐减少，即级数的每一项的绝对值都在增加．只要 $q_1 \neq 0$，那末当 P 接近于

$$P_{cr} = \frac{\pi^2 EJ}{l^2} \tag{9.3}$$

时，级数的第一项趋近于无穷大．这就是说，很小一点点广义载荷 q_1 就能产生很大的挠度，或者说，当 $P = P_{cr}$ 时，即使没有横向载荷(即 $q_1 = q_2 = \cdots = 0$)，也可能产生横向变形，因为这时级数的第一项变为 0/0，它为一个不确定的值，可以不等于零．

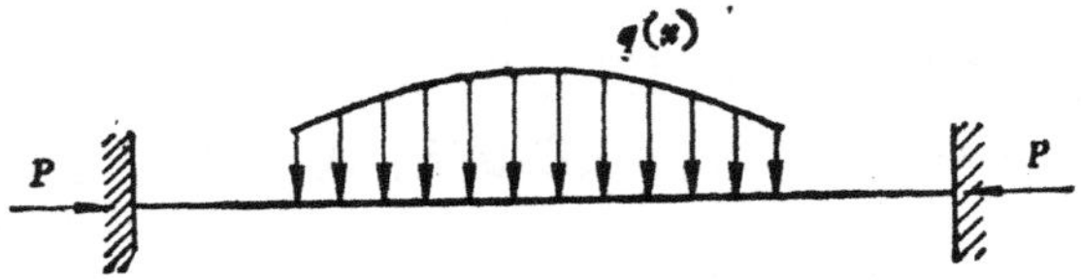

图 9.2

再考虑一个等剖面的梁，两端固支，受到轴向压力 P 及对称的横向分布载荷 $q(x)$ 的作用．在 § 2.7 已求得挠度 w 的一种表达式［在 (7.18) 式中用 $-P$ 代替 N 即得］

$$w = \frac{l^3}{8\pi^4 EJ} \sum_{n=1}^{\infty} \frac{q_n\left(1 - \cos\frac{2n\pi x}{l}\right)}{n^4\left(1 - \frac{l^2 P}{4\pi^2 EJ n^2}\right)}, \tag{9.4}$$

式中

$$q_n = \int_0^l q\left(1 - \cos\frac{2n\pi x}{l}\right) dx. \tag{9.5}$$

只要 $q_1 \neq 0$，那末当压力 P 从小逐渐增加，以至于接近

$$P_{cr} = \frac{4\pi^2 EJ}{l^2} \tag{9.6}$$

时，挠度趋近于无穷大，即使横向载荷等于零，也可能产生挠度.

上面两个例子揭示的现象，不是个别的现象，乃是普遍的现象. 根据这些现象，临界压力的一种定义便是：当梁上的轴压等于临界压力时，即使没有横向载荷，梁也会产生不等于零的挠度[1)]. 下面根据这个定义先提出相应的微分方程的本征值问题.

考虑一个变剖面的梁，在轴向压力 P 作用下的问题. 由于没有横向载荷，挠度 w 满足方程

$$\frac{d^2}{dx^2}\left(EJ\frac{d^2w}{dx^2}\right) + P\frac{d^2w}{dx^2} = 0. \tag{9.7}$$

梁的边界条件可能有多种情况，但都没有位移或外载荷，因此可归结为

在梁的端点上：

$$w = 0, \text{或} \frac{d}{dx}\left(EJ\frac{d^2w}{dx^2}\right) + P\frac{dw}{dx} = 0, \tag{9.8a}$$

$$\frac{dw}{dx} = 0, \text{或} EJ\frac{d^2w}{dx^2} = 0. \tag{9.8b}$$

方程 (9.7)、(9.8) 都是齐次的，所以 $w = 0$ 便是一个解. 除了 P 等于一系列特殊值 $P_1, P_2, \cdots$ 之外，方程 (9.7)，(9.8) 就只有 $w = 0$ 这么一个解，而当 P 等于这些特殊值时，w 就有不等于零的解 $\varphi_1, \varphi_2, \cdots$. 这些特殊值称为方程 (9.7)，(9.8) 的本征值，而相应的函数 $\varphi_1, \varphi_2, \cdots$ 称为本征函数. 根据定义，P_{cr} 就是最小的一个本征值 P_1.

在梁的轴压稳定性问题中，只有最小的本征值 P_1 与相应的本征函数有实用意义，但是在理论上其他本征值与相应的本征函数都是有用的. 对于其他问题，例如固有振动问题，每一个本征值及相应的本征函数都有实用意义.

1）临界载荷的这个定义不是最确切最严格的定义，有些特殊问题这个定义就不适用了. 不过对于一般的问题，这个定义用起来最方便.

用解微分方程本征值问题的方法决定临界载荷，在有些材料力学教本中也有讲述，在专门的弹性稳定理论的著作中则讲述得更多，所以这里不再深入讨论这些问题.

下面把方程 (9.7)，(9.8) 规定的本征值问题化为泛函的驻立值问题. 方程 (9.7)，(9.8) 的本征值相当于下列泛函所取的驻立值:

$$P=\operatorname{st}\frac{\int_0^l EJ\left(\frac{d^2w}{dx^2}\right)^2dx}{\int_0^l\left(\frac{dw}{dx}\right)^2dx}, \tag{9.9}$$

而相应的函数便是本征函数. (9.9) 式中的自变函数 w，事先要求也仅仅要求满足位移边界条件，即 $w=0$ 和 $w'=0$，如果有这些边界条件的话.

证明分两步. 第一步先证明 (9.9) 式的每一个驻立值和相应的自变函数 w，都是方程 (9.7)，(9.8) 的本征值和本征函数. 为此，求 δP，并使它等于零，这样得到[1]:

$$\delta\int^l EJ\left(\frac{d^2w}{dx^2}\right)^2dx-P\delta\int_0^l\left(\frac{dw}{dx}\right)^2dx=0. \tag{9.10}$$

对上式的两项分别进行计算

$$\begin{aligned}\frac{1}{2}\delta\int_0^l EJ\left(\frac{d^2w}{dx^2}\right)^2dx&=\int_0^l EJ\frac{d^2w}{dx^2}\cdot\frac{d^2\delta w}{dx^2}dx\\&=\int_0^l\frac{d^2}{dx^2}EJ\frac{d^2w}{dx^2}\delta w dx+EJ\frac{d^2w}{dx^2}\cdot\frac{d\delta w}{dx}\bigg|_0^l\\&\quad-\frac{d}{dx}EJ\frac{d^2w}{dx^2}\delta w\bigg|_0^l,\end{aligned}$$

$$\begin{aligned}\frac{1}{2}\delta\int_0^l\left(\frac{dw}{dx}\right)^2dx&=\int_0^l\frac{dw}{dx}\delta\frac{dw}{dx}dx\\&=-\int_0^l\frac{d^2w}{dx^2}\delta w dx+\frac{dw}{dx}\delta w\bigg|_0^l.\end{aligned}$$

---

1) 若命 $P=\frac{a}{b}$，则 $\delta P=\frac{1}{b^2}(b\delta a-a\delta b)=\frac{1}{b}(\delta a-P\delta b)$，所以从 $\delta P=0$ 可导出 $\delta a-P\delta\ \ =0$. 方程 (9.10) 便是这样得到的.

将此代入 (9.10)，有

$$\int_0^l \left[\frac{d^2}{dx^2}\left(EJ\frac{d^2w}{dx^2}\right)+P\frac{d^2w}{dx^2}\right]\delta w dx$$

$$-\left[\frac{d}{dx}\left(EJ\frac{d^2w}{dx^2}\right)+P\frac{dw}{dx}\right]\delta w\Big|_0^l$$

$$+EJ\frac{d^2w}{dx^2}\delta\frac{dw}{dx}\Big|_0^l=0. \tag{9.11}$$

从 (9.11) 的第一项可推论出方程 (9.7)，从后两项可推论出边界条件 (9.8)，这就证明了 (9.9) 式的每一个驻立值都相当于一个本征值. 倒过头来，从方程 (9.7)，(9.8) 可得到 (9.11)，以后逐步上推，可推出 (9.9). 这就是说方程 (9.7)，(9.8) 的每一个本征值都是 (9.9) 式的驻立值. 这样泛函的驻立值问题 (9.9) 和方程 (9.7)，(9.8) 的本征值问题完全相当.

从方程 (9.7)，(9.8)，或从 (9.9) 式都可以看到，如果 $w=\varphi$ 是一个本征函数，那末 $w=\alpha\varphi$，其中 α 为常数，也是一个本征函数. 即在上面提出的两个数学问题中 w 有一个常数倍数可以随意取定. 在有必要确定这个常数的时候，我们建议增加一个积分条件(归一化条件)：

$$\int_0^l\left(\frac{dw}{dx}\right)^2 dx=\frac{1}{l}. \tag{9.12}$$

此式右端的常数改成其它的常数当然也是可以的. 不过选取 $1/l$ 可以使本征函数成为无量纲的函数，有利于其他的计算. 把方程 (9.7)，(9.8)，(9.12) 结合在一起，便可唯一地决定函数 w 了. 如果把条件 (9.12) 引入变分式 (9.9)，则得到

$$P=\mathrm{st}l\int_0 EJ\left(\frac{d^2w}{dx^2}\right)^2 dx. \tag{9.13}$$

这样本征值问题 (9.7)，(9.8)，(9.12) 变为在积分条件 (9.12) 及有关的位移边界条件下求泛函的驻立值问题 (9.13).

变分式 (9.9) 中的两个积分具有明显的物理意义. 分子是梁的弯曲应变能的两倍，分母是梁两端的靠拢的两倍. 如果把 (9.9) 式改写为

$$\int_0^l \frac{1}{2} EJ\left(\frac{d^2w}{dx^2}\right)^2 dx - P\int_0^l \frac{1}{2}\left(\frac{dw}{dx}\right)^2 dx = 0. \tag{9.14}$$

则此式便代表能量守恒原理，即外力 P 所作之功等于梁中贮存的应变能.

根据上面的力学解释，变分式(9.9)便容易推广到更复杂一些的问题. 例如，如果梁在 $x=l$ 这一端是弹性固支的，即

$$\text{在 } x=l \text{ 处:}\quad w=0,\ M=-k\frac{dw}{dx}. \tag{9.15}$$

那末因为弹性固支也会贮存一部分能量

$$\frac{1}{2}k[w'(l)]^2,$$

所以在这种边界条件下，变分式(9.9)应该改为

$$P=\mathrm{st}\frac{\int_0^l EJ\left(\frac{d^2w}{dx^2}\right)^2 dx + k[w'(l)]^2}{\int_0^l \left(\frac{dw}{dx}\right)^2 dx}. \tag{9.16}$$

§2.10 弯曲刚度的微小变化对临界载荷的影响

对于一定的跨度和一定的边界条件的梁，临界载荷是弯曲刚度的泛函，因为给定一个函数 $EJ(x)$ 之后，便可决定一个临界载荷的值 P_{cr}. 但是 P_{cr} 依赖于 EJ 的关系是很复杂的，目前还难于写成简单而又明显的形式. Wittrick[322] 指出，当 EJ 有一变分 $\delta(EJ)$ 时，临界载荷的一阶变分 δP_{cr} 是能够简单地表示出来的[1].

设给定了一个弯曲刚度 $EJ(x)$，命相应的临界载荷和失稳形式是 P_{cr} 和 $w(x)$. 根据(9.9)式有

---

1) 继 Wittrick 之后，还有 Fox 和 Kappor[126], Weissenburger[319], Rogers[266], Farshad[125], Hirai 和 Kashiwaki[155] 等人讨论过同类的问题. 关于代数本征值问题的同类叙述，可见 Bellman 的书 [68].

$$P_{cr} = \frac{\int_0^l EJ\left(\frac{d^2w}{dx^2}\right)^2 dx}{\int_0^l \left(\frac{dw}{dx}\right)^2 dx}. \tag{10.1}$$

再设弯曲刚度有了变分 $\delta(EJ)$，于是临界载荷与失稳形式跟着有了变分 δP_{cr}，δw. 可以把 (10.1) 看作是两个自变函数 w 和 EJ 的泛函，这样 δP_{cr} 便可写成两项：

$$\delta P_{cr} = \delta_1 P_{cr} + \delta_2 P_{cr}, \tag{10.2}$$

式中 $\delta_1 P_{cr}$ 是在泛函 (10.1) 中 EJ 有变分 $\delta(EJ)$ 而 w 无变分所产生的 P_{cr} 的变分，它是

$$\delta_1 P_{cr} = \frac{\int_0^l \delta(EJ)\left(\frac{d^2w}{dx^2}\right)^2 dx}{\int_0^l \left(\frac{dw}{dx}\right)^2 dx}. \tag{10.3}$$

$\delta_2 P_{cr}$ 是 w 有变分 δw 而 EJ 无变分所产生的 P_{cr} 的变分. 公式(9.9)表明任何的 δw（其中当然包括 $\delta(EJ)$ 引起的 δw）都有

$$\delta_2 P_{cr} = 0. \tag{10.4}$$

因此最后得到一个简单的公式

$$\delta P_{cr} = \frac{\int_0^l \delta(EJ)\left(\frac{d^2w}{dx^2}\right)^2 dx}{\int_0^l \left(\frac{dw}{dx}\right)^2 dx}. \tag{10.5}$$

从这个公式容易看出，如果 $\delta(EJ) \geqslant 0$，则，$\delta P > 0$；如果 $\delta(EJ) \leqslant 0$，则 $\delta P < 0$. 由此得出一个重要的结论：增加梁的弯曲刚度一般能使临界载荷增加；反之，减小梁的弯曲刚度，一般会使临界载荷减小.

公式 (10.5) 还有许多应用，这里再举一个例子. 设 EJ 是几个参数 α，β，……的函数. 设想参数 α 有一微分 $d\alpha$，则有

$$\delta EJ = \frac{\partial EJ}{\partial \alpha} d\alpha, \quad \delta P_{cr} = \frac{\partial P_{cr}}{\partial \alpha} d\alpha. \tag{10.6}$$

将此代入 (10.5)，消去 $d\alpha$，得到

$$\frac{\partial P_{cr}}{\partial \alpha}=\frac{\int_0^l \frac{\partial EJ}{\alpha}\left(\frac{d^2w}{dx^2}\right)^2 dx}{\int_0^l \left(\frac{dw}{dx}\right)^2 dx}. \tag{10.7}$$

上面列出的几个公式,适用于与临界载荷相应的本征值,是一个单根而不是重根的情况,也就是说,临界载荷只相应于一种失稳型式. 但是对于某些特殊的函数 $EJ(x)$,临界载荷可能相应于两种独立无关的失稳型式 $w_1(x)$, $w_2(x)$. 在这种情况下, w_1, w_2 的任一线性组合

$$w=\alpha_1 w_1+\alpha_2 w_2 \tag{10.8}$$

也是一种可能的失稳型式。当 EJ 有了变分 $\delta(EJ)$之后,失稳型式也跟着有了变化. 但当 $\delta(EJ)$ 趋近于零时,这一个失稳型式不一定趋近于 w_1 或 w_2, 而一般地趋近于它们的线性组合 (10.8). 将 (10.8) 代入 (10.5), 得到

$$\delta P_{cr}=\frac{\int_0^l \delta(EJ)\left(\alpha_1\frac{d^2w_1}{dx^2}+\alpha_2\frac{d^2w_2}{dx^2}\right)^2 dx}{\int_0^l\left(\alpha_1\frac{dw_1}{dx}+\alpha_2\frac{dw_2}{dx}\right)^2 dx} \tag{10.9}$$

失稳型式既应使临界载荷取最小值,那末常数 α_1, α_2 也应使 δP_{cr} 取最小值. 这样我们最后有

$$\delta P_{cr}=\min\frac{\int_0^l \delta(EJ)\left(\alpha_1\frac{d^2w_1}{dx^2}+\alpha_2\frac{d^2w_2}{dx^2}\right)^2 dx}{\int_0^l\left(\alpha_1\frac{dw_1}{dx}+\alpha_2\frac{dw_2}{dx}\right)^2 dx}. \tag{10.10}$$

此式中的 min 是对常数 α_1,α_2 取的. 这个公式表明,在这种情况下 P_{cr} 虽是 EJ 的连续泛函,但是 δP_{cr} 却不是 $\delta(EJ)$ 的连续泛函.

公式(10.10)表示的特点,在板壳的稳定问题中是经常遇到的,但是在等剖面梁的问题中没有这种现象, 因此人们容易忽视了变剖面梁的这种可能性.

§ 2.11 从本征值的变分式推出的几点结论

前面已经导出了本征值 P 的变分式 (9.9). 从这个变分式可

以推导出一些重要的结论.

首先,临界载荷　是本征值中最小的一个,因此有

$$P_{cr}=\min\frac{\int_0^l EJ\left(\frac{d^2w}{dx^2}\right)^2dx}{\int_0^l\left(\frac{dw}{dx}\right)^2dx}. \tag{11.1}$$

根据这个算式就能解决§2.6中遗留下来的一个问题. 因为 P_{cr} 是(11.1)右端的最小值,所以如果 $P<P_{cr}$, 则有

$$P<\frac{\int_0^l EJ\left(\frac{d^2w}{dx^2}\right)^2dx}{\int_0^l\left(\frac{dw}{dx}\right)^2dx}. \tag{11.2}$$

由此可知

$$\Pi=\int_0^l\left\{\frac{1}{2}EJ\left(\frac{d^2w}{dx^2}\right)^2-\frac{1}{2}P\left(\frac{dw}{dx}\right)^2\right\}dx>0. \tag{11.3}$$

如果在此式中把 $-P$ 改为 N, 即有

$$\Pi=\int_0^l\left\{\frac{1}{2}EJ\left(\frac{d^2w}{dx^2}\right)^2+\frac{1}{2}N\left(\frac{dw}{dx}\right)^2\right\}dx>0. \tag{11.4}$$

这就是§2.6证明最小势能原理所需要的不等式.

公式(11.3)中的 Π 代表在没有横向载荷时系统的势能. 因此公式(11.3)的力学意义是: 当 $P<P_{cr}$ 时,任何挠度都使系统的势能增加, 当 $P>P_{cr}$ 后, 则有些挠度就能使系统的势能减小; 当 $P=P_{cr}$ 时, 存在一类挠度能使系统的势能保持不变,而其它的挠度仍都使系统的势能增加. 一个系统变形后, 如果它的势能恒大于零, 则称这个系统为正的. 如果可能大于零,也可能小于零,则称为不定的. 到这里, 可以引进临界载荷的第二个定义: 当 $P<P_c$ 时,系统是正的, 因此它是稳定的; 当 $P>P_{cr}$ 后, 系统是不定的, 因此它是不稳定的; $P=P_{cr}$ 时系统处在从正到不定的过渡状态, 它处在随遇平衡状态.

其次, 从(9.9)式很容易导出关于本征函数的正交性质. 设 $P=P_1$, $P=P_2$ 为两个不相等的本征值, $w=\varphi_1$, $w=\varphi_2$ 为相应的两个本征函数. 如果我们取

$$w = \xi_1\varphi_1 + \xi_2\varphi_2, \tag{11.5}$$

其中 ξ_1, ξ_2 为参数，并把它代入 (9.9)，则有

$$P = \text{st}\,\frac{B_{11}\xi_1^2 + 2B_{12}\xi_1\xi_2 + B_{22}\xi_2^2}{A_{11}\xi_1^2 + 2A_{12}\xi_1\xi_2 + A_{22}\xi_2^2}, \tag{11.6}$$

其中

$$A_{11} = \int_0^l \left(\frac{d\varphi_1}{dx}\right)^2 dx,\quad A_{12} = \int_0^l \frac{d\varphi_1}{dx}\cdot\frac{d\varphi_2}{dx}\,dx$$

$$A_{22} = \int_0^l \left(\frac{d\varphi_2}{dx}\right)^2 dx,$$

$$B_{11} = \int_0^l EJ\left(\frac{d^2\varphi_1}{dx^2}\right)^2 dx,\quad B_{12} = \int_0^l EJ\,\frac{d^2\varphi_1}{dx^2}\cdot\frac{d^2\varphi_2}{dx^2}\,dx,$$

$$B_{22} = \int_0^l EJ\left(\frac{d^2\varphi_2}{dx^2}\right)^2 dx. \tag{11.7}$$

在 (11.6) 式中对 ξ_1, ξ_2 求驻立值，得到

$$\begin{aligned} &B_{11}\xi_1 + B_{12}\xi_2 - P(A_{11}\xi_1 + A_{12}\xi_2) = 0, \\ &B_{12}\xi_1 + B_{22}\xi_2 - P(A_{12}\xi_1 + A_{22}\xi_2) = 0. \end{aligned} \tag{11.8}$$

从 (11.5) 的取法显然可知，$\xi_1 = 1$, $\xi_2 = 0$ 会使 P 取驻立值 P_1，同样 $\xi_1 = 0$, $\xi_2 = 1$ 会使 P 取驻立值 P_2. 将此结论引入 (11.8)，得到

$$\left.\begin{aligned} B_{11} - P_1A_{11} = 0 \\ B_{12} - P_1A_{12} = 0 \end{aligned}\right\},\quad \left.\begin{aligned} B_{12} - P_2A_{12} = 0 \\ B_{22} - P_2A_{22} = 0 \end{aligned}\right\}. \tag{11.9}$$

由此得到

$$\begin{aligned} &B_{11} = P_1A_{11},\quad &B_{22} = P_2A_{22}, \\ &A_{12} = 0,\quad &B_{12} = 0. \end{aligned} \tag{11.10}$$

前两个是预料中的，后两个是新得到的式子. 仍把它们写成积分的形式，则有

$$\int_0^l \frac{d\varphi_1}{dx}\cdot\frac{d\varphi_2}{dx}\,dx = 0,\quad \int_0^l EJ\,\frac{d^2\varphi_1}{dx^2}\cdot\frac{d^2\varphi_2}{dx^2}\,dx = 0. \tag{11.11}$$

这两个式子表明了本征函数正交的性质.

如果我们把 (11.10) 引入 (11.6)，则得到

$$P = \operatorname{st}\frac{P_1A_{11}\xi_1^2 + P_2A_{22}\xi_2^2}{A_{11}\xi_1^2 + A_{22}\xi_2^2}. \tag{11.12}$$

再推广一下，命 $P_1, P_2, \cdots, P_k, \cdots$ 为一系列本征值，$\varphi_1, \varphi_2, \cdots, \varphi_k, \cdots$ 为相应的本征函数．若取

$$w = \xi_1\varphi_1 + \xi_2\varphi_2 + \cdots + \xi_k\varphi_k + \cdots, \tag{11.13}$$

其中 $\xi_1, \xi_2, \cdots\cdots$ 为参数，则将 (11.13) 代入 (9.9) 后便得到

$$P = \operatorname{st}\frac{P_1A_{11}\xi_1^2 + P_2A_{22}\xi_2^2 + \cdots + P_kA_{kk}\xi_k^2 + \cdots}{A_{11}\xi_1^2 + A_{22}\xi_2^2 + \cdots + A_{kk}\xi_k^2 + \cdots}. \tag{11.14}$$

从这个式子可以看到，若把 w 展开成本征函数的级数，那末本征函数的正交性，保证了在 P 的变分式中的分子、分母都没有交叉项．

本征函数的正交性当然也可以从微分方程的本征值问题推导出来，大多数文献也是那样作的．但是，基于变分式的推导过程比较简捷，并且便于推广到其他比较复杂的情况．例如，与变分式 (9.16) 相应的正交性质是什么呢？根据上面的说明，它们应该是

$$\begin{gathered}\int_0^l \frac{d\varphi_1}{dx}\cdot\frac{d\varphi_2}{dx}\,dx = 0,\\ \int_0^l EJ\,\frac{d^2\varphi_1}{dx^2}\cdot\frac{d^2\varphi_2}{dx^2}\,dx + k\varphi_1'(l)\varphi_2'(l) = 0.\end{gathered} \tag{11.15}$$

利用稳定问题的本征函数，可以近似地求解梁在轴向力及横向载荷联合作用下的弯曲问题[10]．考虑 § 2.6 中提出的问题，将挠度 w 按本征值由小到大的顺序对本征函数展开：

$$w = \sum_{i=1}^{\infty}\xi_i\varphi_i(x). \tag{11.16}$$

其中 ξ_i 为待定的常数．将此式代入势能的公式 (6.5) 中，由于正交条件 (11.11)，得到

$$\Pi = \sum_{i=1}^{\infty}\left[\frac{1}{2}(P_i + N)A_{ii}\xi_i^2 - q_i\xi_i\right]. \tag{11.17}$$

其中

$$A_{ii} = \int_0^l\left(\frac{d\varphi_i}{dx}\right)^2 dx,$$

$$q_i = \int_0^l q\varphi_i dx - \bar{M}_l \varphi_i'(l). \qquad (11.18)$$

根据最小势能原理，ξ_i 应使 Π 取最小值，于是得到

$$(P_i + N)A_{ii}\xi_i - q_i = 0, \quad \xi_i = \frac{q_i}{(P_i + N)A_{ii}}. \qquad (11.19)$$

将此代回 (11.16)，得到

$$w = \sum_{i=1}^{\infty} \frac{q_i \varphi_i(x)}{(P_i + N)A_{ii}}. \qquad (11.20)$$

特别是横向载荷是一个作用在 $x = \xi$ 点上的单位集中载荷时，从 (11.18) 有

$$q_i = \varphi_i(\xi).$$

将此代入 (11.20) 得到影响函数 G 的展开式

$$G(x, \xi) = \sum_{i=1}^{\infty} \frac{\varphi_i(\xi)\varphi_i(x)}{(P_i + N)A_{ii}}. \qquad (11.21)$$

利用正交关系式，可得到关于 G 的下列等式

$$\int_0^l \int_0^l \left(\frac{\partial^2 G}{\partial x \partial \xi}\right)^2 dx d\xi = \sum_{i=1}^{\infty} \frac{1}{(P_i + N)^2}. \qquad (11.22)$$

上面介绍的对稳定问题的本征函数的展开式，是前面 §2.7 的正弦三角级数与余弦三角级数的推广． 从本节的推导可以看到，为什么在 §2.7 我们只能用余弦级数解对称的问题而不能解不对称的问题，因为对于两端固支的等剖面梁，不对称的失稳形式并不是余弦．

何善堉[8]曾把这个方法用于求解定跨度梁的问题．

§2.12 用里兹法求临界载荷的近似值

在 §2.9 说明了梁在轴压下的稳定性问题，可以提成微分方程的本征值问题，也可以提成泛函的驻立值问题．从求精确解的角度来看，两者是完全等价的． 但是从求近似解的角度来看，两者则大不相同了． 求微分方程的近似解比较困难，而求泛函驻立值的近

似值，可以应用缩小范围求近似值的方法.

考虑一个两端简支的等剖面梁，在轴向压力 P 作用下的稳定性问题. § 2.9 已经证明，临界力 P_{cr} 的变分式是

$$P_{cr}=\min\frac{EJ\int_0^l\left(\frac{d^2w}{dx^2}\right)^2dx}{\int_0^l\left(\frac{dw}{dx}\right)^2dx}. \tag{12.1}$$

函数 w 要求满足位移边界条件

$$\text{在 } x=0 \text{ 及 } x=l \text{ 处：} w=0. \tag{12.2}$$

条件 (12.2) 所允许的函数 w 的范围是很大的. 如果欲求 P_{cr} 的精确值，那就必须在这很大的范围内求泛函 (12.1) 的最小值. 如果只欲求 P_{cr} 的近似值，就可以在一个适当地缩小了范围的函数集内求泛函 (12.1) 的最小值. 例如，可以把原来的大范围缩小到只包含一个参数 α 的函数集：

$$w=\alpha\frac{x}{l}\left(1-\frac{x}{l}\right). \tag{12.3}$$

将此式代入 (12.1) 的右端，因为分子分母都有一个因子 α^2，彼此正好约去，于是便得到 P_{cr} 的一个近似值

$$P_{cr}=\frac{12EJ}{l^2}. \tag{12.4}$$

P_{cr} 的精确值是 π^2EJ/l^2，近似值的误差偏大 22%. 这样大的误差在这个近似计算中是并不出人意外的，因为 (12.3) 规定的函数，不满足微分方程，也不满足简支端上弯矩等于零的条件，它与真实的挠度函数相差很远.

作为二级近似，把选取 w 的范围稍稍再放宽一点，使它包含两个参数 α,β 如下：

$$w=\frac{x}{l}\left(1-\frac{x}{l}\right)\left[\alpha+\beta\frac{x}{l}\left(1-\frac{x}{l}\right)\right]. \tag{12.5}$$

将此代入 (12.1) 的右端，得到

$$P_{cr} = \min \frac{12EJ}{l^2} \cdot \frac{\alpha^2 + \frac{1}{5}\beta^2}{\alpha^2 + \frac{2}{5}\alpha\beta + \frac{2}{35}\beta^2}. \tag{12.6}$$

式中的 min 现在是对 α, β 取的．把上式化为一个代数本征值问题，得到

$$\alpha - p\left(\alpha + \frac{1}{5}\beta\right) = 0, \quad \frac{1}{5}\beta - p\left(\frac{1}{5}\alpha + \frac{2}{35}\beta\right) = 0. \tag{12.7}$$

式中

$$p = \frac{l^2 P}{12EJ}. \tag{12.8}$$

因为 (12.8) 中的 P 只是一个本征值，所以不用记号 P_{cr}．从 (12.7) 得到 p 的一个二次方程

$$\frac{3}{35}p^2 - \frac{9}{7}p + 1 = 0.$$

这个方程最小的一个根是 0.8229．于是得到

$$P_{cr} = \frac{12pEJ}{l^2} = \frac{9.875EJ}{l^2}. \tag{12.9}$$

这个近似值的误差只偏大 6/10000．保留两个参数便能得到这么好的结果，说明这个方法是很有效的．

在一般情况下，为了从变分原理 (12.1) 计算临界载荷的近似值，可以取

$$w = \boldsymbol{\varphi}^T \boldsymbol{\xi}, \tag{12.10}$$

$$\boldsymbol{\varphi}^T = [\varphi_1, \varphi_2, \cdots\cdots, \varphi_n],$$

$$\boldsymbol{\xi} = [\xi_1, \xi_2, \cdots\cdots, \xi_n]^T. \tag{12.11}$$

式中 ξ_i 是待定的常数，φ_i 是适当地选定的 n 个 x 的函数．从理论上说，φ_i 只要连续并二次可导和满足位移边界条件便可以了．但是为了实际上数字计算的方便，应尽量使头几个 $\varphi_1, \varphi_2, \cdots\cdots$ 的线性组合就能相当好地逼近真实的失稳型式．将 (12.10) 代入变分式 (12.1)，算出积分后得到

$$P_{cr} = \min \frac{\boldsymbol{\xi}^T \boldsymbol{K} \boldsymbol{\xi}}{\boldsymbol{\xi}^T \boldsymbol{G} \boldsymbol{\xi}}. \tag{12.12}$$

其中

$$\boldsymbol{K}=\int_0^l EJ\frac{d^2\boldsymbol{\varphi}}{dx^2}\cdot\frac{d^2\boldsymbol{\varphi}^T}{dx^2}dx,\ \boldsymbol{G}=\int_0^l \frac{d\boldsymbol{\varphi}}{dx}\cdot\frac{d\boldsymbol{\varphi}^T}{dx}dx. \tag{12.13}$$

(12.12) 中的 min 是对 $\boldsymbol{\xi}$ 取的. 将 (12.12) 化为代数本征值问题，得到

$$\boldsymbol{K\xi}-P\boldsymbol{G\xi}=0. \tag{12.14}$$

上面介绍的根据变分式求近似解的方法，一般称为里兹法，也有称瑞利-里兹法的. 在稳定性问题中偶尔也有称为 Timoshenko 法的. 这个方法目前在各种弹性稳定性问题中已用得很普遍了. 这里我们不再介绍更多的资料，请读者参考有关的书，例如 Timoshenko 和 Gere 的书 [299].

这里值得解释一下，用里兹法求临界力的近似值为什么这样有效? 如果我们把求近似解所取的函数 w 展开成 (11.13) 的形式，然后将它代入 (9.9)，得到

$$P=\frac{P_1A_{11}\xi_1^2+P_2A_{22}\xi_2^2+\cdots}{A_{11}\xi_1^2+A_{22}\xi_2^2+\cdots}. \tag{12.15}$$

如果选取的函数正好是 φ_1，那末 $\xi_2=\xi_3=\cdots\cdots=0$，于是 (12.15) 就给出精确值. 可见 $\xi_2,\xi_3,\cdots\cdots$ 相对于 ξ_1 的大小，代表选择的函数所具有的误差. 从公式 (12.15) 可以看到，如果当初所选取的函数 w 具有一级小量的误差，那末所求得的临界力的近似值的误差就只有二级小量. 所以在里兹法中，临界力的近似程度，要比所取的失稳形式好一个量级.

§2.13 用有限元素法求临界载荷的近似值

用有限元素法求梁的临界载荷的近似值的方法，它的基本思想，推导步骤和刚度矩阵、几何刚度矩阵的数据，都和 §2.8 介绍的有限元素法相同. 若和 §2.8 一样，对于每个结点赋予它 2 个位移参数 w 和 ψ，在每个有限元素内对挠度用三次插入，那末变分式 (9.9) 便化为

$$P = \mathrm{st}\,\frac{\boldsymbol{u}^T \boldsymbol{K} \boldsymbol{u}}{\boldsymbol{u}^T \boldsymbol{G} \boldsymbol{u}}. \tag{13.1}$$

这里 $\boldsymbol{u}$ 仍是由整个梁的结点位移参数所组成的列矢量，$\boldsymbol{K}$和$\boldsymbol{G}$仍为梁的刚度矩阵和几何刚度矩阵，它们的算法也与 § 2.8 完全相同.

算式 (13.1) 中的 st 现在是对未知矢量 $\boldsymbol{u}$ 取的. 将 (13.1) 化为代数本征值问题，得到

$$\boldsymbol{K}\boldsymbol{u} - P\boldsymbol{G}\boldsymbol{u} = 0. \tag{13.2}$$

解这个代数本征值问题，求出它的最小的本征值 P_1，它便是临界载荷的近似值.

还有一种计算办法是先将公式 (13.1) 明确为

$$P_{cr} = \min \frac{\boldsymbol{u}^T \boldsymbol{K} \boldsymbol{u}}{\boldsymbol{u}^T \boldsymbol{G} \boldsymbol{u}}. \tag{13.3}$$

然后用逐次逼近的办法求 (13.3) 右端的最小值. 这样也就求得了临界载荷的近似值.

从数字计算的工作量来看，这两种算法各有优点. 可根据具体情况灵活选用.

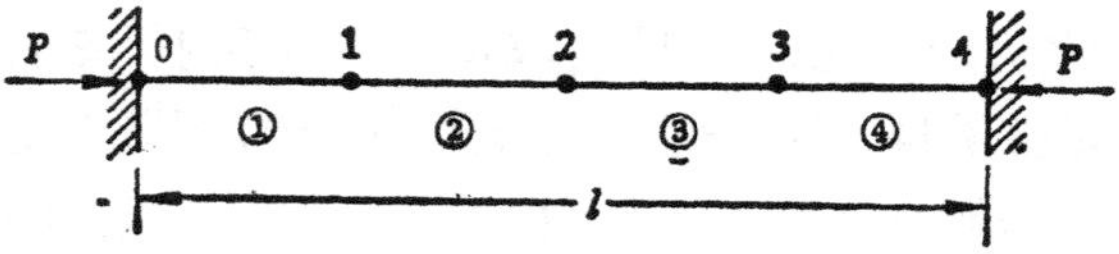

图 13.1

作为一个例子，我们来用有限元素法计算两端固支的等剖面梁的临界压力. 将梁等分为 4 个有限元素，如图 13.1 所示. 每个元素的长度为 $l_e = l/4$. 根据边界条件及对称性可知

$$\begin{gathered} w_0 = w_4 = 0,\ \psi_0 = \psi_2 = \psi_4 = 0, \\ w_3 = w_1,\ \psi_3 = -\psi_1. \end{gathered} \tag{13.4}$$

因此独立的未知数只剩下 w_1, ψ_1, w_2 三个. 整个梁的位移参数矩阵 $\boldsymbol{u}$ 为

$$\boldsymbol{u} = [w_1, \psi_1, w_2]^T. \tag{13.5}$$

根据公式(8.21)，(8.22)和 (8.26)，四个元素的刚度矩阵和几何刚

度矩阵(已扩张)为

$$\boldsymbol{K}^1=\boldsymbol{K}^4=\frac{2EJ}{l_e^3}\begin{bmatrix}6 & -3l_e & 0\\ \text{对} & 2l_e^2 & 0\\ & \text{称} & 0\end{bmatrix},$$

$$\boldsymbol{K}^2=\boldsymbol{K}^3=\frac{2EJ}{l_e^3}\begin{bmatrix}6 & 3l_e & -6\\ \text{对} & 2l_e^2 & -3l_e\\ & \text{称} & 6\end{bmatrix},$$

$$\boldsymbol{G}^1=\boldsymbol{G}^4=\frac{1}{30l_e}\begin{bmatrix}36 & -3l_e & 0\\ \text{对} & 4l_e^2 & 0\\ & \text{称} & 0\end{bmatrix},$$

$$\boldsymbol{G}^2=\boldsymbol{G}^3=\frac{1}{30l_e}\begin{bmatrix}36 & 3l_e & -36\\ \text{对} & 4l_e^2 & -3l_e\\ & \text{称} & 36\end{bmatrix}.$$

所以整个梁的刚度矩阵和几何刚度矩阵为

$$\boldsymbol{K}=\frac{4EJ}{l_e^3}\begin{bmatrix}12 & 0 & -6\\ \text{对} & 4l_e^2 & -3l_e\\ & \text{称} & 6\end{bmatrix},$$

$$\boldsymbol{G}=\frac{1}{15l_e}\begin{bmatrix}72 & 0 & -36\\ \text{对} & 8l_e^2 & -3l_e\\ & \text{称} & 36\end{bmatrix}. \tag{13.6}$$

为了计算方便起见,取无量纲的参数

$$\xi_1=\frac{4w_1}{l},\ \xi_2=\frac{4w_2}{l},\ \overline{P}=\frac{Pl^2}{960EJ}. \tag{13.7}$$

变分式(13.1)在本例中变为

$$\overline{P}=\mathrm{st}\,\frac{6\xi_1^2-6\xi_1\xi_2+3\xi_2^2-3\xi_2\psi_1+2\psi_1^2}{36\xi_1^2-36\xi_1\xi_2+18\xi_2^2-3\xi_2\psi_1+4\psi_1^2}. \tag{13.8}$$

这里的 st 是对 ξ_1, ξ_2, ψ_1 三个参数取的. 将(13.8)化为代数本征值问题,得到

$$(12-72\overline{P})\xi_1-(6-36\overline{P})\xi_2=0,$$

$$-(6-36\overline{P})\xi_1+(6-36\overline{P})\xi_2-(3-3\overline{P})\psi_1=0.$$

$$-(3-3\bar{P})\xi_2+(4-8\bar{P})\psi_1=0.$$

由此得到 $\bar{P}$ 的方程

$$\begin{vmatrix} 12(1-6\bar{P}) & -6(1-6\bar{P}) & 0 \\ -6(1-6\bar{P}) & 6(1-6\bar{P}) & -3(1-\bar{P}) \\ 0 & -3(1-\bar{P}) & 4(1-2\bar{P}) \end{vmatrix}=0,$$

算出行列式，整理后得到

$$(1-6\bar{P})(1-26\bar{P}+45\bar{P}^2)=0.$$

此式最小的一个根是

$$\bar{P}=\frac{1}{45}[13-\sqrt{13^2-45}]=0.041432,$$

于是有

$$P_{cr}=\frac{0.041432\times 960EJ}{l^2}=\frac{39.7747EJ}{l^2}.$$

精确解的系数为 $4\pi^2=39.47835$，近似值仅偏大 0.8%.

§2.14 用迭代法求临界载荷的近似值

还有一个求临界载荷近似值的方法是迭代法．迭代法可以单独用，更多地则是和有限元素法、里兹法结合起来用．随着电子计算机的普及，迭代法和有限元素法的联合应用也将愈来愈方便了．

考虑一个变剖面的梁在轴向压力作用下的稳定问题．挠度 w 及临界载荷 P 满足下列方程

$$\frac{d^2}{dx^2}\left(EJ\frac{d^2w}{dx^2}\right)+P\frac{d^2w}{dx^2}=0, \tag{14.1}$$

在 $x=0$ 及 $x=l$ 处：

$$w=0 \text{ 或 } \frac{d}{dx}\left(EJ\frac{d^2w}{dx^2}\right)+P\frac{dw}{dx}=0,$$

$$\frac{dw}{dx}=0 \text{ 或 } EJ\frac{d^2w}{dx^2}=0. \tag{14.2}$$

为了使挠度 w 唯一地确定，可再附加一个条件

$$\int_0^l \left(\frac{dw}{dx}\right)^2 dx = \frac{1}{l}. \tag{14.3}$$

命 $w^{(n)}$, $P^{(n)}$ 是经过 n 次迭代后得到的近似解. 本节推荐的迭代法是:

$$\frac{d^2}{dx^2}\left(EJ\frac{d^2w^{(n+1)}}{dx^2}\right) = -P^{(n+1)}\frac{d^2w^{(n)}}{dx^2}, \tag{14.4}$$

在 $x=0$ 及 $x=l$ 处:

$$w^{(n+1)} = 0 \text{ 或 } \frac{d}{dx}\left(EJ\frac{d^2w^{(n+1)}}{dx^2}\right) = -P^{(n+1)}\frac{dw^{(n)}}{dx},$$

$$\frac{dw^{(n+1)}}{dx} = 0 \text{ 或 } EJ\frac{d^2w^{(n+1)}}{dx^2} = 0. \tag{14.5}$$

此外，每次迭代时保持

$$\int_0^l \left[\frac{dw^{(n+1)}}{dx}\right]^2 dx = \frac{1}{l}. \tag{14.6}$$

这就是说先假定一个 $w^{(0)}$，将它代入方程 (14.4)，(14.5) 的右端后，求 $w^{(1)}$ 及 $P^{(1)}$，然后再将 $w^{(1)}$ 代入方程 (14.4)，(14.5) 的右端求 $w^{(2)}$ 与 $P^{(2)}$. 如此重复迭代，直至相邻两次的 $P^{(n)}$、$P^{(n+1)}$ 已很接近，便已求得临界载荷的近似值了.

上述迭代法的收敛性可证明如下：将 $w^{(0)}$ 对本征函数展开[1)]，设它为

$$w^{(0)} = \sum_{i=1}^{\infty} \xi_i \varphi_i. \tag{14.7}$$

式中 φ_i 为第 i 个本征函数，并认为 φ_i 也已按条件 (14.3) 归一化了. 因为 $w^{(0)}$ 也要满足条件 (14.3)，故有

$$\sum_{i=1}^{\infty} \xi_i^2 = 1. \tag{14.8}$$

将 $w^{(0)}$ 迭代一次，得到

1) 当 $w^{(0)}$ 是一个可能位移时，展开式 (14.7) 是成立的，但本节不作证明了. 证明方法与后面 §2.18 介绍的对固有振型的展开相同.

$$w^{(1)}=P^{(1)}\sum_{i=1}^{\infty}\frac{\xi_i}{P_i}\varphi_i. \tag{14.9}$$

其中 $P^{(1)}$ 由 (14.3) 决定，即

$$[P^{(1)}]^2\sum_{i=1}^{\infty}\frac{\xi_i^2}{P_i^2}=1,$$

由此得到

$$P^{(1)}=\frac{1}{\sqrt{\sum_{i=1}^{\infty}\frac{\xi_1^2}{P_i^2}}}. \tag{14.10}$$

拿 $w^{(1)}$ 与 $w^{(0)}$ 比较后可以看到，经过一次迭代后，在 $w^{(1)}$ 中 φ_1 的比重增加了，而其余的 φ_i 的比重减小了，即 $w^{(1)}$ 比 $w^{(0)}$ 更接近于 φ_1. 经过多次迭代以后，w 便逐步趋近于 φ_1，于是相应的 P 也趋近于临界载荷 P_1 了.

对于静定的梁，上面的每一次迭代，可分成两小步进行，这是因为在这种情况下方程 (14.4)，(14.5) 可分解成先后相继的两个问题：

$$\frac{d^2M^{(n+1)}}{dx^2}=P^{(n+1)}\frac{d^2w^{(n)}}{dx^2}, \tag{14.11}$$

$$EJ\frac{d^2w^{(n+1)}}{dx^2}=-M^{(n+1)}. \tag{14.12}$$

其中M代表梁中的弯矩. 方程 (14.11) 汇同 (14.5) 中有关力的边界条件，便可决定 $M^{(n+1)}$；而然后方程 (14.12) 汇同 (14.5) 中有关位移的边界条件，便可决定 $w^{(n+1)}$.

为了改善收敛性，可以把迭代法与里兹法结合起来应用，这就是说在求得最后一次迭代结果 $w^{(n)}$ 之后，不是从条件 (14.3) 求 $P^{(n)}$，而是将 $w^{(n)}$ 代入公式 (9.9) 求 P 的近似值. 这样得到的近似值将比 $P^{(n)}$ 更接近精确值.

对于静定的梁，如果用小步进行迭代，而最后终止在 $M^{(n)}$，这时因为没有求得 $w^{(n)}$，所以无法利用公式 (9.9). 在这种情况下，可以先命

$$M^{(n)} = P^{(n)} M_1. \tag{14.13}$$

然后按下式计算 $P^{(n)}$：

$$P^{(n)} = \frac{\int_0^l \left(\frac{dw^{(n-1)}}{dx}\right)^2 dx}{\int_0^l \frac{M_1^2}{EJ} dx}. \tag{14.14}$$

这种做法是 Timoshenko[299] 首先提出来的.

但是上面说明的迭代法，在理论上虽说得通，在实际上常常行不通. 通常必须先将微分方程化为某种代数方程后，才能方便地贯彻迭代法. 这里就用得着有限元素法. 这就是说，先用有限元素法将微分方程的本征值问题化为代数本征值问题，然后在代数本征值问题中应用上面说明的迭代法.

§2.15 最小质量的压杆

设要设计一个简支梁，已知梁的临界压力为 P，跨度为 l，梁剖面的形状彼此相似，要求决定梁的剖面及材料，使梁的质量最小.

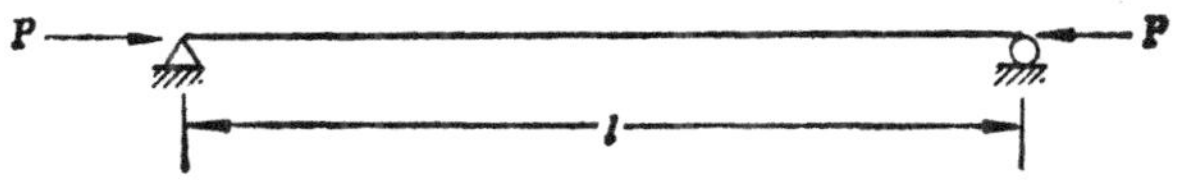

图 15.1

据 Tadjbakhsh 和 Keller[292] 的介绍，这个问题早在 1851 年已由 Clausen 初步解决，后来 Keller[181]，Trahair 和 Booker[307] 重新解了这个问题. Trahair 和 Booker 的推导较详细，数值结果也较多. 下面介绍他们的结果.

设选用的材料的杨氏模量为 E，密度为 ρ. 设梁剖面的惯性矩为 $J(x)$，面积为 $A(x)$. 因为剖面形状相似，所以有

$$A = k\sqrt{J}. \tag{15.1}$$

k 与剖面的形状有关，下面假定它是一个已知的常数. 设梁在轴

压 P 之下的失稳形式为 $w(x)$，那末 $w(x)$ 满足下列方程和边界条件：

$$\frac{d^2}{dx^2}\left(EJ\frac{d^2w}{dx^2}\right)+P\frac{d^2w}{dx^2}=0, \tag{15.2a}$$

$$\text{在 } x=0 \text{ 及 } x=l \text{ 处：} w=0,\ EJ\frac{d^2w}{dx^2}=0. \tag{15.2b}$$

将方程 (15.2a) 对 x 积分两次，利用边界条件 (15.2b) 后可得到

$$EJ\frac{d^2w}{dx^2}+Pw=0. \tag{15.3}$$

整个梁的质量 W 为

$$W=\rho\int_0^l A dx=\rho k\int_0^l\sqrt{J}\,dx. \tag{15.4}$$

在本问题中，未知函数有 J, w 两个. 把哪一个当作是独立的自变函数，对问题的复杂性有很大的影响. 一种直觉的办法是把 J 当作自变函数，而把 w 当作是跟随 J 而变的函数. 但是这种看法把这个问题搞得太复杂，以致难于求解. 另一种比较容易求解的观点是把 w 看作是自变函数，J 看作是跟随 w 而变的函数. 根据后一种观点，可以把方程 (15.3) 改写成为

$$J=\frac{P}{E}\cdot\frac{-w}{w''}. \tag{15.5}$$

这里 w'' 代表 w 的二阶导数. 将此代入 (15.4)，得到

$$W=k\rho\sqrt{\frac{P}{E}}\int_0^l\left(\frac{-w}{w''}\right)^{\frac{1}{2}}dx. \tag{15.6}$$

函数 w 应满足边界条件 (15.2b). 对于等剖面的梁，失稳形式对于跨度中点是对称的. 根据工程经验可预料到，最优的变剖面梁，剖面的变化也对跨度中点对称，失稳型式也仍然对跨度中点对称. 这样只要计算 $0\leqslant x\leqslant\frac{l}{2}$ 这一半梁便可以了，而把 w 的边界条件取为

$$\begin{aligned}&\text{在 } x=0 \text{ 处：} w=0,\\&\text{在 } x=\frac{l}{2} \text{ 处：} w'=0.\end{aligned} \tag{15.7}$$

这样，本节的问题变为求一个函数 $w(x)$，使它满足边界条件 (15.7)，并且使 (15.6) 定义的 W 取最小值.

与泛函 (15.6) 相应的欧拉方程是

$$\frac{d^2}{dx^2}\left[\frac{-w}{(w'')^3}\right]^{\frac{1}{2}}=\left(\frac{-1}{ww''}\right)^{\frac{1}{2}}. \tag{15.8}$$

Trahair 和 Booker 经过繁长的计算，得到了方程 (15.8) 在边界条件 (15.7) 下的解. 这个解适宜于表示成参数形式

$$\frac{x}{l}=\frac{1}{2\pi}(2\theta-\sin 2\theta), \tag{15.9}$$

$$w=w_c\sin^3\theta. \tag{15.10}$$

这里 θ 是参变数；w_c 是待定的积分常数，它代表梁中点的挠度. 有了 w，便可计算其他有用的量:

$$J=\frac{4Pl^2}{3\pi^2 E}\sin^4\theta, \tag{15.11}$$

$$W=\frac{\sqrt{3}}{2\pi}kl^2\frac{\rho}{\sqrt{E}}\cdot\sqrt{P}. \tag{15.12}$$

公式 (15.11) 给出了剖面惯性矩变化的规律，公式 (15.12) 给出了梁的质量. 从这个公式可以看到，在选择材料时，应尽可能使 E/ρ^2 大.

用同样材料设计一个等剖面梁，使有相同的临界载荷，它的质量 W_E 是

$$W_E=\frac{1}{\pi}kl^2\cdot\frac{\rho}{\sqrt{E}}\sqrt{P}. \tag{15.13}$$

最优的变剖面梁的质量占等剖面梁的百分比是

$$\frac{W}{W_E}=\frac{\sqrt{3}}{2}=0.866. \tag{15.14}$$

如果用同样多的材料设计最优的变剖面梁和等剖面梁，那末临界载荷之比为

$$\frac{P}{P_E}=\frac{1}{0.866^2}=1.33. \tag{15.15}$$

图15.2，15.3画出了最优的变剖面梁的 J 的变化规律及失稳形式.

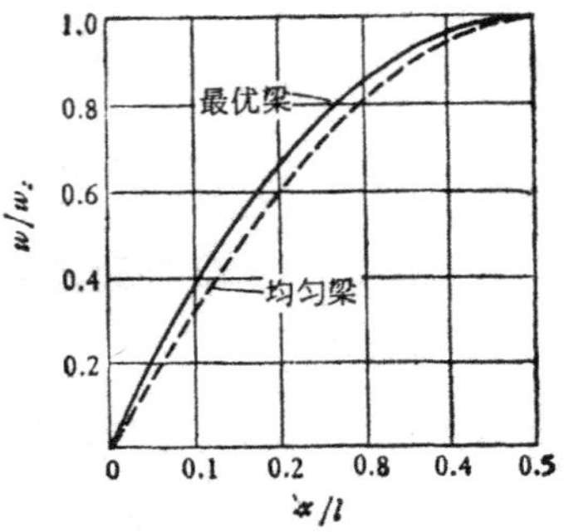

图 15.2

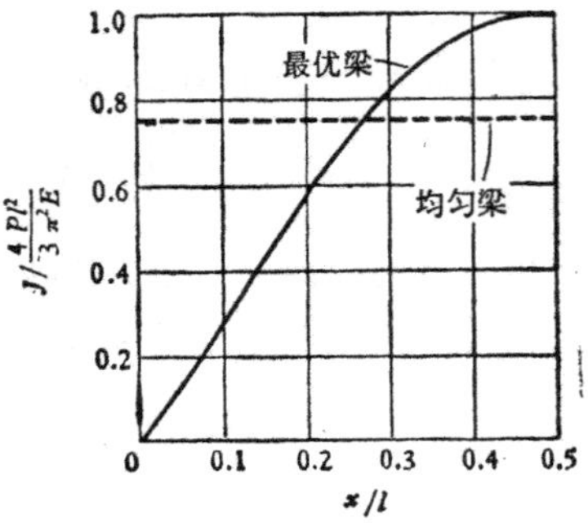

图 15.3

上面的分析从实用的角度看来存在一个缺点，这就是在梁的两端 $A=0$. 如果不怕数学上的麻烦，这个缺点是可以避免的.事实上只需要再增加一个条件

$$J \geqslant J_0, \quad A \geqslant k\sqrt{J_0} = A_0. \tag{15.16}$$

这里 J_0 与 A_0 是允许的最小惯性矩和面积. 将这个条件引入(15.5)，得到

$$\frac{P}{E}\cdot\frac{-w}{w''} = J \geqslant J. \tag{15.17}$$

这样一改，问题就变为：求一个函数 $w(x)$，使它满足边界条件(15.7)，不等式(15.17)，并且使(15.6)定义的W取最小值.

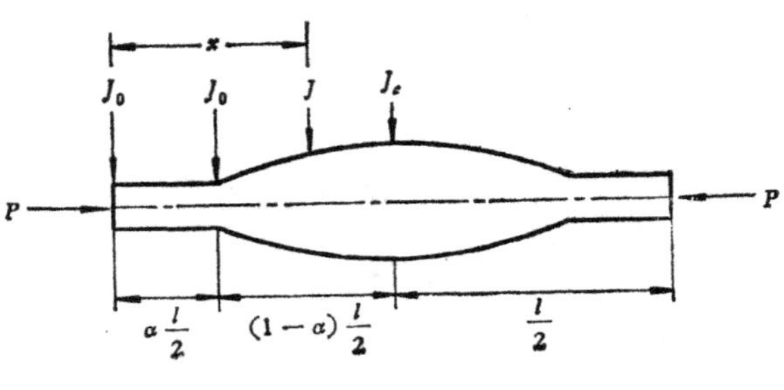

图 15.4

从工程直观可以想像得到，剖面惯性矩的变化大致如图15.4所示. 在梁的两端的一定范围内，例如 $0 \leqslant x \leqslant \alpha l/2$，惯性矩就

等于指定的最小值 J_0，而在中间部分，J 是一个变数. 不过 α 究竟是多大，事前猜不出来，待解方程后才能知道.

这样，在 $\alpha\frac{l}{2}\leqslant x\leqslant\frac{l}{2}$ 处，w 可以有任意的变分，因此它仍应满足欧拉方程 (15.8). 现在这个方程的解仍可由参变数 θ 表示成参数形式:

$$x=x_0+\frac{1}{\pi}\left(\frac{l}{2}-x_0\right)(2\theta-\sin 2\theta),\tag{15.18}$$

$$w=w_c\sin^3\theta.\tag{15.19}$$

这里 w_c, x_0 是两个积分常数，w_c 仍代表梁中点的挠度，而 x_0 是新增加的一个积分常数，这是因为现在 $\theta=0$ 并不相应于 $x=0$. 设分界点 $x=\alpha\frac{l}{2}$ 相当于 $\theta=\theta_\alpha$，则有

$$\alpha=\frac{2x_0}{l}+\frac{1}{\pi}\left(1-\frac{2x_0}{l}\right)(2\theta_\alpha-\sin 2\theta_\alpha).\tag{15.20}$$

在这一点上 w, w', w'' 的值为

$$\begin{aligned}
w_\alpha&=w_c\sin^3\theta_\alpha,\\
w'_\alpha&=\frac{3\pi}{2}\cdot\frac{w_c}{l-2x_0}\cos\theta_\alpha,\\
w''_\alpha&=-\frac{3\pi^2}{4}\cdot\frac{w_c}{(l-2x_0)^2}\cdot\frac{1}{\sin\theta_\alpha}.
\end{aligned}\tag{15.21}$$

在 $0\leqslant x\leqslant\alpha\frac{l}{2}$ 的范围内，(15.17) 中的等号成立，所以有

$$EJ_0w''+Pw=0.\tag{15.22}$$

注意到在 $x=0$ 处 $w=0$，方程 (15.22) 的解可取为

$$w=B\sin\frac{\pi x}{\beta l},\tag{15.23}$$

其中

$$\beta l=\sqrt{\frac{\pi^2EJ_0}{P}}.\tag{15.24}$$

而 B 是待定的积分常数. 根据这个公式求 $x=\alpha l/2$ 处的 w, w',

w'' 的值，得到

$$w_\alpha = B\sin\frac{\alpha\pi}{2\beta},$$

$$w'_\alpha = \frac{\pi B}{\beta l}\cos\frac{\alpha\pi}{2\beta}, \tag{15.25}$$

$$w''_\alpha = -\frac{\pi^2 B}{\beta^2 l^2}\sin\frac{\alpha\pi}{2\beta}.$$

在分界点的两边，挠度、转角和弯矩都应是连续的．这样由 (15.21) 及 (15.25) 给出的三个值应相等，由此得到三个方程

$$\frac{B}{w_c} = \frac{\sin^3\theta_\alpha}{\sin\frac{\alpha\pi}{2\beta}},$$

$$\frac{l-2x_0}{l} = \frac{3\beta}{2}\cdot\tan\frac{\alpha\pi}{2\beta}\cdot\frac{\cos\theta_\alpha}{\sin^3\theta_\alpha}, \tag{15.26}$$

$$\left(\frac{l-2x_0}{l}\right)^2 = \frac{3\beta^2}{4}\cdot\frac{1}{\sin^4\theta_\alpha}.$$

再加上 (15.20)，便可以决定 α，θ_α，B/w_c，$(l-2x_0)/l$ 四个未知数．解这组方程还是很费时间的．下面抄录 Trahair 和 Booker 计算所得的结果如图 13.5—13.7 所示．

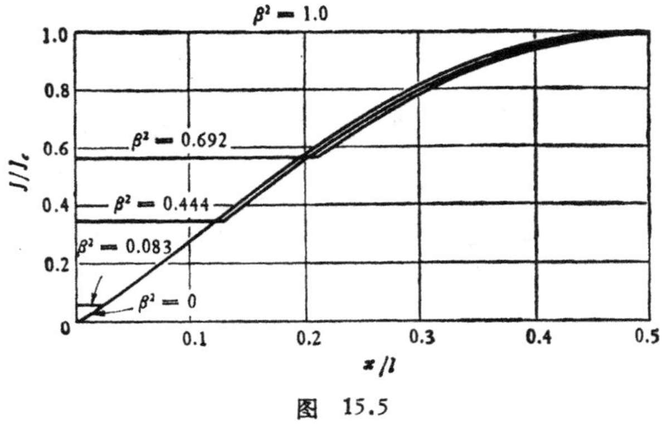

图 15.5

单从临界压力的大小来看，简支梁相当于一半跨度的一端固支一端自由的梁，所以上面的结果，只要取一半跨度，便是一端固

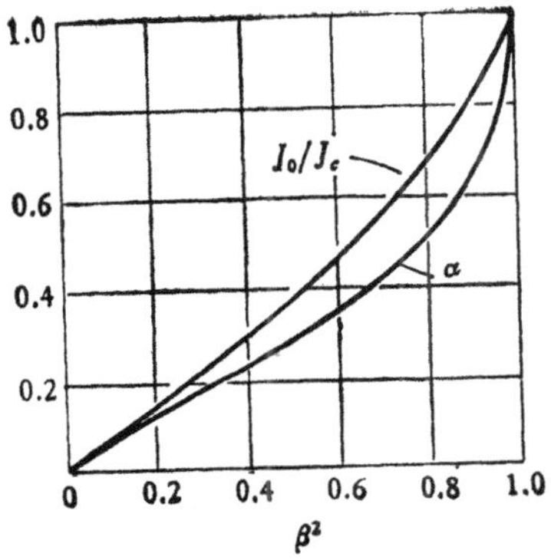

图 15.6

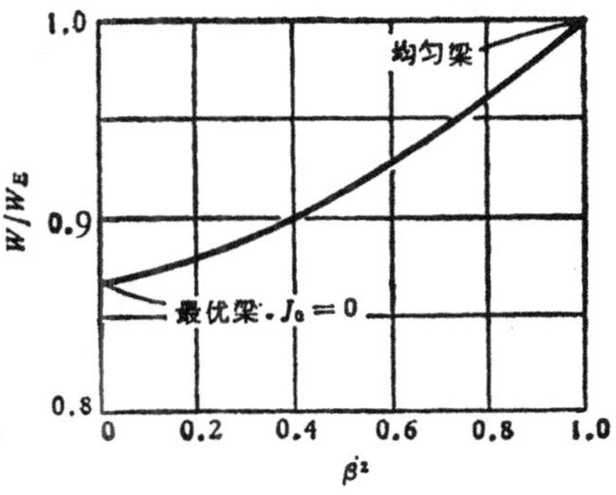

图 15.7

支一端自由梁的最优剖面.

在 Tadjbakhsh 和 Keller 的文章 [292] 中，还解出了一端固支一端简支的压杆的最优剖面，如图 13.8 所示. 这个剖面变化的特点是在靠近简支端的一边，相当于一个简支梁，而在靠近固支端的一边，相当于一个固支、自由梁.

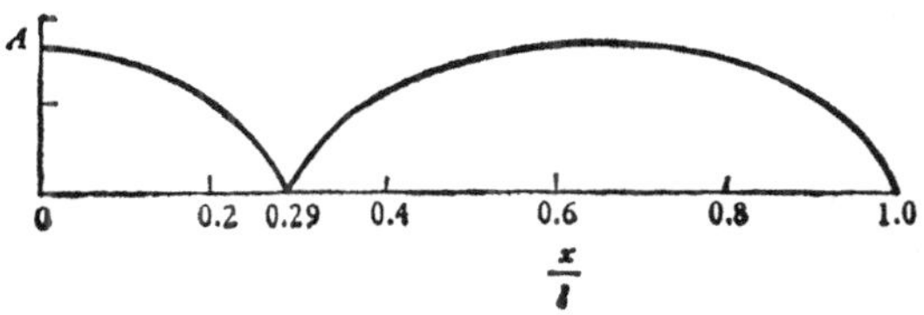

图 15.8

上面介绍的结果是在假设 (15.1) 之下求得的. 如果把那个假设改为

$$J \propto A \quad 或 \quad J \propto A^3,$$

这样的问题也能够求得最优剖面.

下面再来考虑一个类似的问题. 参考图 15.9，设要设计一个固支梁，已知梁的跨度 l，梁剖面的形状（即已知剖面的惯性矩 J 与面积 A 的关系为 $J = kA^2$，其中 k 为已知常数），最小的剖面

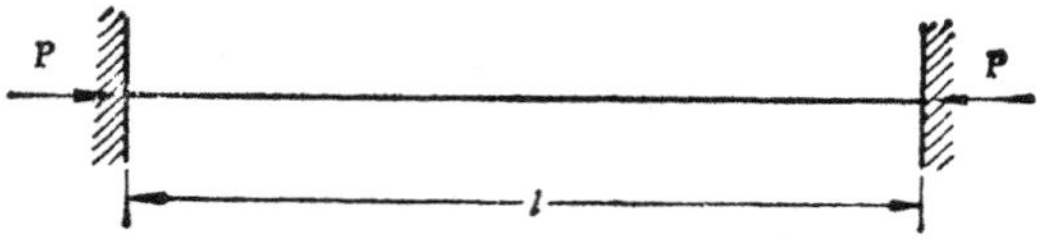

图 15.9

面积 A_0，梁的体积 V（当然有 $V > A_0 l$），以及材料的杨氏模量，要求决定剖面面积的分布规律 $A(x)$，使梁的临界压力达最大值.

这个问题的提法和前面的稍有不同. 前面是已知临界压力，求最小质量的梁（如再已知材料的 E，ρ，则就是求最小体积的梁），而现在是已知梁的体积，求最大的临界压力. 这两种不同提法实质上是代表同一件事，除了数学形式之外，没有本质上的差别.

Tadjbakhsh 和 Keller[292] 曾解过这个问题. 但是后来 Olhoff 和 Rasmussen[228] 指出，Tadjbakhsh 和 Keller 并未得到正确的解答. Olhoff 和 Rasmussen 指出，变剖面固支梁的稳定性问题，有可能出现一种特殊情况，这就是临界压力可能相应于两种独立无关的失稳型式. 设想已有了某一个变剖面的梁，压力的第一个本征值是临界载荷. 当调整函数 $A(x)$ 使第一个本征值增加时，第二个本征值却有所降低，于是到了一定的场合，这两个本征值相等了. 这时，临界压力便相应于两种独立无关的失稳形式. 此后，如果希望继续提高临界压力，就不能再按其中一种失稳型式来调整 $A(x)$，而必须兼顾两种失稳形式，即应使与两种失稳型式相应的本征值都能有所增加. 如果达不到这一要求，那末临界载荷就已达到最大值了.

这个问题的解法很繁，我们仅引录 Olhoff 和 Rasmussen 的结果如图 15.10 所示. 梁剖面的分布规律与参数

$$\alpha_0 = \frac{A_0 l}{V}$$

有关. 当 α_0 不很小时，只有一种失稳形式，如图 15.10(a) 和 (b) 中的 w_1. 当 α_0 较小时，便有两种失稳型式，如图 15.10 中(c)和(d)

中的 w_1 和 w_2.

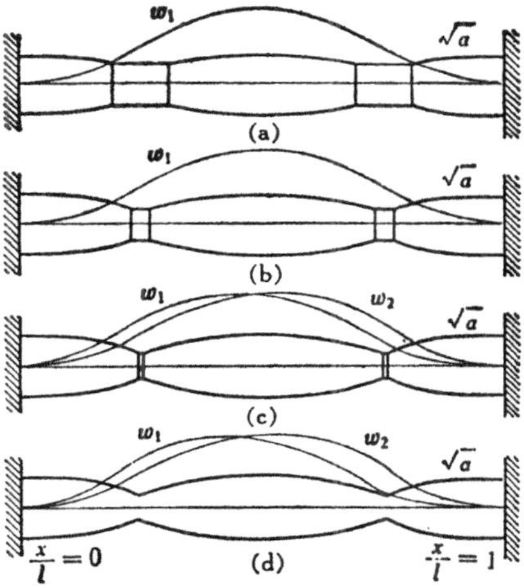

图 15.10 图中 $\alpha=\frac{Al}{V}$, $\alpha_0=\frac{A_0 l}{V}$, $\lambda=\frac{P_{cr}l^4}{EkV^2}$,

λ_u 是相当的等剖面梁的 λ 值.

(a) $\alpha_0=0.7$, $\lambda=48.690$, $\lambda/\lambda_u=1.2333$,

(b) $\alpha_0=0.4$, $\lambda=51.775$, $\lambda/\lambda_u=1.3115$,

(c) $\alpha_0=0.25$, $\lambda=52.349$, 两种失稳形式 $\lambda/\lambda_u=1.3260$,

(d) $0\leqslant\alpha_0\leqslant0.226$, α_0 不起作用, $\lambda=52.3563$, 两种失稳形式, $\lambda/\lambda_u=1.3262$.

§2.16 梁的固有振动问题. 关于固有频率的变分原理

考虑一个变剖面的梁的横向振动问题. 在振动问题中, 挠度 w 是坐标 x 和时间 t 的函数, 载荷 q 一般也是 x, t 的函数. 梁上各点的横向加速度为 $\partial^2 w/\partial t^2$. 设梁的单位长度内的质量为 m, 那末加速度引起的惯性力为 $-m\partial^2 w/\partial t^2$, 它相当于一个分布载荷, 因此梁的运动方程为

$$\frac{\partial^2}{\partial x^2}\left(EJ\frac{\partial^2 w}{\partial x^2}\right)=q-m\frac{\partial^2 w}{\partial t^2},$$

即

$$\frac{\partial^2}{\partial x^2}\left(EJ\frac{\partial^2 w}{\partial x^2}\right)+m\frac{\partial^2 w}{\partial t^2}=q. \tag{16.1}$$

本节先考虑梁的固有振动问题．所谓固有振动，是指在没有外载荷作用下梁所作的简谐振动．也即在固有振动中，$q=0$，而挠度 w 随时间的变化服从一个正弦规律．命 ω 为振动的角频率[1)]，则可把 $w(x,t)$ 写成为

$$w(x,t)=W(x)e^{i\omega t}, \tag{16.2}$$

于是有

$$\frac{\partial^2 w}{\partial t^2}=-\omega^2 w.$$

将此式及 $q=0$ 代入 (16.1)，然后消去公因子 $e^{i\omega t}$，得到

$$\frac{d^2}{dx^2}\left(EJ\frac{d^2 W}{dx^2}\right)-m\omega^2 W=0.$$

因为以后我们只限于考虑简谐振动，为了书写方便起见，把W仍写为 w，则有

$$\frac{d^2}{dx^2}\left(EJ\frac{d^2 w}{dx^2}\right)-m\omega^2 w=0. \tag{16.3}$$

关于梁的边界条件，先考虑下列几种典型组合：

$$w=0\text{ 或 }\frac{d}{dx}\left(EJ\frac{d^2 w}{dx^2}\right)=0,$$

$$\frac{dw}{dx}=0\text{ 或 }EJ\frac{d^2 w}{dx^2}=0. \tag{16.4}$$

可见梁的固有振动问题可化为微分方程的本征值问题，即找本征值 ω^2 及相应的本征函数 w，使它们满足方程 (16.3) 和边界条件 (16.4).

梁的振动问题，在机械振动的许多书籍中已讲得很多，这里不再全面地论述这些问题，而只是有重点地讨论一下与变分法有关的几个问题.

---

1) 角频率 ω 说的是每秒多少弧度，频率 f 说的是每秒多少次，两者的关系是 $\omega=2\pi f$. ω 有时也叫圆频率，但不及角频率确切.

先来把本征值问题 (16.3), (16.4) 化为变分法问题. 和梁的稳定性问题相似,所要的变分式是

$$\omega^2 = \mathrm{st}\,\frac{\int_0^l EJ\left(\frac{d^2w}{dx^2}\right)^2 dx}{\int_0^l mw^2\,dx}. \tag{16.5}$$

而相应的函数便是本征函数. 在(16.5)式中的自变函数 w, 要求、也仅仅要求事先满足位移边界条件, 即 $w=0$ 及 $dw/dx=0$, 如果有这些边界条件的话.

证明也分两步. 第一步先证明 (16.5) 式的每一个驻立值和相应的函数 w, 是方程 (16.3), (16.4) 的本征值和本征函数. 为此,求 $\delta(\omega^2)$, 并使它等于零,这样得到

$$\delta\int_0^l EJ\left(\frac{d^2w}{dx^2}\right)^2 dx - \omega^2\delta\int_0^l mw^2dx = 0. \tag{16.6}$$

对上式的两项分别进行计算:

$$\begin{aligned}\frac{1}{2}\delta\int_0^l EJ\left(\frac{d^2w}{dx^2}\right)^2 dx &= \int_0^l EJ\frac{d^2w}{dx^2}\delta\frac{d^2w}{dx^2}dx\\ &= \int_0^l \frac{d^2}{dx^2}\left(EJ\frac{d^2w}{dx^2}\right)\delta w dx + EJ\frac{d^2w}{dx^2}\delta\frac{dw}{dx}\bigg|_0^l\\ &\quad - \frac{d}{dx}\left(EJ\frac{d^2w}{dx^2}\right)\delta w\bigg|_0^l,\end{aligned}$$

$$\frac{1}{2}\delta\int_0^l mw^2dx = \int_0^l mw\delta w dx,$$

将此代入 (16.6), 有

$$\begin{aligned}&\int_0^l\left[\frac{d^2}{dx^2}\left(EJ\frac{d^2w}{dx^2}\right) - \omega^2 mw\right]\delta w dx\\ &\quad - \frac{d}{dx}\left(EJ\frac{d^2w}{dx^2}\right)\delta w\bigg|_0^l + EJ\frac{d^2w}{dx^2}\delta\frac{dw}{dx}\bigg|_0^l = 0.\end{aligned} \tag{16.7}$$

从 (16.7) 的第一项可以推论出方程 (16.3), 从后两项可以推论出边界条件 (16.4), 这就证明了 (16.5) 式的每一个驻立值都相当于一个本征值. 倒过头来,从 (16.3), (16.4) 可以得到 (16.7), 以

后逐步上推，可以推出 (16.5)．这就是说，方程 (16.3)，(16.4) 的每一个本征值都是 (16.5) 的驻立值．这样，泛函的驻立值问题 (16.5) 和方程 (16.3)，(16.4) 的本征值问题完全相当．

(16.5) 式中的两个积分，具有确定的物理意义，把 (16.5) 改写成为

$$\int_0^l \frac{1}{2} EJ\left(\frac{d^2w}{dx^2}\right)^2 dx - \omega^2\int_0^l \frac{1}{2} mw^2dx = 0. \qquad (16.8)$$

此式的第一项是梁在振动时最大的（指随时间而变化的过程中最大的）应变能，而第二项是最大的动能．方程 (16.8) 代表能量守恒原理　在振动过程中，系统的能量表现为势能和动能两种形式．在某些时候，动能等于零而全部能量转化为应变能，成为 (16.8) 的第一项；在另外一些时候，应变能等于零而全部能量转化为动能而成为 (16.8) 的第二项．这两者相等．

根据上面的力学解释，变分式 (16.5) 可以方便地推广到更为复杂一些的问题．

上面介绍的变分式 (16.5) 是以挠度 w 作为自变函数的．还有一种关于频率的变分式是以弯矩 M 作为自变函数的[321]，当 ω 不等于零时，

$$\omega^2 = \text{st}\,\frac{\int_0^l \frac{1}{m}\left(\frac{d^2M}{dx^2}\right)^2 dx}{\int_0^l \frac{M^2}{EJ}dx}. \qquad (16.9)$$

在梁的边界上，M 应满足有关力的边界条件（即 $M=0$，$Q=0$），如果有这些边界条件的话．证明和前面介绍的差不多．将 (16.9) 转换成微分方程及边界条件，得

$$\frac{d^2}{dx^2}\left(\frac{1}{m}\frac{d^2M}{dx^2}\right) - \frac{\omega^2}{EJ}M = 0, \qquad (16.10)$$

在简支端上：$\frac{1}{m}\cdot\frac{d^2M}{dx^2} = 0$,

在固支端上：$\frac{1}{m}\cdot\frac{d^2M}{dx^2} = 0$, $\frac{d}{dx}\left(\frac{1}{m}\cdot\frac{d^2M}{dx^2}\right) = 0$. (16.11)

这两个方程确实是成立的，因为若用m除方程(16.3)，然后再微分两次，便可得到方程(16.10)，而把方程(16.3)代入(16.4)中有关位移的两个边界条件，便可得到(16.11)。

在 $\omega \neq 0$ 的情况下，变分式(16.5)和(16.9)给出相同的本征值，并且两个本征函数也相适应，这就是说通过调整一个适当的倍数，可以使从(16.5)决定的w与从(16.9)决定的M满足关系式

$$M = -EJ\frac{d^2w}{dx^2}.$$

但是这两个变分式，却有不相同的零本征值. 当梁的支承情况使它恰好成为一个静定梁时，变分式(16.5)，(16.9)都没有零本征值. 当梁是一个超静定梁时，变分式(16.5)仍没有零本征值，而变分式(16.9)却有零本征值，与 $\omega = 0$ 相应的本征函数 M_0 满足方程

$$\frac{d^2M_0}{dx^2} = 0. \tag{16.12}$$

从这个方程，再汇同有关力的边界条件，便可决定 M_0，因为梁是超静定的，所以 M_0 不为零，它代表梁中的一种自相平衡的弯矩. 当梁的位移边界条件过少，使得梁可以有刚体运动时，变分式(16.5)便有零本征值，而变分式(16.9)却没有零本征值，这时与 $\omega = 0$ 相应的本征函数 w_0 便是梁的刚体运动引起的挠度.

从求固有频率的近似值的观点看来，哪个变分式比较适用?我们的看法是：对超静定的梁，用(16.5)比较方便，对于有刚性位移的梁，用(16.9)比较方便，因为这样作可以避免零本征值带来的麻烦，而边界条件又可获得较多的利用. 另外，据 Lang 和 Nemat-Nasser[190] 的计算经验，当 EJ 较 m 光滑时，用(16.5)能给出较好的结果，反之，当 m 较 EJ 光滑时，用(16.9)较好.

§2.17 求固有频率的两种能量法

和求临界载荷的近似值的方法相似，根据变分式(16.5)可以

建立两种求固有频率的近似方法．第一种方法称为瑞利-里兹法，它与 § 2.12 介绍的方法相同．在这个方法中，根据位移边界条件，适当地选取 n 个可能挠度

$$\boldsymbol{\varphi}^T = [\varphi_1, \varphi_2, \cdots, \varphi_n], \tag{17.1}$$

然后将挠度近似地表达为

$$w = \xi_1\varphi_1 + \xi_2\varphi_2 + \cdots + \xi_n\varphi_n = \boldsymbol{\varphi}^T\boldsymbol{\xi}. \tag{17.2}$$

这里

$$\boldsymbol{\xi} = [\xi_1, \xi_2, \cdots, \xi_n]^T \tag{17.3}$$

是待定的常数．将此代入变分式 (16.5)，算出积分，得到

$$\omega^2 = \mathrm{st}\,\frac{\boldsymbol{\xi}^T\boldsymbol{K}\boldsymbol{\xi}}{\boldsymbol{\xi}^T\boldsymbol{M}\boldsymbol{\xi}}, \tag{17.4}$$

式中 $\boldsymbol{K}$, $\boldsymbol{M}$ 为两个对称的方阵，它们的元分别为

$$K_{ij} = \int_0^l EJ\,\frac{d^2\varphi_i}{dx^2}\cdot\frac{d^2\varphi_j}{dx^2}\,dx,\ M_{ij} = \int_0^l m\varphi_i\varphi_j dx. \tag{17.5}$$

在算式 (17.4) 中，st 是对待定列矢量 $\boldsymbol{\xi}$ 取的．将 (17.4) 化为代数本征值问题，得到

$$\boldsymbol{K}\boldsymbol{\xi} - \omega^2\boldsymbol{M}\boldsymbol{\xi} = 0. \tag{17.6}$$

第二种是有限元素法，它的基本思想、推导步骤也和 § 2.13 介绍的求临界载荷的有限元素法完全相似．在这个方法中，也是先把梁分割为若干个小的有限元素．对于每个结点，仍赋予两个位移参数 w 和 ψ．在每个元素内部，仍对挠度作三次函数插入，如公式 (8.13)．将公式 (8.13) 代入变分式 (16.5)，算出积分，得到与 (13.1) 十分类似的算式

$$\omega^2 = \mathrm{st}\,\frac{\boldsymbol{u}^T\boldsymbol{K}\boldsymbol{u}}{\boldsymbol{u}^T\boldsymbol{M}\boldsymbol{u}}. \tag{17.7}$$

式中继续采用 § 2.8 的记号，$\boldsymbol{u}$ 是整个梁的位移参数列矢量，$\boldsymbol{K}$ 是整个梁的刚度矩阵，$\boldsymbol{M}$ 是一个新的对称方阵，称为整个梁的质量矩阵，它是各个元素的质量矩阵之和:

$$\boldsymbol{M} = \sum_{e=1}^{n} \boldsymbol{M}, \tag{17.8}$$

式中 $\boldsymbol{M}^e$ 是已扩张的第 e 个元素的质量矩阵. $\boldsymbol{M}^e$ 在扩张前的算式是(假定在每个元素内分布质量是一个常数 m_e):

$$\boldsymbol{M}^e=\frac{m_e l_e}{420}\begin{bmatrix}156, & 22l_e, & 54, & -13l_e \\ & 4l_e^2, & 13l_e, & -3l_e^2 \\ \text{对} & & 156, & -22l_e \\ & \text{称} & & 4l_e^2\end{bmatrix}. \tag{17.9}$$

算式 (17.7) 中的 st 是对待定矢量 $\boldsymbol{u}$ 取的. 将 (17.7) 化为代数本征值问题,得到

$$\boldsymbol{K}\boldsymbol{u}-\omega^2\boldsymbol{M}\boldsymbol{u}=0. \tag{17.10}$$

§ 2.18 从固有频率的变分式推出的几点结论

和稳定性问题相似,从固有频率的变分式 (16.5) 可以推出许多重要的结论.

1. 设 ω_1 是最小的一个固有频率 (对于具有刚体自由度的梁, $\omega_1=0$). ω_1 有时也称为基本固有频率. 因为 ω_1^2 是最小的驻立值,所以有

$$\omega_1^2=\min\frac{\int_0^l EJ\left(\frac{d^2w}{dx^2}\right)^2dx}{\int_0^l mw^2dx}. \tag{18.1}$$

这个算式也可写成另一种形式

$$\int_0^l EJ\left(\frac{d^2w}{dx^2}\right)^2dx\geqslant\omega_1^2\int_0^l mw^2dx. \tag{18.2}$$

等号只有在 w 相似于第一个固有振型时才成立.

2. 从 (16.5) 可以很容易地导出关于固有振型的正交性质. 设 $\omega^2=\omega_i^2$, $\omega^2=\omega_j^2$ 为两个不相等的本征值, $w=\varphi_i$, $w=\varphi_j$ 为相应的固有振型. 如果我们取

$$w=\xi_i\varphi_i+\xi_j\varphi_j, \tag{18.3}$$

其中 ξ_i, ξ_j 为两个不定的参数,并把它代入 (16.5), 则有

$$\omega^2=\text{st}\,\frac{B_{ii}\xi_i^2+2B_{ij}\xi_i\xi_j+B_{jj}\xi_j^2}{A_{ii}\xi_i^2+2A_{ij}\xi_i\xi_j+A_{jj}\xi_j^2}. \tag{18.4}$$

其中

$$A_{ii}=\int_0^l m\varphi_i^2dx,\quad A_{ij}=\int_0^l m\varphi_i\varphi_jdx,\quad A_{jj}=\int_0^l \varphi_j^2dx,$$

$$B_{ii}=\int_0^l EJ\left(\frac{d^2\varphi_i}{dx^2}\right)^2dx,\quad B_{ij}=\int_0^l EJ\frac{d^2\varphi_i}{dx^2}\cdot\frac{d^2\varphi_j}{dx^2}dx,$$

$$B_{jj}=\int_0^l EJ\left(\frac{d^2\varphi_j}{dx^2}\right)^2dx. \tag{18.5}$$

在 (18.4) 中对 ξ_i, ξ_j 求 ω^2 的驻立值，得到

$$\begin{aligned}B_{ii}\xi_i+B_{ij}\xi_j-\omega^2(A_{ii}\xi_i+A_{ij}\xi_j)=0,\\ B_{ij}\xi_i+B_{jj}\xi_j-\omega^2(A_{ij}\xi_i+A_{jj}\xi_j)=0.\end{aligned} \tag{18.6}$$

从 (18.3) 显然可知，$\xi_i=1$, $\xi_j=0$ 会使 ω^2 取驻立值 ω_i^2；同样，$\xi_i=0$, $\xi_j=1$ 会使 ω^2 取驻立值 ω_j^2. 将此结论引入 (18.6)，得到

$$\left.\begin{aligned}B_{ii}-\omega_i^2A_{ii}=0,\\ B_{ij}-\omega_i^2A_{ij}=0,\end{aligned}\right\}\quad \left.\begin{aligned}B_{ij}-\omega_j^2A_{ij}=0,\\ B_{jj}-\omega_j^2A_{jj}=0,\end{aligned}\right\} \tag{18.7}$$

由此得到

$$\begin{aligned}B_{ii}=\omega_i^2A_{ii},\quad B_{jj}=\omega_j^2A_{jj},\\ A_{ij}=0,\qquad B_{ij}=0.\end{aligned} \tag{18.8}$$

前两个可简单地从 (16.5) 得到的，后两个代表固有振型的正交关系. 若恢复它们的积分形式，则为

$$\int_0^l m\varphi_i\varphi_jdx=0,\ \int_0^l EJ\frac{d^2\varphi_i}{dx^2}\cdot\frac{d^2\varphi_j}{dx^2}dx=0. \tag{18.9}$$

推导固有振型正交关系(18.9)的另一个简单的方法是利用功的互等定理，把惯性力看作是作用在梁上的载荷，那末第一种载荷和挠度可取为 $\omega_i^2m\varphi_i$和φ_i，第二种载荷和挠度可取为 $\omega_j^2m\varphi_j$ 和 φ_j，于是利用公式 (2.5), (2.6) 便有

$$\int_0^l \omega_i^2m\varphi_i\varphi_jdx=\int_0^l \omega_j^2m\varphi_j\varphi_idx=\int_0^l EJ\frac{d^2\varphi_i}{dx^2}\cdot\frac{d^2\varphi_j}{dx^2}dx,$$

因为 $\omega_i\neq\omega_j$，从上式便可推出 (18.9). 这个思想初见于钱令希的《超静定结构学》[24]1)，后来，Jones[173] 也提出了这种方法.

若把 (18.8) 代回 (18.4)，则得到

1) 见原书习题 2-1.

$$\omega^2 = \mathrm{st}\,\frac{\omega_i^2 A_{ii}\xi_{ii}^2 + \omega_j^2 A_{jj}\xi_j^2}{A_{ii}\xi_i^2 + A_{jj}\xi_j^2}. \tag{18.10}$$

此式表明，若把挠度 w 展开为固有振型的级数，那末固有振型的正交性，保证了 ω^2 的变分式中的分子与分母都没有交叉项.

3 对于基本固有频率，已得到了不等式 (18.1)，(18.2)，对于其他的固有频率，是否有类似的不等式呢？是有的. 设固有频率按从小到大的次序排列是 $\omega_1, \omega_2, \cdots\cdots$. 如果在变分式 (16.5) 中对自变函数 w 附加 n 个约束条件：

$$\int_0^l m\varphi_i w dx = 0, \quad i = 1, 2, \cdots\cdots, n. \tag{18.11}$$

那末变分式中原来前 n 个驻立值就被消去，而 ω_{n+1}^2 变为新条件下最小的驻立值. 所以在 (18.11) 满足的前提下，

$$\omega_{n+1}^2 = \min \frac{\int_0^l EJ\left(\frac{d^2w}{dx^2}\right)^2 dx}{\int_0^l m w^2 dx}, \tag{18.12}$$

$$\int_0^l EJ\left(\frac{d^2w}{dx^2}\right)^2 dx \geqslant \omega_{n+1}^2 \int_0^l m w^2 dx. \tag{18.13}$$

4. 任意一个可能位移[1] $w(x)$，可以展开成固有振型的级数[2]：

$$w = \sum_{i=1}^{\infty} \xi_i \varphi_i(x), \tag{18.14}$$

其中 ξ_i 为待定的常数. 为了决定常数 ξ_i，用 $m\varphi_i$ 乘 (18.14) 的两端，然后积分，利用正交性质 (18.9) 便有

$$\int_0^l m\varphi_i w dx = \xi_i \int_0^l m\varphi_i^2 dx,$$

由此得到

1) w 是可能位移的充要条件仍为：w 及其导数 w' 连续可导，并且满足与本征函数相同的位移边界条件.

2) 能使展开式成立的函数不止于可能位移. 不过本节的目的是为用本征函数展开式求解平衡和振动问题提供理论依据，所以限于考虑 $w(x)$ 是可能位移的情况. 这个特殊情况的数学证明要比一般的情况简单许多.

$$\xi_i = \frac{\int_0^l m\varphi_i w dx}{\int_0^l m\varphi_i^2 dx}. \tag{18.15}$$

上面讲的，实际上是在承认 (18.14) 成立的前提下如何决定系数 ξ_i. 对于级数 (18.14) 是否一定能成立，还未证明. 许多关于机械振动的书本，都用了级数 (18.14)，但未介绍证明. 下面对级数 (18.14) 的收敛性的证明作一简单的介绍.

不论级数 (18.14) 是否成立，命

$$R_n = w - \sum_{i=1}^{n} \xi_i \varphi_i(x). \tag{18.16}$$

这里 ξ_i 仍由 (18.15) 决定. R_n 代表展开式的余项. 下面来证明

$$\lim_{n\to\infty}\int_0^l mR_n^2 dx = 0. \tag{18.17}$$

如果此式成立，则有

$$\lim_{n\to\infty} R_n = 0, \tag{18.18}$$

于是级数 (18.14) 便是收敛的. 为了证明 (18.17)，先证明关于 R_n 的两个性质:

$$\int_0^l m\varphi_i R_n dx = 0,$$

$$\int_0^l EJ\frac{d^2\varphi_i}{dx^2}\cdot\frac{d^2R_n}{dx^2}dx = 0, \quad i = 1, 2, \cdots\cdots, n. \tag{18.19}$$

事实上，从算式 (18.16) 及 φ_i 的正交性，有

$$\int_0^l m\varphi_i R_n dx = \int_0^l m\varphi_i w dx - \xi_i\int_0^l m\varphi_i^2 dx$$

将 (18.15) 给出的 ξ_i 代入，便得到 (18.19) 的第一个. 同样，若将 (18.16) 微分两次，然后乘以 $EJ\frac{d^2\varphi_i}{dx^2}$，对 x 积分，得到

$$\int_0^l EJ\frac{d^2\varphi_i}{dx^2}\cdot\frac{d^2R_n}{dx^2}dx = \int_0^l EJ\frac{d^2\varphi_i}{dx^2}\cdot\frac{d^2w}{dx^2}dx$$
$$-\xi_i\int_0^l EJ\left(\frac{d^2\varphi_i}{dx^2}\right)^2 dx,$$

将此式右端的两个积分利用分部积分加以简化，注意到w也满足位移边界条件，则有

$$\int_0^l EJ\frac{d^2\varphi_i}{dx^2}\cdot\frac{d^2w}{dx^2}dx=\int_0^l\frac{d^2}{dx^2}\left(EJ\frac{d^2\varphi_i}{dx^2}\right)wdx$$

$$=\int_0^l\omega_i^2m\varphi_iwdx,$$

$$\int_0^l EJ\left(\frac{d^2\varphi_i}{dx^2}\right)^2dx=\int_0^l\frac{d^2}{dx^2}\left(EJ\frac{d^2\varphi_i}{dx^2}\right)\cdot\varphi_idx=\omega_i^2\int_0^l m\varphi_i^2dx,$$

因此有

$$\int_0^l EJ\frac{d^2\varphi_i}{dx^2}\cdot\frac{d^2w}{dx^2}dx=\omega_i^2\left\{\int_0^l m\varphi_iwdx-\xi_i\int_0^l m\varphi_i^2dx\right\}=0.$$

公式 (18.19) 表示 R_n 满足条件 (18.11)，因此有不等式

$$\int_0^l EJ\left(\frac{d^2R_n}{dx^2}\right)^2dx\geqslant\omega_{n+1}^2\int_0^l mR_n^2dx,$$

即

$$\int_0^l mR_n^2dx\leqslant\frac{1}{\omega_{n+1}^2}\int_0^l EJ\left(\frac{d^2R_n}{dx^2}\right)^2dx. \tag{18.20}$$

现在把 (18.16) 改写成为

$$w=\sum_{i=1}^n\xi_i\varphi_i+R_n. \tag{18.21}$$

从此式出发，利用有关的正交条件，有

$$\int_0^l EJ\left(\frac{d^2w}{dx^2}\right)^2dx=\sum_{i=1}^n\xi_i^2\int_0^l EJ\left(\frac{d^2\varphi_i}{dx^2}\right)^2dx+\int_0^l EJ\left(\frac{d^2R_n}{dx^2}\right)^2dx,$$

由此可知

$$\int_0^l EJ\left(\frac{d^2R_n}{dx^2}\right)^2dx\leqslant\int_0^l EJ\left(\frac{d^2w}{dx^2}\right)^2dx. \tag{18.22}$$

将此代入 (18.20)，得到

$$\int_0^l mR_n^2dx\leqslant\frac{1}{\omega_{n+1}^2}\int_0^l EJ\left(\frac{d^2w}{dx^2}\right)^2dx. \tag{18.23}$$

此式右端的积分是一个有限量，而当 $n\to\infty$ 时，$\omega_{n+1}\to\infty$，因而 (18.17) 成立，最后级数 (18.14) 也是收敛的。

§ 2.19 参数的小变化对固有频率的影响[1)]

梁的固有频率 ω（包括各阶固有频率）是梁的弯曲刚度 EJ 和质量 m 的泛函．当 EJ, m 有变分 $\delta(EJ)$, δm 时，ω 有变分 $\delta\omega$．ω 与 EJ, m 的关系难于用简单的形式表示出来，但是 $\delta\omega$ 与 $\delta(EJ)$ δm 的关系能够简单地表示出来．

命 w 为与固有频率 ω 相应的振型．根据公式 (16.5) 有

$$\omega^2 = \frac{\int_0^l EJ\left(\frac{d^2w}{dx^2}\right)^2 dx}{\int_0^l m w^2 dx}. \tag{19.1}$$

当 EJ, m 有变分 $\delta(EJ)$, δm 后，w 也随之有变分 δw．但因为 w 能使 (19.1) 的右端取驻立值，所以 δw 并不会引起 ω 的变化．因此 $\delta\omega$ 只能直接由 $\delta(EJ)$、δm 所引起．这样在求 (19.1) 的变分时，可以想像为 w 不变．这样得到

$$\delta(\omega^2) = \frac{\int_0^l \delta(EJ)\left(\frac{d^2w}{dx^2}\right)^2 dx}{\int_0^l m w^2 dx} - \omega^2\frac{\int_0^l \delta m w^2 dx}{\int_0^l m w^2 dx}. \tag{19.2}$$

从这个公式可以看到，增加弯曲刚度或减小质量，能使频率增加；反之则使频率降低．

利用公式 (19.2)，可以求得固有频率对结构参数的导数．

§ 2.20 限制变形对固有频率的影响

设有在某种边界条件下的一个变剖面梁．设这个梁的固有振动问题已经解决．设想将这个梁的变形加以某种限制，例如把简支端改为固支端，或把自由端改为简支端，或令梁中间某点的挠度

1) 参阅 § 2.10 的参考文献．

为零，等等．限制梁的变形后，梁的固有频率便有了改变．本节来讨论这两种情况下固有频率的关系．

设原有梁的各阶固有频率 ω_i 和与它相应的振型 φ_i 都已求得．在固有振型中有一个常倍数可以随意选定．为了以后的方便，我们建议这个常倍数按下列归一化条件决定：

$$\int_0^l m\varphi_i^2 dx = \bar{m}l, \quad i = 1, 2, \cdots\cdots, \tag{20.1}$$

式中 $\bar{m}$ 代表梁的平均分布质量，$\bar{m}l$ 就是梁的质量．根据条件 (20.1) 决定的 φ_i，都是无量纲的函数．设限制梁的变形后，固有频率变为 ω'，振型变为 φ'．设想将 φ' 对 φ_i 展开

$$\varphi' = \sum_{i=1}^{\infty} \xi_i \varphi_i, \tag{20.2}$$

将此代入频率的变分式，得到

$$\omega'^2 = \mathrm{st}\,\frac{\sum_{i=1}^{\infty} \omega_i^2 \xi_i^2}{\sum_{i=1}^{\infty} \xi_i^2}. \tag{20.3}$$

变形的约束条件，一般可表达为

$$\sum_{i=1}^{\infty} \alpha_i \xi_i = 0. \tag{20.4}$$

式中 α_i 为已知的常数．于是问题变为在满足 (20.4) 的条件下求 ξ_i，使 (20.3) 的 ω'^2 取驻立值．这个问题适宜于用拉格朗日法求解．将条件 (20.4) 并入 (20.3) 的分子，得到

$$\omega'^2 = \mathrm{st}\,\frac{\sum_{i=1}^{\infty} \omega_i^2 \xi_i^2 - 2\lambda \sum_{i=1}^{\infty} \alpha_i \xi_i}{\sum_{i=1}^{\infty} \xi_i^2}, \tag{20.5}$$

式中 λ 便是拉格朗日乘子．λ 的力学意义是外加的约束力．求 (20.5) 的驻立值，得到

$$(\omega_i^2 - \omega'^2)\xi_i - \lambda\alpha_i = 0. \tag{20.6}$$

由此求得

$$\xi_i = \frac{\lambda \alpha_i}{\omega_i^2 - \omega'^2}, \tag{20.7}$$

将此代入 (20.4)，在 $\lambda \neq 0$ 的情况下得到关于 ω' 的一个方程

$$f(\omega') = \sum_{i=1}^{\infty} \frac{\alpha_i^2}{\omega_i^2 - \omega'^2} = 0. \tag{20.8}$$

Wenistein[318] 指出，在有些情况下，拉格朗日乘子可能等于零. 在这种情况下，约束条件 (20.4) 实际上不起作用，固有频率及相应的振型都保持不变.

如果对于某一个 i 值 $\alpha_i = 0$，这表示后加的约束不影响原来第 i 个振型，因此 ω_i 继续为固有频率，而相应的固有振型也保持不变. 对于所有的 α_i 都不等于零的情况，函数 $f(\omega')$ 的图象大致如图 20.1 所示，它的特点是：当 $\omega' = \omega_i - 0$ 时，$f = \infty$，而当 $\omega' = \omega_i + 0$ 时，$f = -\infty$；在其他的地方 f 都是 ω' 的递增函数. 由此可以看到，在原来相邻的两个 ω_i 之间，$f(\omega')=0$ 有并且只有一个根，它就是梁受约束后的固有频率. 综合上面两种情况，可以得到如下的结论：对梁的变形增加一个约束之后，每一个固有频率或保持不变，或有所增加，但即使有所增加，也不可能超过原有的下一个频率，用算式来表示，则是

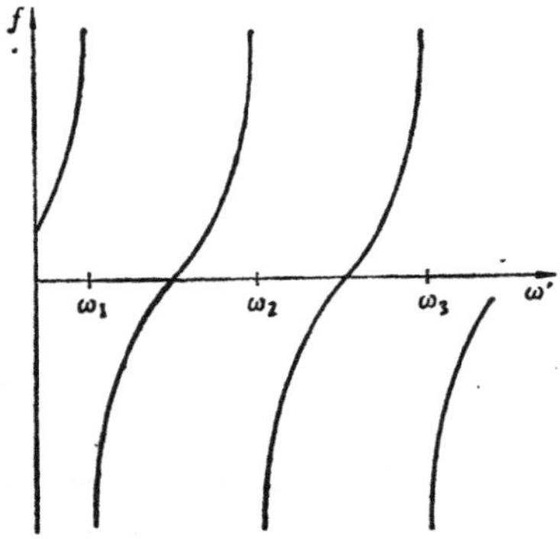

图 20.1

$$\omega_i \leqslant \omega_i' \leqslant \omega_{i+1}. \tag{20.9}$$

用 § 2.17 说明的瑞利-里兹法或有限元素法求梁的固有频率，都相当于对梁的变形作许多限制. 上面已经证明每一个对变形的限制都只可能使各阶固有频率增加，不可能使它们减少，所以用 § 2.17 说明的两种能量法求得的各阶固有频率的近似值，都只可能比精确值大，而不可能比精确值小.

如果在原先的问题中，每一个固有频率 ω_i 及其相应的振型 φ_i 都能简单地求得，那末方程 (20.8) 也可用于决定 ω' 的数值. 如果我们只关心限制变形后的基本固有频率，则可把 (20.8) 改写成便于迭代的形式

$$\frac{\alpha_1^2}{\omega'^2-\omega_1^2}=\sum_{i=2}^{\infty}\frac{\alpha_i^2}{\omega_i^2-\omega'^2}, \tag{20.10a}$$

或

$$\frac{\alpha_1^2}{\omega'^2-\omega_1^2}+\frac{\alpha_2^2}{\omega'^2-\omega_2^2}=\sum_{i=3}^{\infty}\frac{\alpha_i^2}{\omega_i^2-\omega'^2}. \tag{20.10b}$$

在 ω_1 与 ω_2 之间任取一个 ω'，把它代入此式的右端，然后从左端又可决定一个新的 ω'. 如此迭代数次，便可得到基本固有频率的近似值.

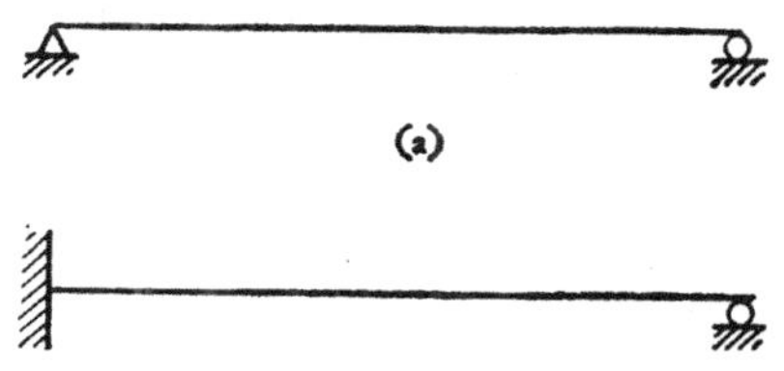

(a)

(b)

图 20.2

例 用上述方法求一端固支、一端简支的等剖面梁的固有频率.

先解两端简支的等剖面梁 (如图 20.2a) 的振动问题. 这个梁的固有频率 ω_n 和相应的振型为

$$\omega_n^2=\frac{n^4\pi^4EJ}{ml^4},\quad \varphi_n(x)=\sqrt{2}\sin\frac{n\pi x}{l}. \tag{20.11}$$

现在将图 20.2b 所示梁的振型展开为

$$\varphi'=\sum_{n=1}^{\infty}\xi_n\sin\frac{n\pi x}{l}. \tag{20.12}$$

固支端转角等于零的要求是

$$\sum_{n=1}^{\infty}n\xi_n=0. \tag{20.13}$$

这便是增加的约束条件. 它相当于公式 (20.5) 中

$$\alpha_n=n,$$

因此频率方程 (20.8) 变为

$$\sum_{n=1}^{\infty} \frac{1}{n^2} \cdot \frac{1}{1 - \frac{ml^4\omega'^2}{\pi^4 EJn^4}} = 0. \tag{20.14}$$

§ 2.21 放松变形对固有频率的影响

考虑与上节相反的一个问题. 设有在某种边界条件下的变剖面梁. 现在将这个梁的变形加以放松，使它增加一个自由度，例如将原来的固支端改为简支端，或将原来的简支端改为自由端，或在梁的中间增加一个铰链，等等. 放松梁的变形后，梁的固有频率便有了改变，本节就来讨论这两种情况下固有频率的关系.

和上节一样，假定原有的梁的各阶固有频率及相应的振型都已求得，并且 φ_i 满足条件 (20.1). 设放松梁的变形后，固有频率变为 ω'，相应的振型变为 φ'. 因为放松变形后梁增加了一个自由度，所以 φ' 并不能展开成原来的固有振型的级数，如公式 (20.2)，但可以展开成稍加推广的形式:

$$\varphi' = \alpha f(x) + \sum_{i=1}^{\infty} \xi_i \varphi_i(x). \tag{21.1}$$

式中 $f(x)$ 是适当地选择的、能够包含新增加的自由度的一种挠度分布，α 及 ξ_i 为待定的常数. 将此代入频率的变分式 (16.5)，得到

$$\omega'^2 = \mathrm{st} \frac{A_0\alpha^2 + 2\sum_{i=1}^{\infty} A_i \xi_i \alpha + \sum_{i=1}^{\infty} \omega_i^2 \xi_i^2}{B_0\alpha^2 + 2\sum_{i=1}^{\infty} B_i \xi_i \alpha + \sum_{i=1}^{\infty} \xi_i^2}. \tag{21.2}$$

式中

$$A_0 = \int_0^l EJ\left(\frac{d^2f}{dx^2}\right)^2 dx, \quad A_i = \int_0^l EJ \frac{d^2f}{dx^2} \cdot \frac{d^2\varphi_i}{dx^2} dx,$$

$$B_0 = \int_0^l mf^2 dx, \qquad B_i = \int_0^l mf\varphi_i dx \tag{21.3}$$

将 (21.2) 化为代数本征值问题得到

$$(A_0-\omega'^2B_0)\alpha+\sum_{i=1}^{\infty}(A_i-\omega'^2B_i)\xi_i=0, \qquad (21.4a)$$

$$(A_i-\omega'^2B_i)\alpha+(\omega_i^2-\omega'^2)\xi_i=0. \qquad (21.4b)$$

从 (21.4b) 得到

$$\xi_i=-\frac{A_i-\omega'^2B_i}{\omega_i^2-\omega'^2}\alpha. \qquad (21.5)$$

将此代入 (21.4a)，化简后得到

$$\sum_{i=1}^{\infty}\frac{(A_i-\omega'^2B_i)^2}{(A_0-\omega'^2B_0)(\omega_i^2-\omega'^2)}=1. \qquad (21.6)$$

这便是关于 ω' 的一个方程.

对于有限个自由度的体系，增加一个自由度后的频率方程也可用类似的方法求得.

如果我们只对基本固有频率感兴趣，那末可将 (21.6) 改写成便于迭代的形式.

$$A_0-\omega'^2B_0=\sum_{i=1}^{\infty}\frac{(A_i-\omega'^2B_i)^2}{\omega_i^2-\omega'^2}. \qquad (21.7)$$

在迭代开始时可在 $0\leqslant\omega'^2\leqslant\omega_1^2$ 范围内适当地选择一个 ω'^2 作为初始值.

§2.22 更为复杂一些的固有振动问题

上面介绍的求解梁的固有振动问题的理论和方法，可以推广应用于更为复杂一些的问题. 根据问题的不同性质，可以作不同方面的推广. 下面举若干个例子，作为一种启发.

例 1 有一个变剖面的梁，一端 ($x=0$) 固支，一端 ($x=l$)

图 22.1

自由，但在自由端有一个集中质量 M. 根据 § 2.16 对公式 (16.5) 的力学说明，在本问题中，这个公式应修改为

$$\omega^2 = \mathrm{st}\frac{\int_0^l EJ\left(\frac{d^2w}{dx^2}\right)^2 dx}{\int_0^l mw^2dx + Mw^2(l)}. \tag{22.1}$$

式中的自变函数 $w(x)$ 要求满足边界条件:

$$\text{在 } x = 0 \text{ 处: } w = 0, \frac{dw}{dx} = 0. \tag{22.2}$$

如果将变分法问题 (22.1) 化为微分方程问题则可得到下列方程:

$$\frac{d^2}{dx^2}\left(EJ\frac{d^2w}{dx^2}\right) - \omega^2 mw = 0, \tag{22.3}$$

$$\text{在 } x = l \text{ 处: } \frac{d}{dx}\left(EJ\frac{d^2w}{dx^2}\right) + \omega^2 Mw = 0,$$

$$EJ\frac{d^2w}{dx^2} = 0. \tag{22.4}$$

当然我们也可以先建立方程 (22.3), (22.4), 然后导出 (22.1). 对于比较复杂一些的问题，先建立变分式是稍为方便一些.

根据 (22.1) 式，我们就可看到，固有振型的正交关系是

$$\int_0^l m\varphi_i\varphi_j dx + M\varphi_i(l)\varphi_j(l) = 0,$$

$$\int_0^l EJ\frac{d^2\varphi_i}{dx^2}\cdot\frac{d^2\varphi_j}{dx^2}dx = 0. \quad (i \neq j) \tag{22.5}$$

对于基本固有频率 ω_1, 公式 (22.1) 化为

$$\omega_1^2 = \min\frac{\int_0^l EJ\left(\frac{d^2w}{dx^2}\right)^2 dx}{\int_0^l mw^2dx + Mw^2(l)}. \tag{22.6}$$

如果梁的质量要比集中质量 M 小许多，我们可以在 (22.6) 中略去分母中的积分，这样得到

$$\omega_1^2 = \min \frac{1}{M w^2(l)} \int_0^l EJ \left(\frac{d^2 w}{dx^2}\right)^2 dx. \qquad (22.7)$$

命

$$w_1(x) = \frac{w(x)}{w(l)}, \qquad (22.8)$$

则公式 (22.7) 还可简化为

$$\omega_1^2 = \frac{K}{M},\ K = \min \int_0^l EJ \left(\frac{d^2 w_1}{dx^2}\right)^2 dx, \qquad (22.9)$$

而函数 w_1 应满足边界条件

$$\text{在 } x = 0 \text{ 处：} w_1 = 0,\ \frac{dw_1}{dx} = 0,$$

$$\text{在 } x = l \text{ 处：} w_1 = 1. \qquad (22.10)$$

略去梁的质量，就可以把原来的振动问题化为一个静力学问题．这一点从力学看来是能预料到的．

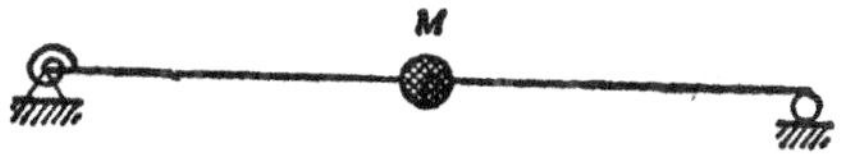

图 22.2

例 2 有一个变剖面的梁，一端 $(x = l)$ 简支，一端 $(x = 0)$ 弹性夹住．在 $x = \frac{l}{2}$ 处有一个集中质量 M．梁的固有频率的变分式是

$$\omega^2 = \mathrm{st} \frac{\int_0^l EJ \left(\frac{d^2 w}{dx^2}\right)^2 dx + k[w'(0)]^2}{\int_0^l m w^2 dx + M w^2\left(\frac{l}{2}\right)}. \qquad (22.11)$$

式中的自变函数 w 应满足下列边界条件

$$\text{在 } x = 0 \text{ 及 } x = l \text{ 处：} w = 0. \qquad (22.12)$$

欲把变分式 (22.11) 化为微分方程的问题，有两种做法．第一种做法是引进狄拉克 δ 函数，把 (22.11) 改写成为

$$\omega^2 = \text{st}\,\frac{\int_0^l EJ\left(\frac{d^2w}{dx^2}\right)^2 dx + k[w'(0)]^2}{\int_0^l \left[m + M\delta\left(x - \frac{l}{2}\right)\right] w^2 dx}. \tag{22.13}$$

这种类型的变分式我们已比较熟悉. 将它化为微分方程问题，得到

$$\frac{d^2}{dx^2}\left(EJ\frac{d^2w}{dx^2}\right) - \omega^2\left[m + M\delta\left(x - \frac{l}{2}\right)\right] w = 0, \tag{22.14}$$

$$\text{在 } x = 0 \text{ 处：} -EJ\frac{d^2w}{dx^2} + k\frac{dw}{dx} = 0,$$

$$\text{在 } x = l \text{ 处：} EJ\frac{d^2w}{dx^2} = 0. \tag{22.15}$$

第二种做法把从 0 到 l 的积分分解为从 0 到 $\frac{l}{2}$ 和 $\frac{l}{2}$ 到 l 的两个积分之和：

$$\omega^2 = \text{st}\,\frac{\int_0^{\frac{l}{2}} EJ\left(\frac{d^2w}{dx^2}\right)^2 dx + \int_{\frac{l}{2}}^l EJ\left(\frac{d^2w}{dx^2}\right)^2 dx + k[w'(0)]^2}{\int_0^{\frac{l}{2}} mw^2 dx + Mw^2\left(\frac{l}{2}\right) + \int_{\frac{l}{2}}^l mw^2 dx}. \tag{22.16}$$

求此式的一阶变分，得到

$$\begin{aligned}&\int_0^{\frac{l}{2}} EJ\frac{d^2w}{dx^2}\delta\frac{d^2w}{dx^2}dx + \int_{\frac{l}{2}}^l EJ\frac{d^2w}{dx^2}\delta\frac{d^2w}{dx^2}dx + kw'(0)\delta w'(0)\\ &- \omega^2\left\{\int_0^{\frac{l}{2}} mw\delta w dx + \int_{\frac{l}{2}}^l mw\delta w dx\right.\\ &\qquad\left. + Mw\left(\frac{l}{2}\right)\delta w\left(\frac{l}{2}\right)\right\} = 0.\end{aligned} \tag{22.17}$$

根据梁的基本假设，能肯定挠度 w 及倾角 w' 在整个梁上是连续的，但 d^2w/dx^2 与 d^3w/dx^3 在梁的中点是否连续不得而知. 从变分式 (22.11) 也可看到这个情况，即它只要求 w 及其导数连续，而不要求高阶导数也必须连续. 为了以后书写方便起见，采用记号

$$f\left(\frac{l}{2}+0\right)=\lim_{\varepsilon\to 0}f\left(\frac{l}{2}+\varepsilon\right),$$
$$(\varepsilon>0) \qquad (22.18)$$
$$f\left(\frac{l}{2}-0\right)=\lim_{\varepsilon\to 0}f\left(\frac{l}{2}-\varepsilon\right),$$

应用这个记号后，将 (22.17) 用分部积分将它化简，得到

$$\begin{aligned}
&\int_0^{\frac{l}{2}}\left[\frac{d^2}{dx^2}\left(EJ\frac{d^2w}{dx^2}\right)-\omega^2 mw\right]\delta w dx \\
&\quad+\int_{\frac{l}{2}}^{l}\left[\frac{d^2}{dx^2}\left(EJ\frac{d^2w}{dx^2}\right)-\omega^2 m w\right]\delta w dx \\
&\quad+\frac{d}{dx}\left(EJ\frac{d^2w}{dx^2}\right)\delta w\Big|_{x=0}-\frac{d}{dx}\left(EJ\frac{d^2w}{dx^2}\right)\delta w\Big|_{x=l} \\
&\quad+\left\{-\frac{d}{dx}\left(EJ\frac{d^2w}{dx^2}\right)\Big|_{x=\frac{l}{2}-0}+\frac{d}{dx}\left(EJ\frac{d^2w}{dx^2}\right)\Big|_{x=\frac{l}{2}+0}\right. \\
&\quad\left.-\omega^2 M w\left(\frac{l}{2}\right)\right\}\delta w\left(\frac{l}{2}\right) \\
&\quad+\left\{-EJ\frac{d^2w}{dx^2}+k\frac{dw}{dx}\right\}\delta\frac{dw}{dx}\Big|_{x=0} \\
&\quad+EJ\frac{d^2w}{dx^2}\delta\frac{dw}{dx}\Big|_{x=l}+\left\{-EJ\frac{d^2w}{dx^2}\Big|_{x=\frac{l}{2}+0}\right. \\
&\quad\left.+EJ\frac{d^2w}{dx^2}\Big|_{x=\frac{l}{2}-0}\right\}\delta\frac{dw}{dx}\Big|_{x=\frac{l}{2}}=0.
\end{aligned}$$

由此得到微分方程

$$\frac{d^2}{dx^2}\left(EJ\frac{d^2w}{dx^2}\right)-\omega^2 mw=0, \qquad (22.19)$$

和下列边界条件和连续条件

在 $x=0$ 处：$-EJ\frac{d^2w}{dx^2}+k\frac{dw}{dx}=0$， (22.20a)

在 $x=l$ 处：$EJ\frac{d^2w}{dx^2}=0$， (22.20b)

在 $x=\frac{l}{2}$ 处：

$$EJ\frac{d^2w}{dx^2}\bigg|_{x=\frac{l}{2}+0}-EJ\frac{d^2w}{dx^2}\bigg|_{x=\frac{l}{2}-0}=0,$$

$$\frac{d}{dx}\left(EJ\frac{d^2w}{dx^2}\right)\bigg|_{x=\frac{l}{2}+0}-\frac{d}{dx}\left(EJ\frac{d^2w}{dx^2}\right)\bigg|_{x=\frac{l}{2}-0}$$
$$-\omega^2Mw\left(\frac{l}{2}\right)=0. \tag{22.21}$$

加上原来的边界条件，方程(22.19)，(22.20)，(22.12)，(22.21)就构成一个完整的微分方程的本征值问题. 利用 δ 函数的性质，可以证明上述两种做法是完全等效的. 习惯之后，第一种方法比较简单一些.

设 $w=\varphi_i(x)$ 与 $w=\varphi_j(x)$ 为两个不同的固有振型，本问题的正交关系是

$$\int_0^l m\varphi_i\varphi_j dx+M\varphi_i\left(\frac{l}{2}\right)\varphi_j\left(\frac{l}{2}\right)=0,$$
$$\int_0^l EJ\varphi_i''\varphi_j''dx+k\varphi_i'(0)\varphi_j'(0)=0. \tag{22.22}$$

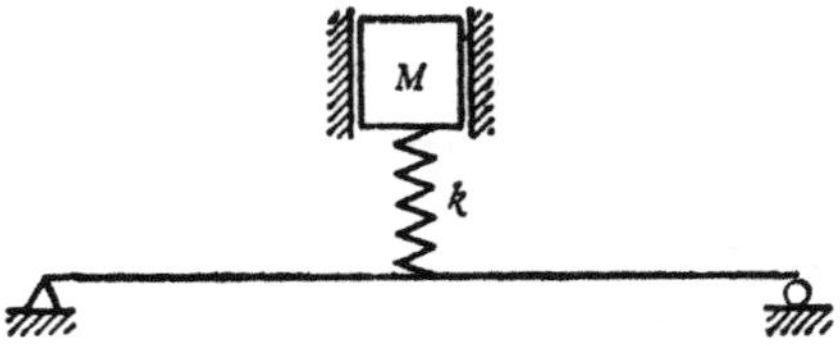

图 22.3

例 3 有一个变剖面的梁，两端简支，在梁的中点通过一个弹簧联接一个集中质量 M. 假定这个质量具有必要的横向约束，使得它只能在梁的挠曲方向运动.

设梁的挠度为 $w(x)$，它应满足边界条件：

$$\text{在 } x=0 \text{ 及 } x=l \text{ 处: } w=0. \tag{22.23}$$

设质量 M 的位移为 y(w，y 的正方向相同). M 的动能是：

$$\frac{1}{2}\omega^2My^2,$$

弹簧中的应变能为

$$\frac{1}{2}k\left[w\left(\frac{l}{2}\right)-y\right]^2,$$

因此频率 ω 的变分式是

$$\omega^2=\text{st}\frac{\int_0^l EJ\left(\frac{d^2w}{dx^2}\right)^2dx+k\left[w\left(\frac{l}{2}\right)-y\right]^2}{\int_0^l mw^2dx+My^2}. \quad (22.24)$$

在此式中，能独立地变化的共有一个函数 $w(x)$ 和一个变数 y. 所以这是一个泛函和函数的混合的驻立值问题. 解这个问题并无特别的困难，只要对 w 与 y 分别写出使 ω^2 取驻立值的条件便可以了.

为了便于对 w 求驻立值，引用狄拉克 δ 函数，而把 (22.24) 改写成为

$$\omega^2=\text{st}\frac{\int_0^l\left\{EJ\left(\frac{d^2w}{dx^2}\right)^2dx+k\delta\left(x-\frac{l}{2}\right)[w-y]^2\right\}dx}{\int_0^l mw^2dx+My^2}. \quad (22.25)$$

ω^2对 w 取驻立值的条件是

$$\frac{d^2}{dx^2}\left(EJ\frac{d^2w}{dx^2}\right)-\omega^2mw+k\delta\left(x-\frac{l}{2}\right)(w-y)=0. \quad (22.26)$$

$$\text{在 } x=0 \text{ 及 } x=l \text{ 处：}\ EJ\frac{d^2w}{dx^2}=0. \quad (22.27)$$

ω^2 对 y 取驻立值的条件是

$$k\left[y-w\left(\frac{l}{2}\right)\right]-\omega^2My=0. \quad (22.28)$$

方程 (22.26)—(22.28) 汇同原有的边界条件 (22.23) 便构成一个完整的本征值问题. 不过这不是一个微分方程的本征值问题，也不是一个代数方程的本征值问题，而是两者的混合问题.

要完整地表达振型，必须给出函数 $w(x)$ 和变量 y. 因此振型可以用二阶列矩阵

$$\begin{bmatrix} w \\ y \end{bmatrix} \tag{22.29}$$

来确定．初看起来，这样的矩阵有点不平常，因为其中的一个元是函数，而另一个元是普通的变数，但这并不妨碍它们构成一个矩阵．设

$$\begin{bmatrix} w \\ y \end{bmatrix} = \begin{bmatrix} \varphi_i \\ \eta_i \end{bmatrix}, \quad \begin{bmatrix} w \\ y \end{bmatrix} = \begin{bmatrix} \varphi_j \\ \eta_j \end{bmatrix} \tag{22.30}$$

为两个不同的振型．在本问题中，正交关系是

$$\int_0^l EJ\varphi_i''\varphi_j''dx + k\left[\varphi_i\left(\frac{l}{2}\right) - \eta_i\right]\left[\varphi_j\left(\frac{l}{2}\right) - \eta_j\right] = 0,$$

$$\int_0^l m\varphi_i\varphi_j dx + M\eta_i\eta_j = 0. \tag{22.31}$$

任意一个按上面说明的要求定义的二阶矩阵 (22.29)，可以展开为本征矩阵的级数

$$\begin{bmatrix} w \\ y \end{bmatrix} = \sum_{n=1}^{\infty} \xi_n \begin{bmatrix} \varphi_n \\ \eta_n \end{bmatrix}. \tag{22.32}$$

常数 ξ_n 可根据正交关系 (22.31) 求得如下：

$$\xi_n = \frac{\int_0^l m\varphi_n w dx + M\eta_n y}{\int_0^l m\varphi_n^2 dx + M\eta_n^2}. \tag{22.33}$$

例 4　有一变剖面梁，两端固支、或简支、或自由，承受轴向压力 P．求梁的固有振动．

对于这个问题，固有频率的变分式是：

$$\omega^2 = \mathrm{st}\frac{\int_0^l EJ\left(\frac{d^2w}{dx^2}\right)^2 dx - P\int_0^l \left(\frac{dw}{dx}\right)^2 dx}{\int_0^l mw^2 dx}. \tag{22.34}$$

图　22.4

当 $P < P_{cr}$ 时，前已证明 (22.34) 的分子恒大于零，因此 ω 是实数。当 $P = P_{cr}$ 时，前已证明

$$\min\left\{\int_0^l EJ\left(\frac{d^2w}{dx^2}\right)^2 dx - P\int_0^l\left(\frac{dw}{dx}\right)^2 dx\right\} = 0. \qquad (22.35)$$

因此在这种情况，基本固有频率

$$\omega_1 = 0, \qquad (22.36)$$

而其它的固有频率仍为实数。由此得到关于临界载荷的第三个定义：当 $P = P_{cr}$ 时，基本固有频率降低到零。

与变分式 (22.34) 相对应的正交关系是：

$$\left.\begin{aligned}&\int_0^l EJ\varphi_i''\varphi_j''dx - P\int_0^l \varphi_i'\varphi_j'dx = 0,\\&\int_0^l m\varphi_i\varphi_j = 0,\end{aligned}\right\}\quad (i \neq j) \qquad (22.37)$$

在其他参数不变的情况下，固有频率是压力 P 的函数。为了书写方便起见，本例从这里起用 ω 和 φ 代表基本固有频率和相应的振型，而省去下标 1. 函数 $\omega^2 = \omega^2(P)$ 在 (P, ω^2) 平面上代表一条曲线 C，如图 22.5 所示。下面来证明，曲线 C 是一条凸向上的曲线。设 A 为曲线 C 上的一点，它相应于压力 P_a 和频率 ω_a^2. 命相应的振型为 φ_a，于是有

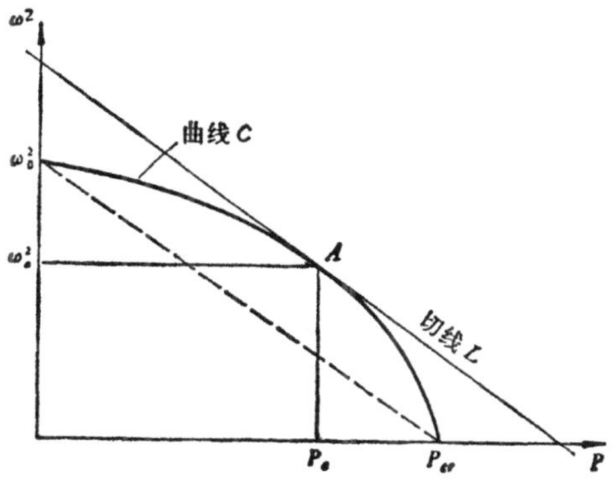

图 22.5

$$\omega_a^2 = \frac{\int_0^l EJ\left(\frac{d^2\varphi_a}{dx^2}\right)^2 dx - P_a\int_0^l\left(\frac{d\varphi_a}{dx}\right)^2 dx}{\int_0^l m\varphi_a^2 dx}. \quad (22.38)$$

采用与§2.19相同的说理，可以证明曲线 C 在 A 点的斜率为

$$\left.\frac{d(\omega^2)}{dP}\right|_{P=P_a} = -\frac{\int_0^l\left(\frac{d\varphi_a}{dx}\right)^2 dx}{\int_0^l m\varphi_a^2 dx}. \quad (22.39)$$

因此过 A 点的切线 L 的方程是

$$\omega_L^2 = \frac{\int_0^l EJ\left(\frac{d^2\varphi_a}{dx^2}\right)^2 dx - P\int_0^l\left(\frac{d\varphi_a}{dx}\right)^2 dx}{\int_0^l m\varphi_a^2 dx}. \quad (22.40)$$

根据变分原理，有

$$\omega^2 = \min\frac{\int_0^l EJ\left(\frac{d^2w}{dx^2}\right)^2 dx - P\int_0^l\left(\frac{dw}{dx}\right)^2 dx}{\int_0^l mw^2 dx}$$

$$\leqslant \frac{\int_0^l EJ\left(\frac{d^2\varphi_a}{dx^2}\right)^2 dx - P\int_0^l\left(\frac{d\varphi_a}{dx}\right)^2 dx}{\int_0^l m\varphi_a^2 dx} = \omega_L^2. \quad (22.41)$$

此式表示，曲线 C 在切线 L 之下．因为 A 是任取的点，所以曲线 C 在任意一条切线之下，这也就证明了曲线 C 是凸向上的．

利用曲线凸向上的性质，可以得到一个对 ω^2 的偏小的估计．命 $P=0$ 时的固有频率为 ω_0，命临界载荷为 P_{cr}，从图22.5可知，

$$\frac{\omega^2}{\omega_0^2} \geqslant 1 - \frac{P}{P_{cr}}. \quad (22.42)$$

§ 2.23 最高基本固有频率的简支梁[1)]

设要设计一个简支梁，已知梁的跨度 l，梁所用的材料（杨氏模量 E，密度 ρ），梁的体积 V，还已知剖面惯性矩与面积的关系为

$$J = cA^2 \tag{23.1}$$

这里 c 为一已知常数．要求决定面积的分布规律 $A(x)$，使得梁的基本固有频率尽量大．

设 ω 是梁的基本固有频率，将 (23.1) 代入 (16.5)，得 ω 的一个表达式

$$\omega^2 = \min_w \frac{\int_0^l EcA^2\left(\frac{d^2w}{dx^2}\right)^2 dx}{\int_0^l \rho A w^2 dx}, \tag{23.2}$$

自变函数 $w(x)$ 应满足下列边界条件

$$\text{在 } x = 0 \text{ 及 } x = l \text{ 处：} w = 0. \tag{23.3}$$

函数 $A(x)$ 的选择应使 ω 最大，故可将 (23.2) 改写成为

$$\omega^2 = \max_A \min_w \frac{\int_0^l EcA^2\left(\frac{d^2w}{dx^2}\right)^2 dx}{\int_0^l \rho A w^2 dx}. \tag{23.4}$$

函数 $A(x)$ 应满足约束条件

$$\int_0^l A dx = V. \tag{23.5}$$

为了以后计算方便起见，引进无量纲的坐标及变量如下：

$$x = l\xi,\ \xi = \frac{x}{l},$$

$$A = \frac{V}{l}\alpha,\ \alpha = \frac{lA}{V},$$

1) 本节材料录自 Niordson[224]．

$$\omega^2 = \frac{EcV}{\rho l^5}\lambda,\ \lambda = \frac{\rho l^5 \omega^2}{EcV}. \tag{23.6}$$

把 w, α 看作是 ξ 的函数，把 λ 看作是 w, α 的泛函，则有

$$\lambda = \max_{\alpha} \min_{w} \frac{\int_0^1 \alpha^2 \left(\frac{d^2 w}{d\xi^2}\right)^2 d\xi}{\int_0^1 \alpha w^2 d\xi}. \tag{23.7}$$

条件 (23.3), (23.5) 变为

$$\text{在 } \xi = 0 \text{ 及 } \xi = 1 \text{ 处：} w = 0. \tag{23.8}$$

$$\int_0^1 \alpha d\xi = 1. \tag{23.9}$$

对于自变函数 α 来讲，这是一个条件极值问题. 因此适宜于用拉格朗日法求解. 作一个新的驻立值问题如下:

$$\lambda^* = \text{st} \frac{\int_0^1 \alpha^2 \left(\frac{d^2 w}{d\xi^2}\right)^2 d\xi}{\int_0^1 \alpha w^2 d\xi + a^2 \left(\int_0^1 \alpha d\xi - 1\right)}. \tag{23.10}$$

式中 a^2 是一个推广的拉格朗日乘子. 后面将要证明它是一个正数，所以提前把它写成 a^2. 把拉格朗日乘子加在分母里，初看起来有点不平常. 其实，对于形如(23.7)中的泛函，把拉格朗日乘子加在分母里，或加在分子里，或加在分数后，都可以证明与原来的问题等效. 但是本问题中，把拉格朗日乘子加在分母里是比较方便些.

w 使 λ 或 λ^* 取极小值的条件是熟知的微分方程和边界条件

$$\frac{d^2}{d\xi^2}\left(\alpha^2 \frac{d^2 w}{d\xi^2}\right) - \lambda \alpha w = 0, \tag{23.11a}$$

$$\text{在 } \xi = 0 \text{ 及 } \xi = 1 \text{ 处：} \alpha^2 \frac{d^2 w}{d\xi^2} = 0 \tag{23.11b}$$

α 使 λ^* 取驻立值，也即使 λ 取极大值的条件是

$$2\alpha \left(\frac{d^2 w}{d\xi^2}\right)^2 - \lambda w^2 = \lambda a^2. \tag{23.12}$$

这样未知的共有两个函数 w, α 与两个常数 λ, a^2. 下面先设法将

α, λ, a^2 用 w 来表示. 从 (23.12) 有

$$\alpha=\frac{\lambda}{2}\cdot\frac{a^2+w^2}{w''^2}. \tag{23.13}$$

又从 (23.7) 有

$$\int^1\alpha^2w''^2d\xi-\lambda\int^1\alpha w^2d\xi=0,$$

将 (23.13) 代入，得到

$$\int_0^1\frac{\lambda^2}{4}\cdot\frac{(a^2+w^2)^2}{w''^4}w''^2d\xi-\lambda\int_0^1\frac{\lambda}{2}\cdot\frac{a^2+w^2}{w''^2}w^2d\xi=0,$$

由于 $\lambda\neq0$，由此即可解出 a^4，得到

$$a^4=\frac{\displaystyle\int_0^1\frac{w^4}{w''^2}d\xi}{\displaystyle\int_0^1\frac{1}{w''^2}d\xi}. \tag{23.14}$$

再将 (23.13) 代入 (23.9)，得到

$$\int_0^1\frac{\lambda}{2}\cdot\frac{a^2+w^2}{w''^2}d\xi=1,$$

由此求 λ，得到

$$\lambda=\frac{2}{\displaystyle\int_0^1\frac{a^2+w^2}{w''^2}d\xi}. \tag{23.15}$$

公式 (23.14) 已将 a 用 w 表示. 将 (23.14) 代入 (23.15)，即可将 λ 用 w 表示，将 (23.14)，(23.15) 代入 (23.13)，即可将 α 用 w 表示. 最后将如此得到的 α, λ, a 代入方程 (23.10)，便得到关于 w 的一个方程. 至于 w 的边界条件，考虑到 w 对跨过中点的对称性，可取为

在 $\xi=0$ 处：$w=0,\ \alpha^2w''=0,$

在 $\xi=\frac{1}{2}$ 处：$w'=0,\ \frac{d}{d\xi}(\alpha^2w'')=0.$

如将 α 的算式 (23.13) 代入，化简后便有：

在 $\xi=0$ 处：$w=0,\ \frac{1}{w''}=0,$

$$在\ \xi=\frac{1}{2}\ 处: \quad w'=0,\ \frac{d}{d\xi}\left[\frac{(a^2+w^2)^2}{w''^3}\right]=0. \tag{23.16}$$

方程(23.10),(23.15)的精确解是很难找到的. Niordson 用迭代法求它的近似解. 他的迭代程序如下:设 w_n 为第 n 次近似值. 相应的近似 a_n, λ_n, α_n 和下一次近似 w_{n+1} 由下列方程及边界条件求得:

$$a_n^4=\frac{\int_0^1 \frac{w_n^4}{w_n''^2}d\xi}{\int_0^1 \frac{1}{w_n''^2}d\xi}. \tag{23.17}$$

$$\lambda_n=\frac{2}{\int_0^1 \frac{a_n^2+w_n^2}{w_n''^2}d\xi}. \tag{23.18}$$

$$\alpha_n=\frac{\lambda_n}{2}\cdot\frac{a_n^2+w_n^2}{w_n''^2}. \tag{23.19}$$

$$\frac{d^2}{d\xi^2}\left(\alpha_n^2\frac{d^2w_{n+1}}{d\xi^2}\right)=\lambda_n\alpha_n w_n. \tag{23.20}$$

$$\begin{aligned}&在\ \xi=0\ 处: \quad w_{n+1}=0,\ \frac{1}{w''_{n+1}}=0,\\ &在\ \xi=\frac{1}{2}\ 处: \quad w'_{n+1}=0,\ \frac{d}{d\xi}\left(\alpha_n^2\frac{dw_{n+1}}{d\xi^2}\right)=0.\end{aligned} \tag{23.21}$$

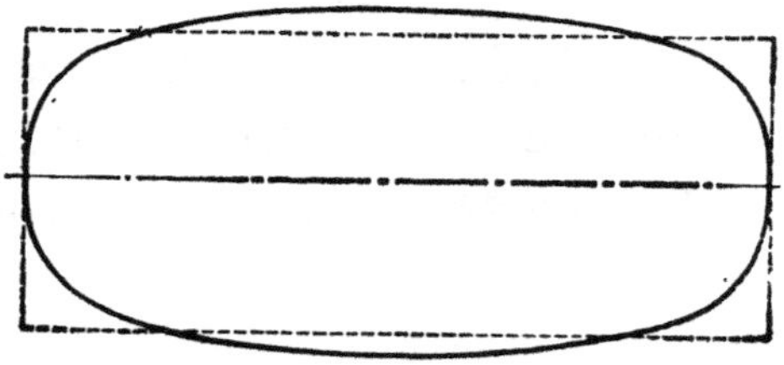

图 23.1

Niordson 从 $w_0''=1$ 出发,经过几次迭代便得到了相当精确的结果. 他求得的 $\sqrt{\alpha}$ 的图形如图 23.1 所示. 相应的 λ 值是

$$\lambda=110.6580. \tag{23.22}$$

同体积的等剖面梁的 $\lambda_c = \pi^4$. 搞最优的变剖面设计能获得的好处是

$$\frac{\lambda}{\lambda_c} = 1.136, \quad \frac{\omega}{\omega_c} = 1.066. \tag{23.23}$$

在本问题中,最优化带来的好处不大.

上面的数字计算表明,方程 (23.12) 确能给出极大的基本固有频率. 下面我们再给出一个不需作数字计算的证明. 这个证明,不仅适用于简支梁,并且适用于具有固支端、简支端或自由端的静定梁. 这个方法还适用于更复杂一些的问题,例如 § 2.22 所讲的一类问题.

命 α、w 是方程 (23.8), (23.9), (23.11), (23.12) 的解. 相应的本征值为 λ. 命 $\bar{\alpha}$ 为任意一个(当然应有 $\bar{\alpha} \geqslant 0$) 函数. 命

$$\Delta\alpha = \bar{\alpha} - \alpha \quad \bar{\alpha} = \alpha + \Delta\alpha. \tag{23.24}$$

命 $\bar{\lambda}$ 为与 $\bar{\alpha}$ 相应的最小的本征值. $\bar{w}$ 为相应的挠度,命两个问题中相应的弯矩为 M 与 $\bar{M}$. 根据固有频率的变分式 (16.9), 有

$$\bar{\lambda} = \frac{\int_0^1 \frac{1}{\bar{\alpha}} \left(\frac{d^2\bar{M}}{d\xi^2}\right)^2 d\xi}{\int_0^1 \frac{\bar{M}^2}{\bar{\alpha}^2} d\xi} \leqslant \frac{\int_0^1 \frac{1}{\bar{\alpha}} \left(\frac{d^2 M}{d\xi^2}\right)^2 d\xi}{\int_0^1 \frac{M^2}{\bar{\alpha}^2} d\xi}, \tag{23.25}$$

$$\lambda = \frac{\int_0^1 \frac{1}{\alpha} \left(\frac{d^2 M}{d\xi^2}\right)^2 d\xi}{\int_0^1 \frac{M^2}{\alpha^2} d\xi}. \tag{23.26}$$

因此有

$$\lambda - \bar{\lambda} \geqslant \frac{\int_0^1 \frac{1}{\alpha} \left(\frac{d^2 M}{d\xi^2}\right)^2 d\xi}{\int_0^1 \frac{M^2}{\alpha^2} d\xi} - \frac{\int_0^1 \frac{1}{\bar{\alpha}} \left(\frac{d^2 M}{d\xi^2}\right)^2 d\xi}{\int_0^1 \frac{M^2}{\bar{\alpha}^2} d\xi},$$

$$(\lambda - \bar{\lambda}) \int_0^1 \frac{M^2}{\bar{\alpha}^2} d\xi \geqslant \lambda \int_0^1 \frac{M^2}{\bar{\alpha}^2} d\xi - \int_0^1 \frac{1}{\bar{\alpha}} \left(\frac{d^2 M}{d\xi^2}\right)^2 d\xi$$

$$= \lambda \int_0^1 \frac{M^2 d\xi}{(\alpha + \Delta\alpha)^2} - \int_0^1 \frac{1}{\alpha + \Delta\alpha} \left(\frac{d^2 M}{d\xi^2}\right)^2 d\xi.$$

保留到 $\Delta\alpha$ 的二阶小量，有

$$(\lambda-\bar{\lambda})\int_0^1 \frac{M^2}{\bar{\alpha}^2}d\xi \geqslant \lambda\int_0^1 \frac{M^2}{\alpha^2}\left[1-2\left(\frac{\Delta\alpha}{\alpha}\right)+3\left(\frac{\Delta\alpha}{\alpha}\right)^2\right]d\xi$$

$$-\int_0^1 \frac{1}{\alpha}\left[1-\left(\frac{\Delta\alpha}{\alpha}\right)+\left(\frac{\Delta\alpha}{\alpha}\right)^2\right]\left(\frac{d^2M}{d\xi^2}\right)^2 d\xi,$$

利用 (23.26)，则有

$$(\lambda-\bar{\lambda})\int_0^1 \frac{M^2}{\bar{\alpha}^2}d\xi \geqslant \int_0^1 \left[\frac{1}{\alpha^2}\left(\frac{d^2M}{d\xi^2}\right)^2-\frac{2\lambda M^2}{\alpha^3}\right]\Delta\alpha d\xi$$

$$+\int_0^1 \left[\frac{3\lambda M^2}{\alpha^2}-\frac{1}{\alpha}\left(\frac{d^2M}{d\xi^2}\right)\right]\left(\frac{\Delta\alpha}{\alpha}\right)^2 d\xi. \tag{23.27}$$

前面已经证明，w 满足方程 (23.11a) 及 (23.12). 把 w 的高阶导数改为 M，得到

$$-\frac{d^2M}{d\xi^2}-\lambda\alpha w=0,\ \frac{2}{\alpha^3}M^2-\lambda w^2=\lambda a^2, \tag{23.28}$$

由此消去 w，得到

$$\frac{2\lambda M^2}{\alpha}=\lambda^2\alpha^2a^2+\left(\frac{d^2M}{d\xi^2}\right)^2. \tag{23.29}$$

将此代入 (23.27)，得到

$$(\lambda-\bar{\lambda})\int_0^1 \frac{M^2}{\bar{\alpha}^2}d\xi \geqslant \int_0^1 \frac{1}{\alpha}\left[\frac{3}{2}\lambda^2\alpha^2a^2\right.$$

$$\left.+\frac{1}{2}\left(\frac{d^2M}{d\xi^2}\right)^2\right]d\xi>0. \tag{23.30}$$

此式表示 λ 大于邻近的任一个 $\bar{\lambda}$，因此 λ 是一个极大值.

§ 2.24 最高基本固有频率的悬臂梁[1)]

设要设计一个悬臂梁，已知梁的一端 ($x=l$) 固支，另一端 ($x=0$) 自由，但有一个集中质量 M. 又已知梁所用的材料（杨氏模量 E 和密度 ρ），梁的体积 V，还已知剖面的惯性矩与面积的关

1) 本节及下一节的材料录自 Karihaloo *and* Niordson[178]

图 24.1

系为

$$J = cA^p, \tag{24.1}$$

其中 c、p 为已知常数（后面的数字计算只对 $p=2$ 及 $p=3$ 进行）. 要求决定面积的分布规律 $A(x)$，使梁的基本固有频率取极大值.

这个梁的基本固有频率 ω 的变分式是

$$\omega^2 = \min_w \frac{\int_0^l EcA^p w''^2 dx}{\int_0^l \rho A w^2 dx + M w^2(0)}. \tag{24.2}$$

自变函数 $w(x)$ 应满足下列边界条件

$$\text{在 } x = l \text{ 处:} \quad w = 0, \ w' = 0. \tag{24.3}$$

函数 $A(x)$ 的选择应使 ω 极大，故可将 (24.2) 改写成为

$$\omega^2 = \max_A \min_w \frac{\int_0^l EcA^p w''^2 dx}{\int_0^l \rho A w^2 dx + M w^2(0)}. \tag{24.4}$$

函数 A 应满足下列条件

$$\int_0^l A dx = v. \tag{24.5}$$

为了以后计算方便起见，引进无量纲的坐标及其他变量如下（注意本节的 q 勿与以前的分布载荷混淆）：

$$x = l\xi, \qquad \xi = \frac{x}{l},$$

$$A = \frac{V}{l}\alpha, \qquad \alpha = \frac{lA}{V},$$

$$\omega^2 = \frac{EcV^{p-1}}{\rho l^{3+p}}\lambda, \quad \lambda = \frac{\rho l^{3+p}\omega^2}{EcV^{p-1}}, \tag{24.6}$$

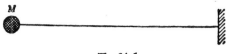

$$M = \rho V q, \quad q = \frac{M}{\rho V}.$$

把 w, α 看作是 ξ 的函数，把 λ 看作是 w, α 的泛函，则有

$$\lambda = \max_{\alpha} \min_{w} \frac{\int_0^1 \alpha^p w''^2 d\xi}{\int_0^1 \alpha w^2 d\xi + q w^2(0)}, \tag{24.7}$$

条件 (24.3), (24.5) 变为

$$\text{在 } \xi = 1 \text{ 处：} \quad w = 0, \ w' = 0, \tag{24.8}$$

$$\int_0^1 \alpha d\xi = 1. \tag{24.9}$$

和上节相同，w 使 λ 取极小值的条件是

$$\frac{d^2}{d\xi^2}(\alpha^p w'') - \lambda \alpha w = 0. \tag{24.10}$$

$$\text{在 } \xi = 0 \text{ 处：} \quad \alpha^p w'' = 0,$$

$$\frac{d}{d\xi}(\alpha^p w'') = \lambda q w. \tag{24.11}$$

α 使 λ 取极大值的条件是

$$p\alpha^{p-1}(w'')^2 - \lambda w^2 = \lambda a^2, \tag{24.12}$$

式中 a^2 是一个拉格朗日乘子．这样未知的共有两个函数 w, α 和两个常数 λ, a^2．下面先将 a^2, λ, α 用 w 来表示．

从 (24.12) 求 α，有

$$\alpha = \left[\frac{\lambda(a^2 + w^2)}{p w''^2}\right]^{\frac{1}{p-1}}, \quad p > 1. \tag{24.13}$$

又从 (24.7) 有

$$\int_0^1 \alpha^p w''^2 d\xi - \lambda \left\{\int_0^1 \alpha w^2 d\xi + q w^2(0)\right\} = 0. \tag{24.14}$$

将 (24.13) 代入 (24.9), (24.14)，得到

$$\begin{gathered} \int_0^1 \left[\frac{\lambda(a^2 + w^2)}{p w''^2}\right]^{\frac{1}{p-1}} d\xi = 1, \\ a^2 = (p-1) \int_0^1 \left[\frac{\lambda(a^2 + w^2)}{p w''^2}\right]^{\frac{1}{p-1}} w^2 d\xi + p q w^2(0). \end{gathered} \tag{24.15}$$

在已知或假定了 w 之后，从上列方程便可解出 λ 与 a^2. 当然这是一组超越方程，需要用迭代法才能求解．求出 λ, a^2 后，从 (24.13) 便可求得 α. 最后将这样求得的 α 代入方程 (24.10), (24.11), 便得到关于 w 一个函数的微分方程和边界条件．这个微分方程的精确解很难求得. Karihaloo 和 Niordson 还是用迭代法求解．迭代的程序与上节相同．即先假定一个 w, 然后从方程(24.15) 解出 λ 与 a^2, 从公式 (24.13) 求 α. 最后将 α 代入方程 (24.10), (24.11), 并且将假定的 w 代入方程 (24.10) 的第二项和 (24.11) 第二个的右端．这样得到一组简化了的 w 的方程．解此方程得到一个新的 w. 以后再重复上述过程．据作者们报道，迭代数次后便能得到足够精确的结果．不过作者们指出，在迭代时应注意到 w 与 α 在自由端 ($\xi = 0$) 有一个分歧点．

从问题的力学背景可以断定在 $\xi = 0$ 处 w 是有限的．于是从方程 (24.10)—(24.12) 可推出

$$
\begin{aligned}
\text{在 } \xi = 0 \text{ 处：}\ & \alpha^p w'' = 0, \\
& \frac{d}{d\xi}(\alpha^p w'') = \text{有限}, \\
& \frac{d^2}{d\xi^2}(\alpha^p w'') = \text{有限}, \\
& \alpha^{p-1} w''^2 = \text{有限}.
\end{aligned}
\tag{24.16}
$$

由此可知，当 ξ 很小时，

$$
\alpha^p w'' = b_1\xi + b_2\xi^2 + \cdots\cdots,
$$
$$
\alpha^{p-1} w''^2 = d_1 + \cdots\cdots.
$$

其中 b_1, b_2, d_1 为某些常数．由此解出 α 与 w'', 得到

$$
\begin{aligned}
\alpha &= f_1\xi^{\frac{2}{p+1}} + \cdots\cdots, \\
w'' &= g_1\xi^{\frac{-p+1}{p+1}},
\end{aligned}
\tag{24.17}
$$

这里 f_1, g_1 为另外两个常数．

Karihaloo 与 Niordson 作了一些数字计算，这里抄录他们的结果如图 24.2, 24.3 及表 24.1 所示． 在表 24.1 中 $\lambda_c = 12.35$ 代表

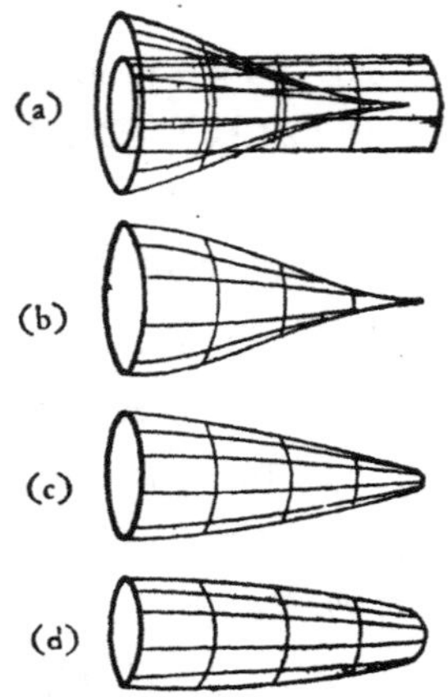

图 24.2

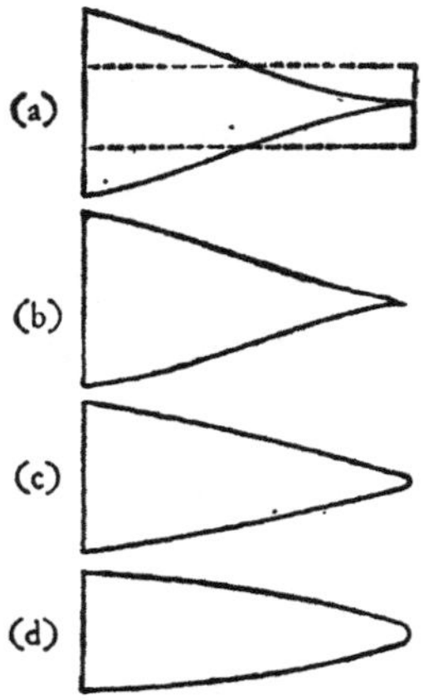

图 24.3

表 24.1 几种 p,q 组合下 $\sqrt{\lambda/\lambda_c}$ 的值

p \ q	0	0.0003	0.03	100
2	6.78 图 24.2a	5.48 图 24.2b	3.36 图 24.2c	1.27 图 24.2d
3	4.25 图 24.3a	3.71 图 24.3b	2.30 图 24.3c	1.33 图 24.3d

同体积的等剖面梁（在自由端上没有集中载荷）的本征值．从表 24.1 可以看到，对于悬臂梁，最优化的好处是很大的．表中 $\sqrt{\lambda/\lambda_c}$ 的数值随着 q 的增加而减少，这并不表示自由端的质量愈大，最优化的好处减少得很快，造成这个错觉的原因是表中的 λ_c 取的是无集中质量的等剖面梁的本征值．若把 λ_c 取作承受相同集中质量的等剖面梁的本征值，则 λ_c 虽仍随 q 的增加而减少，但是 $\sqrt{\lambda/\lambda_c}$ 不会减少得如此之快．

上节的简支梁最优化的好处很少，而本节的悬臂梁最优化的好处很大．这个现象可以作简单的力学说明．对于简支梁，弯矩和振幅都在梁的中点达最大值．最优化的结果是削弱两端剖面来加强中间剖面，这样虽然增加了梁的刚度，但同时也增加了梁的有效质量，因而抵消了大部分的好处．对于悬臂梁，弯矩在固支端达最大值，振幅在自由端达最大值，最优化的结果是削弱自由端来加强固支端，这样不仅增加了梁的刚度，而且减少了梁的有效质量，两者都使频率增加，所以最优化的好处便很突出．

§2.25 最高基本固有频率的悬臂梁（续前）

上节推导出来的公式和介绍的迭代法只适用于 $p \neq 1$ 的情况，因为如果 $p=1$，有些公式，例如(24.13)就不成立了．所以本节专就 $p=1$ 的情况进行补充讨论．

方程(24.1)—(24.12)依然是适用的．方程(24.12)现在变为

$$w''^2 = \lambda(a^2 + w^2). \tag{25.1}$$

在这个方程中不出现 α，因而不可能解出 α 来．如果配上固支端的两个条件

$$\text{在 } \xi = 1 \text{ 处：} w = 0,\ w' = 0. \tag{25.2}$$

则在已知或假定了 a，λ 后便可从(25.1)，(25.2)决定 w．方程(24.10)现在应看做是关于 α 的一个方程

$$\frac{d^2}{d\xi^2}(\alpha w'') = \lambda\alpha w, \tag{25.3}$$

而自由端的两个边界条件应看作是 α 的两个边界条件

$$\text{在 } \xi = 0 \text{ 处：} \alpha w'' = 0,\ \frac{d}{d\xi}(\alpha w'') = \lambda q w. \tag{25.4}$$

将(25.1)代入(24. 4)，然后利用(24.9)加以简化，得到

$$a^2 = q w^2(0). \tag{25.5}$$

λ 的算式现在只能仍旧用(24.7)，即

$$\lambda = \frac{\int_0^1 \alpha w''^2 d\xi}{\int_0^1 \alpha w^2 d\xi + q w^2(0)}. \tag{25.6}$$

仍旧只能用迭代法求上列方程的近似解，迭代程序现在应改为：

表 25.1　$\sqrt{\lambda/\lambda_c}$ 的值 ($p=1$)

q	$\sqrt{\lambda/\lambda_c}$	图
0.0375	28.42	25.1a
0.2233	2.56	25.1b
1.1027	0.28	25.1c
4×10^4		25.1d

将假定的或前次求得的 λ, a^2, w 代入方程 (25.1) 的右端，然后求新的 w；然后将旧的 λ, α 代入方程 (25.3),(25.4) 的右端(式中的 w 可用新求得的)求 α；然后再根据新求得的 w, α 求新的 a^2,λ. Karihaloo 与 Niordson 求得一些数字结果如图 25.1 和表 25.1 所示. 表中的数字随 q 的增加而急剧减小，其原因与上节相同，特别是表中的数字 0.28，并不表示最优化反而使得频率降低. 事实上对于表中的四种参数，最优化都带来很大的好处.

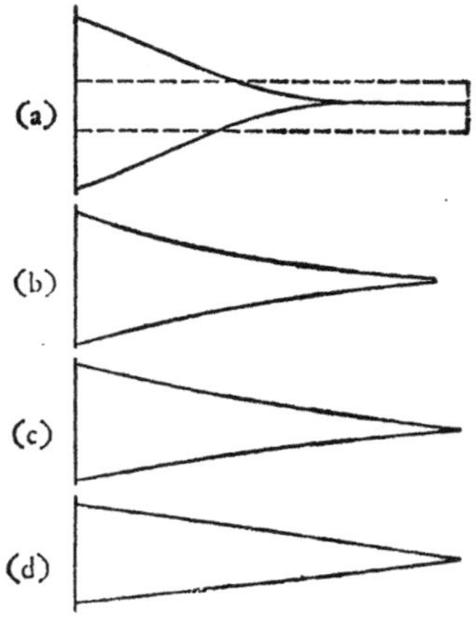

图　25.1

上面三节介绍了具有最高基本固有频率的梁的几个例子. 这些例子的特点是弯曲刚度和剖面面积满足关系式

$$J=cA^p.$$

Prager 和 Taylor[245], Sheu[275], Brach[74] 等人还研究过 J 与 A 呈线性关系的情况.

如果梁要承担集中质量，而如果事先能肯定梁的质量比集中质量小许多,那末这类问题可以化为相应的静力学问题.

§ 2.26 梁在简谐外载作用下的强迫振动

设作用在梁上的载荷 $q(x, t)$ 随时间的变化规律是一个简谐振动，于是有

$$q \propto e^{i\omega t}. \tag{26.1}$$

这里 ω 是已知的角频率．设挠度 w 也按同样的规律作简谐振动，于是同样有

$$w \propto e^{i\omega t}, \quad \frac{\partial^2 w}{\partial t^2} = -\omega^2 w. \tag{26.2}$$

从现在开始，我们将 q，w 理解为振幅，于是运动方程 (16.1) 变为

$$\frac{d^2}{dx^2}\left(EJ\frac{d^2 w}{dx^2}\right) - m\omega^2 w = q. \tag{26.3}$$

关于梁的边界条件，仍讨论以下几种组合

$$\begin{aligned} &w = 0 \text{ 或 } \frac{d}{dx}\left(EJ\frac{d^2 w}{dx^2}\right) = 0, \\ &\frac{dw}{dx} = 0 \text{ 或 } EJ\frac{d^2 w}{dx^2} = 0, \end{aligned} \tag{26.4}$$

为了求解这组方程，我们先把它化为一个变分法的问题．不难证明，下列变分式相当于方程 (26.3) 和有关力的边界条件：

$$\delta\int_0^l \left\{\frac{1}{2}EJ\left(\frac{d^2 w}{dx^2}\right)^2 - \frac{1}{2}\omega^2 m w^2 - qw\right\} dx = 0. \tag{26.5}$$

自变函数 $w(x)$ 应满足位移边界条件，如果有这些边界条件的话．

为了求解变分式(26.5)，可以利用对本征函数的展开式．假定相应的固有振动问题已经解决．命 ω_i，φ_i 为第 i 个固有频率和振型，并且振型已按条件(20.1)归一化了．现在将待求的函数 w 对 φ_i 展开

$$w = \sum_{i=1}^{\infty} \xi_i \varphi_i(x). \tag{26.6}$$

将此代入 (26.5)，利用固有振型的特性 (18.8)，有

$$\delta\left\{\sum_{i=1}^{\infty}\left[\frac{1}{2}\,\overline{m}l(\omega_i^2-\omega^2)\xi_i^2-q_i\xi_i\right]\right\}=0, \tag{26.7}$$

式中

$$q_i=\int_0^l q\varphi_i dx. \tag{26.8}$$

将 (26.7) 化为代数方程，得到 ξ_i 的方程，由此可求得

$$\xi_i=\frac{q_i}{\overline{m}l(\omega_i^2-\omega^2)}. \tag{26.9}$$

将此代入 (26.6) 便得到 w 的展开式

$$w=\frac{1}{\overline{m}l}\sum_{i=1}^{\infty}\frac{q_i\varphi_i}{\omega_i^2-\omega^2}. \tag{26.10}$$

特别是当横向载荷是一个作用在 $x=\xi$ 点上的单位集中载荷时，从 (26.9) 有

$$q_i=\varphi_i(\xi).$$

将此代入 (26.10) 得到影响函数 G 的展开式

$$G(x,\xi)=\frac{1}{\overline{m}l}\sum_{i=1}^{\infty}\frac{\varphi_i(\xi)\varphi_i(x)}{\omega^2-\omega_i^2}. \tag{26.11}$$

从算式 (26.10) 可以看到，一般说来，当 $\omega=\omega_i$ 时，w 便等于 ∞，即按第 i 个振型发生共振. 不过如果给定的外载荷恰好能使 $q_i=0$，那末共振仍不会发生. 例如如果梁的构造对跨度中点是对称的，那末对称的外载只会激发对称的共振而不会激发反对称的共振. 同样，反对称的外载也只会激发反对称的共振，而不会激发对称的共振. 在实验室中或在工程现场上有时也会观察到对称的(或反对称的)外载激发起反对称的(或对称的)共振，这是由于试验室中或现场上一些微小的不对称因素引起的.

下面考虑外载只有一个广义载荷参数 F 的情况. 这时分布载荷 q 可表示为

$$q(x)=Ff(x), \tag{26.12}$$

式中 $f(x)$ 是已知的函数. 公式 (26.8) 现在给出

$$q_i = Ff_i, \text{ 其中 } f_i = \int_0^l f\varphi_i dx. \tag{26.13}$$

这样挠度的展开式 (26.10) 变为

$$w = \frac{F}{\overline{m}l}\sum_{i=1}^{\infty}\frac{f_i\varphi_i}{\omega_i^2 - \omega^2}. \tag{26.14}$$

与广义载荷 F 相应的广义位移 u 是

$$u = \int_0^l fw dx. \tag{26.15}$$

根据 (26.14) 及 (26.13)，上式可化为

$$u = \frac{F}{\overline{m}l}\sum_{i=1}^{\infty}\frac{f_i^2}{\omega_i^2 - \omega^2}. \tag{26.16}$$

仿照平衡问题中的称呼，比值 F/u 可称为动刚度，它反映了产生单位广义位移需要多大的广义力，比值 u/F 可称为动柔度，它反映了单位广义力能产生多大的广义位移．动刚度和动柔度都是频率 ω 的函数．从 (26.16) 得到动柔度的算式如下：

$$\frac{u}{F} = \frac{1}{\overline{m}l}\sum_{i=1}^{\infty}\frac{f_i^2}{\omega_i^2 - \omega^2}. \tag{26.17}$$

此式中的无穷级数与(20.8)中的无穷级数在形式上完全相同．由此可知 u/F 对 ω 的图像也大致如图 20.1 所示．这就是说，当 ω 等于某个固有频率 ω_i 时，除非恰好 $f_i = 0$，u 就等于无穷大，而当 ω 等于另外一系列特定的值时，u 将等于零．前一种情况是共振，即很小一点点外力就产生很大的位移，梁的动刚度等于零．后一种情况可称为反共振，即无论加多大的外力，尽管挠度 w 可能很大，但相应的广义位移却等于零．这时梁的动柔度等于零．梁在反共振时

$$u = \int_0^l fw dx = 0. \tag{26.18}$$

所以反共振频率也就是梁在附加约束条件 (26.18) 下的固有频率．

上面的计算没有考虑到阻尼的作用．以致得出了力学上不合理的两个结论，即在共振时振幅等于无穷大，而在反共振时广义位

移等于零． 如果把阻尼的作用考虑在内，那末在共振时振幅将很大，与阻尼的大小成反比，但总是有限的．而在反共振时，广义位移将很小，与阻尼成正比，但不等于零．

由于阻尼的力学规律还不清楚，要在计算公式中考虑阻尼的作用，将涉及许多问题，这里不可能对这些问题作哪怕是粗浅的讨论．

第三章　具有两个广义位移的梁的理论

§3.1　基 本 方 程

第二章介绍的直梁理论（以后简称为梁的经典理论），是一种最通用的梁的理论．它的优点是只有一个广义位移，因而在解题时常常只有一个未知函数．这个理论的缺点是适用范围较小，它只适用于长梁(即跨度比剖面尺寸大许多倍)的情况．随着工程技术的发展，短梁(即跨度比剖面尺寸大不了多少倍)的问题遇到得愈来愈多了．特别是在振动问题中，哪怕从外表面上看是一个长梁，但若涉及到梁的高阶固有振动，梁的有效跨度仍可能是短的．1921 年 Timoshenko[295] 提出了具有两个广义位移的梁的理论．后来，随着夹层结构的兴起，发现夹层梁的理论与短梁理论属于同一类型．最近，随着纤维增强塑料层板的广泛应用，又发现由这种材料组成的梁、板、壳中，横向剪切变形起着不可忽视的作用．于是

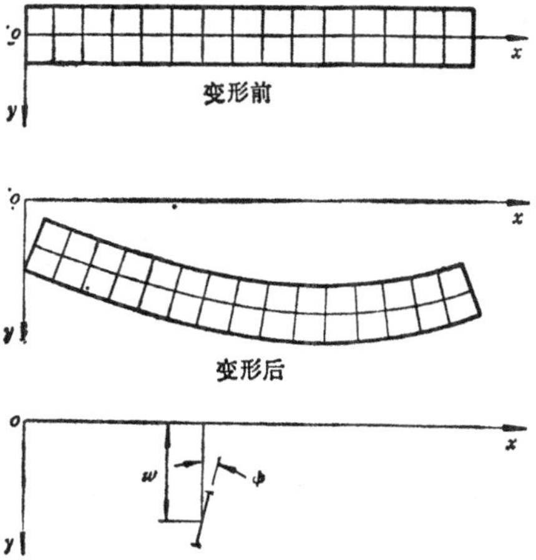

图　1.1

具有两个广义位移的梁的理论更引起人们的重视了．另一方面，如果用有限元素法来计算梁的问题，那末不管采用一个广义位移的理论，还是采用两个广义位移的理论，在每个结点上都至少有两个位移参数．因此从计算机的工作量来看，两者相差不多．

下面介绍的基本方程，既适用于较短的梁，也适用于夹层梁和层梁．

和第二章相似，取梁的中心线为 x 轴，梁的挠曲面为 xy 平面．在本章的理论中，关于梁的变形情况作如下的假设：在变形前垂直梁中心线的剖面，在变形后仍保持为平面，但不再假设它一定垂直变形后的中心线．这样在本章理论中便有两个广义位移，一个是中心线的挠度 w（以与 y 轴同向者为正），另一个是剖面的转角 ϕ（简称转角，以从 x 轴经 $90°$ 到 y 轴的转向为正）．由于梁在变形后剖面不一定再垂直中心线，转角 ϕ 与挠曲线的斜率（简称斜率）w' 之间并不存在简单的联系．梁内任一点（设它的坐标为 x, y, z；z 轴垂直 x, y 轴）沿 x, y 轴向的位移 $u(x, y, z)$，$v(x, y, z)$ 与 $w(x)$，$\phi(x)$ 的关系为

$$u(x, y, z) = -y\phi(x), \quad v(x, y, z) = w(x). \tag{1.1}$$

梁内的应力仍认为可由剖面上的弯矩 M 与剪力 Q（它们的正方向同前）这两个内力所完全决定．与弯矩 M 相对应的广义应变是相邻两剖面的相对转角 k，它已不是挠曲线的曲率，不过习惯上仍把 k 叫做曲率．与剪力 Q 相对应的广义应变是剪切角 γ．k 与 γ 跟 w 与 ϕ 的关系为

$$k = -\frac{d\phi}{dx}, \gamma = \frac{dw}{dx} - \phi. \tag{1.2}$$

内力与广义应变的关系为

$$M = Dk, \quad Q = C\gamma. \tag{1.3}$$

这里 D, C 是两个刚度系数，与梁的变形情况无关，而只与剖面形状和所用材料有关．对于等剖面的梁，D, C 都是常数．D 称为梁的弯曲刚度．对于均匀的梁，

$$D = EJ, \tag{1.4}$$

也就是平常所说的弯曲刚度．对于非均匀的梁，例如夹层梁，D的公式便相当复杂，这里不一一引录了．系数C称为梁的剪切刚度．均匀梁的剪切刚度的计算公式见后面§3.2．系数D和C当然可以通过试验测定．这样得到的数据，自然更加符合实际情况．

将公式(1.2)代入(1.3)，得到内力与位移的关系：

$$M=-D\frac{d\psi}{dx},\ Q=C\left(\frac{dw}{dx}-\psi\right). \tag{1.5}$$

如果剪切刚度$C=\infty$，那末因为Q总是有限的，剪切角应等于零，于是有

$$\frac{dw}{dx}-\psi=0,\ 即\ \psi=\frac{dw}{dx}. \tag{1.6}$$

这样便返回到第二章的经典理论了．由此可见，相对于第二章而言，本章的基本特点是允许有剪切角．对于各种不同的具体问题，两种理论表现出来的差别是多种多样的，但是归根结底都是由于有或没有剪切角引起的．

在本章理论中，在求得M与Q之后，若要进一步求法应力和剪应力，则仍旧采用材料力学中公认的公式．

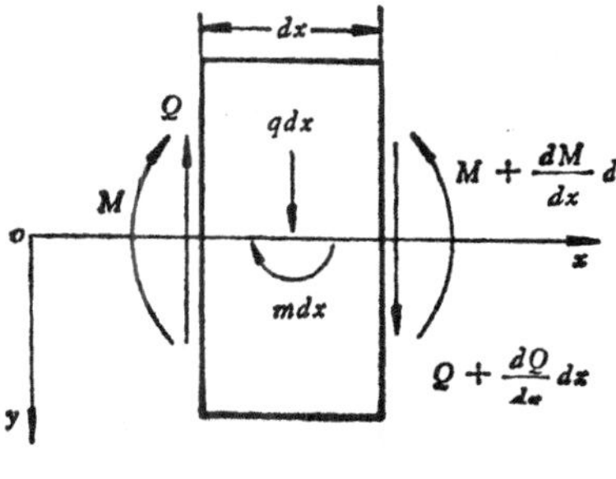

图 1.2

在本章理论中因有两个广义位移，所以作用在梁上的外载荷也应该用两个广义载荷来描述．与挠度w相应的广义载荷q是单位长度内的载荷在y轴上的投影，与转角ψ相应的广义载荷m是单位长度内的载荷对剖面中心点的力矩（正向与ψ同）[1]．于是梁的平衡方程是(参考图1.2)：

1）m只包括由平行x轴的大小相等方向相反的力所形成的力矩．平行y轴的大小相等方向相反的力也会形成力矩，但这类力矩归入横向载荷q中．这两种力矩性质上不同，必须严格加以区分，参见§3.3最后的一个例子．

$$\left(Q+\frac{dQ}{dx}dx\right)-Q+qdx=0,$$

$$-\left(M+\frac{dM}{dx}dx\right)+M+Qdx+mdx=0,$$

即

$$-\frac{dQ}{dx}=q,\ \frac{dM}{dx}-Q=m. \tag{1.7}$$

若将(1.5)代入此式，则得到以广义位移表示的平衡方程

$$\begin{aligned}&-\frac{d}{dx}\left[C\left(\frac{dw}{dx}-\psi\right)\right]=q,\\&-\frac{d}{dx}\left(D\frac{d\psi}{dx}\right)-C\left(\frac{dw}{dx}-\psi\right)=m.\end{aligned} \tag{1.8}$$

如果梁上还作用有轴向拉力 N，那末由于 N 产生一个相当的横向载荷 Nw''，所以平衡方程(1.8)应修改为[1)]

$$\begin{aligned}&-\frac{d}{dx}\left[C\left(\frac{dw}{dx}-\psi\right)\right]-N\frac{d^2w}{dx^2}=q,\\&-\frac{d}{dx}\left(D\frac{d\psi}{dx}\right)-C\left(\frac{dw}{dx}-\psi\right)=m.\end{aligned} \tag{1.9}$$

关于梁的边界条件，自由端与简支端的条件与第二章所说的相同，而固支端是剖面没有转角，或有已知的转角[2)]，因此综合起来有

$$\begin{aligned}&w=\text{已知},\ \text{或}\ Q+N\frac{dw}{dx}=\text{已知},\\&\psi=\text{已知},\ \text{或}\ M=\text{已知}.\end{aligned} \tag{1.10}$$

下面再来推导梁的运动方程．考虑如图1.2所示的无穷小元素．由于梁的挠度 $w(x,t)$ 所产生的惯性力 q_I 是

1) 这是比较通用的微分方程组．有些作者曾提出过比这更复杂或更简单的方程组，例如见 Egle[117], Sun[283], Brunelle[77], Brunelle 和 Robertson[78]．

2) 在有些文献中把固支端和夹住端混为一谈．在两个广义位移的理论中，必须把固支与夹住区分开．夹住在本章理论中已不是一种边界条件，而只能算作一种接触条件，例如见 Essenburg 和 Koller 的文章 [124]．

$$q_I = -\rho A \frac{\partial^2 w}{\partial t^2},$$

由于转角 $\psi(x, t)$ 所产生的惯性力矩 m_I 是

$$m_I = -\rho J \frac{\partial^2 \psi}{\partial t^2},$$

这里 ρ 是材料的密度，A 是剖面的面积，J 是剖面的转动惯量. 将以上惯性力 q_I 和惯性力矩 m_I 加入 (1.8) 的 q 和 m 中，就得到梁的运动方程

$$-\frac{\partial}{\partial x}\left[C\left(\frac{\partial w}{\partial x}-\psi\right)\right]+\rho A\frac{\partial^2 w}{\partial t^2}=q,$$

$$-\frac{\partial}{\partial x}\left(D\frac{\partial \psi}{\partial x}\right)-C\left(\frac{\partial w}{\partial x}-\psi\right)+\rho J\frac{\partial^2 \psi}{\partial t^2}=m. \quad (1.11)$$

上面介绍的具有两个广义位移的梁的理论，从弹性力学的观点看来，仍然是一种近似理论，即在有些方面仍不符合弹性力学的要求. 主要的缺点有下列三个：(1)同一剖面上各点的 y 轴向的位移并不是常数，而这里假定它是常数；(2) 剖面在变形后实际上并不再保持为平面，而这里假定它继续为一平面；(3) 同一剖面上假定剪应变为常数而剪应力却不是常数，因而不满足胡克定律. 为了缓和一下上述矛盾，Cowper[97] 指出，可以把挠度 w 理解为剖面上各点的平均的 y 轴向的位移，ψ 理解为剖面的平均转角，即

$$w(x)=\frac{1}{A}\iint v(x, y, z)dydz,$$

$$\psi(x)=-\frac{1}{J}\iint yu(x, y, z)dydz. \quad (1.12)$$

式中 A 是剖面的面积，J 是剖面的惯性矩. 这样 $(w'-\psi)$ 可以理解为平均剪应变，于是剪应变与剪应力之间不符合胡克定律的矛盾也可避开.

从理论上看，把 w，ψ 理解为广义位移是更为恰当一些. 可以看到，w 为与 Q 相应的一个位移，ψ 为与 M 相应的一个位移，而 Q 产生剪应力 τ_{xy}，τ_{xz}，M 产生法应力 σ_x，因此按照广义位移的一般定义，应把 w，ψ 理解为

$$wQ = \iint (\tau_{xy}v + \tau_{xz}v')dydz,$$

$$\psi M = -\iint \sigma_x u dydz. \tag{1.13}$$

这里 u, v, v' 代表剖面上各点在 x, y, z 坐标轴方向的位移. 由于假定了法应力 σ_x 的分布规律为

$$\sigma_x = \frac{My}{J}, \tag{1.14}$$

因此从 (1.13) 得到

$$w = \frac{1}{Q}\iint (\tau_{xy}v + \tau_{xz}v')dydz,$$

$$\psi = -\frac{1}{J}\iint yudydz. \tag{1.15}$$

这样定义的 ψ 和 Cowper 定义的相同, 但 w 则与 Cowper 定义的不同. 如果材料的泊松系数 $\nu = 0$, 那末由于在这种情况下 v' 等于零而 v 与坐标 y, z 无关, (1.12) 与 (1.15) 两个定义就完全相同了.

§ 3.2 剪切刚度的计算

对于均质梁, 剪切刚度的计算有多种观点和多种公式. 这里我们推荐一种基于能量原理的计算方法.

剪力 Q 在梁内产生剪应力 τ_{xy}, τ_{xz}. 由于有了剪应力和剪应变, 梁内贮存了剪切应变能. 命 V_s 是梁的单位长度内贮存的剪切应变能. 将 V_s 用 Q 来表示, 那末应有

$$V_s = \frac{Q^2}{2C}. \tag{2.1}$$

将 V_s 用 τ_{xy}, τ_{xz} 来表示, 那末应有

$$V_s = \frac{1}{2G}\iint (\tau_{xy}^2 + \tau_{xz}^2)dydz. \tag{2.2}$$

这里 G 是材料的剪切模量, 而积分遍及于整个剖面. 对比 (2.1),

表 2.1 剪切系数表

剪切系数公式	剖面形状
圆 $$k=\frac{6(1+\nu)}{7+6\nu}.$$	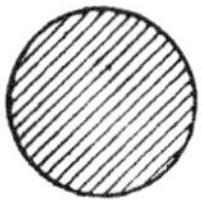
圆环 $$k=\frac{6(1+\nu)(1+m^2)^2}{(7+6\nu)(1+m^2)^2+(20+12\nu)m^2},$$ $$m=\frac{b}{a}.$$	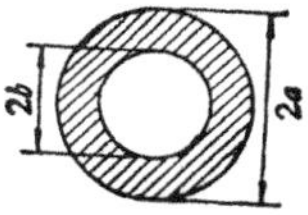
矩形 $$k=\frac{10(1+\nu)}{12+11\nu}.$$	
椭圆 $$k=\frac{12(1+\nu)a^2(3a^2+b^2)}{(40+37\nu)a^4+(16+10\nu)a^2b^2+\nu b^4},$$ a 可以大于或小于 b。	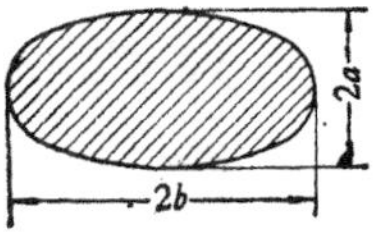
半圆 $$k=\frac{1+\nu}{1.305+1.273\nu}.$$	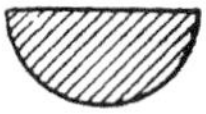
薄壁圆管 $$k=\frac{2(1+\nu)}{4+3\nu},$$	
薄壁方管 $$k=\frac{20(1+\nu)}{48+39\nu}.$$	
薄壁盒形，$m=\frac{bt_1}{ht}$，$n=\frac{b}{h}$， $$k=\frac{10}{d}(1+\nu)(1+3m)^2,$$ $$d=12+72m+150m^2+90m^3+\nu(11+66m+135m^2+90m^3)+10n^2[(3+\nu)m+3m^2].$$	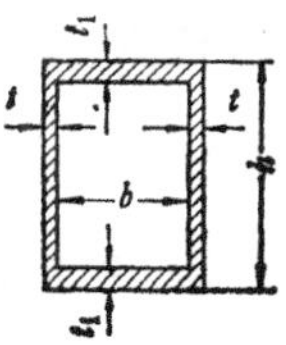

续 表

剪 切 系 数 公 式	剖 面 形 状
薄壁工字形，$m=\dfrac{2bt_F}{ht_w}$，$n=\dfrac{b}{h}$， $k=\dfrac{10}{d}(1+\nu)(1+3m)^2$， $d=12+72m+150m^2+90m^3+\nu(11+66m+135m^2+90m^3)+30n^2(m+m^2)+5\nu n^2(8m+9m^2)$.	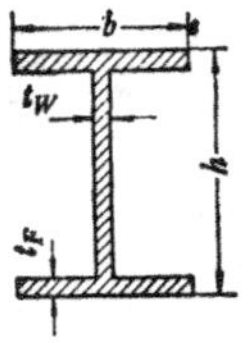
带圆头的腹板，A_s：一个圆头的面积， $m=\dfrac{2A_s}{ht}$， $k=[10(1+\nu)(1+3m)^2]/[12+72m+150m^2+90m^3+\nu(11+66m+135m^2+90m^3)]$	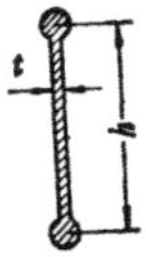
薄壁丁字形，$m=\dfrac{bt_1}{ht}$，$n=\dfrac{b}{h}$， $k=\dfrac{10}{d}(1+\nu)(1+4m)^2$， $d=12+96m+276m^2+192m^3+\nu(11+88m+248m^2+216m^3)+30n^2(m+m^2)+10\nu n^2(4m+5m^2+m^3)$.	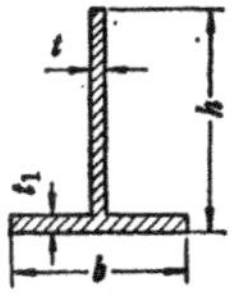

(2.2) 两式，得到

$$\frac{G}{C}=\iint\left[\left(\frac{\tau_{xy}}{Q}\right)^2+\left(\frac{\tau_{xz}}{Q}\right)^2\right]dydz. \tag{2.3}$$

此式中的 τ_{xy}/Q，τ_{xz}/Q 是单位剪力所产生的剪应力. 人们通常将剪切刚度表示为

$$C=kGA, \tag{2.4}$$

这里 A 是剖面的面积，k 是一个无量纲的参数，称为剪切系数. 将 (2.4) 代入 (2.3)，得到

$$\frac{1}{k}=A\iint\left[\left(\frac{\tau_{xy}}{Q}\right)^2+\left(\frac{\tau_{xz}}{Q}\right)^2\right]dydz. \tag{2.5}$$

为了根据这个公式计算剪切系数 k，必须先对剪应力的分布作一定的假设. 可以根据需要作不同程度的近似假设. 最简单的

一种做法是假定剪应力的分布和材料力学中求得的相同. 其次是假定剪应力的分布和弹性力学中悬臂梁的剪应力分布相同. 这样计算 (2.5) 式的积分虽然麻烦一点，但仍有现成的剪应力分布公式可以借用. 最后还有一种做法是利用最小余能原理，在所有满足平衡条件的剪应力分布中，找一种能使 (2.5) 中的积分取最小值的分布. 这样计算出来的 k 是比较大的.

各种剖面的剪切系数的数值，散见于各种文献. 有时，一种形状的剖面，不同的作者给出不同的数值. Cowper[97] 曾集中计算了 11 种剖面的剪切系数的公式，我们抄录他的公式如表 2.1 所示. 他的计算是根据他的定义 (1.12)，和弹性力学中悬臂梁的剪应力分布进行的. 因此在用他的结果时，取 $\nu=0$ 便可以了.

§ 3.3　等剖面梁弯曲问题的几个例子

先考虑一个两端固支的等剖面梁，在(关于梁中心点)对称的载荷 $q(x)$ 作用下的弯曲问题. 假定 $m=0$. 挠度 w 及转角 ψ 满足下列方程和边界条件:

$$-C\frac{d^2w}{dx^2}+C\frac{d\psi}{dx}=q,\quad -C\frac{dw}{dx}-D\frac{d^2\psi}{dx^2}+C\psi=0, \tag{3.1}$$

$$\text{在 } x=0 \text{ 及 } x=l \text{ 处: } w=0,\ \psi=0. \tag{3.2}$$

命 w_0 为同一个梁在忽略剪切变形情况下所具有的挠度，即按第二章的经典理论所求得的挠度. w_0 满足下列方程和边界条件:

$$D\frac{d^4w_0}{dx^4}=q, \tag{3.3}$$

$$\text{在 } x=0 \text{ 及 } x=l \text{ 处: } w_0=0,\ w_0'=0. \tag{3.4}$$

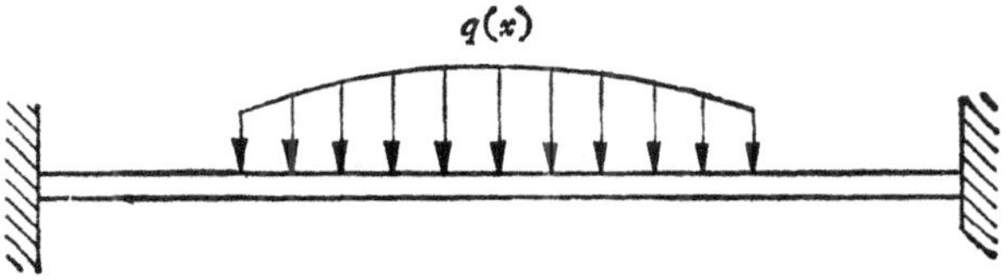

图　3.1

用代入验算的办法可以证明，若取

$$\psi=\frac{dw_0}{dx},\ w=w_0-\frac{D}{C}\frac{d^2w_0}{dx^2}+\frac{D}{C}\frac{d^2w_0}{dx^2}\bigg|_{x=0},\tag{3.5}$$

那末方程 (3.1)，(3.2) 便能得到满足．因此 (3.5) 便是欲求的解．

下面讨论两个例子．先考虑均布载荷的问题．这时 q 是一个常数，从材料力学知道

$$w_0=\frac{q}{24D}x^2(l-x)^2.\tag{3.6}$$

于是从公式 (3.5) 得到

$$\psi=-\frac{q}{12D}x(l-x)(2x-l),$$

$$w=\frac{q}{24D}x^2(l-x)^2+\frac{q}{2C}x(l-x).\tag{3.7}$$

最大挠度 $w_{\max}\left(\text{在 } x=\dfrac{l}{2}\text{ 处}\right)$ 和边界上挠度曲线的斜率 $w'(0)$ 为

$$w_{\max}=\frac{ql^4}{384D}\left(1+\frac{48D}{Cl^2}\right),$$

$$w'(0)=\frac{ql}{2C}.\tag{3.8}$$

第二个例子是在梁的中点 $\left(x=\dfrac{l}{2}\right)$ 有一个集中载荷 P. 从材料力学知道，对于这个问题

$$w_0=\frac{P}{48D}x^2(3l-4x),\ 0\leqslant x\leqslant\frac{l}{2}.\tag{3.9}$$

于是有

$$\left.\begin{aligned}\psi&=\frac{P}{8D}x(l-2x),\\ w&=\frac{P}{48D}x^2(3l-4x)+\frac{P}{2C}x,\end{aligned}\right\}0\leqslant x\leqslant\frac{l}{2},\tag{3.10}$$

$$w_{\max}=\frac{Pl^3}{192D}\left(1+\frac{48D}{Cl^2}\right),$$

$$w'(0) = w'\left(\frac{l}{2} - 0\right) = \frac{P}{2C}. \tag{3.11}$$

从上面两个例子可以看到如下一些现象：

1. 剪切变形的作用，随着无量纲参数 $\frac{D}{Cl^2}$ 的增加而增加. 由此可知，对于同样剖面的梁，跨度 l 愈小，剪切变形的作用愈大.

2. 在固支端，挠曲线的斜率不等于零，而随剪切刚度的减少而增加（指绝对值）. 只有当 $C = \infty$ 时，挠曲线的斜率才等于零.

3. 在集中载荷下，挠曲线的斜率不连续. 其突变的大小与剪切刚度 C 成反比.

用严格的数学方法可以证明以上三个特点是具有普遍性的.

在上面两个例子中还有一个特点是挠度的表达式可分解为两项：一项与 D 成反比，另一项与 C 成反比. 但这个特点并不具有普遍性，它只有在剪力 Q 是静定时才成立. 两端固支的梁虽然是超静定的，但在对称载荷作用下，剪力还是静定的，因此有这个特点. 对于非对称的载荷，剪力是超静定的，挠度 w 就不能表示成如此简单的两项之和.

最后来考虑一个等剖面的简支梁，在位于中点的集中力矩 T 作用下的平衡问题. 在考虑剪切变形的梁的理论中，必须把集中力矩区分为两种类型. 一种如图 3.2 所示，集中力矩由两个无限靠拢的平行于 y 轴的大小相等方向相反的集中力所形成. 在经典理论中，集中力矩大都作这种解释. 另一种如图 3.3 所示，集中力矩由两个作用在同一剖面上的平行 x 轴的大小相等方向相反的集中力所形成. 这两种情况都是静定的，它们的剪力图和弯矩图已画在图 3.2，3.3 中. 当 ε 很小时，两个弯矩图是相同的，但两个剪力图不相同. 对于图 3.2 所示的情况，在 A，B 两点间有很大的剪力. 在经典理论中剪力不产生变形，剪力的差别也就不影响挠度和转角. 但在考虑剪切变形的理论中，剪力的差别当然会影响最

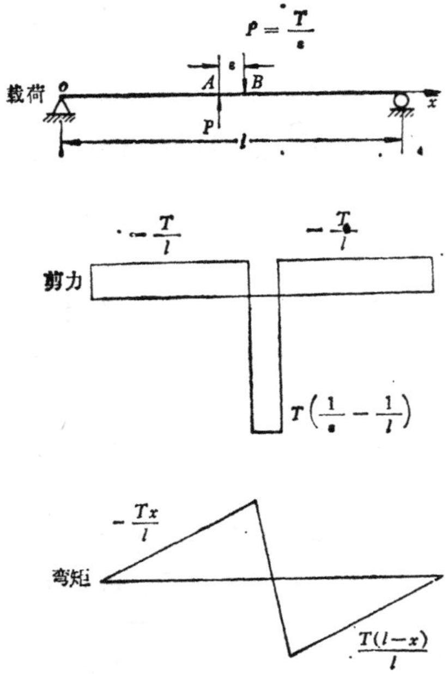

图 3.2

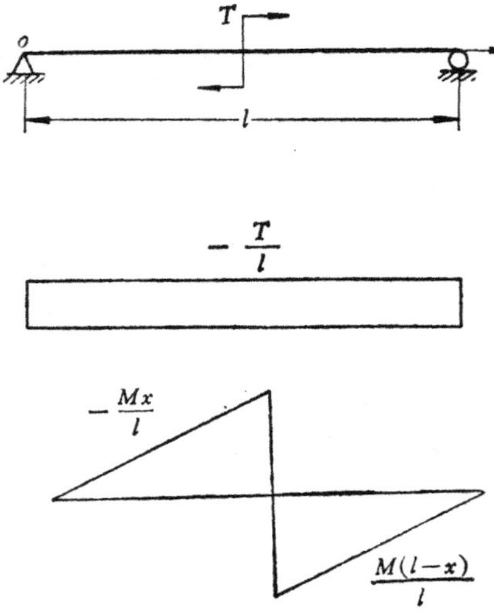

图 3.3

终的变形. 对于图 3.3 所示的问题，挠度 w 和转角 ψ 都是 x 的连续函数，但对于图 3.2 所示的问题，ψ 虽然仍是 x 的连续函数，w 却不是 x 的连续函数. 事实上当 ε 很小时，A, B 两点的挠度差是

$$w_B - w_A = \int_A^B \left(\psi + \frac{Q}{C}\right) dx$$

$$= \frac{T}{C}\int_A^B \left(\frac{1}{\varepsilon} - \frac{1}{l}\right) dx = \frac{T}{C}. \tag{3.12}$$

当 $C \neq \infty$ 时，这是一个有限的量. 这表明挠度在集中力矩作用点的前后有一突变. 可见两种不同性质的集中力矩产生很不相同的变形. 所以在考虑剪切变形的梁的理论中（同样地在考虑剪切变形的板壳的理论中），必须严格区分这两种不同性质的集中力矩.

§ 3.4 梁的接触问题

在 Timoshenko 所著《材料力学（高等理论及问题）》[297] 一书中，讨论过梁与刚体的接触问题．那里有一个奇怪的现象，就是接触面的中间常常没有作用力，而在接触面的边界上有集中力互相作用着．考虑梁的横向剪切变形后，可以避免发生这种奇怪的现象．本节用本章的理论重新计算了 Timoshenko 书中的两个例子，以说明剪切变形在接触问题中的作用[1]．

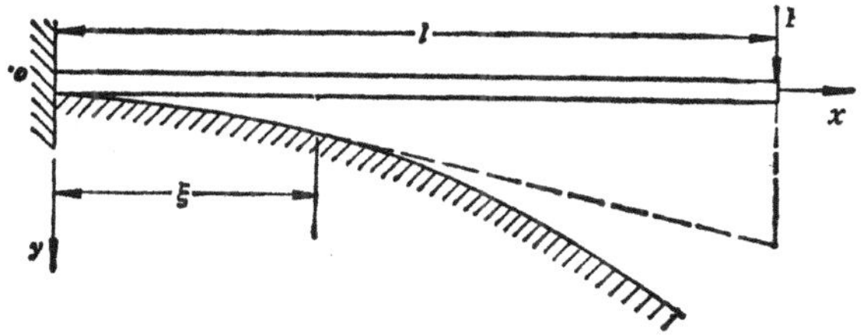

图 4.1

例 1　一端固支一端自由的等剖面梁，在梁的下面有一个曲率半径等于 R 的刚体，在梁的自由端上有一个集中载荷 P，如图 4.1 所示[2]．

设梁与刚体的接触面的长度为 ξ．于是在 $0 \leqslant x \leqslant \xi$ 处：

$$w = \frac{x^2}{2R}. \tag{4.1}$$

将此代入 (1.8) 的第二个(其中的 $m = 0$)，得到

$$-D\frac{d^2\psi}{dx^2} + C\psi = \frac{C}{R}x. \tag{4.2}$$

这个方程的解是

---

1) 在接触问题中，横向法应力 σ_y 也起着重要的作用．所以本节的算例只能当作一种定性的说明．

2) Keer 和 Silva[180] 曾按弹性力学平面问题解算过这个问题．

$$\psi = \frac{x}{R} + A \operatorname{sh} \lambda x + B \operatorname{ch} \lambda x, \tag{4.3}$$

其中 A, B 是积分常数,而 λ 是

$$\lambda = \sqrt{\frac{C}{D}}. \tag{4.4}$$

在固支端上 $\psi = 0$,因而必有 $B = 0$. 这样 ψ 的算式简化为

$$\psi = \frac{x}{R} + A \operatorname{sh} \lambda x. \tag{4.5}$$

根据 (4.1), (4.5) 计算弯矩和剪力,得到

$$M = -D \frac{d\psi}{dx} = -D \left(\frac{1}{R} + \lambda A \operatorname{ch} \lambda x\right),$$

$$Q = C \left(\frac{dw}{dx} - \psi\right) = -CA \operatorname{sh} \lambda x. \tag{4.6}$$

特别是在 $x = \xi$ 处:

$$M(\xi) = -D\left(\frac{1}{R} + \lambda A \operatorname{ch} \lambda \xi\right),$$

$$Q(\xi) = -CA \operatorname{sh} \lambda \xi. \tag{4.7}$$

在 $\xi \leqslant x \leqslant l$ 处,梁中的弯矩和剪力可以从静力学求得

$$M = -P(l - x), \quad Q = P. \tag{4.8}$$

特别是在 $x = \xi$ 处:

$$M(\xi) = -P(l - \xi), \quad Q(\xi) = P. \tag{4.9}$$

对比 (4.7), (4.9) 两式,得到

$$-A \operatorname{ch} \lambda \xi = \frac{1}{\lambda R} - \frac{P(l - \xi)}{\lambda D},$$

$$-A \operatorname{sh} \lambda \xi = \frac{P}{C}. \tag{4.10}$$

由此可求得关于 ξ 的一个超越方程

$$\operatorname{cth} \lambda \xi = \frac{C}{\lambda RP} - \frac{C(l - \xi)}{\lambda D}. \tag{4.11}$$

求得 ξ 后再从 (4.10) 可以求得 A,这样在接触的一段内 w, ψ 便都求得了. 刚体对梁的作用力 q 可以从平衡方程 (1.8) 的第一个

求得：

$$q = -C\left(\frac{d^2w}{dx^2} - \frac{d\psi}{dx}\right) = C\lambda A \operatorname{ch} \lambda x. \tag{4.12}$$

由此可见，刚体与梁之间的作用力在整个接触面内都有，只是在分界点的附近作用力较大，而在固支端附近作用力较小. 这样就克服了过去作用力集中在一点的不合理现象.

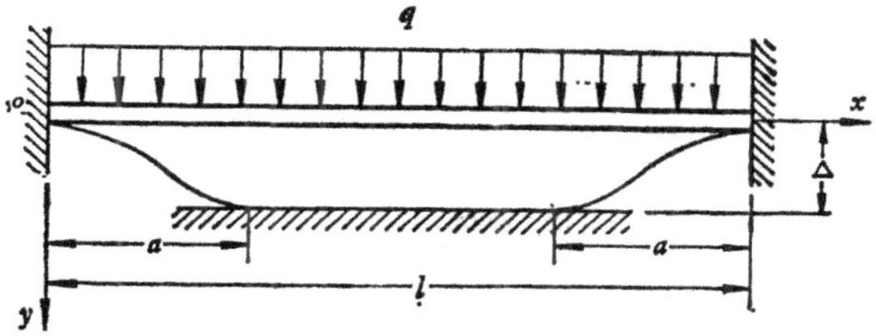

图 4.2

例 2　有一两端固支的等剖面梁，承受均匀分布的载荷 q 的作用. 在梁的下方Δ处，有一刚性基础. 当载荷较大时，梁的中间部分将落在刚性基础上，因此这也是一个接触问题.

当载荷 q 较小时，梁与基础不接触. 于是根据公式 (3.7) 得到

$$w = \frac{q}{24D}x^2(l-x)^2 + \frac{q}{2C}x(l-x),$$

$$w_{\max} = \frac{ql^4}{384D} + \frac{ql^2}{8C}. \tag{4.13}$$

因此梁与基础接触的条件是

$$q > \frac{384D\Delta}{l^4} \cdot \frac{1}{1 + \frac{48D}{Cl^2}}. \tag{4.14}$$

下面讨论梁与基础接触的情况.

设梁两端与基础不接触部分的长度为 a. 于是接触部分为 $a \leqslant x \leqslant (l-a)$. 在接触部分，

$$m = 0,\ w = \Delta. \tag{4.15}$$

于是方程 (1.8) 的第二式变为

$$-D\frac{d^2\psi}{dx^2}+C\psi=0. \tag{4.16}$$

考虑到对称关系，此式的解可取为

$$\psi=A\,\mathrm{sh}\,\lambda\left(\frac{l}{2}-x\right). \tag{4.17}$$

式中 λ 仍由 (4.4) 决定. 求 ψ 的导数，得到

$$\frac{d\psi}{dx}=-\lambda A\,\mathrm{ch}\,\lambda\left(\frac{l}{2}-x\right). \tag{4.18}$$

因此在接触段的边界上

$$\psi(a)=A\,\mathrm{sh}\,\lambda\left(\frac{l}{2}-a\right),\ \psi'(a)=-\lambda A\,\mathrm{ch}\,\lambda\left(\frac{l}{2}-a\right). \tag{4.19}$$

在不接触的一段 $0\leqslant x\leqslant a$ 上，平衡方程是

$$-C\left(\frac{d^2w}{dx^2}-\frac{d\psi}{dx}\right)=q,$$

$$D\frac{d^2\psi}{dx^2}+C\left(\frac{dw}{dx}-\psi\right)=0. \tag{4.20}$$

固支端的边界条件是

$$\text{在 } x=0 \text{ 处：} w=0,\ \psi=0. \tag{4.21}$$

在分界点上，w, ψ, M, Q 都应连续，即 w, w', ψ, ψ' 都应连续，因此有连续条件

$$\begin{aligned}&\text{在 } x=a \text{ 处：} w=\Delta,\ w'=0,\\ &\qquad\psi=A\,\mathrm{sh}\,\lambda\left(\frac{l}{2}-a\right),\\ &\qquad\psi'=-\lambda A\,\mathrm{ch}\,\lambda\left(\frac{l}{2}-a\right).\end{aligned} \tag{4.22}$$

根据方程 (4.20) 和部分边界条件 (4.21) 求 w 和 ψ，得到

$$\begin{aligned}w=&\frac{q}{24D}x^2(l-x)^2+\frac{q}{2C}x(l-x)\\ &-\frac{Q_0}{6D}\left(x^3-\frac{6D}{C}x\right)-\frac{M_0}{2D}x^2,\end{aligned} \tag{4.23a}$$

$$\psi = -\frac{q}{12D}x(l-x)(2x-l) - \frac{Q_0}{2D}x^2 - \frac{M_0}{D}x. \quad (4.23\text{b})$$

这里 M_0, Q_0 是积分常数，它们分别代表由于基础的反力所引起的固支端上的弯矩和剪力. 将 (4.23) 代入 (4.22) 的前两式，得到

$$\frac{a^3}{l^3}\left(1-\frac{6D}{Cl^2}\cdot\frac{l^2}{a^2}\right)\frac{4Q_0}{ql} + \frac{a^2}{l^2}\frac{12M_0}{ql^2}$$

$$= \frac{a^2}{l^2}\left(1-\frac{a}{l}\right)^2 + \frac{12D}{Cl^2}\cdot\frac{a}{l}\left(1-\frac{a}{l}\right) - \frac{24D\Delta}{ql^4},$$

$$\left(\frac{3a^2}{l^2}-\frac{6D}{Cl^2}\right)\frac{4Q_0}{ql} + \frac{2a}{l}\frac{12M_0}{ql^2}$$

$$= 2\frac{a}{l}\left(1-\frac{a}{l}\right)\left(1-2\frac{a}{l}\right) + \frac{12D}{Cl^2}\left(1-2\frac{a}{l}\right). \quad (4.24)$$

由此可解出 Q_0 与 M_0. 这样在公式 (4.23) 中便只剩下一个待定常数 a.

将 (4.23) 代入 (4.22) 的后两式，得到

$$A\ \mathrm{sh}\,\lambda\left(\frac{l}{2}-a\right) = -\frac{ql^3}{12D}\frac{a}{l}\left(1-\frac{a}{l}\right)\left(1-2\frac{a}{l}\right)$$

$$-\frac{Q_0l^2}{2D}\frac{a^2}{l^2} - \frac{M_0l}{D}\frac{a}{l},$$

$$\lambda A\ \mathrm{ch}\,\lambda\left(\frac{l}{2}-a\right) = \frac{ql^3}{12D}\left(1-6\frac{a}{l}+6\frac{a^2}{l^2}\right)$$

$$+\frac{Q_0l^2}{D}\frac{a}{l} + \frac{M_0l}{D}. \quad (4.25)$$

由此消去 A，得到

$$\lambda\mathrm{cth}\,\lambda\left(\frac{l}{2}-a\right) = -\left[1-6\frac{a}{l}+6\frac{a^2}{l^2}+\frac{12Q_0}{ql}\frac{a}{l}\right.$$

$$\left.+\frac{12M_0}{ql^2}\right]\Big/\left[\frac{a}{l}\left(1-\frac{a}{l}\right)\left(1-2\frac{a}{l}\right)\right.$$

$$\left.+\frac{6Q_0}{ql}\frac{a^2}{l^2}+\frac{12M_0}{ql^2}\frac{a}{l}\right]. \quad (4.26)$$

这是一个关于 $\frac{a}{l}$ 的超越方程. 从此方程求得 a 后，便可从

(4.25) 求 A. 这样全部常数便都已决定.

基础对梁的反作用力 R(单位长度内的力,以向上者为正),根据平衡方程 (1.8) 的第一个,为

$$R = q - C\frac{d\psi}{dx} = q + \lambda CA\,\mathrm{ch}\,\lambda\left(\frac{l}{2} - x\right). \qquad (4.27)$$

由此可见反作用力也只有分布力，没有集中力，不像 Timoshenko 书中所说的那样,在分界点上有集中反力.

梁的剪切变形,不仅在有刚性基础时不可忽略,即使在弹性基础的情况,有时也有重要的影响,例如见 Crandall[100] 和 Essenberg[121] 的文章.

§ 3.5 无限长梁的振动和波的传播

考虑一个无限长的等剖面梁的振动问题. 设振动的波形是正弦波,角频率为 ω. 这样挠度 w 和转角 ψ 具有下列形式:

$$w = W\sin\frac{\pi x}{l}\qquad,\ \psi = \Psi\cos\frac{\pi x}{l}e^{i\omega t}. \qquad (5.1)$$

式中 l 为半波长，W和Ψ各为w和 ψ 的振幅. 将此代入方程 (1.11) (其中的 q, m 应取为零)，约去公因子之后，得到 W，Ψ 的代数方程

$$\begin{bmatrix} \frac{\pi^2}{l^2}C - \omega^2\rho A, & -\frac{\pi}{l}C \\ -\frac{\pi}{l}C, & \frac{\pi^2}{l^2}D + C - \omega^2\rho J \end{bmatrix}\begin{bmatrix} W \\ \Psi \end{bmatrix} = 0. \qquad (5.2)$$

因为 W,Ψ 不同时为零,故有

$$\begin{vmatrix} \frac{\pi^2}{l^2}C - \omega^2\rho A, & -\frac{\pi}{l}C \\ -\frac{\pi}{l}C, & \frac{\pi^2}{l^2}D + C - \omega^2\rho J \end{vmatrix} = 0.$$

展开此式,得到

$$\rho^2 A J\omega^4 - \left[\rho A \frac{\pi^2}{l^2} D + \left(\rho A + \frac{\pi^2}{l^2}\rho J\right) C\right]\omega^2$$

$$+ \frac{\pi^4}{l^4} CD = 0. \tag{5.3}$$

引进参数

$$\omega_0^2 = \frac{\pi^4 D}{l^4 \rho A},\ \lambda = \frac{\pi^2 D}{C l^2},\ \mu = \frac{\pi^2 J}{A l^2}. \tag{5.4}$$

后，方程 (5.3) 可简化为

$$\lambda\mu\left(\frac{\omega}{\omega_0}\right)^4 - (1+\lambda+\mu)\left(\frac{\omega}{\omega_0}\right)^2 + 1 = 0. \tag{5.5}$$

这个方程有两个根．把较小的一个根记为 ω_1，较大的一个根记为 ω_2，则有

$$\omega_1^2 = \frac{2\omega_0^2}{1+\lambda+\mu+\sqrt{(1+\lambda+\mu)^2-4\lambda\mu}}, \tag{5.6a}$$

$$\omega_2^2 = \frac{\omega_0^2}{2\lambda\mu}\left[1+\lambda+\mu+\sqrt{(1+\lambda+\mu)^2-4\lambda\mu}\right]. \tag{5.6b}$$

粗看起来，挠度的一种振型产生两个不同的频率，似乎难于理解．其实，对应于 (5.6) 的两个频率，公式 (5.1) 中的系数的比值 Ψ/W 是不同的．实际上从方程 (5.2) 的第一个可得到

$$\frac{\Psi}{W} = \frac{\pi}{l}\left(1 - \frac{\omega^2}{\omega_0^2}\lambda\right). \tag{5.7}$$

可见，对于不同的频率，实际上仍然对应于不同的振型．

参数 λ 代表剪切变形的作用．λ 愈大，剪切变形的作用愈大．参数 μ 代表剖面转动惯量的作用．μ 愈大，剖面的转动惯量的作用愈大．若在公式 (5.6) 中命

$$\lambda = \mu = 0, \tag{5.8}$$

则得到

$$\omega_1^2 = \omega_0^2,\ \omega_2^2 = \infty. \tag{5.9}$$

在公式 (5.6) 中设 $\lambda = 0$ 而保留 μ 为有限的量，则 ω_1 仍为一有限的量而 ω_2 仍等于 ∞．这表明频率 ω_1 相应于以弯曲变形为主的振型，只要有弯曲变形，这个频率便是有限的．而频率 ω_2 相应

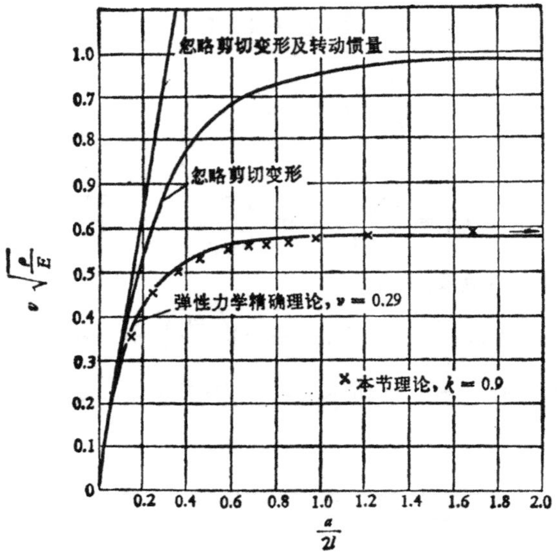
忽略剪切变形及转动惯量
忽略剪切变形
弹性力学精确理论，$\nu=0.29$
× 本节理论，$k=0.9$
$v\sqrt{\frac{\rho}{E}}$
$\frac{a}{2l}$

图 5.1

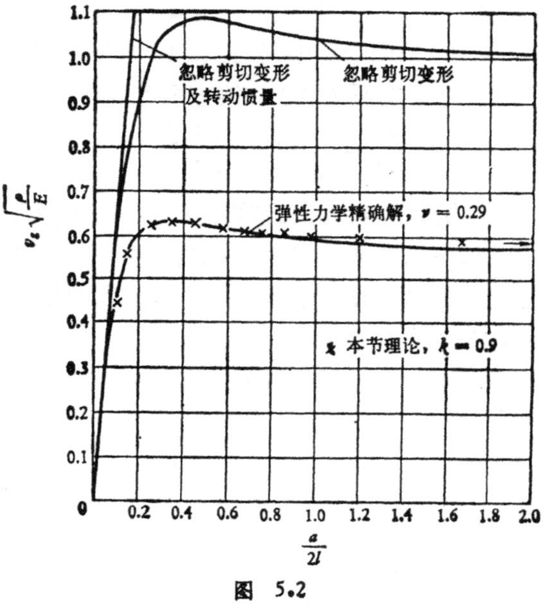
忽略剪切变形
及转动惯量
忽略剪切变形
弹性力学精确解，$\nu=0.29$
× 本节理论，$k=0.9$
$v_t\sqrt{\frac{\rho}{E}}$
$\frac{a}{2l}$

图 5.2

于以剪切变形为主的振型，在忽略剪切变形之后，这个频率便趋于∞。

我们知道，在波的传播问题中，波长 $2l$，频率 f 以及相速 v 之间存在简单的联系：

$$v = 2lf.$$

改用角频率 ω 之后，便有

$$v = \frac{l\omega}{\pi}. \tag{5.10}$$

以弯曲变形为主的波，它的相速 v_1 是

$$v_1 = \frac{l\omega_1}{\pi}. \tag{5.11}$$

在 D，C 不变的情况下，相速 v_1 随半波长 l 的变化而变化。当 l 趋近于零时，v_1 趋近于一个极限 v_T，它是

$$v_T = \lim_{l\to 0} v_1 = \lim_{l\to 0}\frac{l}{\pi}\sqrt{\frac{\omega_0^2}{\lambda}} = \sqrt{\frac{C}{\rho A}}. \tag{5.12}$$

在图 5.1，5.2 中[1)]画出了按四种理论求得的圆剖面梁中弯曲波的相速和群速对波长的关系曲线。图中有一对曲线是按弹性力学的精确理论求得的(泊松系数 $\nu = 0.29$)。根据它可以鉴定各种近似理论的近似程度。从这两张图可以看到，本节介绍的两个广义位移的理论，与精确解非常接近，甚至在波长与剖面半径为同一量级时，结果也很好。此外，也可以看到，如果忽略了剪切变形，哪

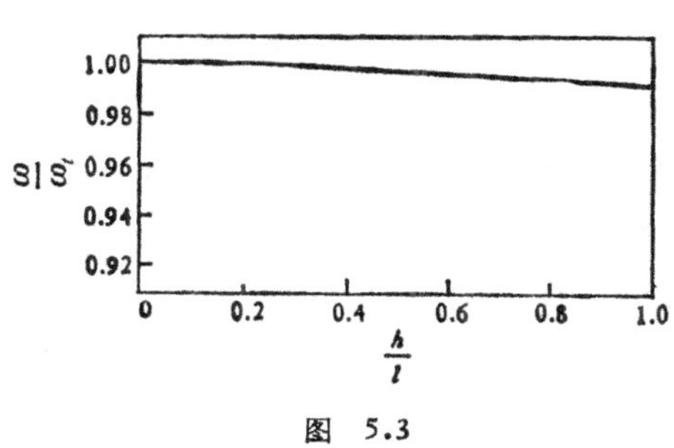

图 5.3

1）此两图录自 Davies[102]。

怕还考虑到剖面转动惯量的作用，当波长稍短之后，近似解与精确解之间的差别就很大. Cowper[98] 曾计算了简支的狭矩形剖面梁的基本固有频率 ω_1，得到了如图 5.3 所示的结果. 图中 h 是梁的高度，l 是梁的跨度（相当半波长），ω_e 是按弹性力学平面问题求得的频率. Cowper 的结果又一次表明两个广义位移的理论的精度是很高的.

概括起来可以得出如下的结论：在梁的振动问题中，如果短波长的振动有相当重要的作用，那末至少必须采用两个广义位移的理论，用一个广义位移的经典理论，对问题是过份地简化了，是不适用的.

§3.6 虚功原理和功的互等定理

前三节介绍了梁的二广义位移理论的主要特点. 从本节起，我们再按平衡、稳定和振动的顺序介绍有关的变分原理和它们的应用.

先考虑梁的平衡问题. 在本章介绍的理论中，梁的广义位移有 w, ψ 两个. 它们是可能位移的充要条件是：w, ψ 都是 x 的连续函数，并且在边界上满足有关位移的边界条件，即

$$\begin{aligned}&\text{在固支端上：} w = \bar{w}, \psi = \bar{\psi},\\&\text{在简支端上：} w = \bar{w}.\end{aligned} \tag{6.1}$$

与可能位移相应的广义应变 k, γ 称为可能应变. 在梁的经典理论中，可能挠度的斜率 w' 也必须是 x 的连续函数. 考虑了梁的剪应变之后，这个条件就不需要了. 这是一个很重要的变化. 在 § 3.3 已举例说明，在集中载荷的作用点上，斜率的确是不连续的.

在本章理论中，梁中的内力仍然只有 M, Q 两个. 它们是可能内力的充要条件是：在梁的内部满足平衡方程 (1.7)，而在边界上满足有关力的边界条件，即

$$\begin{aligned}&\text{在简支端上：} M = \bar{M},\\&\text{在自由端上：} M = \bar{M},\ Q = \bar{Q}.\end{aligned} \tag{6.2}$$

根据能量守恒原理，外力在可能位移上所作之功等于可能内力在可能应变上所作之功. 如果把边界上的支座反力也看作是外力,那末虚功原理在本章理论中的数学表达式便是

$$\int_0^l (qw + m\phi)dx + (Qw - M\phi)\Big|_0^l = \int_0^l \left\{-M\frac{d\phi}{dx} + Q\left(\frac{dw}{dx} - \phi\right)\right\}dx. \tag{6.3}$$

若利用平衡方程 (1.7) 将上式中的 q, m 用 M, Q 来代替，则得到

$$\int_0^l \left\{-\frac{dQ}{dx}w + \left(\frac{dM}{dx} - Q\right)\phi\right\}dx + (Qw - M\phi)\Big|^l = \int_0^l \left\{-M\frac{d\phi}{dx} + Q\left(\frac{dw}{dx} - \phi\right)\right\}dx. \tag{6.4}$$

这个公式实际上是任意四个函数 w, ϕ, M, Q 的一个恒等式. 事实上将公式 (6.4) 移项后便化为一个极简单的定积分公式

$$\int_0^l \frac{d}{dx}(Qw - M\phi)dx = (Qw - M\phi)\Big|_0^l.$$

把虚功原理 (6.3) 用于同一个梁在两种不同载荷作用下的两个解,便可得到功的互等定理. 设第一种情况中的分布载荷是 q_1, m_1, 位移是 w_1, ϕ_1, 内力是 M_1, Q_1; 第二种情况中的同类量是 q_2, m_2, w_2, ϕ_2, M_2, Q_2. 现在把公式 (6.3) 中的 q, m, M, Q 取为第一种情况中的相当的量 q_1, m_1, M_1, Q_1, 把 w, ϕ 取为第二种情况中的相当的量 w_2, ϕ_2. 这样便有

$$\int_0^l (q_1w_2 + m_1\phi_2)dx + (Q_1w_2 - M_1\phi_2)\Big|_0^l = \int_0^l \left\{-M_1\frac{d\phi_2}{dx} + Q_1\left(\frac{dw_2}{dx} - \phi_2\right)\right\}dx. \tag{6.5}$$

因为 w_1, ϕ_1, M_1, Q_1 是一组解,它们满足关系式 (1.5), 即

$$M_1 = -D\frac{d\phi_1}{dx},\quad Q_1 = C\left(\frac{dw_1}{dx} - \phi_1\right),$$

将此代入 (6.5) 的右端,得到

$$\int_0^l (q_1w_2 + m_1\psi_2)dx + (Q_1w_2 - M_1\psi_2)\Big|_0^l$$

$$= \int_0^l \Big\{ D\,\frac{d\psi_1}{dx}\,\frac{d\psi_2}{dx}$$

$$+ C\left(\frac{dw_1}{dx} - \psi_1\right)\left(\frac{dw_2}{dx} - \psi_2\right)\Big\}\,dx. \qquad (6.6)$$

此式右端是下标 1、2 的对称式，所以左端也必具有同样的对称性，即

$$\int_0^l (q_1w_2 + m_1\psi_2)dx + (Q_1w_2 - M_1\psi_2)\Big|_0^l$$

$$= \int_0^l (q_2w_1 + m_2\psi_1)dx + (Q_2w_1 - M_2\psi_1)\Big|_0^l. \qquad (6.7)$$

这便是本章理论中的功的互等定理的具体形式．功的互等定理的简要说法仍然是：第一次力在第二次位移上所作之功，等于第二次力在第一次位移上所作之功．

和梁的经典理论相似，这里的功的互等定理也能推广到梁内有轴向拉力N的情况．推广的步骤也和经典理论相同．所以我们就省去推导而只写出最后结果：

$$\int_0^l (q_1w_2 + m_1\psi_2)dx + \left\{\left(Q_1 + N\frac{dw_1}{dx}\right)w_2 - M_1\psi_2\right\}\Big|_0^l$$

$$= \int_0^l (q_2w_1 + m_2\psi_1)dx$$

$$+ \left\{\left(Q_2 + N\frac{dw_2}{dx}\right)w_1 - M_2\psi_1\right\}\Big|_0^l$$

$$= \int_0^l \Big\{ D\,\frac{d\psi_1}{dx}\,\frac{d\psi_2}{dx} + C\left(\frac{dw_1}{dx} - \psi_1\right)\left(\frac{dw_2}{dx} - \psi_2\right)$$

$$+ N\frac{dw_1}{dx}\frac{dw_2}{dx}\Big\}\,dx. \qquad (6.8)$$

互等定理的用途和用法，和第二章介绍的经典理论大体上相同，因此这里不再作详细的说明．但两者在影响函数方面差别较大，下面专门对此作些说明．

在两个广义位移的梁的理论中，有两个广义载荷 q 和 m. 当分布力为单位集中力，即

$$q = \delta(x-\xi),\ m = 0$$

时，可得到一组解 w_1, ψ_1. 它们满足下列方程和边界条件:

$$-\frac{d}{dx}\left[C\left(\frac{dw_1}{dx}-\psi_1\right)\right]-N\frac{d^2w_1}{dx^2}=\delta(x-\xi),$$

$$-\frac{d}{dx}\left(D\frac{d\psi_1}{dx}\right)-C\left(\frac{dw_1}{dx}-\psi_1\right)=0. \tag{6.9}$$

在固支端上: $w_1=0$, $\psi_1=0$,

在简支端上: $w_1=0$, $-D\dfrac{d\psi_1}{dx}=0$, (6.10)

在自由端上: $-D\dfrac{d\psi_1}{dx}=0$, $C\left(\dfrac{dw_1}{dx}-\psi_1\right)+N\dfrac{dw_1}{dx}=0$.

另外当分布力矩为单位集中力矩，即

$$q = 0,\ m = \delta(x-\xi)$$

时，又可得到一组解 w_2, ψ_2. 它们满足下列方程和边界条件

$$-\frac{d}{dx}\left[C\left(\frac{dw_2}{dx}-\psi_2\right)\right]-N\frac{d^2w_2}{dx^2}=0,$$

$$-\frac{d}{dx}\left(D\frac{d\psi_2}{dx}\right)-C\left(\frac{dw_2}{dx}-\psi_2\right)=\delta(x-\xi), \tag{6.11}$$

在固支端上: $w_2=0$, $\psi_2=0$,

在简支端上: $w_2=0$, $-D\dfrac{d\psi_2}{dx}=0$, (6.12)

在自由端上: $-D\dfrac{d\psi_2}{dx}=0$, $C\left(\dfrac{dw_2}{dx}-\psi_2\right)+N\dfrac{dw_2}{dx}=0$.

为了求解梁在任意载荷作用下在 $x=\xi$ 处的挠度 $w(\xi)$ 和转角 $\psi(\xi)$，可以分别利用上述两组解. 所以在两个广义位移的理论中，影响函数不是某一个函数，而是指由上述四个函数组成的矩阵

$$\mathbf{G}(x,\xi)=\begin{bmatrix} w_1 & \psi_1 \\ w_2 & \psi_2 \end{bmatrix}. \tag{6.13}$$

作为应用影响函数的一个例子，考虑一个梁在轴向拉力 N，分布载荷 q, m 和非齐次边界条件下的平衡问题. 挠度 w 和转角 ψ 本应满足下列方程和边界条件

$$-\frac{d}{dx}\left[C\left(\frac{dw}{dx}-\psi\right)\right]-N\frac{d^2w}{dx^2}=q,$$

$$-\frac{d}{dx}\left(D\frac{d\psi}{dx}\right)-C\left(\frac{dw}{dx}-\psi\right)=m, \tag{6.14}$$

在固支端上：$w=$ 已知，$\psi=$ 已知，

在简支端上：$w=$ 已知，$M=$ 已知， (6.15)

在自由端上：$M=$ 已知，$Q+N\dfrac{dw}{dx}=$ 已知.

为了求 $x=\xi$ 点上的挠度 $w(\xi)$. 可以用方程 (6.9), (6.10) 定义的 w_1, ψ_1. 现在在功的互等定理 (6.8) 中，将第一种情况取为方程 (6.9), (6.10) 规定的情况，将第二种情况取为方程 (6.14), (6.15) 规定的情况，这样便有

$$\begin{aligned}w(\xi)=\int_0^l(qw_1+m\psi_1)dx+\Bigg\{&\left(Q+N\frac{dw}{dx}\right)w_1\\&-M\psi_1-\left[C\left(\frac{dw_1}{dx}-\psi_1\right)\right.\\&\left.+N\frac{dw_1}{dx}\right]w-D\frac{d\psi_1}{dx}\psi\Bigg\}\Bigg|_0^l.\end{aligned} \tag{6.16a}$$

为了求 $x=\xi$ 点上的转角 $\psi(\xi)$. 可以用方程 (6.11), (6.12) 定义的 w_2, ψ_2. 最后得到类似的公式

$$\begin{aligned}\psi(\xi)=\int_0^l(qw_2+m\psi_2)dx+\Bigg\{&\left(Q+N\frac{dw}{dx}\right)w_2\\&-M\psi_2-\left[C\left(\frac{dw_2}{dx}-\psi_2\right)\right.\\&\left.+N\frac{dw_2}{dx}\right]w-D\frac{d\psi_2}{dx}\psi\Bigg\}\Bigg|_0^l.\end{aligned} \tag{6.16b}$$

公式 (6.16) 的右端只出现已知的边界值，这是因为在决定 w_i, $\psi_i(i=1,2)$ 的边界条件时已保证了在梁的两端

不是 $w_i=0$，便是 $Q+N\frac{dw}{dx}=$ 已知，

不是 $\psi_i=0$，便是 $M=$ 已知，

不是 $C\left(\frac{dw_i}{dx}-\psi_i\right)+N\frac{dw_i}{dx}=0$，便是 $w=$ 已知，

不是 $-D\frac{d\psi_i}{dx}=0$，便是 $\psi=$ 已知.

§ 3.7 Castigliano 定理与最小势能原理

Castigliano 定理在梁的二广义位移理论和经典理论中的表现形式没有很大的差别，这是因为在两种理论中，梁的内力都是 M 和 Q 两个. 一个本质的差别是在经典理论中，由于没有剪应变，所以剪力 Q 不作功，而在二广义位移理论中，Q 是要作功的. 这样梁的余应变能 Γ^2 的算式是

$$\Gamma^2=\int_0^l\left(\frac{M^2}{2D}+\frac{Q^2}{2C}\right)dx. \tag{7.1}$$

此式右端可分解成两项，其中的第一项和 § 2.3 公式(3.1)相同，代表弯矩的余应变能，而第二项代表剪力的余应变能.

考虑梁在分布载荷和边界力作用下的平衡问题. 设想分布载荷和边界力有了变分 δq，δm，δQ_0，δM_0，δQ_l，δM_l，相应地梁内的内力有了可能的变分 δM，δQ. 现在在公式(6.3)中将 q，m，Q，M 取为可能的变分状态，将 w，ψ 取为梁实际有的位移，便有

$$\int_0^l(w\delta q+\psi\delta m)\,dx+(w\delta Q-\psi\delta M)\Big|_0^l$$
$$=\int_0^l\left\{-\frac{d\psi}{dx}\delta M+\left(\frac{dw}{dx}-\psi\right)\delta Q\right\}dx. \tag{7.2}$$

从公式(7.1)求 Γ^2 的变分，然后利用应力应变关系(1.5)，可得到

$$\delta\Gamma^2=\int_0^l\left(\frac{M\delta M}{D}+\frac{Q\delta Q}{C}\right)dx$$

$$= \int_0^l \left\{ - \frac{d\psi}{dx} \delta M + \left(\frac{dw}{dx} - \psi \right) \delta Q \right\} dx. \tag{7.3}$$

对比 (7.2), (7.3) 两式，得到

$$\delta \Gamma^2 = \int_0^l (w\delta q + \psi \delta m) dx + (w\delta Q - \psi \delta M) \Big|_0^l. \tag{7.4}$$

此式与经典理论中对应的 (§ 2.3) 公式 (3.4) 的差别，主要在于增加了与 δm 有关的一项.

根据边界条件的具体性质，还可对公式 (7.4) 作适当的处理. 例如对于一端 ($x = 0$) 固支一端 ($x = l$) 简支的梁，因有边界条件

$$\begin{aligned} &\text{在 } x = 0 \text{ 处: } w = \bar{w}_0, \ \psi = \bar{\psi}_0, \\ &\text{在 } x = l \text{ 处: } w = \bar{w}_l, \ M = \bar{M}_l, \end{aligned} \tag{7.5}$$

公式 (7.4) 可写成为

$$\delta \Gamma = \int_0^l (w\delta q + \psi \delta m) dx - \psi'(l) \delta \bar{M}_l. \tag{7.6}$$

其中

$$\Gamma = \Gamma^2 - \bar{w}_l Q_l + \bar{w}_0 Q_0 - \bar{\psi}_0 M_0. \tag{7.7}$$

这里的泛函 Γ 代表了整个系统的余能. 它也由两部份组成：一部份 Γ^2 是梁的余应变能，另一部是边界上已知位移的余能.

和经典理论中的 Castigliano 定理一样，公式(7.4)，(7.6) 中的变分状态，只要求是一种静力可能的状态，并不要求是一种实际可能的状态. 对于超静定的梁，当外载荷无变分时，内力仍有静力可能的变分，即由超静定内力引起的整个内力的变分. 对于这些由超静定内力引起的变分，公式(7.6)简化为

$$\delta \Gamma = 0. \tag{7.8}$$

考虑到在本章理论中同样有

$$\delta^2 \Gamma > 0, \tag{7.9}$$

这样又得到最小余能原理：在所有静力可能的内力状态中，真实状态使系统的余能取最小值. 事实上，最小余能原理适用于所有的线性弹性结构（也适用于非线性的弹性结构），所不同的只在于余能 Γ 的具体算式.

下面再介绍一下本章理论中的最小势能原理．最小势能原理也是普遍适用于各种线性的以及非线性的弹性结构，所不同的也只在于势能的具体表达式．

作为一个例子，考虑一个一端 $(x=0)$ 固支一端 $(x=l)$ 自由的梁，承受轴向拉力 N，分布载荷 q，m，以及自由端上的力 $\overline{Y}_l$ 和力矩 $\overline{M}_l$ 的平衡问题．梁的挠度 w 和转角 ψ 应满足下列微分方程和边界条件

$$-\frac{d}{dx}\left[C\left(\frac{dw}{dx}-\psi\right)\right]-N\frac{d^2w}{dx^2}=q,$$

$$-\frac{d}{dx}\left(D\frac{d\psi}{dx}\right)-C\left(\frac{dw}{dx}-\psi\right)=m. \tag{7.10}$$

$$\text{在 } x=0 \text{ 处：} w=\overline{w}_0,\ \psi=\overline{\psi}_0, \tag{7.11}$$

$$\text{在 } x=l \text{ 处：} C\left(\frac{dw}{dx}-\psi\right)+N\frac{dw}{dx}=\overline{Y}_l,$$

$$-D\frac{d\psi}{dx}=\overline{M}_l. \tag{7.12}$$

在本问题中，整个系统的势能 Π 的算式是

$$\Pi(w,\psi)=\int_0^l\left\{\frac{D}{2}\left(\frac{d\psi}{dx}\right)^2+\frac{C}{2}\left(\frac{dw}{dx}-\psi\right)^2+\frac{N}{2}\left(\frac{dw}{dx}\right)^2\right.$$
$$\left.-qw-m\psi\right\}dx-\overline{Y}_lw(l)+\overline{M}_l\psi(l). \tag{7.13}$$

上式右端可分解成七项，其中的第一项是梁的弯曲应变能，第二项是剪切应变能，第三项是轴向拉力的势能，第四第五两项是分布载荷的势能，最后两项是已知的边界力的势能．

设 w，ψ 是精确解，它们满足方程 (7.10)—(7.12)．再设 w_k，ψ_k 是一组变形可能的位移，我们只知道它们是 x 的连续可导的函数[1)]，并且满足下列边界条件：

$$\text{在 } x=0 \text{ 处：} w_k=\overline{w}_0,\ \psi_k=\overline{\psi}_0. \tag{7.14}$$

---

1) 在梁的经典理论中，w' 必须是 x 的连续可导的函数．但在考虑剪切变形的本章理论中，只要求 w 是 x 的连续可导的函数，而 w' 可以在某些点上不连续．事实上在集上载荷的作用点上，w' 是不连续的．

再命

$$\begin{aligned}&\Delta w = w_k - w,\ w_k = w + \Delta w,\\&\Delta\psi = \psi_k - \psi,\ \psi_k = \psi + \Delta\psi.\end{aligned}\tag{7.15}$$

Δw, $\Delta\psi$ 是有限的量，它们是 w_k, ψ_k 相对于 w, ψ 的增量，不是 w, ψ 的变分. 从 (7.11), (7.14) 知 Δw, $\Delta\psi$ 满足下列齐次边界条件

$$\text{在 } x = 0 \text{ 处：} \Delta w = 0,\ \Delta\psi = 0.\tag{7.16}$$

与可能位移 w_k, ψ_k 相应的势能是

$$\begin{aligned}\Pi(w_k, \psi_k) = \int_0^l \Big\{&\frac{D}{2}\left(\frac{d\psi_k}{dx}\right)^2 + \frac{C}{2}\left(\frac{dw_k}{dx} - \psi_k\right)^2\\&+ \frac{N}{2}\left(\frac{dw_k}{dx}\right)^2 - qw_k - m\psi_k\Big\}dx\\&- \overline{Y}_l w_k(l) + \overline{M}_l\psi_k(l).\end{aligned}\tag{7.17}$$

为了比较精确势能 (7.13) 与可能势能 (7.17) 的大小，求它们的差，得到[1]

$$\begin{aligned}\Pi(w_k, \psi_k) - \Pi(w, \psi) &= \Pi(w + \Delta w, \psi + \Delta\psi) - \Pi(w, \psi)\\&= 2\Pi^{11}(w, \psi, \Delta w, \Delta\psi) + \Pi^2(\Delta w, \Delta\psi),\end{aligned}\tag{7.18}$$

其中

$$\begin{aligned}2\Pi^{11}(w, \psi, \Delta w, \Delta\psi) = \int_0^l \Big\{&D\frac{d\psi}{dx}\frac{d\Delta\psi}{dx}\\&+ C\left(\frac{dw}{dx} - \psi\right)\left(\frac{d\Delta w}{dx} - \Delta\psi\right) + N\frac{dw}{dx}\frac{d\Delta w}{dx}\\&- q\Delta w - m\Delta\psi\Big\}dx - \overline{Y}_l\Delta w(l) + \overline{M}_l\Delta\psi(l),\end{aligned}\tag{7.19}$$

$$\begin{aligned}\Pi^2(\Delta w, \Delta\psi) = \frac{1}{2}\int_0^l \Big\{&D\left(\frac{d\Delta\psi}{dx}\right)^2 + C\left(\frac{d\Delta w}{dx} - \Delta\psi\right)^2\\&+ N\left(\frac{d\Delta w}{dx}\right)^2\Big\}dx.\end{aligned}\tag{7.20}$$

---

1) 请再看一下第 42 页上的注脚 2).

在功的互等定理 (6.8) 中，把第一种状态取为真实状态(精确解)，第二种状态取为由增量 Δw，$\Delta\psi$ 代表的状态，这样便有

$$\int_0^l (q\Delta w + m\Delta\psi)dx + \bar{Y}_l\Delta w(l) - \bar{M}_l\Delta\psi(l)$$

$$= \int_0^l \left\{D\frac{d\psi}{dx}\frac{d\Delta\psi}{dx} + C\left(\frac{dw}{dx} - \psi\right)\left(\frac{d\Delta w}{dx} - \Delta\psi\right) + N\frac{dw}{dx}\frac{d\Delta w}{dx}\right\}dx,$$

由此可知

$$2\Pi^{11}(w, \psi, \Delta w, \Delta\psi) = 0。 \tag{7.21}$$

这样 (7.18) 变为

$$\Pi(w_k, \psi_k) = \Pi(w, \psi) + \Pi^2(\Delta w, \Delta\psi). \tag{7.22}$$

从算式 (7.20) 可以看到，当 $N \geqslant 0$ 时，$\Pi^2(\Delta w, \Delta\psi) \geqslant 0$. 当 $N < 0$ 但轴向压力尚未达到临界压力时，后面将证明也有 $\Pi^2(\Delta w, \Delta\psi) > 0$. 因此对于这样的轴向力必有

$$\Pi(w_k, \psi_k) \geqslant \Pi(w, \psi). \tag{7.23}$$

这便是希望证明的最小势能原理.

§ 3.8 解平衡问题的有限元素法

继续考虑梁在轴向拉力和横向分布载荷作用下的平衡问题. 本节介绍根据最小势能原理的有限元素法. 这里的做法与 § 2.8 介绍的梁的经典理论中的有限元素法大体上相同. 先将梁分割成若干个 (例如 n 个) 小的有限元素. 第 e 个有限元素仍如 § 2.8 图 8.1 所示. 继续采用 § 2.8 中的记号 x_i, x_j, l_e, α, β. 对于每个结点，仍赋予它两个位移参数 w 和 ψ. 在梁的经典理论中，$\psi = w'$，因此 w 和 ψ 并不代表两个独立无关的函数，但在本章的理论中，挠度 w 和转角 ψ 是可以独立地变化的两个函数. 所以从有些方面来看，本节的有限元素法比梁的经典理论中的有限元素法更为自然

和更容易理解.

当每一个元素都相当小时，通常就认为在每一个元素内刚度 D 和 C 都是常数. 这样第 e 个有限元素的势能 Π_e 便可近似地表达为

$$\Pi_e = \frac{D_e}{2}\int_{x_i}^{x_j}\left(\frac{d\phi}{dx}\right)^2 dx + \frac{C_e}{2}\int_{x_i}^{x_j}\left(\frac{dw}{dx}-\phi\right)^2 dx + \frac{N}{2}\int_{x_i}^{x_j}\left(\frac{dw}{dx}\right)^2 dx - \int_{x_i}^{x_j}(qw+m\phi)\,dx. \quad (8.1)$$

不论在这个有限元素内采用什么样的插入函数，算式 (8.1) 在算出积分后总成为 w_i, ϕ_i, w_j, ϕ_j 的二次函数，因此总可以表达成下列矩阵形式:

$$\Pi_e = \frac{1}{2}\boldsymbol{u}_e^T(\boldsymbol{K}^e + N\boldsymbol{G}^e)\boldsymbol{u}_e - \boldsymbol{F}^{eT}\boldsymbol{u}_e. \quad (8.2)$$

式中 $\boldsymbol{u}_e$ 仍代表

$$\boldsymbol{u}_e = [w_i, \phi_i, w_j, \phi_j]^T. \quad (8.3)$$

矩阵 $\boldsymbol{K}^e$, $\boldsymbol{G}^e$, $\boldsymbol{F}^e$ 仍沿用 § 2.8 的名称，分别叫做元素的刚度矩阵、元素的几何刚度矩阵和元素的广义载荷. 矩阵 $\boldsymbol{K}^e$, $\boldsymbol{G}^e$, $\boldsymbol{F}^e$ 的公式当然与有限元素内的插入公式有关.

最简单的一种插入办法是线性插入，这就是取

$$w(x) = w_i\alpha + w_j\beta, \quad \phi(x) = \phi_i\alpha + \phi_j\beta. \quad (8.4)$$

线性插入在梁的经典理论中是不允许的，因为它违背该理论中的位移连续要求. 但是在考虑剪切变形的理论中是允许的，因为本章的理论只要求 w, ϕ 连续，而不要求 w' 也连续. 当然理论上允许采用线性插入，并不等于在实用上它就具有简单而又足够精确的特性.

以后把根据线性插入得到的刚度矩阵，几何刚度矩阵和广义载荷分别记为 $\boldsymbol{K}_1^e$, $\boldsymbol{G}_1^e$, $\boldsymbol{F}_1^e$. 将 (8.4) 代入 (8.1)，算出积分，并按规定的要求进行整理排齐，便得到

$$\boldsymbol{K}_1^e = \frac{D}{l_e^3}\begin{bmatrix} \frac{1}{\lambda_e}, & \frac{1}{2\lambda_e}l_e, & -\frac{1}{\lambda_e}, & \frac{1}{2\lambda_e}l_e \\ & \left(1+\frac{1}{3\lambda_e}\right)l_e^2, & -\frac{1}{2\lambda_e}l_e, & \left(-1+\frac{1}{6\lambda_e}\right)l_e^2 \\ \text{对} & & \frac{1}{\lambda_e}, & -\frac{1}{2\lambda_e}l_e \\ & \text{称} & & \left(1+\frac{1}{3\lambda_e}\right)l_e^2 \end{bmatrix}, \tag{8.5}$$

$$\boldsymbol{G}_1^e = \frac{1}{l_e}\begin{bmatrix} 1 & 0 & -1 & 0 \\ & 0 & 0 & 0 \\ \text{对} & & 1 & 0 \\ & \text{称} & & 0 \end{bmatrix}, \tag{8.6}$$

$$\boldsymbol{F}_1^{eT} = \int_{x_i}^{x_j}[q\alpha, m\alpha, q\beta, m\beta]\,dx, \tag{8.7}$$

其中

$$\lambda_e = \frac{D}{Cl_e^2}. \tag{8.8}$$

元素刚度矩阵 $\boldsymbol{K}_1^e$ 的值与 $\frac{D}{C}$ 有关．当 $C\to\infty$ 时，$\lambda_e\to 0$，于是 $\boldsymbol{K}_1^e$ 中的元都趋近于 $\pm\infty$，而不是趋近于经典理论中的刚度矩阵§2.8公式(8.21)．这表明元素刚度矩阵 $\boldsymbol{K}_1^e$，只适用于 C 不很大时的情况，而当 C 很大时，$\boldsymbol{K}_1^e$ 实际上是不能用的．这里的毛病出在线性插入公式(8.4)，因为当 C 增加时，公式(8.4)与实际情况的差别越来越大，而当 $C\to\infty$ 时，公式(8.4)就与经典理论相抵触．

为了能得到通用于各种 C 值的元素刚度矩阵，对 w 至少要取三次函数插入，对 ψ 至少要取二次函数插入．这就是说，最低限度必须取

$$\begin{aligned} w(x) &= w_i\alpha + w_j\beta + \xi_1\alpha\beta + \xi_2(\alpha^2\beta - \alpha\beta^2), \\ \psi(x) &= \psi_i\alpha + \psi_j\beta + \eta_1\alpha\beta. \end{aligned} \tag{8.9}$$

这里 ξ_1，ξ_2，η_1 是新增加的三个待定常数. 由于 ξ_1，ξ_2，η_1 的大小只影响所在那个元素的变形，而不影响结点和其它元素的变形，所以人们把它们代表的自由度叫做元素内部的自由度. 内部自由度的大小也应该根据最小势能原理来决定. 不过它们既然只影响一个有限元素，所以只要使它们所在的那个元素的势能取最小值便可以了. 为了决定元素内部自由度 ξ_1，ξ_2，η_1 的大小，可以略去公式 (8.1) 右端的最后两项，这样得到元素势能的简化公式

$$\Pi'_e = \frac{D_e}{2}\int_{x_i}^{x_j}\left(\frac{d\phi}{dx}\right)^2 dx + \frac{C_e}{2}\int_{x_i}^{x_j}\left(\frac{dw}{dx} - \phi\right)^2 dx. \tag{8.10}$$

根据插入公式 (8.9) 计算应变，得到

$$\begin{aligned} \frac{d\phi}{dx} &= \frac{\phi_j - \phi_i}{l_e} + \frac{\eta_1}{l_e}(\alpha - \beta), \\ \frac{dw}{dx} - \phi &= \frac{w_j - w_i}{l_e} + \frac{\xi_1}{l_e}(\alpha - \beta) \\ &\quad + \frac{\xi_2}{l_e}(\alpha^2 + \beta^2 - 4\alpha\beta) - \phi_i\alpha - \phi_j\beta - \eta_1\alpha\beta. \end{aligned} \tag{8.11}$$

将此代入 (8.10)，算出积分并化为矩阵形式后得到

$$\Pi'_e = \frac{1}{2}\begin{bmatrix} w_i \\ \phi_i \\ w_j \\ \phi_j \\ \xi_1 \\ \eta_1 \\ \xi_2 \end{bmatrix}^T \left[\begin{array}{c:c} \boldsymbol{K}_1^e & \boldsymbol{L}^T \\ \hdashline \boldsymbol{L} & \boldsymbol{H} \end{array}\right] \begin{bmatrix} w_i \\ \phi_i \\ w_j \\ \phi_j \\ \xi_1 \\ \eta_1 \\ \xi_2 \end{bmatrix}, \tag{8.12}$$

式中，四阶方阵 $\boldsymbol{K}_1^e$ 仍由 (8.5) 决定，而另外两个矩阵是

$$\boldsymbol{L} = \begin{bmatrix} 0 & -\frac{C_e}{6} & 0 & \frac{C_e}{6} \\ \frac{C_e}{6} & \frac{C_e l_e}{12} & -\frac{C_e}{6} & \frac{C_e l_e}{12} \\ 0 & 0 & 0 & 0 \end{bmatrix},$$

$$
\boldsymbol{H}=\begin{bmatrix} \dfrac{C_e}{3l_e} & 0 & 0 \\ 0 & \dfrac{1+10\lambda_e}{30}C_el_e & \dfrac{C_e}{30} \\ 0 & \dfrac{C_e}{30} & \dfrac{C_e}{5l_e} \end{bmatrix}. \tag{8.13}
$$

因为 ξ_1, η_1, ξ_2 应使 Π_e' 取最小值，故有

$$
\frac{\partial \Pi_e'}{\partial \xi_1}=0,\quad \frac{\partial \Pi_e'}{\partial \eta_1}=0,\quad \frac{\partial \Pi_e'}{\partial \xi_2}=0,
$$

即

$$
\boldsymbol{L}[w_i\phi_iw_j\phi_j]^T+\boldsymbol{H}[\xi_1\eta_1\xi_2]^T=0. \tag{8.14}
$$

从这个方程便可把 ξ_1, η_1, ξ_2 用 w_i, ϕ_i, w_j, ϕ_j 来表示

$$
\begin{bmatrix} \xi_1 \\ \eta_1 \\ \xi_2 \end{bmatrix}=-\boldsymbol{H}^{-1}\boldsymbol{L}\begin{bmatrix} w_i \\ \phi_i \\ w_j \\ \phi_j \end{bmatrix}
$$

$$
=\begin{bmatrix} 0, & \dfrac{l_e}{2}, & 0, & -\dfrac{l_e}{2} \\ -\dfrac{6}{(1+12\lambda_e)l_e}, & -\dfrac{3}{1+12\lambda_e}, & \dfrac{6}{(1+12\lambda_e)l_e}, & -\dfrac{3}{1+12\lambda_e} \\ \dfrac{1}{1+12\lambda_e}, & \dfrac{l_e}{2+24\lambda_e}, & -\dfrac{1}{1+12\lambda_e}, & \dfrac{l_e}{2+24\lambda_e} \end{bmatrix}
$$

$$
\times\begin{bmatrix} w_i \\ \phi_i \\ w_j \\ \phi_j \end{bmatrix}. \tag{8.15}
$$

将 (8.15) 代入 (8.9)，得到已消去内部自由度的插入公式：

$$
\begin{aligned}
w(x)=&[\alpha+\mu_e\alpha\beta(\alpha-\beta)]w_i \\
&+[\alpha\beta+\mu_e\alpha\beta(\alpha-\beta)]\frac{l_e}{2}\phi_i \\
&+[\beta-\mu_e\alpha\beta(\alpha-\beta)]w_j
\end{aligned}
$$

$$+[-\alpha\beta+\mu_e\alpha\beta(\alpha-\beta)]\frac{l_e}{2}\psi_j,$$

$$\psi(x)=-6\mu_e\alpha\beta\frac{w_i}{l}+(\alpha-3\mu_e\alpha\beta)\psi_i$$

$$+6\mu_e\alpha\beta\frac{w_j}{l_e}+(\beta-3\mu_e\alpha\beta)\psi_j, \tag{8.16}$$

式中

$$\mu_e=\frac{1}{1+12\lambda_e}. \tag{8.17}$$

这个插入公式是等剖面的元素在无内载荷时的精确解. 事实上,根据 (8.16) 计算弯矩M和剪力Q, 得到

$$M=-D\frac{d\psi}{dx}=\frac{D}{l_e}\left\{6\mu_e(\alpha-\beta)\frac{w_i-w_j}{l_e}\right.$$

$$\left.+3\mu_e(\alpha-\beta)(\psi_i+\psi_j)+\psi_i-\psi_j\right\},$$

$$Q=C\left(\frac{dw}{dx}-\psi\right)=\frac{12D}{l_e^2}\left\{-\mu_e\frac{w_i-w_j}{l_e}\right.$$

$$\left.-\frac{\mu_e}{2}(\psi_i+\psi_j)\right\}.$$

这两个内力满足齐次平衡方程

$$\frac{dM}{dx}-Q=0,\ \frac{dQ}{dx}=0.$$

把插入公式 (8.16) 代入势能 Π_e 的算式 (8.1), 便可算出相应的刚度矩阵 $\boldsymbol{K}_3^e$ 和几何刚度矩阵 $\boldsymbol{G}_3^e$ (下标 3 是指 w 系用 3 次多项式插入):

$$K_3^e=\frac{2D_e\mu_e}{l_e^3}\begin{bmatrix}6, & 3l_e, & -6, & 3l_e \\ & (2+6\lambda_e)l_e^2, & -3l_e, & (1-6\lambda_e)l_e^2 \\ & & 6, & -3l_e \\ & \text{对称} & & (2+6\lambda_e)l_e^2\end{bmatrix}, \tag{8.18}$$

$$G_3^e=\frac{1}{60l_e}$$

$$\times\begin{bmatrix} 60+12\mu_e^2, & 6\mu_e^2 l_e, & -60-12\mu_e^2, & 6\mu_e^2 l_e \\ & (5+3\mu_e^2)l_e^2, & -6\mu_e^2 l_e, & (-5+3\mu_e^2)l_e^2 \\ & & 60+12\mu_e^2, & -6\mu_e^2 l_e \\ & \text{对称} & & (5+3\mu_e^2)l_e^2 \end{bmatrix}. \tag{8.19}$$

在这两个矩阵中，命 $C\to\infty$，$\lambda_e\to 0$，$\mu_e\to 1$，就得到经典理论中对应的矩阵［见§2.8公式(8.21)，(8.22)］，这是因为在这个极限情况下，插入公式（8.16）退回到经典理论中的插入公式§2.8（8.13）.

广义载荷 $\boldsymbol{F}^e$ 相应于 Π_e 中的线性项，即

$$\boldsymbol{F}^{eT}u_e=\int_{x_i}^{x_j}(qw+m\phi)\,dx. \tag{8.20}$$

将插入公式(8.16)代入上式，便可求得 $\boldsymbol{F}^{eT}$，这里不列出它的公式了.

求得元素的刚度矩阵、几何刚度矩阵以及广义载荷之后，再接下去的做法在所有的有限元素法中便都相同了. 先利用§2.8说明的矩阵扩张的办法求整个梁的刚度矩阵 $\boldsymbol{K}$、几何刚度矩阵 $\boldsymbol{G}$ 和广义载荷 $\boldsymbol{F}$:

$$\boldsymbol{K}=\sum_{e=1}^{n}\boldsymbol{K}^e,\ \boldsymbol{G}=\sum_{e=1}^{n}\boldsymbol{G}^e,\ \boldsymbol{F}=\sum_{e=1}^{n}\boldsymbol{F}^e, \tag{8.21}$$

于是整个系统的势能 Π 的算式变为

$$\Pi=\frac{1}{2}\boldsymbol{u}^T(\boldsymbol{K}+N\boldsymbol{G})\boldsymbol{u}-\boldsymbol{F}^T\boldsymbol{u}, \tag{8.22}$$

而根据最小势能原理得到联立方程

$$(\boldsymbol{K}+N\boldsymbol{G})\boldsymbol{u}=\boldsymbol{F}. \tag{8.23}$$

§3.9 带有小参数的线性联立方程组和摄动法

在二广义位移梁的理论中有两个刚度系数：弯曲刚度 D 和剪切刚度 C. 如果在上节说明的有限元素法中对挠度和转角采用线

性插入，那末最终得到的梁的刚度矩阵 $\boldsymbol{K}$ 将可分解为两个：一个与 D 成正比，另一个与 C 成正比．在化成无量纲的量以后，通常 D 要比 C 小许多．于是在方程中出现了小参数．即使对挠度采用 3 次插入，对转角采用 2 次插入，这样得到的刚度矩阵仍可分解为具有一大一小两个参数的两个矩阵． 事实上若命 $\boldsymbol{K}_0$ 为相当的经典理论中的刚度矩阵，那末把 $\boldsymbol{K}$ 写成

$$\boldsymbol{K}=\boldsymbol{K}_0+(\boldsymbol{K}-\boldsymbol{K}_0)$$

之后，矩阵 $(\boldsymbol{K}-\boldsymbol{K}_0)$ 中的元素一般地要比 $\boldsymbol{K}_0$ 中的元素小许多．具有小参数的线性联立方程组的一般形式可以表达为

$$(\boldsymbol{K}_0+\varepsilon \boldsymbol{K}_1)\boldsymbol{u}=\boldsymbol{F}. \tag{9.1}$$

式中 ε 为一小参数，而矩阵 $\boldsymbol{K}_0$ 与 $\boldsymbol{K}_1$ 中的元，大体上在同一数量级．在弹性力学问题中，$\boldsymbol{K}_0$ 和 $\boldsymbol{K}_1$ 仍都为对称矩阵．

不仅具有两个刚度的梁的问题会导致 (9.1) 形式的方程，还有其他许多问题也会导致这类方程．例如在杆件体系的结构力学中，杆件的拉压刚度较大而弯曲刚度较小，因而最后也会导致 (9.1) 形式的联立方程．还有在一般的壳体问题中，拉压刚度与弯曲刚度也相差很大． 所以本节介绍的小参数法，具有相当普遍的实用意义．

一种经常应用的利用小参数 ε 的解法是摄动法．摄动法又可分为正常(非奇异)摄动法(简称摄动法)和奇异摄动法两大类．

正常摄动法适用于

$$|\boldsymbol{K}_0|\neq 0 \tag{9.2}$$

的情况．在这种情况下，方程 (9.1) 的解可展开为 ε 的幂级数：

$$\boldsymbol{u}=\boldsymbol{u}_0+\boldsymbol{u}_1\varepsilon+\boldsymbol{u}_2\varepsilon^2+\cdots. \tag{9.3}$$

将此式代入 (9.1)，然后使 ε 级数的每一项都等于零，得到

$$\begin{aligned}&\boldsymbol{K}_0\boldsymbol{u}_0=\boldsymbol{F},\\&\boldsymbol{K}_0\boldsymbol{u}_n=-\boldsymbol{K}_1\boldsymbol{u}_{n-1},\quad n=1,2,\cdots.\end{aligned} \tag{9.4}$$

由此可以求得

$$\begin{aligned}&\boldsymbol{u}_0=\boldsymbol{K}_0^{-1}\boldsymbol{F}_1,\\&\boldsymbol{u}_n=-\boldsymbol{K}_0^{-1}\boldsymbol{K}_1\boldsymbol{u}_{n-1},\quad n=1,2,\cdots.\end{aligned} \tag{9.5}$$

可见在正常摄动法中，只要算一个矩阵 $\boldsymbol{K}_0$ 的逆，然后做一系列的矩阵乘法，便可得到所要的解. 正常摄动法实际上相当于把逆矩阵 $(\boldsymbol{K}_0+\varepsilon\boldsymbol{K}_1)^{-1}$ 对 ε 展开. 用 $\boldsymbol{K}_0^{-1}$ 前乘方程 (9.1)，得到

$$(\boldsymbol{I}+\varepsilon\boldsymbol{K}_0^{-1}\boldsymbol{K}_1)\boldsymbol{u}=\boldsymbol{K}_0^{-1}\boldsymbol{F},$$

由此得到

$$\begin{aligned}\boldsymbol{u}&=(\boldsymbol{I}+\varepsilon\boldsymbol{K}_0^{-1}\boldsymbol{K}_1)^{-1}\boldsymbol{K}_0^{-1}\boldsymbol{F}\\&=[\boldsymbol{I}-\varepsilon\boldsymbol{K}_0^{-1}\boldsymbol{K}_1+\varepsilon^2(\boldsymbol{K}_0^{-1}\boldsymbol{K}_1)^2\cdots\cdots]\boldsymbol{K}_0^{-1}\boldsymbol{F}.\end{aligned}\tag{9.6}$$

此式的右端已展开成 ε 的幂级数.

如果

$$|\boldsymbol{K}_0|=0,\tag{9.7}$$

那末由于在这种情况下 $\boldsymbol{K}_0^{-1}$ 不存在，上述正常摄动法便不适用了，而必须应用奇导摄动法. 在奇异摄动法中，把 $\boldsymbol{u}$ 展开成下列形式的级数：

$$\begin{aligned}\boldsymbol{u}=&\frac{\boldsymbol{u}_{-m}}{\varepsilon^m}+\frac{\boldsymbol{u}_{-m+1}}{\varepsilon^{m-1}}+\cdots\\&+\frac{\boldsymbol{u}_{-1}}{\varepsilon}+\boldsymbol{u}_0+\boldsymbol{u}_1\varepsilon+\boldsymbol{u}_2\varepsilon^2+\cdots\end{aligned}\tag{9.8}$$

在大多数结构力学问题中，取 $m=1$ 便可以了，即取

$$\boldsymbol{u}=\frac{\boldsymbol{u}_{-1}}{\varepsilon}+\boldsymbol{u}_0+\boldsymbol{u}_1\varepsilon+\boldsymbol{u}_2\varepsilon^2+\cdots.\tag{9.9}$$

下面我们就限于讨论 (9.9) 的情况.

将 (9.9) 代入 (9.1)，并令 $\dfrac{1}{\varepsilon}$ 的系数为零，得到

$$\boldsymbol{K}_0\boldsymbol{u}_{-1}=0.\tag{9.10}$$

因为 $|\boldsymbol{K}_0|=0$，所以这个方程是有非零解的. 设方程 (9.10) 有 f 个线性无关的解

$$\boldsymbol{u}=\boldsymbol{\varphi}_1,\ \boldsymbol{u}=\boldsymbol{\varphi}_2,\ \cdots,\boldsymbol{u}=\boldsymbol{\varphi}_f.$$

把这 f 个解组成一个矩阵

$$\boldsymbol{\varphi}=[\boldsymbol{\varphi}_1,\boldsymbol{\varphi}_2,\cdots,\boldsymbol{\varphi}_f],\tag{9.11}$$

那末方程 (9.10) 的任一个解总可以表达为

$$\boldsymbol{u}_{-1} = \boldsymbol{\varphi\lambda}. \tag{9.12}$$

这里 $\boldsymbol{\lambda}$ 是一个 f 阶的列阵.

将 (9.9) 代入 (9.1), 并令 ε^0 的系数相等,得到

$$\boldsymbol{K}_0\boldsymbol{u}_0 = \boldsymbol{F} - \boldsymbol{K}_1\boldsymbol{u}_{-1} = \boldsymbol{F} - \boldsymbol{K}_1\boldsymbol{\varphi\lambda}. \tag{9.13}$$

由于 $|\boldsymbol{K}_0| = 0$, 方程 (9.13) 并不是在任意的 $\boldsymbol{\lambda}$ 值的情况下都有解. 要使 (9.13) 有解的充分必要条件是

$$\boldsymbol{\varphi}^T(\boldsymbol{F} - \boldsymbol{K}_1\boldsymbol{\varphi\lambda}) = 0,$$

由此得到 $\boldsymbol{\lambda}$ 的一个方程

$$\boldsymbol{\varphi}^T\boldsymbol{K}_1\boldsymbol{\varphi\lambda} = \boldsymbol{\varphi}^T\boldsymbol{F}. \tag{9.14}$$

如果矩阵 $\boldsymbol{\varphi}^T\boldsymbol{K}_1\boldsymbol{\varphi}$ 有逆,则从上式即可得到

$$\boldsymbol{\lambda} = (\boldsymbol{\varphi}^T\boldsymbol{K}_1\boldsymbol{\varphi})^{-1}\boldsymbol{\varphi}^T\boldsymbol{F}. \tag{9.15}$$

如果矩阵 $\boldsymbol{\varphi}^T\boldsymbol{K}_1\boldsymbol{\varphi}$ 无逆, 那末方程 (9.14) 在一般情况下无解, 于是方程 (9.13) 也无解. 这表明 (9.9) 形式的级数不适用, 而必须采用 (9.8) 形式的级数. 下面我们只讨论 $\boldsymbol{\varphi}^T\boldsymbol{K}_1\boldsymbol{\varphi}$ 有逆的简单情况. 当 $\boldsymbol{\lambda}$ 由 (9.15) 决定之后, 方程 (9.13) 便有解了, 并且这个解不是唯一的, 其中包含有形如 $\boldsymbol{\varphi\lambda}$ 的不定项. 为了使 $\boldsymbol{u}_0$ 能唯一地确定, 并为了保证以后能依次求得 $\boldsymbol{u}_1$, $\boldsymbol{u}_2$, $\cdots$, 可以而且必须附加一个条件

$$\boldsymbol{\varphi}^T\boldsymbol{K}_1\boldsymbol{u}_0 = 0. \tag{9.16}$$

将 (9.9) 代入 (9.1), 并令 ε 的系数为零, 得到

$$\boldsymbol{K}_0\boldsymbol{u}_1 = -\boldsymbol{K}_1\boldsymbol{u}_0. \tag{9.17}$$

由于 $\boldsymbol{u}_0$ 已满足了(9.16), 所以方程 (9.17) 是有解的, 并可以对 $\boldsymbol{u}_1$ 附加一个条件

$$\boldsymbol{\varphi}^T\boldsymbol{K}_1\boldsymbol{u}_1 = 0. \tag{9.18}$$

以后用类似的办法可依次求得 $\boldsymbol{u}_2$, $\boldsymbol{u}_3$, $\cdots$.

上面说明的只是奇异摄动法的原理. 要照它作数字计算, 还有不少困难. 因此还需要合适的数字计算方法. 这类方法是很多的. 下面介绍其中的一个.

先求方程

$$\boldsymbol{K}_0\boldsymbol{u} = 0 \tag{9.19}$$

的 f 个线性无关的解

$$\boldsymbol{u} = [\boldsymbol{\varphi}_1, \boldsymbol{\varphi}_2, \cdots, \boldsymbol{\varphi}_f] = \boldsymbol{\varphi}. \tag{9.20}$$

最好能使 $\boldsymbol{\varphi}$ 满足正交归一条件

$$\boldsymbol{\varphi}^T \boldsymbol{K}_1 \boldsymbol{\varphi} = \boldsymbol{I}_f. \tag{9.21}$$

其中 $\boldsymbol{I}_f$ 是 f 阶的单位矩阵. 做到正交归一化，能使后面的计算简单些. 做不到这一点，后面的计算仍能继续进行下去. 设原方程 (9.1) 的阶数为 n . 现在再求 $(n-f)$ 个线性无关的列阵

$$[\boldsymbol{\psi}_1, \boldsymbol{\psi}_2, \cdots, \boldsymbol{\psi}_{(n-f)}] = \boldsymbol{\psi}, \tag{9.22}$$

使 $\boldsymbol{\psi}$ 与 $\boldsymbol{\varphi}$ 正交，即使

$$\boldsymbol{\varphi}^T \boldsymbol{K}_1 \boldsymbol{\psi} = \boldsymbol{\psi}^T \boldsymbol{K}_1 \boldsymbol{\varphi} = 0. \tag{9.23}$$

对于结构力学问题，当 $\varepsilon \neq 0$ 时矩阵 $(\boldsymbol{K}_0 + \varepsilon \boldsymbol{K}_1)$ 总是非奇异的，它的逆 $(\boldsymbol{K}_0 + \varepsilon \boldsymbol{K}_1)^{-1}$ 总是存在的. 由此可以证明矩阵 $\boldsymbol{\psi}^T \boldsymbol{K}_0 \boldsymbol{\psi}$ 也必定是非奇异的，它的逆 $(\boldsymbol{\psi}^T \boldsymbol{K}_0 \boldsymbol{\psi})^{-1}$ 也必存在. 和 $\boldsymbol{\varphi}$ 的情况类似，对于 $\boldsymbol{\psi}$ 也最好能使它满足另一个正交归一条件

$$\boldsymbol{\psi}^T \boldsymbol{K}_0 \boldsymbol{\psi} = \boldsymbol{I}_{(n-f)}. \tag{9.24}$$

这里 $\boldsymbol{I}_{(n-f)}$ 是 $(n-f)$ 阶的单位矩阵. 不过做不到正交归一，并不妨碍后面继续进行计算. 如果把 $\boldsymbol{u}$ 看作是 n 维空间中的一个矢量，那末矩阵 $\boldsymbol{\varphi}$ 与 $\boldsymbol{\psi}$ 中的列矢量分别决定了两个互补的并且是正交的子空间. 于是任意一个矢量 $\boldsymbol{u}$ 总可以按 $\boldsymbol{\varphi}$ 和 $\boldsymbol{\psi}$ 分解而得到

$$\boldsymbol{u} = \boldsymbol{\varphi}\boldsymbol{\lambda} + \boldsymbol{\psi}\boldsymbol{\mu}. \tag{9.25}$$

这里 $\boldsymbol{\lambda}$ 是 f 阶的列矢量，$\boldsymbol{\mu}$ 是 $(n-f)$ 阶的列矢量. 根据 (9.25)，原来求 $\boldsymbol{u}$ 的问题可转化为求 $\boldsymbol{\lambda}$ 和 $\boldsymbol{\mu}$ 的问题.

为了将方程 (9.1) 转变为便于求 $\boldsymbol{\lambda}$ 和 $\boldsymbol{\mu}$ 的方程，先将 $\boldsymbol{F}$ 分解成下列两项之和[1)]

$$\boldsymbol{F} = \boldsymbol{F}_r + (\boldsymbol{F} - \boldsymbol{F}_r), \tag{9.26}$$

其中[2)]

$$\boldsymbol{F}_r = \boldsymbol{K}_1 \boldsymbol{\varphi} (\boldsymbol{\varphi}^T \boldsymbol{K}_1 \boldsymbol{\varphi})^{-1} \boldsymbol{\varphi}^T \boldsymbol{F}. \tag{9.27}$$

(9.26) 中的第二项 $(\boldsymbol{F} - \boldsymbol{F}_r)$ 满足下列条件

---

1) $\boldsymbol{F}_r$ 相当于振动问题中引起共振的广义力，所以用了下标 r

2) 前已说明，本节只讨论 $(\boldsymbol{\varphi}^T \boldsymbol{K}_1 \boldsymbol{\varphi})^{-1}$ 存在的简单情况.

$$\boldsymbol{\varphi}^T(\boldsymbol{F} - \boldsymbol{F}_r) = 0. \tag{9.28}$$

现在将 (9.25),(9.26) 代入(9.1),注意到 $\boldsymbol{\varphi}$ 满足方程 (9.19),便有

$$\varepsilon \boldsymbol{K}_1\boldsymbol{\varphi}\boldsymbol{\lambda} + (\boldsymbol{K}_0 + \varepsilon \boldsymbol{K}_1)\boldsymbol{\psi}\boldsymbol{\mu} = \boldsymbol{F}_r + (\boldsymbol{F} - \boldsymbol{F}_r). \tag{9.29}$$

对应于此式右端的 $\boldsymbol{F}_r$,可以取

$$\boldsymbol{\lambda} = \frac{1}{\varepsilon}(\boldsymbol{\varphi}^T\boldsymbol{K}_1\boldsymbol{\varphi})^{-1}\boldsymbol{\varphi}^T\boldsymbol{F}. \tag{9.30}$$

这样方程 (9.29) 变为

$$(\boldsymbol{K}_0 + \varepsilon \boldsymbol{K}_1)\boldsymbol{\psi}\boldsymbol{\mu} = \boldsymbol{F} - \boldsymbol{F}_r. \tag{9.31}$$

用 $\boldsymbol{\psi}^T$ 前乘上式,得到

$$(\boldsymbol{K}_0' + \varepsilon \boldsymbol{K}_1')\boldsymbol{\mu} = \boldsymbol{F}', \tag{9.32}$$

其中

$$\boldsymbol{K}_0' = \boldsymbol{\psi}^T\boldsymbol{K}_0\boldsymbol{\psi},\ \boldsymbol{K}_1' = \boldsymbol{\psi}^T\boldsymbol{K}_1\boldsymbol{\psi},\ \boldsymbol{F}' = \boldsymbol{\psi}^T(\boldsymbol{F} - \boldsymbol{F}_r). \tag{9.33}$$

方程 (9.32) 恢复到正常摄动法中讨论过的形式,由此可知 $\boldsymbol{\mu}$ 的解为

$$\boldsymbol{\mu} = [\boldsymbol{I}_{(n-f)} - \varepsilon \boldsymbol{K}_0'^{-1}\boldsymbol{K}_1' + \varepsilon^2(\boldsymbol{K}_0'^{-1}\boldsymbol{K}_1')^2 - \cdots]\boldsymbol{K}_0'^{-1}\boldsymbol{F}'. \tag{9.34}$$

将这样求得的结果与级数 (9.9) 对比一下可以看到,(9.25) 中的第一项 $\boldsymbol{\varphi}\boldsymbol{\lambda}$ 就是 (9.9) 中的第一项,而 (9.25) 中的第二项,就是 (9.9) 中的其余各项.

§ 3.10 关于临界压力的变分式

考虑一个变剖面梁在轴向压力 P 作用下的稳定性问题. 梁的边界条件限于固支、简支、自由三种典型情况. 在第二章,我们先建立关于临界压力的微分方程的本征值问题,然后再推导出关于临界压力的变分式. 本节,我们先来建立关于临界压力的变分式,然后推导出微分方程和边界条件.

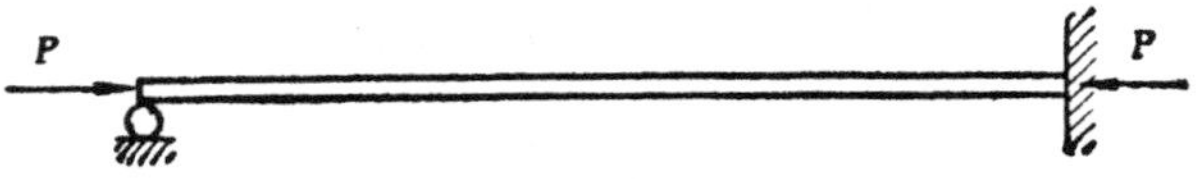

图 10.1

设想梁在轴向压力 P 作用下产生了挠度 w 和转角 ψ. 设这时整个系统的势能为 Π. 公式 (7.13) 已给出了一般情况下势能的算式. 在本问题中,没有横向载荷,而 $N = -P$, 公式 (7.13) 简化为

$$\Pi = \frac{1}{2}\int_0^l \left\{D\left(\frac{d\psi}{dx}\right)^2 + C\left(\frac{dw}{dx} - \psi\right)^2 - P\left(\frac{dw}{dx}\right)^2\right\} dx. \quad (10.1)$$

把 Π 看作是自变函数 w 和 ψ 的泛函,而把 P 看作是一个参数. 当 $P = 0$ 或 P 很小时, Π 是一个正泛函, 即除了 $w = \psi = 0$ 能使 $\Pi = 0$ 以外,其他任何满足位移边界条件的 w, ψ, 都使 $\Pi > 0$. 当 P 很大时, Π 就可能大于零, 也有可能小于零, 而根据最小势能原理, 这时梁已失去稳定. 由此可知, 临界压力 P_{cr} 相当于 Π 成为半正泛函,即除了 $w \quad \psi = 0$ 之外, Π 还有可能等于零,但不可能小于零. 于是得到临界压力的变分式

$$P_{cr} = \min \frac{\int_0^l \left\{D\left(\frac{d\psi}{dx}\right)^2 + C\left(\frac{dw}{dx} - \psi\right)^2\right\} dx}{\int_0^l \left(\frac{dw}{dx}\right)^2 dx}. \quad (10.2)$$

此式右端的泛函,除了具有极小值以外,还有许多驻立值. 因此若用 P 代表驻立值(包括极小值),则可将 (10.2) 推广为

$$P \quad \mathrm{st} \frac{\int_0^l \left\{D\left(\frac{d\psi}{dx}\right)^2 + C\left(\frac{dw}{dx} - \psi\right)^2\right\} dx}{\int^l \left(\frac{dw}{dx}\right)^2 dx}. \quad (10.3)$$

自变函数 ψ 只出现在分子上, 因此 P 对 ψ 来说, 总是取极小值,因此 (10.3) 可以更明确地写成为

$$P = \mathop{\mathrm{st}}_{w} \mathop{\min}_{\psi} \frac{\int_0^l \left\{D\left(\frac{d\psi}{dx}\right)^2 + C\left(\frac{dw}{dx} - \psi\right)^2\right\} dx}{\int_0^l \left(\frac{dw}{dx}\right)^2 dx}. \quad (10.4)$$

把此式化为微分方程的本征值问题,得到

$$\frac{d}{dx}\left(D\frac{d\psi}{dx}\right)+C\left(\frac{dw}{dx}-\psi\right)=0, \qquad (10.5)$$

$$-\frac{d}{dx}\left[C\left(\frac{dw}{dx}-\psi\right)\right]+P\frac{d^2w}{dx^2}=0. \qquad (10.6)$$

在边界上:

$$D\frac{d\psi}{dx}=0,\ \text{或原已有的}\ \psi=0, \qquad (10.7a)$$

$$C\left(\frac{dw}{dx}-\psi\right)-P\frac{dw}{dx}=0,\ \text{或原已有的}\ w=0. \qquad (10.7b)$$

下面来讨论由(10.4),也即由(10.5)—(10.7)定义的本征值与本征函数的特性. 设 P_n 为第 n 个本征值, w_n 和 ψ_n 为相应的本征函数. 由于在本征函数中有一个不确定的常倍数,可附加一个适当的归一化条件,例如

$$\int_0^l\left(\frac{dw}{dx}\right)^2dx=\frac{1}{l}. \qquad (10.8)$$

这样变分式 (10.4) 变为

$$P=\underset{w}{\text{st}}\ \underset{\psi}{\min}\ l\int_0^l\left\{D\left(\frac{d\psi}{dx}\right)^2+C\left(\frac{dw}{dx}-\psi\right)^2\right\}dx. \qquad (10.9)$$

此式中的自变函数 w 和 ψ ,除必须满足位移边界条件以外,还必须满足积分条件 (10.8), 因此 (10.9) 是一个条件驻立值.

和前面讨论过的其他本征值问题相同, 从变分式 (10.4) 可以简单地导出正交关系

$$\int_0^l\frac{dw_i}{dx}\frac{dw_j}{dx}dx=0,$$

$$\int_0^l\left\{D\frac{d\psi_i}{dx}\frac{d\psi_j}{dx}+C\left(\frac{dw_i}{dx}-\psi_i\right)\times\left(\frac{dw_j}{dx}-\psi_j\right)\right\}dx=0,\quad (i\neq j) \qquad (10.10)$$

如果取

$$\begin{bmatrix}w\\ \psi\end{bmatrix}=\xi_i\begin{bmatrix}w_i\\ \psi_i\end{bmatrix}+\xi_j\begin{bmatrix}w_j\\ \psi_j\end{bmatrix}, \qquad (10.11)$$

其中 ξ_i, ξ_j 是常系数，那末将 (10.11) 代入变分式 (10.2)—(10.4) 后，正交关系保证了分子、分母中都不出现 i 和 j 的交叉项。

在变分式中 (10.4) 中取 $w=w_n$，则得到

$$P_n=\min_{\psi}\frac{\int_0^l\left\{D\left(\frac{d\psi}{dx}\right)^2+C\left(\frac{dw_n}{dx}-\psi\right)^2\right\}dx}{\int_0^l\left(\frac{dw_n}{dx}\right)^2dx}. \tag{10.12}$$

在此式中，只有 $\psi=\psi_n$ 才能达到极小值而其他的 ψ 都达不到极小值。因此若取 $\psi=0$，则有

$$P_n\leqslant\frac{\int_0^l C\left(\frac{dw_n}{dx}\right)^2dx}{\int_0^l\left(\frac{dw_n}{dx}\right)^2dx}. \tag{10.13}$$

如果 C 是一个常数，则从上式立即可知

$$P_n\leqslant C. \tag{10.14}$$

如果 C 不是一个常数，则命

$$P_L=\max_{w}\frac{\int_0^l C\left(\frac{dw}{dx}\right)^2dx}{\int_0^l\left(\frac{dw}{dx}\right)^2dx}=\max C, \tag{10.15}$$

则有

$$P_n\leqslant P_L. \tag{10.16}$$

在第二章的经典理论中，压力的本征值逐个增加而最后趋于无穷大。在本章的理论中，本征值虽然也逐个增加，但不趋于无穷大，而趋近于一个极限。这个极限便是 P_L。这是因为当 n 很大时，w_n 是一个波长很短的波浪形函数，ψ_n 也是一个类似的波浪形函数。命波长的量级为 λ，则由方程 (10.5) 可知 ψ_n, w_n 量级之间存在下列关系：

$$\frac{\psi}{\lambda^2}\approx\frac{w}{\lambda}, \text{即 } \psi\approx\lambda w. \tag{10.17}$$

可见当波长很短时，ψ 的确很小，以致可以忽略不计，使得 (10.13)

的等式成立.

作为一个例子,考虑一个两端简支的等剖面梁的本征值问题. 对于这个问题,可以取

$$w_n = A\sin\frac{n\pi x}{l}. \tag{10.18}$$

将此代入方程(10.5),可求得ψ_n为

$$\psi_n = \frac{\dfrac{n\pi}{l}}{1+\dfrac{n^2\pi^2 D}{l^2 C}} A\cos\frac{n\pi x}{l}. \tag{10.19}$$

将(10.18),(10.19)代入(10.6),得到

$$P_n = \frac{\dfrac{n^2\pi^2 D}{l^2}}{1+\dfrac{n^2\pi^2 D}{l^2 C}}. \tag{10.20}$$

可见

$$\lim_{n\to\infty}\psi_n = 0, \quad \lim_{n\to\infty}P_n = C. \tag{10.21}$$

这与前面理论上的推断相符.

上面介绍的变分原理(10.2)—(10.4)相当于平衡问题中的最小势能原理. 还有一种变分原理相当于平衡问题中的最小余能原理. 在这后一种变分原理中,要求事先满足平衡方程和力的边界条件. 为了便于满足这些条件,命

$$w_p = Pw, \quad \psi_p = P\psi. \tag{10.22}$$

当$P \neq 0$时,这样的替换是允许的. 于是稳定性问题中的全部微分方程和边界条件可写成为

$$\frac{d\psi_p}{dx} = -P\frac{M}{D}, \quad \frac{dw_p}{dx} - \psi_p = P\frac{Q}{C}, \tag{10.23}$$

$$\frac{dM}{dx} - Q = 0, \quad \frac{dQ}{dx} - \frac{d^2 w_p}{dx^2} = 0. \tag{10.24}$$

$$\left.\begin{aligned}&\text{在固支端上:}\ w_p = 0,\ \psi_p = 0,\\ &\text{在简支端上:}\ w_p = 0,\end{aligned}\right\} \tag{10.25a}$$

$$\left.\begin{aligned} &M = 0, \\ \text{在自由端上:}\ &M = 0,\ Q - \frac{dw_p}{dx} = 0. \end{aligned}\right\} \tag{10.25b}$$

方程 (10.23)—(10.25) 构成一个新的微分方程的本征值问题. 与此相应的变分式是

$$P = \operatorname{st}\frac{\int_0^l \left(\frac{dw_p}{dx}\right)^2 dx}{\int_0^l \left(\frac{M^2}{D} + \frac{Q^2}{C}\right) dx}. \tag{10.26}$$

此式中的自变函数 w_p, ψ_p, M, Q 要求事先满足平衡方程 (10.24) 和力的边界条件 (10.25b). 从 (10.26) 得到的最小的一个非零本征值,便是临界载荷.

算式 (10.26) 特别适用于计算剪切刚度 C 很大时的临界载荷. 把 $\frac{1}{C}$ 看作是一个小量. $\frac{1}{C} = 0$ 相当于经典理论. 命经典理论中求得的临界载荷为 P_0, 相应的 w_p, ψ_p, M, Q 各为 w_{p0}, ψ_{p0}, M_0, Q_0. 从 $\frac{1}{C} = 0$ 到 $\frac{1}{C}$ 等于某个小量,可以看作参数 $\frac{1}{C}$ 的一个小变化. 于是用与 § 2.10, § 2.19 相同的说理,可以证明

$$\frac{P_0 - P}{P_0} = \frac{\int_0^l \frac{Q_0^2}{C} dx}{\int_0^l \frac{M_0^2}{D} dx}, \tag{10.27}$$

这里的 $(P_0 - P)$ 便是由于剪切变形所引起的临界载荷的降低. 公式 (10.27) 右端的力学意义是: 根据经典理论中的内力计算得到的剪切余应变能与弯曲余应变能之比.

还有一个求 P 的近似值的办法是将 w_{p0}, M_0, Q_0 代入变分式 (10.26), 即取上述函数而用里兹法求临界载荷. 这样得到

$$P = \frac{\int_0^l \left(\frac{dw_{p0}}{dx}\right)^2 dx}{\int_0^l \left(\frac{M_0^2}{D} + \frac{Q_0^2}{C}\right) dx}, \tag{10.28}$$

于是有

$$\frac{P_0-P}{P}=\frac{\int_0^l \frac{Q_0^2}{C}dx}{\int_0^l \frac{M_0^2}{D}dx} \tag{10.29}$$

在 (P_0-P) 的一阶小量范围内，公式（10.27），（10.29）是相同的。

§ 3.11　用有限元素法求临界载荷的近似值

这里的做法与 § 3.8 基本相同，因此不需要作很多的说明．如果采用与 §3.8 相同的元素分割和参数设置，那末变分式（10.3）最后可化为代数式

$$P=\mathrm{st}\,\frac{\boldsymbol{u}^T\boldsymbol{K}\boldsymbol{u}}{\boldsymbol{u}^T\boldsymbol{G}\boldsymbol{u}}. \tag{11.1}$$

这里 $\boldsymbol{u}$ 仍是由整个梁的结点位移参数所组成的列矢量，$\boldsymbol{K}$ 和 $\boldsymbol{G}$ 仍为梁的刚度矩阵和几何刚度矩阵，它们的算式见 §3.8.

将算式（11.1）化为代数本征值问题，得到

$$\boldsymbol{K}\boldsymbol{u}-P\boldsymbol{G}\boldsymbol{u}=0. \tag{11.2}$$

将二广义位移理论与经典理论中的有限元素法相比较后便可看到，一旦用不同的方法建立了刚度矩阵和几何刚度矩阵之后，剩下的计算便完全相同了．这是有限元素法的一个优点．

§ 3.12　对本征函数的展开．求临界载荷近似值的迭代法

对于任意一个函数 $w(x)$，是否有可能按照 § 3.10 规定的本征函数 w_n 展开？是的，有这个可能性．不过在这里的情况下 P_n 不趋向于无穷大而趋近于一个有限的极限 P_L，收敛性证明的方法与 § 2.18 稍有不同．为了证明简单起见，和 § 2.18 一样限于考虑

$w(x)$ 是可能挠度的情况.

将 w 对 w_n 展开:

$$w = \sum_{n=1}^{\infty} \xi_n w_n. \tag{12.1}$$

为了决定系数 ξ_n，先求 w 的导数

$$\frac{dw}{dx} = \sum_{n=1}^{\infty} \xi_n \frac{dw_n}{dx}. \tag{12.2}$$

然后用 $\frac{dw_n}{dx}$ 乘上式，对 x 积分，利用正交关系 (10.10) 和归一化条件 (10.8)，便得到

$$\xi_n = l \int_0^l \frac{dw_n}{dx} \frac{dw}{dx} dx. \tag{12.3}$$

为了证明级数 (12.1) 的收敛性，命

$$R_n = w - \sum_{i=1}^{n} \xi_i w_i, \tag{12.4}$$

然后证明

$$\lim_{n\to\infty} R_n = 0. \tag{12.5}$$

如果上式确实成立，那末级数 (12.1) 也就收敛了. 先根据下列方程和边界条件求一个函数 ψ，使之与 w 配成一对:

$$\frac{d}{dx}\left(D \frac{d\psi}{dx}\right) + C\left(\frac{dw}{dx} - \psi\right) = 0, \tag{12.6}$$

在固支端上: $\psi = 0$

在简支和自由端上 $D\frac{d\psi}{dx} = 0.$ (12.7)

求得 ψ 后，再作一个函数 S_n 如下:

$$S_n = \psi - \sum_{i=1}^{n} \xi_i \psi_i. \tag{12.8}$$

函数 S_n 满足下列方程和边界条件

$$\frac{d}{dx}\left(D \frac{dS_n}{dx}\right) + C\left(\frac{dR_n}{dx} - S_n\right) = 0, \tag{12.9}$$

在固支端上：$S_n = 0$，

$$\text{在简支和自由端上：}\ D\frac{dS_n}{dx} = 0. \tag{12.10}$$

函数 S_n 正好与 R_n 配成一对． 用 S_n 乘方程（12.9），然后对 x 积分，利用分部积分和边界条件 (12.10) 后，得到

$$\int_0^l C\left(\frac{dR_n}{dx} - S_n\right)S_n dx = -\int_0^l S_n \frac{d}{dx}\left(D\frac{dS_n}{dx}\right)dx$$
$$= \int_0^l D\left(\frac{dS_n}{dx}\right)^2 dx,$$

即有

$$\int_0^l CS_n \frac{dR_n}{dx}dx = \int_0^l D\left(\frac{dS_n}{dx}\right)^2 dx + \int_0^l CS_n^2 dx. \tag{12.11}$$

另根据定义 (12.4) 可证明 R_n 与 $w_i(i = 1, 2, \cdots, n)$ 正交，即

$$\int_0^l \frac{dR_n}{dx}\frac{dw_i}{dx}dx = 0, \quad i = 1, 2, \cdots, n. \tag{12.12}$$

因此在变分式（10.3）的右端取 $w = R_n$，$\psi = S_n$，就给出不比 P_{n+1} 小的一个值，即

$$P_{n+1} \leqslant \frac{\int_0^l D\left(\frac{dS_n}{dx}\right)^2 dx + \int_0^l C\left(\frac{dR_n}{dx} - S_n\right)^2 dx}{\int_0^l \left(\frac{dR_n}{dx}\right)^2 dx}. \tag{12.13}$$

利用 (12.11) 后此式可化为

$$P_{n+1} \leqslant \frac{\int_0^l C\left(\frac{dR_n}{dx}\right)^2 dx - \int_0^l D\left(\frac{dS_n}{dx}\right)^2 dx - \int_0^l CS_n^2 dx}{\int_0^l \left(\frac{dR_n}{dx}\right)^2 dx}. \tag{12.14}$$

再利用公式 (10.15) 后得到

$$P_{n+1} \leqslant P_L - \frac{\int_0^l D\left(\frac{dS_n}{dx}\right)^2 + \int_0^l CS_n^2 dx}{\int_0^l \left(\frac{dR_n}{dx}\right)^2 dx},$$

即

$$\int_0^l D\left(\frac{dS_n}{dx}\right)^2 dx + \int_0^l CS_n^2 dx$$

$$\leqslant (P_L - P_n)\int_0^l \left(\frac{dR_n}{dx}\right)^2 dx. \qquad (12.15)$$

最后再从定义 (12.4) 有

$$\int_0^l \left(\frac{dR_n}{dx}\right)^2 dx = \int_0^l \left(\frac{dw}{dx}\right)^2 dx - \frac{1}{l}\sum_{i=1}^{n} \xi_i^2$$

$$\leqslant \int_0^l \left(\frac{dw}{dx}\right)^2 dx, \qquad (12.16)$$

于是有

$$\lim_{n\to\infty}\left\{\int_0^l D\left(\frac{dS_n}{dx}\right)^2 dx + \int_0^l CS_n^2 dx\right\}$$

$$\leqslant \lim_{n\to\infty}(P_L - P_{n+1})\int_0^l \left(\frac{dw}{dx}\right)^2 dx = 0. \qquad (12.17)$$

由于上式左端的两项都不可能小于零，所以有

$$\lim_{n\to\infty} S_n = 0,\ \lim_{n\to\infty}\frac{dS_n}{dx} = 0. \qquad (12.18)$$

于是再从微分方程 (12.9) 得到

$$\lim_{n\to\infty} R_n = \text{常数}. \qquad (12.19)$$

由于 w 和 R_n 至少在梁的一端上等于零，因此从上式即有

$$\lim_{n\to\infty} R_n = 0. \qquad (12.20)$$

到此收敛性证毕.

在大多数两个函数的本征值问题中，可以把任意一组可能位移对本征函数展开，即

$$\begin{bmatrix} w \\ \psi \end{bmatrix} = \sum_{i=1}^{\infty} \xi_i \begin{bmatrix} w_i \\ \psi_i \end{bmatrix}. \qquad (12.21)$$

例如将在 § 3.13 讨论的固有振动问题中便有这种可能性. 但是在稳定性问题中，一般说来级数 (12.21) 不成立，除非 w，ψ 本来就满足方程

$$\frac{d}{dx}\left(D\frac{d\psi}{dx}\right)+C\left(\frac{dw}{dx}-\psi\right)=0. \tag{12.22}$$

这是因为每一组本征函数都满足（12.22），它们的线性组合当然继续满足（12.22）.

和第二章相似，对本征函数的展开式可以用来证明，用迭代法求临界载荷的近似值是收敛的．命 $w^{(1)}$, $\psi^{(1)}$ 是迭代前的一组函数，$w^{(2)}$, $\psi^{(2)}$ 是迭代一次后得到的一组函数，$P^{(2)}$ 为与 $w^{(2)}$, $\psi^{(2)}$ 相应的临界载荷的近似值．迭代前后两组函数的关系是

$$\frac{d}{dx}\left(D\frac{d\psi^{(2)}}{dx}\right)+C\left(\frac{dw^{(2)}}{dx}-\psi^{(2)}\right)=0,$$

$$\frac{d}{dx}\left[C\left(\frac{dw^{(2)}}{dx}-\psi^{(2)}\right)\right]=P^{(2)}\frac{d^2w^{(1)}}{dx^2}. \tag{12.23}$$

如将 $w^{(1)}$ 对本征函数展开：

$$w^{(1)}=\sum_{n=1}^{\infty}\xi_n w_n, \tag{12.24}$$

那末经过一次迭代后，得到

$$w^{(2)}=P^{(2)}\sum_{n=1}^{\infty}\frac{\xi_n}{P_n}w_n. \tag{12.25}$$

由于 P_n 随着 n 的增加而增加，所以 $w^{(2)}$ 比 $w^{(1)}$ 更接近于 w_1，此即表明迭代法是收敛的.

上面说明的是普通的迭代法．根据本节这个问题的特点，这个迭代法还可以加以改进．从 $w^{(1)}$ 和 $w^{(2)}$ 再作一个函数 $w^{(3)}$ 如下：

$$w^{(3)}=w^{(2)}-\frac{P^{(2)}}{P_L}w^{(1)}=P^{(2)}\sum_{n=1}^{\infty}\frac{\xi_n}{P_n}\left(1-\frac{P_n}{P_L}\right)w_n. \tag{12.26}$$

求 $w^{(3)}$ 不费多少工作量，但因为 $\left(1-\frac{P_n}{P_L}\right)$ 随着 n 的增加而减小（趋近于零），所以 $w^{(3)}$ 比 $w^{(2)}$ 更接近于 w_1.

例如对于两端简支的等剖面梁，前已求得

$$w_n=\sin\frac{n\pi x}{l},\quad P_L=C,$$

$$P_n = \frac{\dfrac{n^2\pi^2 D}{l^2}}{1+\dfrac{n^2\pi^2 D}{l^2 C}},\quad 1-\frac{P_n}{P_L} = \frac{1}{1+\dfrac{n^2\pi^2 D}{l^2 C}},$$

因此对于上面讲到的三个 $w^{(i)}$ 有如下的形式:

$$w^{(1)} = \sum_{n=1}^{\infty} \xi_n \sin\frac{n\pi x}{l},$$

$$w^{(2)} = P^{(2)} \sum_{n=1}^{\infty} \xi_n \frac{1+\dfrac{n^2\pi^2 D}{l^2 C}}{\dfrac{n^2\pi^2 D}{l^2}} \sin\frac{n\pi x}{l},$$

$$w^{(3)} = P^{(2)} \sum_{n=1}^{\infty} \frac{\xi_n}{\dfrac{n^2\pi^2 D}{l^2}} \sin\frac{n\pi x}{l}.$$

可见就级数的第一项的重要性来说，$w^{(2)}$ 比 $w^{(1)}$ 强，而 $w^{(3)}$ 又比 $w^{(2)}$ 强.

上述对迭代法的改进，有时对于代数本征值问题也是有用的，因为在有些情况下能用别的办法简单地求得最大的本征值的上限.

§ 3.13 关于固有频率的变分式

考虑一个变剖面梁的固有振动问题. 命 w, ϕ 为挠度和转角的振幅. 命 ω 为角频率. 在梁作固有振动时，运动方程 (1.11) 化为

$$\begin{aligned} &\frac{d}{dx}\left[C\left(\frac{dw}{dx}-\phi\right)\right] + \omega^2 \rho A w = 0, \\ &\frac{d}{dx}\left(D\frac{d\phi}{dx}\right) + C\left(\frac{dw}{dx}-\phi\right) + \omega^2 \rho J \phi = 0. \end{aligned} \tag{13.1}$$

梁的边界条件仍限于考虑固支、简支、自由三种典型情况，因此有

$$\left.\begin{aligned} &\text{在固支端上：}\quad w = 0,\ \psi = 0, \\ &\text{在简支端上：}\quad w = 0, \end{aligned}\right\} \tag{13.2a}$$

$$\left.\begin{aligned} &\qquad\qquad\qquad M = 0, \\ &\text{在自由端上：}\quad M = 0,\ Q = 0. \end{aligned}\right\} \tag{13.2b}$$

方程 (13.1), (13.2) 决定了一个微分方程的本征值问题. 在等剖面的情况，Huang （黄子春）[163] 曾计算过下列 6 种边界条件下的固有频率方程：(1) 简支简支，(2) 自由自由，(3) 固支固支，(4)固支自由，(5)固支简支，(6)简支自由. 还有 Kloušek[188] 也计算过许多公式和数字表格. 不过本书的主要内容是能量法，所以不详细介绍他们的结果了.

Lee[191] 导得与方程 (13.1), (13.2) 等价的变分式是

$$\omega^2 = \mathrm{st}\,\frac{\displaystyle\int_0^l \left\{D\left(\frac{d\psi}{dx}\right)^2 + C\left(\frac{dw}{dx} - \psi\right)^2\right\} dx}{\displaystyle\int_0^l (\rho A w^2 + \rho J \psi^2) dx} \tag{13.3}$$

式中的自变函数 w, ψ 应满足位移边界条件 (13.2a). 基本固有频率等于上式右端的最小值.

证明 (13.3) 与 (13.1), (13.2) 等价的方法，和以前一再使用的方法相同. 从 (13.3) 有

$$\int_0^l \left\{D\,\frac{d\psi}{dx}\,\frac{d\delta\psi}{dx} + C\left(\frac{dw}{dx} - \psi\right)\left(\frac{d\delta w}{dx} - \delta\psi\right)\right\} dx$$
$$- \omega^2 \int_0^l (\rho A w \delta w + \rho J \psi \delta\psi) dx = 0. \tag{13.4}$$

经用分部积分后，此式化为

$$- \int_0^l \left\{\left[\frac{d}{dx}\left[C\left(\frac{dw}{dx} - \psi\right)\right] + \omega^2 \rho A w\right] \delta w\right.$$
$$\left. + \left[\frac{d}{dx}\left(D\,\frac{d\psi}{dx}\right) + C\left(\frac{dw}{dx} - \psi\right) + \omega^2 \rho J \psi\right] \delta\psi\right\} dx$$
$$+ \left[C\left(\frac{dw}{dx} - \psi\right)\delta w + D\,\frac{d\psi}{dx}\,\delta\psi\right]\Bigg|_0^l. \tag{13.5}$$

显而易见，此式与 (13.1), (13.2) 是等价的.

变分式 (13.3) 的力学意义，和其他同类变分式的力学意义相同，即分子代表振动过程中最大的应变能，分母乘以 ω^2 后代表最大的动能．根据这个力学解释，容易把变分式 (13.3) 推广到其他许多比较复杂的情况，如同在 § 2.22 所讨论过的那样．

命 ω_i，ω_j 为不相等的两个固有频率，命 (w_i, ψ_i)，(w_j, ψ_j) 为相应的两个固有振型．若取

$$\begin{bmatrix} w \\ \psi \end{bmatrix} = \xi_i \begin{bmatrix} w_i \\ \psi_i \end{bmatrix} + \xi_j \begin{bmatrix} w_j \\ \psi_j \end{bmatrix}, \tag{13.6}$$

其中 ξ_i，ξ_j 为两个待定的常数，并将此式代入 (13.3)，那末便可证明正交关系

$$\begin{aligned} &\int_0^l (\rho A w_i w_j + \rho J \psi_i \psi_j) dx = 0, \\ &\int_0^l \left[D \frac{d\psi_i}{dx} \frac{d\psi_j}{dx} + C \left(\frac{dw_i}{dx} - \psi_i \right) \right. \\ &\qquad \left. \times \left(\frac{dw_j}{dx} - \psi_j \right) \right] dx = 0, \quad i \neq j. \end{aligned} \tag{13.7}$$

由此可知，若将某一组函数 (w, ψ) 展开成固有振型的级数

$$\begin{bmatrix} w \\ \psi \end{bmatrix} = \sum_{i=1}^{\infty} \xi_i \begin{bmatrix} w_i \\ \psi_i \end{bmatrix}, \tag{13.8}$$

那末在把此式代入 (13.3) 后，在分子分母中都不出现不同振型的交叉项．

据称，正交关系式 (13.7) 是首先由 Huang[162] 在 1958 年得到的．

如果已知展开式(13.8)成立，那末决定系数 ξ_n 是比较简单的．用

$$[w_n, \psi_n] \begin{bmatrix} \rho A & 0 \\ 0 & \rho J \end{bmatrix}$$

前乘 (13.8) 式，然后对 x 积分，利用正交关系式 (13.7)，便有

$$\xi_n = \frac{\int_0^l (\rho A w_n w + \rho J \psi_n \psi) dx}{\int_0^l (\rho A w_n^2 + \rho J \psi_n^2) dx}. \tag{13.9}$$

为了证明级数 (13.8) 的收敛性，可以采用与 § 2.18 类似的方法[1]. 因为在本节的问题中，本征值 ω_n 也趋于 ∞，唯一的差别是在 § 2.18 中，只涉及一个函数，而在这里涉及两个函数. 但是如果把矩阵看作是一个量:

$$\boldsymbol{\varphi}=\begin{bmatrix} w \\ \psi \end{bmatrix},\quad \boldsymbol{\varphi}_i=\begin{bmatrix} w_i \\ \psi_i \end{bmatrix},\quad i=1,2,\cdots \tag{13.10}$$

那末展开式 (13.8) 便变为

$$\boldsymbol{\varphi}=\sum_{i=1}^{\infty}\xi_i\boldsymbol{\varphi}_i, \tag{13.11}$$

而正交关系可写成为

$$\int_0^l \boldsymbol{\varphi}_i^T\boldsymbol{m}\boldsymbol{\varphi}_j dx=0,\quad \int_0^l(\boldsymbol{E}\boldsymbol{\varphi}_i)^T\boldsymbol{K}\boldsymbol{E}\boldsymbol{\varphi}_j dx=0, \tag{13.12}$$

式中

$$\boldsymbol{m}=\begin{bmatrix} \rho A & 0 \\ 0 & \rho J \end{bmatrix},\quad \boldsymbol{K}=\begin{bmatrix} C & 0 \\ 0 & D \end{bmatrix},$$

$$\boldsymbol{E}=\begin{bmatrix} \dfrac{d}{dx} & -1 \\ 0 & -\dfrac{d}{dx} \end{bmatrix}. \tag{13.13}$$

在矩阵形式下，公式 (13.9) 可简写成为

$$\xi_i=\frac{\displaystyle\int_0^l \boldsymbol{\varphi}_i^T\boldsymbol{m}\boldsymbol{\varphi}dx}{\displaystyle\int_0^l \boldsymbol{\varphi}_i^T\boldsymbol{m}\boldsymbol{\varphi}_i dx}. \tag{13.14}$$

自此以下，便可采用与 § 2.18 完全相同的证明步骤了. 先命

$$\boldsymbol{R}_n=\boldsymbol{\varphi}-\sum_{i=1}^{n}\xi_i\boldsymbol{\varphi}_i. \tag{13.15}$$

利用正交关系可以得到

$$\int_0^l \boldsymbol{R}_n^T\boldsymbol{m}\boldsymbol{R}_n dx=\int_0^l \boldsymbol{\varphi}^T\boldsymbol{m}\boldsymbol{\varphi}dx-\sum_{i=1}^{n}\xi_i^2\int_0^l \boldsymbol{\varphi}_i^T\boldsymbol{m}\boldsymbol{\varphi}_i dx, \tag{13.16}$$

---

1) 和 § 2.18 一样，这里也限于考虑 w, ψ 是一组可能位移的情况.

$$\int_0^l (\boldsymbol{E}\boldsymbol{R}_n)^T \boldsymbol{K}\boldsymbol{E}\boldsymbol{R}_n\,dx = \int_0^l (\boldsymbol{E}\boldsymbol{\varphi})^T \boldsymbol{K}\boldsymbol{E}\boldsymbol{\varphi}dx$$
$$-\sum_{i=1}^{n} \xi_i^2 \int_0^l (\boldsymbol{E}\boldsymbol{\varphi}_i)^T \boldsymbol{K}\boldsymbol{E}\boldsymbol{\varphi}_i dx, \qquad (13.17)$$
$$\int_0^l \boldsymbol{\varphi}_i^T \boldsymbol{m}\boldsymbol{R}_n dx = 0, \quad i = 1, 2, \cdots, n. \qquad (13.18)$$

公式 (13.18) 表明 $\boldsymbol{R}_n$ 与 $\boldsymbol{\varphi}_i(i = 1, 2, \cdots, n)$ 正交,因此若将 $\boldsymbol{R}_n$ 代入变分式 (13.3), 将得到不比 ω_{n+1}^2 小的结果,即

$$\omega_{n+1}^2 \leqslant \frac{\int_0^l (\boldsymbol{E}\boldsymbol{R}_n)^T \boldsymbol{K}\boldsymbol{E}\boldsymbol{R}_n dx}{\int_0^l \boldsymbol{R}_n^T \boldsymbol{m}\boldsymbol{R}_n dx},$$

也即

$$\int_0^l \boldsymbol{R}_n^T \boldsymbol{m}\boldsymbol{R}_n\,dx \leqslant \frac{1}{\omega_{n+1}^2} \int_0^l (\boldsymbol{E}\boldsymbol{R}_n)^T \boldsymbol{K}\boldsymbol{E}\boldsymbol{R}_n dx. \qquad (13.19)$$

公式 (13.17) 表明 (13.19) 右端的积分是有限的,因此

$$\lim_{n\to\infty} \int_0^l \boldsymbol{R}_n^T \boldsymbol{m}\boldsymbol{R}_n dx = 0,$$

即

$$\lim_{n\to\infty} \boldsymbol{R}_n = 0. \qquad (13.20)$$

上面介绍的变分式 (13.3) 是以挠度和转角为自变函数的. 这个变分式对应于平衡问题中的最小势能原理. 还有另一种关于固有频率的变分式, 对应于平衡问题中的最小余能原理 (例如见 Tabarrok 和 Karnopp[288]). 在这个变分原理中,以挠度和转角的加速度 $\ddot{w}$, $\ddot{\psi}$ 以及弯矩 M 剪力 Q 为自变函数. 当 $\omega \neq 0$ 时,加速度的公式是

$$\ddot{w} = -\omega^2 w, \ \ddot{\psi} = -\omega^2 \psi. \qquad (13.21)$$

这样运动方程变为

$$\frac{dQ}{dx} - \rho A \ddot{w} = 0, \ -\frac{dM}{dx} + Q - \rho J \ddot{\psi} = 0. \qquad (13.22)$$

应力应变关系 (1.5) 变为

$$\omega^2 M = D\frac{d\ddot{\psi}}{dx},\ \omega^2 Q = -C\left(\frac{d\ddot{w}}{dx} - \ddot{\psi}\right), \tag{13.23}$$

而边界条件变为

$$\left.\begin{aligned} &\text{在固支端上:}\ \ddot{w} = 0,\ \ddot{\psi} = 0, \\ &\text{在简支端上:}\ \ddot{w} = 0, \end{aligned}\right\} \tag{13.24a}$$

$$\left.\begin{aligned} &\qquad\qquad\qquad M = 0, \\ &\text{在自由端上:}\ M = 0,\ Q = 0. \end{aligned}\right\} \tag{13.24b}$$

如果假设 $\ddot{w}$, $\ddot{\psi}$, M, Q 四个函数事前满足运动方程 (13.22) 和有关力的边界条件 (13.24b)，那末便有

$$\omega^2 = \mathrm{st}\frac{\int_0^l (\rho A\ddot{w}^2 + \rho J\ddot{\psi}^2)dx}{\int_0^l \left(\frac{M^2}{D} + \frac{Q^2}{C}\right)dx}. \tag{13.25}$$

这个变分式相当于应力应变关系 (13.23) 和有关位移的边界条件 (13.24a).

变分式 (13.25) 的力学意义仍然是：在振动过程中，最大的应变能等于最大的动能. 因为若以 $\ddot{w}$, $\ddot{\psi}$, M, Q 为自变函数，梁的势能 Π 和动能 $K.E.$ 分别为

$$\Pi = \frac{1}{2}\int_0^l \left(\frac{M^2}{D} + \frac{Q^2}{C}\right)dx,$$

$$K.E. = \frac{1}{2\omega^2}\int_0^l (\rho A\ddot{w}^2 + \rho J\ddot{\psi}^2)dx. \tag{13.26}$$

和 § 2.16 中讨论的情况类似，变分式 (13.25) 与 (13.3) 并不完全相当. 这两个变分式给出相等的非零频率，并给出相对应的振型. 但两者却给出性质上不同的零频率. 当梁有刚性自由度时，(13.3) 给出零频率，这是客观上确实存在的零频率. 当梁是超静定的梁时，(13.25) 给出零频率，但是这个零频率客观上并不存在，因此是混进来的“假根”.

算式(13.3)和(13.25) 可分别用于计算转动惯量 ρJ 很小和剪切刚度 C 很大时的固有频率. 把 ρJ 和 $\frac{1}{C}$ 看作是两个小量. $\rho J = 0$,

$\frac{1}{C}=0$ 相当于经典理论．命经典理论中求得的固有频率为 ω_0，相应的 $w,\ddot{w},\psi,\ddot{\psi},M,Q$ 各为 $w_0,\ddot{w}_0,\psi_0,\ddot{\psi}_0,M_0,Q_0$．从 $\rho J=0$，$\frac{1}{C}=0$ 到 ρJ 和 $\frac{1}{C}$ 等于两个小量，可以看作是参数 ρJ 和 $\frac{1}{C}$ 的小变化．于是采用与 § 2.10，§ 2.19 相同的推理可以证明

$$\frac{\delta(\omega^2)}{\omega_0^2}=-\lambda-\mu, \tag{13.27}$$

其中

$$\lambda=\frac{\int_0^l \rho J\psi_0^2 dx}{\int_0^l \rho A w_0^2 dx},\quad \mu=\frac{\int_0^l \frac{Q_0^2}{C}dx}{\int_0^l \frac{M_0^2}{D}dx}. \tag{13.28}$$

公式 (13.27) 中的 $\delta\omega$ 便是由于转动惯量和有限的剪切刚度所引起的频率的变化．第一项 λ 是由变分式 (13.3) 得到的，第二项 μ 是由变分式 (13.25) 得到的． λ 和 μ 分别是根据经典理论计算得到的转动动能跟平移动能之比，和剪切应变能跟弯曲应变能之比．

§ 3.14 求解固有振动问题的有限元素法

有几位作者提出过几种有限元素的方案以求解二广义位移梁的固有振动问题．大致的情况如本节的附表所示，它们都是根据变分式 (13.3) 来建立刚度矩阵和质量矩阵的．表中第 1 号方案是最简单的一种有限元素法．它以元素的两端点为结点，每个结点有 w 和 ψ 两个自由度．在元素内部，采用与 (8.16) 相同的公式对 w 及 ψ 进行插入．这样得到的元素刚度矩阵当然仍为 (8.18)．元素的质量矩阵 $\boldsymbol{M}_e$ 是根据动能积分定义的：

$$\boldsymbol{u}_e^T\boldsymbol{M}^e\boldsymbol{u}_e=\rho A_e\int_{x_i}^{x_j} w^2dx+\rho J_e\int_{x_i}^{x_j}\psi^2dx. \tag{14.1}$$

将 (8.16) 代入此式，算出积分，然后整理成规定的形式，得到

$$\boldsymbol{M}^e=\boldsymbol{M}_1^e+\boldsymbol{M}_2^e, \tag{14.2}$$

其中

$$
\boldsymbol{M}_1^e = \rho A_e l_e \begin{bmatrix}
\frac{1}{3}+\frac{\mu_e}{30}+\frac{\mu_e^2}{210}, & \left(\frac{1}{24}+\frac{\mu_e}{120}+\frac{\mu_e^2}{420}\right)l_e, & \frac{1}{6}-\frac{\mu_e}{30}-\frac{\mu_e^2}{210}, & \left(-\frac{1}{24}+\frac{\mu_e}{120}+\frac{\mu_e^2}{420}\right) \\
 & \left(\frac{1}{120}+\frac{\mu_e^2}{840}\right)l_e^2, & \left(\frac{1}{24}-\frac{\mu_e}{120}-\frac{\mu_e^2}{420}\right)l_e, & \left(-\frac{1}{120}+\frac{\mu_e^2}{840}\right) \\
 \text{对} & & \frac{1}{3}+\frac{\mu_e}{30}+\frac{\mu_e^2}{210}, & -\left(\frac{1}{24}+\frac{\mu_e}{120}+\frac{\mu_e^2}{420}\right)l_e \\
 & \text{称} & & \left(\frac{1}{120}+\frac{\mu_e^2}{840}\right)l_e^2,
\end{bmatrix}, \tag{14.3}
$$

$$
\boldsymbol{M}_2^e = \rho J_e l_e \begin{bmatrix}
\frac{6\mu_e^2}{5l_e^2}, & \left(-\frac{\mu_e}{2}+\frac{3\mu_e^2}{5}\right)\frac{1}{l_e}, & -\frac{6\mu_e^2}{5l_e^2}, & \left(-\frac{\mu_e}{2}+\frac{3\mu_e^2}{5}\right)\frac{1}{l_e} \\
 & \frac{1}{3}-\frac{\mu_e}{2}+\frac{3\mu_e^2}{10}, & \left(\frac{\mu_e}{2}-\frac{3\mu_e^2}{5}\right)\frac{1}{l_e}, & \frac{1}{6}-\frac{\mu_e}{2}+\frac{3\mu_e^2}{10} \\
 \text{对} & & \frac{6\mu_e^2}{5l_e^2}, & \left(\frac{\mu_e}{2}-\frac{3\mu_e^2}{5}\right)\frac{1}{l_e} \\
 & \text{称} & & \frac{1}{3}-\frac{\mu_e}{2}+\frac{3\mu_e^2}{10}
\end{bmatrix}. \tag{14.4}
$$

有了元素的刚度矩阵和质量矩阵，再接下去的做法便和经典理论相同了，这里不再重复.

比上面的方案稍复杂一些的是表中第 2 号和第 3 号方案. 在第 2 号方案中，中间加了一个结点，而在第 3 号方案中，中间加了

附表　本节的有限元素法概况

编号	自由度数	自由度分配	插入公式	参考文献
1	4	w　w ψ　ψ	公式 (8.16)	[53] [103]
2	6	w　w　w ψ　ψ　ψ	w: 5 次多项式 ψ: 4 次多项式 并保证 $M' - Q = 0$	[108]
3	8	w　w　w　w ψ　ψ　ψ　ψ	w: ψ: 各用 3 次多项式	[82]
4	6	w　w ψ　ψ γ　γ	w, ψ 各用 3 次多项式，并保证 $\gamma = w' - \psi$ 为 1 次多项式	[293]
5	7	w　ψ　w w'　w' ψ　ψ	w: 3 次多项式 ψ: 2 次多项式	[223]
6	8	w　w w'　w' ψ　ψ ψ'　ψ'	w: ψ: 各用 3 次多项式	[294]
7	8	w_b　w_b w_b'　w_b' w_s　w_s w_s'　w_s'	w_b: w_s: 各用 3 次多项式	[175]

两个结点. 这三种方案的共同特点是每个结点只赋予 w 和 ψ 两个自由度. 因此这三种有限元素都恰好符合变分原理所要求的连续性,因此都是协调元素.

附表中的其余 4 种方案, 除把 w, ψ 作为结点参数外,还增加了别的参数. 在第 4、5、6 号三种方案中, 把挠度曲线的斜率 w' 或剪应变 γ 也作为结点参数(这两种做法只有形式上的不同,没有实质上的区别, 因为 $\gamma = w' - \psi$). 这样一来, 在两个元素的分界点上,不仅 w 和 ψ 连续,连 w' 和 γ 也连续了.但是在本章的理论中,要求、也仅仅要求 w 和 ψ 连续,而并不要求 w' 和 γ 也连续.因此这三种方案都属于过分协调元素, 即协调得过了头的元素. 在某些问题中, w' 和 γ 实际上是连续的,因此一开始便假定 w' 和 γ 连续,并不影响最后结果. 但是在另外一些问题中,例如在变剖面梁或有集中质量, w' 和 γ 实际上是不连续的. 对于这类问题, 用过分协调元素不能获得收敛于精确解的结果.

附表中的第 7 号方案,不以挠度 w 和转角 ψ 为基本未知函数, 而以弯曲挠度 w_b 和剪切挠度 w_s 为基本未知函数; 在每结点上以 w_b, w'_b, w_s, w'_s 为参数. 这种做法在概念上容易引起混乱. 这是因为不是在所有的情况下都能把挠度 w 分解为 w_b 与 w_s 两项之和.

§ 3.15 分解刚度法

在 1951—1952 年间, Bijlaard[71] 在一篇分段连载的文章中, 对夹层板的临界载荷提出了一个简单的近似计算方法, 称为分解刚度法, 并用这个方法计算了许多具体情况下的临界载荷的近似值. 在《夹层板的弯曲、稳定与振动》[40]一书中,把分解刚度法推广到平衡问题和振动问题. 本节介绍他们的结果, 并补充指出分解刚度法与能量法的关系.

先考虑一个变剖面的梁在横向载荷 $q(m = 0)$ 作用下的平衡问题. 边界条件只考虑固支、简支和自由三种情况. 在其他参数不变的情况下，挠度w和转角ψ是刚度D和C的函数。命w_1，ψ_1为$C=\infty$而D保持原有值时的挠度和转角，再命w_2，ψ_2为$D=\infty$而C保持原有值时的挠度和转角。分解刚度法把挠度和转角近似地表达为

$$w=w_1+w_2,\ \psi=\psi_1+\psi_2. \tag{15.1}$$

现在先来求w_1，ψ_1。由于在这种情况下假定了$C=\infty$，即无剪切变形，本章理论退化到第二章的经典理论。把按经典理论求得的挠度记为w_b(通常称为弯曲挠度)，于是有

$$w_1=w_b,\ \psi_1=\frac{dw_b}{dx}. \tag{15.2}$$

下面再来求w_2，ψ_2。由于在此种情况下假定了$D=\infty$，而弯矩M_2必为有限的量，所以必有

$$\psi_2=0. \tag{15.3}$$

这样剪力Q_2便只与w_2有关，而有公式

$$Q_2=C\frac{dw_2}{dx}. \tag{15.4}$$

将此代入平衡方程(1.8)的第一个，得到

$$\frac{d}{dx}\left(C\frac{dw_2}{dx}\right)=-q. \tag{15.5}$$

边界条件现在变为

$$\begin{aligned}&\text{在固支及简支端上:}\quad w_2=0,\\&\text{在自由端上:}\qquad C\frac{dw_2}{dx}=0.\end{aligned} \tag{15.6}$$

方程(15.5)，(15.6)唯一地规定了函数w_2。把这个解记为w_s(通常称为剪切挠度)，于是有

$$w_2=w_s,\ \psi_2=0. \tag{15.7}$$

最后根据分解刚度法，有

$$w=w_b+w_s,\ \psi=\frac{dw_b}{dx}. \tag{15.8}$$

在§3.3的末尾已经指出过，对于剪力是静定的情况，公式

(15.8) 是精确解，对于其他的情况，公式 (15.8) 是近似解.

平衡问题中的分解刚度法是一种很直观的近似解法，但它同时也是一种能量法. 前已证明，挠度 w 和转角 ψ 应使梁的势能

$$\Pi=\int_0^l\left\{\frac{1}{2}D\left(\frac{d\psi}{dx}\right)^2+\frac{1}{2}C\left(\frac{dw}{dx}-\psi\right)^2-qw\right\}dx \tag{15.9}$$

取最小值. 作为初级近似，我们可以取

$$w=w_1,\quad \psi=\frac{dw_1}{dx}. \tag{15.10}$$

将此代入 (15.9)，得到

$$\Pi=\int_0^l\left\{\frac{1}{2}D\left(\frac{d^2w_1}{dx^2}\right)^2-qw_1\right\}dx. \tag{15.11}$$

这便是经典理论中的势能，由此可知

$$w_1=w_b.$$

作为第二级的近似，我们可以取

$$w=w_b+w_2,\quad \psi=\frac{dw_b}{dx}. \tag{15.12}$$

将此代入 (15.9)，得到

$$\begin{aligned}\Pi=&\int_0^l\left\{\frac{1}{2}D\left(\frac{d^2w_b}{dx^2}\right)^2-qw_b\right\}dx\\&+\int_0^l\left\{\frac{1}{2}C\left(\frac{dw_2}{dx}\right)^2-qw_2\right\}dx.\end{aligned} \tag{15.13}$$

w_2 应使上式定义的 Π 取最小值，由此可导出方程 (15.5) 和边界条件 (15.6). 可见，平衡问题中的分解刚度法是最小势能原理的一种特殊用法. 由此还知道，用分解刚度法求得的势能只可能偏大，即外力所作之功只可能偏小:

$$\int_0^l q(w_b+w_s)dx\leqslant\int_0^l qw\,dx. \tag{15.14}$$

下面再来考虑变剖面梁在轴向压力 P 作用下的稳定性问题. 边界条件也只考虑固支、简支和自由三种典型情况. 在其他参数不变的情况下，临界载荷 P 以及失稳型式 w, ψ 是刚度 D, C 的函数. 命 P_1, w_1, ψ_1 为 $C=\infty$ 而 D 保持原有值时的临界载荷和失

稳型式；再命 P_2, w_2, ψ_2 为 $D=\infty$ 而 C 保持原有值时的临界载荷和失稳型式. 稳定性问题中的分解刚度法认为 P 可以近似地表达为

$$\frac{1}{P}=\frac{1}{P_1}+\frac{1}{P_2},\text{即 } P=\frac{P_1}{1+\frac{P_1}{P_2}}. \tag{15.15}$$

现在先来求 P_1, w_1, ψ_1. 由于在这种情况下假定了 $C=\infty$, 即无剪切变形，本章理论退回到第二章的经典理论. 把按经典理论求得的临界载荷和挠度记为 P_b 和 w_b, 于是有

$$P_1=P_b,\ w_1=w_b,\ \psi_1=\frac{dw_b}{dx}. \tag{15.16}$$

下面再来求 P_2, w_2, ψ_2. 由于在此种情况下假定了 $D=\infty$, 所以和平衡问题一样仍有 (15.3), (15.4). 这样平衡方程 (10.6) 变为

$$\frac{d}{dx}\left(C\frac{dw_2}{dx}\right)-P_2\frac{d^2w_2}{dx^2}=0, \tag{15.17}$$

而边界条件变为

$$\begin{aligned}&\text{在固支及简支端上：}\quad w_2=0,\\&\text{在自由端上：}\qquad (C-P_2)\frac{dw_2}{dx}=0.\end{aligned} \tag{15.18}$$

方程 (15.17), (15.18) 构成一个本征值问题. 命 P_2 的最小的本征值 P_s (当 C 为常数时 $P_s=C$), 于是有

$$P_2=P_s \tag{15.19}$$

将 (15.16), (15.19) 代入 (15.15), 得到

$$P=\frac{P_b}{1+\frac{P_b}{P_s}}. \tag{15.20}$$

这是分解刚度法的最终的结果.

Bijlaard 在文章 [71] 的第三部份，觉察到用分解刚度法求得的临界载荷有可能偏大. 他企图用能量法来解释这个现象. 事实上，在稳定性问题中，分解刚度法确是能量法的一种特殊用法. 若用里兹法来求临界载荷的近似值，并取

$$w=\alpha w_b,\ \psi=\beta\frac{dw_b}{dx},\tag{15.21}$$

其中 α,β 为待定的常数，那末把此式代入变分式 (10.2) 后，得到

$$P=\min_{\alpha,\beta}\frac{\beta^2\int_0^l D\left(\frac{d^2w_b}{dx^2}\right)^2dx+(\alpha-\beta)^2\int_0^l C\left(\frac{dw_b}{dx}\right)^2dx}{\alpha^2\int_0^l\left(\frac{dw_b}{dx}\right)^2dx}$$

$$=\min_{\xi}\left\{\xi^2\frac{\int_0^l D\left(\frac{d^2w_b}{dx^2}\right)^2dx}{\int_0^l\left(\frac{dw_b}{dx}\right)^2dx}+(1-\xi)^2\frac{\int_0^l C\left(\frac{dw_b}{dx}\right)^2dx}{\int_0^l\left(\frac{dw_b}{dx}\right)^2dx}\right\}.\tag{15.22}$$

其中 $\xi=\frac{\beta}{\alpha}$. 根据梁的经典理论，有

$$P_b=\frac{\int_0^l D\left(\frac{d^2w_b}{dx^2}\right)^2dx}{\int_0^l\left(\frac{dw_b}{dx}\right)^2dx},\tag{15.23}$$

又根据本征问题 (15.17), (15.18), 有

$$P_s=\min\frac{\int_0^l C\left(\frac{dw_2}{dx}\right)^2dx}{\int_0^l\left(\frac{dw_2}{dx}\right)^2dx}\leqslant\frac{\int_0^l C\left(\frac{dw_b}{dx}\right)^2dx}{\int_0^l\left(\frac{dw_b}{dx}\right)^2dx}.\tag{15.24}$$

将 (15.23), (15.24) 代入 (15.22), 得到

$$P\leqslant\min_{\xi}\{\xi^2P_b+(1-\xi)^2P_s\}=\frac{P_b}{1+\frac{P_b}{P_s}}.\tag{15.25}$$

这个公式明确地指出，用分解刚度法求得的临界载荷只可能偏大，不可能偏小.

最后来考虑变剖面梁的固有振动问题. 边界条件仍只考虑固

支、简支、自由三种典型情况. 在其他参数不变的情况下，基本固有频率 ω 和相应的振型 w, ψ 是刚度 D, C 的函数. 和前面两个问题的做法相似，命 ω_1, w_1, ψ_1, 为 $C=\infty$ 而 D 保持原有值时的基本固有频率和相应的振型，ω_2, w_2, ψ_2 是 $D=\infty$ 而 C 保持原有值时的同上的量. 在分解刚度法中认为基本固有频率可近似地取为

$$\frac{1}{\omega^2}=\frac{1}{\omega_1^2}+\frac{1}{\omega_2^2}, \text{ 即 } \omega^2=\frac{\omega_1^2}{1+\dfrac{\omega_1^2}{\omega_2^2}}. \tag{15.26}$$

和前面的两个问题类似，对于第一种情况可求得

$$\omega_1=\omega_b,\ w_1=w_b,\ \psi_1=\frac{dw_b}{dx}. \tag{15.27}$$

式中 ω_b 和 w_b 是按经典理论(计及转动惯量)求得的基本固有频率和相应的挠度. 对于第二种情况可求得

$$\omega_2=\omega_s,\ w_2=w_s,\ \psi_2=0. \tag{15.28}$$

式中 ω_s^2 和 w_s 是下列本征值问题中最小的本征值和相应的本征函数:

$$\frac{d}{dx}\left(C\frac{dw_2}{dx}\right)+\omega_2^2\rho Aw_2=0, \tag{15.29}$$

在固支及简支端上: $w_2=0$,

在自由端上: $C\dfrac{dw_2}{dx}=0.$ (15.30)

将 (15.27), (15.28) 代入 (15.26), 得到分解刚度法中最终的公式

$$\frac{1}{\omega^2}=\frac{1}{\omega_b^2}+\frac{1}{\omega_s^2}, \text{ 即 } \omega^2=\frac{\omega_b^2}{1+\dfrac{\omega_b^2}{\omega_s^2}}. \tag{15.31}$$

上列公式也与能量法有密切的联系，并且对于静定的梁，可以证明

$$\omega^2\geqslant\frac{\omega_b^2}{1+\dfrac{\omega_b^2}{\omega_s^2}}, \tag{15.32}$$

即分解刚度法给出了频率的下限． 为了证明这个结论，适宜于用余能变分原理 (13.25)．对于静定的梁，没有混进来的零频率，因此对于基本固有频率便有

$$\omega^2 = \min \frac{\int_0^l (\rho A \ddot{w}^2 + \rho J \ddot{\psi}^2) dx}{\int_0^l \left(\frac{M^2}{D} + \frac{Q^2}{C} \right) dx}. \tag{15.33}$$

取此式的倒数，得到

$$\frac{1}{\omega^2} = \max \left\{ \frac{\int_0^l \frac{M^2}{D} dx}{\int_0^l (\rho A \ddot{w}^2 + \rho J \ddot{\psi}^2) dx} + \frac{\int_0^l \frac{Q^2}{C} dx}{\int_0^l (\rho A \ddot{w}^2 + \rho J \ddot{\psi}^2) dx} \right\}$$

$$\leqslant \max \frac{\int_0^l \frac{M^2}{D} dx}{\int_0^l (\rho A \ddot{w}^2 + \rho J \ddot{\psi}^2) dx} + \max \frac{\int_0^l \frac{Q^2}{C} dx}{\int_0^l (\rho A \ddot{w}^2 + \rho J \ddot{\psi}^2) dx}. \tag{15.34}$$

此式右端的第一项相当于经典理论（考虑到转动惯量 ρJ，仅忽略剪切变形，这就是假设 $C = \infty$）中的余能变分原理，第二项相当于与本征值问题 (15.29)，(15.30) 对应的余能变分原理． 因此从 (15.34) 便可得知

$$\frac{1}{\omega^2} \leqslant \frac{1}{\omega_b^2} + \frac{1}{\omega_s^2}. \tag{15.35}$$

由此即可导出 (15.32)．

第四章 薄板的弯曲问题

§4.1 基本方程的回顾

厚度比平面尺寸小许多倍的片状结构，称为薄板或薄壳．与板或壳的两表面距离相等的面称为中面．薄板的中面是一个平面．薄壳的中面是一个曲面．本章讨论薄板的弯曲问题．取板的中面为 xy 平面，取 z 轴与 x, y 轴垂直．设板的厚度为 h，它可以是 x, y 的函数．板的两个表面的方程是

$$z = \pm \frac{1}{2} h. \tag{1.1}$$

板内任一点 $P(x, y, z)$，在变形后沿 x, y, z 轴向的位移记为 $u(x, y, z)$, $v(x, y, z)$, $w(x, y, z)$．在薄板的弯曲理论中，对板的变形作如下的假设：在变形前垂直中面的直线段在变形后没有伸缩，并且继续垂直变形后的中面．这个假设最后导致可以用一个广义位移 $w(x, y)$ 来表示三个位移分量：

$$u(x, y, z) = -z\frac{\partial w}{\partial x},\ v(x, y, z) = -z\frac{\partial w}{\partial y},$$
$$w(x, y, z) = w(x, y). \tag{1.2}$$

确定板内任一点的应力状态，一般需要六个应力分量：σ_x, σ_y, σ_z, τ_{yz}, τ_{xz}, τ_{xy}．这六个应力分量的大小不是同一量级的．一般说来，σ_x, σ_y, τ_{xy} 比较地最大，τ_{xz}, τ_{yz} 约小一个量级，而 σ_z 又再小一个量级．因此在推导板的方程时，部分地忽略 τ_{xz}, τ_{yz} 的作用，更多地忽略 σ_z 的作用．

应力分量是 x, y, z 的函数．对于用（沿厚度）均质材料构成的薄板，应力分量 σ_x, σ_y, τ_{xy}, τ_{xz}, τ_{yz} 可以用五个内力 $M_x(x, y)$, $M_y(x, y)$, $M_{xy}(x, y)$, $Q_x(x, y)$, $Q_y(x, y)$ 表示如下：

$$\sigma_x = \frac{12z}{h^3} M_x, \quad \sigma_y = \frac{12z}{h^3} M_y, \quad \tau_{xy} = \frac{12z}{h^3} M_{xy},$$

$$\tau_{xz} = \frac{3}{2h}\left(1 - \frac{4z^2}{h^2}\right) Q_x, \quad \tau_{yz} = \frac{3}{2h}\left(1 - \frac{4z^2}{h^2}\right) Q_y. \tag{1.3}$$

M_x, M_y 称为弯矩，M_{xy} 称为扭矩. M_x, M_y, M_{xy} 统称为内力矩. Q_x, Q_y 称为横向剪力,简称剪力. 它们是应力沿厚度方向的合力和合力矩:

$$M_x = \int_{-\frac{h}{2}}^{\frac{h}{2}} \sigma_x z dz, \quad M_y = \int_{-\frac{h}{2}}^{\frac{h}{2}} \sigma_y z dz, \quad M_{xy} = \int_{-\frac{h}{2}}^{\frac{h}{2}} \tau_{xy} z dz$$

$$Q_x = \int_{-\frac{h}{2}}^{\frac{h}{2}} \tau_{xz} dz, \quad Q_y = \int_{-\frac{h}{2}}^{\frac{h}{2}} \tau_{yz} dz \tag{1.4}$$

这里要注意,弯矩和剪力,在梁理论中和在板理论中代表两种相似而稍有区别的东西. 在梁理论中,弯矩是整个剖面上的内力矩,它的单位是公斤力·米,内力是整个剖面上的内力,单位是公斤力.在板的理论中，弯矩、扭矩是单位中面宽度内的内力矩，它们的单位是公斤力(即公斤力 · 米/米)，剪力是单位中面宽度内的内力，它们的单位是公斤力/米. 弯矩、扭矩和剪力的正方向如图 1.1 所示. 用言语来表示便是: 正的弯矩 M_x, M_y 在 $z > 0$ 的一边产生正的法应力 σ_x, σ_y, 正的扭矩 M_{xy} 在 $z > 0$ 的一边产生正的剪应力 τ_{xy}, 正的剪力 Q_x, Q_y 产生正的剪应力 τ_{xz}, τ_{yz}.

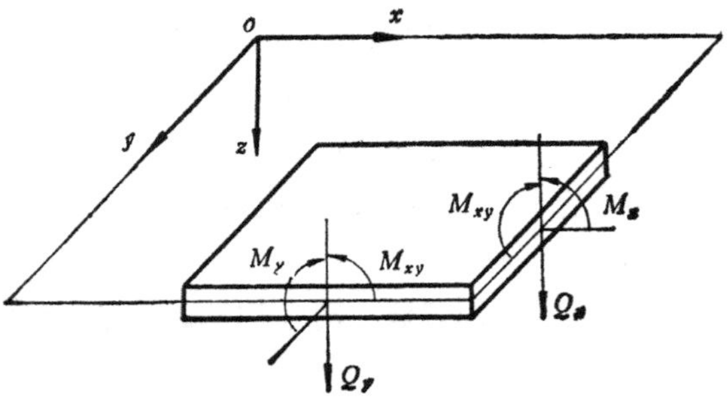

图 1.1

作用在板上的横向载荷可以用分布横向载荷 $p(x,y)$ 来确定，它表示单位中面面积内的外载荷在 z 轴方向的投影. p 的单位是公斤力/米²(在梁的理论中,分布载荷 q 的单位是公斤力/米).

若用内力来表示,平衡方程是

$$\frac{\partial M_x}{\partial x}+\frac{\partial M_{xy}}{\partial y}=Q_x,\quad \frac{\partial M_{xy}}{\partial x}+\frac{\partial M_y}{\partial y}=Q_y, \tag{1.5}$$

$$\frac{\partial Q_x}{\partial x}+\frac{\partial Q_y}{\partial y}+p=0. \tag{1.6}$$

在薄板理论中,内力 Q_x, Q_y 不产生应变,因而也不作功,因此它们是可以消去的内力. 将 (1.5) 代入 (1.6), 得到

$$\frac{\partial^2 M_x}{\partial x^2}+2\frac{\partial^2 M_{xy}}{\partial x\partial y}+\frac{\partial^2 M_y}{\partial y^2}+p=0. \tag{1.7}$$

以后凡提到平衡方程，都是指 (1.7) 而言. 后面有时也用到 Q_x, Q_y,但都把它们当作 (1.5) 式左端的代号,不作为一个独立的量看待.

上面介绍的公式和方程，与材料的性质无关. 下面再介绍内力矩与挠度的关系，它就与材料性质有关了. 弯扭矩并不直接与挠度发生联系.与弯矩扭矩相对应的广义应变是挠曲面的曲率 k_x, k_y, k_{xy}. 在线性理论中,它们与挠度 w 的关系为

$$k_x=-\frac{\partial^2 w}{\partial x^2},\ k_y=-\frac{\partial^2 w}{\partial y^2},\ k_{xy}=-\frac{\partial^2 w}{\partial x\partial y}. \tag{1.8}$$

内力矩与曲率的关系可以通过应变能密度 U 表示出来. 对于线性的以及非线性的应力应变关系，都可以这样表示出来. 应变能密度是指板的单位中面面积内所贮存的应变能. 当板的变形状态由 k_x,k_y,k_{xy} 变到相邻的状态 $k_x+\delta k_x$, $k_y+\delta k_y$, $k_{xy}+\delta k_{xy}$ 时，内力矩 M_x, M_y, M_{xy} 作了功，根据能量守恒原理，这个功变为物体中的应变能,因而

$$\delta U=M_x\delta k_x+M_y\delta k_y+2M_{xy}\delta k_{xy}. \tag{1.9}$$

因此,若把 U 表示为 k_x, k_y, k_{xy} 的函数,则有

$$M_x = \frac{\partial U}{\partial k_x}, \quad M_y = \frac{\partial U}{\partial k_y}, M_{xy} = \frac{1}{2}\frac{\partial U}{\partial k_{xy}}. \qquad (1.10)$$

对于线性的弹性体，U 应该是 k_x, k_y, k_{xy} 的正定的二次齐次函数。在各向同性的情况，U 的算式是

$$U = \frac{1}{2} D\{(k_x + k_y)^2 + 2(1-\nu)(k_{xy}^2 - k_x k_y)\}. \quad (1.11)$$

将此代入 (1.10)，然后再将 (1.8) 代入，得到

$$\begin{aligned} M_x &= -D\left(\frac{\partial^2 w}{\partial x^2} + \nu\frac{\partial^2 w}{\partial y^2}\right), \\ M_y &= -D\left(\frac{\partial^2 w}{\partial y^2} + \nu\frac{\partial^2 w}{\partial x^2}\right), \\ M_{xy} &= -(1-\nu)D\frac{\partial^2 w}{\partial x \partial y}. \end{aligned} \qquad (1.12)$$

在上列公式中，系数 D 称为板的弯曲刚度，ν 称为(弯曲问题中的)泊松系数. 对于由均匀的各向同性的材料做成的板，

$$D = \frac{Eh^3}{12(1-\nu^2)}, \qquad (1.13)$$

而 ν 就是材料的泊松系数. 这里也请读者注意，梁的弯曲刚度与板的弯曲刚度，是两个名词相同、实质相近但有区别的两个量. 前者是梁在无侧向约束(即允许侧向自由伸缩)的情况下，梁剖面上的弯矩与曲率的比值；后者是板在柱面弯曲(即侧向不允许有伸缩)的情况下，板内(单位宽度内)弯矩与曲率的比值. 前者的单位是公斤力·米^2，后者的单位是公斤力·米.

对于一般的各向异性板，U 的算式是

$$U = \frac{1}{2} D_{11}k_x^2 + D_{12}k_x k_y + D_{16}k_x(2k_{xy}) + \frac{1}{2}D_{22}k_y^2 + D_{26}k_y(2k_{xy}) + \frac{1}{2}D_{66}(2k_{xy})^2. \quad (1.14a)$$

写成矩阵形式为

$$U = \frac{1}{2}[k_x, k_y, 2k_{xy}]\begin{bmatrix} D_{11} & D_{12} & D_{16} \\ D_{12} & D_{22} & D_{26} \\ D_{16} & D_{26} & D_{66} \end{bmatrix}\begin{bmatrix} k_x \\ k_y \\ 2k_{xy} \end{bmatrix}. \qquad (1.14b)$$

由此可推导出内力矩与曲率的关系为

$$\begin{bmatrix} M_x \\ M_y \\ M_{xy} \end{bmatrix} = -\begin{bmatrix} D_{11} & D_{12} & D_{16} \\ D_{12} & D_{22} & D_{26} \\ D_{16} & D_{26} & D_{66} \end{bmatrix}\begin{bmatrix} \frac{\partial^2 w}{\partial x^2} \\ \frac{\partial^2 w}{\partial y^2} \\ 2\frac{\partial^2 w}{\partial x \partial y} \end{bmatrix}. \qquad (1.15)$$

系数 D_{11}, D_{12}, D_{22}, D_{26}, D_{66} 称为板的弯曲刚度系数，它们组成的矩阵称为弯曲刚度矩阵. 对于正交各向异性的板，如果 x, y 轴平行于各向异性的主方向，则有

$$D_{16} = D_{26} = 0. \qquad (1.16)$$

各向异性板弯曲刚度系数的计算，可参考 Лехницкий 的著作 [338].

上面的算式是把内力矩表示成为曲率的函数. 倒过头来，当然也可以把曲率表示成为内力矩的函数. 这些算式最适宜于用余应变能密度 V 来表示. 余应变能密度 V 看作是内力矩 M_x, M_y, M_{xy} 的函数，其值定义为

$$V = M_x k_x + M_y k_y + 2M_{xy} k_{xy} - U. \qquad (1.17)$$

当板的变形由一种状态变到相邻的一种状态时，V 的变分是

$$\delta V = k_x \delta M_x + k_y \delta M_y + 2k_{xy} \delta M_{xy} + M_x \delta k_x + M_y \delta k_y + 2M_{xy} \delta k_{xy} - \delta U.$$

利用 (1.9)，上式化为

$$\delta V = k_x \delta M_x + k_y \delta M_y + 2k_{xy} \delta M_{xy}. \qquad (1.18)$$

由此可知

$$k_x = \frac{\partial V}{\partial M_x}, \quad k_y = \frac{\partial V}{\partial M_y}, \quad 2k_{xy} = \frac{\partial V}{\partial M_{xy}}. \qquad (1.19)$$

对于线性的弹性体，V 应该是 M_x, M_y, M_{xy} 的正定的二次齐次

函数．对于一般的各向异性板，V 的算式是

$$V = \frac{1}{2} d_{11}M_x^2 + d_{12}M_xM_y + d_{16}M_xM_{xy} + \frac{1}{2} d_{22}M_y^2 + d_{26}M_yM_{xy} + \frac{1}{2} d_{66}M_{xy}^2. \tag{1.20}$$

通过 V 表达出来的曲率内力矩的关系为

$$\begin{bmatrix} -\dfrac{\partial^2 w}{\partial x^2} \\ -\dfrac{\partial^2 w}{\partial y^2} \\ -2\dfrac{\partial^2 w}{\partial x \partial y} \end{bmatrix} = \begin{bmatrix} d_{11} & d_{12} & d_{16} \\ d_{12} & d_{22} & d_{26} \\ d_{16} & d_{26} & d_{66} \end{bmatrix} \begin{bmatrix} M_x \\ M_y \\ M_{xy} \end{bmatrix}. \tag{1.21}$$

公式 (1.15) 和 (1.21) 是一个关系的两种不同表示，故有

$$\begin{bmatrix} d_{11} & d_{12} & d_{16} \\ d_{12} & d_{22} & d_{26} \\ d_{16} & d_{26} & d_{66} \end{bmatrix} \begin{bmatrix} D_{11} & D_{12} & D_{16} \\ D_{12} & D_{22} & D_{26} \\ D_{16} & D_{26} & D_{66} \end{bmatrix} = \begin{bmatrix} 1 & 0 & 0 \\ 0 & 1 & 0 \\ 0 & 0 & 1 \end{bmatrix}. \tag{1.22}$$

如果弯曲刚度系数是常数，那末在把 (1.15) 代入 (1.7) 之后，可得到以挠度表示的平衡方程：

$$D_{11}\frac{\partial^4 w}{\partial x^4} + 4D_{16}\frac{\partial^4 w}{\partial x^3 \partial y} + 2(D_{12} + 2D_{66})\frac{\partial^4 w}{\partial x^2 \partial y^2} + 4D_{26}\frac{\partial^4 w}{\partial x \partial y^3} + D_{22}\frac{\partial^4 w}{\partial y^4} = p. \tag{1.23}$$

对于各向同性的板，上式化为

$$D\left(\frac{\partial^4 w}{\partial x^4} + 2\frac{\partial^4 w}{\partial x^2 \partial y^2} + \frac{\partial^4 w}{\partial y^4}\right) = p. \tag{1.24}$$

如果弯曲刚度系数不是常数，那末在把 (1.15) 代入 (1.7) 之后当然也能得到以挠度表示的平衡方程．不过这个方程的项数将很多，用起来并不方便，还不如直接应用 (1.7) 和 (1.15) 的四个方程．

§ 4.2 坐标旋转引起的变换

在探讨板的一般理论和求解板的具体问题时，常常要用到几个坐标系．于是便产生了一个问题，在不同的坐标系中，几个基本量之间有什么联系？设 oxy，$o\xi\eta$ 是公用一个原点的两个坐标系．命 ξ 到 η 的转向与 x 到 y 的转向相同，x 到 ξ 轴的转角为 θ．设已知在 xy 坐标系中的各个量 w，$\frac{\partial w}{\partial x}$，$\frac{\partial w}{\partial y}$，$\frac{\partial^2 w}{\partial x^2}$，$\frac{\partial^2 w}{\partial x \partial y}$，$\frac{\partial^2 w}{\partial y^2}$，$M_x$，$M_y$，$M_{xy}$，$Q_x$，$Q_y$，要求计算在 $\xi\eta$ 坐标系中相应的各个量 w，$\frac{\partial w}{\partial \xi}$，$\frac{\partial w}{\partial \eta}$，$\frac{\partial^2 w}{\partial \xi^2}$，$\frac{\partial^2 w}{\partial \xi \partial \eta}$，$\frac{\partial^2 w}{\partial \eta^2}$，$M_\xi$，$M_\eta$，$M_{\xi\eta}$，$Q_\xi$，$Q_\eta$．

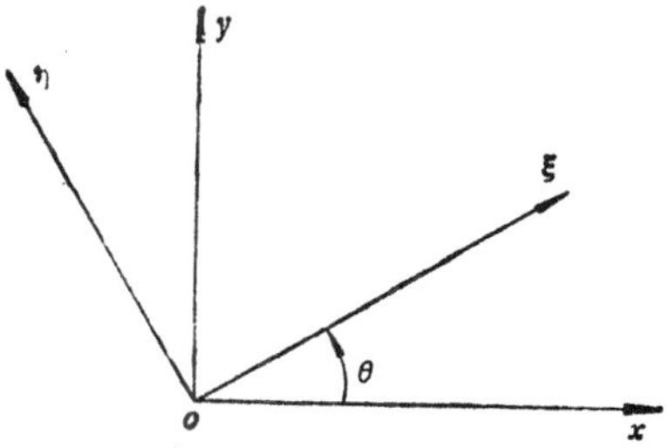

图 2.1

从图 2.1 可以看到，两个坐标系中坐标的关系为

$$x = \xi\cos\theta - \eta\sin\theta,\quad y = \xi\sin\theta + \eta\cos\theta$$
$$\xi = x\cos\theta + y\sin\theta,\quad \eta = -x\sin\theta + y\cos\theta. \tag{2.1}$$

对于任一个函数 $F(x, y) = F(\xi, \eta)$，有

$$\frac{\partial F}{\partial \xi} = \frac{\partial F}{\partial x}\frac{\partial x}{\partial \xi} + \frac{\partial F}{\partial y}\frac{\partial y}{\partial \xi} = \frac{\partial F}{\partial x}\cos\theta + \frac{\partial F}{\partial y}\sin\theta,$$
$$\frac{\partial F}{\partial \eta} = \frac{\partial F}{\partial x}\frac{\partial x}{\partial \eta} + \frac{\partial F}{\partial y}\frac{\partial y}{\partial \eta} = -\frac{\partial F}{\partial x}\sin\theta + \frac{\partial F}{\partial y}\cos\theta. \tag{2.2}$$

对于挠度 w，显然有

$$w(x, y) = w(\xi, \eta). \tag{2.3}$$

于是利用公式 (2.2)，得到

$$\frac{\partial w}{\partial \xi} = \frac{\partial w}{\partial x}\cos\theta + \frac{\partial w}{\partial y}\sin\theta, \tag{2.4 a}$$

$$\frac{\partial w}{\partial \eta}=-\frac{\partial w}{\partial x}\sin\theta+\frac{\partial w}{\partial y}\cos\theta. \tag{2.4b}$$

再把 $\frac{\partial w}{\partial \xi}$ 看作是某一个函数 F，于是有

$$\begin{aligned}\frac{\partial}{\partial \xi}\left(\frac{\partial w}{\partial \xi}\right)&=\frac{\partial}{\partial x}\left(\frac{\partial w}{\partial x}\cos\theta+\frac{\partial w}{\partial y}\sin\theta\right)\cos\theta\\&\quad+\frac{\partial}{\partial y}\left(\frac{\partial w}{\partial x}\cos\theta+\frac{\partial w}{\partial y}\sin\theta\right)\sin\theta\\&=\frac{\partial^2 w}{\partial x^2}\cos^2\theta+2\frac{\partial^2 w}{\partial x\partial y}\cos\theta\sin\theta\\&\quad+\frac{\partial^2 w}{\partial y^2}\sin^2\theta.\end{aligned}$$

用相同的方法可以求得 $\partial^2 w/\partial\xi\partial\eta$ 和 $\partial^2 w/\partial\eta^2$，合起来有

$$\begin{aligned}\frac{\partial^2 w}{\partial \xi^2}&=\frac{\partial^2 w}{\partial x^2}\cos^2\theta+2\frac{\partial^2 w}{\partial x\partial y}\cos\theta\sin\theta+\frac{\partial^2 w}{\partial y^2}\sin^2\theta,\\\frac{\partial^2 w}{\partial \eta^2}&=\frac{\partial^2 w}{\partial x^2}\sin^2\theta-2\frac{\partial^2 w}{\partial x\partial y}\cos\theta\sin\theta+\frac{\partial^2 w}{\partial y^2}\cos^2\theta,\\\frac{\partial^2 w}{\partial \xi\partial\eta}&=-\frac{\partial^2 w}{\partial x^2}\cos\theta\sin\theta+\frac{\partial^2 w}{\partial x\partial y}(\cos^2\theta-\sin^2\theta)\\&\quad+\frac{\partial^2 w}{\partial y^2}\cos\theta\sin\theta.\end{aligned} \tag{2.5}$$

弯矩、扭矩的变换规律与曲率相同，因此有

$$\begin{aligned}M_\xi&=M_x\cos^2\theta+2M_{xy}\cos\theta\sin\theta+M_y\sin^2\theta,\\M_\eta&=M_x\sin^2\theta-2M_{xy}\cos\theta\sin\theta+M_y\cos^2\theta,\\M_{\xi\eta}&=-M_x\cos\theta\sin\theta+M_{xy}(\cos^2\theta-\sin^2\theta)\\&\quad+M_y\cos\theta\sin\theta.\end{aligned} \tag{2.6}$$

剪力的变化规律与斜率相同，因此有

$$\begin{aligned}Q_\xi&=Q_x\cos\theta+Q_y\sin\theta,\\Q_\eta&=-Q_x\sin\theta+Q_y\cos\theta.\end{aligned} \tag{2.7}$$

§ 4.3 典型的边界条件

命板在 xy 平面上所占的区域为 Ω，板的边界为 C．命 n 为边界的向外的法线方向，s 为边界的切线方向（有时也用 s 代表边界曲线的弧长）．n，s 的转向取得与 x，y 的转向相同，如图 3.1 所示．

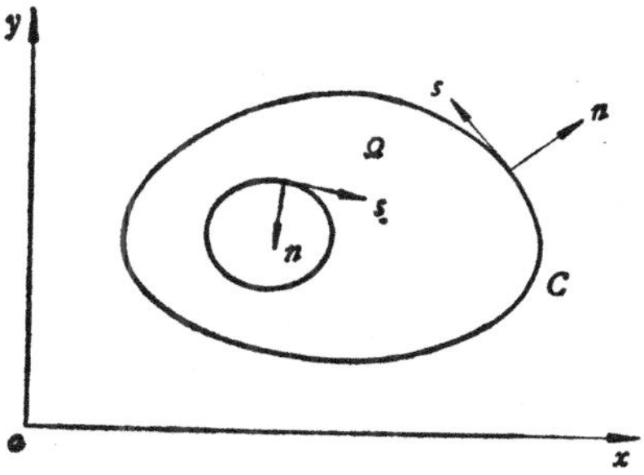

图 3.1

在板的弯曲问题中，典型的边界条件有三种．第一种称为固支边．在固支边上已知挠度及其法向斜率．命 C_1 为整个边界中的固支部分，则有

$$\text{在 } C_1 \text{ 上：} \quad w = \bar{w},\ \frac{\partial w}{\partial n} = \bar{\Phi}_n. \tag{3.1}$$

这里 $\bar{w}$ 和 $\bar{\Phi}_n$ 是已知的边界弧长 s 的函数．

第二种称为简支边．在简支边界上，已知挠度和法向弯矩．命 C_2 为整个边界中的简支部分，则有

$$\text{在 } C_2 \text{ 上：} \quad w = \bar{w},\ M_n = \bar{M}_n. \tag{3.2}$$

这里 $\bar{w}$ 和 $\bar{M}_n$ 是已知的边界弧长 s 的函数．

第三种称为自由边．在自由边上，已知作用在边界上的力．从内力和内力矩看，在边界上能反映出来的有 M_n，M_{ns}，Q_n 三个．但是不能把自由边的边界条件取为

$$M_n = \bar{M}_n,\ M_{ns} = \bar{M}_{ns},\ Q_n = \bar{Q}_n.$$

这是因为从作功的角度来看，M_{ns} 和 Q_n 并不是完全独立的．事实上，若边界上的挠度有一变分 δw，则 M_{ns}，Q_n 在 δw 上所作之功 δW 是

$$\delta W = \int_{C_3} \left[-M_{ns} \frac{\partial \delta w}{\partial s} + Q_n \delta w \right] ds. \tag{3.3}$$

这里 C_3 代表整个边界中的自由部分．利用分部积分公式，上式可化为

$$\delta W = \int_{C_3} \left(\frac{\partial M_{ns}}{\partial s} + Q_n \right) \delta w ds - M_{ns} \delta w \Big|_{C_3}. \tag{3.4a}$$

可见，从作功的观点来看，切向扭矩 M_{ns} 相当于线布载荷 $\partial M_{ns}/\partial s$ 和作用在自由边两端的集中载荷 $\pm M_{ns}$．由于在自由边的两端不是固支边便是简支边，总之是有支座的，由 M_{ns} 产生的相当的集中载荷实际上直接加在支座上，对板的变形没有影响．所以，如果我们只着眼于板的变形，则可略去这两个集中载荷（但在计算支座时这两个集中载荷是不可遗漏的），而有

$$\delta W = \int_{C_3} \left(\frac{\partial M_{ns}}{\partial s} + Q_n \right) \delta w ds. \tag{3.4b}$$

由此可知，$\partial M_{ns}/\partial s + Q_n$ 是与 δw 相应的广义力，所以自由边的边界条件应取为

$$\text{在 } C_3 \text{ 上：} M_n = \bar{M}_n, \quad \frac{\partial M_{ns}}{\partial s} + Q_n = \bar{q}. \tag{3.5}$$

这里 $\bar{q}(s)$ 是已知的作用在 C_3 上的线布载荷．如果在自由边界的某一点 $s = s_0$ 上有一集中载荷 P，那末从 (3.5) 可知

$$M_{ns}(s_0 + 0) - M_{ns}(s_0 - 0) = P. \tag{3.6}$$

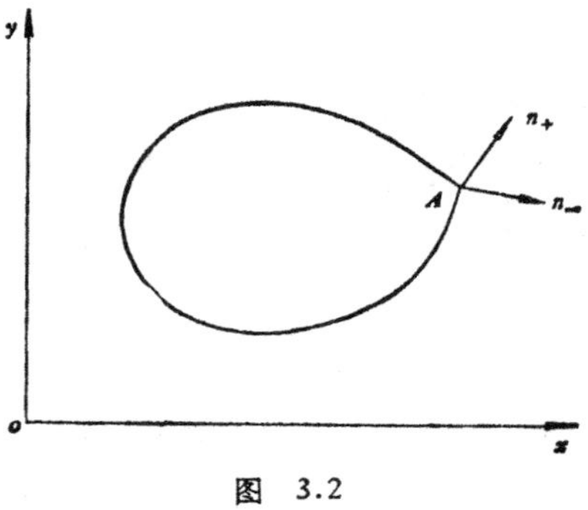

图　3.2

在没有集中载荷的地方，M_{ns} 应是 s 的连续函数．M_{ns} 的跳跃，相应于集中载荷．

在边界的光滑点上，要保证 M_{ns} 的连续性是很容易的．在边界的角点上，要保证 M_{ns} 的连续性便需要列出必要的条件．图 3.2 中的 A 点是边界上的一个角点．若把 A 点看作是前面一段

边界的终点，则在 A 点的法线方向是 n_-. 若把 A 点看作是后面一段边界的起点，则在 A 点的法线方向为 n_+. n_- 与 n_+ 不相重合. 命它们与 x 轴的夹角为 θ_-, θ_+. 根据公式 (2.6), A 点稍后稍前的两个扭矩为

$$M_{ns}^- = (-M_x + M_y)\cos\theta_- \sin\theta + M_{xy}(\cos^2\theta_- - \sin^2\theta_-),$$
$$M_{ns}^+ = (-M_x + M_y)\cos\theta_+ \sin\theta_+ + M_{xy}(\cos^2\theta_+ - \sin^2\theta_+).$$

所以 M_{ns} 的连续条件 $M_{ns}^- = M_{ns}^+$ 可写成为

$$\frac{1}{2}(-M_x + M_y)(\sin 2\theta_+ - \sin 2\theta_-) + M_{xy}(\cos 2\theta_+ - \cos 2\theta_-) = 0.$$

化简后得到

$$(M_x - M_y)\cos(\theta_+ + \theta_-) + 2M_{xy}\sin(\theta_+ + \theta_-) = 0. \quad (3.7)$$

特别是 A 点前后两条边界平行 x, y 轴时，上式简化为

$$M_{xy} = 0. \quad (3.8)$$

§4.4 虚功原理和功的互等定理

按照力学上的一般称呼，满足位移连续条件的位移叫做可能位移. 与可能位移相应的应变叫做可能应变. 在薄板的弯曲问题中只有一个广义位移 $w(x, y)$, 因此 w 为可能挠度的充要条件是: w, $\partial w/\partial x$, $\partial w/\partial y$ 是 x, y 的连续可导的函数，并且在边界上满足连续条件:

$$\text{在 } C_1 \text{ 上: } w = \bar{w}, \ \frac{\partial w}{\partial n} = \bar{\phi}_n,$$
$$\text{在 } C_2 \text{ 上: } w = \bar{w}. \quad (4.1)$$

与可能挠度相应的曲率，称为相应的可能曲率

又按照力学上的一般称呼，与某种外力保持平衡的内力，称为与此种外力相应的可能内力. 在薄板的弯曲问题中，内力有 M_x, M_y, M_{xy} 三个 (Q_x, Q_y 看作是缩写). 这三个量组成一组可能内力的充要条件是: 在板的内部满足平衡方程 (1.7), 在板的边界上满足条件

在 C_2 上：$M_n = \bar{M}_n$，

$$\text{在 } C_3 \text{ 上：} M_n = \bar{M}_n,\ \frac{\partial M_{ns}}{\partial s} + Q_n = \bar{q}. \tag{4.2}$$

根据能量守恒原理，在一般的线性弹性力学中，外力在可能位移上所作之功，等于可能内力在可能应变上所作之功．通常把这个关系叫做虚功原理．在薄板的弯曲问题中，如果把作用在边界上的支座反力也看作是外力，那末虚功原理的数学形式便是

$$\begin{aligned}-\iint_\Omega \left(M_x \frac{\partial^2 w}{\partial x^2} + 2M_{xy}\frac{\partial^2 w}{\partial x \partial y} + M_y \frac{\partial^2 w}{\partial y^2}\right) dxdy \\ = \iint_\Omega pw dxdy + \int_C \left(\frac{\partial M_{ns}}{\partial s} + Q_n\right) wds \\ - \int_C M_n \frac{\partial w}{\partial n} ds.\end{aligned} \tag{4.3}$$

式中 w 是某个可能挠度，M_x，M_{xy}，M_y 是组可能内力．它们之间可以没有任何联系．

上面通过说理得到了公式（4.3）．对这个公式当然也能够作严格的数学证明．为了证明过程中书写方便，命

$$l = \cos(n, x),\ m = \cos(n, y). \tag{4.4}$$

在 § 4.2 的公式中，将 ξ 轴取为 n 方向，η 轴取为 s 方向，则可将 M_n，M_{ns}，Q_n，$\frac{\partial w}{\partial n}$，$\frac{\partial w}{\partial s}$ 等用 M_x，M_y，M_{xy}，Q_x，Q_y，$\frac{\partial w}{\partial x}$，$\frac{\partial w}{\partial y}$ 等表示出来．在下面的证明中要用到这些公式．

证明可从(4.3)的右端开始．先将其中的两个线积分化简如下：

$$\begin{aligned}&\int_C \left(\frac{\partial M_{ns}}{\partial s} + Q_n\right) wds - \int_C M_n \frac{\partial w}{\partial n} ds \\ &= \int_C Q_n wds - \int_C \left(M_n \frac{\partial w}{\partial n} + M_{ns}\frac{\partial w}{\partial s}\right) ds \\ &= \int_C (lQ_x + mQ_y) wds - \int_C \Big\{(l^2 M_x + 2lmM_{xy} \\ &\quad + m^2 M_y)\left(l\frac{\partial w}{\partial x} + m\frac{\partial w}{\partial y}\right) + [lm(M_y - M_x)\end{aligned}$$

$$+ (l^2 - m^2)M_{xy}]\left(-m\frac{\partial w}{\partial x} + l\frac{\partial w}{\partial y}\right)\Big\}ds$$

$$= \int_C (lQ_x + mQ_y)wds - \int_C \Big\{lM_x\frac{\partial w}{\partial x}$$

$$+ M_{xy}\left(m\frac{\partial w}{\partial x} + l\frac{\partial w}{\partial y}\right) + mM_y\frac{\partial w}{\partial y}\Big\}ds. \qquad (4.5)$$

再将方程 (1.6), (1.5) 代入以简化 (4.3) 式右端的面积分:

$$\iint_\Omega pwdxdy = -\iint_\Omega \left(\frac{\partial Q_x}{\partial x} + \frac{\partial Q_y}{\partial y}\right)wdxdy$$

$$= -\int_C (lQ_x + mQ_y)wds$$

$$+ \iint_\Omega \left(Q_x\frac{\partial w}{\partial x} + Q_y\frac{\partial w}{\partial y}\right)dxdy$$

$$= -\int_C (lQ_x + mQ_y)wds$$

$$+ \iint_\Omega \Big\{\left(\frac{\partial M_x}{\partial x} + \frac{\partial M_{xy}}{\partial y}\right)\frac{\partial w}{\partial x}$$

$$+ \left(\frac{\partial M_{xy}}{\partial x} + \frac{\partial M_y}{\partial y}\right)\frac{\partial w}{\partial y}\Big\}dxdy$$

$$= -\int_C (lQ_x + mQ_y)wds$$

$$+ \int_C \Big\{lM_x\frac{\partial w}{\partial x} + M_{xy}\left(m\frac{\partial w}{\partial x} + l\frac{\partial w}{\partial y}\right)$$

$$+ mM_y\frac{\partial w}{\partial y}\Big\}ds - \iint_\Omega \left(M_x\frac{\partial^2 w}{\partial x^2}\right.$$

$$\left. + 2M_{xy}\frac{\partial^2 w}{\partial x\partial y} + M_y\frac{\partial^2 w}{\partial y^2}\right)dxdy. \qquad (4.6)$$

将 (4.5)、(4.6) 代入 (4.3) 的右端,即可证明右端等于左端.

从上面的证明可以看到,力学上的虚功原理 (4.3),相应于数学上的恒等式

$$\iint_\Omega \Big\{\left(\frac{\partial Q_x}{\partial x} + \frac{\partial Q_y}{\partial y}\right)w - M_x\frac{\partial^2 w}{\partial x^2}$$

$$-2M_{xy}\frac{\partial^2 w}{\partial x\partial y}-M_y\frac{\partial^2 w}{\partial y^2}\Big\}dxdy$$

$$=\int_C\left\{\left(\frac{\partial M_{ns}}{\partial s}+Q_n\right)w-M_n\frac{\partial w}{\partial n}\right\}ds. \tag{4.7}$$

式中 Q_x, Q_y 代表缩写

$$Q_x=\frac{\partial M_x}{\partial x}+\frac{\partial M_y}{\partial y},\ Q_y=\frac{\partial M_{xy}}{\partial x}+\frac{\partial M_y}{\partial y}. \tag{4.8}$$

这里所谓恒等式，是指公式 (4.7) 中 M_x, M_y, M_{xy}, w 是四个可以任意选取的函数. 从普通的高等数学的观点来看，函数 M_x, M_y, M_{xy}, w 都应该有一定的连续可导的性质. 例如 w 的一阶导数应该是连续可导的，否则二阶导数就没有定义. 但是从广义函数[1)]的观点来看，当 M_x, M_y, M_{xy}, w 为广义函数时，公式 (4.7) 依旧成立. 这就是说，在公式 (4.7) 中允许 M_x, M_y, M_{xy}, w 的一阶导数，甚至它们本身在某几条线上不连续.

公式 (4.3) 与 (4.7) 的关系是：有了虚功原理 (4.3)，就启发我们去证明数学上的恒等式(4.7)，而有了 (4.7) 就能严格地证明虚功原理成立.

把虚功原理用于同一块板在两种载荷情况下的两个解，就可以得到功的互等定理. 命 p_1, M_{x1}, M_{y1}, M_{xy1}, w_1 为第一种情况下的解，p_2, M_{x2}, M_{y2}, M_{xy2}, w_2 为第二种情况下的解. 因为精确解中的位移和内力当然是可能位移和可能内力，所以根据虚功原理有

$$\iint_\Omega p_1w_2dxdy+\int_C\left(\frac{\partial M_{ns1}}{\partial s}+Q_{n1}\right)w_2ds$$

$$-\int_C M_{n1}\frac{\partial w_2}{\partial n}ds=-\iint_\Omega\Big(M_{x1}\frac{\partial^2 w_2}{\partial x^2}$$

$$+2M_{xy1}\frac{\partial^2 w_2}{\partial x\partial y}+M_{y1}\frac{\partial^2 w_2}{\partial y^2}\Big)dxdy. \tag{4.9}$$

---

1) 广义函数的基本概念可见 I. Halperin, Introduction to the theory of distributions (I. 海尔比林，广义函数引论，科学出版社出版，1957年).

再命

$$U_{12}=-M_{x1}\frac{\partial^2 w_2}{\partial x^2}-2M_{xy1}\frac{\partial^2 w_2}{\partial x\partial y}-M_{y1}\frac{\partial^2 w_2}{\partial y^2},$$

$$U_{21}=-M_{x2}\frac{\partial^2 w_1}{\partial x^2}-2M_{xy2}\frac{\partial^2 w_1}{\partial x\partial y}-M_{y2}\frac{\partial^2 w_1}{\partial y^2}.$$

根据内力矩和挠度的一般线性关系 (1.15) 有

$$U_{12}=-\begin{bmatrix}\dfrac{\partial^2 w_2}{\partial x^2}\\[2ex]\dfrac{\partial^2 w_2}{\partial y^2}\\[2ex]2\dfrac{\partial^2 w_2}{\partial x\partial y}\end{bmatrix}^T\begin{bmatrix}M_{x1}\\[2ex]M_{y1}\\[2ex]M_{xy1}\end{bmatrix}$$

$$=\begin{bmatrix}\dfrac{\partial^2 w_2}{\partial x^2}\\[2ex]\dfrac{\partial^2 w_2}{\partial y^2}\\[2ex]2\dfrac{\partial^2 w_2}{\partial x\partial y}\end{bmatrix}^T\begin{bmatrix}D_{11} & D_{12} & D_{16}\\[2ex]D_{12} & D_{22} & D_{26}\\[2ex]D_{16} & D_{26} & D_{66}\end{bmatrix}\begin{bmatrix}\dfrac{\partial^2 w_1}{\partial x^2}\\[2ex]\dfrac{\partial^2 w_1}{\partial y^2}\\[2ex]2\dfrac{\partial^2 w_1}{\partial x\partial y}\end{bmatrix}$$

$$=\begin{bmatrix}\dfrac{\partial^2 w_1}{\partial x^2}\\[2ex]\dfrac{\partial^2 w_1}{\partial y^2}\\[2ex]2\dfrac{\partial^2 w_1}{\partial x\partial y}\end{bmatrix}^T\begin{bmatrix}D_{11} & D_{12} & D_{16}\\[2ex]D_{12} & D_{22} & D_{26}\\[2ex]D_{16} & D_{26} & D_{66}\end{bmatrix}\begin{bmatrix}\dfrac{\partial^2 w_2}{\partial x^2}\\[2ex]\dfrac{\partial^2 w_2}{\partial y^2}\\[2ex]2\dfrac{\partial^2 w_2}{\partial x\partial y}\end{bmatrix}$$

$$=-\begin{bmatrix}\dfrac{\partial^2 w_1}{\partial x^2}\\[2ex]\dfrac{\partial^2 w_1}{\partial y^2}\\[2ex]2\dfrac{\partial^2 w_1}{\partial x\partial y}\end{bmatrix}^T\begin{bmatrix}M_{x2}\\[2ex]M_{y2}\\[2ex]M_{xy2}\end{bmatrix}=U_{21}. \tag{4.10}$$

此式表示 (4.9) 的右端是下标 1，2 的对称式，因此左端也必有相同的对称性．这样便有

$$
\begin{aligned}
&\iint_{\Omega} p_1 w_2 dxdy + \int_C \left(\frac{\partial M_{ns1}}{\partial s} + Q_{n1} \right) w_2 ds \\
&\qquad - \int_C M_{n1} \frac{\partial w_2}{\partial n} ds = \iint_{\Omega} U_{12} dxdy \\
&\quad = \iint_{\Omega} p_2 w_1 dxdy + \int_C \left(\frac{\partial M_{ns2}}{\partial s} + Q_{n2} \right) w_1 ds \\
&\qquad - \int_C M_{n2} \frac{\partial w_1}{\partial n} ds.
\end{aligned}
\tag{4.11}
$$

这便是功的互等定理在薄板弯曲问题中的具体形式.

公式 (4.10) 有时称为内功的互等定理,而把公式 (4.11) 称为外功的互等定理. 公式 (4.10) 是由应力应变关系 (1.15) 导出的,而 (1.15) 又是由应变能密度函数导出的. 所以无论是外功的互等定理,还是内功的互等定理,都是能量守恒原理和线性性质的后果.

薄板理论中功的互等定理的用途和用法,与梁的理论差不多. 下面简要地介绍一下最重要的两种用途.

一种用途是求影响面(格林函数). 考虑一块任意形状的薄板在一般的边界条件

$$
\begin{aligned}
&\text{在 } C_1 \text{ 上: } w = \bar{w}, \ \frac{\partial w}{\partial n} = \bar{\phi}_n, \\
&\text{在 } C_2 \text{ 上: } w = \bar{w}, \ M_n = \bar{M}_n, \\
&\text{在 } C_3 \text{ 上: } M_n = \bar{M}_n, \ \frac{\partial M_{ns}}{\partial s} + Q_n = \bar{q},
\end{aligned}
\tag{4.12}
$$

和在一般的分布载荷 $p(x, y)$ 作用下的平衡问题. 与此问题相对应的影响函数 $G(x, y; \xi, \eta)$ 是同一块板在下列条件下产生的挠度: 边界条件为与 (4.12) 相应的齐次边界条件,即

$$
\begin{aligned}
&\text{在 } C_1 \text{ 上: } G = 0, \ \frac{\partial G}{\partial n} = 0, \\
&\text{在 } C_2 \text{ 上: } G = 0, \ M_{ng} = 0, \\
&\text{在 } C_3 \text{ 上: } M_{ng} = 0, \ q_g = 0.
\end{aligned}
\tag{4.13}
$$

这里 M_{ng} 和 q_g 为与挠度 G 相应的边界法向弯矩和综合剪力. 而

载荷是作用在 $x=\xi$, $y=\eta$ 点上的一个单位集中载荷，用算式来表示是

$$p_g=\delta(x-\xi,\ y-\eta). \tag{4.14}$$

这里 $\delta(x-\xi,\ y-\eta)$ 是奇点在 $x=\xi$, $y=\eta$ 处的二维狄拉克 δ 函数.

现在把上面定义的两种状态代入功的互等定理 (4.11)，便得到

$$w(\xi,\ \eta)=\iint_{\Omega} pG\,dx\,dy-\int_{C_1+C_2}\bar{w}q_g ds+\int_{C_1}\bar{\Phi}_n M_{ng}ds$$
$$-\int_{C_2+C_3}\bar{M}_n\frac{\partial G}{\partial n}ds+\int_{C_3}\bar{q}G\,ds. \tag{4.15}$$

这便是影响函数所具有的特点.

功的互等定理的另一种重要用途是推导各种各样的所谓平均值定理. 在公式 (4.11) 中把第一种状态取为某一种已知的精确解，把第二种状态取为待求的状态(下面省去下标 2)，这样便有

$$\iint_{\Omega} p_1 w\,dx\,dy+\int_C\left(\frac{\partial M_{ns1}}{\partial s}+Q_{n1}\right)w\,ds$$
$$-\int_C M_{n1}\frac{\partial w}{\partial n}ds=\iint_{\Omega} p w_1\,dx\,dy$$
$$+\int_{C_1}\left(\frac{\partial M_{ns}}{\partial s}+Q_n\right)w_1 ds-\int_C M_n\frac{\partial w_1}{\partial n}ds. \tag{4.16}$$

即使 w 尚未求得，从公式 (4.16) 就能得到 w 的某种平均性质.

§4.5 最小势能原理

考虑一块薄板在横向分布载荷 $p(x,\ y)$ 作用下的平衡问题. 在整个板的边界上，假定有三种支承情况：一部分边界 C_1 是固定的，因而有边界条件 (3.1)；另一部分边界 C_2 是简支的，因而有边界条件 (3.2)；最后剩下的部分 C_3 是自由的，因而有边界条件 (3.5).

整个系统的势能包括两部分. 一部分是板的应变能 Π^2, 它的算式是

$$\Pi^2 = \iint_\Omega U dxdy. \tag{5.1}$$

式中 U 代表板的应变能密度. 对于线性的应力应变关系, U 的算式是(1.14). 另一部分是外载荷(包括边界力)的势能 Π^1, 它的算式是

$$\Pi^1 = -\iint_\Omega pwdxdy - \int_{C_3} \bar{q}wds + \int_{C_2+C_3} \bar{M}_n \frac{\partial w}{\partial n} ds. \tag{5.2}$$

因而整个系统的势能 Π 为

$$\Pi = \Pi^2 + \Pi^1 = \iint_\Omega (U - pw)dxdy - \int_{C_3} \bar{q}wds + \int_{C_2+C_3} \bar{M}_n \frac{\partial w}{\partial n} ds. \tag{5.3}$$

在最小势能原理中,认为外载荷 p, $\bar{q}$, $\bar{M}_n$ 是不变的已知函数,挠度 w 看作是自变函数,它应满足位移边界条件. 总势能 Π 看作是 w 的泛函,其中 Π^1 是一次泛函部分, Π^2 是二次泛函部分.

命 w 是上述问题的精确解,与 w 相应的弯矩、剪力为 M_x, M_y, M_{xy}, Q_x, Q_y, 它们满足方程(1.5), (1.6), (1.15)和边界条件(3.1), (3.2), (3.5). 再命 w_k 是一个可能的挠度, 即满足位移边界条件的挠度. 最小势能原理指出: 与精确解 w 相应的总势能 $\Pi(w)$, 小于任何其它可能位移 w_k 相应的总势能 $\Pi(w_k)$. 数学证明的步骤与梁理论中最小势能原理的证明步骤相同, 简要地说明如下. 命

$$\Delta w = w_k - w, \quad w_k = w + \Delta w. \tag{5.4}$$

Δw 满足下列齐次边界条件

$$\text{在 } C_1 \text{ 上: } \Delta w = 0, \ \frac{\partial \Delta w}{\partial n} = 0,$$
$$\text{在 } C_2 \text{ 上: } \Delta w = 0. \tag{5.5}$$

与 w_k 相应的总势能是

$$\Pi(w_k) = \Pi(w + \Delta w) = \Pi(w) + 2\Pi^{11}(w, \Delta w) + \Pi^2(\Delta w). \tag{5.6}$$

其中 $\Pi^2(\Delta w)$ 是把公式 (5.1) 中的 w 改为 Δw 之后得到的结果，而

$$2\Pi^{11}(w, \Delta w) = -\iint_\Omega \left(M_x \frac{\partial^2 \Delta w}{\partial x^2} + 2M_{xy}\frac{\partial^2 \Delta w}{\partial x \partial y} + M_y \frac{\partial^2 \Delta w}{\partial y^2}\right) dxdy - \iint_\Omega p\Delta w dxdy - \int_{C_3} \bar{q}\Delta w ds + \int_{C_2+C_3} \bar{M}_n \frac{\partial \Delta w}{\partial n} ds. \tag{5.7}$$

与梁的问题相似，根据虚功原理 (4.3) 可以证明

$$2\Pi^{11}(w, \Delta w) = 0. \tag{5.8}$$

这样便有

$$\Pi(w_k) = \Pi(w) + \Pi^2(\Delta w). \tag{5.9}$$

如果 Δw 不代表一种刚体运动，则有 $\Pi^2(\Delta w) > 0$，因而有

$$\Pi(w_k) > \Pi(w). \tag{5.10}$$

这便是最小势能原理.

若将最小势能原理写成变分形式，则为

$$\delta \Pi = 0. \tag{5.11}$$

根据 (5.3) 算出 $\delta\Pi$，得到

$$\iint_\Omega \left(-\frac{\partial^2 M_x}{\partial x^2} - 2\frac{\partial^2 M_{xy}}{\partial x \partial y} - \frac{\partial^2 M_y}{\partial y^2} - p\right)\delta w dxdy + \int_{C_3}\left(\frac{\partial M_{ns}}{\partial s} + Q_n - \bar{q}\right)\delta w ds - \int_{C_2}(M_n - \bar{M}_n)\frac{\partial \delta w}{\partial n} ds = 0. \tag{5.12}$$

§ 4.6 最小余能原理

考虑与上节相同的一块薄板的弯曲问题. 命 w, M_x, M_y,

M_{xy}, Q_x, Q_y 为问题的精确解. 再命 M_x^s, M_y^s, M_{xy}^s, Q_x^s, Q_y^s 为一组可能的内力,按定义,它们满足下列方程和边界条件

$$\frac{\partial M_x^s}{\partial x} + \frac{\partial M_{xy}^s}{\partial y} - Q_x^s = 0,$$

$$\frac{\partial M_{xy}^s}{\partial x} + \frac{\partial M_y^s}{\partial y} - Q_y^s = 0,$$

$$\frac{\partial Q_x^s}{\partial x} + \frac{\partial Q_y^s}{\partial y} + p = 0. \tag{6.1}$$

$$\begin{aligned} &\text{在 } C_2 \text{ 上: } M_n^s = \overline{M}_n, \\ &\text{在 } C_3 \text{ 上: } M_n^s = \overline{M}_n,\ \frac{\partial M_{ns}^s}{\partial s} + Q_n^s = \bar{q}. \end{aligned} \tag{6.2}$$

在最小余能原理中,比较的是精确解和可能内力的余能的大小.

系统的总余能 Γ 包括两部分. 一部分是余应变能 Γ^2, 它的算式是

$$\Gamma^2 = \iint_\Omega V dxdy. \tag{6.3}$$

式中 V 是余应变能密度, 对于线性的应力应变关系, 它的算式是(1.20). 另一部分是已知的边界位移的余能 Γ^1, 它的算式是

$$\Gamma^1 = -\int_{C_1+C_2}\left(\frac{\partial M_{ns}}{\partial s} + Q_n\right)\bar{w}ds + \int_{C_1} M_n\bar{\Phi}_n ds. \tag{6.4}$$

因此整个系统的总余能 Γ 为

$$\Gamma = \Gamma^1 + \Gamma^2 = \iint_\Omega V dxdy - \int_{C_1+C_2}\left(\frac{\partial M_{ns}}{\partial s} + Q_n\right)\bar{w}ds + \int_{C_1} M_n\bar{\Phi}_n ds. \tag{6.5}$$

余能 Γ^1, Γ^2, Γ 是自变函数 M_x, M_y, M_{xy} 的泛函. 与精确解相应的余能记为 $\Gamma^1(\boldsymbol{M})$, $\Gamma^2(\boldsymbol{M})$, $\Gamma(\boldsymbol{M})$; 与可能内力相应的余能记为 $\Gamma^1(\boldsymbol{M}^s)$, $\Gamma^2(\boldsymbol{M}^s)$, $\Gamma(\boldsymbol{M}^s)$. 现在取

$$\Delta M_x = M_x^s - M_x,\ \Delta M_y = M_y^s - M_y,$$

$$\Delta M_{xy} = M_{xy}^s - M_{xy},$$

$$\Delta Q_x = Q_x^s - Q_x,\ \Delta Q_y = Q_y^s - Q_y. \tag{6.6}$$

则可知内力增量满足下列齐次方程和齐次边界条件：

$$
\begin{aligned}
&\frac{\partial \Delta M_x}{\partial x}+\frac{\partial \Delta M_{xy}}{\partial y}=\Delta Q_x,\\
&\frac{\partial \Delta M_{xy}}{\partial x}+\frac{\partial \Delta M_y}{\partial y}=\Delta Q_y,\\
&\frac{\partial \Delta Q_x}{\partial x}+\frac{\partial \Delta Q_y}{\partial y}=0,
\end{aligned}
\tag{6.7}
$$

在 C_2 上：$\Delta M_n=0$，

在 C_3 上：$\Delta M_n=0$，$\dfrac{\partial \Delta M_{ns}}{\partial s}+\Delta Q_n=0.$ (6.8)

这两式表示，与内力增量相应的外载荷为零．从 (6.6) 有

$$\boldsymbol{M}^s=\boldsymbol{M}+\Delta \boldsymbol{M} \tag{6.9}$$

于是有

$$
\begin{aligned}
\Gamma(\boldsymbol{M}^s)&=\Gamma(\boldsymbol{M}+\Delta\boldsymbol{M})\\
&=\Gamma(\boldsymbol{M})+2\Gamma^{11}(\boldsymbol{M},\Delta\boldsymbol{M})+\Gamma^2(\Delta\boldsymbol{M}).
\end{aligned}
\tag{6.10}
$$

式中 $\Gamma^2(\Delta\boldsymbol{M})$ 为与内力增量相应的余应变能，而中间的一项代表下列算式：

$$
\begin{aligned}
2\Gamma^{11}(\boldsymbol{M},\Delta\boldsymbol{M})=&-\iint_{\Omega}\Big(\Delta M_x\frac{\partial^2 w}{\partial x^2}\\
&+2\Delta M_{xy}\frac{\partial^2 w}{\partial x\partial y}+\Delta M_y\frac{\partial^2 w}{\partial y^2}\Big)dxdy\\
&-\int_{C_1+C_2}\Big(\frac{\partial \Delta M_{ns}}{\partial s}+\Delta Q_n\Big)\bar{w}ds\\
&+\int_{C_1}\Delta M_n\bar{\psi}_n ds.
\end{aligned}
\tag{6.11}
$$

根据虚功原理 (4.3) 可证明上式等于零．这样，(6.10) 简化为

$$\Gamma(\boldsymbol{M}^s)=\Gamma(\boldsymbol{M})+\Gamma^2(\Delta\boldsymbol{M}) \tag{6.12}$$

如果 $\Delta\boldsymbol{M}\neq 0$，那末便有 $\Gamma^2(\Delta\boldsymbol{M})>0$，因此从上式得到

$$\Gamma(\boldsymbol{M}^s)\geqslant\Gamma(\boldsymbol{M}). \tag{6.13}$$

等号只有在 $\Delta\boldsymbol{M}=0$ 时才成立．这便是最小余能原理．

将最小余能原理表达成变分式，则是

$$\delta\Gamma = 0. \tag{6.14}$$

根据 (6.5) 计算 $\delta\Gamma$，得到

$$\delta\Gamma = \iint_{\Omega} (k_x \delta M_x + 2k_{xy}\delta M_{xy} + k_y \delta M_y)\,dxdy - \int_{C_1+C_2} \overline{w}\left(\frac{\partial \delta M_{ns}}{\partial s} + \delta Q_n\right) ds + \int_{C_1} \overline{\Phi}_n \delta M_n ds. \tag{6.15}$$

根据最小余能原理的要求，可能内力必须满足平衡条件，所以 δM_x, δM_y, δM_{xy} 不是独立的量．换句话说，最小余能原理是一种条件变分原理．

Southwell[279] 指出，齐次平衡方程的解可以用两个应力函数 $\tilde{u}$, $\tilde{v}$ 表示如下

$$\begin{gathered} M_x^0 = \frac{\partial \tilde{u}}{\partial y},\ M_y^0 = -\frac{\partial \tilde{v}}{\partial x}, \\ M_{xy}^0 = -\frac{1}{2}\left(\frac{\partial \tilde{u}}{\partial x} - \frac{\partial \tilde{v}}{\partial y}\right), \\ Q_x^0 = \frac{1}{2}\frac{\partial}{\partial y}\left(\frac{\partial \tilde{u}}{\partial x} + \frac{\partial \tilde{v}}{\partial y}\right), \\ Q_y^0 = -\frac{1}{2}\frac{\partial}{\partial x}\left(\frac{\partial \tilde{u}}{\partial x} + \frac{\partial \tilde{v}}{\partial y}\right). \end{gathered} \tag{6.16}$$

再命 M_x^p, M_y^p, M_{xy}^p, Q_x^p, Q_y^p 是平衡方程的一组特解．于是可将内力表达为

$$\begin{gathered} M_x = M_x^p + \frac{\partial \tilde{u}}{\partial y},\ M_y = M_y^p - \frac{\partial \tilde{v}}{\partial x}, \\ M_{xy} = M_{xy}^p - \frac{1}{2}\left(\frac{\partial \tilde{u}}{\partial x} - \frac{\partial \tilde{v}}{\partial y}\right), \\ Q_x = Q_x^p + \frac{1}{2}\frac{\partial}{\partial y}\left(\frac{\partial \tilde{u}}{\partial x} + \frac{\partial \tilde{v}}{\partial y}\right), \\ Q_y = Q_y^p - \frac{1}{2}\frac{\partial}{\partial x}\left(\frac{\partial \tilde{u}}{\partial x} + \frac{\partial \tilde{v}}{\partial y}\right). \end{gathered} \tag{6.17}$$

将以上算式代入 (6.5)，可将余能 Γ 表达成自变函数 $\tilde{u}$, $\tilde{v}$ 的泛函．自变函数 $\tilde{u}$, $\tilde{v}$ 除须满足有关力的边界条件 (6.2) 以外，不

受其它任何限制．这样就把原来的条件变分原理转化为无条件变分原理．

对于精确解，系统的应变能、余应变能、势能、余能的数值有一定的联系．首先从能量守恒原理可知

$$\iint_{\Omega} U dx dy = \iint_{\Omega} V dx dy = \frac{1}{2}\left\{\iint_{\Omega} p w dx dy + \int_{C} q w ds - \int_{C} M_n \frac{\partial w}{\partial n} ds\right\}. \tag{6.18}$$

又从公式 (5.3)，(6.5) 得到

$$\Pi + \Gamma = \iint_{\Omega} (U + V - pw) dx dy - \int_{C} q w ds + \int_{C} M_n \frac{\partial w}{\partial n} ds. \tag{6.19}$$

利用 (6.18)，则有

$$\Pi + \Gamma = 0. \tag{6.20}$$

将此式与最小余能原理、最小势能原理结合在一块，便得到一联串的不等式如下：

$$\Gamma(M^s) \geqslant \Gamma(M) = -\Pi(w) \geqslant -\Pi(w_k). \tag{6.21}$$

在有些问题中，人们直接关心的便是系统的余能和势能，利用上式便可求得它们的上下限．

§4.7 二类变量广义变分原理

上面两节介绍的两个变分原理，所涉及的泛函都是取最小值，这是它们共同的优点． 为了突出这个优点，有时把它们统称为最小值原理． 不过在这两个最小值原理中，自变函数都必须满足一定的条件，因此用起来有时还感到不够方便，这又是它们共同的缺点． 本节和下节介绍两种广义变分原理． 在这两种变分原理中，有关的自变函数可以独立自主地变动，事前不受任何限制，这是它们的共同的优点．但同时也带来一个共同的缺点，这就是所涉及的

泛函都只取驻立值，而不是极值．

要把一个有条件的泛函的极值问题，转变为另外一个泛函的无条件的驻立值问题，在数学上一般用拉格朗日乘子法便可以了．这在鹭津的论文 [314] 中已作过详细的说明．后来匡震邦[344]，钱伟长[26]，Hlaváček[156] 又先后对此作了说明．但是引进多少拉格朗日乘子以及它们的力学意义只有通过力学问题的具体分析才能确定．所以广义变分原理的建立可以说是拉格朗日乘子法的应用，和对乘子的力学说明．

本节先介绍二类变量广义变分原理．弹性力学中的二类变量广义变分原理是由 Hellinger[150] 和 Reissner[264] 先后提出来的，因此又叫做 Hellinger-Reissner 类型的变分原理．薄板弯曲理论中的二类变量广义变分原理是由胡海昌[11] 在 1954 年提出来的．到 1957 年，舒德坚和施振东[33][34]补充了二类变量广义变分原理，并用它求解了某些综合边界条件矩形板的平衡问题．他们推广广义变分原理，用于求解薄板的稳定问题[32]和振动问题[34]．在国外，似乎是到 1962 年才开始有人提出和应用薄板问题中的广义变分原理[241]．

继续考虑前两节中讨论过的同一块板的弯曲问题．定义两个泛函如下：

$$
\begin{aligned}
\Pi_2 = &\iint_{\Omega}\left(-M_x\frac{\partial^2 w}{\partial x^2} - 2M_{xy}\frac{\partial^2 w}{\partial x\partial y}\right.\\
&\left. - M_y\frac{\partial^2 w}{\partial y^2} - V - pw\right)dxdy\\
&-\int_{C_1+C_2}\left(\frac{\partial M_{ns}}{\partial s} + Q_n\right)(w-\bar{w})ds\\
&-\int_{C_3}\bar{q}wds + \int_{C_1}M_n\left(\frac{\partial w}{\partial n} - \bar{\phi}_n\right)ds\\
&+\int_{C_2+C_3}\bar{M}_n\frac{\partial w}{\partial n}ds,
\end{aligned}
\tag{7.1}
$$

$$
\Gamma_2 = \iint_{\Omega}\left\{V + \left(\frac{\partial Q_x}{\partial x} + \frac{\partial Q_y}{\partial y} + p\right)w\right\}dxdy
$$

$$- \int_{C_1+C_2} \left(\frac{\partial M_{ns}}{\partial s} + Q_n \right) \bar{w} ds$$

$$- \int_{C_3} \left(\frac{\partial M_{ns}}{\partial s} + Q_n - \bar{q} \right) w ds$$

$$+ \int_{C_1} M_n \bar{\psi}_n ds + \int_{C_2+C_3} (M_n - \bar{M}_n) \frac{\partial w}{\partial n} ds. \tag{7.2}$$

利用恒等式 (4.7)，不难证明

$$\Pi_2 + \Gamma_2 = 0. \tag{7.3}$$

在满足内力矩、挠度关系（1.21）和位移连续条件的情况下，泛函 Π_2 的值便等于整个系统的势能 Π，因此可以把 Π_2 叫做系统的二类变量广义势能. Π_2 中的下标 2，便是指两类变量（一类为挠度 w，另一类为内力矩）.

类似地，在满足平衡条件的情况下，泛函 Γ_2 的值便等于系统的余能 Γ，因此可以把 Γ_2 叫做二类变量广义余能. 这里二类变量的含义与上面的相同.

所谓二类变量广义变分原理，是指薄板弯曲问题的精确解，使二类变量广义势能和二类变量广义余能取驻立值. 换一句话说，若把 M_x, M_y, M_{xy}, w 四个函数看作是彼此独立无关的函数，并且使它们的变分不受任何限制，那末变分式

$$\delta\Pi_2 = 0 \text{ 或 } \delta\Gamma_2 = 0 \tag{7.4}$$

相当于薄板弯曲问题中的全部方程和边界条件，即平衡方程 (1.6)，内力矩挠度关系 (1.21)，以及边界条件 (3.1)，(3.2)，(3.5).

要证明上述结论并不很难. 从公式 (7.1) 得到

$$\delta\Pi_2 = \iint_\Omega \left\{ \left(-\frac{\partial^2 w}{\partial x^2} - \frac{\partial V}{\partial M_x} \right) \delta M_x + \left(-\frac{\partial^2 w}{\partial y^2} - \frac{\partial V}{\partial M_y} \right) \delta M_y \right.$$

$$\left. + \left(-2 \frac{\partial^2 w}{\partial x \partial y} - \frac{\partial V}{\partial M_{xy}} \right) \delta M_{xy} \right\} dxdy$$

$$+ \iint_\Omega \left\{ -M_x \frac{\partial^2 \delta w}{\partial x^2} - M_y \frac{\partial^2 \delta w}{\partial y^2} \right.$$

$$
- 2M_{xy} \frac{\partial^2 \delta w}{\partial x \partial y} - p\delta w \Big\} dxdy
$$

$$
- \int_{C_1+C_2} \left(\frac{\partial M_{ns}}{\partial s} + Q_n \right) \delta w ds
$$

$$
- \int_{C_1+C_2} \left(\frac{\partial \delta M_{ns}}{\partial s} + \delta Q_n \right) (w - \bar{w}) ds
$$

$$
- \int_{C_3} \bar{q} \delta w ds + \int_{C_1} M_n \frac{\partial \delta w}{\partial n} ds
$$

$$
+ \int_{C_1} \left(\frac{\partial w}{\partial n} - \bar{\psi}_n \right) \delta M_n ds + \int_{C_2+C_3} \bar{M}_n \frac{\partial \delta w}{\partial n} ds. \qquad (7.5)
$$

在恒等式 (4.7) 中把 w 改为 δw，有

$$
\iint_{\Omega} \left(- M_x \frac{\partial^2 \delta w}{\partial x} - M_y \frac{\partial^2 \delta w}{\partial y^2} - 2M_{xy} \frac{\partial^2 \delta w}{\partial x \partial y} \right) dxdy
$$

$$
= - \iint_{\Omega} \left(\frac{\partial Q_x}{\partial x} + \frac{\partial Q_y}{\partial y} \right) \delta w dxdy
$$

$$
+ \int_{C} \left(\frac{\partial M_{ns}}{\partial s} + Q_n \right) \delta w ds - \int_{C} M_n \frac{\partial \delta w}{\partial n} ds.
$$

将此代入 (7.5)，经整理后得到

$$
\delta \Pi_2 = \iint_{\Omega} \Big\{ \left(- \frac{\partial^2 w}{\partial x^2} - \frac{\partial V}{\partial M_x} \right) \delta M_x
$$

$$
+ \left(- \frac{\partial^2 w}{\partial y^2} - \frac{\partial V}{\partial M_y} \right) \delta M_y
$$

$$
+ \left(-2 \frac{\partial^2 w}{\partial x \partial y} - \frac{\partial V}{\partial M_{xy}} \right) \delta M_{xy} \Big\} dxdy
$$

$$
- \iint_{\Omega} \left(\frac{\partial Q_x}{\partial x} + \frac{\partial Q_y}{\partial y} + p \right) \delta w dxdy
$$

$$
+ \int_{C_3} \left(\frac{\partial M_{ns}}{\partial s} + Q_n - \bar{q} \right) \delta w ds
$$

$$
- \int_{C_1+C_2} (w - \bar{w}) \left(\frac{\partial \delta M_{ns}}{\partial s} + \delta Q_n \right) ds
$$

$$
- \int_{C_2+C_3} (M_n - \bar{M}_n) \frac{\partial \delta w}{\partial n} ds
$$

$$+\int_{C_1}\left(\frac{\partial w}{\partial n}-\bar{\Phi}_n\right)\delta M_n ds. \tag{7.6}$$

由此可知，精确解能使 $\delta\Pi_2=0$，而从 $\delta\Pi_2=0$ 可导出方程(1.6)，(1.21)，(3.1)，(3.2) 和 (3.5).

二类变量广义势能或广义余能只可能取驻立值，而不可能取极值，这一点可以从公式 (7.1)，(7.2) 看出. Π_2 是 M_x，M_y，M_{xy} 的二次泛函，而其二次式部分是负定的，因此就 M_x，M_y，M_{xy} 提供的可能性来说，它们使 Π_2 变大有时是有限度的，而使 Π_2 变小是无限度的. Π_2 是 w 的一次泛函，因此就 w 提供的可能性来说，它使Π_2变大或变小都没有限度. 由此可见，Π_2 只可能取驻立值而不可能取极值.

二类变量广义变分原理既是最小势能原理的推广，也是最小余能原理的推广. 从数学上看，Γ_2 是 Γ 的推广表现得格外明显. 在最小余能原理中，原先要求内力满足平衡方程 (1.6) 和有关力的边界条件. 将这些方程和条件通过恰当的拉格朗日乘子 λ_1，λ_2，λ_3 并入泛函之中，得到

$$\begin{aligned}\Gamma^*=&\iint_{\Omega}\left\{V+\left(\frac{\partial Q_x}{\partial x}+\frac{\partial Q_y}{\partial y}+p\right)\lambda_1\right\}dxdy\\&-\int_{C_1+C_2}\left(\frac{\partial M_{ns}}{\partial s}+Q_n\right)\bar{w}ds\\&-\int_{C_3}\left(\frac{\partial M_{ns}}{\partial s}+Q_n-\bar{q}\right)\lambda_2 ds\\&+\int_{C_1}M_n\bar{\Phi}_n ds+\int_{C_2+C_3}(M_n-\bar{M}_n)\lambda_3 ds.\end{aligned} \tag{7.7}$$

根据乘子 λ_1，λ_2，λ_3 所满足的方程可以确定，λ_1 和 λ_2 便是挠度 w，λ_3 是法向斜率 $\partial w/\partial n$. 这样从泛函 Γ^* 便得到了 Γ_2.

证明变分式 (7.4) 和等式 (7.3) 成立的一个重要依据是恒等式 (4.7). 前已说明，这个恒等式，不仅在 w，M_x，M_y，M_{xy} 具有足够的连续可导的特性时成立，并且在 w，M_x，M_y，M_{xy} 为广义函数时也成立. 这样，广义变分原理 (7.4) 在 w，M_x，M_y，M_{xy}

为广义函数时也同样成立，并且两个广义变分原理仍旧完全等价．两个广义变分原理虽然完全等价，但在不同的具体情况下，两者有深浅、繁简之分．例如，在某具体问题中，M_x，M_y，M_{xy}具有足够的连续可导的性质而w在某些线上不连续，那末为了根据(7.1)计算Π_2，不可避免地要涉及广义函数，而根据(7.2)计算Γ_2则不涉及广义函数．反之，如果w具有足够的连续可导性质而M_x，M_y，M_{xy}在某些线上不连续，那末计算Π_2不涉及广义函数，而计算Γ_2非涉及广义函数不可．

根据最小势能原理或广义变分原理来建立有限元素法的方程时，人们通常希望在板所占的区域中，w及其导数$\partial w/\partial x$，$\partial w/\partial y$处处连续．后面将说明，要达到这个要求很不容易．因此出现了

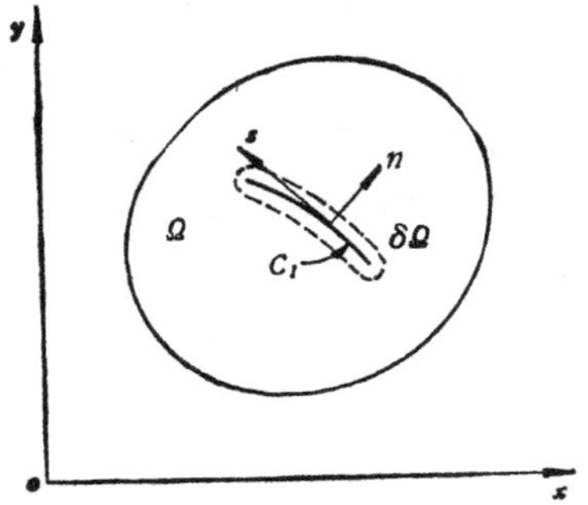

.1a

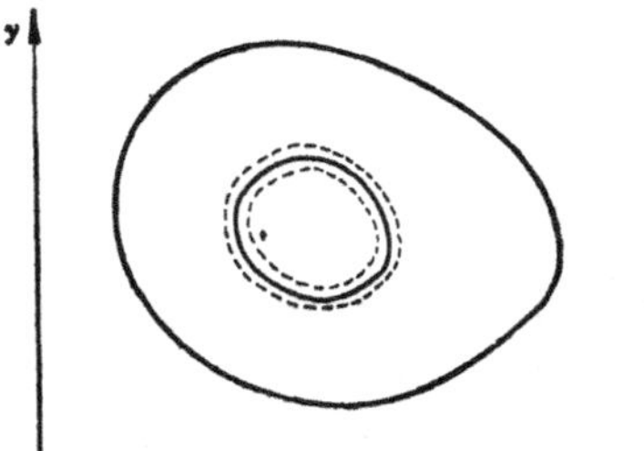

7.1b

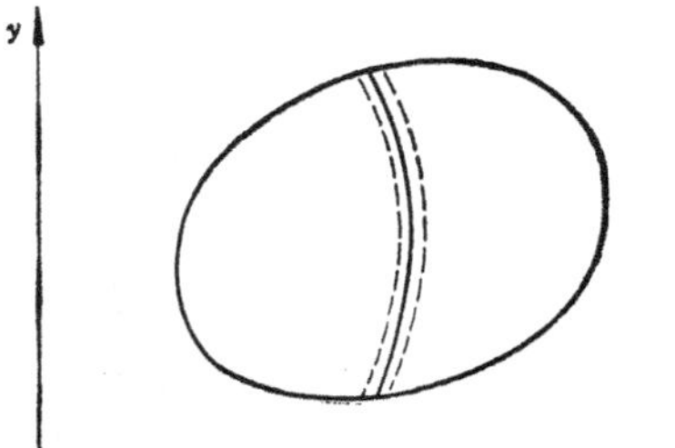

7.1c

图 7.1

称为部分协调元素的方法，即 w 虽然在整个区域中处处连续，但它的导数 $\partial w/\partial x$，$\partial w/\partial y$ 却在某些线上不连续．为了给部分协调元素法提供较好的理论依据，Jones[174] 提出了一种允许 $\partial w/\partial x$，$\partial w/\partial y$ 在某些线上不连续的变分原理． 不久 Prager[243][244] 系统地探讨了放宽连续条件的变分原理．后来还有不少作者探讨过这类变分原理及其应用． Washizu 在其专著 [316] 中把这类变分原理叫做修正的广义变分原理． 其实修正的广义变分原理是广义变分原理的一种便于有限元素法应用的不涉及广义函数的特殊形式，而不是广义变分原理的进一步推广．1974 年 Fraeijs de Veubeke[130] 曾说明过这一点． 事实上只要把自变函数理解为广义函数（应作这样的理解，见 Oden 和 Reddy 的书 [227]），就立即允许自变函数有某种程度的不连续性．

先考虑 M_x，M_y，M_{xy} 有足够的连续性，而 w，$\partial w/\partial x$，$\partial w/\partial y$ 在某一条曲线 C_I 上不连续的情况．C_I 可以是一条曲线段（如图 7.1a），可以是一条闭合曲线（如图 7.1b），也可以是一条贯穿曲线（如图 7.1c）． 在这种情况下，根据 (7.2) 计算 Γ_2 的值并无特殊困难，而根据 (7.1) 计算 Π_2 的值则必须把 w 理解为广义函数，因为在 C_I 上 w，$\partial w/\partial x$，$\partial w/\partial y$ 不连续，导致 $\partial^2 w/\partial x^2$，$\partial^2 w/\partial x\partial y$，$\partial^2 w/\partial y^2$ 可能等于无穷大． 但是我们可以采用一些变换来避开广义函数．

先给 C_I 指定一组正方向 n，s，如图 7.1a 所示． 由于在 C_I 的两侧挠度与法向斜率不相等，以 w^+，$\partial w^+/\partial n$ 代表 n 正侧的两个值，以 w^-，$\partial w^-/\partial n$ 代表 n 负侧的两个值．其他的量若在 C_I 的两侧不相等，也用类似的记号以资区别． 围绕 C_I 划出一个小区域 $\delta\Omega$，如图 7.1 中虚线所围的区域．命 $\Omega-\delta\Omega=\Omega'$，并命 $\delta\Omega$ 的边界线为 C'．现在将公式 (7.1) 改写为

$$\Pi_2=\Pi_2'+\Pi_2^\delta, \tag{7.8}$$

式中

$$\Pi_2'=\iint_{\Omega'}\Big(-M_x\frac{\partial^2 w}{\partial x^2}-2M_{xy}\frac{\partial^2 w}{\partial x\partial y}$$

$$- M_y \frac{\partial^2 w}{\partial y^2} - V - pw\Big) dxdy$$

$$- \int_{C_1+C_2} \left(\frac{\partial M_{ns}}{\partial s} + Q_n\right)(w - \bar{w}) ds - \int_{C_3} \bar{q} w ds$$

$$+ \int_{C_1} M_n \left(\frac{\partial w}{\partial n} - \bar{\varphi}_n\right) ds + \int_{C_2+C_3} \bar{M}_n \frac{\partial w}{\partial n} ds, \quad (7.9a)$$

$$\Pi_2^\delta = \iint_{\delta\Omega} \Big(- M_x \frac{\partial^2 w}{\partial x^2} - 2M_{xy} \frac{\partial^2 w}{\partial x \partial y}$$

$$- M_y \frac{\partial^2 w}{\partial y^2} - V - pw\Big) dxdy. \quad (7.9b)$$

计算 Π_2' 已不涉及广义函数,有困难的计算全在 Π_2^δ. 由于 w, M_x, M_y, M_{xy} 都是有限的量,当 $\delta\Omega$ 很小时,有

$$\Pi_2^\delta = \iint_{\delta\Omega} \Big(- M_x \frac{\partial^2 w}{\partial x^2} - 2M_{xy} \frac{\partial^2 w}{\partial x \partial y}$$

$$- M_y \frac{\partial^2 w}{\partial y^2} - pw\Big) dxdy.$$

利用恒等式 (4.7), 上式可化为

$$\Pi_2^\delta = - \iint_{\delta\Omega} \left(\frac{\partial Q_x}{\partial x} + \frac{\partial Q_y}{\partial y} + p\right) w dxdy$$

$$+ \int_{C'} \left(\frac{\partial M_{ns}}{\partial s} + Q_n\right) w ds - \int_{C'} M_n \frac{\partial w}{\partial n} ds. \quad (7.10)$$

命

$$p' = \frac{\partial Q_x}{\partial x} + \frac{\partial Q_y}{\partial y} + p. \quad (7.11)$$

当内力与外载荷维持平衡时, $p' = 0$. 所以 p' 代表不平衡载荷,即内力不能平衡掉的那一部分载荷。如果这个不平衡载荷只包含分布载荷而无集中载荷或线布载荷[1)], 那末当 $\delta\Omega$ 趋近于零时, (7.10) 中的面积分便趋近于零, 而 C' 变为沿 C_l 的正负方向各一次,因此 (7.10) 可简化为

---

1) 当 p 本来就只有分布载荷而无集中载荷和线布载荷时,那末只要 M_x, M_y, M_{xy} 的二阶导数有限, p' 中便无集中载荷和线布载荷,而只有分布载荷.

$$\iint_{\delta\Omega}\left(-M_x\frac{\partial^2 w}{\partial x^2}-2M_{xy}\frac{\partial^2 w}{\partial x\partial y}-M_y\frac{\partial^2 w}{\partial y^2}-pw\right)dxdy$$
$$=\int_{C_I}\left\{\left(\frac{\partial M_{ns}^+}{\partial s}+Q_n^+\right)w^+-\left(\frac{\partial M_{ns}^-}{\partial s}+Q_n^-\right)w^-\right\}ds$$
$$-\int_{C_I}\left(M_n^+\frac{\partial w^+}{\partial n}-M_n^-\frac{\partial w^-}{\partial n}\right)ds. \tag{7.12a}$$

当 C_I 上本来就没有线布载荷和集中载荷时，综合剪力和法向弯矩在 C_I 的两侧便相等了．于是省去 M_{ns}, Q_n, M_n 上的＋－指标，得到

$$\iint_{\delta\Omega}\left(-M_x\frac{\partial^2 w}{\partial x^2}-2M_{xy}\frac{\partial^2 w}{\partial x\partial y}-M_y\frac{\partial^2 w}{\partial y^2}-pw\right)dxdy$$
$$=\int_{C_I}\left(\frac{\partial M_{ns}}{\partial s}+Q_n\right)(w^+-w^-)ds$$
$$-\int_{C_I}M_n\left(\frac{\partial w^+}{\partial n}-\frac{\partial w^-}{\partial n}\right)ds. \tag{7.12b}$$

将此代入 (7.8)，得到

$$\Pi_2=\Pi_2'+\int_{C_I}\left(\frac{\partial M_{ns}}{\partial s}+Q_n\right)(w^+-w^-)ds$$
$$-\int_{C_I}M_n\left(\frac{\partial w^+}{\partial n}-\frac{\partial w^-}{\partial n}\right)ds. \tag{7.13}$$

如果 w, $\partial w/\partial x$, $\partial w/\partial y$ 在好几条线上不连续，那末公式 (7.13) 仍然成立，这时只要把 C_I 理解为上述几条曲线的总和便可以了．

再来考虑 w 有足够的连续性，而 M_x, M_y, M_{xy} 在 C_I 上不连续的情况．在这种情况，根据 (7.1) 计算 Π_2 的值无特殊的困难，而根据 (7.2) 计算 Γ_2 的值则必须把 Q_x, Q_y 理解为广义函数，因为当 M_x, M_y, M_{xy} 不连续时，Q_x, Q_y 便可能等于无穷大，更不用说 Q_x, Q_y 的导数了．但是我们仍可以采用一些类似的变换以避开广义函数．

与前类似，先将公式 (7.2) 改写为

$$\Gamma_2=\Gamma_2'+\Gamma_2^\delta, \tag{7.14}$$

式中

$$\Gamma_2' = \iint_{\Omega'} \left\{ V + \left(\frac{\partial Q_x}{\partial x} + \frac{\partial Q_y}{\partial y} + p \right) w \right\} dxdy$$
$$- \int_{C_1+C_2} \left(\frac{\partial M_{ns}}{\partial s} + Q_n \right) \bar{w} ds$$
$$- \int_{C_3} \left(\frac{\partial M_{ns}}{\partial s} + Q_n - \bar{q} \right) w ds$$
$$+ \int_{C_1} M_n \bar{\psi}_n ds + \int_{C_2+C_3} (M_n - \bar{M}_n) \frac{\partial w}{\partial n} ds. \quad (7.15a)$$

$$\Gamma_2^\delta = \iint_{\delta\Omega} \left\{ V + \left(\frac{\partial Q_x}{\partial x} + \frac{\partial Q_y}{\partial y} + p \right) w \right\} dxdy. \quad (7.15b)$$

计算 Γ_2' 已不涉及广义函数，有困难的计算全在 Γ_2^δ. 由于 M_x, M_y, M_{xy} 都是有限的量，当 $\delta\Omega$ 很小时，有

$$\Gamma_2^\delta = \iint_{\delta\Omega} \left(\frac{\partial Q_x}{\partial x} + \frac{\partial Q_y}{\partial y} + p \right) w dxdy. \quad (7.16)$$

利用恒等式 (4.7) 上式可化为

$$\Gamma_2^\delta = \iint_{\delta\Omega} \left(M_x \frac{\partial^2 w}{\partial x^2} + 2M_{xy} \frac{\partial^2 w}{\partial x \partial y} + M_y \frac{\partial^2 w}{\partial y^2} + pw \right) dxdy$$
$$+ \int_{C'} \left(\frac{\partial M_{ns}}{\partial s} + Q_n \right) w ds - \int_{C'} M_n \frac{\partial w}{\partial n} ds. \quad (7.17)$$

因为已假设 w 有足够的连续可导的性质，w 的二阶导数是有限的. 如果 p 中又不含有集中载荷或线布载荷，那末当 $\delta\Omega$ 趋近于零时，(7.17) 中的面积分也趋近于零，这样得到

$$\iint_{\delta\Omega} \left(\frac{\partial Q_x}{\partial x} + \frac{\partial Q_y}{\partial y} + p \right) w dxdy$$
$$= \int_{C_I} \left(\frac{\partial M_{ns}^+}{\partial s} + Q_n^+ - \frac{\partial M_{ns}^-}{\partial s} - Q_n^- \right) w ds$$
$$- \int_{C_I} (M_n^+ - M_n^-) \frac{\partial w}{\partial n} ds. \quad (7.18)$$

将此代入 (7.14)，得到

$$\Gamma_2 = \Gamma_2' + \int_{C_I} \left(\frac{\partial M_{ns}^+}{\partial s} + Q_n^+ - \frac{\partial M_{ns}^-}{\partial s} - Q_n^- \right) w ds$$

$$-\int_{C_1}(M_n^+ - M_n^-)\frac{\partial w}{\partial n}ds. \tag{7.19}$$

最后来考虑在 C_1 上 w 和 M_n 连续而 $\partial w/\partial n$，M_{ns} 和 Q_n 不连续的情况．在这种情况下，无论根据(7.1)计算 Π_2，还是根据(7.2)计算 Γ_2，都碰到了广义函数，因此都需要作适当的处理才能避开广义函数．利用下列两个恒等式[1]：

$$-\iint_\Omega\left(M_x\frac{\partial^2 w}{\partial x^2}+2M_{xy}\frac{\partial^2 w}{\partial x\partial y}+M_y\frac{\partial^2 w}{\partial y^2}\right)dxdy$$

$$=\iint_\Omega\left(Q_x\frac{\partial w}{\partial x}+Q_y\frac{\partial w}{\partial y}\right)dxdy$$

$$-\int_C\left(M_n\frac{\partial w}{\partial n}+M_{ns}\frac{\partial w}{\partial s}\right)ds, \tag{7.20a}$$

$$\iint_\Omega\left(\frac{\partial Q_x}{\partial x}+\frac{\partial Q_y}{\partial y}\right)wdxdy$$

$$=-\iint_\Omega\left(Q_x\frac{\partial w}{\partial x}+Q_y\frac{\partial w}{\partial y}\right)dxdy+\int_C Q_n w ds, \tag{7.20b}$$

把 Π_2，Γ_2 的算式转换为

$$\Pi_2=-\Gamma_2=\Pi_g, \tag{7.21}$$

其中

$$\Pi_g=\iint_\Omega\left(Q_x\frac{\partial w}{\partial x}+Q_y\frac{\partial w}{\partial y}-V-pw\right)dxdy$$

$$-\int_C M_{ns}\frac{\partial w}{\partial s}ds-\int_{C_3}\bar{q}wds-\int_{C_1+C_2}\left(\frac{\partial M_{ns}}{\partial s}+Q_n\right)$$

$$\times(w-\bar{w})ds-\int_{C_1}M_n\bar{\Phi}_n ds-\int_{C_2+C_3}(M_n-\bar{M}_n)\frac{\partial w}{\partial n}ds. \tag{7.22}$$

接下去仿照以前的做法，命

$$\Pi_g=\Pi_g'+\Pi_g^\delta, \tag{7.23}$$

其中

$$\Pi_g'=\iint_{\Omega'}\left(Q_x\frac{\partial w}{\partial x}+Q_y\frac{\partial w}{\partial y}-V-pw\right)dxdy$$

1）在公式(4.6)中已用过这两个公式．

$$-\int_{C} M_{ns} \frac{\partial w}{\partial s} ds - \int_{C_3} \bar{q} w ds - \int_{C_1} M_n \bar{\Phi}_n ds$$

$$-\int_{C_2+C_3} (M_n - \overline{M}_n) \frac{\partial w}{\partial n} ds, \tag{7.24a}$$

$$\Pi_g^\delta = \iint_{\delta\Omega} \left(Q_x \frac{\partial w}{\partial x} + Q_y \frac{\partial w}{\partial y} - V - pw \right) dxdy. \tag{7.24b}$$

由于 M_x, M_y, M_{xy}, w 是有限的量，如果 p 中又无集中载荷和线布载荷，那末 (7.24b) 可简化为

$$\Pi_g^\delta = \iint_{\delta\Omega} \left(Q_x \frac{\partial w}{\partial x} + Q_y \frac{\partial w}{\partial y} \right) dxdy,$$

此式可改写成

$$\Pi_g^\delta = \iint_{\delta\Omega} \left(Q_n \frac{\partial w}{\partial n} + Q_s \frac{\partial w}{\partial s} \right) dnds. \tag{7.25}$$

由于在 C_I 上 w 连续，所以 $\partial w/\partial n$, $\partial w/\partial s$ 都是有限的量．又由于 M_n 连续，所以有

$$Q_n = \text{有限的量},$$

$$Q_s = \frac{\partial M_{ns}}{\partial n} + \text{有限的量}. \tag{7.26}$$

将此代入 (7.25)，得到

$$\Pi_g^\delta = \iint_{\delta\Omega} \frac{\partial M_{ns}}{\partial n} \frac{\partial w}{\partial s} dnds = \int_{C_I} (M_{ns}^+ - M_{ns}^-) \frac{\partial w}{\partial s} ds. \tag{7.27}$$

最后将此式代入 (7.23)，得到

$$\Pi_g = \Pi'_g + \int_{C_I} (M_{ns}^+ - M_{ns}^-) \frac{\partial w}{\partial s} ds. \tag{7.28}$$

§4.8 三类变量以及更多类变量的广义变分原理[1)]

继续考虑前三节讨论过的同一个薄板的弯曲问题．定义两个

1) 三类变量广义变分原理在国外常称为 Hu-Washizu 类型变分原理，这是因为他们各自先后提出了弹性力学中的三类变量广义变分原理，见他们的著作 [11] 和 [314]．

泛函如下：

$$\Pi_3=\iint_{\Omega}\left\{-\left(\frac{\partial^2 w}{\partial x^2}+k_x\right)M_x-2\left(\frac{\partial^2 w}{\partial x\partial y}+k_{xy}\right)M_{xy}\right.$$

$$\left.-\left(\frac{\partial^2 w}{\partial y^2}+k_y\right)M_y+U-pw\right\}dxdy$$

$$-\int_{C_1+C_2}\left(\frac{\partial M_{ns}}{\partial s}+Q_n\right)(w-\bar{w})ds-\int_{C_3}\bar{q}wds$$

$$+\int_{C_1}M_n\left(\frac{\partial w}{\partial n}-\bar{\psi}_n\right)ds+\int_{C_2+C_3}\bar{M}_n\frac{\partial w}{\partial n}ds, \qquad (8.1)$$

$$\Gamma_3=\iint_{\Omega}\left\{M_xk_x+2M_{xy}k_{xy}+M_yk_y-U\right.$$

$$\left.+\left(\frac{\partial Q_x}{\partial x}+\frac{\partial Q_y}{\partial y}+p\right)w\right\}dxdy$$

$$-\int_{C_1+C_2}\left(\frac{\partial M_{ns}}{\partial s}+Q_n\right)\bar{w}ds$$

$$-\int_{C_3}\left(\frac{\partial M_{ns}}{\partial s}+Q_n-\bar{q}\right)wds$$

$$+\int_{C_1}M_n\bar{\psi}_nds+\int_{C_2+C_3}(M_n-\bar{M}_n)\frac{\partial w}{\partial n}ds. \qquad (8.2)$$

式中的应变能密度 U 看作是曲率 k_x，k_y，k_{xy} 的函数．利用恒等式(4.7)不难证明

$$\Pi_3+\Gamma_3=0. \qquad (8.3)$$

当曲率和内力矩满足关系式(1.10)[或(1.19)]时，(1.17)式成立，于是 Π_3 退化为 Π_2，Γ_3 退化为 Γ_2．因此 Π_3 是 Π_2 的推广，Γ_3 是 Γ_2 的推广．Π_3 可以叫做系统的三类变量广义势能，Γ_3 可以叫做系统的三类变量广义余能． 下标 3 便是指三类变量（挠度、曲率和内力矩）．

所谓三类变量广义变分原理，是指薄板弯曲问题的精确解，使三类变量广义势能和三类变量广义余能取驻立值． 换句话说，若把 w，k_x，k_y，k_{xy}，M_x，M_y，M_{xy} 等七个函数，看作是彼此独立无

关的函数，并且使它们的变分不受任何限制，那末变分式

$$\delta\Pi_3 = 0 \text{ 或 } \delta\Gamma_3 = 0 \tag{8.4}$$

相当于薄板弯曲问题中的全部方程和边界条件，即曲率挠度关系(1.8)，内力矩曲率关系(1.10)，平衡方程(1.6)，以及边界条件(3.1)，(3.2)，(3.5)．为了证明上述论断，从 Γ_3 出发比较方便．从(8.2)计算变分，得到

$$\begin{aligned}
\delta\Gamma_3 = & \iint_\Omega \left\{\left(M_x - \frac{\partial U}{\partial k_x}\right)\delta k_x + \left(2M_{xy} - \frac{\partial U}{\partial k_{xy}}\right)\delta k_{xy}\right. \\
& \left. + \left(M_y - \frac{\partial U}{\partial k_y}\right)\delta k_y\right\} dxdy \\
& + \iint_\Omega \left\{k_x\delta M_x + 2k_{xy}\delta M_{xy} + k_y\delta M_y\right. \\
& \left. + \left(\frac{\partial\delta Q_x}{\partial x} + \frac{\partial\delta Q_y}{\partial y}\right)w\right\} dxdy \\
& + \iint_\Omega \left(\frac{\partial Q_x}{\partial x} + \frac{\partial Q_y}{\partial y} + p\right)\delta w dxdy \\
& - \int_{C_1+C_2}\left(\frac{\partial\delta M_{ns}}{\partial s} + \delta Q_n\right)\bar{w} ds \\
& - \int_{C_3}\left(\frac{\partial\delta M_{ns}}{\partial s} + \delta Q_n\right) w ds \\
& - \int_{C_3}\left(\frac{\partial M_{ns}}{\partial s} + Q_n - \bar{q}\right)\delta w ds \\
& + \int_{C_1}\bar{\Psi}_n\delta M_n ds + \int_{C_2+C_3}\frac{\partial w}{\partial n}\delta M_n ds \\
& + \int_{C_2+C_3}(M_n - \bar{M}_n)\frac{\partial\delta w}{\partial n} ds.
\end{aligned} \tag{8.5}$$

在恒等式(4.7)中把 M_x, M_y, M_{xy} 改为 δM_x, δM_y, δM_{xy}，有

$$\begin{aligned}
& \iint_\Omega \left(\frac{\partial\delta Q_x}{\partial x} + \frac{\partial\delta Q_y}{\partial y}\right) w dxdy \\
& \quad = \iint_\Omega \left\{\frac{\partial^2 w}{\partial x^2}\delta M_x + \frac{\partial^2 w}{\partial y^2}\delta M_y + 2\frac{\partial^2 w}{\partial x\partial y}\delta M_{xy}\right\} dxdy
\end{aligned}$$

$$+\int_C\left(\frac{\partial\delta M_{ns}}{\partial s}+\delta Q_n\right)wds-\int_C\frac{\partial w}{\partial n}\delta M_n ds.$$

将此代人(8.5)，经整理后得到

$$\begin{aligned}
\delta\Gamma_3= & \iint_\Omega\left\{\left(M_x-\frac{\partial U}{\partial k_x}\right)\delta k_x+\left(M_y-\frac{\partial U}{\partial k_y}\right)\delta k_y\right.\\
& \left.+\left(2M_{xy}-\frac{\partial U}{\partial k_{xy}}\right)\delta k_{xy}\right\}dxdy\\
& +\iint_\Omega\left\{\left(k_x+\frac{\partial^2 w}{\partial x^2}\right)\delta M_x+\left(k_y+\frac{\partial^2 w}{\partial y^2}\right)\delta M_y\right.\\
& \left.+2\left(k_{xy}+\frac{\partial^2 w}{\partial x\partial y}\right)\delta M_{xy}\right\}dxdy\\
& +\iint_\Omega\left(\frac{\partial Q_x}{\partial x}+\frac{\partial Q_y}{\partial y}+p\right)\delta wdxdy\\
& +\int_{C_1+C_2}(w-\bar{w})\left(\frac{\partial\delta M_{ns}}{\partial s}+\delta Q_n\right)ds\\
& -\int_{C_3}\left(\frac{\partial M_{ns}}{\partial s}+Q_n-\bar{q}\right)\delta wds\\
& -\int_{C_1}\left(\frac{\partial w}{\partial n}-\bar{\psi}_n\right)\delta M_n ds\\
& +\int_{C_2+C_3}(M_n-\bar{M}_n)\frac{\partial\delta w}{\partial n}ds.
\end{aligned}\tag{8.6}$$

由此可见，精确解能使 $\delta\Gamma_3=0$，而从 $\delta\Gamma_3=0$ 也可导出方程(1.6)，(1.10)，(1.8)，(3.1)，(3.2)，(3.5)。

在 1976 年，Reddy[257] 曾提出过一个更一般的广义变分原理。在他的变分原理中，把挠度 w，转角 ψ_x，ψ_y，曲率 k_x，k_y，k_{xy}，内力矩 M_x，M_y，M_{xy}，横向剪力 Q_x，Q_y 等十一个函数看作是独立的自变函数。这比上面介绍的三类变量广义变分原理还多 ψ_x，ψ_y，Q_x，Q_y 四个自变函数。相应地，在 Reddy 的变分原理中多包含下列三组方程：

$$\frac{\partial M_x}{\partial x}+\frac{\partial M_{xy}}{\partial y}-Q_x=0,\quad \frac{\partial M_{xy}}{\partial x}+\frac{\partial M_y}{\partial y}-Q_y=0,\tag{8.7a}$$

$$k_x = -\frac{\partial \psi_x}{\partial x}, \quad k_y = -\frac{\partial \psi_y}{\partial y},$$

$$k_{xy} = -\frac{1}{2}\left(\frac{\partial \psi_x}{\partial y} + \frac{\partial \psi_y}{\partial x}\right), \tag{8.7b}$$

$$\psi_x - \frac{\partial w}{\partial x} = 0, \quad \psi_y - \frac{\partial w}{\partial y} = 0. \tag{8.7c}$$

Reddy 的变分原理接近于将在第八章介绍的具有三个广义位移的平板弯曲理论中的三类变量广义变分原理(见 § 8.6). Reddy 的变分原理的算式是

$$\delta \Pi_4 = 0, \quad \delta \Gamma_4 = 0, \tag{8.8}$$

其中

$$\begin{aligned}
\Pi_4 = \iint_\Omega \Big\{ & U - \left(\frac{\partial \psi_x}{\partial x} + k_x\right) M_x \\
& - \left(\frac{\partial \psi_x}{\partial y} + \frac{\partial \psi_y}{\partial x} + 2k_{xy}\right) M_{xy} \\
& - \left(\frac{\partial \psi_y}{\partial y} + k_y\right) M_y + \left(\frac{\partial w}{\partial x} - \psi_x\right) Q_x \\
& + \left(\frac{\partial w}{\partial y} - \psi_y\right) Q_y - pw \Big\} dxdy \\
& - \int_{C_1+C_2} \left(\frac{\partial M_{ns}}{\partial s} + Q_n\right)(w - \bar{w}) ds \\
& - \int_{C_3} \bar{q} w ds + \int_{C_1} M_n(\psi_n - \bar{\psi}_n) ds \\
& + \int_{C_2+C_3} \bar{M}_n \psi_n ds + \int_C \bar{M}_{ns}\left(\psi_s - \frac{\partial w}{\partial s}\right) ds,
\end{aligned} \tag{8.9}$$

$$\begin{aligned}
\Gamma_4 = \iint_\Omega \Big\{ & M_x k_x + 2M_{xy} k_{xy} + M_y k_y - U \\
& - \left(\frac{\partial M_x}{\partial x} + \frac{\partial M_{xy}}{\partial y} - Q_x\right) \psi_x \\
& - \left(\frac{\partial M_{xy}}{\partial x} + \frac{\partial M_y}{\partial y} - Q_y\right) \psi_y
\end{aligned}$$

$$+\left(\frac{\partial Q_x}{\partial x}+\frac{\partial Q_y}{\partial y}+p\right)w\Big\}dxdy$$

$$-\int_{C_1+C_2}\left(\frac{\partial M_{ns}}{\partial s}+Q_n\right)\bar{w}ds$$

$$-\int_{C_3}\left(\frac{\partial M_{ns}}{\partial s}+Q_n-\bar{q}\right)wds$$

$$+\int_{C_1}M_n\bar{\psi}_n ds+\int_{C_2+C_3}(M_n-\bar{M}_n)\psi_n ds. \tag{8.10}$$

Π_4 和 Γ_4 仍满足恒等关系

$$\Pi_4+\Gamma_4=0. \tag{8.11}$$

和二类变量广义变分原理相同，三类变量以及更多类变量广义变分原理中的自变函数，也可以是在某些线上不连续的广义函数. 此外，对于精确解，Π_3，Γ_3，Π_4，Γ_4 也只取非极值的驻立值.

§4.9 几个能量原理(定理)之间的关系

上面分别介绍了好几个有关能量的原理或定理. 本节再综合地说明一下它们之间的关系.

从力学上来看，它们之间的关系大致如图 9.1 所示. 能量守恒原理是自然界最基本的原理之一，它理所当然地也是力学中最基本的原理. 其他的各种能量原理或定理，可以说都是能量守恒原理的后果.

将能量守恒原理用于平衡力系，便可得到虚功原理. 将能量守恒原理用于弹性体，则可推论出存在一个应变能密度，它是广义应变的正定的函数，通过它可以把广义应力表达为广义应变的函数. 把这个关系用于线性弹性体，便可得到广义胡克定律，并可证明内功的互等定理. 从应变能密度出发，可以推导出存在一个余应变能密度，它是广义内力的正定的函数. 通过它可以把广义应变表达为广义应力的函数.

把能量守恒原理应用于弹性系统(弹性结构)，则可知存在系

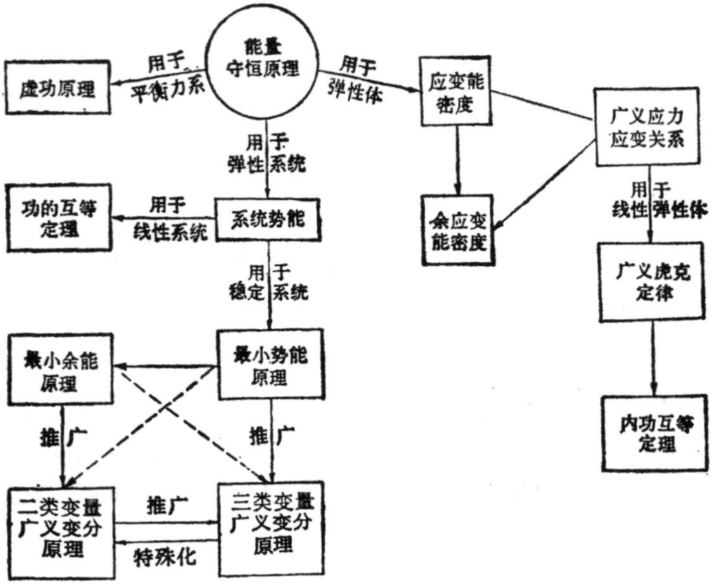

图 9.1　能量原理(定理)关系图

统势能，它是广义位移的泛函. 把系统势能的存在性用于线性系统，可导出功的互等定理. 再应用能量守恒原理，可推导出对于稳定的弹性系统，必有最小势能原理. 从最小势能原理出发，可以推导出最小余能原理以及广义势能原理、广义余能原理等各种广义变分原理.

从数学上看，代表虚功原理的等式，以及与虚功原理相联系的数学上的恒等式，是最重要的数学关系. 有了它们，其他各个能量原理(定理)的数学证明就都不难了. 而如果不用它们，那末数学证明将是很繁长的.

从应用上看，在求解个别的具体问题时，最小势能原理和最小余能原理用得最多，因为它们的优点是明确指出精确解使泛函取最小值. 如果在某问题中主要目的是求位移，那末通常利用最小势能原理比较有效. 如果主要目的是求应力，那末通常利用最小余能原理比较有效. 因为这样作比较直截了当，要什么就以什么为自变函数．在近似解法中，少拐几个弯子，可以节省时间，提高精度．

在研究各种理论的内在联系，在创建各种特殊结构的实用理论时，广义变分原理常常是有效的工具．由于广义变分原理允许各个函数独立无关地变化，在理论上提供了广泛的可能性．事实上，在广义变分原理创立之前，人们不仅已经建立了比较精确的弹性力学理论，并且已就梁、板、壳等特殊结构建立了比较实用的近似理论．在每个理论体系中，都有各自的最小势能原理和最小余能原理．但是弹性力学里这两个最小值原理并不能帮助人们来建立实用理论，而各个理论中的最小值原理也无直接的联系．粗看起来，这似乎是一个奇怪的偶然的现象．细分析起来，这却是必然的可理解的现象．因为实用理论希望得到简单可用的理论，它们对位移分布和应力分布同时作一些简化假设，有时甚至对应力应变关系作一些简化假设，这样便违背了使用最小值原理的前提，因为在最小势能原理中只允许对位移作简化假设，不允许对应力分布再作简化假设；而在最小余能原理中，只允许对应力分布作简化假设，不允许对位移分布再作简化假设．只有广义变分原理才允许同时对位移分布、应力分布作出简化假设．所以，自从提出广义变分原理以后，人们在建立特殊结构的实用理论时，都乐于采用广义变分原理．而用广义变分原理来研究早已提出的实用理论时，就能更明确更清楚地看出它们与弹性力学的关系．

§4.10　用广义变分原理求解某些综合边界条件矩形板的平衡问题

矩形板是工程上应用得比较多的结构元件，因此许多有关薄板的书籍都用了较多的篇幅讲述矩形板的弯曲问题，并且已经有专讲矩形板的著作[37]．对于等厚度的各向同性板（以及正交各向异性板），如果有一对边简支，那末可以用 Levy 的单级数办法求解．对于这类问题，目前已有了大量的计算结果．对于其他的边界条件，特别是综合边界条件，数字结果便比较少．下面介绍舒德坚和施振东[33]用广义变分原理求解某些综合边界条件矩形板的方法与结果．

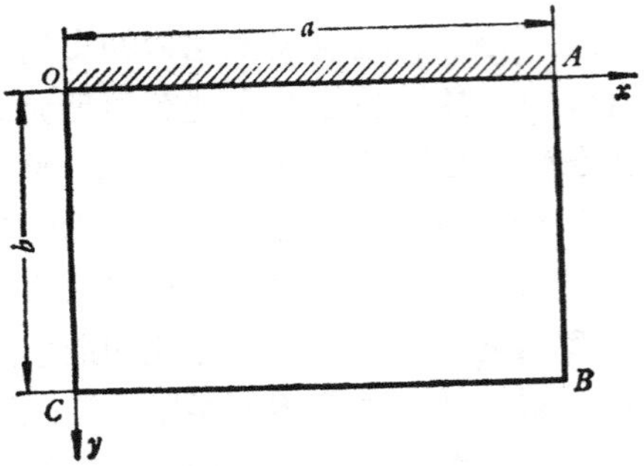

图 10.1

考虑一块各向同性的等厚度的矩形板（如图 10.1 所示），在均布载荷 p 作用下的平衡问题．设此板的一边（$y=0$）固定，其余三边悬空．挠度 w 应满足下列方程和边界条件：

$$\nabla^2\nabla^2 w=\frac{p}{D}, \tag{10.1}$$

在 $y=0$ 处：

$$w=0, \tag{10.2a}$$

$$\frac{\partial w}{\partial y}=0, \tag{10.2b}$$

在 $y=b$ 处：

$$\frac{\partial^2 w}{\partial y^2}+\nu\frac{\partial^2 w}{\partial x^2}=0, \tag{10.3a}$$

$$\frac{\partial^3 w}{\partial y^3}+(2-\nu)\frac{\partial^3 w}{\partial x^2\partial y}=0, \tag{10.3b}$$

在 $x=0$ 及 $x=a$ 处：

$$\frac{\partial^2 w}{\partial x^2}+\nu\frac{\partial^2 w}{\partial y^2}=0, \tag{10.4a}$$

$$\frac{\partial^3 w}{\partial x^3}+(2-\nu)\frac{\partial^3 w}{\partial x\partial y^2}=0, \tag{10.4b}$$

在 $x=0$，$y=b$ 处：

$$\frac{\partial^2 w}{\partial x\partial y}=0, \tag{10.5}$$

在 $x=a$, $y=b$ 处:

$$\frac{\partial^2 w}{\partial x \partial y}=0. \tag{10.6}$$

挠度 w 在 $y=b$, $x=0$, $x=a$ 三边上的值是未知的. 虽然如此, 我们总可以肯定 w 在这三边上能够表示为下列形式:

在 $y=b$ 处:

$$w=k+\sum_{m=1,3,5,\cdots}^{\infty} b_m \sin \alpha_m x, \tag{10.7}$$

在 $x=0$ 及 $x=a$ 处:

$$w=k\frac{y}{b}+\sum_{n=1}^{\infty} c_n \sin \beta_n y, \tag{10.8}$$

式中

$$\alpha_m=\frac{m\pi}{a}, \quad \beta_n=\frac{n\pi}{b}, \tag{10.9}$$

而 k, b_m, c_n 为待定常数. 在上面的算式中, 已经考虑到问题的对称性而减少了一些未定系数. 将 (10.7), (10.8) 代入 (10.3a), (10.4a), 得到

在 $y=b$ 处:

$$\frac{\partial^2 w}{\partial y^2}=-\nu\frac{\partial^2 w}{\partial x^2}=\nu\sum_{m=1,3,5,\cdots}^{\infty} b_m \alpha_m^2 \sin \alpha_m x, \tag{10.10}$$

在 $x=0$ 及 $x=a$ 处:

$$\frac{\partial^2 w}{\partial x^2}=-\nu\frac{\partial^2 w}{\partial y^2}=\nu\sum_{n=1}^{\infty} c_n \beta_n^2 \sin \beta_n y. \tag{10.11}$$

此外, 再将固定边上的曲率展开为[1)]

$$\frac{\partial^2 w}{\partial y^2}=\sum_{m=1,3,5,\cdots}^{\infty} a_m \alpha_m^2 \sin \alpha_m x, \tag{10.12}$$

---

1) 如果展开为

$$\frac{\partial^2 w}{\partial y^2}=h+\sum_{m=1,3,5,\cdots}^{\infty} a_m \alpha_m^2 \sin \alpha_m x,$$

则收敛得更快些. 但 (10.12) 也是可以用的, 因为后面并不需要求这个级数的导数.

其中 a_m 为另一组待定的系数.

根据方程(10.1),(10.2a),(10.7),(10.8),(10.10),(10.11),(10.12),可将 w 写为下列四项之和:

$$w = k\frac{y}{b} + w_0 + w_1 + w_2, \tag{10.13}$$

其中 w_0 为相应的简支板的挠度,它可表达为

$$\begin{aligned} w_0 = \frac{4pa^4}{\pi^5 D}\sum_{m=1,3,5,\cdots}^{\infty}\frac{1}{m^5} &\times\left\{1 - \frac{\alpha_m b\,\mathrm{th}\dfrac{\alpha_m b}{2} + 4}{4\,\mathrm{ch}\dfrac{\alpha_m b}{2}}\mathrm{ch}\,\alpha_m\left(y - \frac{b}{2}\right)\right. \\ &\left. + \frac{\alpha_m\left(y - \dfrac{b}{2}\right)}{2\,\mathrm{ch}\dfrac{\alpha_m b}{2}}\mathrm{sh}\,\alpha_m\left(y - \frac{b}{2}\right)\right\}\sin\alpha_m x, \end{aligned} \tag{10.14a}$$

也可表达为

$$\begin{aligned} w_0 = \frac{4pb^4}{\pi^5 D}\sum_{n=1,3,5,\cdots}^{\infty}\frac{1}{n^5} &\times\left\{1 - \frac{\beta_n a\,\mathrm{th}\dfrac{\beta_n a}{2} + 4}{4\,\mathrm{ch}\dfrac{\beta_n a}{2}}\mathrm{ch}\,\beta_n\left(x - \frac{a}{2}\right)\right. \\ &\left. + \frac{\beta_n\left(x - \dfrac{a}{2}\right)}{2\,\mathrm{ch}\dfrac{\beta_n a}{2}}\mathrm{sh}\,\beta_n\left(x - \frac{a}{2}\right)\right\}\sin\beta_n y. \end{aligned} \tag{10.14b}$$

w_1 满足下列方程和边界条件

$$\nabla^2\nabla^2 w_1 = 0, \tag{10.15}$$

在 $x = 0$ 及 $x = a$ 处:

$$w_1 = 0,\quad \frac{\partial^2 w_1}{\partial x^2} = 0, \tag{10.16}$$

在 $y=0$ 处:

$$w_1=0,\tag{10.17a}$$

$$\frac{\partial w_1}{\partial y^2}=\sum_{m=1,3,5,\cdots}^{\infty}a_m\alpha_m^2\sin\alpha_m x,\tag{10.17b}$$

在 $y=b$ 处:

$$w_1=\sum_{m=1,3,5,\cdots}^{\infty}b_m\sin\alpha_m x,\tag{10.18a}$$

$$\frac{\partial^2 w_1}{\partial y^2}=\nu\sum_{m=1,3,5,\cdots}^{\infty}b_m\alpha_m^2\sin\alpha_m x.\tag{10.18b}$$

w_2 满足下列方程和边界条件

$$\nabla^2\nabla^2 w_2=0,\tag{10.19}$$

在 $y=0$ 及 $y=b$ 处:

$$w_2=0,\ \frac{\partial^2 w_2}{\partial y^2}=0,\tag{10.20}$$

在 $x=0$ 及 $x=a$ 处:

$$w_2=\sum_{n=1}^{\infty}c_n\sin\beta_n y,\tag{10.21}$$

$$\frac{\partial w_2}{\partial x^2}=\nu\sum_{n=1}^{\infty}c_n\beta_n^2\sin\beta_n y.\tag{10.22}$$

函数 w_1 相当于在 $x=0$ 及 $x=a$ 两边简支的板的挠度，w_2 相当于在 $y=0$ 及 $y=b$ 两边简支的板的挠度，它们都适合于用 Levy 的单级数解法. 经过较长的运算后,求得

$$\begin{aligned}w_1=\sum_{m=1,3,5,\cdots}^{\infty}\Big\{\Big[&\frac{\alpha_m b}{2\,\mathrm{sh}^2\alpha_m b}\mathrm{sh}\,\alpha_m y\\&-\frac{\mathrm{ch}\,\alpha_m b}{2\,\mathrm{sh}\,\alpha_m b}\alpha_m y\,\mathrm{ch}\,\alpha_m y+\frac{1}{2}\alpha_m y\,\mathrm{sh}\,\alpha_m y\Big]a_m\\&+\Big[\frac{1}{\mathrm{sh}\,\alpha_m b}\Big(1+\frac{1-\nu}{2}\alpha_m b\,\mathrm{cth}\,\alpha_m b\Big)\mathrm{sh}\,\alpha_m y\\&-\frac{1-\nu}{2\,\mathrm{sh}\,\alpha_m b}\alpha_m y\,\mathrm{ch}\,\alpha_m y\Big]b_m\Big\}\sin\alpha_m x,\end{aligned}\tag{10.23}$$

$$w_2 = \sum_{n=1}^{\infty} \left\{ \operatorname{ch} \beta_n x + \frac{1 - \operatorname{ch} \beta_n a}{\operatorname{sh} \beta_n a} \left[1 - \frac{(1-\nu)\beta_n a}{2 \operatorname{sh} \beta_n a} \right] \operatorname{sh} \beta_n x \right.$$
$$- \frac{1-\nu}{2 \operatorname{sh} \beta_n a} (1 - \operatorname{ch} \beta_n a) \beta_n x \operatorname{ch} \beta_n x$$
$$\left. - \frac{1-\nu}{2} \beta_n x \operatorname{sh} \beta_n x \right\} c_n \sin \beta_n y. \qquad (10.24)$$

待定常数 k, a_m, b_m, c_n 由二类变量广义势能原理决定. 由于公式 (10.13) 已经满足了平衡方程和部分边界条件 (10.2a), (10.3a), (10.4a), 所以在这种情况下广义势能原理的形式可以大大简化. 把 w 满足的方程和边界条件引入 $\delta\Pi_2$ 的算式 (7.6), 得到

$$\delta\Pi_2 = \int_{C_3} \left(\frac{\partial M_{ns}}{\partial s} + Q_n \right) \delta w ds + \int_{C_1} \frac{\partial w}{\partial n} \delta M_n ds = 0.$$

固支边只有 OA 一条, 而自由边有 AB, BC, CO 三条, 再注意到在自由边上有 B, C 两个角点, 则上式化为

$$\delta\Pi_2 = \int_A^B \left(\frac{\partial M_{xy}}{\partial y} + Q_y \right) \delta w dy + \int_C^B \left(\frac{\partial M_{xy}}{\partial x} + Q_y \right) \delta w dx$$
$$- \int_O^C \left(\frac{\partial M_{xy}}{\partial y} + Q_x \right) \delta w dy - 2 M_{xy} \delta w_B$$
$$+ 2 M_{xy} \delta w_C - \int_O^A \frac{\partial w}{\partial y} \delta M_y dx = 0.$$

再注意到 AB, OC 两边的对称性, 上式化为

$$\delta\Pi_2 = -2 \int_O^C \left(\frac{\partial M_{xy}}{\partial y} + Q_x \right) \delta w dy$$
$$+ \int_C^B \left(\frac{\partial M_{xy}}{\partial x} + Q_y \right) \delta w dx + 4 M_{xy} \delta w_C$$
$$- \int_O^A \frac{\partial w}{\partial y} \delta M_y dx = 0. \qquad (10.25)$$

在三条自由边上, w 的变分可由 (10.7), (10.8) 得到, 在固支边上 M_y 的变分可由 (10.12) 得到. 这样从 (10.25) 便可得到下列三组零一个方程:

$$\int_0^a \left\{\frac{\partial^3 w}{\partial y^3} + (2-\nu)\frac{\partial^3 w}{\partial x^2 \partial y}\right\}\bigg|_{y=b} \sin\alpha_m x dx = 0, \quad (10.26a)$$

$$\int_0^b \left\{\frac{\partial^3 w}{\partial x^3} + (2-\nu)\frac{\partial^3 w}{\partial x \partial y^2}\right\}\bigg|_{x=0} \sin\beta_n y dy = 0, \quad (10.26b)$$

$$2\int_0^b \left\{\frac{\partial^3 w}{\partial x^3} + (2-\nu)\frac{\partial^3 w}{\partial x \partial y^2}\right\}\bigg|_{x=0} \frac{y}{b} dy$$

$$-\int_0^a \left\{\frac{\partial^3 w}{\partial y^3} + (2-\nu)\frac{\partial^3 w}{\partial x^2 \partial y}\right\}\bigg|_{y=b} dx$$

$$-4(1-\nu)\frac{\partial^2 w}{\partial x \partial y}\bigg|_{\substack{x=0\\y=b}} = 0. \quad (10.26c)$$

$$\int_0^a \frac{\partial w}{\partial y}\bigg|_{y=0} \sin\alpha_m x dx = 0. \quad (10.26d)$$

现在将 (10.13) 代入上式求上式中的各个积分. 对于 w_1和 w_2 只有一种算式. 对于 w_0 有两种算式. 计算 $x=0$ 边上的积分, w_0 用 (10.14b); 计算 $y=0$ 及 $y=b$ 两边上的积分, w_0 用 (10.14a), 这样得到(改变一下方程的次序, 将 (10.26d) 放在第一个,然后依次为 a, b, c):

$$_1p_m a_m + {}_1q_m b_m + \sum_{n=1}^{\infty} {}_1r_{mn} c_n + \frac{2}{\alpha_m b} k + {}_1f_m = 0,$$
$$m = 1, 3, 5, \cdots$$

$$_2p_m a_m + {}_2q_m b_m + \sum_{n=1}^{\infty} {}_2r_{mn} c_n + {}_2f_m = 0, \quad m = 1, 3, 5, \cdots$$

$$\sum_{m=1,3,5,\cdots}^{\infty} {}_3p_{mn} a_m + \sum_{m=1,3,5,\cdots}^{\infty} {}_3q_{mn} b_m + {}_3r_n c_n + {}_3f_n = 0,$$
$$n = 1, 2, \cdots \quad (10.27)$$

$$\sum_{m=1,3,5,\cdots}^{\infty} m a_m + {}_4f = 0,$$

其中

$$_1p_m = -\frac{m\pi}{4}\left(\operatorname{cth}\alpha_m b - \frac{\alpha_m b}{\operatorname{sh}^2\alpha_m b}\right),$$

$$
{}_1q_m = \frac{m\pi}{4}\frac{1}{\operatorname{sh}\alpha_m b}[(1+\nu)+(1-\nu)\alpha_m b\operatorname{cth}\alpha_m b],
$$

$$
{}_1r_{mn} = \frac{2\alpha_m\beta_n}{(\alpha_m^2+\beta_n^2)^2}[\alpha_m^2+(2-\nu)\beta_n^2],
$$

$$
{}_1f_m = \frac{1}{m^4\pi^4}\left[\operatorname{th}\frac{\alpha_m b}{2}-\frac{\alpha_m b}{2\operatorname{ch}^2\frac{\alpha_m b}{2}}\right]\frac{pa^4}{D},
$$

$$
{}_2p_m = -\frac{m^3\pi^3}{4}\frac{1}{\operatorname{sh}\alpha_m b}[1+\nu+(1-\nu)\alpha_m b\operatorname{cth}\alpha_m b],
$$

$$
{}_2q_m = -\frac{m^3\pi^3}{4}(1-\nu)\left[(3+\nu)\operatorname{cth}\alpha_m b+\frac{(1-\nu)\alpha_m b}{\operatorname{sh}^2\alpha_m b}\right],
$$

$$
{}_2r_{mn} = -2(-1)^n(1-\nu)^2 mn\pi^2\frac{a}{b}\frac{\alpha_m^2\beta_n^2}{(\alpha_m^2+\beta_n^2)^2},
$$

$$
{}_2f_m = \frac{1}{m^2\pi^2}\left[(3-\nu)\operatorname{th}\frac{\alpha_m b}{2}-\frac{(1-\nu)\alpha_m b}{2\operatorname{ch}^2\frac{\alpha_m b}{2}}\right]\frac{pa^4}{D},
$$

$$
{}_3p_{mn} = m^2\pi^2\frac{\alpha_m\beta_n}{(\alpha_m^2+\beta_n^2)^2}[\alpha_m^2+2(2-\nu)\beta_n^2],
$$

$$
{}_3q_{mn} = (-1)^n(1-\nu)^2\frac{m^2\pi^2\alpha_m\beta_n^3}{(\alpha_m^2+\beta_n^2)^2},
$$

$$
{}_3r_n = \frac{1}{4}(1-\nu)^2\left(\frac{a}{b}\right)^2\pi^3 n^3\operatorname{th}\frac{\beta_n a}{2}\left[\frac{3+\nu}{1-\nu}-\frac{\beta_n a}{\operatorname{sh}\beta_n a}\right],
$$

$$
{}_3f_n = \begin{cases} -\dfrac{1}{\beta_n^2 a}\left[(3-\nu)\operatorname{th}\dfrac{\beta_n a}{2}-(1-\nu)\dfrac{\beta_n a}{2\operatorname{ch}^2\dfrac{\beta_n a}{2}}\right]\dfrac{pa^4}{D}, \\ \qquad\qquad (n=1,3,5,\cdots) \\ 0, \quad (n=2,4,6,\cdots) \end{cases}
$$

$$
{}_4f = -\frac{1}{4\pi}\left(\frac{b}{a}\right)^2\frac{pa^4}{D}. \tag{10.28}
$$

从联立方程组(10.27)可以解出 k 及 a_m, b_m, c_n。这样便最后确定了挠度的算式。

这里我们再说明一下，上面介绍的方法确实不是古典的能量法．这是因为：(1) 它满足微分方程而不满足边界条件，它不是伽辽金法；(2) 在固支边上，它不满足斜率为零的条件，所以它不符合最小势能原理；(3) 在自由边上它不满足力等于零的条件，所以它不符合最小余能原理．

在舒德坚、施振东的文章中，还用相同方法计算了其他多种边界条件下的解．其中有：一边固定、三边自由且支持于二角顶；一边简支、三边自由且支持于二角顶；一边固定对边简支另两边自由等．

§4.11 有限元素法综述

薄板弯曲问题中的有限元素法的基本思想，是和梁问题中的有限元素法相同的．对于薄板的弯曲问题，原先要求在给定的平面区域中决定一个或几个函数．在有限元素法中，先将给定的平面区域分割成若干个有限的小元素，通常是三角形或四边形元素，然后用结点上的函数(还常常包括这些函数的某些导数)值来近似地描述整个区域中的函数．对于结点以外的其他点，用接近实际的、具有实用精度的、简便的插入公式[1)]求这些函数及其导数的近似值．最后依据某个变分原理建立结点上的函数(及其导数)的联立方程．由于在上述步骤中，每一步都有许多种可能的做法，所以薄板弯曲问题的有限元素法的具体形式是多种多样的．而每一种做法，常常有它成功的一面，也有它不足的一面．我们不可能对有关文献作稍许全面的介绍和评述．下面仅选择几种有代表性的做法作扼要的介绍．本节先概括地说明一下各种做法的主要特点．

从有限元素法所依据的变分原理来看，早期的著作大都依据最小势能原理，后来有依据最小余能原理的，最近则有许多著作用某种形式的广义变分原理．这些变分原理还可以结合起来应用．

1) 为了保证所得结果的收敛性，当有限元素趋于无穷小元素时，上述插入公式应能给出泛函中所需的各个量的精确值．见 Melosh[203], Oliveira[229], 以及 Fraeijs de Veubeke[130] 的文章．对于薄板的弯曲问题，这相当于 w 的插入公式能凑合一个任意给定的二次多项式．

例如，在一个个元素内用最小余能原理求近似解，而对整个系统用最小势能原理求近似解. 这就是所谓假设应力杂交法的基本思想. 总之，在一个问题的不同层次里可以用不同的变分原理，在同一层次的不同元素或子结构里也可以用不同的变分原理. 这种变分原理的结合用法，大都相当于用某种广义变分原理. 最近钱伟长[27]说明了广义变分原理的多种可能的用法. 并且指出，这里的潜力还很大.

与变分原理密切相关的一个问题是把什么函数当作基本未知函数. 在依据最小势能原理的各种有限元素法中，总是把挠度(及其导数)当作基本未知函数；而在依据最小余能原理的各种有限元素法中，也总是把内力矩（或与它们直接相关的其他函数）当作基本未知函数. 只有在广义变分原理中才可以同时把挠度、内力矩，有时甚至曲率，当作独立的基本未知函数.

每一种变分原理，对自变函数的连续性都有程度不同的一定要求. 各种有限元素法，就其对连续性要求符合的程度来说，可分为协调元素、部份协调元素、过份协调元素三种. 在协调元素中，正好满足了变分原理所要求的连续性. 在部份协调元素中，只满足了一部份连续性要求，而有另一部份未满足. 在过份协调元素中，函数的连续性超过了变分原理所要求的程度. 例如若用最小势能原理来建立有限元素法，那末保证 w，$\partial w/\partial x$，$\partial w/\partial y$ 满足连续性条件的元素，称为协调元素；若只保证 w 连续，而 $\partial w/\partial x$，$\partial w/\partial y$ 有可能不连续，称为部份协调元素；而若不仅 w，$\partial w/\partial x$，$\partial w/\partial y$，而且还有 $\partial^2 w/\partial x^2$，$\partial^2 w/\partial y^2$，$\partial^2 w/\partial x\partial y$ 也都连续，则称为过份协调元素. 从理论上看，协调元素比较理想，因为它严格遵守变分原理，许多理论问题比较容易回答. 部份协调元素的优点是方程比较简单，如果使用得当，也能得到很好的近似解，但若使用不当，则收敛性较差. 过份协调元素不是一种普遍适用的方法. 例如在某个问题中，$\partial^2 w/\partial x^2$，$\partial^2 w/\partial y^2$，$\partial^2 w/\partial x\partial y$ 实际上并不处处连续，而我们在近似计算中强令它们处处连续，那末所得的结果不可能收敛于精确解. 但是如果在某问题中，$\partial^2 w/\partial x^2$，$\partial^2 w/\partial y^2$，

$\partial^2 w/\partial x\partial y$ 确实处处连续，那末利用相应的过份协调元素，用得恰当能加快收敛速度.

就有限元素的形状来说，可分为三角形元素，矩形元素，任意的四边形元素等等. 三角形元素分割比较灵活，能适应多种形状的板. 矩形元素比较简单，但只适用于矩形板和任意形状的板的中间部份. 为了解决孔附近的应力集中问题，有时采用具有曲线边的三角形或四边形元素是比较适宜的.

就插入的办法来说，也可以分成几种类型. 目前用得最多的办法是在一个有限元素内用一个解析函数对挠度进行插入，而挠度的各阶导数利用相应的求导数的办法求得. 这种插入法叫做一致插入法. 还有一种办法，可以叫做二次分片插入法. 有限元素法本来就是一种分片插入法. 在二次分片插入法中，把一个元素再分割成若干个子元素，而按子元素对挠度进行分片插入. 更有一种分项插入法，又称非一致插入法，这就是对能量积分中的不同的项，采用不同的插入公式. 在薄板的弯曲问题中，能量积分中涉及到 w, k_x, k_y, k_{xy} 四个量，可以对这四个量分别进行插入. 在精确解中，上述四个量满足下列恒等关系:

$$k_x = -\frac{\partial^2 w}{\partial x^2},\quad k_y = -\frac{\partial^2 w}{\partial y^2},\quad k_{xy} = -\frac{\partial^2 w}{\partial x\partial y}$$

$$\frac{\partial k_x}{\partial y} = \frac{\partial k_{xy}}{\partial x},\quad \frac{\partial k_y}{\partial x} = \frac{\partial k_{xy}}{\partial y}.$$

采用分项插入后，上列等式就不一定成立了. 但是这并不影响结果的收敛性，只要当有限元素缩小为无穷小元素后上式能成立[1]，收敛性便有保证了. 分项插入法是一种很灵活的插入办法，使用得当可以得到简单而又精确的结果.

薄板的弯曲问题和薄板的平面应力问题之间存在一个对应关系（详见后面的平面应力问题），概括起来说就是：弯曲问题中的最小势能原理相当于平面问题中的最小余能原理，而弯曲问题中的最小余能原理相当于平面问题中的最小势能原理，由此可知，弯

1) 当然还要满足第 255 页上的注脚所提出的要求.

曲问题中的位移法相当于平面问题中的力法，而弯曲问题中的力法相当于平面问题中的位移法. 根据这个对应关系，在弯曲问题与平面问题中我们都只讲位移法，这样做并不会遗留两类问题中的力法.

下面扼要地说明一下以位移为基本未知数的有限元素法的主要计算步骤. 先将板分割成若干个有限的元素，在每个结点上赋予它几个位移参数，大多数情况下是赋予三个位移参数，有时多几个或少几个. 一个有限元素上各结点的位移参数的总和，组成这个有限元素的位移参数矢量 $\boldsymbol{q}_e$. 有限元素内各点的挠度和其他有用的量，可通过各种插入公式求得. 于是便可求出每个有限元素的应变能 Π_e^2 和载荷积分 Π_e^1:

$$\Pi_e^2 = \iint\limits_{\Omega_e} U dxdy,$$

$$\Pi_e^1 = -\iint\limits_{\Omega_e} pw dxdy.$$

(如果在元素的角点上有集中载荷，或在元素的边界上有线布载荷，那末这些载荷可计算在任一个相关的元素内，不要计算重复便可以了). 由此可进一步计算这个有限元素的势能 Π_e:

$$\Pi_e = \Pi_e^2 + \Pi_e^1.$$

它们最后可表达成

$$\begin{aligned} \Pi_e^2 &= \frac{1}{2}\boldsymbol{q}_e^T \boldsymbol{K}_e \boldsymbol{q}_e, \\ \Pi_e^1 &= -\boldsymbol{F}_e^T \boldsymbol{q}_e, \\ \Pi_e &= \frac{1}{2}\boldsymbol{q}_e^T \boldsymbol{K}_e \boldsymbol{q}_e - \boldsymbol{F}_e^T \boldsymbol{q}_e. \end{aligned} \tag{11.1}$$

式中 $\boldsymbol{K}_e$ 称为元素的刚度矩阵，$\boldsymbol{F}_e$ 称为元素内的广义载荷. 整个板的应变能、载荷积分，势能可通过叠加得到. 若将它们表示成矩阵形式，则有

$$\Pi^2 = \frac{1}{2}\boldsymbol{q}^T \boldsymbol{K} \boldsymbol{q},$$

$$\Pi^1 = -\boldsymbol{F}^T\boldsymbol{q},$$

$$\Pi \quad \frac{1}{2}\boldsymbol{q}^T\boldsymbol{K}\boldsymbol{q} - \boldsymbol{F}^T\boldsymbol{q}. \tag{11.2}$$

式中 $\boldsymbol{q}$ 是由全体位移参数构成的列矢量,而 $\boldsymbol{K}$ 与 $\boldsymbol{F}$ 为

$$\boldsymbol{K} = \sum_e \boldsymbol{K}_e,\ \boldsymbol{F} = \sum_e \boldsymbol{F}_e. \tag{11.3}$$

最小势能原理要求

$$\delta\Pi = \delta\left\{\frac{1}{2}\boldsymbol{q}^T\boldsymbol{K}\boldsymbol{q} - \boldsymbol{F}^T\boldsymbol{q}\right\} = 0. \tag{11.4}$$

由此得到联立方程组

$$\boldsymbol{K}\boldsymbol{q} = \boldsymbol{F}. \tag{11.5}$$

后面介绍各种有限元素法时，我们将只说明元素刚度矩阵 $\mathbf{K}_e$ 及元素广义载荷 $\boldsymbol{F}_e$ 的求法。 至于整个板的刚度矩阵 $\mathbf{K}$，和整个板的广义载荷 $\boldsymbol{F}$ 的求法就不介绍了.

§ 4.12 与三角形相联系的面积坐标

命 oxy 是平面上的笛卡儿坐标系. 设 $A(x_1, y_1)$, $B(x_2, y_2)$, $C(x_3, y_3)$ 是三角形ABC 的三个顶点. 本书规定 ABC 的转向与从 x 轴经 90° 到 y 轴的转向相同. 命三角形 ABC 的面积为 Δ

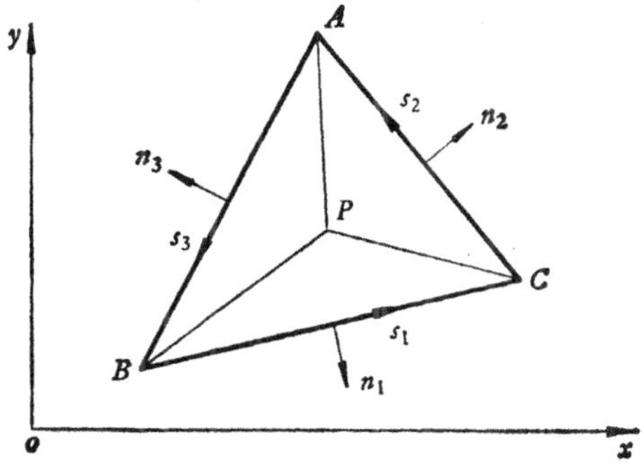

图 12.1

则有

$$\Delta = \frac{1}{2}\begin{vmatrix} 1 & 1 & 1 \\ x_1 & x_2 & x_3 \\ y_1 & y_2 & y_3 \end{vmatrix}. \tag{12.1}$$

设 $P(x, y)$ 是三角形内的任一点．命

$$\xi_1 = \frac{\triangle PBC}{\triangle ABC},\ \xi_2 = \frac{\triangle PCA}{\triangle ABC},\ \xi_3 = \frac{\triangle PAB}{\triangle ABC}. \tag{12.2}$$

(ξ_1, ξ_2, ξ_3) 称为与三角形 ABC 相联系的 P 点的(无量纲的)面积坐标．从图 12.1 可知

$$\xi_1 + \xi_2 + \xi_3 = 1. \tag{12.3}$$

所以面积坐标形式上有三个，实际上只有两个是独立的． 面积坐标与笛卡儿坐标的关系为

$$\begin{bmatrix} \xi_1 \\ \xi_2 \\ \xi_3 \end{bmatrix} = \frac{1}{2\Delta}\begin{bmatrix} x_2y_3 - x_3y_2 & a_1 & b_1 \\ x_3y_1 - x_1y_3 & a_2 & b_2 \\ x_1y_2 - x_2y_1 & a_3 & b_3 \end{bmatrix}\begin{bmatrix} 1 \\ x \\ y \end{bmatrix},$$

$$\begin{bmatrix} 1 \\ x \\ y \end{bmatrix} = \begin{bmatrix} 1 & 1 & 1 \\ x_1 & x_2 & x_3 \\ y_1 & y_2 & y_3 \end{bmatrix}\begin{bmatrix} \xi_1 \\ \xi_2 \\ \xi_3 \end{bmatrix}. \tag{12.4}$$

式中为了书写方便起见,采用了记号

$$a_1 = y_2 - y_3,\ a_2 = y_3 - y_1,\ a_3 = y_1 - y_2,$$
$$b_1 = x_3 - x_2,\ b_2 = x_1 - x_3,\ b_3 = x_2 - x_1. \tag{12.5}$$

利用面积坐标，三角形 ABC 的三条边以及三个顶点的方程可简单地表达为

$$\begin{aligned} &BC\ 边:\ \xi_1 = 0,\ A\ 点:\ \xi_1 = 1, \xi_2 = 0, \xi_3 = 0, \\ &CA\ 边:\ \xi_2 = 0,\ B\ 点:\ \xi_1 = 0, \xi_2 = 1, \xi_3 = 0, \\ &AB\ 边:\ \xi_3 = 0,\ C\ 点:\ \xi_1 = 0, \xi_2 = 0, \xi_3 = 1. \end{aligned} \tag{12.6}$$

命三角形 ABC 三边之长为 l_1, l_2, l_3，则有

$$l_1 = \sqrt{b_1^2 + a_1^2},\ l_2 = \sqrt{b_2^2 + a_2^2},\ l_3 = \sqrt{b_3^2 + a_3^2}. \tag{12.7}$$

再命沿三角形 ABC 三条边的方向为 s_1, s_2, s_3，三条边的向外法线方向为 n_1, n_2, n_3，如图 12.1 所示,则此六个方向的方向余弦为

$$\begin{bmatrix} (n_1, x) & (n_1, y) & (s_1, x) & (s_1, y) \\ (n_2, x) & (n_2, y) & (s_2, x) & (s_2, y) \\ (n_3, x) & (n_3, y) & (s_3, x) & (s_3, y) \end{bmatrix}$$

$$= \begin{bmatrix} -\frac{a_1}{l_1} & -\frac{b_1}{l_1} & \frac{b_1}{l_1} & -\frac{a_1}{l_1} \\ -\frac{a_2}{l_2} & -\frac{b_2}{l_2} & \frac{b_2}{l_2} & -\frac{a_2}{l_2} \\ -\frac{a_3}{l_3} & -\frac{b_3}{l_3} & \frac{b_3}{l_3} & -\frac{a_3}{l_3} \end{bmatrix}. \tag{12.8}$$

取（12.4）的微分，得到

$$\begin{bmatrix} d\xi_1 \\ d\xi_2 \\ d\xi_3 \end{bmatrix} = \frac{1}{2\Delta} \begin{bmatrix} x_2y_3 - x_3y_2 & a_1 & b_1 \\ x_3y_1 - x_1y_3 & a_2 & b_2 \\ x_1y_2 - x_2y_1 & a_3 & b_3 \end{bmatrix} \begin{bmatrix} 0 \\ dx \\ dy \end{bmatrix},$$

即

$$\begin{bmatrix} d\xi_1 \\ d\xi_2 \\ d\xi_3 \end{bmatrix} = \frac{1}{2\Delta} \begin{bmatrix} a_1 & b_1 \\ a_2 & b_2 \\ a_3 & b_3 \end{bmatrix} \begin{bmatrix} dx \\ dy \end{bmatrix}. \tag{12.9}$$

由此得到

$$\begin{bmatrix} \frac{\partial \xi_1}{\partial x} & \frac{\partial \xi_2}{\partial x} & \frac{\partial \xi_3}{\partial x} \\ \frac{\partial \xi_1}{\partial y} & \frac{\partial \xi_2}{\partial y} & \frac{\partial \xi_3}{\partial y} \end{bmatrix} = \frac{1}{2\Delta} \begin{bmatrix} a_1 & a_2 & a_3 \\ b_1 & b_2 & b_3 \end{bmatrix}. \tag{12.10}$$

在后面的计算中，挠度 w 有时看作是 x，y 的函数，有时又看作是 ξ_1，ξ_2，ξ_3 的函数．在两种坐标系中，w 的一阶导数的关系为

$$\begin{bmatrix} \frac{\partial}{\partial x} \\ \frac{\partial}{\partial y} \end{bmatrix} = \begin{bmatrix} \frac{\partial \xi_1}{\partial x} & \frac{\partial \xi_2}{\partial x} & \frac{\partial \xi_3}{\partial x} \\ \frac{\partial \xi_1}{\partial y} & \frac{\partial \xi_2}{\partial y} & \frac{\partial \xi_3}{\partial y} \end{bmatrix} \begin{bmatrix} \frac{\partial}{\partial \xi_1} \\ \frac{\partial}{\partial \xi_2} \\ \frac{\partial}{\partial \xi_3} \end{bmatrix}$$

$$= \frac{1}{2\Delta}\begin{bmatrix} a_1 & a_2 & a_3 \\ b_1 & b_2 & b_3 \end{bmatrix}\begin{bmatrix} \dfrac{\partial}{\partial \xi_1} \\ \dfrac{\partial}{\partial \xi_2} \\ \dfrac{\partial}{\partial \xi_3} \end{bmatrix}. \qquad (12.11)$$

将这个公式连续用两次，便可得到二阶导数的公式

$$\begin{aligned}&\left[\frac{\partial^2}{\partial x^2}\ \frac{\partial^2}{\partial y^2}\ \frac{\partial^2}{\partial x \partial y}\right] \\ &\quad = \left[\frac{\partial^2}{\partial \xi_1^2}\ \frac{\partial^2}{\partial \xi_2^2}\ \frac{\partial^2}{\partial \xi_3^2}\ \frac{\partial^2}{\partial \xi_2 \partial \xi_3}\ \frac{\partial^2}{\partial \xi_1 \partial \xi_3}\ \frac{\partial^2}{\partial \xi_1 \partial \xi_2}\right]\boldsymbol{\gamma}^T,\end{aligned} \qquad (12.12)$$

其中矩阵 $\boldsymbol{\gamma}$ 为

$$\begin{aligned}\boldsymbol{\gamma} &= \frac{1}{4\Delta^2} \\ &\times \begin{bmatrix} a_1^2 & a_2^2 & a_3^2 & 2a_2a_3 & 2a_1a_3 & 2a_1a_2 \\ b_1^2 & b_2^2 & b_3^2 & 2b_2b_3 & 2b_1b_3 & 2b_1b_2 \\ a_1b_1 & a_2b_2 & a_3b_3 & a_2b_3+a_3b_2 & a_1b_3+a_3b_1 & a_1b_2+a_2b_1 \end{bmatrix}.\end{aligned} \qquad (12.13)$$

利用公式 (12.8) 和 (12.10)，可以求得法向导数与切向导数的公式：

$$\begin{aligned}\begin{bmatrix} \dfrac{\partial}{\partial n_1} \\ \dfrac{\partial}{\partial s_1} \end{bmatrix} &= \begin{bmatrix} -\dfrac{a_1}{l_1} & -\dfrac{b_1}{l_1} \\ \dfrac{b_1}{l_1} & -\dfrac{a_1}{l_1} \end{bmatrix}\begin{bmatrix} \dfrac{\partial}{\partial x} \\ \dfrac{\partial}{\partial y} \end{bmatrix} \\ &= -\frac{1}{2\Delta l_1}\begin{bmatrix} a_1 & b_1 \\ -b_1 & a_1 \end{bmatrix}\begin{bmatrix} a_1 & a_2 & a_3 \\ b_1 & b_2 & b_3 \end{bmatrix}\begin{bmatrix} \dfrac{\partial}{\partial \xi_1} \\ \dfrac{\partial}{\partial \xi_2} \\ \dfrac{\partial}{\partial \xi_3} \end{bmatrix}.\end{aligned} \qquad (12.14)$$

$\partial/\partial n_2$，$\partial/\partial s_2$，$\partial/\partial n_3$，$\partial/\partial s_3$ 的公式可用相同的方法得到.

后面在计算元素的应变能和载荷积分时，经常遇到三角形内的面积分。这里引录一个面积分公式如下（这个公式的推导见[134]）：

$$\iint_{\Omega_e} \xi_1^l \xi_2^m \xi_3^n dx dy = \frac{l!m!n!}{(l+m+n+2)!} \cdot 2\Delta. \qquad (12.15)$$

§ 4.13 六个位移参数、三角形、部份协调元素

设想将板所占的区域分割成若干个三角形有限元素。最简单的一种三角形元素是六个位移参数的部份协调元素。图 13.1 表示一个典型的三角形元素。对这样一个三角形元素，赋予它六个位移参数，即三个顶点上的挠度 w_1, w_2, w_3, 和三边中点处的法向（以向外为正）斜率 $\partial w_4/\partial n$, $\partial w_5/\partial n$, $\partial w_6/\partial n$. 在三角形内部，挠度用一个二次多项式进行插入。为了计算方便起见，可把挠度的算式写成为

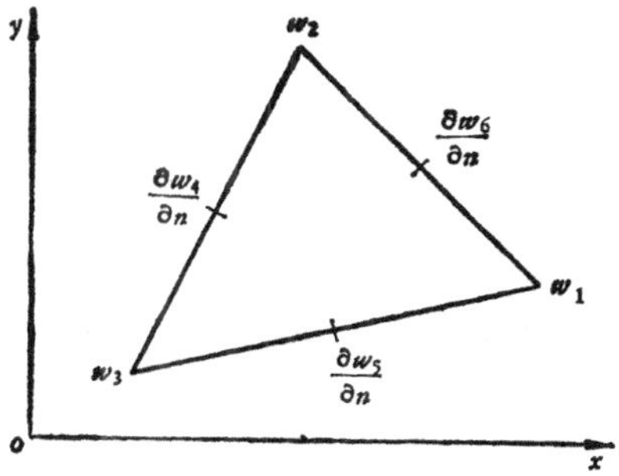

图 13.1

$$w = w_1\xi_1 + w_2\xi_2 + w_3\xi_3 + A_1\xi_1(1-\xi_1) + A_2\xi_2(1-\xi_2) + A_3\xi_3(1-\xi_3). \qquad (13.1)$$

这个算式已经满足了在三个角点上挠度等于给定值 w_1, w_2, w_3 的要求。下面再根据三边中点上的法向导数来决定 A_1, A_2, A_3.

先考虑 23 边的中点 4. 此点的坐标为

$$\xi_1 = 0, \ \xi_2 = \frac{1}{2}, \ \xi_3 = \frac{1}{2} \qquad (13.2)$$

根据公式 (12.14), 23 边上法向导数的公式为

$$\frac{\partial w}{\partial n_1}=-\frac{1}{2\Delta l_1}[a_1,\ b_1]\begin{bmatrix}a_1 & a_2 & a_3\\ b_1 & b_2 & b_3\end{bmatrix}\begin{bmatrix}\dfrac{\partial w}{\partial \xi_1}\\ \dfrac{\partial w}{\partial \xi_2}\\ \dfrac{\partial w}{\partial \xi_3}\end{bmatrix}. \tag{13.3}$$

将 w 的算式 (13.1) 代入上式，算出微分，然后将 4 点的坐标值代入，得到

$$\frac{\partial w_4}{\partial n}=-\frac{1}{2\Delta l_1}[a_1\quad b_1]\begin{bmatrix}a_1 & a_2 & a_3\\ b_1 & b_2 & b_3\end{bmatrix}\begin{bmatrix}w_1+A_1\\ w_2\\ w_3\end{bmatrix}. \tag{13.4}$$

从此式解出 A_1，得到

$$A_1=-\frac{1}{l_1^2}[a_1\ \ b_1]\begin{bmatrix}a_1 & a_2 & a_3\\ b_1 & b_2 & b_3\end{bmatrix}\begin{bmatrix}w_1\\ w_2\\ w_3\end{bmatrix}-\frac{2\Delta}{l_1}\frac{\partial w_4}{\partial n}. \tag{13.5}$$

用相同的办法可以求得 A_2，A_3. 将这三个公式合并在一起，便有

$$\begin{bmatrix}A_1\\ A_2\\ A_3\end{bmatrix}=-\begin{bmatrix}\dfrac{a_1}{l_1^2} & \dfrac{b_1}{l_1^2}\\ \dfrac{a_2}{l_2^2} & \dfrac{b_2}{l_2^2}\\ \dfrac{a_3}{l_3^2} & \dfrac{b_3}{l_3^2}\end{bmatrix}\begin{bmatrix}a_1 & a_2 & a_3\\ b_1 & b_2 & b_3\end{bmatrix}\begin{bmatrix}w_1\\ w_2\\ w_3\end{bmatrix}$$

$$-2\Delta\begin{bmatrix}\dfrac{1}{l_1} & \dfrac{\partial w_4}{\partial n}\\ \dfrac{1}{l_2} & \dfrac{\partial w_5}{\partial n}\\ \dfrac{1}{l_3} & \dfrac{\partial w_6}{\partial n}\end{bmatrix}. \tag{13.6}$$

从公式 (13.1)，(13.6) 可以看到，如果有两个三角形元素公用一条边，那末在这条边上，挠度只在两端保持连续，而在其他点上一般是不连续的；法向导数只在边的中点保持连续，在其他点上

一般也不连续. 所以这种有限元素只保持了最起码的位移连续条件,是一种最起码的部份协调元素.

根据 (13.1) 求二阶导数,得到

$$\frac{\partial^2 w}{\partial \xi_1^2} = -2A_1, \quad \frac{\partial^2 w}{\partial \xi_2^2} = -2A_2, \quad \frac{\partial^2 w}{\partial \xi_3^2} = -2A_3,$$

$$\frac{\partial^2 w}{\partial \xi_2 \partial \xi_3} = 0, \quad \frac{\partial^2 w}{\partial \xi_1 \partial \xi_3} = 0, \quad \frac{\partial^2 w}{\partial \xi_1 \partial \xi_2} = 0. \tag{13.7}$$

于是再根据 (12.12) 求曲率,得到

$$-\begin{bmatrix} \dfrac{\partial^2 w}{\partial x^2} \\ \dfrac{\partial^2 w}{\partial y^2} \\ \dfrac{\partial^2 w}{\partial x \partial y} \end{bmatrix} = \frac{1}{2\Delta^2}\begin{bmatrix} a_1^2 & a_2^2 & a_3^2 \\ b_1^2 & b_2^2 & b_3^2 \\ a_1 b_1 & a_2 b_2 & a_3 b_3 \end{bmatrix}\begin{bmatrix} A_1 \\ A_2 \\ A_3 \end{bmatrix}. \tag{13.8}$$

在这个有限元素内,曲率是常数. 在一个有限元素内,弯曲刚度通常都假定为常数,这样内力矩也是常数. 所以这种有限元素,有时也叫做常内力矩有限元素[48],[210].

在弯曲刚度为常数的假设下,这个元素的应变能 Π_e^2 是

$$\Pi_e^2 = \frac{1}{2}\Delta \boldsymbol{A}^T \boldsymbol{K}^T \boldsymbol{D} \boldsymbol{K} \boldsymbol{A}, \tag{13.9}$$

其中

$$\boldsymbol{A} = [A_1 \;\; A_2 \;\; A_3]^T, \tag{13.10}$$

$$\boldsymbol{K} = \frac{1}{2\Delta^2}\begin{bmatrix} a_1^2 & a_2^2 & a_3^2 \\ b_1^2 & b_2^2 & b_3^2 \\ a_1 b_1 & a_2 b_2 & a_3 b_3 \end{bmatrix}, \tag{13.11}$$

而 $\boldsymbol{D}$ 是弯曲刚度矩阵. 如果再把 (13.6) 代入 (13.9), 则可把元素应变能 Π_e^2 表示为元素参数

$$\boldsymbol{q}_e = \left[w_1 \quad w_2 \quad w_3 \quad \frac{\partial w_4}{\partial n} \quad \frac{\partial w_5}{\partial n} \quad \frac{\partial w_6}{\partial n} \right]^T \tag{13.12}$$

的函数. 作用在此元素上的分布载荷 $\boldsymbol{p}$ 的势能 Π_e^1 是

$$\Pi_e^1 = -\iint_{\Omega_e} pw\,dx\,dy.$$

在一个元素内，通常假设 p 是一个常数．于是将 (13.1) 代入，并利用公式 (12.15)，便有

$$\Pi_e^1 = -\frac{1}{3}p\Delta\left[w_1 + w_2 + w_3 + \frac{1}{2}(A_1 + A_2 + A_3)\right]. \tag{13.13a}$$

据有些作者（例如前面提到的 Morley[210]）的经验，认为上式中有关 $\boldsymbol{A}$ 的项可以略去不计，这样便有[1)]

$$\Pi_e^1 = -\frac{1}{3}p\Delta(w_1 + w_2 + w_3). \tag{13.13b}$$

这样，这个元素的总势能 Π_e 便为

$$\Pi_e = \frac{1}{2}\Delta\boldsymbol{A}^T\boldsymbol{K}^T\boldsymbol{D}\boldsymbol{K}\boldsymbol{A} - \frac{1}{3}p\Delta(w_1 + w_2 + w_3). \tag{13.14}$$

§ 4.14　9 个位移参数、三角形、部份协调元素

和上节相同，设想将板分割成若干个三角形元素．本节介绍的方法是经常应用的部份协调元素[328]．在这个方法中，对于三角形的每一个顶点赋予它三个位移参数：

$$w,\ \psi_x = \frac{\partial w}{\partial x},\ \psi_y = \frac{\partial w}{\partial y}. \tag{14.1}$$

第 i 个结点上的位移用一个列矢量 $\boldsymbol{q}_i$ 来表示：

$$\boldsymbol{q}_i = [w_i \quad \psi_{xi} \quad \psi_{yi}]^T. \tag{14.2}$$

考虑一个典型的三角形元素 ABC，先把三个顶点依次编号编为 1, 2, 3，如图 12.1 所示．在这个三角形元素内，用一个 x, y 的全三次多项式对挠度 w 进行插入，也即用一个 ξ_1, ξ_2, ξ_3 的适当的三次多项式进行插入．这样的多项式共有 10 项．为了以后的方便，把这个多项式取为

---

1) 这实质上是认为：求应变能时 w 宜用二次插入，而求载荷积分时 w 宜用一次插入．这可以说是分项插入法的萌芽．

$$w = \alpha_1\xi_1 + \alpha_2\xi_2 + \alpha_3\xi_3 + \alpha_4\xi_1^2\xi_2 + \alpha_5\xi_1^2\xi_3 + \alpha_6\xi_2^2\xi_3 + \alpha_7\xi_2^2\xi_1 + \alpha_8\xi_3^2\xi_1 + \alpha_9\xi_3^2\xi_2 + \alpha_{10}\xi_1\xi_2\xi_3. \tag{14.3}$$

每个顶点设有三个位移参数，三个顶点共有 9 个位移参数。可见在（14.3）中有一个常数是无法用顶点参数来表示的。这个参数便是 α_{10}。显而易见，与 α_{10} 相应的那一项 $\alpha_{10}\xi_1\xi_2\xi_3$，在三角形的三个顶点上都不产生挠度和斜率。$\alpha_{10}$ 代表一种内部自由度。有一种做法是根据最小势能原理来决定内部自由度 α_{10} 的值。这样便可把 α_{10} 与元素的其他 9 个外部自由度联系起来。不过这样做工作量较大。另一种做法是根据判断对 α_{10} 的值作出适当的假设。取 $\alpha_{10}=0$ 的简单假设是不行的。因为这样一来，算式(14.3)中虽然还有 9 个参数，却没有包含各种可能的 x，y 的二次式，而为了保证收敛性，在 w 的插入公式中必须包含有任意的 x，y 的二次式（例如见 Oliveira[229] 和 Fraeijs de Veubeke[130]）。Bazely, Cheung, Irons, Zienkiewicz[66] 指出，为了满足上述要求，可以取

$$\alpha_{10} = \frac{1}{2}(\alpha_4 + \alpha_5 + \alpha_6 + \alpha_7 + \alpha_8 + \alpha_9). \tag{14.4}$$

这个取法并且还具有对三个顶点的对称性。将(14.4)代入(14.3)，w 的插入公式变为

$$w = \boldsymbol{\varphi}^T\boldsymbol{\alpha}, \tag{14.5}$$

式中 $\boldsymbol{\alpha}$，$\boldsymbol{\varphi}$ 代表下列两个列阵：

$$\boldsymbol{\alpha} = [\alpha_1 \quad \alpha_2 \quad \alpha_3 \quad \alpha_4 \quad \alpha_5 \quad \alpha_6 \quad \alpha_7 \quad \alpha_8 \quad \alpha_9]^T,$$

$$\begin{aligned}\boldsymbol{\varphi} = \Big[&\xi_1 \quad \xi_2 \quad \xi_3 \quad \xi_1^2\xi_2 + \frac{1}{2}\xi_1\xi_2\xi_3 \quad \xi_1^2\xi_3 + \frac{1}{2}\xi_1\xi_2\xi_3 \\ &\xi_2^2\xi_3 + \frac{1}{2}\xi_1\xi_2\xi_3 \quad \xi_2^2\xi_1 + \frac{1}{2}\xi_1\xi_2\xi_3 \quad \xi_3^2\xi_1 + \frac{1}{2}\xi_1\xi_2\xi_3 \\ &\xi_3^2\xi_2 + \frac{1}{2}\xi_1\xi_2\xi_3\Big]^T.\end{aligned} \tag{14.6}$$

在三角形的三个顶点，挠度及其导数应等于设定的值，由此可以得

到 9 个方程．若将它们写成矩阵形式，则为[1]

$$\overline{q_eO\alpha}\,\boldsymbol{\alpha}=\boldsymbol{q}_e, \tag{14.7}$$

这里 $\boldsymbol{q}_e$ 代表这个有限元素的位移参数矩阵

$$\boldsymbol{q}_e=[\boldsymbol{q}_1^{\mathrm{T}}\quad \boldsymbol{q}_2^{\mathrm{T}}\quad \boldsymbol{q}_3^{\mathrm{T}}]^T. \tag{14.8}$$

系数矩阵 $\overline{q_eO\alpha}$ 为

$$\overline{q_eO\alpha}=\begin{bmatrix}
1 & 0 & 0 & 0 & 0 & 0 & 0 & 0 & 0\\
\frac{y_2-y_3}{2\Delta} & \frac{y_3-y_1}{2\Delta} & \frac{y_1-y_2}{2\Delta} & \frac{y_3-y_1}{2\Delta} & \frac{y_1-y_2}{2\Delta} & 0 & 0 & 0 & 0\\
\frac{x_3-x_2}{2\Delta} & \frac{x_1-x_3}{2\Delta} & \frac{x_2-x_1}{2\Delta} & \frac{x_1-x_3}{2\Delta} & \frac{x_2-x_1}{2\Delta} & 0 & 0 & 0 & 0\\
0 & 1 & 0 & 0 & 0 & 0 & 0 & 0 & 0\\
\frac{y_2-y_3}{2\Delta} & \frac{y_3-y_1}{2\Delta} & \frac{y_1-y_2}{2\Delta} & 0 & 0 & \frac{y_1-y_2}{2\Delta} & \frac{y_2-y_3}{2\Delta} & 0 & 0\\
\frac{x_3-x_2}{2\Delta} & \frac{x_1-x_3}{2\Delta} & \frac{x_2-x_1}{2\Delta} & 0 & 0 & \frac{x_2-x_1}{2\Delta} & \frac{x_3-x_2}{2\Delta} & 0 & 0\\
0 & 0 & 1 & 0 & 0 & 0 & 0 & 0 & 0\\
\frac{y_2-y_3}{2\Delta} & \frac{y_3-y_1}{2\Delta} & \frac{y_1-y_2}{2\Delta} & 0 & 0 & 0 & 0 & \frac{y_2-y_3}{2\Delta} & \frac{y_3-y_1}{2\Delta}\\
\frac{x_3-x_2}{2\Delta} & \frac{x_1-x_3}{2\Delta} & \frac{x_2-x_1}{2\Delta} & 0 & 0 & 0 & 0 & \frac{x_3-x_2}{2\Delta} & \frac{x_1-x_3}{2\Delta}
\end{bmatrix}. \tag{14.9}$$

将 $\boldsymbol{\alpha}$ 用 $\boldsymbol{q}_e$ 表示，得到

$$\boldsymbol{\alpha}=\overline{\alpha Oq_e}\,\boldsymbol{q}_e, \tag{14.10}$$

这里 $\overline{\alpha Oq_e}$ 是 $\overline{q_eO\alpha}$ 的逆矩阵，即

$$\overline{\alpha Oq_e}\;\overline{q_eO\alpha}=\boldsymbol{I}. \tag{14.11}$$

对于较复杂的矩阵，这个求逆矩阵的运算可以由计算机去完成．不过本节的情况比较简单，可求得逆矩阵的代数式如下：

---

1) 很久以来，代数运算的惯例，一个量只允许用一个字母来代表．这样在大规模的计算中字母常常感到不够用．在电子计算机中，一个量可以用几个字母的组合来命名．我们借用这个办法作代数运算．为了清楚地表明几个字母的组合系代表一个量而不是代表几个量的乘积，我们在几个字母上加一横线．所以 $\overline{q_eO\alpha}$ 代表一个量，而 $q_eO\alpha$ 代表三个量 q_e, O, α 的乘积．后面有时也将采用这种记号．

$$\overline{\alpha O q_e}=\begin{bmatrix}1 & 0 & 0 & 0 & 0 & 0 & 0 & 0 & 0\\ 0 & 0 & 0 & 1 & 0 & 0 & 0 & 0 & 0\\ 0 & 0 & 0 & 0 & 0 & 0 & 1 & 0 & 0\\ 1 & x_2-x_1 & -y_1+y_2 & -1 & 0 & 0 & 0 & 0 & 0\\ 1 & -x_1+x_3 & y_3-y_1 & 0 & 0 & 0 & -1 & 0 & 0\\ 0 & 0 & 0 & 1 & x_3-x_2 & -y_2+y_3 & -1 & 0 & 0\\ -1 & 0 & 0 & 1 & -x_2+x_1 & y_1-y_2 & 0 & 0 & 0\\ -1 & 0 & 0 & 0 & 0 & 0 & 1 & x_1-x_3 & -y_3+y_1\\ 0 & 0 & 0 & -1 & 0 & 0 & 1 & -x_3+x_2 & y_2-y_3\end{bmatrix}. \tag{14.12}$$

在三角形元素的每一条边上，w 是 ξ_1，ξ_2，ξ_3 的三次函数，因而也是弧长 s 的三次函数．这个三次函数可以由此边两端点上的六个位移参数所完全决定，因而与第三顶点的参数无关．所以若有两个三角形元素公用一条边，则在这条边上挠度是连续的．在三角形的每一条边上，法向斜率 $\partial w/\partial n$ 是 ξ_1，ξ_2，ξ_3 的二次函数，因而也是弧长 s 的二次函数．但在这条边上，我们只知道 $\partial w/\partial n$ 在此边两端点上的两个值，因此用上述插入法求得的 $\partial w/\partial n$，不仅与这两顶点上的参数有关，并且一般说来还与第三个顶点的参数有关．这就导致在两个三角形元素的公共边上，$\partial w/\partial n$ 一般有一个自由度的不连续性．这就是本节介绍的方法属于部份协调元素的原因．

有了挠度 w 的算式，便可以求曲率及扭曲率的算式．将微分算子 (12.12) 作用于 (14.5)，得到

$$\begin{bmatrix}\dfrac{\partial^2 w}{\partial x^2}\\ \dfrac{\partial^2 w}{\partial y^2}\\ \dfrac{\partial^2 w}{\partial x\partial y}\end{bmatrix}=\boldsymbol{\gamma}\begin{bmatrix}\dfrac{\partial^2}{\partial \xi_1^2}\\ \vdots\\ \dfrac{\partial^2}{\partial \xi_1\partial \xi_2}\end{bmatrix}\boldsymbol{\varphi}^T\boldsymbol{\alpha}. \tag{14.13}$$

$\boldsymbol{\varphi}^T$ 是 ξ_1，ξ_2，ξ_3 的三次多项式，所以经二次微分后成为 ξ_1，ξ_2，ξ_3 的一次多项式，它可以表达为

$$
\begin{bmatrix}
\dfrac{\partial^2 w}{\partial x^2} \\[2mm]
\dfrac{\partial^2 w}{\partial y^2} \\[2mm]
\dfrac{\partial^2 w}{\partial x \partial y}
\end{bmatrix}
= \boldsymbol{\gamma}(\boldsymbol{\beta}_1 \xi_1 + \boldsymbol{\beta}_2 \xi_2 + \boldsymbol{\beta}_3 \xi_3)\boldsymbol{\alpha}, \tag{14.14}
$$

其中

$$
\beta_1\xi_1 + \beta_2\xi_2 + \beta_3\xi_3 =
$$

$$
\begin{bmatrix}
0 & 0 & 0 & 2\xi_2 & 2\xi_3 & 0 & 0 & 0 & 0 \\
0 & 0 & 0 & 0 & 0 & 2\xi_3 & 2\xi_1 & 0 & 0 \\
0 & 0 & 0 & 0 & 0 & 0 & 0 & 2\xi_1 & 2\xi_2 \\
0 & 0 & 0 & \frac{1}{2}\xi_1 & \frac{1}{2}\xi_1 & 2\xi_2+\frac{1}{2}\xi_1 & \frac{1}{2}\xi_1 & \frac{1}{2}\xi_1 & 2\xi_3+\frac{1}{2}\xi_1 \\
0 & 0 & 0 & \frac{1}{2}\xi_2 & 2\xi_1+\frac{1}{2}\xi_2 & \frac{1}{2}\xi_2 & \frac{1}{2}\xi_2 & 2\xi_3+\frac{1}{2}\xi_2 & \frac{1}{2}\xi_2 \\
0 & 0 & 0 & 2\xi_1+\frac{1}{2}\xi_3 & \frac{1}{2}\xi_3 & \frac{1}{2}\xi_3 & 2\xi_2+\frac{1}{2}\xi_3 & \frac{1}{2}\xi_3 & \frac{1}{2}\xi_3
\end{bmatrix}. \tag{14.15}
$$

这个元素的应变能 Π_e^2 是

$$
\Pi_e^2 = \frac{1}{2}\iint_{\Omega_e} \left[\frac{\partial^2 w}{\partial x^2} \quad \frac{\partial^2 w}{\partial y^2} \quad \frac{\partial^2 w}{\partial x \partial y}\right] \boldsymbol{D}
\begin{bmatrix}
\dfrac{\partial^2 w}{\partial x^2} \\[2mm]
\dfrac{\partial^2 w}{\partial y^2} \\[2mm]
\dfrac{\partial^2 w}{\partial x \partial y}
\end{bmatrix} dxdy.
$$

将 (14.14) 代入此式，得到

$$
\Pi_e^2 = \frac{1}{2}\iint_{\Omega_e} \boldsymbol{q}_e^T \overline{\alpha O q_e}^{\,T} (\boldsymbol{\beta}_1^T \xi_1 + \boldsymbol{\beta}_2^T \xi_2 + \boldsymbol{\beta}_3^T \xi_3)
$$

$$
\times \boldsymbol{\gamma}^T \boldsymbol{D} \boldsymbol{\gamma} (\boldsymbol{\beta}_1 \xi_1 + \boldsymbol{\beta}_2 \xi_2 + \boldsymbol{\beta}_3 \xi_3) \overline{\alpha O q_e}\, \boldsymbol{q}_e dxdy. \tag{14.16}
$$

在 $\boldsymbol{D}$ 是常数矩阵的情况下[1)]，利用公式(12.15) 算出上列积分，得到

1) Slyper[277] 曾计算过 $\boldsymbol{D}$ 是 x，y 的一次函数的情况，得到了刚度矩阵的公式.

$$\Pi_e^2 = \frac{1}{2} \boldsymbol{q}_e^T \boldsymbol{K}^e \boldsymbol{q}_e. \tag{14.17}$$

其中

$$\begin{aligned}\boldsymbol{K}^e = \frac{1}{6} \Delta\overline{\alpha O q_e} \Big\{ & \boldsymbol{\beta}_1^T \boldsymbol{\gamma}^T \boldsymbol{D} \boldsymbol{\gamma} \boldsymbol{\beta}_1 + \boldsymbol{\beta}_2^T \boldsymbol{\gamma}^T \boldsymbol{D} \boldsymbol{\gamma} \boldsymbol{\beta}_2 + \boldsymbol{\beta}_3^T \boldsymbol{\gamma}^T \boldsymbol{D} \boldsymbol{\gamma} \boldsymbol{\beta}_3 \\ & + \frac{1}{2} \boldsymbol{\beta}_2^T \boldsymbol{\gamma}^T \boldsymbol{D} \boldsymbol{\gamma} \boldsymbol{\beta}_3 + \frac{1}{2} \boldsymbol{\beta}_3^T \boldsymbol{\gamma}^T \boldsymbol{D} \boldsymbol{\gamma} \boldsymbol{\beta}_2 + \frac{1}{2} \boldsymbol{\beta}_1^T \boldsymbol{\gamma}^T \boldsymbol{D} \boldsymbol{\gamma} \boldsymbol{\beta}_3 \\ & + \frac{1}{2} \boldsymbol{\beta}_3^T \boldsymbol{\gamma}^T \boldsymbol{D} \boldsymbol{\gamma} \boldsymbol{\beta}_1 + \frac{1}{2} \boldsymbol{\beta}_1^T \boldsymbol{\gamma}^T \boldsymbol{D} \boldsymbol{\gamma} \boldsymbol{\beta}_2 \\ & + \frac{1}{2} \boldsymbol{\beta}_2^T \boldsymbol{\gamma}^T \boldsymbol{D} \boldsymbol{\gamma} \boldsymbol{\beta}_1 \Big\} \overline{\alpha O q_e}. \end{aligned} \tag{14.18}$$

作用在这个元素上的载荷的势能 Π_e^1 是

$$\Pi_e^1 = -\iint_{\Omega_e} p w dx dy. \tag{14.19}$$

式中 p 是分布载荷．当有限元素相当小时，可以认为 p 是一个常数，于是有

$$\begin{aligned}\Pi_e^1 &= -\iint_{\Omega_e} p w dx dy = -p \iint_{\Omega_e} \boldsymbol{\varphi}^T \boldsymbol{\alpha} dx dy \\ &= -p \iint_{\Omega_e} \boldsymbol{\varphi}^T dx dy \overline{\alpha O q_e} \boldsymbol{q}_e \\ &= -2\Delta p \left[\frac{1}{6} \quad \frac{1}{6} \quad \frac{1}{6} \quad \frac{1}{48} \quad \frac{1}{48} \quad \frac{1}{48} \quad \frac{1}{48} \right. \\ & \qquad \left. \frac{1}{48} \quad \frac{1}{48} \right] \overline{\alpha O q_e} \boldsymbol{q}_e. \end{aligned} \tag{14.20}$$

§4.15　18 个以及 21 个位移参数、三角形、过分协调元素

从上面几节介绍的内容可以看到，对于三角形元素，要用简单的插入函数来建立完全协调的有限元素是很困难的．因此到了 1968、1969 年间，许多作者独立地提出了 18 个以及 21 个位移参

数的三角形过份协调元素[1]．

为了能在三角形元素内部用一个全 5 次多项式（共有 21 项）对挠度进行插入，需要在三角形元素的结点及边上共给定 21 个位移参数．这 21 个参数可分配如下．每个顶点赋予它 6 个位移参数：

$$w,\ \frac{\partial w}{\partial x},\ \frac{\partial w}{\partial y},\ \frac{\partial^2 w}{\partial x^2},\ \frac{\partial^2 w}{\partial y^2},\ \frac{\partial^2 w}{\partial x\partial y}.$$

三个顶点共 18 个参数；在每条边的中点，赋予它一个位移参数：

$$\frac{\partial w}{\partial n}.$$

这样，每个三角形元素正好有 21 个位移参数用以唯一地确定 5 次多项式插入公式中的21个待定系数．这样插入的挠度没有不协调的现象，这是因为在三角形元素的边上，w 是边界弧长 s 的 5 次函数，它正好可由此边两端点上给定的 w，$\partial w/\partial s$，$\partial^2 w/\partial s^2$ 所唯一地确定；$\partial w/\partial n$ 是 s 的 4 次函数，它正好可由此边两端点上给定的 $\partial w/\partial n$，$\partial^2 w/\partial s\partial n$ 以及此边中点的 $\partial w/\partial n$ 所唯一地确定．但是这种做法是协调得过头了．这是因为在结点上，不仅

$$w,\ \frac{\partial w}{\partial x},\ \frac{\partial w}{\partial y}$$

连续，而且

$$\frac{\partial^2 w}{\partial x^2},\ \frac{\partial^2 w}{\partial x\partial y},\ \frac{\partial^2 w}{\partial y^2}$$

也连续．这后面三个条件一般是不需要的．因此我们把这种有限元素称为过份协调元素．

边界中点上的位移参数 $\partial w/\partial n$，在实用中很不方便，因此许多作者建议不要这三个参数，而用总数为 18 个位移参数的三角形过份协调元素．去掉这三个位移参数的办法是假定在边界上 $\partial w/\partial n$ 为 s 的 3 次多项式，它便可以由边界两端点上的 $\partial w/\partial n$，

1）例如见 Argyris、Fried、Scharpf[57]，Argyris、Buck[56]，Bell[67]，Cowper、Kosko、Lindberg、Olson[99]，Ions[170] 等，在 Zienkiewicz 的书 [328] 中提到更多的文献．

$\partial^2 w/\partial n\partial s$ 所唯一地决定了．换句话说，也就是假定边界中点的 $\partial w/\partial n$ 的值，可以由边界两端的 $\partial w/\partial n$，$\partial^2 w/\partial n\partial s$ 经过插入得到．例如，设 23 边的中点为 4，则这个插入公式便是

$$\frac{\partial w_4}{\partial n}=\frac{1}{2}\left(\frac{\partial w_2}{\partial n}+\frac{\partial w_3}{\partial n}\right)+\frac{1}{8}\left(\frac{\partial^2 w_2}{\partial n\partial s}-\frac{\partial^2 w_3}{\partial n\partial s}\right). \quad (15.1)$$

使用过份协调元素，边界条件需要重新研究一下．在固支边 C_1 上，原来有

$$w=\bar{w},\ \frac{\partial w}{\partial n}=\bar{\Phi}_n, \quad (15.2)$$

通过对弧长 s 的微分可得到

$$\frac{\partial w}{\partial s}=\frac{d\bar{w}}{ds},\ \frac{\partial^2 w}{\partial s^2}=\frac{d^2\bar{w}}{ds^2},\ \frac{\partial^2 w}{\partial n\partial s}=\frac{d\bar{\Phi}_n}{ds}. \quad (15.3)$$

将 (15.2)，(15.3) 综合在一起，便有

在 C_1 上：

$$w=\bar{w},\ \frac{\partial w}{\partial s}=\frac{d\bar{w}}{ds},\ \frac{\partial w}{\partial n}=\bar{\Phi}_n,$$
$$\frac{\partial^2 w}{\partial s^2}=\frac{d^2\bar{w}}{ds^2},\ \frac{\partial^2 w}{\partial n\partial s}=\frac{d\bar{\Phi}_n}{ds}. \quad (15.4)$$

可见在固支边上，6 个位移参数中已知 5 个，但还有一个 $\partial^2 w/\partial n^2$ 是未知的，在变分法中它是可以任意变化的．

在简支边 C_2 上，原有

$$w=\bar{w}. \quad (15.5)$$

通过对 s 的微分，则有

在 C_2 上：

$$w=\bar{w},\ \frac{\partial w}{\partial s}=\frac{d\bar{w}}{ds},\ \frac{\partial^2 w}{\partial s^2}=\frac{d^2\bar{w}}{ds^2}. \quad (15.6)$$

可见在简支边上，6 个位移参数中有 3 个已知，另 3 个未知，可任意变化．

在自由边上，6 个位移参数当然都可以任意变化．

角点是两条边的交点．根据上面说明的边界条件可知；在固支边与固支边的角点上，以及在固支边与简支边的角点上，6 个位移

参数全已知;在简支边与简支边的角点上,已知 5 个条件,而有一个自由度可任意变化.

过分协调三角形元素的插入公式和刚度矩阵都很繁长. 在许多文献中,只说明了一下推导过程,而最后不得不求助于计算机作数字计算. 笛卡尔坐标系中推导过程的说明可见 Cowper、Kosko、Lindberg、Olsen[99] 的文章. 面积坐标系中的推导过程可见 Argyris、Fried、Scharpf[57], Argyris、Buck[56], Butlin、Ford[81], 高征铨、崔俊芝、赵超燮[2], 钱伟长、谢志成、郑思梁、王瑞五[29]的文章. Butlin 和 Ford 给出了挠度的插入公式和刚度矩阵的公式. 在他们的公式中,有关三角形的参数都保留为代数记号,而所有的系数则已用计算机算成小数了(保留 7 位有效数字). 在钱、谢、郑、王的文章中,则把全部公式都表示成代数公式.

采用无量纲的面积坐标, 并用图 13.1 所示的编号规则, 钱、谢、郑、王将插入公式表示为

$$w = \sum_{i=1,2,3} (N_i w_i + N_{xi} w_{xi} + N_{yi} w_{yi} + N_{xxi} w_{xxi}$$

$$+ N_{yyi} w_{yyi} + N_{xyi} w_{xyi}) + \sum_{r=4,5,6} N_{nr} w_{nr}. \qquad (15.7)$$

他们求得系数 $N_i, \cdots, N_{nr}$ 的公式如下:

$$N_i = 10\xi_i^3 - 15\xi_i^4 + 6\xi_i^5 - 30A_j\xi_i^2\xi_j^2\xi_k - 30B_k\xi_i^2\xi_j\xi_k^2,$$

$$N_{xi} = -E_i(4\xi_i^3 - 7\xi_i^4 + 3\xi_i^5) - \frac{1}{2} b_i(\xi_i^4\xi_j - \xi_i^4\xi_k)$$

$$- 2b_i(\xi_i^3\xi_j^2 - \xi_i^2\xi_k^2) - (5b_i + 7A_j b_k)\xi_i^2\xi_j^2\xi_k$$

$$+ (5b_i + 7B_k b_j)\xi_i^2\xi_j\xi_k^2,$$

$$N_{yi} = F_i(4\xi_i^3 - 7\xi_i^4 + 3\xi_i^5) + \frac{1}{2} a_i(\xi_i^4\xi_j - \xi_i^4\xi_k)$$

$$+ 2a_i(\xi_i^3\xi_j^2 - \xi_i^3\xi_k^2) + (5a_i + 7A_j a_k)\xi_i^2\xi_j^2\xi_k$$

$$- (5a_i + 7B_k a_k)\xi_i^2\xi_j\xi_k^2,$$

$$N_{xxi} = -\frac{1}{2} b_j b_k(\xi_i^3 - 2\xi_i^4 + \xi_i^5) - \frac{1}{2} b_k b_i \xi_i^3\xi_j^2$$

$$- \frac{1}{2} b_i b_j \xi_i^3 \xi_k^2 - \frac{1}{2} (b_j^2 B_k + 2b_i b_j) \xi_i^2 \xi_j \xi_k^2$$

$$- \frac{1}{2} (b_k^2 A_j + 2b_k b_i) \xi_i^2 \xi_j^2 \xi_k^2,$$

$$N_{yyi} = - \frac{1}{2} a_j a_k (\xi_i^3 - 2\xi_i^4 + \xi_i^5) - \frac{1}{2} a_k a_i \xi_i^3 \xi_j^2$$

$$- \frac{1}{2} a_i a_j \xi_i^3 \xi_k^2 - \frac{1}{2} (a_j^2 B_k + 2a_i a_j) \xi_i^2 \xi_j \xi_k^2$$

$$- \frac{1}{2} (b_k^2 A_j + 2a_i a_k) \xi_i^2 \xi_j^2 \xi_k,$$

$$N_{xyi} = \frac{1}{2} C_i (\xi_i^3 - 2\xi_i^4 + \xi_i^5) + \frac{1}{2} C_j \xi_i^3 \xi_j^2 + \frac{1}{2} C_k \xi_i^3 \xi_k^2$$

$$+ (a_j b_j B_k + C_k) \xi_i^2 \xi_j \xi_k^2 + (a_k b_k A_j + C_j) \xi_i^2 \xi_j^2 \xi_k,$$

$$N_{nr} = - \frac{32\Delta}{l_i} \xi_i \xi_j^2 \xi_k^2, \quad (r = i + 3) \tag{15.8}$$

其中

$$A_i = \frac{a_j a_k + b_j b_k}{a_j^2 + b_j^2}, \ B_i = \frac{a_j a_k + b_j b_k}{a_k^2 + b_k^2},$$

$$C_i = a_j b_k + a_k b_j, \ E_i = \frac{1}{2} (b_j - b_k),$$

$$F_i = \frac{1}{2} (a_j - a_k). \tag{15.9}$$

在用上述公式时，i, j, k 应保持 1, 2, 3 的轮换.

有了插入公式后，通过微分和积分，可求得刚度矩阵的公式.在钱、谢、郑、王的文章中，有各向同性板的刚度矩阵的公式，有需要的读者可去查阅.

§ 4.16 矩形域中的无量纲坐标

下面几节将介绍几种矩形元素.本节先把共同的一部分内容集中说明一下.

设 $ABCD$ 为一典型的矩形元素. 以 A 为原点取一局部坐标

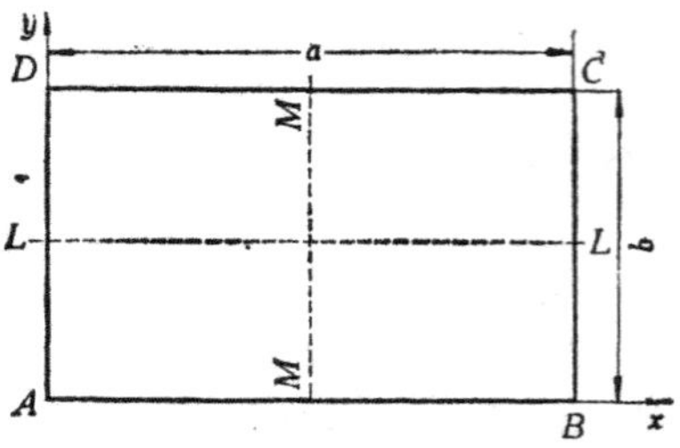

图 16.1

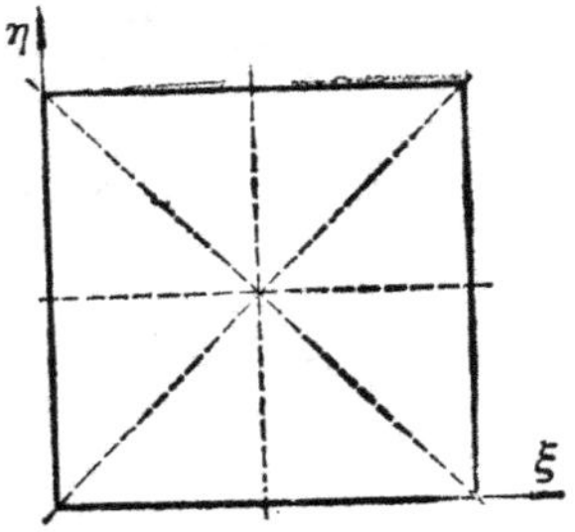

图 16.2

系，如图 16.1 所示．x, y 是一个有量纲的坐标．为了计算方便起见，再取一个无量纲的局部坐标 ξ, η 如下：

$$\xi = \frac{x}{a},\ \eta = \frac{y}{b},\ x = a\xi,\ y = b\eta. \tag{16.1}$$

这样，$ABCD$ 在 ξ, η 平面上变成为一个边长为 1 的正方形，如图 16.2 所示．这个正方形具有四个对称轴(图中的虚线)．后面将要指出，利用这些对称性，可以把元素刚度矩阵中独立的元的数目，降低到最低限度，从而大大地简化了刚度矩阵的计算．

挠度 w 对 x, y 的导数和对 ξ, η 的导数的关系是

$$\frac{\partial}{\partial x} = \frac{1}{a}\frac{\partial}{\partial \xi},\ \frac{\partial}{\partial y} = \frac{1}{b}\frac{\partial}{\partial \eta}. \tag{16.2}$$

在一个有限元素内，通常假设板是等刚度的、正交各向异性的，并且正交各向异性的主方向平行于矩形的边．在这种情况下，这个矩形元素的应变能 Π^2 是

$$\Pi^2 = \frac{1}{2}\int_0^a\int_0^b\left\{D_{11}\left(\frac{\partial^2 w}{\partial x^2}\right)^2 + 2D_{12}\frac{\partial^2 w}{\partial x^2}\frac{\partial^2 w}{\partial y^2} + D_{22}\left(\frac{\partial^2 w}{\partial y^2}\right)^2 + 4D_{66}\left(\frac{\partial^2 w}{\partial x\partial y}\right)^2\right\}dxdy. \tag{16.3}$$

改用无量纲坐标 ξ, η 后，则有

$$\Pi^2 = \frac{ab}{2}\left(\frac{D_{11}}{a^4}u_1 + \frac{D_{12}}{a^2b^2}u_2 + \frac{D_{22}}{b^4}u_3 + \frac{D_{66}}{a^2b^2}u_4\right), \tag{16.4}$$

其中

$$u_1 = \int_0^1\int_0^1\left(\frac{\partial^2 w}{\partial \xi^2}\right)^2 d\xi d\eta,\quad u_2 = 2\int_0^1\int_0^1 \frac{\partial^2 w}{\partial \xi^2}\cdot\frac{\partial^2 w}{\partial \eta^2}\, d\xi d\eta,$$

$$u_3 = \int_0^1\int_0^1\left(\frac{\partial^2 w}{\partial \eta^2}\right)^2 d\xi d\eta,\quad u_4 = 4\int_0^1\int_0^1\left(\frac{\partial^2 w}{\partial \xi \partial \eta}\right)^2 d\xi d\eta. \quad (16.5)$$

公式 (16.4) 表明，一块正交各向异性的矩形板，通过适当的坐标变换，能够变换成为一块另外一种正交各向异性的正方形板.

§ 4.17 12个位移参数、矩形、部份协调元素

设想将板分割成若干个有限的矩形元素. 命图 16.1 所示的 $ABCD$ 为一典型的元素. 以 A 点为原点取局部坐标系 (x, y) 和 (ξ, η)，使得

$$\xi = \frac{x}{a},\quad \eta = \frac{y}{b},\quad x = a\xi,\quad y = b\eta. \quad (17.1)$$

对于每一个角点，赋予它 3 个位移参数[1)]

$$w,\quad \theta_x = a\frac{\partial w}{\partial x} = \frac{\partial w}{\partial \xi},\quad \theta_y = b\frac{\partial w}{\partial y} = \frac{\partial w}{\partial \eta}. \quad (17.2)$$

这样，一个矩形元素共有 12 个位移参数. 挠度 w 用一个包括 12 个未知数的多项式进行插入:

$$w = \alpha_1 + \alpha_2\xi + \alpha_3\eta + \alpha_4\xi^2 + \alpha_5\xi\eta + \alpha_6\eta^2 + \alpha_7\xi^3 + \alpha_8\xi^2\eta + \alpha_9\xi\eta^2 + \alpha_{10}\eta^3 + \alpha_{11}\xi^3\eta + \alpha_{12}\xi\eta^3. \quad (17.3)$$

在这个算式中，包含了完全的三次多项式，而四次项只适当地选用了 $\xi^3\eta$, $\xi\eta^3$ 这样两项. 选取这样的插入多项式，能够保证关于对称轴 LL, MM 对称或反对称的四种变形(即关于 LL, MM 都是对称的; 关于 LL 对称，关于 MM 反对称; 关于 LL 反对称，关于 MM 对称; 关于 LL, MM 都是反对称的四种变形)，都有恰到

---

1) 读者注意，这里定义的 θ_x, θ_y，不同于前几节定义的 ψ_x, ψ_y. 如果把板分割成形状相似的矩形元素，那末可以把 θ_x, θ_y 当作广义位移. 不然的话，在最后计算整个板的刚度矩阵和广义载荷之前，应先把 θ_x, θ_y 改为 ψ_x, ψ_y:

$$\theta_x = a\psi_x,\quad \theta_y = b\psi_y.$$

好处的三个自由度．在矩形的每一条边上，w 是 x 或 y 的三次函数，它正好可以由此边两端的四个位移参数所完全决定，因而挠度 w 是协调的．在每一条边上，$\partial w/\partial n$ 是 x 或 y 的三次多项式，而在此边两端只有两个参数与 $\partial w/\partial n$ 有关，因而在每一条边上，$\partial w/\partial n$ 可能有两个自由度的不协调．所以这种有限元素是一种部份协调的元素1)．

上述矩形元素是首先由 Melosh[203] 采用的．不过他的文章中的有些公式有错误．后来 Zienkiewicz 和 Cheung[329]，Clough 和 Tocher[91] 独立地推导了必要的公式．

挠度 w 若用 12 个位移参数来表示，则为

$$\begin{aligned} w = {} & [1-\xi\eta-(3-2\xi)\xi^2(1-\eta)-(1-\xi)(3-2\eta)\eta^2]w_A \\ & +\xi(1-\xi)^2(1-\eta)\theta_{xA}+(1-\xi)\eta(1-\eta)^2\theta_{yA} \\ & +[(3-2\xi)\xi^2(1-\eta)+\xi\eta(1-\eta)(1-2\eta)]w_B \\ & -(1-\xi)\xi^2(1-\eta)\theta_{xB}+\xi\eta(1-\eta)^2\theta_{yB} \\ & +[(3-2\xi)\xi^2\eta-\xi\eta(1-\eta)(1-2\eta)]w_C \\ & -(1-\xi)\xi^2\eta\theta_{xC}-\xi(1-\eta)\eta^2\theta_{yC} \\ & +[(1-\xi)(3-2\eta)\eta^2+\xi(1-\xi)(1-2\xi)\eta]w_D \\ & +\xi(1-\xi)^2\eta\theta_{xD}-(1-\xi)(1-\eta)\eta^2\theta_{yD}. \end{aligned} \tag{17.4}$$

根据此式求曲率，得到

$$\begin{aligned} -a^2\frac{\partial^2 w}{\partial x^2} = -\frac{\partial^2 w}{\partial \xi^2} = {} & 6(1-2\xi)(1-\eta)w_A \\ & +2(2-3\xi)(1-\eta)\theta_{xA}-6(1-2\xi)(1-\eta)w_B \\ & +2(1-3\xi)(1-\eta)\theta_{xB}-6(1-2\xi)\eta w_C \\ & +2(1-3\xi)\eta\theta_{xC}+6(1-2\xi)\eta w_D \\ & +2(2-3\xi)\eta\theta_{xD}, \end{aligned}$$

---

1) Dawe[105] 曾提出在公式 (17.3) 中增加一些高次项以减少 $\partial w/\partial n$ 的不协调性．

$$
\begin{aligned}
-b^2\frac{\partial^2 w}{\partial y^2} = -\frac{\partial^2 w}{\partial \eta^2} = {} & 6(1-\xi)(1-2\eta)w_A \\
& + 2(1-\xi)(2-3\eta)\theta_{yA} + 6\xi(1-2\eta)w_B \\
& + 2\xi(2-3\eta)\theta_{yB} - 6\xi(1-2\eta)w_C \\
& + 2\xi(1-3\eta)\theta_{yC} - 6(1-\xi)(1-2\eta)w_D \\
& + 2(1-\xi)(1-3\eta)\theta_{yD},
\end{aligned} \tag{17.5}
$$

$$
\begin{aligned}
-ab\frac{\partial^2 w}{\partial x\partial y} = -\frac{\partial^2 w}{\partial \xi\partial \eta} = {} & [1-6\xi(1-\xi) \\
& - 6\eta(1-\eta)]w_A + (1-4\xi+3\xi^2)\theta_{xA} \\
& + (1-4\eta+3\eta^2)\theta_{yA} - [1-6\xi(1-\xi) \\
& - 6\eta(1-\eta)]w_B - \xi(2-3\xi)\theta_{xB} \\
& - (1-4\eta+3\eta^2)\theta_{yB} + [1-6\xi(1-\xi) \\
& - 6\eta(1-\eta)]w_C + \xi(2-3\xi)\theta_{xC} + \eta(2-3\eta)\theta_{yC} \\
& - [1-6\xi(1-\xi)-6\eta(1-\eta)]w_D \\
& - (1-4\xi+3\xi^2)\theta_{xD} - \eta(2-3\eta)\theta_{yD}.
\end{aligned}
$$

上节已经证明，对于正交各向异性的矩形元素，这个元素的应变能 Π^2 可表达为 (16.4), (16.5) 的形式. 将 (17.5) 代入 (16.5)，算出积分，就知道 u_1, u_2, u_3, u_4 可以表达成为

$$
u_i = \boldsymbol{q}_e^{\mathrm{T}}\boldsymbol{K}_i\boldsymbol{q}_e, \quad (i = 1, 2, 3, 4). \tag{17.6}
$$

这里 $\boldsymbol{q}_e$ 是由 12 个位移参数组成的列矢量

$$
\boldsymbol{q}_e = [w_A\ \theta_{xA}\ \theta_{yA}\ w_B\ \theta_{xB}\ \theta_{yB}\ w_C\ \theta_{xC}\ \theta_{yC}\ w_D\ \theta_{xD}\ \theta_{yD}]^{\mathrm{T}}. \tag{17.7}
$$

而 $\boldsymbol{K}_1$, $\boldsymbol{K}_2$, $\boldsymbol{K}_3$, $\boldsymbol{K}_4$ 为的值由公式(17.8)给出[1]. 在公式(17.8)中只给出了每个矩阵的前三列，这是因为已知了前三列后，便可以根据公式(17.9)简单地导出其余的 9 列. 公式 (17.9) 是从对称关系导出的.

1) 录自 Clough 和 Tocher 的文章 [91]. 从对称关系可以证明，在 $\boldsymbol{K}_1$, $\boldsymbol{K}_2$, $\boldsymbol{K}_3$, $\boldsymbol{K}_4$ 四个矩阵中，独立的元的数目并不多. 但为了使用时的方便，刊印了 $\boldsymbol{K}_i$ 的前 3 列.

$$
\underset{(\text{前三列})}{\boldsymbol{K}_1} = \frac{1}{3}\begin{bmatrix} 12 & 6 & 0 \\ 6 & 4 & 0 \\ 0 & 0 & 0 \\ \cdots & \cdots & \cdots \\ -12 & -6 & 0 \\ 6 & 2 & 0 \\ 0 & 0 & 0 \\ \cdots & \cdots & \cdots \\ -6 & -3 & 0 \\ 3 & 1 & 0 \\ 0 & 0 & 0 \\ \cdots & \cdots & \cdots \\ 6 & 3 & 0 \\ 3 & 2 & 0 \\ 0 & 0 & 0 \end{bmatrix}, \quad \underset{(\text{前三列})}{\boldsymbol{K}_2} = \begin{bmatrix} 2 & 1 & 1 \\ 1 & 0 & 1 \\ 1 & 1 & 0 \\ \cdots & \cdots & \cdots \\ -2 & 0 & -1 \\ 0 & 0 & 0 \\ -1 & 0 & 0 \\ \cdots & \cdots & \cdots \\ 2 & 0 & 0 \\ 0 & 0 & 0 \\ 0 & 0 & 0 \\ \cdots & \cdots & \cdots \\ -2 & -1 & 0 \\ -1 & 0 & 0 \\ 0 & 0 & 0 \end{bmatrix}, \quad (17.8\text{a, b})
$$

$$
\underset{(\text{前三列})}{\boldsymbol{K}_3} = \frac{1}{3}\begin{bmatrix} 12 & 0 & 6 \\ 0 & 0 & 0 \\ 6 & 0 & 4 \\ \cdots & \cdots & \cdots \\ 6 & 0 & 3 \\ 0 & 0 & 0 \\ 3 & 0 & 2 \\ \cdots & \cdots & \cdots \\ -6 & 0 & 3 \\ 0 & 0 & 0 \\ 3 & 0 & 1 \\ \cdots & \cdots & \cdots \\ -12 & 0 & -6 \\ 0 & 0 & 0 \\ 6 & 0 & 2 \end{bmatrix}, \quad \underset{(\text{前三列})}{\boldsymbol{K}_4} = \frac{2}{15}\begin{bmatrix} 42 & 3 & 3 \\ 3 & 4 & 0 \\ 3 & 0 & 4 \\ \cdots & \cdots & \cdots \\ -42 & -3 & -3 \\ 3 & -1 & 0 \\ -3 & 0 & -4 \\ \cdots & \cdots & \cdots \\ 42 & 3 & 3 \\ -3 & 1 & 0 \\ -3 & 0 & 1 \\ \cdots & \cdots & \cdots \\ -42 & -3 & -3 \\ -3 & -4 & 0 \\ 3 & 0 & -1 \end{bmatrix}. \quad (17.8\text{c, d})
$$

$$
\begin{bmatrix}
K_{11} & & & & & & & & & & & \\
K_{21} & K_{22} & & & & & & & & \text{对} & \text{称} & \\
K_{31} & K_{32} & K_{33} & & & & & & & & & \\
K_{41} & K_{42} & K_{43} & K_{11} & & & & & & & & \\
K_{51} & K_{52} & K_{53} & K_{21} & K_{22} & & & & & & & \\
K_{61} & K_{62} & K_{63} & -K_{31} & -K_{32} & K_{33} & & & & & & \\
K_{71} & K_{72} & K_{73} & K_{10,1} & K_{10,2} & -K_{10,3} & K_{11} & & & & & \\
K_{81} & K_{82} & K_{83} & K_{11,1} & K_{11,2} & -K_{11,3} & -K_{21} & K_{22} & & & & \\
K_{91} & K_{92} & K_{93} & -K_{12,1} & -K_{12,2} & K_{12,3} & -K_{31} & K_{32} & K_{33} & & & \\
K_{10,1} & K_{10,2} & K_{10,3} & K_{71} & K_{72} & -K_{73} & K_{41} & -K_{42} & -K_{43} & K_{11} & & \\
K_{11,1} & K_{11,2} & K_{11,3} & K_{81} & K_{82} & -K_{83} & -K_{51} & K_{52} & K_{53} & -K_{21} & K_{22} & \\
K_{12,1} & K_{12,2} & K_{12,3} & -K_{91} & -K_{92} & K_{93} & -K_{61} & K_{62} & K_{63} & K_{31} & -K_{32} & K_{33}
\end{bmatrix}
\quad (17.9)
$$

§ 4.18 16 个以及 24 个位移参数、矩形、过分协调元素

和前节一样，设想将板分割成若干个矩形有限元素．命图 16.1 所示的 $ABCD$ 为一个典型元素．和前相同，取局部坐标 x，y 和局部无量纲坐标 ξ，η．对于每一个结点，赋予它四个位移参数：

$$
\begin{aligned}
& w,\ \theta_x = a\frac{\partial w}{\partial x} = \frac{\partial w}{\partial \xi},\\
& \theta_y = b\frac{\partial w}{\partial y} = \frac{\partial w}{\partial \eta},\\
& \chi = ab\frac{\partial^2 w}{\partial x \partial y} = \frac{\partial^2 w}{\partial \xi \partial \eta}
\end{aligned}
\tag{18.1}
$$

这样，每一个矩形共有 16 个位移参数．挠度 w 用一个包含 16 个未知数的多项式进行插入：

$$
w = \sum_{m=0}^{3}\sum_{n=0}^{3}\alpha_{mn}\xi^m\eta^n. \tag{18.2}
$$

在这个算式中，包括了对 ξ 以及对 η 的完全三次多项式．因此有时称双三次式．上述插入办法，能够保证在每条公用边上，w 及 $\partial w/\partial n$ 的连续性．例如在 $\xi = 0$ 这条边上，$w(\eta)$ 是 η 的三次函数，它可以由在 A，D 两点的 w 及 θ_y 所完全决定，所以 w 是连续的．在 $\xi = 0$ 这条边上，$\partial w/\partial \xi$ 也是 η 的三次多项式，它可以由在 A，D 两点的 $\dfrac{\partial w}{\partial \xi}$，$\dfrac{\partial}{\partial \eta}\left(\dfrac{\partial w}{\partial \xi}\right)$所完全决定．除此以外，上述插入办法还导致了在公用结点上 $\partial^2 w/\partial \xi \partial \eta$ 的连续性．因此这种有限元素乃是一种过份协调元素．这种矩形元素是由 Bogner、Fox、Schmit[73] 和 Schaefer[271] 首先提出来的．后来许多作者的实践表明这是一种较好的矩形元素．可惜的是这种元素难于和三角形元素联合应用，因为在三角形元素中，每结点不是赋予它三个参数，便是六个参数，没有用四个参数的．

若将挠度 w 用 4 个结点上的 16 个位移参数来表示，则有

$$
\begin{aligned}
w = & H_0^1(\xi)H_0^1(\eta)w_A \\
& + H_1^1(\xi)H_0^1(\eta)\theta_{xA} \\
& + H_0^1(\xi)H_1^1(\eta)\theta_{yA} \\
& + H_1^1(\xi)H_1^1(\eta)\chi_A \\
& + H_0^2(\xi)H_0^1(\eta)w_B \\
& + H_1^2(\xi)H_0^1(\eta)\theta_{xB} \\
& + H_0^2(\xi)H_1^1(\eta)\theta_{yB} \\
& + H_1^2(\xi)H_1^1(\eta)\chi_B \\
& + H_0^2(\xi)H_0^2(\eta)w_C \\
& + H_1^2(\xi)H_0^2(\eta)\theta_{xC} \\
& + H_0^2(\xi)H_1^2(\eta)\theta_{yC} \\
& + H_1^2(\xi)H_1^2(\eta)\chi_C \\
& + H_0^1(\xi)H_0^2(\eta)w_D \\
& + H_1^1(\xi)H_0^2(\eta)\theta_{xD} \\
& + H_0^1(\xi)H_1^2(\eta)\theta_{yD} \\
& + H_1^1(\xi)H_1^2(\eta)\chi_D.
\end{aligned} \tag{18.3}
$$

此式中的四个 Hermite 函数及其一、二阶导数的算式已在 §2.8 给出.

这个矩形元素的应变能也可表达成 (16.4), (16.5) 的形式. 将 (18.3) 代入 (16.5), 算出积分, 可知 u_1, u_2, u_3, u_4 可表达成为

$$
u_i = \boldsymbol{q}_e^T \boldsymbol{K}_i \boldsymbol{q}_e, \quad i = 1, 2, 3, 4. \tag{18.4}
$$

这里 $\boldsymbol{q}_e$ 是由 16 个位移参数组成的列矢量:

$$
\begin{aligned}
\boldsymbol{q}_e = [& w_A \quad \theta_{xA} \quad \theta_{yA} \quad \chi_A \quad w_B \quad \theta_{xB} \\
& \theta_{yB} \quad \chi_B \quad w_C \quad \theta_{xC} \quad \theta_{yC} \quad \chi_C \\
& w_D \quad \theta_{xD} \quad \theta_{yD} \quad \chi_D]^T,
\end{aligned} \tag{18.5}
$$

而 $\boldsymbol{K}_1$, $\boldsymbol{K}_2$, $\boldsymbol{K}_3$, $\boldsymbol{K}_4$ 为四个刚度矩阵, 它们的前 4 列如公式 (18.6) 所示, 其余的各列可根据公式 (18.7) 得到. 这个公式是从对称关系推导出来的.

$$
K_1 = \begin{bmatrix}
\frac{156}{35} & & \text{对} & \\
\frac{78}{35} & \frac{52}{35} & & \text{称} \\
\frac{22}{35} & \frac{11}{35} & \frac{4}{35} & \\
\frac{11}{35} & \frac{22}{105} & \frac{2}{35} & \frac{4}{105} \\
-\frac{156}{35} & -\frac{78}{35} & -\frac{22}{35} & -\frac{11}{35} \\
\frac{78}{35} & \frac{26}{35} & \frac{11}{35} & \frac{11}{105} \\
-\frac{22}{35} & -\frac{11}{35} & -\frac{4}{35} & -\frac{2}{35} \\
\frac{11}{35} & \frac{11}{105} & \frac{2}{35} & \frac{2}{105} \\
-\frac{54}{35} & -\frac{27}{35} & -\frac{13}{35} & -\frac{13}{70} \\
\frac{27}{35} & \frac{9}{35} & \frac{13}{70} & -\frac{13}{210} \\
\frac{13}{35} & \frac{13}{70} & \frac{3}{35} & \frac{3}{70} \\
-\frac{13}{70} & -\frac{13}{210} & -\frac{3}{70} & -\frac{1}{70} \\
\frac{54}{35} & \frac{27}{35} & \frac{13}{35} & \frac{13}{70} \\
\frac{27}{35} & \frac{18}{35} & \frac{13}{70} & \frac{13}{105} \\
-\frac{13}{35} & -\frac{13}{70} & -\frac{3}{35} & -\frac{3}{70} \\
-\frac{13}{70} & -\frac{13}{105} & -\frac{3}{70} & -\frac{1}{35}
\end{bmatrix} \text{（前四列）},
$$

$$
K_2 \underset{(\text{前四列})}{=} \begin{bmatrix}
\frac{36}{25} & & \text{对} & \\
\frac{18}{25} & \frac{4}{25} & & \text{称} \\
\frac{18}{25} & \frac{61}{100} & \frac{4}{25} & \\
\frac{11}{100} & \frac{2}{25} & \frac{2}{25} & \frac{4}{225} \\
-\frac{36}{25} & -\frac{3}{25} & -\frac{18}{25} & -\frac{3}{50} \\
\frac{3}{25} & -\frac{1}{25} & \frac{3}{50} & -\frac{1}{50} \\
-\frac{18}{25} & -\frac{3}{50} & -\frac{4}{25} & -\frac{1}{75} \\
\frac{3}{50} & -\frac{1}{50} & \frac{1}{75} & -\frac{1}{225} \\
\frac{36}{25} & \frac{3}{25} & \frac{3}{25} & \frac{1}{100} \\
-\frac{3}{25} & \frac{1}{25} & -\frac{1}{100} & \frac{1}{300} \\
-\frac{3}{25} & -\frac{1}{100} & \frac{1}{25} & \frac{1}{300} \\
\frac{1}{100} & -\frac{1}{300} & -\frac{1}{300} & \frac{1}{900} \\
-\frac{36}{25} & -\frac{18}{25} & -\frac{3}{25} & -\frac{3}{50} \\
-\frac{18}{25} & -\frac{4}{25} & -\frac{3}{50} & -\frac{1}{75} \\
\frac{3}{25} & \frac{3}{50} & -\frac{1}{25} & -\frac{1}{50} \\
\frac{3}{50} & \frac{1}{75} & -\frac{1}{50} & -\frac{1}{225}
\end{bmatrix},
$$

$$
K_3 = \begin{bmatrix}
\frac{156}{35} & & \text{对} & \\
\frac{22}{35} & \frac{4}{35} & & \text{称} \\
\frac{78}{35} & \frac{11}{35} & \frac{52}{35} & \\
\frac{11}{35} & \frac{2}{35} & \frac{22}{105} & \frac{4}{105} \\
\frac{54}{35} & \frac{13}{35} & \frac{27}{35} & \frac{13}{70} \\
-\frac{13}{35} & -\frac{3}{35} & -\frac{13}{70} & -\frac{3}{70} \\
\frac{27}{35} & \frac{13}{70} & \frac{18}{35} & \frac{13}{105} \\
-\frac{13}{70} & -\frac{3}{70} & -\frac{13}{105} & -\frac{1}{35} \\
-\frac{54}{35} & -\frac{13}{35} & -\frac{27}{35} & -\frac{13}{70} \\
\frac{13}{35} & \frac{3}{35} & \frac{13}{70} & \frac{3}{70} \\
\frac{27}{35} & \frac{13}{70} & \frac{9}{35} & \frac{13}{210} \\
-\frac{13}{70} & -\frac{3}{70} & -\frac{13}{210} & -\frac{1}{70} \\
-\frac{156}{35} & -\frac{22}{35} & -\frac{78}{35} & -\frac{11}{35} \\
-\frac{22}{35} & -\frac{4}{35} & -\frac{11}{35} & -\frac{2}{35} \\
\frac{78}{35} & \frac{11}{35} & \frac{26}{35} & \frac{11}{105} \\
\frac{11}{35} & \frac{2}{35} & \frac{11}{105} & \frac{2}{105}
\end{bmatrix},
$$

（前四列）

$$
\boldsymbol{K}_4 \underset{(\text{前四列})}{=} \begin{bmatrix}
\frac{36}{25} & & \text{对} & \text{称} \\
\frac{3}{25} & \frac{4}{25} & & \\
\frac{3}{25} & \frac{1}{100} & \frac{4}{25} & \\
\frac{1}{100} & \frac{1}{75} & \frac{1}{75} & \frac{4}{225} \\
-\frac{36}{25} & -\frac{3}{25} & -\frac{3}{25} & -\frac{1}{100} \\
\frac{3}{25} & -\frac{1}{25} & \frac{1}{100} & -\frac{1}{300} \\
-\frac{3}{25} & -\frac{1}{100} & -\frac{4}{25} & -\frac{1}{75} \\
\frac{1}{100} & -\frac{1}{300} & \frac{1}{75} & -\frac{1}{225} \\
\frac{36}{25} & \frac{3}{25} & \frac{3}{25} & \frac{1}{100} \\
-\frac{3}{25} & \frac{1}{25} & -\frac{1}{100} & \frac{1}{300} \\
-\frac{3}{25} & -\frac{1}{100} & \frac{1}{25} & \frac{1}{300} \\
\frac{1}{100} & -\frac{1}{300} & -\frac{1}{300} & \frac{1}{900} \\
-\frac{36}{25} & -\frac{3}{25} & -\frac{3}{25} & -\frac{1}{100} \\
-\frac{3}{25} & -\frac{4}{25} & -\frac{1}{100} & -\frac{1}{75} \\
\frac{3}{25} & \frac{1}{100} & -\frac{1}{25} & -\frac{1}{300} \\
\frac{1}{100} & \frac{1}{75} & -\frac{1}{300} & -\frac{1}{225}
\end{bmatrix}.
$$

$$
\begin{bmatrix}
K_{11} & & & & & & & & & & & & & & & \\
K_{21} & K_{22} & & & & & & & & & & & & & & \\
K_{31} & K_{32} & K_{33} & & & & & & & & & & \text{对} & & & \\
K_{41} & K_{42} & K_{43} & K_{44} & & & & & & & & & & & \text{称} & \\
K_{51} & K_{52} & K_{53} & K_{54} & K_{11} & & & & & & & & & & & \\
K_{61} & K_{62} & K_{63} & K_{64} & -K_{21} & K_{22} & & & & & & & & & & \\
K_{71} & K_{72} & K_{73} & K_{74} & K_{31} & -K_{32} & K_{33} & & & & & & & & & \\
K_{81} & K_{82} & K_{83} & K_{84} & -K_{41} & K_{42} & -K_{43} & K_{44} & & & & & & & & \\
K_{91} & K_{92} & K_{93} & K_{94} & K_{13,1} & -K_{13,2} & K_{13,3} & -K_{13,4} & K_{11} & & & & & & & \\
K_{10,1} & K_{10,2} & K_{10,3} & K_{10,4} & -K_{14,1} & K_{14,2} & -K_{14,3} & K_{14,4} & -K_{21} & K_{22} & & & & & & \\
K_{11,1} & K_{11,2} & K_{11,3} & K_{11,4} & K_{15,1} & -K_{15,2} & K_{15,3} & -K_{15,4} & -K_{31} & K_{32} & K_{33} & & & & & \\
K_{12,1} & K_{12,2} & K_{12,3} & K_{12,4} & -K_{16,1} & K_{16,2} & -K_{16,3} & K_{16,4} & K_{41} & -K_{42} & -K_{43} & K_{44} & & & & \\
K_{13,1} & K_{13,2} & K_{13,3} & K_{13,4} & K_{91} & -K_{92} & K_{93} & -K_{94} & K_{51} & -K_{52} & -K_{53} & K_{54} & K_{11} & & & \\
K_{14,1} & K_{14,2} & K_{14,3} & K_{14,4} & -K_{10,1} & K_{10,2} & -K_{10,3} & K_{10,4} & -K_{61} & K_{62} & K_{63} & -K_{64} & K_{21} & K_{22} & & \\
K_{15,1} & K_{15,2} & K_{15,3} & K_{15,4} & K_{11,1} & -K_{11,2} & K_{11,3} & -K_{11,4} & -K_{71} & K_{72} & K_{73} & -K_{74} & -K_{31} & -K_{32} & K_{33} & \\
K_{16,1} & K_{16,2} & K_{16,3} & K_{16,4} & -K_{12,1} & K_{12,2} & -K_{12,3} & K_{12,4} & K_{81} & -K_{82} & -K_{83} & K_{84} & -K_{41} & -K_{42} & K_{43} & K_{44}
\end{bmatrix}
\tag{18.7}
$$

上面介绍的 16 个位移参数过份协调矩形元素，后来由 Monforton 和 Schmit[206] 推广到平行四边形元素，每结点赋予类似的四个位移参数.

1971 年 Popplewell 和 McDonald[242] 提出了 24 个位移参数过份协调矩形元素，每结点赋予它下列 6 个参数:

$$w, \frac{\partial w}{\partial x}, \frac{\partial w}{\partial y}, \frac{\partial^2 w}{\partial x^2}, \frac{\partial^2 w}{\partial x \partial y}, \frac{\partial^2 w}{\partial y^2}.$$

这种矩形元素的优点是便于和 18 个位移参数的三角形元素（§4.15）联合应用. 在 Popplewell 和 McDonald 的文章中只说明了一下推导过程. 后来 Gopalacharyulu 和 Watkin[138] 发表了对 w 的插入公式.

§4.19 建立协调元素的方法之一：二次分片插入法

前面几节介绍的三角形和矩形的有限元素，不是部份协调的，便是过份协调的. 看来要建立恰到好处的协调元素，需要再引进一些新的概念或新的方法. 本节和以后几节，介绍能帮助建立协调元素的几种方法.

本节先介绍二次分片插入法，这是 Clough 和 Tocher[91] 在建立三角形协调元素时首先使用的一种方法.

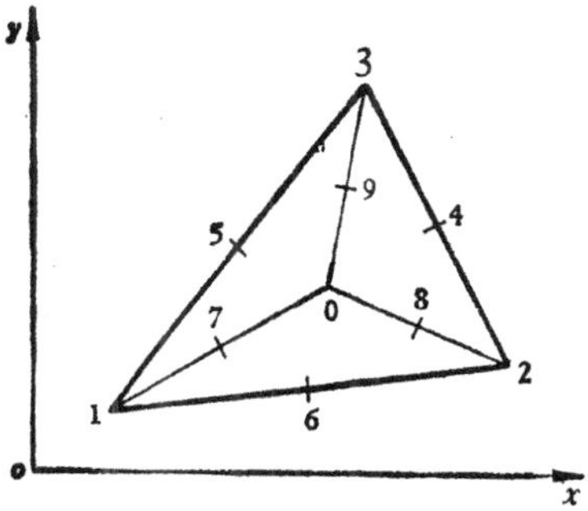

图 19.1

图 19.1 示一典型的三角形元素 123. 在三角形的每个顶点上，仍赋予三个位移参数

$$w, \psi_x = \frac{\partial w}{\partial x}, \psi_y = \frac{\partial w}{\partial y} \tag{19.1}$$

在三角形的三边中点上，各赋予一个位移参数

$$\psi_n = \frac{\partial w}{\partial n}. \tag{19.2}$$

这样一个三角形元素共有12个位移参数. 在三角形内再取一点0(通常是三角形的形心,但不取形心也可以),将原三角形再分割成三个小三角形023, 031, 012. 对0点也赋予它三个自由度 w_0, ψ_{x0}, ψ_{y0}, 它们作为元素的内部自由度. 在每个小三角形内,例如在023内,对挠度用一个全三次多项式进行插入. 此多项式共有10个系数,正好可以由与小三角形023有关的下列10个参数所决定:0,2,3三点上的 w, ψ_x, ψ_y 和4点上的 ψ_n. 在其他两个小三角形031,012内对挠度作类似的插入. 这样的插入在三角形的公共边上是完全协调的,这是因为在每一条边上,挠度 w 是边界弧长 s 的三次式,它正好可以由此边两端的位移参数所决定,$\partial w/\partial n$ 是 s 的二次式,它正好可以由此边两端及中点上的参数所决定.

在三角形的内部边界01,02,03上,w 是 s 的三次函数,因此 w 的连续性是不成问题的. $\partial w/\partial n$ 是 s 的二次式,因此只要保证在内部边界的中点7,8,9三点上 $\partial w/\partial n$ 连续,便可保证 $\partial w/\partial n$ 在整个内部边界上连续. 这些要求是做得到的,因为还有三个内部自由度 w_0, ψ_{x0}, ψ_{y0} 可供我们选择,正好可满足上述三个要求.

由此可知,经过在三角形元素内部再分割后,就能做到在三角形元素内和各个三角形元素间都是协调的. 因此上面介绍的元素是一种完全协调的12个位移参数(3个内部自由度已消去)的三角形元素. 此外,还可以证明,在挠度的插入公式中包含着任意的 x, y 的二次多项式,因此这种元素的收敛性也是有保证的.

元素边上的自由度 ψ_n 对实际计算带来很多麻烦,因此许多作者不用这三个自由度. 消取这三个自由度的办法是假定 $\partial w/\partial n$ 在边界上按线性规律分布. 这样边中点上的法向斜率便可用角点上的参数来表示. 这样得到的是9个参数的完全协调三角形元素.

上述9个参数的协调三角形元素,它的刚度矩阵较大,有时收敛性较差. Morley 和 Merrifield[211] 提出了一个公式，把边中点上的 ψ_n 用与此边有关的两个三角形的四个角点上的参数来表示. 这样仍能保证 $\partial w/\partial n$ 的连续性，但能降低元素的刚度矩阵，改善了收敛性.

有了协调的三角形元素，便可以求得协调的任意四边形元素，因为任何一个四边形，总可以分割成两个三角形.

Birkhoff 和 Garabedian[72] 指出，直接对矩形元素再作适当的分割，可以建立 12 个位移参数的协调元素.

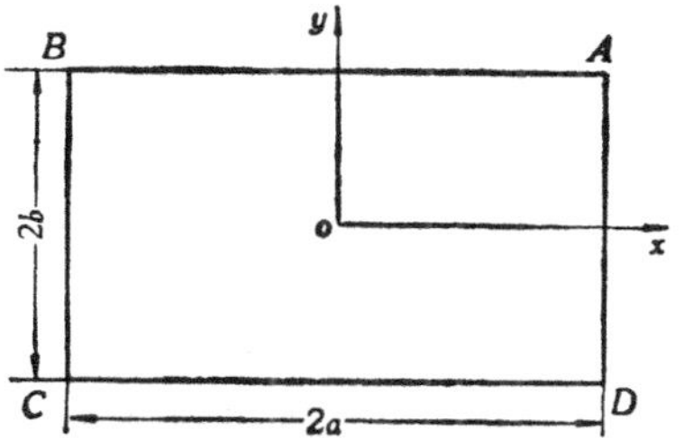

图 19.2

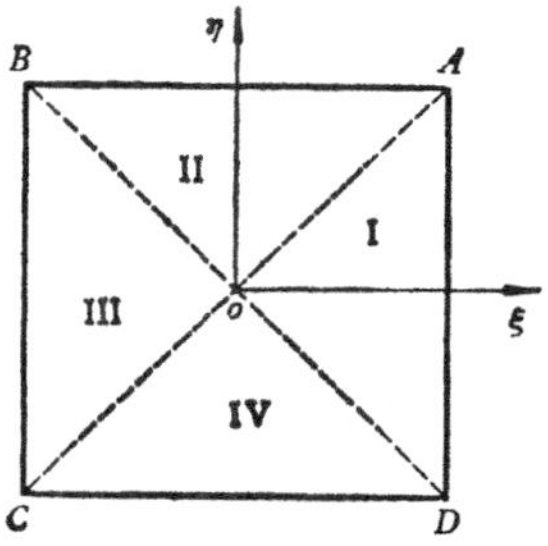

图 19.3

设 $ABCD$ 为一典型的矩形元素. 以矩形的中心为原点取一局部坐标系 x, y，如图 19.2 所示. 命矩形的边长为 $2a$ 和 $2b$. 再取--无量纲的坐标系 ξ, η，使得

$$x = a\xi, \quad y = b\xi. \tag{19.3}$$

在 ξ, η 平面上，用正方形的两条对角线将此正方形再分割成四小块，分别记为 I, II, III, IV. 和 § 4.17 相同，对于每个结点，赋予它三个位移参数，这样，一个矩形有 12 个参数. 挠度 w 用带有 12 个待定系数的下列函数进行插入:

$$w = \sum_{i=1}^{12} \alpha_i F_i(\xi, \eta), \tag{19.4}$$

式中 α_i 是待定系数，F_i 是在四个小块中分片定义的 12 个函数:

在所有 I, II, III, IV 四块中，

$$F_1 = 1, \qquad F_2 = \xi^2,$$

$$F_3=\eta^2,\qquad F_4=\xi,$$
$$F_5=\xi^3,\qquad F_7=\eta,$$
$$F_8=\eta^3,\qquad F_{10}=\xi\eta,$$
$$F_{11}=3\xi^3\eta+3\xi\eta^3-\xi^3\eta^3-5\xi\eta,$$
$$F_9(\xi,\eta)=F_6(\xi,\eta),$$

对于 I： $F_6=\xi^2-2\xi+\eta^2$,

对于 II： $F_6=2\xi\eta-2\xi$,

对于 III： $F_6=-\xi^2-2\xi-\eta^2$,

对于 IV： $F_6=-2\xi\eta-2\xi$,

对于 I 和 III： $F_{12}=\dfrac{1}{4}(\xi^3\eta^3-\xi^5\eta-3\xi\eta^3+3\xi^3\eta)$,

对于 II 和 IV： $F_{12}=\dfrac{1}{4}(\xi\eta^5-\xi^3\eta^3-3\xi\eta^3+3\xi^3\eta)$.

容易证明，在正方形的两条对角线上，挠度及其一阶导数是连续的，因此上面选择的函数从内部来看是协调的．在正方形的边上，w 是 ξ 或 η 的三次函数，$\partial w/\partial n$ 是 ξ 或 η 的一次函数．因此这是一种协调的有限元素．

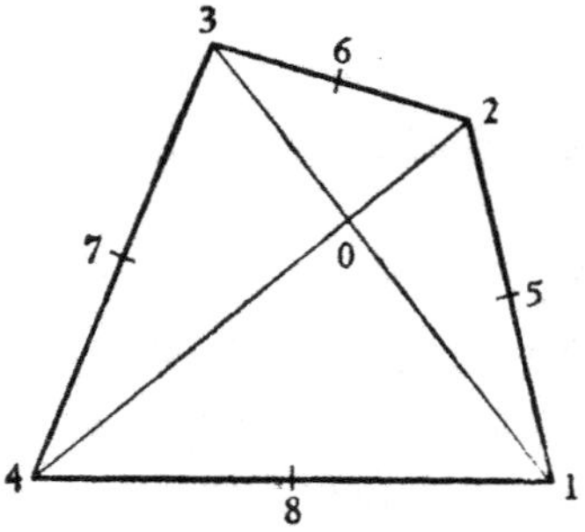

图 19.4

这种插入法后来曾由 Deak 和 Pian（卞学鐄）[110]用于计算矩形板的平衡和振动问题，由 Abbas 和 Thomas[45] 用于计算矩形板的稳定性问题．

到 1966 年，Fraejis De Veubeke[128][129] 指出，任意四边形的协调元素，可将它分成四个小三角形得到．图 19.4 示一任意四边形．对于四个角顶 1, 2, 3, 4，每点赋予三个位移参数 w, ψ_x, ψ_y；对于边的中点 5, 6, 7, 8，各赋予一个位移参数 ψ_n．用四边形的两条对角线将此四边形分割成四个小三角形．在每个小三角形内，挠度用全三次多项式进行插入．Fraeijs De Veubeke 指出，对角线交点 0 上的三个内部自由度能够用来同时满足四条内部边界 01，02，03，04 上的ψ_n连续的条件，因为这四个条件并不完全独立．这样，Fraeijs De Veubeke 对于任意四边形的对角线再分割，和 Clough 及 Tocher 对三角形的再分割法完全类同，而比 Birkhoff 和 Garabedian 的方法简单．

§ 4.20 建立协调元素的方法之二；杂交法

继续考虑 § 4.14 讨论的三角形分割和 § 4.17 讨论的矩形分割．对于三角形或矩形的每一个顶点，仍赋予它三个位移参数：

$$w, \psi_x = \frac{\partial w}{\partial x}, \quad \psi_y = \frac{\partial w}{\partial y}. \tag{20.1}$$

从前几节的论论可以看到，为了得到协调元素，在三角形或矩形的边上，w 及 $\partial w/\partial n$ 的值必须由此边两端点上的 6 个位移参数所完全决定．这样，在每一条边上，w 应表达为弧长 s 的三次函数，而 $\partial w/\partial n$ 应表达为 s 的一次函数．这个步骤可以理解为先根据顶点上给定的参数值，对边上各点的 w 及 $\partial w/\partial n$ 进行插入．只要这一步从点到线的插入做好了，各三角形或矩形元素之间的完全协调性便有保证了．

下一步是解三角形或矩形元素内部的问题，也就是从线面到面的问题．现在这个问题变为：已知元素边界上的 w 及 $\partial w/\partial n$，求元素内部的近似解．这样的近似解当然可能有多种多样的形式．每一种近似解都可能导出一种相应的协调元素．上节介绍的二次分片插入法，实质上是三角形元素和矩形元素内部的一种近似解法．本节先介绍在元素内部用最小余能原理的近似解法．这种解法首先是由 Pian（卞学鐄）[1]提出来的．

第一步是先对元素边界上各点的 w 及 $\partial w/\partial n$ 进行插入．这样得到

在 Ω_e 的边界上：

1）见他的著作 [236]，以及他和 Tong（董平）的著作 [237]．

$$w=\bar{w},\ \frac{\partial w}{\partial n}=\bar{\Phi}_n. \tag{20.2}$$

这里 $\bar{w}$, $\bar{\Phi}_n$ 是结点位移参数的已知函数．由于元素的整个边界都是固支边，余能的公式 (6.5) 简化为

$$\Gamma_e=\iint_{\Omega_e}Vdxdy-\oint\left(\frac{\partial M_{ns}}{\partial s}+Q_n\right)\bar{w}ds+\oint M_n\bar{\Phi}_nds.$$

在元素的角点上，M_{ns} 是不连续的．上式第二个积分计算起来很不方便，为此利用分部积分将它转变为

$$\Gamma_e=\iint_{\Omega_e}Vdxdy+\oint\left(M_n\bar{\Phi}_n+M_{ns}\frac{\partial\bar{w}}{\partial s}-Q_n\bar{w}\right)ds. \tag{20.3}$$

为了应用最小余能原理求近似解，内力矩必须满足平衡方程

$$\frac{\partial^2M_x}{\partial x^2}+2\frac{\partial^2M_{xy}}{\partial x\partial y}+\frac{\partial^2M_y}{\partial y^2}+p=0. \tag{20.4}$$

将 (20.4) 的一个特解记为

$$M_x=M_x^1,\ M_y=M_y^1,\ M_{xy}=M_{xy}^1. \tag{20.5}$$

因为在一个有限元素内部，通常把 p 看作是一个常数，所以找特解并不困难．再命齐次方程的解为

$$M_x=M_x^0,\ M_y=M_y^0,\ M_{xy}=M_{xy}^0. \tag{20.6}$$

那末方程 (20.4) 的解便可表达为

$$\begin{aligned}&M_x=M_x^1+M_x^0,\ M_y=M_y^1+M_y^0,\\&M_{xy}=M_{xy}^1+M_{xy}^0.\end{aligned} \tag{20.7}$$

在求近似解时，通常把 M_x^0, M_y^0, M_{xy}^0 取成 x, y 的多项式． Severn 和 Taylor[274] 曾把内力矩取为 x, y 的全二次多项式(其中独立的未知数共有 17 个)来计算矩形及三角形元素的刚度矩阵．利用最小余能原理，可以把这 17 个内力矩参数表示成为结点位移参数以及面载荷 p 的线性函数． 后来 Cook 和 Al-Abdulla[96] 在研究任意四边形元素时，以及 Allman[48]在研究三角形元素时，把内力矩假设为常数(共 3 个) 和假设为 x, y 的一次函数 (内含 9 个常数)．最近 Torbe 和 Church[306] 又用杂交法求解任意四边形的元素． 他们把内力矩表示为 x, y 的全二次多项式．

从公式(6.16)知道，对于精确解，系统的势能和余能互为相反数．把这个关系用于一个有限元素，则有

$$\Pi_e = -\Gamma_e. \tag{20.8}$$

在杂交法中，通常人们只能求得 Γ_e 的近似值，但我们可以利用(20.8)进而求 Π_e 的近似值．内力矩既然已经表示成结点参数和面载荷的一次齐次函数，那末在把它们代入(20.3)计算 Γ_e，便得到二次齐次函数． 再根据(20.8)，Π_e 也是二次齐次函数，可写成为

$$\Pi_e = \frac{1}{2}\boldsymbol{q}_e^T\boldsymbol{K}_e\boldsymbol{q}_e - \boldsymbol{F}_e^T\boldsymbol{q}_e + \frac{1}{2}kp^2. \tag{20.9}$$

其中 $\boldsymbol{q}_e$ 是由结点位移参数组成的列矢量． 在上式中忽略与 $\boldsymbol{q}_e$ 无关的最后一项(忽略这一项，只影响 Π_e 的数值，而不影响 $\delta\Pi_e$)，得到

$$\Pi_e = \frac{1}{2}\boldsymbol{q}_e^T\boldsymbol{K}_e\boldsymbol{q}_e - \boldsymbol{F}_e^T\boldsymbol{q}_e. \tag{20.10}$$

此式与(11.1)完全相同． 因此(20.8)提供了计算元素刚度矩阵 $\boldsymbol{K}_e$ 和元素广义载荷 $\boldsymbol{F}_e$ 的一个方法． 从这以后，对整个板的刚度矩阵与广义载荷的计算，和前面单纯根据最小势能原理的计算方法完全相同，这里不再重复了．

下面稍详细地介绍一下矩形元素的杂交法的计算步骤．命图20.1的矩形1234为一典型的矩形元素．和前相同，取无量纲坐标

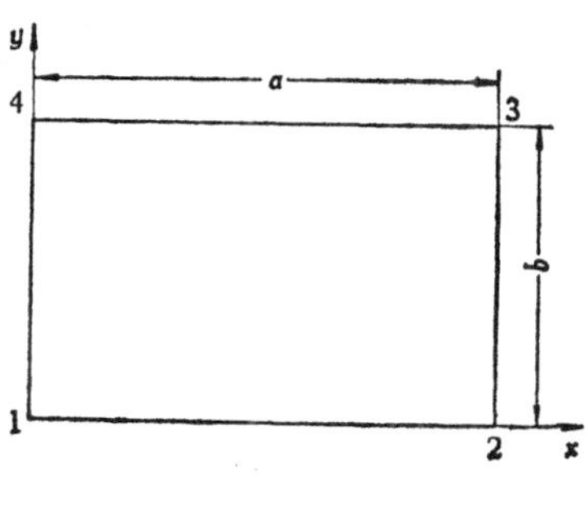

图 20.1

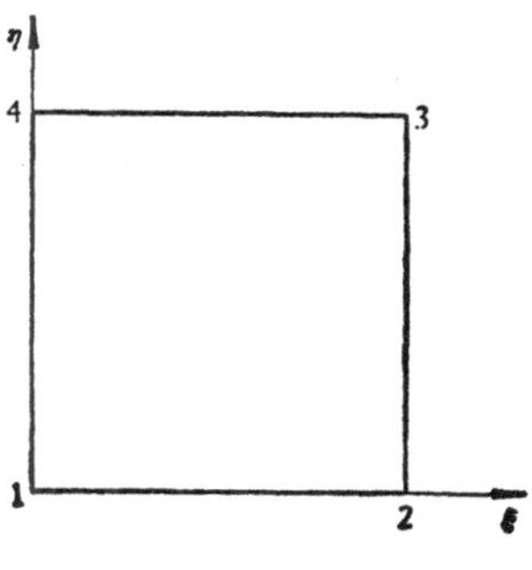

图 20.2

ξ, η (见公式 (17.1)). 对于每个角点, 仍赋予三个位移参数 (17.2). 在 12 边上, 挠度 w_{12} 根据 w_1, θ_{x1}, w_2, θ_{x2} 进行插入, 这样得到

$$w_{12}(\xi) = \mathrm{H}_0^1(\xi)w_1 + \mathrm{H}_1^1(\xi)\theta_{x1} + \mathrm{H}_0^2(\xi)w_2 + \mathrm{H}_1^2(\xi)\theta_{x2}. \tag{20.11a}$$

在 12 边上,法向斜率 θ_{y12} 根据 θ_{y1} 与 θ_{y2} 进行插入,这样得到

$$\theta_{y12}(\xi) = (1-\xi)\theta_{y1} + \xi\theta_{y2}. \tag{20.11b}$$

在其他三边上,挠度及法向斜率按相同的办法进行插入,得到

$$w_{23}(\eta) = \mathrm{H}_0^1(\eta)w_2 + \mathrm{H}_1^1(\eta)\theta_{y1} + \mathrm{H}_0^2(\eta)w_3 + \mathrm{H}_1^2(\eta)\theta_{y2}, \tag{20.12a}$$

$$\theta_{x23}(\eta) = (1-\eta)\theta_{x2} + \eta\theta_{x3}, \tag{20.12b}$$

$$w_{34}(\xi) = \mathrm{H}_0^1(\xi)w_4 + \mathrm{H}_1^1(\xi)\theta_{x4} + \mathrm{H}_0^2(\xi)w_3 + \mathrm{H}_1^2(\xi)\theta_{x3}, \tag{20.13a}$$

$$\theta_{y34}(\xi) = (1-\xi)\theta_{y4} + \xi\theta_{y3}, \tag{20.13b}$$

$$w_{41}(\eta) = \mathrm{H}_0^1(\eta)w_1 + \mathrm{H}_1^1(\eta)\theta_{y1} + \mathrm{H}_0^2(\eta)w_4 + \mathrm{H}_1^2(\eta)\theta_{y4}, \tag{20.14a}$$

$$\theta_{x41}(\eta) = (1-\eta)\theta_{x1} + \eta\theta_{x4}. \tag{20.14b}$$

上面的插入公式, 保证了在两个元素的公用边上 w 及 $\partial w/\partial n$ 的连续性.

在矩形元素内部, 将三个内力矩分别表示为 ξ, η 的全二次函数. 每一个全二次函数包含有 6 个待定常数, 因此三个内力矩共涉及 18 个常数.但因为要满足平衡条件,有一个常数是不独立的,独立的只有 17 个. 设在元素内无载荷,所有的载荷都作用在或已移到结点上. 这样,内力矩便可表达成为

$$\boldsymbol{M} = \boldsymbol{P}\boldsymbol{\alpha}. \tag{20.15}$$

这里 $\boldsymbol{M}$ 是由 M_x, M_y, M_{xy} 组成的列矢量, $\boldsymbol{\alpha}$ 是由 17 个未定系数组成的列矢量:

$$\begin{aligned} \boldsymbol{M} &= [M_x \quad M_y \quad M_{xy}]^T, \\ \boldsymbol{\alpha} &= [\alpha_1 \quad \alpha_2 \cdots \alpha_{16} \quad \alpha_{18}]^T, \end{aligned} \tag{20.16}$$

而矩阵 $\boldsymbol{P}$ 为

$$
\boldsymbol{P}=\begin{bmatrix} 1 & \xi & \eta & \xi^2 & \xi\eta & \eta^2 & 0 & 0 & 0 & 0 & 0 & 0 & 0 & 0 & 0 & 0 & 0 \\ 0 & 0 & 0 & 0 & 0 & 0 & 1 & \xi & \eta & \xi^2 & \xi\eta & \eta^2 & 0 & 0 & 0 & 0 & 0 \\ 0 & 0 & 0 & -\xi\eta & 0 & 0 & 0 & 0 & 0 & 0 & 0 & -\xi\eta & 1 & \xi & \eta & \xi^2 & \eta^2 \end{bmatrix}. \tag{20.17}
$$

由于在元素内部没有载荷，元素的势能 Π_e 等于元素的应变能，而对于线性弹性体，应变能又等于余应变能，于是有

$$
\Pi_e=\frac{1}{2}\iint_{\Omega_e}\boldsymbol{M}^T\boldsymbol{D}^{-1}\boldsymbol{M}dxdy=\frac{ab}{2}\int_0^1\int_0^1\boldsymbol{M}^T\boldsymbol{D}^{-1}\boldsymbol{M}d\xi d\eta. \tag{20.18}
$$

式中 $\boldsymbol{D}$ 是弯曲刚度矩阵，$\boldsymbol{D}^{-1}$ 是 $\boldsymbol{D}$ 的逆矩阵. 将 (20.15) 代入，可见 Π_e 可表达成为

$$
\Pi_e=\frac{1}{2}\boldsymbol{\alpha}^T\boldsymbol{H}\boldsymbol{\alpha}. \tag{20.19}
$$

其中

$$
\boldsymbol{H}=\frac{ab}{2}\int_0^1\int_0^1\boldsymbol{P}^T\boldsymbol{D}^{-1}\boldsymbol{P}d\xi d\eta. \tag{20.20}
$$

现在来根据最小余能定理求待定系数 $\boldsymbol{\alpha}$. 公式 (20.3) 中的第一个面积分就是 Π_e. 为了求第二个线积分，先把它改写成为

$$
\begin{aligned}
-W&=\oint\left(M_n\bar{\Phi}_n+M_{ns}\frac{\partial\bar{w}}{\partial s}-Q_n\bar{w}\right)ds\\
&=\int_1^2\left(-M_y\bar{\Phi}_y-M_{xy}\frac{d\bar{w}}{dx}+Q_y\bar{w}\right)dx\\
&\quad+\int_4^3\left(M_y\bar{\Phi}_y+M_{xy}\frac{d\bar{w}}{dx}-Q_y\bar{w}\right)dx\\
&\quad+\int_1^4\left(-M_x\bar{\Phi}_x-M_{xy}\frac{d\bar{w}}{dy}+Q_x\bar{w}\right)dx\\
&\quad+\int_2^3\left(M_x\bar{\Phi}_x+M_{xy}\frac{d\bar{w}}{dy}-Q_x\bar{w}\right)dx.
\end{aligned} \tag{20.21}
$$

式中的 Q_x, Q_y, 根据平衡条件应为

$$
Q_x=\frac{\partial M_x}{\partial x}+\frac{\partial M_{xy}}{\partial y},\quad Q_y=\frac{\partial M_{xy}}{\partial x}+\frac{\partial M_y}{\partial y}. \tag{20.22}
$$

将 (20.11)—(20.14) 以及 (20.15) 代入 (20.21)，算出积分，可知

这个线积分可表达成下列形式

$$W = \boldsymbol{a}^{\mathrm{T}}\boldsymbol{T}\boldsymbol{q} \tag{20.23}$$

这里 $\boldsymbol{q}$ 仍代表由 12 个结点位移参数组成的列阵，而 $\boldsymbol{T}$ 为某一矩阵．在 Severn 和 Taylor 的文章中有 $\boldsymbol{H}$ 及 $\boldsymbol{T}$ 的算式（对于各向同性的情况），因为这两个矩阵太大，这里不引录了．

这样，对于这个元素的最小余能原理变为

$$\delta\left\{\frac{1}{2}\boldsymbol{a}^{\mathrm{T}}\boldsymbol{H}\boldsymbol{a} - \boldsymbol{a}^{\mathrm{T}}\boldsymbol{T}\boldsymbol{q}\right\} = 0. \tag{20.24}$$

由此得到

$$\boldsymbol{H}\boldsymbol{a} - \boldsymbol{T}\boldsymbol{q} = 0,\ \boldsymbol{a} = \boldsymbol{H}^{-1}\boldsymbol{T}\boldsymbol{q}. \tag{20.25}$$

最后，元素的势能变为

$$\Pi_e = \frac{1}{2}\boldsymbol{q}^{\mathrm{T}}\boldsymbol{K}\boldsymbol{q}, \tag{20.26}$$

其中

$$\boldsymbol{K} = \boldsymbol{T}^{\mathrm{T}}\boldsymbol{H}^{-1\mathrm{T}}\boldsymbol{T}. \tag{20.27}$$

对于相同形状的有限元素，并且取相同的结点位移参数，那末用最小势能原理和用最小余能原理求得的两个刚度矩阵之间，存在着一个不等式关系．事实上，若命 $\boldsymbol{K}_e$ 为元素刚度矩阵的精确值[1)]，$\boldsymbol{K}_{ep}$ 为用最小势能原理求得的近似值，$\boldsymbol{K}_{ec}$ 为用最小余能原理求得的近似值，那末当这个元素有某种元素位移参数 $\boldsymbol{q}_e$ 时，元素中贮存的势能和余能的精确值 Π_e 和 Γ_e 以及相应的近似值 Π_{ep} 和 Γ_{ec} 各为

$$-\Gamma_e = \Pi_e = \frac{1}{2}\boldsymbol{q}_e^{\mathrm{T}}\boldsymbol{K}_e\boldsymbol{q}_e,\ \Pi_{ep} = \frac{1}{2}\boldsymbol{q}_e^{\mathrm{T}}\boldsymbol{K}_{ep}\boldsymbol{q}_e,$$

$$\Gamma_{ec} = -\frac{1}{2}\boldsymbol{q}_e^{\mathrm{T}}\boldsymbol{K}_{ec}\boldsymbol{q}_e. \tag{20.28}$$

将此代入公式 (6.17)，便有

---

1) 所谓精确是指在一个元素的范围内是精确的．从全局看仍然是近似的，这是因为在元素的边上对 w 和 $\partial w/\partial n$ 用了近似的插入公式．

$$\frac{1}{2}q_e^T K_{ep} q_e \geqslant \frac{1}{2}q_e^T K_e q_e \geqslant \frac{1}{2}q_e^T K_{ec} q_e. \tag{20.29}$$

在这个不等式中 q_e 是任意的. 在数学上常把这样一个关系简写为

$$K_{ep} \geqslant K_e \geqslant K_{ec}. \tag{20.30}$$

从上面介绍的杂交法的计算步骤可以看到，杂交法最本质的东西是：在元素内部利用最小余能原理求近似解；而对于整个板，利用最小势能原理求近似解. 所谓杂交，就是说局部(元素)的最小余能原理与全局(整块板)的最小势能原理的杂交.

上面介绍的杂交法，要求假设的内力矩满足平衡方程. 这样作有时候不甚方便. Wolf[323][324] 提出，可以把平衡方程看作是一个附加条件，把最小余能原理解释为下列条件极值问题：在条件(20.4)下求泛函(20.3)的极值. 利用拉格朗日乘子法，可把上述条件极值问题化为下列泛函 Γ_e^* 的无条件驻立值问题：

$$\Gamma_e^* = \iint\limits_{\Omega_e} V\,dxdy + \oint\left(M_n\bar{\Phi}_n + M_{ns}\frac{d\bar{w}}{ds} - Q_n\bar{w}\right)ds$$

$$-\iint\limits_{\Omega_e}\left(\frac{\partial^2 M_x}{\partial x^2} + 2\frac{\partial^2 M_{xy}}{\partial x\partial y} + \frac{\partial^2 M_y}{\partial y^2} + p\right)w\,dxdy. \tag{20.31}$$

式中 $w(x, y)$ 是一个拉格朗日乘子. 按力学意义来说，w 代表板的挠度. 但因为 w 是与 $\bar{w}$，$\bar{\Phi}_n$ 分别引进的，彼此之间可以没有联系，即在元素的边界上 w 可不等于 $\bar{w}$，而 $\partial w/\partial n$ 可不等于 $\bar{\Phi}_n$. 公式(20.31)定义的 Γ_e^*，实质上是二类变量广义余能的一种特殊形式.

从经典的变分原理来看，杂交法是最小余能原理与最小势能原理的综合应用. 从广义变分原理来看，杂交法是广义变分原理的某种特殊应用. 在 1969 年，Tong 和 Pian[304] 指出了他们的杂交法相当于一个广义变分原理，同一年他们发现这个变分原理乃是二类变量广义势能原理的一个特殊形式[238]. Allman[48] 也把杂交法看作是广义变分原理的某种特殊应用. 下面我们就来推导二类变量广义余能的这个特殊形式.

因为各个元素内的内力矩是分别假设的，彼此没有联系，所以这样得到的内力矩，在元素的分界线上大都是不连续的. 这种情况就是 § 4.7 讨论过的 w 有足够的连续性而 M_x, M_y, M_{xy} 在某些线上不连续的情况. 元素的内部边界便是 § 4.7 中定义的 C_I. 在这种情况下，整个系统的余能 Γ_2 可根据 (7.19) 计算：

$$\Gamma_2 = \Gamma_2' + \int_{C_I} \left(\frac{\partial M_{ns}^+}{\partial s} + Q_n^+ - \frac{\partial M_{ns}^-}{\partial s} - Q_n^- \right) w ds - \int_{C_I} (M_n^+ - M_n^-) \frac{\partial w}{\partial n} ds. \tag{20.32}$$

又由于元素内部的平衡条件已得到满足，Γ_2' 的算式 (7.15a) 简化为

$$\begin{aligned}\Gamma_2' = & \iint_{\Omega'} V dxdy - \int_{C_1+C_2} \left(\frac{\partial M_{ns}}{\partial s} + Q_n \right) \bar{w} ds \\ & + \int_{C_1} M_n \bar{\phi}_n ds - \int_{C_3} \left(\frac{\partial M_{ns}}{\partial s} + Q_n - \bar{q} \right) w ds \\ & + \int_{C_2+C_3} (M_n - \bar{M}_n) \frac{\partial w}{\partial n} ds.\end{aligned} \tag{20.33}$$

这便是与 Pian 的假设应力杂交法相对应的二类变量广义余能的特殊形式.

除了 Pian 的假设应力杂交法之外，还曾提出过其他的杂交法. 有一种是全局的最小余能原理和局部的最小势能原理相结合的方法 (Pian 和 Tong[238], Tong[303]). 这种方法后来用得不多. 还有一种是全局的最小势能原理和局部的广义变分原理相结合的杂交法 (Jones[174], Mclay[200], Kikuchi 和 Ando[184][185], Wolf[323][324]). 这种杂交法又可看作是一种条件极值法，见下节的介绍. 最近钱伟长[27]系统地说明了各种变分原理的联合应用和杂交应用的可能性.

§ 4.21 建立协调元素的方法之三：条件极值法

在 § 4.14 介绍了部份协调的三角形元素. 在 § 4.17 介绍了部

份协调的矩形元素．对于这两种有限元素法，整个板的势能最后都可表达成为

$$\Pi=\frac{1}{2}\boldsymbol{q}^T\boldsymbol{K}\boldsymbol{q}-\boldsymbol{F}^T\boldsymbol{q},\qquad(21.1)$$

式中 $\boldsymbol{q}$ 是由全体位移参数组成的列矢量，$\boldsymbol{K}$ 是整个板的刚度矩阵，$\boldsymbol{F}$ 是与 $\boldsymbol{q}$ 相应的广义载荷．

§4.14 介绍的是部份协调元素，这是因为在两个三角形的公共边上，挠度虽然是完全连续的，而法向斜率却可能有一个自由度的不连续性．为了保证法向斜率的完全的连续性，只要在公共边上还有一点(例如边的中点)法向斜率连续便可以了．这些条件可写成一个方程组

$$\boldsymbol{A}\boldsymbol{q}=0.\qquad(21.2)$$

这组方程的个数，等于有限元素的内部边界数．

§4.17 介绍的也是部份协调元素，这是因为在两个矩形的公共边上，挠度虽然是完全连续的，而法向斜率却可能有两个自由度的不连续性．为了保证法向斜率的完全的连续性，只要在公共边上还有另外两点的法向斜率连续便可以了．这些条件最后也可写成(21.2)的形式，不过在这里，方程的个数，等于有限元素的内部边界数的两倍．

从上面的说明可以看到，对原来是部份协调的有限元素，只要附加恰当的连续条件(21.2)，便可将它们改造成为协调的有限元素．在这种情况下，最小势能原理变为数学上的条件极值问题，即在满足(21.2)的条件下找一个矢量 $\boldsymbol{q}$，使得(21.1)定义的 Π 取极小值．

求解这样的条件极值问题通常有两种办法．一种办法是从条件(21.2)中消去不独立的未知数，或把原来为数较多的不完全独立的参数，用为数较少的独立的参数表示出来．在一般情况下，这种做法比较繁琐．不过 Szabo 和 Kassos[285] 指出有时这种做法也是可行的．

还有一种办法是用拉格朗日乘子，将条件极值问题化为无条

件驻立值问题．先另外定义一个泛函 $\boldsymbol{\Pi}^*$：

$$\boldsymbol{\Pi}^* = \frac{1}{2}\boldsymbol{q}^T\boldsymbol{K}\boldsymbol{q} - \boldsymbol{F}^T\boldsymbol{q} + \boldsymbol{\lambda}^T\boldsymbol{A}\boldsymbol{q}. \tag{21.3}$$

在这里，拉格朗日乘子 $\boldsymbol{\lambda}$ 是一个列矢量，它的阶数与方程(21.2)的个数相同，即(21.2)包含几个方程，$\boldsymbol{\lambda}$ 便有相同数目的元.

$\boldsymbol{\Pi}^*$ 取驻立值的条件是

$$(\boldsymbol{q}^T\boldsymbol{K} - \boldsymbol{F}^T + \boldsymbol{\lambda}^T\boldsymbol{A})\delta\boldsymbol{q} = 0,$$

即

$$\boldsymbol{q}^T\boldsymbol{K} - \boldsymbol{F}^T + \boldsymbol{\lambda}^T\boldsymbol{A} = 0.$$

取此式的转置，注意到 $\boldsymbol{K}^T = \boldsymbol{K}$，便得到最后的方程

$$\boldsymbol{K}\boldsymbol{q} + \boldsymbol{A}^T\boldsymbol{\lambda} = \boldsymbol{F}. \tag{21.4}$$

从方程(21.2)，(21.4)便可唯一地决定 $\boldsymbol{q}$ 和 $\boldsymbol{\lambda}$.

上面介绍的在代数方程的基础上用条件极值的办法来保证完全的协调性，最初是由 Harvey 和 Kelsey[147] 提出来的． 可以看到，这种方法具有相当广泛的适应性，它能把许多部份协调元素改造成为协调元素．这是条件极值法的优点．但是这种方法也带来一个缺点，就是增加了一个未知矢量 $\boldsymbol{\lambda}$，而且矩阵 $\boldsymbol{A}$ 也不像矩阵 $\boldsymbol{K}$ 那末有规则，在计算机上常常要占用较多的贮存.

在 Harvey 和 Kelsey 之前，Jones[174] 曾提出在变分原理的基础上用条件极值来保证元素之间的协调性．后来，Anderheggen[51]，Key[182] 曾具体地用过这种方法。1969 年 Mclay[200] 曾提出一种实用上更方便的观点，即把元素边界上的挠度与斜率，与元素内部的挠度分开，而用拉格朗日乘子来保证这两种挠度的连续性．这种做法的优点是拉格朗日乘子属于每个元素，而不属于整个板，因此可以在求元素的刚度矩阵时即把它们确定下来．求得元素的刚度矩阵之后，接下去的做法便与协调元素完全一致了．后来 Tong[303]，Kikuchi 和 Ando[184] 提出了相似的观点．这样，他们在元素范围内提出了一个广义变分原理以作为计算元素刚度矩阵的理论根据．下面简单地介绍一下他们用的广义变分原理.

上节已经说明，求元素的协调解，实质上就是在下列边界条件

下求元素内部的解：

在元素边界上：

$$w=\bar{w},\tag{21.5}$$

$$\frac{\partial w}{\partial n}=\bar{\Phi}_n.\tag{21.6}$$

如果我们准备用最小势能原理求这个问题的近似解，那末问题又可提成为在条件 (21.5), (21.6) 下求

$$\Pi_e=\iint_{\Omega_e}U dxdy-\iint_{\Omega_e}pw dxdy\tag{21.7}$$

的最小值．选取函数 w 使它满足条件 (21.5) 并无困难；要使 w 满足条件 (21.6) 却有很大的困难，因此可以用拉格朗日乘子法将条件 (21.6) 并入泛函 (21.7) 中而得到一个新的泛函 Π_e^*：

$$\Pi_e^*=\iint_{\Omega_e}U dxdy+\oint\left(\frac{\partial w}{\partial n}-\bar{\Phi}_n\right)M_n ds$$

$$-\iint_{\Omega_e}pw dxdy.\tag{21.8}$$

式中 M_n 是一个拉格朗日乘子，因为它的力学意义是法向弯矩，所以在上式中就直接用了 M_n 这样一个记号． 泛函 Π_e^* 是 §4.8 中的三类变量广义势能的一种特殊形式．

从严格的观点来说，作为拉格朗日乘子的 M_n，与元素内部的挠度 w 并无直接的联系，两者可以独立变化．但是为了求近似解，Kikuchi 和 Ando 假定 M_n 可以按普通求弯矩的办法从挠度 w 计算得到．这样便把原来独立的 M_n 变为从属于 w 的一个不独立的函数．

Kikuchi 和 Ando 推荐用泛函 (21.8) 来建立有限元素的方程．根据这个泛函，计算元素的刚度矩阵应该用 (21.8) 右端的前两个积分，但在 § 4.14 和 § 4.17 只用了第一个积分，这反映了 Kikuchi 和 Ando 的新做法． 至于计算元素的广义载荷，仍用 (21.8) 右端的第三个积分，这跟以前的做法完全一样．Kikuchi 和 Ando 的文章中的算例表明，采用他们的刚度矩阵，能得到比较满

意的结果[1]).

在同一年，Kikuchi 和 Ando[185] 把他们的做法又作了进一步的推广，即把 (21.5)，(21.6) 都看作是附加条件，用两个拉格朗日乘子将它们并入 (21.7) 中. 这样他们得到了一个更一般的泛函

$$\Pi_c^* = \iint_{\Omega_e} U dxdy + \oint \left(\frac{\partial w}{\partial n} - \bar{\Phi}_n\right) M_n ds - \oint q_n(w - \bar{w}) ds - \iint_{\Omega_e} pw dxdy. \tag{21.9}$$

式中 q_n 是新增加的一个拉格朗日乘子，按它的力学意义应是综合横向剪力，所以用了 q_n 这一记号.

§4.22 建立协调元素的方法之四：分项插入法

对于矩形元素，采用分项插入法，能得到简单而又收敛得较快的结果. 1961 年 Melosh[202] 首先提出了这样一种有限元素法. Melosh 是根据力学考虑提出他的有限元素法的，他并没有明确提出分项插入的概念. 由于 Melosh 的方法与当时广泛流行的只对挠度进行一种插入的方法大不相同，因此尽管有人证实 Melosh 的方法的效果较好[91]，但仍有人担心它缺少数学根据. 1976 年

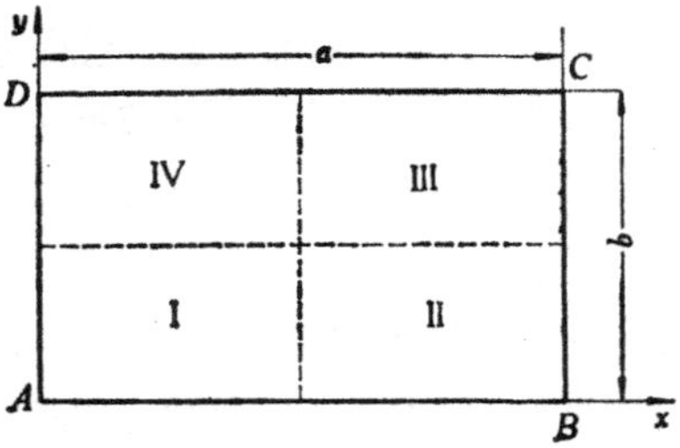

图 22.1

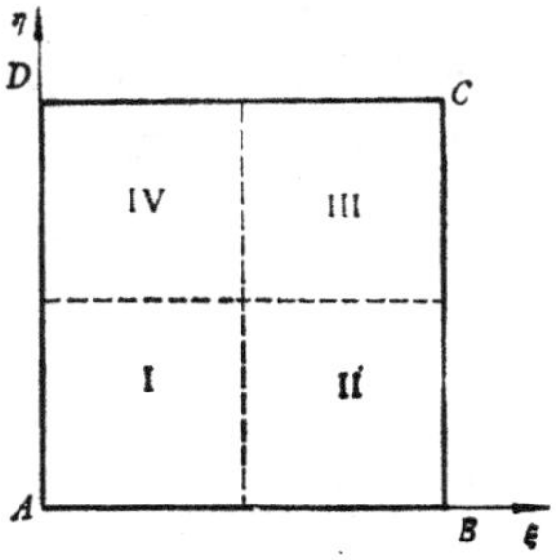

图 22.2

---

1) 用 Kikuchi 和 Ando 的办法有时也会得出很不好的结果. 在 Mang 和 Gallagher 的文献 [197] 中便有这样一个例子. 所以用他们的方法要多加小心. 一般地说，用广义变分原理解题都应格外小心.

Kikuchi[183] 明确提出了分项插入的概念，指出 Melosh 的方法乃是一种分项插入法.

考虑和 §4.17 相同的问题. 命 $ABCD$ 为一个典型的有限元素. 和前一样，取无量纲坐标

$$\xi = \frac{x}{a},\ \eta = \frac{y}{b}. \tag{22.1}$$

对于每个结点仍赋予三个位移参数

$$w,\ \theta_x = \frac{\partial w}{\partial \xi} = a\frac{\partial w}{\partial x},\ \theta_y = \frac{\partial w}{\partial \eta} = b\frac{\partial w}{\partial y}. \tag{22.2}$$

前已说明，这个元素的应变能可表示成 (16.4), (16.5) 的形式. Kikuchi 指出，Melosh 的方法实质上是就 w 的不同用途，对 w 进行四种不同的插入(参考图 22.1, 22.2)：

$$\begin{aligned} w^0:\ &\text{在 I:}\quad w^0 = w_A,\ \text{在 II:}\ w^0 = w_B,\\ &\text{在 III:}\ w^0 = w_C,\ \text{在 IV:}\ w^0 = w_D, \end{aligned} \tag{22.3a}$$

$$\begin{aligned} w^1:\ &\text{在 I 和 II:}\quad w^1 = H_0^1(\xi)w_A + H_1^1(\xi)\theta_{xA}\\ &\qquad\qquad + H_0^2(\xi)w_B + H_1^2(\xi)\theta_{xB},\\ &\text{在 III 和 IV:}\ w^1 = H_0^1(\xi)w_D + H_1^1(\xi)\theta_{xD}\\ &\qquad\qquad + H_0^2(\xi)w_C + H_1^2(\xi)\theta_{xC}, \end{aligned} \tag{22.3b}$$

$$\begin{aligned} w^2:\ &\text{在 I 和 IV:}\ w^2 = H_0^1(\eta)w_A + H_1^1(\eta)\theta_{yA}\\ &\qquad\qquad + H_0^2(\eta)w_D + H_1^2(\eta)\theta_{yD},\\ &\text{在 II 和 III:}\ w^2 = H_0^1(\eta)w_B + H_1^1(\eta)\theta_{yB}\\ &\qquad\qquad + H_0^2(\eta)w_C + H_1^2(\eta)\theta_{yC}, \end{aligned} \tag{22.3c}$$

$$\begin{aligned} w^3 = &(1-\xi)(1-\eta)w_A + \xi(1-\eta)w_B + \xi\eta w_C\\ &+ (1-\xi)\eta w_D. \end{aligned} \tag{22.3d}$$

这四种挠度的插入公式的用途是：求 $\partial^2 w/\partial\xi^2$ 用 w^1，求 $\partial^2 w/\partial\eta^2$ 用 w^2，求 $\partial^2 w/\partial\xi\partial\eta$ 用 w^3，而 w^0 用于求载荷积分

$$-\iint_{\Omega_e} pw\,dx\,dy.$$

将 (22.3) 代入 (16.5)，算出积分，可知 u_1, u_2, u_3, u_4 仍可表达成为 (17.6) 的形式，其中 $\boldsymbol{q}_e$ 仍由 (17.7) 决定，而 $\boldsymbol{K}_1, \boldsymbol{K}_2, \boldsymbol{K}_3, \boldsymbol{K}_4$

为[1]

$$
\underset{(\text{前三列})}{K_1}=\left[\begin{array}{ccc}
6 & 3 & 0\\
3 & 2 & 0\\
0 & 0 & 0\\
\hdashline
-6 & -3 & 0\\
3 & 1 & 0\\
0 & 0 & 0\\
\hdashline
0 & 0 & 0\\
0 & 0 & 0\\
0 & 0 & 0\\
\hdashline
0 & 0 & 0\\
0 & 0 & 0\\
0 & 0 & 0
\end{array}\right],\quad
\underset{(\text{前三列})}{K_2}=\frac{1}{16}\left[\begin{array}{ccc}
72 & 30 & 30\\
30 & 0 & 25\\
30 & 25 & 0\\
\hdashline
-72 & -6 & -30\\
6 & 0 & 5\\
-30 & -5 & 0\\
\hdashline
72 & 6 & 6\\
-6 & 0 & -1\\
-6 & -1 & 0\\
\hdashline
-72 & -30 & -6\\
-30 & 0 & 5\\
6 & 5 & 0
\end{array}\right], \tag{22.4}
$$

$$
\underset{(\text{前三列})}{K_3}=\left[\begin{array}{ccc}
6 & 0 & 3\\
0 & 0 & 0\\
3 & 0 & 2\\
\hdashline
0 & 0 & 0\\
0 & 0 & 0\\
0 & 0 & 0\\
\hdashline
0 & 0 & 0\\
0 & 0 & 0\\
0 & 0 & 0\\
\hdashline
-6 & 0 & -3\\
0 & 0 & 0\\
3 & 0 & 1
\end{array}\right],\quad
\underset{(\text{前三列})}{K_4}=4\left[\begin{array}{ccc}
1 & 0 & 0\\
0 & 0 & 0\\
0 & 0 & 0\\
\hdashline
-1 & 0 & 0\\
0 & 0 & 0\\
0 & 0 & 0\\
\hdashline
1 & 0 & 0\\
0 & 0 & 0\\
0 & 0 & 0\\
\hdashline
-1 & 0 & 0\\
0 & 0 & 0\\
0 & 0 & 0
\end{array}\right].
$$

这四个矩阵的后九列，可根据公式 (17.9) 求得.

---

1) 录自 Clough 和 Tocher 的文章[91].

1969年 Stricklin, Haisler, Tisdale, Gunderson[282] 提出的一种9个位移参数的三角形有限元素，实质上也是一种分项插入法．考虑与§4.14相同的问题．设图22.3所示的三角形123是一个典型的三角形元素，点4，5，6是三边的中点．对于每个顶点赋予它三个位移参数

$$w,\ \psi_x = \frac{\partial w}{\partial x},\ \psi_y = \frac{\partial w}{\partial y}.$$

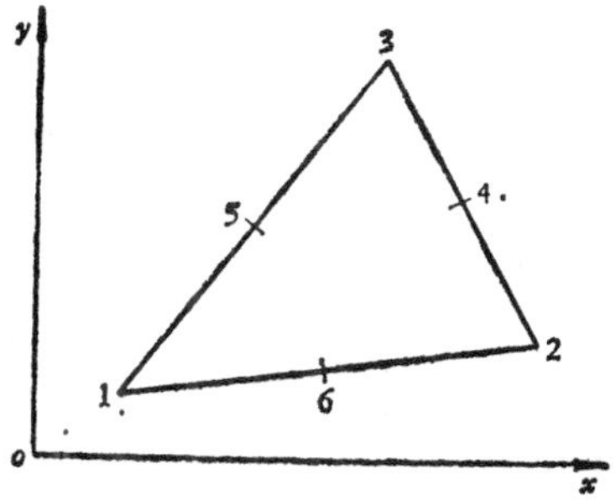

图 22.3

在每一条边上，挠度 w 用三次多项式插入．这样，便可求得在每边中点的 $\partial w/\partial s$．另外，在每边上对 $\partial w/\partial n$ 用线性插入，这样又可求得每边中点上的 $\partial w/\partial n$．经过适当的坐标变换，便可求得每边中点上的 ψ_x 和 ψ_y．再进一步，便可对 ψ_x，ψ_y，w 进行分项插入．对 ψ_x，可以根据在1，2，3，4，5，6六个点上的 ψ_x 值，用一个二次函数插入：

$$\begin{aligned}\psi_x = {} & \xi_1(2\xi_1 - 1)\psi_{x1} + \xi_2(2\xi_2 - 1)\psi_{x2} \\ & + \xi_3(2\xi_3 - 1)\psi_{x3} + 4\xi_2\xi_3\psi_{x4} \\ & + 4\xi_3\xi_1\psi_{x5} + 4\xi_1\xi_2\psi_{x6}. \end{aligned} \tag{22.5}$$

式中 ξ_1，ξ_2，ξ_3 为三角形的无量纲面积坐标．对于 ψ_y 可作相同的插入(只需将上式中的 x 改为 y 便可以了)．有了 ψ_x，ψ_y 的算式，这个元素的应变能密度 U 便可根据下列公式计算：

$$\begin{aligned}U = {} & \frac{1}{2} D_{11}\left(\frac{\partial\psi_x}{\partial x}\right)^2 + D_{12}\frac{\partial\psi_x}{\partial x}\frac{\partial\psi_y}{\partial y} \\ & + D_{16}\frac{\partial\psi_x}{\partial x}\left(\frac{\partial\psi_x}{\partial y} + \frac{\partial\psi_y}{\partial x}\right) + \frac{1}{2}D_{22}\left(\frac{\partial\psi_y}{\partial y}\right)^2 \\ & + D_{26}\frac{\partial\psi_y}{\partial y}\left(\frac{\partial\psi_x}{\partial y} + \frac{\partial\psi_y}{\partial x}\right) \\ & + \frac{1}{2}D_{66}\left(\frac{\partial\psi_x}{\partial y} + \frac{\partial\psi_y}{\partial x}\right)^2. \end{aligned} \tag{22.6}$$

为了计算载荷积分，需要w的插入公式，它可以用前已求得的公式(14.5)，也可以更简便地采用

$$w = \xi_1 w_1 + \xi_2 w_2 + \xi_3 w_3. \tag{22.7}$$

分项插入法是一种十分机动灵活的方法，目前还用得不多．使用得当，有希望得到一些简单而又收敛得较快的结果．

§4.23 离散法线假设

建立协调元素的种种困难，归根结蒂是由于在薄板理论中采用了下列关于法线段的一个假设(通常称为 Kirchhoff 假设)：变形前垂直中面的法线，在变形后仍垂直变形后的中面．命ψ_x，ψ_y为法线在xz及yz平面内的转角，则上述假设要求

$$\psi_x = \frac{\partial w}{\partial x},\ \psi_y = \frac{\partial w}{\partial y}. \tag{23.1}$$

1968 年 Wemper, Oden, Kross[320] 指出，如果放松关于法线的假设，不要求(23.1)在所有点上都成立，而只要求它在若干个预先指定的点上成立，则建立协调的有限元素便比较简单易行了．他们提出的这个假设，后来称为离散法线假设．

上一节介绍的 Stricklin, Haisler, Tisdale, Gunderson[282]提出的9个位移参数的三角形元素，从上节的观点看，是一种分项插入法；从本节的观点看，又是离散法线假设法．这是因为在那里求得的w，ψ_x，ψ_y只在图 22.3 所示的 6 个点上满足公式(23.1)，而在其他的点上，公式(23.1)一般是不成立的．离散法线假设常常可以看作是分项插入法的特殊应用，即对w，ψ_x，ψ_y三个函数进行分项插入，而在拟定插入公式时，尽可能照顾到(23.1)代表的要求．

应用离散法线假设的另一个好处是便于和厚板理论、夹层板理论联系起来(见第八章)，因为在那些理论中，(23.1)代表的假设是完全不用的．这样我们便有了能够彼此过渡的三种理论：处处满足假设(23.1)的薄板理论，在若干离散点上满足假设(23.1)的中间理论，完全不用假设(23.1)的厚板理论．

刘世宁和陈树坚[18]指出，可以用广义变分原理来改进离散法线假设.

薄板的势能Π的算式是(5.3)，其中的应变能密度U是曲率k_x, k_y, k_{xy}的函数. 以前把曲率表示成挠度w的函数，如公式(1.8). 现在把曲率表示成法线转角ψ_x, ψ_y的函数:

$$k_x = -\frac{\partial \psi_x}{\partial x}, \quad k_y = -\frac{\partial \psi_y}{\partial y},$$

$$k_{xy} = -\frac{1}{2}\left(\frac{\partial \psi_x}{\partial y} + \frac{\partial \psi_y}{\partial x}\right). \tag{23.2}$$

这样，应变能密度U便变为ψ_x, ψ_y的函数，它的算式便是(22.6). 前面证明的最小势能原理现在可改说成为：在满足(23.1)及位移边界条件的前提下，求w, ψ_x, ψ_y使Π取最小值. 这是一个条件极值问题. 用拉格朗日乘子，可以把这个条件极值问题化为无条件驻立值问题，相应的泛函，即广义势能Π_g为

$$\begin{aligned}\Pi_g = &\iint_\Omega U dxdy + \iint_\Omega \left[\left(\frac{\partial w}{\partial x} - \psi_x\right) Q_x \right.\\ &\left. + \left(\frac{\partial w}{\partial y} - \psi_y\right) Q_y\right] dxdy - \iint_\Omega pwdxdy \\ &- \int_{C_3} \bar{q} w ds + \int_{C_2+C_3} \overline{M}_n \psi_n ds \\ &- \oint \left(\frac{\partial w}{\partial s} - \psi_s\right) M_{ns} ds.\end{aligned} \tag{23.3}$$

式中ψ_n是矢量(ψ_x, ψ_y)在法向方向的投影，ψ_s是(ψ_x, ψ_y)在切线方向的投影；Q_x, Q_y, M_{ns}是三个拉格朗日乘子，按照它们的力学意义应该是横向剪力和边界上的扭矩，所以直接用了Q_x, Q_y, M_{ns}的代号. 泛函(23.3)的直接证明可见刘世宁、陈树坚的文章. 这个变分原理是§4.8说明的多类变量广义势能原理的前身.

把算式(23.3)代表的广义变分原理用于9个位移参数的三角形元素，则可看到，公式(23.3)中第1,2,6三个积分与元素的刚度矩阵有关，而其余三个积分与元素的广义载荷有关. 在Stricklin, Haisler, Tisdale, Gunderson 的文章中，求元素的刚度矩阵只用了公

式 (23.3) 中的第一个积分，因而所得的结果是偏小了，而刘世宁、陈树坚用了三个积分，结果是偏大了，至于广义载荷，两篇文章都用了相同的三个积分，所得结果当然也是相同的.

为了纠正偏大偏小的缺点，刘世宁、陈树坚提出用一个小于 1 的系数 c 来修正公式 (23.3) 的第二个积分，这样得到

$$
\begin{aligned}
\Pi_g' = \iint_\Omega U dxdy + c \iint_\Omega \Big[\left(\frac{\partial w}{\partial x} - \psi_x\right) Q_x \\
+ \left(\frac{\partial w}{\partial y} - \psi_y\right) Q_y \Big] dxdy - \iint_\Omega pwdxdy \\
- \int_{C_3} \bar{q} w ds + \int_{C_2+C_3} \overline{M}_n \psi_n ds \\
- \oint \left(\frac{\partial w}{\partial s} - \psi_s\right) M_{ns} ds.
\end{aligned}
\tag{23.4}
$$

若取 $c=1$，则公式 (23.4) 返回到 (23.3)，若取 $c=0$，并且在边界上做到 $\psi_s=\partial w/\partial s$，则公式 (23.4) 变为 Stricklin, Haisles, Tisdale, Gunderson 讨论的情况. 刘世宁、陈树坚经过试算，认为取 $c=0.4$ 一般能得到比较满意的结果.

在刘世宁、陈树坚的文章中，载有编制计算程序所需的全部公式，要用时可去查阅.

§4.24 混合参数的有限元素法

上面介绍的各个有限元素法，都是以结点上的广义位移参数作为基本的未知数. 对于基本未知数，还可以有另外两种取法. 一种是把结点上的内力矩选为基本未知数，它相当于结构力学中的力法. 这种力法又相当于平面问题中的位移法，所以本书把它们归并在平面问题中. 还有一种是把结点上的位移与内力矩同时选为基本未知数. 这种方法相当于结构力学中的混合法. 本节简单地介绍一下选用混合参数的有限元素法.

最先使用混合法的是 Herrmann[151][152]. 他研究了三角形元

素. 在1966年的文章中，对于三角形的顶点，各赋予一个位移参数w和三个内力矩参数M_x，M_y，M_{xy}. 在三角形元素内部，w，M_x，M_y，M_{xy}都用线性插入. 在1967年的文章中，Herrmann 又作了一些简化，对于三角形的三个顶点1，2，3，各赋予一个位移参数w，对于三边上的三个中点4，5，6，各赋予一个内力矩参数，即法向弯矩M_n. 在三角形内部，挠度w仍用线性插入，而内力矩M_x，M_y，M_{xy}则认为是三个常数. 不难看到，按上面两种方法进行插入，在两个三角形元素的公共边上保证了w及M_n的连续，但不保证$\partial w/\partial n$的连续.

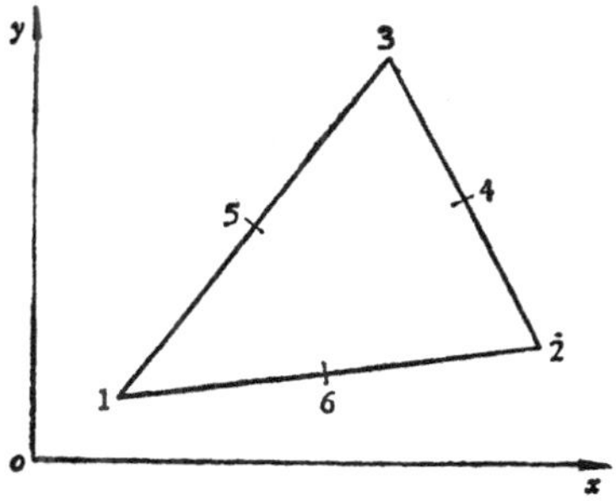

图 24.1

为了建立上面选定的混合参数所满足的联立方程，Herrmann 提出了一个 Reissner 类型的广义变分原理，这个变分原理中的泛函是

$$
\begin{aligned}
\Pi_g = \sum_e \iint_{\Omega_e} \Big\{ & \left(\frac{\partial M_x}{\partial x} + \frac{\partial M_{xy}}{\partial y}\right)\frac{\partial w}{\partial x} \\
& + \left(\frac{\partial M_{xy}}{\partial x} + \frac{\partial M_y}{\partial y}\right)\frac{\partial w}{\partial y} - V - pw \Big\} dxdy \\
& - \sum_e \oint M_{ns}\frac{\partial w}{\partial s} ds - \int_{C_3} \bar{q} w ds \\
& - \int_{C_1} M_n \bar{\phi}_n ds. \qquad (24.1)
\end{aligned}
$$

式中$\sum_e$是指对元素求和，V是用内力矩表示的余应变能密度，C_1，C_3是整个板的边界中固支和自由的部份. 这个泛函实际上就是公式(7.28)给出的Π_g.

Herrmann 提出的是一种最简单的混合型元素. 不久 Visser[312] 提出用高一次的插入函数来改进 Herrmann 的元素. 仍考虑三角

形的元素如图 24.1 所示. 对图中 1, 2, …, 6 六个结点,各赋予一个位移参数 w, 对 1, 2, 3 三个结点, 各另赋予三个内力矩参数 M_x, M_y, M_{xy}. 这样, 在三角形内部, 挠度 w 就可用一个 x, y 的二次函数进行插入, 而 M_x, M_y, M_{xy} 就可各用线性函数进行插入. 在两个三角形的公共边上, w 及 M_n 仍保持连续.

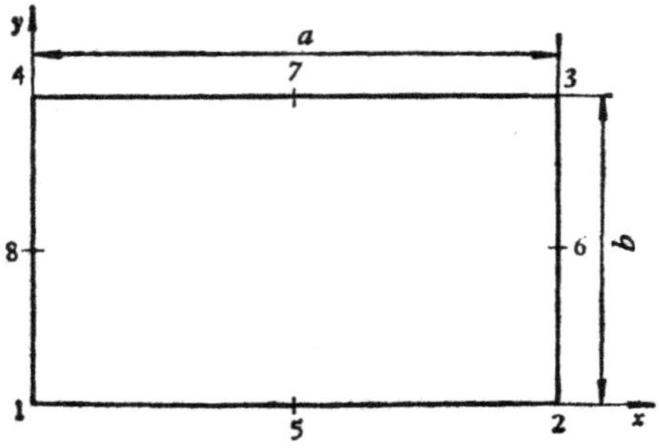

图 24.2

后来 Kikuchi 和 Ando[186]把混合法用于矩形元素. 图 24.2 示一典型的矩形元素. 1, 2, 3, 4 代表四个角点, 5, 6, 7, 8 代表四条边的中点. 对 1, 2, 3, 4 四个结点,各赋予一个位移参数 w,对 5, 6, 7, 8 四点各赋予一个内力矩参数 M_n (5, 7 两点为 M_y, 6, 8 两点为 M_x), 而对 w, M_x, M_y, M_{xy} 采用如下的插入公式

$$
\begin{aligned}
w &= \left(1-\frac{x}{a}\right)\left(1-\frac{y}{b}\right)w_1+\frac{x}{a}\left(1-\frac{y}{b}\right)w_2 \\
&\quad +\frac{x}{a}\frac{y}{b}w_3+\left(1-\frac{x}{a}\right)\frac{y}{b}w_4, \\
M_x &= \frac{x}{a}M_{n6}+\left(1-\frac{x}{a}\right)M_{n8}, \\
M_y &= \left(1-\frac{y}{b}\right)M_{n5}+\frac{y}{b}M_{n7}, \\
M_{xy} &= -2D_{66}\frac{\partial^2 w}{\partial x\partial y}=-\frac{2D_{66}}{ab}(w_1-w_2+w_3-w_4).
\end{aligned}
\tag{24.2}
$$

这样一组插入公式, 保证了在两个元素的公共边上 w 及 M_n 的连续性.

同在 1972 年，Bron 和 Dhatt[76] 也讨论了混合参数的矩形元素. 他们提出了两种做法. 一种做法是把矩形的角点当作结点，每个结点各赋予 w，M_x，M_y，M_{xy} 四个参数，而在元素内部用双线性公式分别对 w，M_x，M_y，M_{xy} 进行插入. 第二种做法是把矩形的四个角点和四个边中点都当作结点，每结点仍赋予 w，M_x，M_y，M_{xy} 四个参数，而在元素内部，对 w，M_x，M_y，M_{xy} 各用下列含有八个系数的多项式进行插入：

$$P = a_1 + a_2x + a_3y + a_4x^2 + a_5xy + a_6y^2 + a_7x^2y + a_8xy^2.$$

1975 年，蔡承武、陈树坚、刘世宁[1]提出了一种新颖的混合型矩形元素. 再参考图 24.2. 对于四个角点，各赋予下列三个位移参数

$$w, \ \frac{\partial^2 w}{\partial x^2}, \ \frac{\partial^2 w}{\partial y^2}.$$

这样，对于每一个矩形元素，共赋予 12 个参数. 在一个元素内，挠度 w 采用(17.3)式进行插入，其中的 12 个待定常数 α，恰好可由上述 12 个参数所决定. 确定挠度以后，通过二次微分，便可确定曲率及扭曲率，然后再通过内力矩曲率关系确定内力矩. 按照上面说明的方法进行插入，在矩形的每一个边界上，w 是弧长的三次函数，它正好可以由此边两端的 4 个参数所完全决定；法向曲率 $\partial^2 w/\partial n^2$ 是弧长的一次函数，它正好可以由此边两端的两个参数所决定. 由此可知，在两个元素的公共边上，w，$\partial^2 w/\partial x^2$，$\partial^2 w/\partial y^2$ 是连续的，因而 M_n 也是连续的. 但法向斜率 $\partial w/\partial n$ 并不一定连续. 从 w，M_n 的连续性和 $\partial w/\partial n$ 的不连续性着眼，蔡、陈、刘的做法和 Herrmann 的做法有相同之处，这大概就是他们自称为混合型有限元素的原因. 从基本未知函数来看，他们的方法也可看作是一种位移法，并且是一种一方面协调不足 ($\partial w/\partial n$ 不连续)而另一方面又过份 ($\partial^2 w/\partial x^2$，$\partial^2 w/\partial y^2$ 连续)的元素.

最近 Reddy 和 Tsay[258][308] 提出了一种矩形混合元素. 他们的做法与蔡、陈、刘的做法十分相似. 对于矩形的每个角点，赋予

三个混合参数 w, M_x, M_y. 如果利用应力应变关系将 M_x,M_y 转换成 $\partial^2 w/\partial x^2$, $\partial^2 w/\partial y^2$, 那就与蔡、陈、刘的做法完全相同了. 在矩形内部, Reddy 和 Tsay 对 w, M_x, M_y 各用双线性插入. 他们曾用这种矩形元素计算过矩形板的平衡、稳定和振动问题,据称得到了满意的结果.

混合法的优点是选用插入函数比较简单, 但它们的缺点是最后得到的联立方程的系数矩阵,不是一个正定的矩阵,因此在求解联立方程时必须给予注意. 这大概就是混合法目前应用不广的原因.

§ 4.25 半无限长板的弯曲问题

设有一块等厚度的、正交各向异性的半无限长板, 如图 25.1 所示. 板的两条半无限长边为固支或简支,而在短边上已知挠度及其法向斜率. 板上可以有分布载荷 p, 但假定 p 在无穷远处等于零. 挠度 w 应满足下列方程和边界条件.

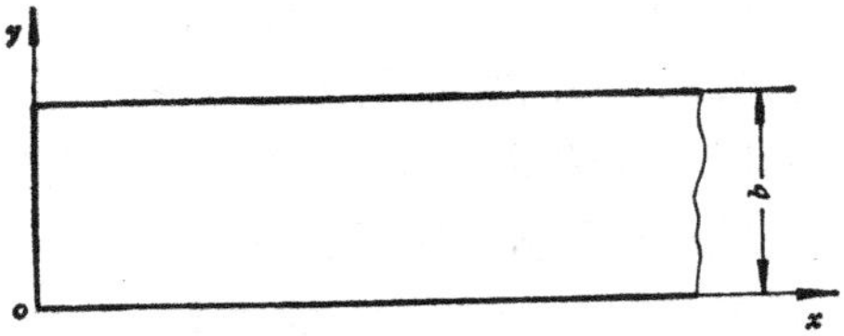

图 25.1

$$D_{11}\frac{\partial^4 w}{\partial x^4}+2(D_{12}+2D_{66})\frac{\partial^4 w}{\partial x^2\partial y^2}+D_{22}\frac{\partial^4 w}{\partial y^4}=p, \quad (25.1)$$

在 $y=0$ 及 $y=b$ 处:

固支时 $\quad w=0, \quad \dfrac{\partial w}{\partial y}=0, \qquad (25.2a)$

简支时 $\quad w=0, \quad \dfrac{\partial^2 w}{\partial y^2}=0. \qquad (25.2b)$

在 $x=0$ 处

$$w=\bar{w},\ \frac{\partial w}{\partial x}=\bar{\Phi}, \tag{25.3}$$

在 $x=\infty$ 处:

$$w=0. \tag{25.4}$$

式中 $\bar{w}$, $\bar{\Phi}$ 是已知的 y 的函数.

如果板的两条长边都是简支的，那末这个问题可用单级数法求得精确解. 具体解法如下：将 $w(x, y)$ 展开成 y 的正弦级数

$$w(x, y)=\sum_{m=1}^{\infty} w_m(x)\sin\frac{m\pi y}{b}. \tag{25.5}$$

同时把已知量 $p(x, y)$, $\bar{w}(y)$, $\bar{\Phi}(y)$ 也展成类似的级数

$$p(x, y)=\sum_{m=1}^{\infty} p_m(x)\sin\frac{m\pi y}{b},$$

$$\bar{w}(y)=\sum_{m=1}^{\infty} \bar{w}_m\sin\frac{m\pi y}{b}, \tag{25.6}$$

$$\bar{\Phi}(y)=\sum_{m=1}^{\infty} \bar{\Phi}_m\sin\frac{m\pi y}{b}.$$

算式(25.5)已满足了半无限长边上的简支条件. 将(25.5),(25.6)代入(25.1),(25.2),(25.4)得到关于 w_m 的微分方程和边界条件:

$$D_{11}\frac{d^4w_m}{dx^4}-2(D_{12}+2D_{66})\frac{m^2\pi^2}{b^2}\frac{d^2w_m}{dx^2}+D_{22}\frac{m^4\pi^4}{b^4}w_m=p_m, \tag{25.7}$$

$$\text{在 } x=0 \text{ 处: } w_m=\bar{w}_m,\ \frac{dw_m}{dx}=\bar{\Phi}_m, \tag{25.8}$$

$$\text{在 } x=\infty \text{ 处: } w_m=0. \tag{25.9}$$

设 w_{mp} 是方程 (25.7) 的某一特解，但要使它在无穷远处等于零. 考虑到条件 (25.9)，方程 (25.7) 的解可取为

$$w_m=w_{mp}+A_me^{-\alpha\frac{m\pi x}{b}}+B_me^{-\beta\frac{m\pi x}{b}}, \tag{25.10}$$

式中 A_m, B_m 为积分常数，而 α, β 是下列代数方程的实部大于零

的两个根：

$$D_{11}\lambda^4 - 2(D_{12} + 2D_{66})\lambda^2 + D_{22} = 0. \tag{25.11}$$

常数 A_m，B_m 可由边界条件 (25.8) 决定：

$$A_m + B_m = \bar{w}_m - w_{mp}(0),$$
$$\alpha A_m + \beta B_m = -\frac{b}{m\pi}[\bar{\Phi}_m - w'_{mp}(0)]. \tag{25.12}$$

如果板的两条长边不全是简支的，那末目前还没有精确解法而不得不用近似解法．根据变分原理的近似解法，最常用的有 Канторович 法[1)]和有限条法两种．下面先介绍 Канторович 法．

Канторович 法是里兹法的改进．它的特点是一个方向用里兹法求近似解，另一个方向仍根据微分方程求精确解．在矩形薄板的弯曲问题中，Папкович[340] 首先说明了 Канторович 法的步骤和应用．先根据具体情况适当地选取 N 个函数 $\varphi_m(y)$，使它们满足长边上的边界条件 (25.2)，然后把 $w(x, y)$ 近似地表示成为

$$w(x, y) = \sum_{m=1}^{N} w_m(x)\varphi_m(y), \tag{25.13}$$

式中 $w_m(x)$ 为待定的 x 的函数，它们可根据某个变分原理来决定．最适用的变分原理要算是三类变量广义变分原理 (8.6)．设曲率与挠度的关系已经满足，于是 (8.6) 中的面积分只剩下一项

$$\iint_{\Omega}\left(\frac{\partial Q_x}{\partial x} + \frac{\partial Q_y}{\partial y} + p\right)\delta w dxdy = 0.$$

对于均匀的正交各向同性的板，这也就是

$$\iint_{\Omega}\left\{D_{11}\frac{\partial^4 w}{\partial x^4} + 2(D_{12} + 2D_{66})\frac{\partial^4 w}{\partial x^2\partial y^2} + D_{22}\frac{\partial^4 w}{\partial y^4} - p\right\}\delta w dxdy = 0. \tag{25.14}$$

又由于长边上的边界条件已经满足，(8.6) 中的线积分只剩下短边上的两项

---

1) 对 Канторович 法的一般说明可见 Канторович 和 Крылов 的书[336]．

$$\int_0^b \left\{ (w - \bar{w}) \delta \left(\frac{\partial M_{xy}}{\partial y} + Q_x \right) - \left(\frac{\partial w}{\partial x} - \bar{\Phi} \right) \delta M_x \right\} \Bigg|_{x=0} dx = 0. \tag{25.15}$$

从变分式 (25.14) 可导出 $w_m(x)$ 应满足的微分方程

$$\sum_{j=1}^{N} \left\{ D_{11} A_{ij} \frac{d^4 w_j}{dx^4} - 2(D_{12} + D_{66}) B_{ij} \frac{d^2 w_j}{dx^2} + D_{22} C_{ij} w_j \right\} - p_i = 0, \quad i = 1, 2, \cdots, N \tag{25.16}$$

其中

$$A_{ij} = \frac{1}{b} \int_0^b \varphi_i \varphi_j dy,$$

$$B_{ij} = -\frac{1}{b} \int_0^b \varphi_i \frac{d^2 \varphi_j}{dy^2} dy = \frac{1}{b} \int_0^b \frac{d\varphi_i}{dy} \frac{d\varphi_j}{dy} dy,$$

$$C_{ij} = \frac{1}{b} \int_0^b \varphi_i \frac{d^4 \varphi_j}{dy^4} dy = \frac{1}{b} \int_0^b \frac{d^2 \varphi_i}{dy^2} \frac{d^2 \varphi_j}{dy^2} dy, \tag{25.17}$$

$$p_i = \frac{1}{b} \int_0^b p \varphi_i dy.$$

方程 (25.16) 是常系数常微分方程组，可以用常规的或别的办法求解．方程 (25.16) 的通解含有 $4N$ 个常数，其中的 $2N$ 个常数可以由在无穷远处的条件决定，另 $2N$ 个常数可以由在短边上的变分条件 (25.15) 决定．在一般的情况下，条件 (25.15) 比较复杂．在有些情况下它也能化为极其简单的形式，例如在

$$\bar{w} = \bar{\Phi} = 0 \tag{25.18}$$

的情况，条件 (25.15) 便可简化为

$$\text{在 } x = 0 \text{ 处：} \quad w_m = 0, \ \frac{dw_m}{dx} = 0. \tag{25.19}$$

容易看到，上面说明的 Канторович 法同样适用于有限长的矩形板，不过在半无限长板，其他许多矩形板的解法大都不适用了，因此更显示出 Канторович 法的优点． 对于长宽比相当大的矩形板，由于两条短边已没有什么交互作用，因此可以把它看作是半无限长的板．这样做比解矩形板方便许多．

用 Канторович 法解题的算例，文献上发表得不多．Gopalacharyulu[137] 的短文是这样的一个算例．

下面再来介绍有限条法．有限条法这个名词是首先由 Cheung（张祐启）[86][87] 提出来的．他的做法是一个方向用级数解，另一个方向用有限元素法．本节介绍的有限条法是一个方向用微分方程求精确解（如果适宜于用级数求精确解，当然仍用级数），另一个方向用有限元素法求近似解．

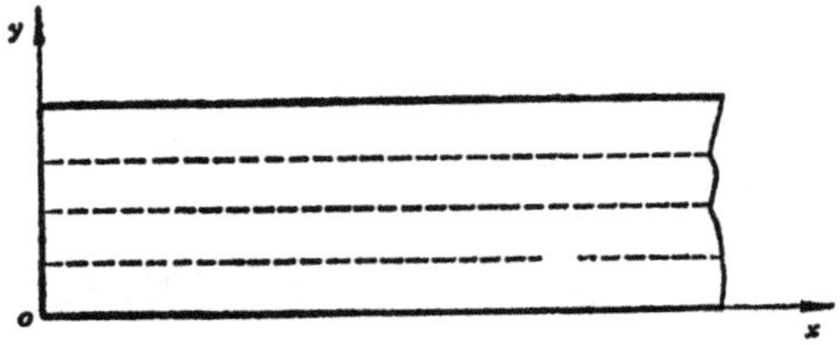

图 25.2

设想用平行于 x 轴的直线将板分割成 N 个有限宽度的半无限长条，如图 25.2 所示．把原有的两条半无限长边以及新作的分割线依次编号，编为 $0, 1, \cdots, N$．设这些线上的挠度与 y 方向的斜率为

$$w_i(x) = w(x, y_i), \ \psi_i(x) = \left.\frac{\partial w}{\partial y}\right|_{y=y_i}. \qquad (25.20)$$

设第 e 个有限条两端的编号为 i 和 j，设它的长度为 l_e．在只涉及一个有限条时，省去下标 e 而简写为 l．和梁的问题相似，在有限条内取一无量纲的局部坐标 α, β，如 § 2.8 的图 8.1 所示．在一个有限条内，对挠度用一个三次多项式进行插入，这样便有

$$\begin{aligned} w = {} & \alpha^2(\alpha + 3\beta)w_i + \alpha^2\beta l\psi_i \\ & + \beta^2(3\alpha + \beta)w_j - \alpha\beta^2 l\psi_j. \end{aligned} \qquad (25.21)$$

在有限条法中，假定位移边界条件都已满足，因此可以用最小势能原理作为近似解法的根据．对于正交各向异性的板，整个板的势能 Π 是

$$\Pi = \frac{1}{2}\int_0^\infty\int_0^b \left\{D_{11}\left(\frac{\partial^2 w}{\partial x^2}\right)^2 + 2D_{12}\frac{\partial^2 w}{\partial x^2}\frac{\partial^2 w}{\partial y^2} + D_{22}\left(\frac{\partial^2 w}{\partial y^2}\right)^2\right.$$

$$+4D_{66}\left(\frac{\partial^2 w}{\partial x\partial y}\right)^2-2pw\Big\}dydx. \tag{25.22}$$

又由于边界条件假定已满足，在略去无关紧要的常数之后，上式可简化为

$$\Pi=\frac{1}{2}\int_0^\infty\int_0^b\Big\{D_{11}\left(\frac{\partial^2 w}{\partial x^2}\right)^2+2(D_{12}+2D_{66})\left(\frac{\partial^2 w}{\partial x\partial y}\right)^2$$

$$+D_{22}\left(\frac{\partial^2 w}{\partial y^2}\right)^2-2pw\Big\}dydx. \tag{25.23}$$

与此相应，第 e 个有限条的势能 Π_e 可写成为

$$\Pi_e=\frac{1}{2}\int_0^\infty\int_{y_i}^{y_j}\Big\{D_{11}\left(\frac{\partial^2 w}{\partial x^2}\right)^2+2(D_{12}+2D_{66})\left(\frac{\partial^2 w}{\partial x\partial y}\right)^2$$

$$+D_{22}\left(\frac{\partial^2 w}{\partial y^2}\right)^2-2pw\Big\}dydx. \tag{25.24}$$

将 (25.21) 代入上式，算出对 y 的积分，得到

$$\Pi_e=\frac{1}{2}\int_0^\infty\Big\{\frac{d^2\boldsymbol{u}_e^T}{dx^2}\boldsymbol{A}_e\frac{d^2\boldsymbol{u}_e}{dx^2}+\frac{d\boldsymbol{u}_e^T}{dx}B_e\frac{d\boldsymbol{u}_e}{dx}$$

$$+\boldsymbol{u}_e^T\boldsymbol{C}_e\boldsymbol{u}_e-2\boldsymbol{F}_e^T\boldsymbol{u}_e\Big\}dx, \tag{25.25}$$

其中 $\boldsymbol{u}_e$ 为由 i，j 两边上的位移参数组成的列矢量，即

$$\boldsymbol{u}_e=[w_i\quad \psi_i\quad w_j\quad \psi_j]^T, \tag{25.26}$$

$\boldsymbol{F}_e$ 是相应的广义载荷：

$$\boldsymbol{F}_e^T\boldsymbol{u}_e=\int_{y_i}^{y_j}pwdy, \tag{25.27}$$

而 $\boldsymbol{A}_e$，$\boldsymbol{B}_e$，$\boldsymbol{C}_e$ 是三个 4×4 的矩阵，它们的算式是

$$\boldsymbol{A}_e=D_{11}l\begin{bmatrix}\frac{13}{35} & \frac{11}{210}l & \frac{9}{70} & -\frac{13}{420}l\\ & \frac{1}{105}l^2 & \frac{13}{420}l & -\frac{1}{140}l^2\\ \text{对} & & \frac{13}{15} & -\frac{11}{210}l\\ & & \text{称} & \frac{1}{105}l^2\end{bmatrix}, \tag{25.28a}$$

$$
\boldsymbol{B}_e = \frac{2(D_{12} + 2D_{66})}{l}\begin{bmatrix} \frac{6}{5} & \frac{1}{10}l & -\frac{6}{5} & \frac{1}{10}l \\ & \frac{2}{15}l^2 & -\frac{1}{10}l & -\frac{2}{15}l^2 \\ & \text{对} & \frac{6}{5} & -\frac{1}{10}l \\ & & \text{称} & \frac{2}{15}l^2 \end{bmatrix}, \tag{25.28b}
$$

$$
\boldsymbol{C}_e = \frac{D_{22}}{l^3}\begin{bmatrix} 12 & 6l & -12 & 6l \\ & 4l^2 & -6l & 2l^2 \\ & \text{对} & 12 & 6l \\ & & \text{称} & 4l^2 \end{bmatrix}. \tag{25.28c}
$$

将各个有限条的势能加起来，便得到整个板的势能，它可以表达为

$$
\Pi = \frac{1}{2}\int_0^\infty \left\{ \frac{d^2\boldsymbol{u}^T}{dx^2}\boldsymbol{A}\frac{d^2\boldsymbol{u}}{dx^2} + \frac{d\boldsymbol{u}^T}{dx}\boldsymbol{B}\frac{d\boldsymbol{u}}{dx} + \boldsymbol{u}^T\boldsymbol{C}\boldsymbol{u} - 2\boldsymbol{F}^T\boldsymbol{u} \right\} dx. \tag{25.29}
$$

这里 $\boldsymbol{u}$ 是由全部位移参数组成的列矢量，而 $\boldsymbol{A}, \boldsymbol{B}, \boldsymbol{C}, \boldsymbol{F}$ 是由 $\boldsymbol{A}_e$，$\boldsymbol{B}_e$，$\boldsymbol{C}_e$，$\boldsymbol{F}_e$ 经扩张后再叠加而得到的矩阵：

$$
\boldsymbol{A} = \sum_e \boldsymbol{A}_e, \quad \boldsymbol{B} = \sum_e \boldsymbol{B}_e,
$$

$$
\boldsymbol{C} = \sum_e \boldsymbol{C}_e, \quad \boldsymbol{F} = \sum_e \boldsymbol{F}_e. \tag{25.30}
$$

写出与泛函 (25.29) 相应的欧拉方程，便得到一组常微分方程

$$
\boldsymbol{A}\frac{d^4\boldsymbol{u}}{dx^4} - \boldsymbol{B}\frac{d^2\boldsymbol{u}}{dx^2} + \boldsymbol{C}\boldsymbol{u} = \boldsymbol{F}. \tag{25.31}
$$

这组方程加上适当的边界条件后便可唯一地决定 $\boldsymbol{u}$.

上面说明的有限条法显然适用于有限长的矩形板．不过在长宽比很大的矩形板中，有限条法的优点更为突出．

Канторович 法和有限条法，最后都是把矩形板的问题化为常微分方程组的问题． 但是比较起来，有限条法更实用一些．这主

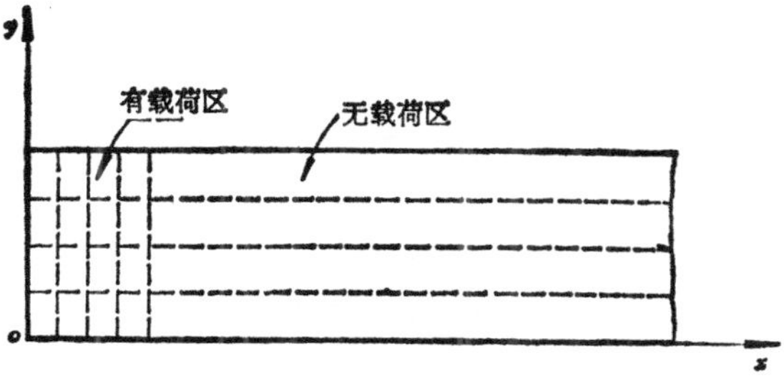

图 25.3

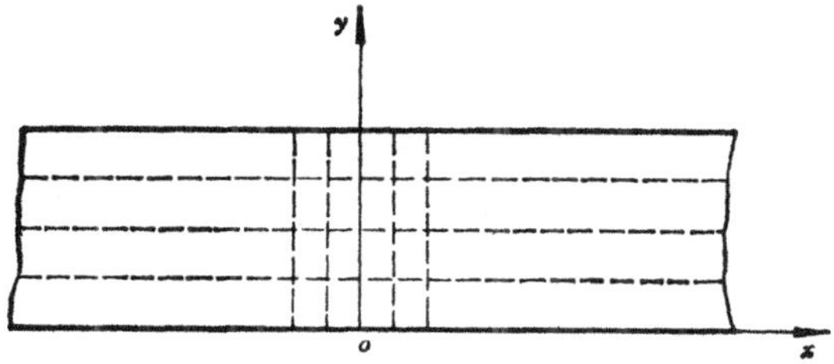

图 25.4

要有下列两方面的原因：首先是有限条法便于和有限元素法联合应用．例如图 25.3，25.4 所示的两块板，只在有限的区域有分布载荷．于是可以在有载荷的地方用有限元素法而在无载荷的地方用有限条法．如果载荷比较有规则，那末当然单用有限条法更省事一些．其次是有限条法中的系数矩阵 $\boldsymbol{A}, \boldsymbol{B}, \boldsymbol{C}$ 比较规则，这使得计算 $\boldsymbol{A}, \boldsymbol{B}, \boldsymbol{C}$ 比较省事，使得解微分方程 (25.31) 也比较省事．特别是对于等厚度的板，采用等宽度的有限条后，方程 (25.31) 变为常系数微分差分方程，求解就更容易了．

第五章　薄板的固有振动与稳定性

§5.1　薄板的固有振动

考虑一块变厚度的板，按某一个固有(角)频率 ω 作固有振动．设挠度的振幅为 $w(x, y)$．命板的厚度为 h，材料的密度为 ρ，那末挠度引起的惯性力 p 为

$$p = \omega^2 \rho h w. \tag{1.1}$$

将此代入第四章的方程 (1.6)，便得到固有振动问题中的运动方程．第四章中其他的基本方程 (1.5),(1.15) 继续有效．归纳起来共有

$$\frac{\partial M_x}{\partial x} + \frac{\partial M_{xy}}{\partial y} = Q_x, \quad \frac{\partial M_{xy}}{\partial x} + \frac{\partial M_y}{\partial y} = Q_y, \tag{1.2}$$

$$\frac{\partial Q_x}{\partial x} + \frac{\partial Q_y}{\partial y} + \omega^2 \rho h w = 0, \tag{1.3}$$

$$\begin{bmatrix} M_x \\ M_y \\ M_{xy} \end{bmatrix} = -\begin{bmatrix} D_{11} & D_{12} & D_{16} \\ D_{12} & D_{22} & D_{26} \\ D_{16} & D_{26} & D_{66} \end{bmatrix} \begin{bmatrix} \dfrac{\partial^2 w}{\partial x^2} \\ \dfrac{\partial^2 w}{\partial y^2} \\ 2\dfrac{\partial^2 w}{\partial x \partial y} \end{bmatrix}. \tag{1.4}$$

关于边界条件，仍考虑固支、简支、自由三种典型形式．不过在固有振动问题中，边界条件总是齐次的，因此可写成为

$$\text{在 } C_1 \text{ 上：} \ w = 0, \ \frac{\partial w}{\partial n} = 0, \tag{1.5}$$

$$\text{在 } C_2 \text{ 上：} \ w = 0, \ M_n = 0, \tag{1.6}$$

$$\text{在 } C_3 \text{ 上：} \ M_n = 0, \ \frac{\partial M_{ns}}{\partial s} + Q_n = 0. \tag{1.7}$$

方程 (1.2)—(1.4) 和边界条件 (1.5)—(1.7) 构成了一个完整的偏微分方程的本征值问题.

例如，考虑一块等厚度的、各向同性的、四边简支的矩形板 (图 1.1) 的固有振动问题. 对于这个问题，ρh 是一常数，而方程 (1.4) 简化为

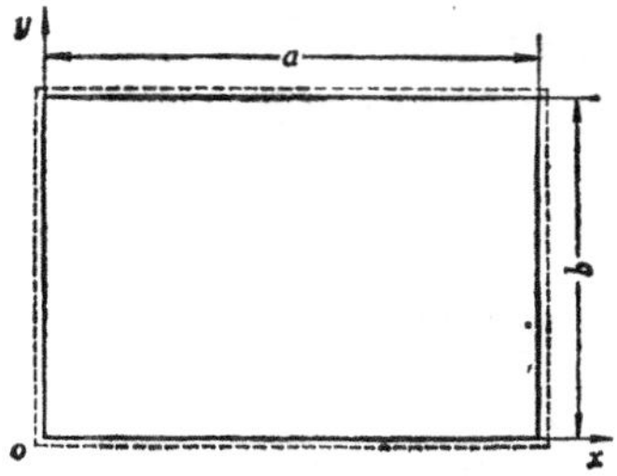

图 1.1

$$\begin{bmatrix} M_x \\ M_y \\ M_{xy} \end{bmatrix} = -D \begin{bmatrix} 1 & \nu & 0 \\ \nu & 1 & 0 \\ 0 & 0 & \dfrac{1-\nu}{2} \end{bmatrix} \begin{bmatrix} \dfrac{\partial^2 w}{\partial x^2} \\ \dfrac{\partial^2 w}{\partial y^2} \\ 2\dfrac{\partial^2 w}{\partial x \partial y} \end{bmatrix}, \tag{1.8}$$

而边界条件简化为

$$\begin{aligned} &\text{在 } x = 0 \text{ 及 } x = a \text{ 处}: \ w = 0,\ M_x = 0, \\ &\text{在 } y = 0 \text{ 及 } y = b \text{ 处}: \ w = 0,\ M_y = 0. \end{aligned} \tag{1.9}$$

为了求解这个问题，取

$$w = A \sin \frac{m\pi x}{a} \sin \frac{n\pi y}{b}, \tag{1.10}$$

式中 A 为任意常数，而 m, n 为正整数. 将此代入 (1.8) 便得到 M_x, M_y, M_{xy}, 由此可知边界条件 (1.9) 已经满足. 将这样得到的 M_x, M_y, M_{xy} 代入(1.2)，得到 Q_x, Q_y, 然后再将 Q_x, Q_y 代入 (1.3)，得到 ω^2 的一个方程

$$-\pi^4 D\left(\frac{m^2}{a^2} + \frac{n^2}{b^2}\right)^2 + \omega^2 \rho h = 0,$$

解出 ω^2，得到

$$\omega^2 = \frac{\pi^4 D}{\rho h}\left(\frac{m^2}{a^2} + \frac{n^2}{b^2}\right)^2. \tag{1.11}$$

任取一组 (m, n) 值，便可得到一个相应的固有频率. 可见在板的

问题中，企图将固有频率按从小到大的顺序来排列，是很不方便的．方便的做法是用两个下标 m，n 来表明某个特定的固有频率，即把公式（1.11）改写成为

$$\omega_{m,n}^2=\frac{\pi^4 D}{\rho h}\left(\frac{m^2}{a^2}+\frac{n^2}{b^2}\right)^2. \tag{1.12}$$

对于其他形状、其他边界条件的板，也都适宜于用两个下标来注明某个特定的固有频率．

从公式（1.12）可以看到，m 增大，ω 增大；n 增大，ω 也增大．由此可以想到，对于某种 $\frac{b}{a}$，两组不同的 (m,n) 值，可能给出相同的固有频率．对于正方形板，这个现象特别明显，因为这时两组不同的 (m,n) 值：(α,β)，(β,α)，显然给出相等的固有频率．对于这样的一个固有频率，相应的固有振型包含有两个不定参数：

$$w=A\sin\frac{\alpha\pi x}{a}\sin\frac{\beta\pi y}{a}+B\sin\frac{\beta\pi x}{a}\sin\frac{\alpha\pi y}{a}.$$

推而广之，如果对于某个固有频率，相应的振型包含有 k 个不定常数：

$$\begin{aligned}w=&A_1w_1(x,y)+A_2w_2(x,y)+\cdots\\&+A_kw_k(x,y),\end{aligned} \tag{1.13}$$

式中 $w_i(x,y)$ 是完全确定的函数，而 A_i 是任意常数，则说这个固有频率是 k 次重根．振型（1.13）中包含有 k 个不定常数，因此通过适当的组合后，可以得到 k 个线性无关的简单振型（即每个振型中只有一个常倍数不确定），并使它们满足一定的正交关系．

目前已经解算出许多板的固有振动问题．大部份结果收集在 Leissa 的报告 [193] 中．读者需要时可以去查阅．

§5.2 关于固有频率的变分式

上节把薄板的固有振动问题提成为一个微分方程的本征值问题．本节再把它转变为一个变分法的问题．

命U为板的单位面积贮存的应变能，若用挠度w来表示，则为

$$U=\frac{1}{2}\left[\frac{\partial^2 w}{\partial x^2},\frac{\partial^2 w}{\partial y^2},2\frac{\partial^2 w}{\partial x\partial y}\right]\times\begin{bmatrix}D_{11} & D_{12} & D_{16}\\ D_{12} & D_{22} & D_{26}\\ D_{16} & D_{26} & D_{66}\end{bmatrix}\begin{bmatrix}\dfrac{\partial^2 w}{\partial x^2}\\ \dfrac{\partial^2 w}{\partial y^2}\\ 2\dfrac{\partial^2 w}{\partial x\partial y}\end{bmatrix}. \tag{2.1}$$

板的固有频率的变分式是

$$\omega^2=\mathrm{st}\frac{2\Pi}{\iint\limits_{\Omega}\rho h w^2 dxdy}, \tag{2.2}$$

其中

$$\Pi=\iint\limits_{\Omega}U dxdy. \tag{2.3}$$

泛函中的自变函数是$w(x,y)$，它应是一种可能位移，即w及其一阶导数应是x,y的连续函数，并且满足下列位移边界条件：

$$\text{在}\ C_1\ \text{上:}\ w=0,\ \frac{\partial w}{\partial n}=0,$$

$$\text{在}\ C_2\ \text{上:}\ w=0. \tag{2.4}$$

板的基本固有频率等于(2.2)式右端的最小值。

用常规的办法可以证明变分式(2.2)与上节中的微分方程的本征值问题等价，但证明的步骤是比较繁长的．为节省篇幅，这里不作证明了．

和梁的问题相似，从变分式(2.2)可以导出固有振型的正交关系，和任意函数对本征函数的展开式．

命

$$w=w_1(x,y),\ w=w_2(x,y) \tag{2.5}$$

是两个不同的固有振型．如果w_1、w_2对应于两个不等的固有频

率 ω_1, ω_2, 那末采用与梁相同的办法立即可以证明

$$\iint_{\Omega} \rho h w_1 w_2 dx dy = 0, \tag{2.6}$$

$$\iint_{\Omega} 2U^{11}(w_1, w_2) dx dy = 0. \tag{2.7}$$

式中 $2U^{11}(w_1, w_2)$ 代表下列函数

$$2U^{11}(w_1, w_2) = \left[\frac{\partial^2 w_1}{\partial x^2}, \frac{\partial^2 w_1}{\partial y^2}, 2\frac{\partial^2 w_1}{\partial x \partial y}\right] \times \begin{bmatrix} D_{11} & D_{12} & D_{16} \\ D_{12} & D_{22} & D_{26} \\ D_{16} & D_{26} & D_{66} \end{bmatrix} \begin{bmatrix} \dfrac{\partial^2 w_2}{\partial x^2} \\ \dfrac{\partial^2 w_2}{\partial y^2} \\ 2\dfrac{\partial^2 w_2}{\partial x \partial y} \end{bmatrix}. \tag{2.8}$$

如果两个振型 (2.5) 相应于相同的一个固有频率, 那末从广义的意义上来说, 它们就未必满足正交关系 (2.6), (2.7). 但是 w_1, w_2 既然相应于同一个固有频率,那末它们的线性组合

$$w = A_1 w_1 + A_2 w_2$$

仍然是这个固有频率的一种振型. 适当地选取 A_1, A_2 作两个新的振型

$$\varphi_1 = \alpha_1 w_1 + \beta_1 w_2, \quad \varphi_2 = \alpha_2 w_1 + \beta_2 w_2, \tag{2.9}$$

就能做到使 φ_1, φ_2 满足正交关系 (2.6), 这只要使常数 α_1, β_1, α_2, β_2 满足下列代数方程便可以了:

$$\alpha_1\alpha_2 \iint_{\Omega} \rho h w_1^2 dx dy + (\alpha_1\beta_2 + \alpha_2\beta_1) \iint_{\Omega} \rho h w_1 w_2 dx dy + \beta_1\beta_2 \iint_{\Omega} \rho h w_2^2 dx dy = 0.$$

这个方程显然是有解的, 并且有无穷多组解. 但我们只要任取其中的一组便可以了.

下面来证明, 当新选定的函数 φ_1, φ_2 满足正交关系 (2.6) 后,

它们必然同时满足了正交关系(2.7). 一个简单的证法如下: 再取一个新的振型

$$w = \varphi_1 + \gamma\varphi_2, \tag{2.10}$$

其中 γ 为一任意常数. w 显然也是同一个固有频率的某种振型. 将(2.10)代入(2.2)求频率, 注意到 φ_1, φ_2 已满足了正交关系(2.6), 便有

$$\begin{aligned}\omega^2 = &\left[\iint_\Omega U(\varphi_1)dxdy + 2\gamma\iint_\Omega U^{11}(\varphi_1, \varphi_2)dxdy\right.\\ &\left.+ \gamma^2\iint_\Omega U(\varphi_2)dxdy\right]\Big/\left[\iint_\Omega \rho h\varphi_1^2 dxdy\right.\\ &\left.+ \gamma^2\iint_\Omega \rho h\varphi_2^2 dxdy\right].\end{aligned} \tag{2.11}$$

因为 ω^2 的值与 γ 的大小无关,由此即可推出

$$\iint_\Omega 2U^{11}(\varphi_1, \varphi_2)dxdy = 0.$$

即 φ_1, φ_2 满足第二个正交关系.

如果一个固有频率相应于 k 个线性无关的固有振型, 那末用类似的办法可以求得 k 个新的振型, 它们之间满足正交关系式(2.6),(2.7).

本书以后所说的固有振型,都是指狭义的固有振型,即彼此之间满足正交关系的固有振型.

前已说明, 用一个编号来排列板的固有频率和固有振型是有困难的. 以后我们一般地采用两个编号的办法. 固有振型记为 $w_{ij}(x, y)$, 相应的固有频率记为 ω_{ij}. 对于不同的编号, 振型各不相同,但固有频率却有可能相同.

任意一个可能位移 $w(x, y)$, 可以展开成固有振型的级数

$$w(x, y) = \sum_i \sum_j \xi_{ij} w_{ij}(x, y). \tag{2.12}$$

系数 ξ_{ij} 可由下式决定

$$\xi_{ij}=\left[\iint_{\Omega}\rho h w w_{ij}dxdy\right]\Big/\left[\iint_{\Omega}\rho h w_{ij}^2 dxdy\right]. \qquad (2.13)$$

级数 (2.12) 的收敛性的证明和梁的情况相同，这里从略了.

变分式 (2.2) 中的分子，代表了振动过程中板具有的最大的应变能的两倍. 因为在固有振动中没有外载荷，它又代表了最大的势能的两倍. 若用二类变量广义势能 Π_2 代替原来的普通的势能 Π，便得到了关于固有频率的二类变量广义变分原理[1]:

$$\omega^2=\mathrm{st}\frac{2\Pi_2}{\iint_{\Omega}\rho h w^2 dxdy}. \qquad (2.14)$$

式中的二类变量广义势能 Π_2 可在 § 4.7 的公式 (7.1) 中命

$$p=\bar{w}=\bar{q}=\bar{\Phi}_n=\bar{M}_n=0$$

而得到. 这样便有

$$\Pi_2=\iint_{\Omega}\left(-M_x\frac{\partial^2 w}{\partial x^2}-2M_{xy}\frac{\partial^2 w}{\partial x\partial y}-M_y\frac{\partial^2 w}{\partial y^2}-V\right)dxdy$$
$$-\int_{C_1+C_2}\left(\frac{\partial M_{ns}}{\partial s}+Q_n\right)wds+\int_{C_1}M_n\frac{\partial w}{\partial n}ds. \qquad (2.15)$$

在这个泛函中，w，M_x，M_y，M_{xy} 是四个独立的自变函数，并且事前不必满足任何边界条件. 再推广一步，若用三类变量广义势能代替普通的势能，便得到关于固有频率的三类变量广义变分原理

$$\omega^2=\mathrm{st}\frac{2\Pi_3}{\iint_{\Omega}\rho h w^2 dxdy}. \qquad (2.16)$$

式中的三类变量广义势能 Π_3 可从 § 4.8 的公式 (8.1) 导出:

$$\Pi_3=\iint_{\Omega}\left\{-\left(k_x+\frac{\partial^2 w}{\partial x^2}\right)M_x-2\left(k_{xy}+\frac{\partial^2 w}{\partial x\partial y}\right)M_{xy}\right.$$
$$\left.-\left(k_y+\frac{\partial^2 w}{\partial y^2}\right)M_y+U\right\}dxdy$$

---

1) 这个变分原理实质上是首先由舒德坚、施振东[34]提出，并作了应用.

$$-\int_{C_1+C_2}\left(\frac{\partial M_{ns}}{\partial s}+Q_n\right)w ds+\int_{C_1}M_n\frac{\partial w}{\partial n}ds. \quad (2.17)$$

在这个泛函中，U 看作是曲率 k_x, k_y, k_{xy} 的函数，而 $w, k_x, k_y, k_{xy}, M_x, M_y, M_{xy}$ 等 7 个函数看作是独立无关的自变函数，并且事前不必满足任何边界条件。如果在(2.17)中曲率和内力矩满足 § 4.1 中的关系式 (1.10)，那末 (2.17) 便简化为 (2.15)。

和平衡问题相同，泛函 (2.15) 和 (2.17) 中的自变函数，允许有一定程度的不连续性，这就是说可以把这些自变函数看作是广义函数。

变分式 (2.2) 相当于平衡问题中的最小势能原理，这是因为两者都以挠度 w 为基本未知函数，并且都要求 w 事先满足位移边界条件。变分式(2.14)和(2.16)相当于平衡问题中的广义势能原理。下面再介绍一个关于固有频率的变分原理，它相当于平衡问题中的最小余能原理。在薄板的振动问题中，这样的变分原理是由胡海昌[13]首先得到的。后来 Gladwell 和 Zimmermann[136] 导出了完全相同的结果。

为了推导这样一个变分式，先把微分方程改写一下。在 $\omega \neq 0$ 的情况下，命

$$\ddot{w} = -\omega^2 w. \quad (2.18)$$

$\ddot{w}$ 代表板中面各点的加速度。把 $\ddot{w}$ 及 M_x, M_y, M_{xy} 当作未知函数，那末基本方程可写成为

$$\frac{\partial M_x}{\partial x}+\frac{\partial M_{xy}}{\partial y}=Q_x, \quad \frac{\partial M_{xy}}{\partial x}+\frac{\partial M_y}{\partial y}=Q_y, \quad (2.19)$$

$$\frac{\partial Q_x}{\partial x}+\frac{\partial Q_y}{\partial y}-\rho h\ddot{w}=0, \quad (2.20)$$

$$\begin{bmatrix} \dfrac{\partial^2 \ddot{w}}{\partial x^2} \\ \dfrac{\partial^2 \ddot{w}}{\partial y^2} \\ 2\dfrac{\partial^2 \ddot{w}}{\partial x \partial y} \end{bmatrix} = \omega^2 \begin{bmatrix} d_{11} & d_{12} & d_{16} \\ d_{12} & d_{22} & d_{26} \\ d_{16} & d_{26} & d_{66} \end{bmatrix} \begin{bmatrix} M_x \\ M_y \\ M_{xy} \end{bmatrix}. \quad (2.21)$$

至于边界条件，仍考虑固支、简支、自由三种典型情况．命 $V(M_x, M_y, M_{xy})$ 是板的余应变能密度．关于固有频率的另一个变分式是

$$\omega^2 = \mathrm{st}\frac{\iint_\Omega \rho h \ddot{w}^2 dxdy}{2\iint_\Omega V dxdy}. \tag{2.22}$$

在这个变分式中，自变函数 $\ddot{w}$, M_x, M_y, M_{xy}（和平衡问题相同，Q_x, Q_y 只看作是一种缩写，不算自变函数）应满足运动方程(2.20)及有关力的边界条件：

$$\text{在 } C_2 \text{ 上：} \quad M_n = 0,$$

$$\text{在 } C_3 \text{ 上：} \quad M_n = 0, \ \frac{\partial M_{ns}}{\partial s} + Q_n = 0. \tag{2.23}$$

变分式 (2.22) 相当于平衡问题中的最小余能原理，这是因为两者都要求预先满足平衡或运动方程和有关力的边界条件，而变分式可用来代替内力矩挠度关系和有关位移的边界条件．

变分式 (2.2) 和 (2.22) 给出相同的非零本征值和相应的本征函数，但是这两个变分式并不完全等价．这是因为两者给出了性质上不同的零本征值．当板具有刚性自由度时，(2.2) 给出零本征值，相应的状态是挠度为刚性位移，而内力矩全为零．当板是超静定时，(2.22) 也给出零本征值，但是相应的状态是自相平衡的内力矩，而无加速度 $\ddot{w}$．这后一种状态客观上并不存在，因此 (2.22) 的零本征值是混进来的假本征值．这是由于在推导方程 (2.21) 时用 ω^2 乘了 § 4.1 的方程 (1.21)．由于板的问题几乎都是超静定的，所以利用 (2.22) 式求频率的近似值，第一个零频率没有实际意义，其他的频率才有实际意义．在 § 2.18 已经说明，用里兹法求后面的固有频率，所假设的函数必须与前几阶振型正交．现在，与混进来的零频率相应的振型含有任意函数（因为 $\omega = 0$ 一般是一个无穷阶的重根），要与零频率的振型正交很不容易．因此本书对余能变分原理不再作更多的说明．余能变分原理的一些应用可见 Karnopp[179] Tabarrok 和 Sakaguchi[289]，Geradin[135]，Tabarrok[286][287]，Atluri[60]，Tabarrok 和 Sodhi[291]，Brandt[75] 等人的文章.

§5.3 等厚度各向同性矩形板的固有振动

考虑一块等厚度的各向同性的矩形板的固有振动问题. 对于这类问题，挠度 w 满足下列运动方程

$$D\left(\frac{\partial^4 w}{\partial x^4}+2\frac{\partial^4 w}{\partial x^2\partial y^2}+\frac{\partial^4 w}{\partial y^4}\right)-\omega^2\rho h w=0. \tag{3.1}$$

边界条件只考虑固支、简支、自由三种典型情况，因此为

在 $x=0$ 及 $x=a$ 处:

$$w=0 \text{ 或 } \frac{\partial^3 w}{\partial x^3}+(2-\nu)\frac{\partial^3 w}{\partial x\partial y^2}=0, \tag{3.2a}$$

$$\frac{\partial w}{\partial x}=0 \text{ 或 } \frac{\partial^2 w}{\partial x^2}+\nu\frac{\partial^2 w}{\partial y^2}=0, \tag{3.2b}$$

在 $y=0$ 及 $y=b$ 处:

$$w=0 \text{ 或 } \frac{\partial^3 w}{\partial y^3}+(2-\nu)\frac{\partial^3 w}{\partial x^2\partial y}=0, \tag{3.3a}$$

$$\frac{\partial w}{\partial y}=0 \text{ 或 } \frac{\partial^2 w}{\partial y^2}+\nu\frac{\partial^2 w}{\partial x^2}=0. \tag{3.3b}$$

所以问题变为求 ω 及 w，使它们满足方程(3.1)和边界条件 (3.2)，(3.3). 这是一个偏微分方程的本征值问题.

对于四边简支的矩形板，这个问题的解很简单，已在§5.1介绍过了.

如果有一对边 (设它们为 $y=0$ 及 $y=b$) 为简支边，问题也能大大简化. 对于这个问题，边界条件 (3.3) 化为

$$\text{在 } y=0 \text{ 及 } y=b \text{ 处: } w=0,\ \frac{\partial^2 w}{\partial y^2}=0. \tag{3.4}$$

在这种情况下，可以命

$$w(x,y)=X(x)\sin\frac{n\pi y}{b}. \tag{3.5}$$

其中 n 为一正整数，而 X 为待定的 x 的函数．将(3.5)代入(3.1)，消去公因子后得到

$$\frac{d^4X}{dx^4}-\frac{2n^2\pi^2}{b^2}\frac{d^2X}{dx^2}-\left(\frac{\omega^2\rho h}{D}-\frac{n^4\pi^4}{b^4}\right)X=0. \tag{3.6}$$

边界条件 (3.4) 已经满足，边界条件 (3.2) 可简化为

在 $x=0$ 及 $x=a$ 处：

$$X=0 \text{ 或 } \frac{d^3X}{dx^3}-\frac{(2-\nu)n^2\pi^2}{b^2}\frac{dX}{dx}=0, \tag{3.7a}$$

$$\frac{dX}{dx}=0 \text{ 或 } \frac{d^2X}{dx^2}-\frac{\nu n^2\pi^2}{b^2}X=0. \tag{3.7b}$$

可见，对于有相对二边简支的矩形板，原来的偏微分方程本征值问题可简化为常微分方程本征值问题．已有许多作者解算过这个常微分方程的本征值问题．许多结果收集在 Leissa[193] 的报告中．

如果矩形板的边界条件中没有一对边是简支的，那末目前还没有精确解法而只能求诸近似解法．最简单的一种近似解法是瑞利-里兹法．这个方法的步骤如下：取

$$w(x,y)=\sum_{i=1}^{m}\sum_{j=1}^{n}\xi_{ij}X_i(x)Y_j(y), \tag{3.8}$$

其中 $X_i(x)$，$Y_j(y)$ 为已选定的若干个函数，称为坐标函数，ξ_{ij} 为待定的常数．将 (3.8) 代入变分式 (2.2)，算出积分后便得到关于 ξ_{ij} 的代数本征值问题．解这个代数本征值问题，便得到了频率的近似值．瑞利-里兹法在实用上是否有效，在很大程度上依赖于坐标函数是否选取得适当．

有许多作者把 $X_i(x)$ [以及 $Y_j(y)$] 取为一个相当的等剖面梁的固有振型，即命 $X_i(x)$ 为下列常微分方程的本征函数：

$$\frac{d^4X}{dx^4}-\lambda^2X=0, \tag{3.9}$$

在板的固支边上：$X=0,\ \dfrac{dX}{dx}=0,$

在板的简支边上：$X=0,\ \dfrac{d^2X}{dx^2}=0,$

$$\text{在板的自由边上：}\frac{d^2X}{dx^2}=0,\ \frac{d^3X}{dx^3}=0. \tag{3.10}$$

这里 λ 是本征值．对 $Y_j(y)$ 用类似的办法． 容易证明，对于这样选定的坐标函数，在板的固支边和简支边上，满足了应有的两个边界条件，但是在自由边上，却不满足应有的边界条件（设此边平行 y 轴）

$$\frac{\partial^2 w}{\partial x^2}+\nu\frac{\partial^2 w}{\partial y^2}=0,\ \frac{\partial^3 w}{\partial x^3}+(2-\nu)\frac{\partial^3 w}{\partial x\partial y^2}=0, \tag{3.11}$$

而满足了一种人为的边界条件

$$\frac{\partial^2 w}{\partial x^2}=0,\ \frac{\partial^3 w}{\partial x^3}=0. \tag{3.12}$$

这两种边界条件有明显的差别． 虽说在应用变分原理 (2.2) 时事先可以不考虑自由边上的边界条件，但这决不意味着人们可以随意地让 w 去满足其他的边界条件． 在这种情况下，级数 (3.8) 不可能收敛于精确解．关于这个问题的详细的讨论，可见 Bassily 和 Dickinson[65]．

经典的瑞利-里兹法在处理自由边时所遇到的种种困难，促使舒德坚和施振东[34]，Plass、Games、Newson[241]，Austin、Caughfield、Plass[61] 先后提出用 Reissner 类型的二类变量广义变分原理来求解这类问题． 他们独立地推导了关于薄板固有振动问题的广义变分原理，所得结果都相当于变分式 (2.14)． 舒德坚和施振东讨论了两邻边及对角简支、另两边自由的矩形板的固有振动问题．Plass、Games、Newson 计算了正方形悬臂板、以及菱形悬臂板的固有频率．

用瑞利-里兹法求得的频率的近似值是偏大的，这就是说按此法求得的是频率的上限． 但在工程上，频率的下限常常比上限更重要．因此有不少作者提出过种种求频率下限的方法．但目前实用的方法仍不多．一个比较实用的方法是放松边界条件法．这个方法有时称为 Weinstein-钱伟长下限法[1]． 这个方法的精神是把

1）例如见 Weinstein 和钱伟长[30]．

板的位移边界条件适当地放松，于是得到一个新的问题. 如果这个新问题的精确解能够求得，那末新问题的精确解便可作为原有问题的下限. 例如三边简支一边固支的矩形板，如果把固支边放松成为简支边，便得到一个新的四边简支板的问题. 四边简支的矩形板的固有频率可以方便地求得，它就可以作为三边简支一边固支板的频率的下限. 在这个例子中，这个下限的实用意义可能不大，因为边界条件放松得太多了一些. 实用上只能把边界条件适当地稍稍放松一些. 在 Weinstein，钱伟长原来的文章中，他们把固支边上的一个条件

$$\frac{\partial w}{\partial n}=0 \tag{3.13}$$

放松成为

$$\int_{CI} p_i(s)\frac{\partial w}{\partial n}ds=0,\ i=1,2,\cdots N. \tag{3.14}$$

这里 $p_i(s)$ 是适当选定的 N 个函数. Weinstein 和钱伟长的做法与后来提出的广义变分原理是一致的. 因为在他们的做法中，除了边界条件 (3.13) 以外，其余的方程和边界条件都已满足，所以根据广义变分原理，边界条件 (3.13) 应被代以

$$\int_{C_1}\frac{\partial w}{\partial n}\delta M_n ds=0. \tag{3.15}$$

若取

$$M_n=\sum_{i=1}^{N}\alpha_i p_i(s), \tag{3.16}$$

其中 $p_i(s)$ 为选定的函数，α_i 为待定的常数，那末在将(3.16)代入(3.15) 后，便得到 (3.14). 由此还可看到，p_i 的选择应尽量接近固支边上 M_n 的分布规律.

§ 5.4 用有限元素法求解板的固有振动问题

根据变分原理近似地求解板的固有振动问题，有两种基本方

法．一种是经典的瑞利-里兹法．这种方法在许多机械振动书籍中讲得很多，在上节已作了简单的说明，这里不再作更多的介绍．另一种是有限元素法．在薄板的振动问题中，有限元素法的具体形式也是多种多样的．其中的核心问题是根据势能积分求元素的刚度矩阵 $\boldsymbol{K}$，和根据动能积分求元素的质量矩阵 $\boldsymbol{M}$．求刚度矩阵的方法和平衡问题相同．因此对应于每一种平衡问题中的有限元素法，几乎都有一种乃至几种振动问题的有限元素法．至于求元素的质量矩阵，有三种基本的方法：

第一种是一致法，即采用与求刚度矩阵相同的元素，和相同的 w 的插入公式．

第二种是分项插入法，即采用与求刚度矩阵相同的元素，但对 w 用另外比较简单的插入公式．在动能的表达式中，只出现 w 本身而不出现它的导数，采用简单一些的插入公式是完全可行的．这样可以简化质量矩阵，最后导至降低频率方程的阶数．分项插入法特别适用于提供质量矩阵，使之与平衡问题中用假设应力杂交法求得的刚度矩阵相配套．在这种做法中，在求元素的刚度矩阵时，只须在元素边界上对挠度进行插入，而在求元素的质量矩阵时，才需要在元素内对挠度进行插入．Dugan、Severn、Taylor[114] 曾用这种方法推广杂交法的三角形元素以求解薄板的振动问题．

第三种是分项分元素法，即根据计算动能积分的需要，重新划分元素，通常是比求刚度矩阵的元素大几倍．这种做法的优点也是能简化质量矩阵和降低频率方程的阶数．

根据分项插入法，每一种质量矩阵可以和许多种刚度矩阵相搭配．所以下面在介绍质量矩阵时，不再规定它应与那种刚度矩阵相搭配．

对于三角形元素，最简单的办法是根据角顶上的挠度 w_1，w_2，w_3 对 w 作线性插入．这样得到

$$w = w_1\xi_1 + w_2\xi_2 + w_3\xi_3. \tag{4.1}$$

这里 ξ_1，ξ_2，ξ_3 仍为无量纲的面积坐标．假设在一个元素内 ρh 为一常数．根据(4.1)求元素的动能积分 T，得到

$$T=\frac{1}{2}\boldsymbol{q}_e^T\boldsymbol{M}_e\boldsymbol{q}_e, \tag{4.2}$$

其中

$$\boldsymbol{q}_e^T=[w_1, w_2, w_3],\ \boldsymbol{M}_e=\frac{\Delta\rho h}{12}\begin{bmatrix}2 & 1 & 1\\ 1 & 2 & 1\\ 1 & 1 & 2\end{bmatrix} \tag{4.3}$$

这里Δ是三角形的面积.

稍复杂一些的办法是采用 § 4.14 中的插入公式 (14.5) (例如见 Anderson、Irons、Zienkiewicz[52] 和 Slyper[277]). 根据这个插入公式计算元素的动能积分，得到

$$T=\frac{1}{2}\boldsymbol{a}^T\boldsymbol{N}\boldsymbol{a}, \tag{4.4}$$

其中

$$\boldsymbol{N}=2\Delta\rho h\begin{bmatrix}\frac{2}{4!} & \frac{1}{4!} & \frac{1}{4!} & \frac{7}{6!} & \frac{7}{6!} & \frac{3}{6!} & \frac{5}{6!} & \frac{5}{6!} & \frac{3}{6!}\\ & \frac{2}{4!} & \frac{1}{4!} & \frac{5}{6!} & \frac{3}{6!} & \frac{7}{6!} & \frac{7}{6!} & \frac{3}{6!} & \frac{5}{6!}\\ & & \frac{2}{4!} & \frac{3}{6!} & \frac{5}{6!} & \frac{5}{6!} & \frac{3}{6!} & \frac{7}{6!} & \frac{7}{6!}\\ & & & \frac{62}{8!} & \frac{38}{8!} & \frac{26}{8!} & \frac{50}{8!} & \frac{26}{8!} & \frac{22}{8!}\\ & & & & \frac{62}{8!} & \frac{22}{8!} & \frac{26}{8!} & \frac{50}{8!} & \frac{26}{8!}\\ & & & & & \frac{62}{8!} & \frac{38}{8!} & \frac{26}{8!} & \frac{50}{8!}\\ & \text{对} & & & & & \frac{62}{8!} & \frac{22}{8!} & \frac{26}{8!}\\ & & \text{称} & & & & & \frac{62}{8!} & \frac{38}{8!}\\ & & & & & & & & \frac{62}{8!}\end{bmatrix}. \tag{4.5}$$

利用 § 4.14 的公式 (14.12)，可把T仍表示为 (4.2) 的形式，其中

的质量矩阵现在是

$$\boldsymbol{M}_e = \overline{\alpha o q_e}^T \boldsymbol{N} \overline{\alpha o q_e}. \tag{4.6}$$

更复杂一些的办法是采用与 § 4.15 中 18 个位移参数三角形过份协调元素相一致的插入公式（例如见 Cowper、Kosko、Lindberg、Olson[99]），以及与 § 4.19 中二次分片插入的三角形协调元素相一致的插入公式(例如见 Dickinson[112]，Orris 和 Petyt[232]）来求元素的质量矩阵.

对于矩形元素，最简单的办法是采用双线性插入. 继续采用 § 4.16 中的无量纲坐标 ξ，η 以及随后几节用过的记号. 双线性插入公式是

$$w = (1-\xi)(1-\eta)w_A + \xi(1-\eta)w_B + \xi\eta w_C + (1-\xi)\eta w_D. \tag{4.7}$$

根据此式计算元素的动能，仍得到 (4.2) 形式的公式，其中

$$\boldsymbol{q}_e = \begin{bmatrix} w_A \\ w_B \\ w_C \\ w_D \end{bmatrix}, \quad \boldsymbol{M}_e = \frac{ab\rho h}{36}\begin{bmatrix} 4 & 2 & 1 & 2 \\ 2 & 4 & 2 & 1 \\ 1 & 2 & 4 & 2 \\ 2 & 1 & 2 & 4 \end{bmatrix}. \tag{4.8}$$

稍复杂一些，每角点可赋予三个位移参数而采用 § 4.17 的插入公式(17.4)(例如见 Dawe[104]，Guyan[146]，Przemieniecki[250])．这样便得到公式(4.9)所示的质量矩阵(录自文献[252]和[104]).

再复杂一些，每角点可赋予 4 个位移参数而采用 § 4.18 的插入公式 (18.3) (例如见 Mei 和 Yang[201])． 这样得到公式 (4.10) 所示的质量矩阵． 公式 (4.10) 只给出矩阵的前 4 列，后 12 列可根据 § 4.18 公式 (18.7) 得到.

Mason[198] 曾用下列三种一致的矩形元素计算过矩形板的固有频率：每角点 3 个位移参数 (见 § 4.17)，每角点 4 个位移参数 (见 § 4.18)，和每角点 6 个位移参数 w，$\frac{\partial w}{\partial x}$，$\frac{\partial w}{\partial y}$，$\frac{\partial^2 w}{\partial x^2}$，$\frac{\partial^2 w}{\partial y^2}$，$\frac{\partial^2 w}{\partial x \partial y}$. Mason 的计算结果表明，每角点 4 个位移参数的有限元素

$$
q_e = \begin{bmatrix} w_A \\ \theta_{xA} \\ \theta_{yA} \\ w_B \\ \theta_{xB} \\ \theta_{yB} \\ w_C \\ \theta_{xC} \\ \theta_{yC} \\ w_D \\ \theta_{xD} \\ \theta_{yD} \end{bmatrix}, \quad M_e = \frac{ab\rho h}{25200} \begin{bmatrix}
3454 & & & & & & & & & & & \\
461 & 80 & & & & & & \text{对} & & & & \\
461 & 63 & 80 & & & & & & & & & \\
1226 & 274 & 199 & 3454 & & & & & \text{称} & & & \\
-274 & -60 & -42 & -461 & 80 & & & & & & & \\
199 & 42 & 40 & 461 & -63 & 80 & & & & & & \\
394 & 116 & 116 & 1226 & -199 & 274 & 3454 & & & & & \\
-116 & -30 & -28 & -199 & 40 & -42 & -461 & 80 & & & & \\
-116 & -28 & -30 & -274 & 42 & -60 & -461 & 63 & 80 & & & \\
1226 & 199 & 274 & 394 & -116 & 116 & 1226 & -274 & -199 & 3454 & & \\
199 & 40 & 42 & 116 & -30 & 28 & 274 & -60 & -42 & 461 & 80 & \\
-274 & -42 & -60 & -116 & 28 & -30 & -199 & 42 & 40 & -461 & -63 & 80
\end{bmatrix} \tag{4.9}
$$

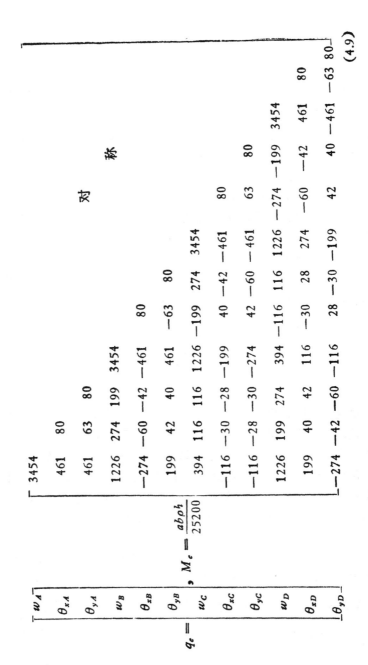

$$q_e = \begin{bmatrix} w_A \\ \theta_{xA} \\ \theta_{yA} \\ \chi_A \\ w_B \\ \theta_{xB} \\ \theta_{yB} \\ \chi_B \\ w_C \\ \theta_{xC} \\ \theta_{yC} \\ \chi_C \\ w_D \\ \theta_{xD} \\ \theta_{yD} \\ \chi_D \end{bmatrix}, \quad M_e = \frac{ab\rho h}{176400} \begin{bmatrix} 24336 & 3432 & 3432 & 484 \\ 3432 & 624 & 484 & 88 \\ 3432 & 484 & 624 & 88 \\ 484 & 88 & 88 & 16 \\ 8424 & 2028 & 1188 & 286 \\ -2028 & -468 & -286 & -66 \\ 1188 & 286 & 216 & 52 \\ -286 & -66 & -52 & -12 \\ 2916 & 702 & 702 & 169 \\ -702 & -162 & -169 & -39 \\ -702 & -169 & -162 & -39 \\ 169 & 39 & 39 & 9 \\ 8424 & 1188 & 2028 & 286 \\ 1188 & 216 & 286 & 52 \\ -2028 & -286 & -468 & -66 \\ -286 & -52 & -66 & -12 \end{bmatrix}. \quad (\text{前4列}) \tag{4.10}$$

法比较适用，既能得到比较精确的结果，又不增加许多工作量.

此外，Kikuchi 和 Ando[187] 曾用元素的广义势能原理（见 § 4.21），Cook[93]，Reddy 和 Tsay[258]，Tsay 和 Reddy[308] 曾用混合法（见 § 4.24）来求元素的质量矩阵.

在振动问题中，首先由 Irons[169]，后来又有 Anderson、Irons、Zienkiewicz[52] 提出了主次两类参数的看法，认为在计算刚度矩阵时，主次参数都应考虑在内，而在计算质量矩阵（还有在稳定问题中用到的几何刚度矩阵）时，可以忽略次参数的作用. 据这几位作者报道，在全部参数中选出约 1/10 作为主参数，便能得到满意的固有频率的近似值（计算临界载荷要选更多一些的主参数）. 在这个问题上，主次参数和分项插入两种观点是很相近的. 若把这些观点再提高一步，则得到了分项分元素的方法.

图 4.1 和 4.2 画出了分项分元素法的一个例子：求刚度矩阵

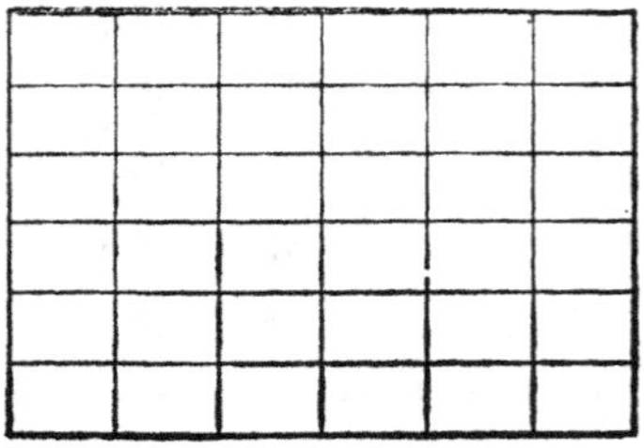

图 4.1

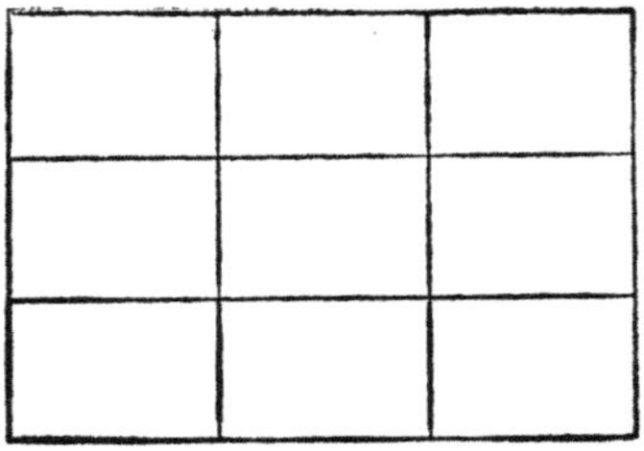

图 4.2

时，用 $6\times6=36$ 个矩形元素，而求质量矩阵时，用 $3\times3=9$ 个矩形元素. 在两种情况下，每结点都赋予相同性质相同数量的位移参数. 这样一来，相当于有 33 个结点没有质量，因而频率方程可降低许多阶.

§5.5 在横向载荷和中面力联合作用下板的弯曲

在第四章讨论薄板的弯曲问题时，假定了应力 $\sigma_x, \sigma_y, \tau_{xy}$ 沿板厚度的合力等于零. 本节考虑这些应力的合力不等于零的情况. 命

$$N_x=\int_{-\frac{h}{2}}^{\frac{h}{2}}\sigma_x dz,\ N_y=\int_{-\frac{h}{2}}^{\frac{h}{2}}\sigma_y dz,\ N_{xy}=\int_{-\frac{h}{2}}^{\frac{h}{2}}\tau_{xy} dz. \tag{5.1}$$

N_x, N_y, N_{xy} 三个量确定了中面内力的情况，它们称为中面内力，简称中面力. N_x, N_y, N_{xy} 的正方向与 $\sigma_x, \sigma_y, \tau_{xy}$ 相同.

在讨论薄板在横向载荷与中面力联合作用下的弯曲问题时，假定中面力是已知的. 后面在简化有些方程和公式时，要用到中面力所满足的平衡方程，它们与弹性力学平面问题中的平衡方程完全相同，即

$$\frac{\partial N_x}{\partial x}+\frac{\partial N_{xy}}{\partial y}=0,\ \frac{\partial N_{xy}}{\partial x}+\frac{\partial N_y}{\partial y}=0. \tag{5.2}$$

当板弯曲后，中面力的作用方向有了改变，但仍旧在挠曲面的切平面内. 中面力方向的改变，产生了一个相当的分布面载荷 p'，它

的大小是

$$p' = N_x \frac{\partial^2 w}{\partial x^2} + \frac{\partial N_x}{\partial x}\frac{\partial w}{\partial x} + N_y \frac{\partial^2 w}{\partial y^2} + \frac{\partial N_y}{\partial y}\frac{\partial w}{\partial y}$$
$$+ 2N_{xy}\frac{\partial^2 w}{\partial x\partial y} + \frac{\partial N_{xy}}{\partial x}\frac{\partial w}{\partial y} + \frac{\partial N_{xy}}{\partial y}\frac{\partial w}{\partial x}$$
$$= \frac{\partial}{\partial x}\left(N_x \frac{\partial w}{\partial x}\right) + \frac{\partial}{\partial x}\left(N_{xy}\frac{\partial w}{\partial y}\right) + \frac{\partial}{\partial y}\left(N_{xy}\frac{\partial w}{\partial x}\right)$$
$$+ \frac{\partial}{\partial y}\left(N_y \frac{\partial w}{\partial y}\right). \tag{5.3}$$

将此相当的法向面布载荷并入原有的面布载荷 p 中，平衡方程变为

$$\frac{\partial Q_x}{\partial x} + \frac{\partial Q_y}{\partial y} + \frac{\partial}{\partial x}\left(N_x \frac{\partial w}{\partial x}\right) + \frac{\partial}{\partial x}\left(N_{xy}\frac{\partial w}{\partial y}\right)$$
$$+ \frac{\partial}{\partial y}\left(N_{xy}\frac{\partial w}{\partial x}\right) + \frac{\partial}{\partial y}\left(N_y \frac{\partial w}{\partial y}\right) + p = 0. \tag{5.4}$$

除了上面的平衡方程，薄板弯曲问题中的内力矩曲率关系，不受中面力的影响.

由于有了中面力，板的弯曲问题的最小势能原理的形式也有了改变. 现在板的总势能共有三项：除了前已说明的弯曲应变能及载荷势能这两项以外，现在增加了中面力的势能. 把前两项仍记为 Π，把后一项记为 W. 根据相当载荷的算式 (5.3) 可以导得

$$W = \iint_\Omega U_m dxdy, \tag{5.5}$$

其中

$$U_m = \frac{1}{2}\left\{N_x\left(\frac{\partial w}{\partial x}\right)^2 + 2N_{xy}\frac{\partial w}{\partial x}\frac{\partial w}{\partial y} + N_y\left(\frac{\partial w}{\partial y}\right)^2\right\}. \tag{5.6}$$

这样在有中面力和横向载荷同时作用时，最小势能原理、二类变量广义势能原理、三类变量广义势能原理的算式变为

$$\delta(\Pi + W) = 0, \tag{5.7}$$
$$\delta(\Pi_2 + W) = 0, \tag{5.8}$$
$$\delta(\Pi_3 + W) = 0, \tag{5.9}$$

其中 Π, Π_2, Π_3 分别由第四章的公式 (5.3), (7.1), (8.1) 给出.

若将 (5.5) 加入 (2.2), (2.14) 和 (2.16) 的分子, 则得到有中面力作用时固有频率的变分式

$$\omega^2 = \mathrm{st} \frac{2(\Pi + W)}{\iint_\Omega \rho h w^2 dxdy}, \tag{5.10}$$

$$\omega^2 = \mathrm{st} \frac{2(\Pi_2 + W)}{\iint_\Omega \rho h w^2 dxdy}, \tag{5.11}$$

$$\omega^2 = \mathrm{st} \frac{2(\Pi_3 + W)}{\iint_\Omega \rho h w^2 dxdy}. \tag{5.12}$$

在梁的问题中,轴向力N会引起一个势能 W, 它的算式是

$$W = \frac{1}{2} \int_0^l N \left(\frac{dw}{dx}\right)^2 dx. \tag{5.13}$$

拿 (5.5) 与 (5.13) 相比较, 可以看到几个不同点. 容易看到的在形式上的不同点是: 面积分与线积分之别,三项之和与一项之别. 还有一个更重要的本质上的区别是: 在梁的问题中,如果已知 N, 那末W不是正的便是负的;但是在板的问题中,即使也已知了 N_x, N_y, N_{xy}, W 一般还是可正可负, 只有在少数特殊情况下,W才有正或负的特性.

§ 5.6 临界载荷举例

平板在中面力作用下(没有横向载荷)有可能失去稳定. 笼统地定性地说, 当中面力很小时, $w = 0$ 的平板状态是唯一的平衡状态,并且也就是稳定的平衡状态. 当中面力很大时,可能会有挠度 $w \neq 0$ 的弯曲的平衡状态, 并且这种弯曲的平衡状态才是稳定的平衡状态, 而原有的平板状态变成不稳定的平衡状态. 这种情况称为板在这些中面力作用下失去了稳定性. 从稳定的到不稳定的中间状态(或称过渡状态), 称为临界状态,相应的中面力称为临

界载荷．在临界载荷作用下，板的小挠度弯曲状态是一种随遇平衡状态．

各种情况下板的临界载荷的计算公式，已收集在许多种手册中[1]，这里不介绍了．本书着重说明与能量法有关的几个问题．本节先介绍几个例子，以说明临界载荷的一些重要特点，以后几节再讨论几个一般性的问题．

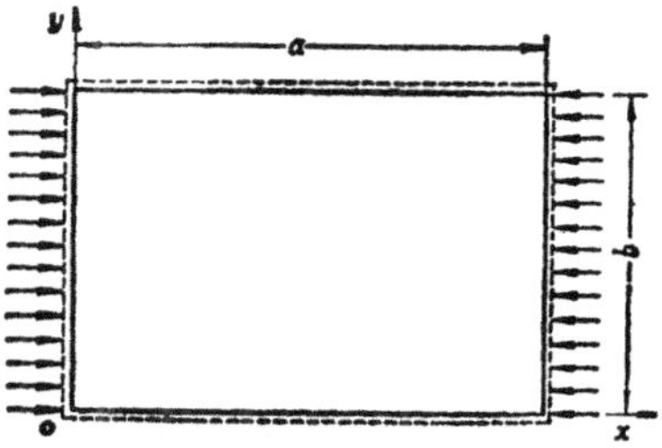

图 6.1

例 1 考虑一块等厚度的各向同性的矩形板，四边简支，在单向均匀压力 p 作用下的稳定性，参考图 6.1．

在这个问题中，

$$N_x = -p = \text{常数},\quad N_y = N_{xy} = 0,$$

相当的横向分布载荷 p' 为

$$p' = -p\frac{\partial^2 w}{\partial x^2}.$$

将此代入等厚度的各向同性板的平衡方程（§ 4.1 (1.24)），得到

$$D\left(\frac{\partial^4 w}{\partial x^4} + 2\frac{\partial^4 w}{\partial x^2 \partial y^2} + \frac{\partial^4 w}{\partial y^4}\right) + p\frac{\partial^2 w}{\partial x^2} = 0. \tag{6.1}$$

简支边的边界条件是

$$\text{在 } x = 0 \text{ 及 } x = a \text{ 处：}\ w = 0,\ \frac{\partial^2 w}{\partial x^2} = 0,$$

$$\text{在 } y = 0 \text{ 及 } y = b \text{ 处：}\ w = 0,\ \frac{\partial^2 w}{\partial y^2} = 0. \tag{6.2}$$

方程 (6.1)，(6.2) 的一个解可取为

$$w = A\sin\frac{m\pi x}{a}\sin\frac{n\pi y}{b}, \tag{6.3}$$

其中 A 为任意常数，而 m，n 为正整数．算式 (6.3) 已满足了边界

1) 例如见 [92]．

条件 (6.2)，将它代入 (6.1)，便得到 p 的算式

$$p=\frac{\pi^2 D}{b^2}\left(\frac{m}{\alpha}+\frac{\alpha n^2}{m}\right)^2,\quad \alpha=\frac{a}{b}. \tag{6.4}$$

正整数 m，n 的取法应使 p 取最小值．显然 n 应取为 1，这样 (6.4) 变为

$$p=\frac{\pi^2 D}{b^2}\left(\frac{m}{\alpha}+\frac{\alpha}{m}\right)^2. \tag{6.5}$$

m 应取的值与 α 的大小有关，

$$\begin{aligned}
&当\ \alpha\leqslant\sqrt{2}\ 时， && m=1,\\
&当\ \sqrt{2}\leqslant\alpha\leqslant\sqrt{b}\ 时， && m=2,\\
&当\ \sqrt{6}\leqslant\alpha\leqslant\sqrt{12}\ 时， && m=3,\\
&当\ \sqrt{12}\leqslant\alpha\leqslant\sqrt{20}\ 时， && m=4,\\
&\cdots\cdots\cdots\cdots
\end{aligned} \tag{6.6}$$

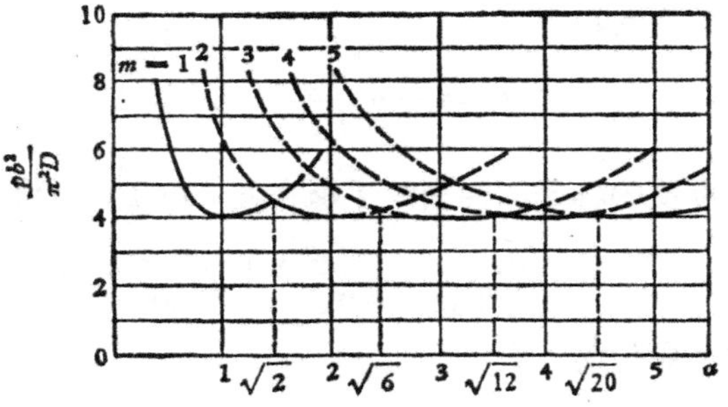

图 6.2

临界载荷 p 随 α 变化的曲线画在图 6.2 中．从这个图可以看到，这条曲线不是一条光滑的曲线，这是由于当 α 逐渐变化时，失稳型式在有些地方有突变．这种现象在板壳问题中是经常遇到的，在梁的问题中遇到得不多，但在 § 2.15 已介绍过这样一个例子．

图 6.2 还揭示一个重要的现象，即在其他参数不变，而只有 a 增加时，临界压力 p 并不是单调下降的．在有些地方，随着 a 的增加 p 却略有增加．从平衡问题看，增加板的长度会降低板的刚度，

临界载荷似乎也应该降低．但实际情况并非如此．这说明人们常说的刚度，是一个不甚确切的概念，不能无条件地用于作各种定量的分析．最好的办法是就每一个具体的问题对刚度下一个确切的定义．

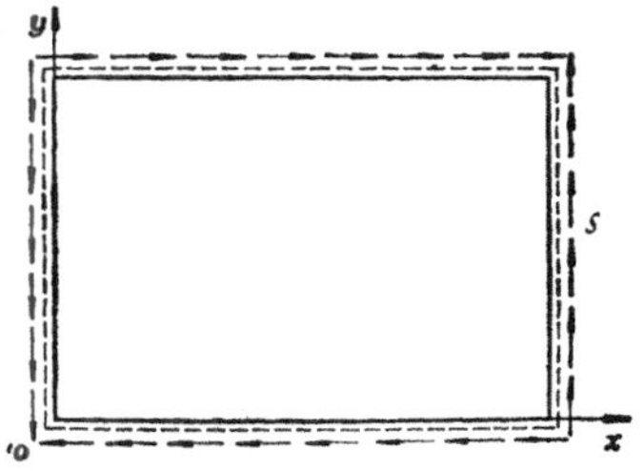

图 6.3

例 2　考虑同上的矩形板在均匀剪力 s 作用下的稳定性．在这个问题中，

$$N_x = N_y = 0, \ N_{xy} = s = 常数, \tag{6.7}$$

平衡方程是

$$D\left(\frac{\partial^4 w}{\partial x^4} + 2\frac{\partial^4 w}{\partial x^2 \partial y^2} + \frac{\partial^4 w}{\partial y^4}\right) - 2s\frac{\partial^2 w}{\partial x \partial y} = 0. \tag{6.8}$$

边界条件仍为(6.2)．这个问题还没有求到精确解，但近似解早已求得．下面我们不来讨论解的具体形式，只指出一个一般的特点．如果

$$s = \lambda, \ w(x, y) = \varphi(x, y) \tag{6.9}$$

是一个本征值和相应的本征函数，那末从对称关系可以看到，

$$s = -\lambda, \ w(x, y) = \varphi(a - x, y) \tag{6.10}$$

也是一个本征值和相应的本征函数．可见在这个问题中有无穷多个正的本征值，也有无穷多个负的本征值，因此临界载荷没法定义为最小的本征值．板不失稳的条件是

$$-\lambda_1 < s < \lambda_1. \tag{6.11}$$

这里 λ_1 是绝对值最小的本征值．如果板不是矩形，而是平行四边形或梯形，那末在均匀的剪力 s 作用下，s 的本征值也有正有负，但绝对值不一定相等．这时板不失稳的条件应写成为

$$\lambda_1^- < s < \lambda_1^+, \tag{6.12}$$

这里 λ_1^- 是负的本征值中绝对值最小的一个，λ_1^+ 是正的本征值中最小的一个．

还有其他许多问题，相应的本征值也都有正有负．对于这一

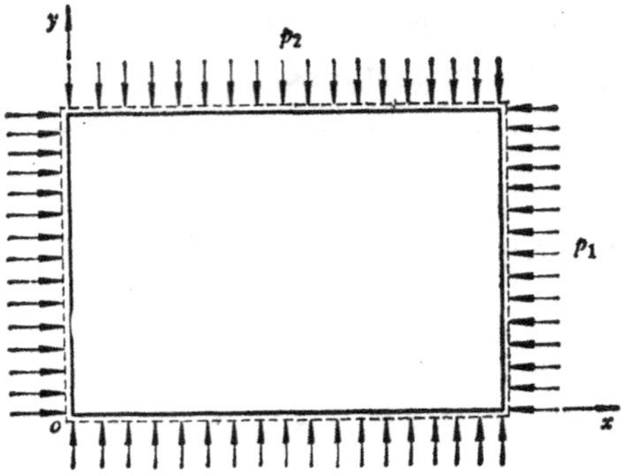

图 6.4

类问题，要用中性平衡的办法来定义临界载荷是相当麻烦的.

例 3　同上的矩形板，在双向均匀压力 p_1, p_2 作用下的稳定性.

在这个问题中，

$$N_x = -p_1 = \text{常数},\ N_y = -p_2 = \text{常数},\ N_{xy} = 0.$$

平衡方程是

$$D\left(\frac{\partial^4 w}{\partial x^4} + 2\frac{\partial^4 w}{\partial x^2 \partial y^2} + \frac{\partial^4 w}{\partial y^4}\right) + p_1\frac{\partial^2 w}{\partial x^2} + p_2\frac{\partial^2 w}{\partial y^2} = 0. \tag{6.13}$$

边界条件仍为 (6.2). 方程(6.13),(6.2)的一个解仍可取为 (6.3). 将 (6.3) 代入方程 (6.13), 得到

$$D\pi^4\left(\frac{m^2}{a^2} + \frac{n^2}{b^2}\right)^2 - p_1\frac{m^2\pi^2}{a^2} - p_2\frac{n^2\pi^2}{b^2} = 0.$$

此式可改写成为

$$\frac{p_1}{\dfrac{\pi^2 D}{b^2}\left(\dfrac{bm}{a} + \dfrac{an^2}{bm}\right)^2} + \frac{p_2}{\dfrac{\pi^2 D}{a^2}\left(\dfrac{an}{b} + \dfrac{bm^2}{an}\right)^2} = 1. \tag{6.14}$$

当 p_1, p_2 满足这个方程时，上述矩形板或处于临界状态，或处于失稳状态，但不可能处于稳定状态. 为了清楚地说明 p_1, p_2 的稳定

区域，可以以 p_1，p_2 为坐标作一平面．方程(6.14)在 p_1，p_2 平面上代表一条直线．任取一组 m，n 值，便可得到一条直线．板保持稳定的范围是在所有这些直线以下．图 6.5 就 $a=b$ 的情况画了几条直线．与每一条直线相应的 m，n 值注在直线的近旁．p_1，p_2 的稳定区在折线 $ABCD$ 以下．

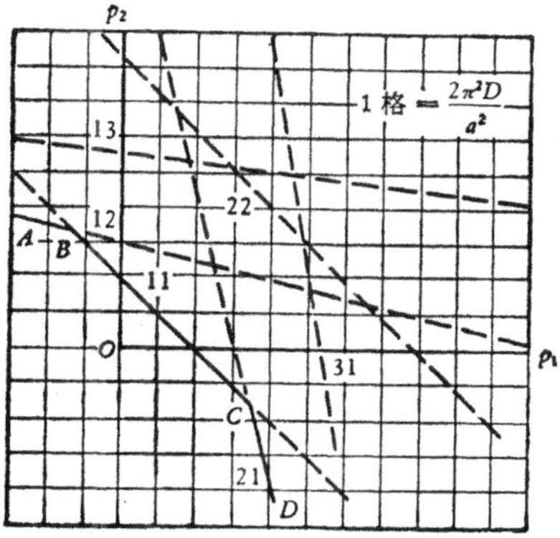

图 6.5

这个例子说明，在多参数的情况下，临界载荷不能简单地定义为最小的本征值．

§5.7 临界载荷的一般特性

上节的例子说明，把随遇平衡作为临界载荷的定义，然后根据这个定义讨论临界载荷的特性，这种做法不很方便．比较方便的做法是就能量泛函的正定性给临界载荷下定义．在稳定性问题中，没有横向载荷，而边界条件又都是齐次的，板的总势能 Π_t 是

$$\Pi_t=\iint\limits_{\Omega}(U+U_m)dxdy. \tag{7.1}$$

式中 U 是板的弯曲应变能密度，U_m 是中面力的势能密度．U 和 U_m 都看作是挠度 w 的泛函，而 w 要求满足位移边界条件．Π_t 是自变函数 w 的一个泛函．当 Π_t 是正泛函时，板是稳定的．当 Π_t 可正可负时，板是不稳定的．当 Π_t 是半正的泛函时，板处于临界状态．所以临界载荷的特点是：与此相应的总势能 Π_t 成为半正的泛函．这个定义对于完全确定的中面力，或对于包含有一个或几个不定参数的中面力都是适用的．

先考虑中面力是完全确定的情况．板是不稳定的，如果我们

能找到一个函数 w 使得

$$\iint_{\Omega}(U+U_m)dxdy<0,$$

即使得

$$\frac{-\iint_{\Omega}U_m dxdy}{\iint_{\Omega}U dxdy}>1.$$

由此可知，若命

$$\frac{1}{\lambda}=\max_{w}\frac{-\iint_{\Omega}U_m dxdy}{\iint_{\Omega}U dxdy}, \tag{7.2}$$

那末板的稳定性的判据便是

$$\begin{aligned}&\text{当 }\lambda>1\text{ 时，板是稳定的，}\\&\text{当 }\lambda=1\text{ 时，板处于临界状态，}\\&\text{当 }\lambda<1\text{ 时，板是不稳定的.}\end{aligned}\tag{7.3}$$

再考虑中面力正比于一个未定参数 p 的情况．这时中面力可写成为

$$N_x=pN_{x1},\ N_y=pN_{y1},\ N_{xy}=pN_{xy1}, \tag{7.4}$$

而 U_m 可写成为

$$\begin{aligned}U_m&=pU_1,\\U_1&=\frac{1}{2}\left\{N_{x1}\left(\frac{\partial w}{\partial x}\right)^2+2N_{xy1}\frac{\partial w}{\partial x}\frac{\partial w}{\partial y}+N_{y1}\left(\frac{\partial w}{\partial y}\right)^2\right\}.\end{aligned}\tag{7.5}$$

因此 (7.1) 变为

$$\Pi_t=\iint_{\Omega}U dxdy+p\iint_{\Omega}U_1 dxdy. \tag{7.6}$$

当 $p=0$ 时，Π_t 显然是正泛函，板也显然处于稳定状态．在一般情况下，泛函

$$W_1=\iint_{\Omega}U_1 dxdy \tag{7.7}$$

是可正可负的，因此为了保持板的稳定性，p 不能太大，也不能太小，(即负得太多)，即板的稳定性的条件可以而且应该写成为

$$\lambda_1^- < p < \lambda_1^+. \tag{7.8}$$

这里 λ_1^+ 是 p 的上限，λ_1^- (它是负数)是 p 的下限． 板的临界状态相应于

$$p = \lambda_1^- \text{ 和 } p = \lambda_1^+. \tag{7.9}$$

在某些特殊情况下，泛函 W_1 是一个正泛函，这时 $p>0$ 就不会使板失去稳定，因此 p 没有上限，于是稳定性的条件可表达为

$$\lambda_1^- < p. \tag{7.10}$$

在另外一些特殊情况下，泛函 W_1 是一个负泛函，这时 $p<0$ 就不会使板失去稳定，因此 p 没有下限，于是稳定性的条件可表达为

$$p < \lambda_1^+. \tag{7.11}$$

如果上限 λ_1^+ 或下限 λ_1^- 存在，那末有如下的变分式:

$$\frac{1}{\lambda_1^-} = \min \frac{-\iint\limits_\Omega U_1 dxdy}{\iint\limits_\Omega U dxdy}, \quad \frac{1}{\lambda_1^+} = \max \frac{-\iint\limits_\Omega U_1 dxdy}{\iint\limits_\Omega U dxdy}. \tag{7.12}$$

命 λ 为下列泛函的驻立值(本征值)

$$\lambda = \operatorname{st} \frac{\iint\limits_\Omega U dxdy}{-\iint\limits_\Omega U_1 dxdy}. \tag{7.13}$$

此式有许多本征值．把大于零的本征值按从小到大的顺序排列 $\lambda_1^+, \lambda_2^+, \cdots\cdots$，把小于零的本征值按从大到小的顺序(即绝对值从小到大的顺序)排列 $\lambda_1^-, \lambda_2^-, \cdots\cdots$． 这样定义的 λ_1^- 和 λ_1^+ 便是稳定区域的下限和上限．

最后来考虑中面力依赖于两个未定参数 p_1, p_2 的情况． 这时中面力的算式是

$$N_x = p_1 N_{x1} + p_2 N_{x2}, \quad N_y = p_1 N_{y1} + p_2 N_{y2},$$
$$N_{xy} = p_1 N_{xy1} + p_2 N_{xy2}, \tag{7.14}$$

而 U_m 可写成为

$$U_m = p_1 U_1 + p_2 U_2,$$
$$U_1 = \frac{1}{2}\left\{N_{x1}\left(\frac{\partial w}{\partial x}\right)^2 + 2N_{xy1}\frac{\partial w}{\partial x}\frac{\partial w}{\partial y} + N_{y1}\left(\frac{\partial w}{\partial y}\right)^2\right\}, \tag{7.15}$$
$$U_2 = \frac{1}{2}\left\{N_{x2}\left(\frac{\partial w}{\partial x}\right)^2 + 2N_{xy2}\frac{\partial w}{\partial x}\frac{\partial w}{\partial y} + N_{y2}\left(\frac{\partial w}{\partial y}\right)^2\right\}.$$

板的总势能的算式变为

$$\Pi_t = \iint_\Omega U dxdy + p_1 \iint_\Omega U_1 dxdy + p_2 \iint_\Omega U_2 dxdy, \tag{7.16}$$

和上节的例子相似，作一个 (p_1, p_2) 平面．于是能使板维持稳定的 (p_1, p_2) 值，在这平面上形成一个稳定区．使板失去稳定的 (p_1, p_2) 值形成一个不稳定区．这两个区域的分界线便相应于临界状态．稳定区的具体位置与问题的具体情况有关．下面证明一个一般的特点，即稳定区必然是一个向外凸的区域．

设

$$p_1 = \lambda_1, \quad p_2 = \lambda_2 \tag{7.17}$$

是分界线上的一点．对应于这一点，板处于临界状态．设相应的失稳形式为

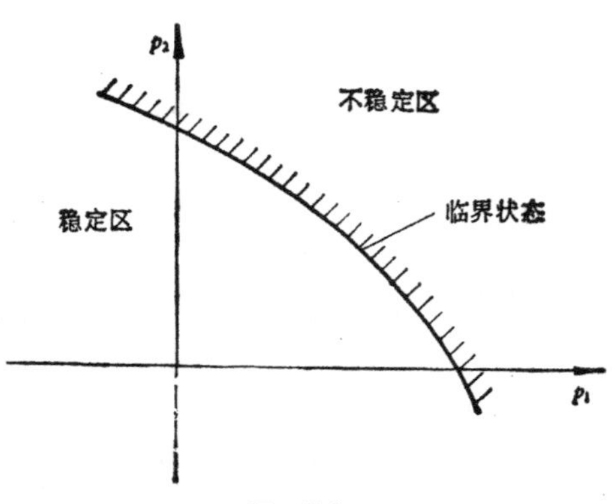

图 7.1

$$w(x, y) = \varphi(x, y). \tag{7.18}$$

根据稳定性的定义，对于 $w = \varphi$，有

$$\iint_{\Omega} U(\varphi)dxdy + \lambda_1 \iint_{\Omega} U_1(\varphi)dxdy + \lambda_2 \iint_{\Omega} U_2(\varphi)dxdy = 0. \tag{7.19}$$

而对应于其他的 w 则有

$$\iint_{\Omega} U(w)dxdy + \lambda_1 \iint_{\Omega} U_1(w)dxdy + \lambda_2 \iint_{\Omega} U_2(w)dxdy > 0. \tag{7.20}$$

通过点 (λ_1, λ_2) 作一条直线

$$\iint_{\Omega} U(\varphi)dxdy + p_1 \iint_{\Omega} U_1(\varphi)dxdy + p_2 \iint_{\Omega} U_2(\varphi)dxdy = 0. \tag{7.21}$$

这条直线上的任一点，都只可能在分界线上，或在不稳定区域内，但不可能在稳定区域内，这是因为已经有一个函数 $w = \varphi$ 使 $\Pi_t = 0$. 直线 (7.21) 与分界线的关系共有三种可能. 第一种是直线与分界线的一部份相重，而直线的其余部份在不稳定区域内，如图 7.2a 所示. 第二种是直线与边界相切，如图 7.2b 所示. 第三种情况是点 (λ_1, λ_2) 恰好是分界线上的一个角点，这时直线 (7.21) 与分界线的一个分支相切，或只在角点上与分界线相遇，如图 7.2c 所示.

如果中面力线性地依赖于 n 个不定参数 $p_1, p_2, \cdots p_n$，那末在 n 维空间 $(p_1, p_2, \cdots, p_n)$ 中，稳定区域必然是一个向外凸的 n 维空间.

稳定区域向外凸的特点是 Папкович[340] 首先证明的.

要判定泛函 (7.16) 的正定性不是一件简单的事情. 人们没法直接去求 Π_t 的最小值. 这是因为在板的稳定区，Π_t 的最小值

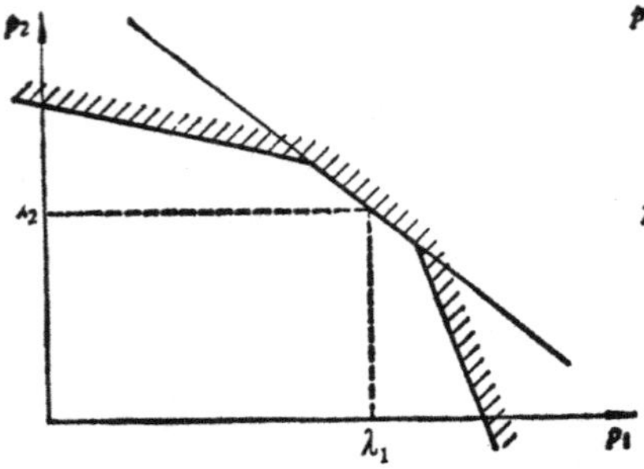

图 7.2a

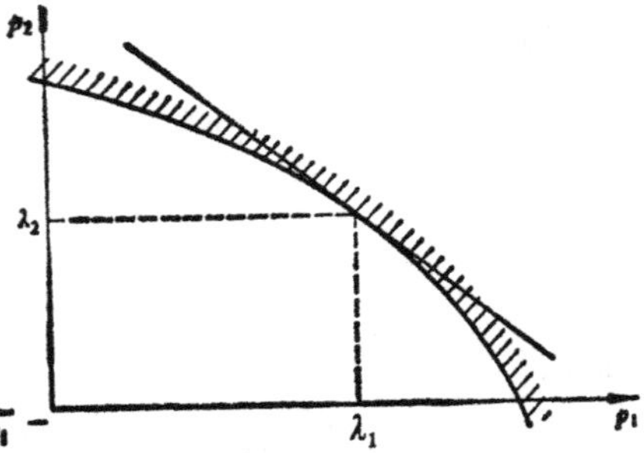

图 7.2b

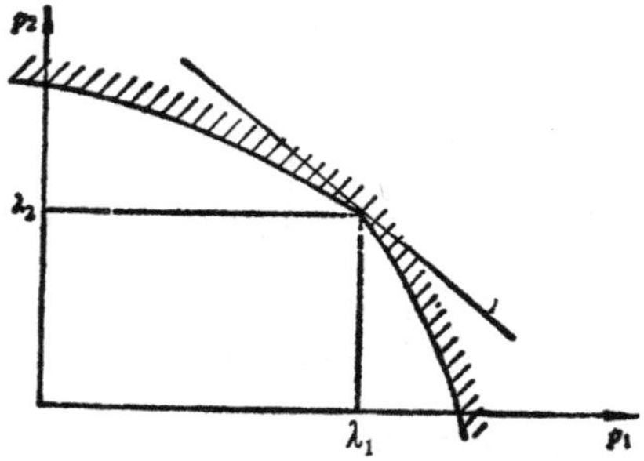

图 7.2c

为零(相应于零挠度),而在不稳定区,Π_t无最小值. 下面把问题稍稍改变一下,把它变为一个条件最小值问题. 在泛函 (7.16) 中,只有第一个积分保证是正的. 调节挠度的大小,总可以做到

$$\iint_{\Omega} U dxdy = 1, \text{(或其他给定的常数)}. \tag{7.22}$$

在上列条件下求 (7.16) 后两个积分之和的最小值,得到

$$W_{\min} = \min\left\{p_1 \iint_{\Omega} U_1 dxdy + p_2 \iint_{\Omega} U_2 dxdy\right\}. \tag{7.23}$$

根据 $W_{\min}$ 的值,便可得到如下的判据:

当 $W_{\min} > -1$ 时, Π_t 是正的,板是稳定的;

当 $W_{\min} = -1$ 时, Π_t 是半正的,板处于临界状态;

当 $W_{\min} < -1$ 时, Π_t 可正可负,板是不稳定的.

§ 5.8 关于临界载荷的几个变分原理

本节及以后几节将只限于考虑中面力正比于一个未定参数 p 的情况. 在 § 5.7 中曾把中面力写成 (7.4) 的形式. 为了书写方便起见,本节起把 $p=1$ 时的中面力记为 N_x, N_y, N_{xy}. 这样中面力势能密度 U_m 和中面力势能 W 可写成为

$$U_m = pU_1,\ W = pW_1, \tag{8.1}$$

其中

$$U_1 = \frac{1}{2}\left\{N_x\left(\frac{\partial w}{\partial x}\right)^2 + 2N_{xy}\frac{\partial w}{\partial x}\frac{\partial w}{\partial y} + N_y\left(\frac{\partial w}{\partial y}\right)^2\right\},$$

$$W_1 = \iint_\Omega U_1 dxdy. \tag{8.2}$$

前已证明, 临界载荷相应于下列本征值中最小的正值和最大的负值:

$$p = \mathrm{st}\,\frac{\Pi}{-W_1}. \tag{8.3}$$

式中的自变函数 w 必须满足位移边界条件

$$\text{在 } C_1 \text{ 上: } w = 0,\ \frac{\partial w}{\partial n} = 0,$$

$$\text{在 } C_2 \text{ 上: } w = 0. \tag{8.4}$$

除精确解以外, 板的临界载荷的近似值绝大多数是根据变分式 (8.3) 用里兹法求得的. 如果泛函 $(-W_1)$ 是正泛函, 本征值都是正值, 用里兹法求得的临界载荷的近似值显然是偏大的. 如果泛函 $(-W_1)$ 可正可负, 那末用里兹法求得的正、负两个临界载荷,它们的绝对值是否也一定偏大呢? 是的,临界载荷的绝对值只能偏大,不可能偏小. 为了证明这一点,只要将(8.3)改写成(7.12)的形式便可以了:

$$\frac{1}{p^-} = \min\frac{-W_1}{\Pi},\ \frac{1}{p^+} = \max\frac{-W_1}{\Pi}.$$

这里 p^+, p^- 代表正、负两个临界载荷.

变分式 (8.3) 相当于平衡问题中的最小势能原理. 用与平衡问题相同的步骤，把 (8.3) 进行推广，便得到临界载荷的两个广义变分原理. 对应于平衡问题中的二类变量广义变分原理，这里有

$$p = \mathrm{st}\,\frac{\Pi_2}{-W}. \tag{8.5}$$

式中 Π_2 是二类变量广义势能，它的算式见 § 4.7 公式 (7.1). 由于在稳定性问题中没有横向载荷，而边界条件又是齐次的，Π_2 的算式简化为

$$\Pi_2 = \iint_\Omega \left(-M_x\frac{\partial^2 w}{\partial x^2} - 2M_{xy}\frac{\partial^2 w}{\partial x\partial y} - M_y\frac{\partial^2 w}{\partial y^2} - V\right)dxdy$$
$$- \int_{C_1+C_2}\left(\frac{\partial M_{ns}}{\partial s} + Q_n\right)w\,ds + \int_{C_1} M_n\frac{\partial w}{\partial n}ds. \tag{8.6}$$

在变分式 (8.5) 中，w, M_x, M_y, M_{xy} 看作是四个独立无关的自变函数，并且事前不需要满足任何边界条件.

关于薄板的临界载荷的二类变量广义变分原理，在鹫津[314]，舒德坚和施振东[34]的文章中已经隐含着这个内容. 到 1964 年施振东在一篇短文 [32] 中，正式用了广义变分原理以求薄板的临界载荷. 在同一时期，钟万勰在一篇未发表的文章 [39] 中，提出了一般的线性弹性稳定问题中的二种变分原理. 一种便是刚才说明的二类变量广义变分原理，另一种是后面将要介绍的余能变分原理.

对应于平衡问题中的三类变量广义变分原理，这里有

$$p = \mathrm{st}\,\frac{\Pi_3}{-W_1}. \tag{8.7}$$

式中 Π_3 是三类变量广义势能，它的算式见 § 4.8 公式 (8.1)，也由于在稳定性问题中没有横向载荷，而边界条件又是齐次的，Π_3 的算式简化为

$$\Pi_3 = \iint_\Omega \left\{U - \left(k_x + \frac{\partial^2 w}{\partial x^2}\right)M_x - 2\left(k_{xy} + \frac{\partial^2 w}{\partial x\partial y}\right)M_{xy}\right.$$

$$-\left(k_y+\frac{\partial^2 w}{\partial y^2}\right)M_y\Big\}dxdy$$

$$-\int_{C_1+C_2}\left(\frac{\partial M_{ns}}{\partial s}+Q_n\right)wds+\int_{C_1}M_n\frac{\partial w}{\partial n}ds. \tag{8.8}$$

在此式中，U 看作是曲率 k_x, k_y, k_{xy} 的函数，而 w, k_x, k_y, k_{xy}, M_x, M_y, M_{xy} 看作是 7 个独立无关的自变函数，并且事前不必满足任何边界条件.

在平衡问题中有最小余能原理. 在稳定性问题中也有同类的变分原理. 这类变分原理是首先由钟万勰[39]就一般的线性弹性稳定问题提出的. 余能原理要求事先满足平衡条件. 在本章讨论的薄板的稳定性问题中，平衡方程是

$$\frac{\partial Q_x}{\partial x}+\frac{\partial Q_y}{\partial y}+p\left\{\frac{\partial}{\partial x}\left(N_x\frac{\partial w}{\partial x}\right)+\frac{\partial}{\partial x}\left(N_{xy}\frac{\partial w}{\partial y}\right)\right.$$
$$\left.+\frac{\partial}{\partial y}\left(N_{xy}\frac{\partial w}{\partial x}\right)+\frac{\partial}{\partial y}\left(N_y\frac{\partial w}{\partial y}\right)\right\}=0, \tag{8.9}$$

其中

$$Q_x=\frac{\partial M_x}{\partial x}+\frac{\partial M_{xy}}{\partial y},\ Q_y=\frac{\partial M_{xy}}{\partial x}+\frac{\partial M_y}{\partial y}. \tag{8.10}$$

Q_x, Q_y 仍作为简写记号，不作为独立的变量. 代表平衡条件的力的边界条件有

在 C_2 上：$M_n=0$,

在 C_3 上：$M_n=0$, $\dfrac{\partial M_{ns}}{\partial s}+Q_n$

$$+p\left(N_n\frac{\partial w}{\partial n}+N_{ns}\frac{\partial w}{\partial s}\right)=0. \tag{8.11}$$

式中 N_n, N_{ns} 是边界上的法向及切向中面力. 为了便于满足这些平衡条件，先作一代换

$$w_p=pw, \tag{8.12}$$

把 w_p 作为未知函数，则有

$$\frac{\partial Q_x}{\partial x}+\frac{\partial Q_y}{\partial y}+\frac{\partial}{\partial x}\left(N_x\frac{\partial w_p}{\partial x}\right)+\frac{\partial}{\partial x}\left(N_{xy}\frac{\partial w_p}{\partial y}\right)$$

$$+\frac{\partial}{\partial y}\left(N_{xy}\frac{\partial w_p}{\partial x}\right)+\frac{\partial}{\partial y}\left(N_y\frac{\partial w_p}{\partial y}\right)=0, \qquad (8.13)$$

在 C_2 上：$M_n=0$，

在 C_3 上：$M_n=0$，$\frac{\partial M_{ns}}{\partial s}+Q_n+N_n\frac{\partial w_p}{\partial n}$

$$+N_{ns}\frac{\partial w_p}{\partial s}=0. \qquad (8.14)$$

把 w_p 作为未知函数，§4.1 公式(1.21)代表的曲率内力矩关系变为

$$-\frac{\partial^2 w_p}{\partial x^2}=p\frac{\partial V}{\partial M_x}, \quad -\frac{\partial^2 w_p}{\partial y^2}=p\frac{\partial V}{\partial M_y},$$

$$-2\frac{\partial^2 w_p}{\partial x\partial y}=p\frac{\partial V}{\partial M_{xy}}. \qquad (8.15)$$

用 w_p 来表示，位移边界条件仍为

$$\text{在 } C_1 \text{ 上：} w_p=0,\ \frac{\partial w_p}{\partial n}=0,$$

$$\text{在 } C_2 \text{ 上：} w_p=0. \qquad (8.16)$$

现在可以归纳起来说，若以 w_p，M_x，M_y，M_{xy} 为基本未知函数，则板的稳定性问题的基本方程是微分方程 (8.13)，(8.15) 和边界条件 (8.14)，(8.16)． 稳定性问题中的余能原理是指下列变分原理：在满足平衡条件 (8.13)，(8.14) 的前提下，下列变分式中的一个或两个驻立值是临界载荷：

$$p=\mathrm{st}\left[-\iint_{\Omega}\left\{N_x\left(\frac{\partial w_p}{\partial x}\right)^2+2N_{xy}\frac{\partial w_p}{\partial x}\frac{\partial w_p}{\partial y}\right.\right.$$

$$\left.\left.+N_y\left(\frac{\partial w_p}{\partial y}\right)^2\right\}dxdy\right]\Big/\left[2\iint_{\Omega}Vdxdy\right]. \qquad (8.17)$$

和振动问题中的余能变分原理相似，变分式 (8.17) 也不与其他的变分式 (8.3)，(8.5)，(8.7) 完全等价，因为在 (8.17) 中也有混进来的零本征值． 相应于这个零本征值，内力矩是一组自相平衡的力系，而 $w_p=0$．

变分式 (8.17) 是一个条件驻立值问题． 通过引进拉格朗日乘子，可以把它推广为一个广义变分原理．此外，根据平衡方程消

去一些自变函数，也可把它变为一个无条件的驻立值问题.

Tabarrok 和 Simpson[290] 指出，由于中面力满足平衡方程(5.2)，所以为了满足平衡方程(8.13)，可取

$$M_x=\frac{\partial v}{\partial y}-N_x w_p,\ M_y=\frac{\partial u}{\partial x}-N_y w_p,$$

$$M_{xy}=-\frac{1}{2}\left(\frac{\partial u}{\partial y}+\frac{\partial v}{\partial x}\right)-N_{xy}w_p,$$

$$Q_x=-\frac{1}{2}\frac{\partial^2 u}{\partial y^2}+\frac{1}{2}\frac{\partial^2 v}{\partial x\partial y}-N_x\frac{\partial w_p}{\partial x}-N_{xy}\frac{\partial w_p}{\partial y},$$

$$Q_y=\frac{1}{2}\frac{\partial^2 u}{\partial x\partial y}-\frac{1}{2}\frac{\partial^2 v}{\partial x^2}-N_{xy}\frac{\partial w_p}{\partial x}-N_y\frac{\partial w_p}{\partial y}. \tag{8.18}$$

其中 u, v 为两个应力函数. 若把(8.18)代入(8.17)则可把 p 表达为 u, v, w_p 三个函数的泛函. 对于这三个自变函数，除了必须满足边界条件(8.14)以外，就不必再满足其他的条件了.

和振动问题相似，根据变分式(8.17)作近似计算也是很不方便的. 因此本书不再介绍这方面的文献. (附带说明一下，钟万勰[39]指出，用余能变分原理解梁的侧向稳定性问题是很有效的).

§5.9 用有限元素法求板的临界载荷

和固有振动问题相同，根据变分原理近似地求板的临界载荷，也有两种基本方法. 一种是经典的瑞利-里兹法. 这在许多弹性稳定性问题的书中已讨论得很多，本书不作介绍了. 另一种是有限元素法. 有限元素法的具体形式也是多种多样的，其中的核心问题是根据板的应变能 Π 求元素的刚度矩阵，和根据中面力的势能 $(-W_1)$ 求元素的几何刚度矩阵. 求元素刚度矩阵的方法和平衡问题相同，这里不再重复. 元素的几何刚度矩阵 $\boldsymbol{G}_e$ 定义为

$$\boldsymbol{q}_e^T\boldsymbol{G}_e\boldsymbol{q}_e=-\iint_{\Omega_e}\left\{N_x\left(\frac{\partial w}{\partial x}\right)^2+2N_{xy}\frac{\partial w}{\partial x}\frac{\partial w}{\partial y}+N_y\left(\frac{\partial w}{\partial y}\right)^2\right\}dxdy, \tag{9.1}$$

式中 $\boldsymbol{q}_e$ 是元素的位移参数矩阵，Ω_e 是元素所占的区域. 积分号内的挠度 w，应当用适当的插入公式表示为 $\boldsymbol{q}_e$ 的函数. 又和固有振动问题相似,求元素的几何矩阵也有三种基本的方法:

第一种是一致法,即采用与求刚度矩阵相同的元素,和相同的 $\boldsymbol{w}$ 的插入公式.

第二种是分项插入法,即采用与求刚度矩阵相同的元素,但对 $\boldsymbol{w}$ 用另外比较简单的插入公式. 对 $\boldsymbol{K}$, $\boldsymbol{G}$, $\boldsymbol{M}$ 三个矩阵来说，在相应的能量积分中分别出现 $\boldsymbol{w}$ 的二阶导数、$\boldsymbol{w}$ 的一阶导数和 $\boldsymbol{w}$ 本身. 因此,求 $\boldsymbol{K}$ 必须用较复杂一些的插入公式，求 $\boldsymbol{G}$ 可以用稍简单一些的插入公式，而求 $\boldsymbol{M}$ 可以用更简单一些的插入公式. 又由于 (9.1) 右端的积分实际上包含三项. 对这三项而言，既可采用一致的插入公式,也可采用不同的插入公式. 总之,分项插入法是一种很机动灵活的方法,可根据问题的特点，或多分几项，或少分几项,在理论上都是可行的.

第三种是分项分元素法. 通常的做法是: 计算刚度矩阵 $\boldsymbol{K}$ 用比较小的元素，计算几何刚度矩阵 $\boldsymbol{G}$ 可以用稍大一些的元素，而计算质量矩阵 $\boldsymbol{M}$ 可以用更大一些的元素.

稳定性问题中的分项插入法和分项分元素法的优点，是几何刚度矩阵比较简单，因而最后所得临界载荷的方程，阶数较低.

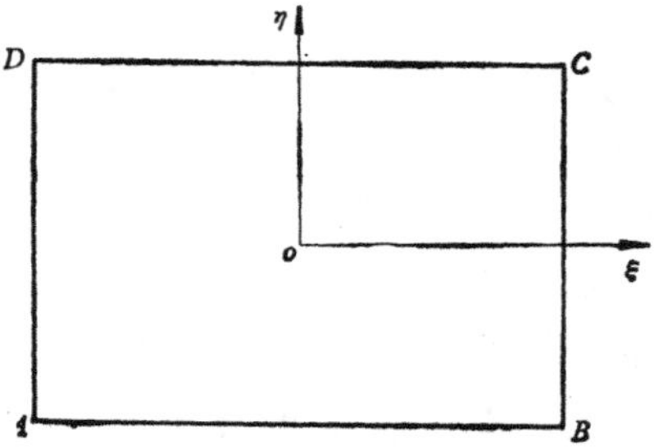

图 9.1

还有一种分主次参数的办法，也有利于简化几何刚度矩阵，因而最后也降低了临界载荷方程的阶数.

Kapur 和 Hartz[17] 曾用§4.17的插入公式(17.4)计算了 9 种情况下的几何刚度矩阵. 若把坐标系原点从角点 A 移到元素的中心,如图 9.1 所示,那末这 9 种情况是:

$$N_x = -P_x - \xi Q_x - \eta R_x,$$

$$N_y = -P_y - \xi Q_y - \eta R_y, \tag{9.2}$$
$$N_{xy} = -P_{xy} - \xi Q_{xy} - \eta R_{xy}.$$

这里 $P_x, Q_x, R_x, \cdots\cdots, P_{xy}, Q_{xy}, R_{xy}$ 为 9 个常数，ξ, η 是元素内的无量纲坐标．下面节录他们算得的 9 种几何刚度矩阵．为了节省篇幅，只列出矩阵的前 3 列，后面 9 列的值可以从 § 4.17 的公式(17.9) 得到．

$$\frac{a}{b}G \text{（前三列）} = \frac{P_x}{630}\begin{bmatrix} 276 & 42 & 66 \\ 42 & 112 & 0 \\ 66 & 0 & 24 \\ 102 & 21 & 39 \\ 21 & 56 & 0 \\ -39 & 0 & -18 \\ -102 & -21 & -39 \\ 21 & -14 & 0 \\ 39 & 0 & 18 \\ -276 & -42 & -66 \\ 42 & -28 & 0 \\ -66 & 0 & -24 \end{bmatrix} + \frac{Q_x}{1260}\begin{bmatrix} 0 & 91 & 0 \\ 91 & -112 & 42 \\ 0 & 42 & 0 \\ 0 & 35 & 0 \\ 35 & -56 & 28 \\ 0 & -28 & 0 \\ 0 & -35 & 0 \\ -35 & 0 & -28 \\ 0 & 28 & 0 \\ 0 & -91 & 0 \\ -91 & 0 & -42 \\ 0 & -42 & 0 \end{bmatrix}$$

$$+ \frac{R_x}{630}\begin{bmatrix} -147 & -21 & -24 \\ -21 & -56 & 0 \\ -24 & 0 & -6 \\ 0 & 0 & 3 \\ 0 & 0 & 0 \\ 3 & 0 & 0 \\ 0 & 0 & -3 \\ 0 & 0 & 0 \\ -3 & 0 & 0 \\ 147 & 21 & 24 \\ -21 & 14 & 0 \\ 24 & 0 & 6 \end{bmatrix}, \tag{9.3a}$$

$$(N_x = -P_x - \xi Q_x - \eta R_x)$$

$$\underset{(\text{前三列})}{\frac{b}{a} G} = \frac{P_y}{630}\begin{bmatrix} 276 & 66 & 42 \\ 66 & 24 & 0 \\ 42 & 0 & 112 \\ -276 & -66 & -42 \\ -66 & -24 & 0 \\ 42 & 0 & -28 \\ -102 & -39 & -21 \\ 39 & 18 & 0 \\ 21 & 0 & -14 \\ 102 & 39 & 21 \\ -39 & -18 & 0 \\ 21 & 0 & 56 \end{bmatrix} + \frac{Q_y}{630}\begin{bmatrix} -147 & -24 & -21 \\ -24 & -6 & 0 \\ -21 & 0 & -56 \\ 147 & 24 & 21 \\ 24 & 6 & 0 \\ -21 & 0 & 14 \\ 0 & -3 & 0 \\ -3 & 0 & 0 \\ 0 & 0 & 0 \\ 0 & 3 & 0 \\ 3 & 0 & 0 \\ 0 & 0 & 0 \end{bmatrix}$$

$$+\frac{R_y}{1260}\begin{bmatrix} 0 & 0 & 91 \\ 0 & 0 & 42 \\ 91 & 42 & -112 \\ 0 & 0 & -91 \\ 0 & 0 & -42 \\ -91 & -42 & 0 \\ 0 & 0 & -35 \\ 0 & 0 & 28 \\ -35 & -28 & \\ 0 & 0 & 35 \\ 0 & 0 & -28 \\ 35 & 28 & -56 \end{bmatrix}, \qquad (9.3\text{b})$$

$$(N_y = -P_y - \xi Q_y - \eta R_y)$$

$$
G = \frac{P_{xy}}{90}\begin{bmatrix} -45 & 0 & 0 \\ 0 & 0 & -5 \\ 0 & -5 & 0 \\ 0 & -18 & 0 \\ 18 & 0 & 5 \\ 0 & 5 & 0 \\ 45 & 18 & 18 \\ -18 & -6 & -5 \\ -18 & -5 & -6 \\ 0 & 0 & -18 \\ 0 & 0 & 5 \\ 18 & 5 & 0 \end{bmatrix} + \frac{Q_{xy}}{1260}\begin{bmatrix} 162 & -8.25 & 21 \\ -8.25 & -48 & 56 \\ 21 & 56 & 0 \\ 0 & 10.5 & -21 \\ -10.5 & 0 & -56 \\ -21 & -56 & 0 \\ 0 & 2.625 & 21 \\ 2.625 & 0 & 14 \\ 21 & -14 & 0 \\ -162 & -4.875 & -21 \\ 4.875 & 36 & -14 \\ -21 & 14 & 0 \end{bmatrix}
$$

(前三列)

$$
+ \frac{R_{xy}}{1260}\begin{bmatrix} 162 & 21 & -8.25 \\ 21 & 0 & 56 \\ -8.25 & 56 & -48 \\ -162 & -21 & -4.875 \\ -21 & 0 & 14 \\ 4.875 & -14 & 36 \\ 0 & 21 & 2.625 \\ 21 & 0 & -14 \\ 2.625 & 14 & 0 \\ 0 & -21 & 10.5 \\ -21 & 0 & -56 \\ -10.5 & -56 & 0 \end{bmatrix}, \qquad (9.3c)
$$

$$
(N_{xy} = -P_{xy} - \xi Q_{xy} - \eta R_{xy})
$$

在其他矩形元素方面，Carson 和 Newton[83] 曾用 § 4.18 的插入公式 (18.3) 计算过矩形板的临界载荷．在三角形元素方面，Anderson、Irons、Zienkiewicz[32] 曾用 § 4.14 的插入公式 (14.5) 计算过多种例子．此外，Cook[93]，Altman 和 Venancio-Filho[49]，Reddy 和 Tsay[258]，Tsay 和 Reddy[308] 曾用混合法计算过临界载荷．

§ 5.10　无限长板的临界载荷

考虑一块等厚度的正交各向异性的长矩形板，承受纵向中面力 N_y 的稳定性问题，如图 10.1 所示．设两条长边为固支或简支．在边长比

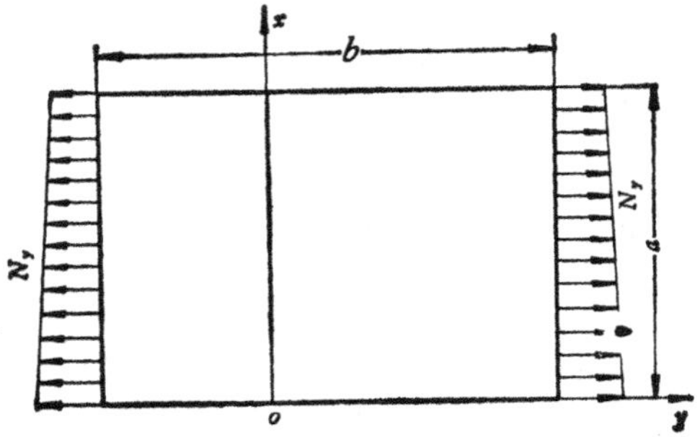

图　10.1

$$\frac{a}{b} \ll 1 \tag{10.1}$$

时，临界载荷几乎与 a/b 无关，因而可以取 $a/b=0$，这相当于把板看作是无限长的．对于无限长的板，失稳型式沿 y 轴向必然是正弦形的，因而可以取

$$w(x, y) = u(x)\sin\lambda y. \tag{10.2}$$

式中 λ 是 y 轴向的波数，$u(x)$ 是待定的 x 的函数．u 应满足下列边界条件

$$\left.\begin{aligned}&\text{在固支边上：}\ u=0,\ \frac{du}{dx}=0,\\&\text{在简支边上：}\ u=0,\end{aligned}\right\} \tag{10.3}$$

$$D_{11}\frac{d^2u}{dx^2}=0. \tag{10.4}$$

条件 (10.3) 属于位移边界条件，条件 (10.4) 属于力的边界条件．

现在将 (10.2) 代入变分式 (8.3) 以求临界载荷 p．所讨论的

板已假定为无限长的. 但是对于无限长的板，两个能量积分都是发散的，所以必须把积分区域修改一下. 在 y 方向取一个波长的长度，在 x 方向仍取全部宽度. 这样在算出对 y 的积分并消去一个适当的倍数后，得到

$$2\Pi = \int_0^a \left\{ D_{11}\left(\frac{d^2u}{dx^2}\right)^2 - 2D_{12}\lambda^2 u \frac{d^2u}{dx^2} + D_{22}\lambda^4 u^2 + 4D_{66}\lambda^2\left(\frac{du}{dx}\right)^2 \right\} dx, \tag{10.5}$$

$$-2W_1 = -\lambda^2 \int_0^a N_y u^2 dx. \tag{10.6}$$

于是有

$$p = \mathrm{st}\, \frac{\Pi}{-W_1}. \tag{10.7}$$

这里的自变函数 u 应满足位移边界条件 (10.3).

将变分式 (10.7) 化为微分方程，得到

$$\frac{d^2}{dx^2}\left(D_{11}\frac{d^2u}{dx^2}\right) - 2\lambda^2(D_{12} + 2D_{66})\frac{d^2u}{dx^2} + \lambda^4 D_{22}\left(1 - \frac{N_y}{\lambda^2 D_{22}}\right)u = 0. \tag{10.8}$$

这个方程汇同边界条件 (10.3),(10.4)，便构成一个常微分方程的本征值问题. 在 D_{11}, D_{12}, D_{22}, D_{66} 以及 N_y 都为与 x 无关的常数的情况下，能够求得这个本征值问题的精确解. 在其他的情况下 (例如 D_{11}, D_{12}, D_{22}, D_{66} 虽为常数而 N_y 却为 x 的函数时)，通常只能求得近似解. 以变分式 (10.7) 为依据的瑞利-里兹法和有限元素法，是两种最常用的近似解法. 从已简化的一维问题来说，这是普通的瑞利-里兹法和有限元素法. 从原来的二维问题来说，这是 Канторович 法和有限条法. 用有限条法计算由狭长的薄板组成的薄壁结构的局部稳定性问题是比较有效的，例如可见文献 [253], [254], [106], [88], [240].

第六章 弹性力学的空间问题

§6.1 应变分析

考虑弹性体的平衡问题. 取一笛卡儿坐标系 $oxyz$. 设物体中的某点 P 在变形前的坐标为 (x, y, z). 变形后,此点有了位移,命 P 点的位移在 x, y, z 轴上的投影为 u, v, w. 通常它们是 x, y, z 的函数. 位移 (u, v, w) 构成一个矢量. P 点的位移在任一方向 ν 上的投影 u_ν 是

$$u_\nu = lu + mv + nw. \tag{1.1}$$

这里 l, m, n 是方向 ν 的方向余弦,即

$$l = \cos(\nu, x),\ m = \cos(\nu, y),\ n = \cos(\nu, z). \tag{1.2}$$

物体中各点的位移引起了应变. 六个应变分量 $\varepsilon_x, \varepsilon_y, \varepsilon_z, \gamma_{yz}, \gamma_{xz}, \gamma_{xy}$ 与 u, v, w 的关系为

$$\begin{aligned}
&\varepsilon_x = \frac{\partial u}{\partial x},\ \varepsilon_y = \frac{\partial v}{\partial y},\ \varepsilon_z = \frac{\partial w}{\partial z},\\
&\gamma_{yz} = \frac{\partial v}{\partial z} + \frac{\partial w}{\partial y},\ \gamma_{xz} = \frac{\partial u}{\partial z} + \frac{\partial w}{\partial x},\\
&\gamma_{xy} = \frac{\partial u}{\partial y} + \frac{\partial v}{\partial x}.
\end{aligned} \tag{1.3}$$

将它们写成矩阵形式则为

$$\boldsymbol{\varepsilon} = E^T(\nabla)\boldsymbol{u}, \tag{1.4}$$

其中

$$\begin{aligned}
&\boldsymbol{\varepsilon} = [\varepsilon_x, \varepsilon_y, \varepsilon_z, \gamma_{yz}, \gamma_{xz}, \gamma_{xy}]^T,\\
&\boldsymbol{u} = [u, v, w]^T,
\end{aligned} \tag{1.5}$$

$$
\boldsymbol{E}(\nabla) = \begin{bmatrix} \frac{\partial}{\partial x}, & 0, & 0, & 0, & \frac{\partial}{\partial z}, & \frac{\partial}{\partial y} \\ 0, & \frac{\partial}{\partial y}, & 0, & \frac{\partial}{\partial z}, & 0, & \frac{\partial}{\partial x} \\ 0, & 0, & \frac{\partial}{\partial z}, & \frac{\partial}{\partial y}, & \frac{\partial}{\partial x}, & 0 \end{bmatrix}, \tag{1.6}
$$

$\boldsymbol{E}$ 中的 ∇ 代表梯度算子矢量，即

$$
\nabla = \boldsymbol{i}\frac{\partial}{\partial x} + \boldsymbol{j}\frac{\partial}{\partial y} + \boldsymbol{k}\frac{\partial}{\partial z}, \tag{1.7}
$$

$\boldsymbol{i}, \boldsymbol{j}, \boldsymbol{k}$ 代表平行 x, y, z 轴的单位矢量.

已知或求得六个应变分量后，物体的应变状态便全部决定. 例如，任意方向 $\nu(l, m, n)$ 的拉伸应变 ε_ν 为

$$
\varepsilon_\nu = \varepsilon_x l^2 + \varepsilon_y m^2 + \varepsilon_z n^2 + \gamma_{yz} mn + \gamma_{xz} ln + \gamma_{xy} lm. \tag{1.8}
$$

通过 P 点的任意两方向 $\nu_1(l_1, m_1, n_1)$，$\nu_2(l_2, m_2, n_2)$ 之间夹角 θ 的增加 $\delta\theta$ 为

$$
\begin{aligned}
-\sin\theta\delta\theta = &-(\varepsilon_1 + \varepsilon_2)\cos\theta \\
&+ 2(\varepsilon_x l_1 l_2 + \varepsilon_y m_1 m_2 + \varepsilon_z n_1 n_2) \\
&+ \gamma_{yz}(m_1 n_2 + m_2 n_1) \\
&+ \gamma_{xz}(l_1 n_2 + l_2 n_1) + \gamma_{xy}(l_1 m_2 + l_2 m_1).
\end{aligned} \tag{1.9}
$$

这里 ε_1，ε_2 代表 ν_1，ν_2 两方向上的拉伸应变. 当 ν_1，ν_2 互相垂直时，$\sin\theta = 1$，$\cos\theta = 0$，而按定义

$$
-\delta\theta = \gamma_{12},
$$

因此有

$$
\begin{aligned}
\gamma_{12} = &\ 2(\varepsilon_x l_1 l_2 + \varepsilon_y m_1 m_2 + \varepsilon_z n_1 n_2) \\
&+ \gamma_{yz}(m_1 n_2 + m_2 n_1) \\
&+ \gamma_{xz}(l_1 n_2 + l_2 n_1) + \gamma_{xy}(l_1 m_2 + l_2 m_1).
\end{aligned} \tag{1.10}
$$

有了公式 (1.8)，(1.10)，在已知一个坐标系中的六个应变分量之后，便可求得其他任一坐标系中的六个应变分量. 设 (ξ, η, ζ) 为其他的一个笛卡儿坐标系. 设 (ξ, η, ζ) 的方向余弦为

$$\begin{bmatrix} \xi \\ \eta \\ \zeta \end{bmatrix} = \begin{bmatrix} l_1, & m_1, & n_1 \\ l_2, & m_2, & n_2 \\ l_3, & m_3, & n_3 \end{bmatrix} \begin{bmatrix} x \\ y \\ z \end{bmatrix}, \tag{1.11}$$

那末在公式 (1.8) 中取 $l = l_1$, $m = m_1$, $n = n_1$, 便得到 ε_ξ, 而公式 (1.10) 的右端便是 $\gamma_{\xi\eta}$. 其它四个应变分量可按相同的公式求得. 把这六个公式合成矩阵,则可得到简洁的公式:

$$\begin{bmatrix} \varepsilon_\xi & \frac{\gamma_{\xi\eta}}{2} & \frac{\gamma_{\xi\zeta}}{2} \\ \frac{\gamma_{\xi\eta}}{2} & \varepsilon_\eta & \frac{\gamma_{\eta\zeta}}{2} \\ \frac{\gamma_{\xi\zeta}}{2} & \frac{\gamma_{\ \zeta}}{2} & \zeta \end{bmatrix} = \begin{bmatrix} l_1, & m_1, & n_1 \\ l_2, & m_2, & n_2 \\ l_3, & m_3, & n_3 \end{bmatrix}$$

$$\times \begin{bmatrix} \varepsilon_x & \frac{\gamma_{xy}}{2} & \frac{\gamma_{xz}}{2} \\ \frac{\gamma_{xy}}{2} & \varepsilon_y & \frac{\gamma_y}{2} \\ \frac{\gamma_{xz}}{2} & \frac{\gamma_{yz}}{2} & \varepsilon_z \end{bmatrix} \begin{bmatrix} l_1 & l_2 & l_3 \\ m_1 & m_2 & m_3 \\ n_1 & n_2 & n_3 \end{bmatrix}. \tag{1.12}$$

此式表示, ε_x, ε_y, ε_z, $\frac{1}{2}\gamma_{yz}$, $\frac{1}{2}\gamma_{zx}$, $\frac{1}{2}\gamma_{xy}$ 构成一个二阶对称张量.

任取三个单值连续可导的函数 $u(x, y, z)$, $v(x, y, z)$, $w(x, y, z)$ 作为位移分量, 从公式 (1.3) 可算出六个应变分量, 它们是 x, y, z 的单值函数. 任取六个函数作为应变分量,根据方程(1.3)是否一定能找到三个位移分量呢? 不一定! 因为在已知应变分量后,方程 (1.3) 变为关于 u, v, w 的六个微分方程. 三个函数一般是无法满足六个微分方程的. 为了使方程 (1.3) 有解, 六个应变分量必须满足一定的条件. 如果所考虑的物体占据一个单联通的区域,那末方程 (1.3) 有解(单值连续的位移)的充要条件是

$$\frac{\partial^2 \varepsilon_x}{\partial y^2} + \frac{\partial^2 \varepsilon_y}{\partial x^2} = \frac{\partial^2 \gamma_{xy}}{\partial x \partial y},$$

$$
\begin{aligned}
&\frac{\partial^2 \varepsilon_y}{\partial z^2} + \frac{\partial^2 \varepsilon}{\partial y^2} = \frac{\partial^2 \gamma_{yz}}{\partial y \partial z},\\
&\frac{\partial^2 \varepsilon_z}{\partial x^2} + \frac{\partial^2 \varepsilon_x}{\partial z^2} = \frac{\partial^2 \gamma_{xz}}{\partial x \partial z},\\
&\quad 2\frac{\partial^2 \varepsilon_x}{\partial y \partial z} = \frac{\partial}{\partial x}\left(-\frac{\partial \gamma_{yz}}{\partial x} + \frac{\partial \gamma_{xz}}{\partial y} + \frac{\partial \gamma_{xy}}{\partial z}\right),\\
&\quad 2\frac{\partial^2 \varepsilon_y}{\partial x \partial z} = \frac{\partial}{\partial y}\left(\frac{\partial \gamma_{yz}}{\partial x} - \frac{\partial \gamma_{xz}}{\partial y} + \frac{\partial \gamma_{xy}}{\partial z}\right),\\
&\quad 2\frac{\partial^2 \varepsilon_z}{\partial x \partial y} = \frac{\partial}{\partial z}\left(\frac{\partial \gamma_{yz}}{\partial x} + \frac{\partial \gamma_{xz}}{\partial y} - \frac{\partial \gamma_{xy}}{\partial z}\right).
\end{aligned}
\tag{1.13}
$$

这一组六个方程，称为应变协调方程。若把它们写成矩阵形式，则为

$$
\boldsymbol{C}\boldsymbol{\varepsilon} = 0. \tag{1.14}
$$

其中

$$
\boldsymbol{C} = \begin{bmatrix}
0 & \frac{\partial^2}{\partial z^2} & \frac{\partial^2}{\partial y^2} & -\frac{\partial^2}{\partial y \partial z} & 0 & 0 \\
\frac{\partial^2}{\partial z^2} & 0 & \frac{\partial^2}{\partial x^2} & 0 & -\frac{\partial^2}{\partial x \partial z} & 0 \\
\frac{\partial^2}{\partial y^2} & \frac{\partial^2}{\partial x^2} & 0 & 0 & 0 & -\frac{\partial^2}{\partial x \partial y} \\
2\frac{\partial^2}{\partial y \partial z} & 0 & 0 & \frac{\partial^2}{\partial x^2} & -\frac{\partial^2}{\partial x \partial y} & -\frac{\partial^2}{\partial x \partial z} \\
0 & 2\frac{\partial^2}{\partial x \partial z} & 0 & -\frac{\partial^2}{\partial x \partial y} & \frac{\partial^2}{\partial y^2} & -\frac{\partial^2}{\partial y \partial z} \\
0 & 0 & 2\frac{\partial^2}{\partial x \partial y} & -\frac{\partial^2}{\partial x \partial z} & -\frac{\partial^2}{\partial y \partial z} & \frac{\partial^2}{\partial z^2}
\end{bmatrix}. \tag{1.15}
$$

如果物体所占的区域不是单联通的，而是多联通的，那末应变协调方程只能保证方程（1.3）有解，但不能保证所得到的解一定是单值的。

§6.2 应力分析

物体中任一点的应力状态，可用六个应力分量 $\sigma_x, \sigma_y, \sigma_z, \tau_{yz}, \tau_{xz}, \tau_{xy}$ 来确定．这是因为在已知上述六个应力分量之后，任意剖面上的应力在任意方向上的投影都可以计算出来了．设通过某点作一剖面，设此剖面的法线方向为 ν，ν 的方向余弦为 (l, m, n)，那末此剖面上的应力在 x, y, z 方向上的投影 p_x, p_y, p_z 为

$$
\begin{aligned}
p_x &= \sigma_x l + \tau_{xy} m + \tau_{xz} n, \\
p_y &= \tau_{xy} l + \sigma_y m + \tau_{yz} n, \\
p_z &= \tau_{xz} l + \tau_{yz} m + \sigma_z n.
\end{aligned}
\tag{2.1}
$$

将它写成矩阵形式，则是

$$
\begin{bmatrix} p_x \\ p_y \\ p_z \end{bmatrix} = \begin{bmatrix} \sigma_x & \tau_{xy} & \tau_{xz} \\ \tau_{xy} & \sigma_y & \tau_{yz} \\ \tau_{xz} & \tau_{yz} & \sigma_z \end{bmatrix} \begin{bmatrix} l \\ m \\ n \end{bmatrix}. \tag{2.2}
$$

公式 (2.1) 还适宜于写成另一种矩阵形式

$$
\boldsymbol{p} = \boldsymbol{E}(\nu)\boldsymbol{\sigma}, \tag{2.3}
$$

式中

$$
\begin{aligned}
\boldsymbol{p} &= [p_x, p_y, p_z]^T, \\
\boldsymbol{\sigma} &= [\sigma_x, \sigma_y, \sigma_z, \tau_{yz}, \tau_{xz}, \tau_{xy}]^T.
\end{aligned}
\tag{2.4}
$$

而 $\boldsymbol{E}(\nu)$ 是将 (1.6) 式 $\boldsymbol{E}(\nabla)$ 中的梯度矢量 ∇ 改为单位矢量 ν 得到的结果，即

$$
\boldsymbol{E}(\nu) = \begin{bmatrix} l & 0 & 0 & 0 & n & m \\ 0 & m & 0 & n & 0 & l \\ 0 & 0 & n & m & l & 0 \end{bmatrix}. \tag{2.5}
$$

和上一节相同，另外再取一个笛卡儿坐标系 (ξ, η, ζ)．命两个坐标系的关系仍为 (1.11)．这两个坐标系中的应力分量的关系，若写成矩阵形式，则为

$$\begin{bmatrix} \sigma_\xi & \tau_{\xi\eta} & \tau_{\xi\zeta} \\ \tau_{\xi\eta} & \sigma_\eta & \tau_{\eta\zeta} \\ \tau_{\xi\zeta} & \tau_{\eta\zeta} & \sigma_\zeta \end{bmatrix} = \begin{bmatrix} l_1 & m_1 & n_1 \\ l_2 & m_2 & n_2 \\ l_3 & m_3 & n_3 \end{bmatrix} \times \begin{bmatrix} \sigma_x & \tau_{xy} & \tau_{xz} \\ \tau_{xy} & \sigma_y & \tau_{yz} \\ \tau_{xz} & \tau_{yz} & \sigma_z \end{bmatrix} \begin{bmatrix} l_1 & l_2 & l_3 \\ m_1 & m_2 & m_3 \\ n_1 & n_2 & n_3 \end{bmatrix}. \tag{2.6}$$

此式表明 $\sigma_x, \sigma_y, \sigma_z, \tau_{yz}, \tau_{xz}, \tau_{xy}$ 构成一个二阶对称张量. 算出上式右端矩阵的乘积，便可得到六个公式. 下面列出其中有代表性的两个:

$$\begin{aligned} \sigma_\xi &= \sigma_x l_1^2 + \sigma_y m_1^2 + \sigma_z n_1^2 + 2\tau_{yz} m_1 n_1 \\ &\quad + 2\tau_{xz} l_1 n_1 + 2\tau_{xy} l_1 m_1, \\ \tau_{\xi\eta} &= \sigma_x l_1 l_2 + \sigma_y m_1 m_2 + \sigma_z n_1 n_2 \\ &\quad + \tau_{yz}(m_1 n_2 + m_2 n_1) \\ &\quad + \tau_{xz}(l_1 n_2 + l_2 n_1) + \tau_{xy}(l_1 m_2 + l_2 m_1). \end{aligned} \tag{2.7}$$

应力分量在物体内部应满足平衡方程

$$\begin{aligned} &\frac{\partial \sigma_x}{\partial x} + \frac{\partial \tau_{xy}}{\partial y} + \frac{\partial \tau_{xz}}{\partial z} + f_x = 0, \\ &\frac{\partial \tau_{xy}}{\partial x} + \frac{\partial \sigma_y}{\partial y} + \frac{\partial \tau_{yz}}{\partial z} + f_y = 0, \\ &\frac{\partial \tau_{xz}}{\partial x} + \frac{\partial \tau_{yz}}{\partial y} + \frac{\partial \sigma_z}{\partial z} + f_z = 0. \end{aligned} \tag{2.8}$$

式中 f_x, f_y, f_z 是作用在物体单位体积内的外载荷在 x, y, z 轴方向上的投影. 若把平衡方程写成矩阵形式，则是

$$\boldsymbol{E}(\nabla)\boldsymbol{\sigma} + \boldsymbol{f} = 0, \tag{2.9}$$

其中

$$\boldsymbol{f} = [f_x, f_y, f_z]^T. \tag{2.10}$$

而 $\boldsymbol{E}(\nabla)$ 仍由 (1.6) 定义. 方程 (1.4), (2.9) 中的两个微分算子恰好互为转置，这不是偶然的巧合，而是虚功原理的后果，也可以说是存在虚功原理的前提.

在没有体积力时，平衡方程 (2.9) 简化为

$$E(\nabla)\sigma = 0. \tag{2.11}$$

这个齐次方程的解可以并且一定可以用六个应力函数

$$\boldsymbol{\varphi} = [\varphi_1, \varphi_2, \varphi_3, \varphi_4, \varphi_5, \varphi_6]^T \tag{2.12}$$

表示如下:

$$\sigma = \boldsymbol{C}^T\boldsymbol{\varphi} \tag{2.13}$$

这里的矩阵算子 $\boldsymbol{C}$ 就是 (1.15) 定义的 $\boldsymbol{C}$. 这两个矩阵算子的重合不是偶然的而是必然的，因为根据余能原理可从其中的一个推导出另一个，见 Stickforth 的文章[281].

函数 $\varphi_1, \varphi_2, \cdots, \varphi_6$ 通常称为 Beltrami 应力函数，这是因为公式 (2.13) 是首先由 E. Beltrami 在上世纪提出来的. 对于单边界的区域，函数 $\varphi_1, \varphi_2, \cdots, \varphi_6$ 都是单值函数. 对于多边界区域，函数 $\varphi_1, \varphi_2, \cdots, \varphi_6$ 可能不是单值函数. Gurtin[142] 指出，对于多边界的物体，如果作用在每个边界上的力恰好组成自相平衡的力系，那末 $\varphi_1, \varphi_2, \cdots, \varphi_6$ 便一定是单值函数，反之就不是单值函数.

给一组应力函数 $\boldsymbol{\varphi}$，从公式 (2.13) 可以得到一组满足平衡方程 (2.11) 的应力，给一组满足平衡方程 (2.11) 的应力，相应的应力函数却不止一组，这是因为齐次方程

$$\boldsymbol{C}^T\boldsymbol{\varphi}_0 = 0 \tag{2.14}$$

有非零解.

§6.3 应力应变关系

弹性体的一般定义是：物体在变形时机械能没有损失，因而外力所作之功等于物体中贮存的应变能，这个应变能只与物体当时的变形状态有关，而与变形产生的过程无关.

在物体中隔离出一微分元素 $dxdydz$，如图 3.1 所示. 设这元素的应变是 $\varepsilon_x, \varepsilon_y, \varepsilon_z, \gamma_{yz}, \gamma_{xz}, \gamma_{xy}$，应力是 $\sigma_x, \sigma_y, \sigma_z, \tau_{yz}, \tau_{xz}, \tau_{xy}$. 作用在此元素表面上的应力分量如图所示. 设此元素所贮存的应变能为 $Udxdydz$，U 即为应变能密度. 根据上面的说明，

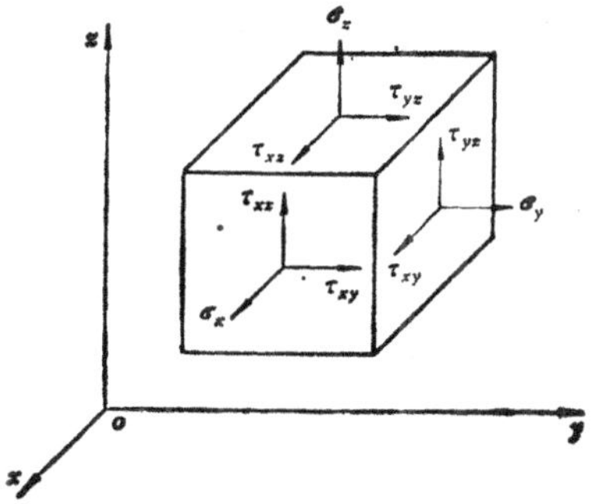

图 3.1

U 是应变分量 ε_x, $\varepsilon_y\cdots\gamma_{xy}$ 的函数. 设想此元素的应变有一微小的变化 $\delta\varepsilon_x$, $\delta\varepsilon_y$, $\cdots\delta\gamma_{xy}$, 相应地应变能密度也有了微小的变化 δU. 根据能量守恒原理,有

$$\delta U = \sigma_x\delta\varepsilon_x + \sigma_y\delta\varepsilon_y + \sigma_z\delta\varepsilon_z + \tau_{yz}\delta\gamma_{yz} + \tau_{xz}\delta\gamma_{xz} + \tau_{xy}\delta\gamma_{xy}. \tag{3.1}$$

由此即得

$$\sigma_x = \frac{\partial U}{\partial\varepsilon_x},\quad \sigma_y = \frac{\partial U}{\partial\varepsilon_y},\quad \sigma_z = \frac{\partial U}{\partial\varepsilon_z},$$
$$\tau_{yz} = \frac{\partial U}{\partial\gamma_{yz}},\quad \tau_{xz} = \frac{\partial U}{\partial\gamma_{xz}},\quad \tau_{xy} = \frac{\partial U}{\partial\gamma_{xy}}. \tag{3.2}$$

这便是通过应变能密度函数表达出来的应力应变关系. 这个关系是把应力分量表达为应变分量的函数. 将(3.1), (3.2)写成矩阵形式,则为

$$\delta U = \boldsymbol{\sigma}^T\delta\boldsymbol{\varepsilon}, \tag{3.3}$$

$$\boldsymbol{\sigma}^T = \frac{\partial U}{\partial\boldsymbol{\varepsilon}}. \tag{3.4}$$

通过下面定义的余应变能密度函数 $V(\boldsymbol{\sigma})$, 可以简单地把应变分量表达为应力分量的函数. V 的定义是

$$V = \sigma_x\varepsilon_x + \sigma_y\varepsilon_y + \sigma_z\varepsilon_z + \tau_{yz}\gamma_{yz} + \tau_{xz}\gamma_{xz} + \tau_{xy}\gamma_{xy} - U = \boldsymbol{\sigma}^T\boldsymbol{\varepsilon} - U. \tag{3.5}$$

此式的右端，应利用应力应变关系表示为应力分量的函数，即把 V 表示为 $\boldsymbol{\sigma}$ 的函数．取 V 的变分，利用 (3.3) 后有

$$\delta V = \delta\boldsymbol{\sigma}^T\boldsymbol{\varepsilon} + \boldsymbol{\sigma}^T\delta\boldsymbol{\varepsilon} - \delta U = \delta\boldsymbol{\sigma}^T\boldsymbol{\varepsilon} = \boldsymbol{\varepsilon}^T\delta\boldsymbol{\sigma}, \tag{3.6}$$

由此即得到

$$\boldsymbol{\varepsilon}^T = \frac{\partial V}{\partial \boldsymbol{\sigma}}. \tag{3.7}$$

将此写成标量形式，则有

$$\begin{aligned} &\varepsilon_x = \frac{\partial V}{\partial \sigma_x}, \quad \varepsilon_y = \frac{\partial V}{\partial \sigma_y}, \quad \varepsilon_z = \frac{\partial V}{\partial \sigma_z}, \\ &\gamma_{yz} = \frac{\partial V}{\partial \tau_{yz}}, \quad \gamma_{xz} = \frac{\partial V}{\partial \tau_{xz}}, \quad \gamma_{xy} = \frac{\partial V}{\partial \tau_{xy}}, \end{aligned} \tag{3.8}$$

上面求得的公式 (3.1)—(3.8)，对于线性的以及非线性的弹性体都是适用的．对于非线性的弹性体，U 和 V 不仅在数学形式上不同，在数值上也不相等．

对于线性的弹性体，应力应变关系是一线性关系，因此 U 和 V 分别是应变分量和应力分量的二次齐次函数．对最一般的各向异性材料，U 和 V 可表达成为

$$U = \frac{1}{2}\boldsymbol{\varepsilon}^T\boldsymbol{A}\boldsymbol{\varepsilon}, \tag{3.9}$$

$$V = \frac{1}{2}\boldsymbol{\sigma}^T\boldsymbol{a}\boldsymbol{\sigma}. \tag{3.10}$$

这里 $\boldsymbol{A}$, $\boldsymbol{a}$ 是两个六阶对称矩阵

$$\boldsymbol{A} = \begin{bmatrix} A_{11} & A_{12} & A_{13} & A_{14} & A_{15} & A_{16} \\ & A_{22} & A_{23} & A_{24} & A_{25} & A_{26} \\ & & A_{33} & A_{34} & A_{35} & A_{36} \\ & & & A_{44} & A_{45} & A_{46} \\ & \text{对} & & & A_{55} & A_{56} \\ & & \text{称} & & & A_{66} \end{bmatrix}, \tag{3.11a}$$

$$a = \begin{bmatrix} a_{11} & a_{12} & a_{13} & a_{14} & a_{15} & a_{16} \\ & a_{22} & a_{23} & a_{24} & a_{25} & a_{26} \\ & & a_{33} & a_{34} & a_{35} & a_{36} \\ & \text{对} & & a_{44} & a_{45} & a_{46} \\ & & \text{称} & & a_{55} & a_{56} \\ & & & & & a_{66} \end{bmatrix}. \tag{3.11b}$$

由此得到应力应变关系的两种形式

$$\boldsymbol{\sigma} = \boldsymbol{A\epsilon}, \tag{3.12}$$

$$\boldsymbol{\epsilon} = \boldsymbol{a\sigma}. \tag{3.13}$$

因为上两式代表同一个应力应变关系，所以有

$$\boldsymbol{aA} = \boldsymbol{I}. \tag{3.14}$$

这里 $\boldsymbol{I}$ 代表六阶的单位矩阵.

§6.4 弹性力学平衡问题的微分方程提法

在弹性力学问题中共出现 15 个未知函数，它们是： 3 个位移分量，6 个应变分量，6 个应力分量．弹性力学问题的彻底解决，要求全面地求得这 15 个函数．当然在实际工程问题里，对这 15 个函数并非给予同等的重视．人们常常根据实际需要，关心其中的一部份，而不关心另一部份．但从理论角度来看，只有求得了上述 15 个函数，问题才算获得彻底解决.

上述 15 个函数应该满足下列微分方程：几何方程 (1.3) 或 (1.4)，它反映了应变与位移的关系；应力应变关系(3.12)或(3.13)；平衡方程(2.8)或(2.9)．除微分方程外，还应有相应的边界条件．在弹性力学空间问题中，边界条件是多种多样的．这里我们只考虑两种典型情况，即固支面与自由面．命 B 是物体的边界．设 B 中的一部份 B_1 是固支的，于是有条件

$$\text{在 } B_1 \text{ 上：} \quad \boldsymbol{u} = \bar{\boldsymbol{u}}, \tag{4.1}$$

设 B 的其余部份 B_2 是自由的，于是有条件

$$\text{在 } B_2 \text{ 上：} \quad \boldsymbol{E}(\nu)\boldsymbol{\sigma} = \bar{\boldsymbol{p}}. \tag{4.2}$$

在以上算式中，

$$\bar{\boldsymbol{u}} = [\bar{u}, \bar{v}, \bar{w}]^T, \ \bar{\boldsymbol{p}} = [\bar{p}_x, \bar{p}_y, \bar{p}_z]^T \tag{4.3}$$

是在边界上已知的函数，而 $\boldsymbol{\nu}$ 是边界法线方向（以向外者为正）的单位矢量.

把方程分为微分方程和边界条件，是按数学观点的分类法，从力学观点看，应按方程所反映的客观规律进行分类. 按这种观点，方程 (1.3)，(1.4) 和 (4.1) 属于同一类，它们都反映连续性要求；方程 (2.8)，(2.9) 和 (4.2) 同属于另一类，它们都反映平衡要求；方程 (3.12) 或 (3.13) 自成一类，它们反映了物体的力学性质. 后面在讨论变分原理时，就也按上述力学观点进行分类.

同时求解 15 个未知函数是件相当麻烦的事情. 所以在弹性力学文献中，通常的做法是先设法消去若干个未知函数，而把余下的未知函数当作基本未知函数. 一种做法是先利用 (1.3) 将应变用位移来表示，然后再利用 (3.12) 将应力也用位移来表示，最后将这样得到的表示式代入平衡方程 (2.8)，便得到以位移表示的平衡方程. 对于均匀的各向同性的弹性体，这样的平衡方程是

$$\begin{aligned}
&(\lambda + G)\frac{\partial e}{\partial x} + G\nabla^2 u + f_x = 0,\\
&(\lambda + G)\frac{\partial e}{\partial y} + G\nabla^2 v + f_y = 0,\\
&(\lambda + G)\frac{\partial e}{\partial z} + G\nabla^2 w + f_z = 0,
\end{aligned} \tag{4.4}$$

其中

$$e = \frac{\partial u}{\partial x} + \frac{\partial v}{\partial y} + \frac{\partial w}{\partial z}, \tag{4.5}$$

λ，G 是 Lamé 弹性常数，∇^2 是拉普拉斯算子.

还有一种做法是把应力当作基本未知函数而设法消去位移和应变. 先从 (1.3) 消去位移，得到应变协调方程 (1.14)，然后将 (3.13) 代入 (1.14)，便得到以应力表示的应变协调方程. 对于均匀的各向同性的物体，并且在没有体积力时，这六个方程是

$$(1+\nu)\nabla^2\sigma_x+\frac{\partial^2\theta}{\partial x^2}=0,\quad (1+\nu)\nabla^2\tau_{yz}+\frac{\partial^2\theta}{\partial y\partial z}=0,$$
$$(1+\nu)\nabla^2\sigma_y+\frac{\partial^2\theta}{\partial y^2}=0,\quad (1+\nu)\nabla^2\tau_{xz}+\frac{\partial^2\theta}{\partial x\partial z}=0,$$
$$(1+\nu)\nabla^2\sigma_z+\frac{\partial^2\theta}{\partial z^2}=0,\quad (1+\nu)\nabla^2\tau_{xy}+\frac{\partial^2\theta}{\partial x\partial y}=0,\tag{4.6}$$

其中

$$\theta=\sigma_x+\sigma_y+\sigma_z,\tag{4.7}$$

ν 是 Poisson 系数．这样方程 (2.11) 和 (4.6) 便是应力分量应满足的 9 个方程．

对于各向异性的，以及非均匀的物体，以位移表示的平衡方程，以及以应力表示的应变协调方程，都是很繁长的，用起来很不方便．

§ 6.5　虚功原理和功的互等定理

按照力学上的一般称呼，满足连续条件的位移和应变叫做变形可能的位移和变形可能的应变，简称可能位移和可能应变．与可能应变相应的应力称为变形可能的应力．在有必要注明一种状态为变形可能的状态时，用右下角或右上角的 k 来标记，例如 $\boldsymbol{u}_k$，$\boldsymbol{\varepsilon}_k$，$\boldsymbol{\sigma}_k$ 等．在上节提出的弹性力学空间问题中，连续条件便是几何方程 (1.4) 和位移边界条件 (4.1)．

又按照力学上的一般称呼，与某种外力维持平衡的应力称为与此种外力相应的静力可能的应力，简称可能应力．与可能应力相应的应变称为静力可能的应变．由于静力可能的应变不一定满足应变协调方程，所以也就不一定有相应的位移．如果有相应的位移，那末这个位移叫做静力可能的位移．在有必要注明一种状态为静力可能的状态时，用右下角或右上角上的 s 来标记，例如 $\boldsymbol{\sigma}_s$，$\boldsymbol{\varepsilon}_s$，如果存在相应的位移，则记为 $\boldsymbol{u}_s$．在上节提出的弹性力学空间问题中，平衡条件是平衡方程 (2.9) 和有关力的边界条件

(4.2).

根据能量守恒原理,在一般的线性弹性体力学中,外力在可能位移上所作之功,等于可能应力在相应的可能应变上所作之功. 通常把这个关系叫做虚功原理. 在上节提出的弹性力学空间问题中,虚功原理的数学形式是

$$\iiint_{\Omega} \boldsymbol{f}^T \boldsymbol{u} d\Omega + \iint_{B} \boldsymbol{p}^T \boldsymbol{u} dB = \iiint_{\Omega} \boldsymbol{\sigma}^T \boldsymbol{\varepsilon} d\Omega. \tag{5.1}$$

在此式中,Ω 代表物体所占的空间,B 代表物体的表面,$\boldsymbol{u}$ 和 $\boldsymbol{\varepsilon}$ 是变形可能的位移和应变,$\boldsymbol{\sigma}$ 是静力可能的应力.

若利用方程 (1.4), (2.3), (2.9) 以消去公式 (5.1) 中的 $\boldsymbol{\varepsilon}, \boldsymbol{p}, \boldsymbol{f}$, 便得到

$$-\iiint_{\Omega} [\boldsymbol{E}(\boldsymbol{\nabla})\boldsymbol{\sigma}]^T \boldsymbol{u} d\Omega + \iint_{B} [\boldsymbol{E}(\nu)\boldsymbol{\sigma}]^T \boldsymbol{u} dB$$
$$= \iiint_{\Omega} \boldsymbol{\sigma}^T \boldsymbol{E}^T(\boldsymbol{\nabla}) \boldsymbol{u} d\Omega. \tag{5.2}$$

在这个公式中,可能位移 $\boldsymbol{u}$ 和可能应力 $\boldsymbol{\sigma}$ 之间,不需要满足任何关系,因此公式 (5.2) 实质上是 9 个函数($\boldsymbol{u}$中 3 个 $\boldsymbol{\sigma}$ 中 6 个)之间的一个恒等关系. 这个恒等关系上面是通过力学上的说理导出的,它当然也可以用严格的数学方法给予证明. 为此先移项把它改写成为

$$\iiint_{\Omega} \{[\boldsymbol{E}(\boldsymbol{\nabla})\boldsymbol{\sigma}]^T \boldsymbol{u} + \boldsymbol{\sigma}^T \boldsymbol{E}^T(\boldsymbol{\nabla}) \boldsymbol{u}\} d\Omega$$
$$= \iint_{B} [\boldsymbol{E}(\nu)\boldsymbol{\sigma}]^T \boldsymbol{u} dB. \tag{5.3}$$

然后把算子 $\boldsymbol{E}$ 拆成三项

$$\boldsymbol{E}(\boldsymbol{\nabla}) = \boldsymbol{E}_1 \frac{\partial}{\partial x} + \boldsymbol{E}_2 \frac{\partial}{\partial y} + \boldsymbol{E}_3 \frac{\partial}{\partial z}, \tag{5.4a}$$

$$\boldsymbol{E}(\nu) = \boldsymbol{E}_1 l + \boldsymbol{E}_2 m + \boldsymbol{E}_3 n, \tag{5.4b}$$

这里 $\boldsymbol{E}_1$, $\boldsymbol{E}_2$, $\boldsymbol{E}_3$ 是三个常数矩阵. 利用 (5.4a), (5.3) 左端的被积函数可简化为

$$\left[\boldsymbol{E}_1\frac{\partial\boldsymbol{\sigma}}{\partial x}+\boldsymbol{E}_2\frac{\partial\boldsymbol{\sigma}}{\partial y}+\boldsymbol{E}_3\frac{\partial\boldsymbol{\sigma}}{\partial z}\right]^T\boldsymbol{u}$$

$$+\boldsymbol{\sigma}^T\left[\boldsymbol{E}_1^T\frac{\partial\boldsymbol{u}}{\partial x}+\boldsymbol{E}_2^T\frac{\partial\boldsymbol{u}}{\partial y}+\boldsymbol{E}_3^T\frac{\partial\boldsymbol{u}}{\partial z}\right]$$

$$=\frac{\partial\boldsymbol{\sigma}^T}{\partial x}\boldsymbol{E}_1^T\boldsymbol{u}+\frac{\partial\boldsymbol{\sigma}^T}{\partial y}\boldsymbol{E}_2^T\boldsymbol{u}+\frac{\partial\boldsymbol{\sigma}^T}{\partial z}\boldsymbol{E}_3^T\boldsymbol{u}$$

$$+\boldsymbol{\sigma}^T\boldsymbol{E}_1^T\frac{\partial\boldsymbol{u}}{\partial x}+\boldsymbol{\sigma}^T\boldsymbol{E}_2^T\frac{\partial\boldsymbol{u}}{\partial y}+\boldsymbol{\sigma}^T\boldsymbol{E}_3^T\frac{\partial\boldsymbol{u}}{\partial z}$$

$$=\frac{\partial}{\partial x}(\boldsymbol{\sigma}^T\boldsymbol{E}_1^T\boldsymbol{u})+\frac{\partial}{\partial y}(\boldsymbol{\sigma}^T\boldsymbol{E}_2^T\boldsymbol{u})$$

$$+\frac{\partial}{\partial z}(\boldsymbol{\sigma}^T\boldsymbol{E}_3^T\boldsymbol{u}). \tag{5.5}$$

于是再利用高斯的积分定理，便有

$$\iiint_\Omega\{[\boldsymbol{E}(\nabla)\boldsymbol{\sigma}]^T\boldsymbol{u}+\boldsymbol{\sigma}^T\boldsymbol{E}^T(\nabla)\boldsymbol{u}\}d\Omega$$

$$=\iiint_\Omega\left\{\frac{\partial}{\partial x}(\boldsymbol{\sigma}^T\boldsymbol{E}_1^T\boldsymbol{u})+\frac{\partial}{\partial y}(\boldsymbol{\sigma}^T\boldsymbol{E}_2^T\boldsymbol{u})\right.$$

$$\left.+\frac{\partial}{\partial z}(\boldsymbol{\sigma}^T\boldsymbol{E}_3^T\boldsymbol{u})\right\}d\Omega$$

$$=\iint_B(l\boldsymbol{\sigma}^T\boldsymbol{E}_1^T\boldsymbol{u}+m\boldsymbol{\sigma}^T\boldsymbol{E}_2^T\boldsymbol{u}+n\boldsymbol{\sigma}^T\boldsymbol{E}_3^T\boldsymbol{u})dB$$

$$=\iiint_B\{\boldsymbol{\sigma}^T(l\boldsymbol{E}_1^T+m\boldsymbol{E}_2^T+n\boldsymbol{E}_3^T)\boldsymbol{u}d\Omega$$

$$=\iint_B[\boldsymbol{E}(\nu)\boldsymbol{\sigma}]^T\boldsymbol{u}dB. \tag{5.6}$$

公式 (5.2), (5.3) 不仅对连续可导的函数成立，并且对广义函数也是成立的.

把公式(5.1)用于同一个物体在两种不同情况下的两个解，便可得到功的互等定理. 设第一种状态为 $\boldsymbol{u}_1$, $\boldsymbol{\varepsilon}_1$, $\boldsymbol{\sigma}_1$, 它们相应于体积力 $\boldsymbol{f}_1$ 和表面力 $\boldsymbol{p}_1$; 第二种状态为 $\boldsymbol{u}_2$, $\boldsymbol{\varepsilon}_2$, $\boldsymbol{\sigma}_2$, 它们相应于体积力 $\boldsymbol{f}_2$ 和表面力 $\boldsymbol{p}_2$. 因为两种状态都是精确解，两组应力和应变都满

足应力应变关系(3.12),(3.13). 现在先把第一种状态中的 $\boldsymbol{u}_1$, $\boldsymbol{\varepsilon}_1$ 看作是可能的位移和应变，把第二种状态中的 $\boldsymbol{\sigma}_2$ 看作是可能的应力,把它们代入公式(5.1)，得到

$$\iiint_{\Omega} \boldsymbol{f}_2^T \boldsymbol{u}_1 d\Omega + \iint_{B} \boldsymbol{p}_2^T \boldsymbol{u}_1 dB = \iiint_{\Omega} \boldsymbol{\sigma}_2^T \boldsymbol{\varepsilon}_1 d\Omega. \tag{5.7}$$

再把第二种状态中的 $\boldsymbol{u}_2$, $\boldsymbol{\varepsilon}_2$ 看作是可能位移和应变，把第一种状态中的 $\boldsymbol{\sigma}_1$ 看作是可能应力,将它们代入公式(5.1)，得到

$$\iiint_{\Omega} \boldsymbol{f}_1^T \boldsymbol{u}_2 d\Omega + \iint_{B} \boldsymbol{p}_1^T \boldsymbol{u}_2 dB = \iiint_{\Omega} \boldsymbol{\sigma}_1^T \boldsymbol{\varepsilon}_2 d\Omega. \tag{5.8}$$

但因为

$$\boldsymbol{\sigma}_2^T \boldsymbol{\varepsilon}_1 = \boldsymbol{\sigma}_2^T \boldsymbol{a} \boldsymbol{\sigma}_1 = \boldsymbol{\sigma}_1^T \boldsymbol{a} \boldsymbol{\sigma}_2 = \boldsymbol{\sigma}_1^T \boldsymbol{\varepsilon}_2 \tag{5.9}$$

所以(5.7),(5.8)的右端相等,于是它们的左端也必相等:

$$\iiint_{\Omega} \boldsymbol{f}_2^T \boldsymbol{u}_1 d\Omega + \iint_{B} \boldsymbol{p}_2^T \boldsymbol{u}_1 dB = \iiint_{\Omega} \boldsymbol{f}_1^T \boldsymbol{u}_2 d\Omega + \iint_{B} \boldsymbol{p}_1^T \boldsymbol{u}_2 dB. \tag{5.10}$$

这便是著名的功的互等定理.

公式(5.10)是外功的互等定理，公式(5.9)是内功的互等定理. 上面的推导把外功的互等定理看作是内功的互等定理的后果. 其实两者都是能量守恒原理和线性系统的后果.

§6.6 弹性力学平衡问题的变分原理的综述

在§6.4，已把弹性力学的平衡问题提成为微分方程的边值问题. 后面几节，将把弹性力学的平衡问题提成为变分法的问题. 按照传统的叫法，这些变分式都叫做变分原理. 目前已提出了许多变分原理,各有各的特点,各适用于不同的问题类型. 在介绍各种具体的变分原理之前,本节先讨论一下变分原理的分类,通过分类,可以看清楚各种变分原理之间的关系.

弹性力学的基本关系有三类：连续关系、平衡关系、和应力应变关系. 前面几节已用微分方程和边界条件的数学形式反映了这些关系. 其中的应力应变关系又可分为应变能形式(3.4),和余应

变能形式(3.7). 后面将要介绍的变分原理,仍然是上述三大客观规律的数学反映,不过那里用的是变分式而不是微分方程. 按照变分式所反映的客观规律进行分类,弹性力学平衡问题的变分原理基本上可划分为 11 大类,如下表所示.

表 6.1 变分原理所反映的客观规律

编号	平衡条件	连续条件	应力应变关系		备注
			应变能形式	余应变能形式	
1	✓				最小势能原理 §6.7
2		✓			最小余能原理 §6.8
3			✓		10 的特例
4				✓	9 的特例
5		✓	✓		10 的特例
6		✓		✓	尚未见这类变分原理
7	✓		✓		10 的特例
8	✓	✓			Hellinger-Reissner 变分原理 §6.9(本义)
9	✓			✓	Hellinger-Reissner 变分原理 §6.9(旁义)
10	✓	✓	✓		胡海昌-鹫津变分原理 §6.10
11	✓	✓		✓	尚未见这类变分原理

上表中第 10 类变分原理反映了问题中的全部客观规律,因此可以看作是弹性力学平衡问题的变分式提法. 按照钱伟长[27]的建议,可把它叫做完全的广义变分原理.

上表中 1—9 号九类变分原理,只反映了部份的客观规律,其余的客观规律仍然需要用微分方程来反映. 这样,对于这九类变分原理又都可分成无条件变分形式与有条件变分形式两种. 应该说有条件的变分形式是这些变分原理的本来面目,无条件变分形式则是在消去适当的自变函数之后得到的. 例如最小势能原理,按其本来面目应该以位移和应变为自变函数,而把几何方程(1.4)看作是附加的条件. 这便是有条件的变分形式. 如果利用公式(1.4)将应变用位移来表示,然后就可把势能表达为位移的泛函,这样便得到最小势能原理的无条件变分形式.

在经典的变分原理中,自变函数都必须是连续可导的函数. 在广义变分原理中,自变函数可以是广义函数,它们可具有某些不连续性. 有几位作者专门讨论过放宽连续条件的变分原理(例如见 Prager[243], Nemat-Nasser[219][220], Washizu[316]). 后面几节介绍变分原理时,如果自变函数允许理解为广义函数,就理解为广义函数. 因此不再对放宽连续条件的变分原理作专门的讨论.

§ 6.7 最小势能原理

考虑一个弹性体在体积力 $\boldsymbol{f}$ 作用下的平衡问题. 在整个弹性体的边界上,假定有两种典型的边界条件: 一部份边界 B_1 是固支的,因而有边界条件(4.1),其余的边界 B_2 是自由的,因而有边界条件(4.2).

整个系统的势能包括两部份: 一部份是弹性体的应变能 Π^2,它的算式是

$$\Pi^2 = \iiint_{\Omega} \frac{1}{2} \boldsymbol{\varepsilon}^T \boldsymbol{A} \boldsymbol{\varepsilon} d\Omega, \tag{7.1}$$

另一部份是外载荷的势能 Π^1,它的算式是

$$\Pi^1 = -\iiint_{\Omega} \boldsymbol{f}^T \boldsymbol{u} d\Omega - \iint_{B_2} \bar{\boldsymbol{p}}^T \boldsymbol{u} dB. \tag{7.2}$$

所以整个系统的势能 Π 为

$$\Pi = \iiint_{\Omega} \left(\frac{1}{2} \boldsymbol{\varepsilon}^T \boldsymbol{A} \boldsymbol{\varepsilon} - \boldsymbol{f}^T \boldsymbol{u} \right) d\Omega - \iint_{B_2} \bar{\boldsymbol{p}}^T \boldsymbol{u} dB. \tag{7.3}$$

命 $\boldsymbol{u}$, $\boldsymbol{\varepsilon}$, $\boldsymbol{\sigma}$ 是上述问题的精确解,它们满足弹性力学的全部微分方程和边界条件. 再命 $\boldsymbol{u}_k$, $\boldsymbol{\varepsilon}_k$ 为一种可能的位移和应变,我

们只知道它们满足几何方程（1.4）和位移边界条件（4.1）。最小势能原理指出，与精确解相应的势能 $\Pi(\boldsymbol{u})$ 小于与任何其它可能位移 $\boldsymbol{u}_k$ 相应的势能 $\Pi(\boldsymbol{u}_k)$。证明步骤与前几章说明的梁、板理论中的最小势能原理相同。现仅作简要的说明如下。命

$$\Delta\boldsymbol{u}=\boldsymbol{u}_k-\boldsymbol{u},\quad \boldsymbol{u}_k=\boldsymbol{u}+\Delta\boldsymbol{u}. \tag{7.4}$$

位移差满足下列齐次边界条件

$$\text{在 } B_1 \text{ 上：}\ \Delta\boldsymbol{u}=0. \tag{7.5}$$

与 $\boldsymbol{u}_k$，$\boldsymbol{\varepsilon}_k$ 相应的势能 $\Pi(\boldsymbol{u}_k)$ 是

$$\Pi(\boldsymbol{u}_k)=\iiint_{\Omega}\left(\frac{1}{2}\boldsymbol{\varepsilon}_k^T\boldsymbol{A}\boldsymbol{\varepsilon}_k-\boldsymbol{f}^T\boldsymbol{u}_k\right)d\Omega-\iint_{B_2}\bar{\boldsymbol{p}}^T\boldsymbol{u}_k dB. \tag{7.6}$$

将（7.4）代入，然后对 $\Delta\boldsymbol{u}$ 展开，并排列整齐，得到

$$\begin{aligned}\Pi(\boldsymbol{u}_k)=\Pi(\boldsymbol{u})&+\iiint_{\Omega}(\boldsymbol{\sigma}^T\Delta\boldsymbol{\varepsilon}-\boldsymbol{f}^T\Delta\boldsymbol{u})d\Omega\\&-\iint_{B_2}\bar{\boldsymbol{p}}^T\Delta\boldsymbol{u}dB+\frac{1}{2}\iiint_{\Omega}\Delta\boldsymbol{\varepsilon}^T\boldsymbol{A}\Delta\boldsymbol{\varepsilon}d\Omega,\end{aligned} \tag{7.7}$$

式中 $\Delta\boldsymbol{\varepsilon}$ 为与 $\Delta\boldsymbol{u}$ 相应的应变。根据虚功原理（5.1）可证明上式中 $\Delta\boldsymbol{u}$ 的线性项等于零，于是有：

$$\Pi(\boldsymbol{u}_k)=\Pi(\boldsymbol{u})+\frac{1}{2}\iiint_{\Omega}\Delta\boldsymbol{\varepsilon}^T\boldsymbol{A}\Delta\boldsymbol{\varepsilon}d\Omega. \tag{7.8}$$

由于 $\boldsymbol{A}$ 是一个正定的矩阵，上式右端第二项必不小于零，因此有

$$\Pi(\boldsymbol{u}_k)\geqslant\Pi(\boldsymbol{u}), \tag{7.9}$$

等号只有在 $\Delta\boldsymbol{\varepsilon}=0$ 的情况下才成立。

精确解与其它变形可能状态的差别在于是否满足平衡条件，所以最小势能原理是平衡条件用变分式表达的数学形式。事实上若根据（7.3）求 Π 的变分，得到

$$\begin{aligned}\delta\Pi=&-\iiint_{\Omega}[\boldsymbol{E}(\boldsymbol{\nabla})\boldsymbol{\sigma}+\boldsymbol{f}]^T\delta\boldsymbol{u}d\Omega\\&+\iint_{B_2}[\boldsymbol{E}(\nu)\boldsymbol{\sigma}-\bar{\boldsymbol{p}}]^T\delta\boldsymbol{u}dB=0.\end{aligned} \tag{7.10}$$

由此即可导出平衡方程（2.9）和有关力的边界条件（4.2）。

Π 取最小值和 $\delta\Pi=0$，在梁、板、壳的理论中是完全相当的．但在弹性力学问题中，两者不完全等价，(7.10) 式适用的范围更大一些．在弹性力学问题中，如果有集中载荷，那末位移在载荷作用点处等于无穷大，其后果是使势能变成负无穷大．要比较两个无穷大谁大谁小，是一个新问题，从普通高等数学的观点看来，应该说势能不存在，谈不上谁大谁小．但是在有集中载荷的情况，算式 (7.10) 继续成立，因为选取适当的 $\delta\boldsymbol{u}$，(7.10) 中的两个积分仍可能存在．

§ 6.8　最小余能原理

继续考虑与上节相同的弹性体的平衡问题．仍命 $\boldsymbol{u}$, $\boldsymbol{\varepsilon}$, $\boldsymbol{\sigma}$ 为问题的精确解．再命 $\boldsymbol{\sigma}_s$ 是一组静力可能的应力．按定义，$\boldsymbol{\sigma}_s$ 满足下列方程和边界条件

$$\boldsymbol{E}(\nabla)\boldsymbol{\sigma}_s+\boldsymbol{f}=0, \tag{8.1}$$

$$\text{在 } B_2 \text{ 上：} \boldsymbol{E}(\nu)\boldsymbol{\sigma}_s=\bar{\boldsymbol{p}}. \tag{8.2}$$

在最小余能原理中，比较精确解与静力可能状态相应的余能的大小．

系统的余能 Γ 包括两部分：一部分是余应变能 Γ^2，它的算式是

$$\Gamma^2=\frac{1}{2}\iiint_{\Omega}\boldsymbol{\sigma}^T\boldsymbol{a}\boldsymbol{\sigma}d\Omega. \tag{8.3}$$

另一部分是已知的边界位移的余能 Γ^1，它的算式是

$$\Gamma^1=-\iint_{B_1}\boldsymbol{p}^T\bar{\boldsymbol{u}}dB. \tag{8.4}$$

因此整个系统的余能 Γ 为

$$\Gamma=\frac{1}{2}\iiint_{\Omega}\boldsymbol{\sigma}^T\boldsymbol{a}\boldsymbol{\sigma}d\Omega-\iint_{B_1}\boldsymbol{p}^T\bar{\boldsymbol{u}}dB. \tag{8.5}$$

与可能应力 $\boldsymbol{\sigma}_s$ 相应的余能 $\Gamma(\boldsymbol{\sigma}_s)$ 的算式是

$$\Gamma(\boldsymbol{\sigma}_s) = \frac{1}{2}\iiint_{\Omega} \boldsymbol{\sigma}_s^T \boldsymbol{a} \boldsymbol{\sigma}_s d\Omega - \iint_{B_1} \boldsymbol{p}_s^T \bar{\boldsymbol{u}} dB, \tag{8.6}$$

其中

$$\boldsymbol{p}_s = \boldsymbol{E}(\nu)\boldsymbol{\sigma}_s. \tag{8.7}$$

为了证明最小余能原理，仍采用传统的步骤，先命

$$\boldsymbol{\sigma}_s = \boldsymbol{\sigma} + \Delta\boldsymbol{\sigma},\ \Delta\boldsymbol{\sigma} = \boldsymbol{\sigma}_s - \boldsymbol{\sigma}. \tag{8.8}$$

应力增量 $\Delta\boldsymbol{\sigma}$ 满足下列齐次方程和齐次边界条件

$$\boldsymbol{E}(\nabla)\Delta\boldsymbol{\sigma} = 0 \tag{8.9}$$

$$\text{在 } B_2 \text{ 上：} \boldsymbol{E}(\nu)\Delta\boldsymbol{\sigma} = \Delta\boldsymbol{p} = 0. \tag{8.10}$$

此式表明与应力增量 $\Delta\boldsymbol{\sigma}$ 相应的外载荷为零，即 $\Delta\boldsymbol{\sigma}$ 是一组自相平衡的内应力.

将 (8.8) 代入 (8.6)，然后按 $\Delta\boldsymbol{\sigma}$ 的次数排齐，得到

$$\Gamma(\boldsymbol{\sigma}_s) = \Gamma(\boldsymbol{\sigma}) + \iiint_{\Omega} \Delta\boldsymbol{\sigma}^T \boldsymbol{\varepsilon} d\Omega - \iint_{B_1} \Delta\boldsymbol{p}^T \bar{\boldsymbol{u}} dB + \frac{1}{2}\iiint_{\Omega} \Delta\boldsymbol{\sigma}^T \boldsymbol{a} \Delta\boldsymbol{\sigma} d\Omega. \tag{8.11}$$

利用虚功原理 (5.1) 可证明上式中间两项互相抵消，因此有

$$\Gamma(\boldsymbol{\sigma}_s) = \Gamma(\boldsymbol{\sigma}) + \frac{1}{2}\iiint_{\Omega} \Delta\boldsymbol{\sigma}^T \boldsymbol{a} \Delta\boldsymbol{\sigma} d\Omega. \tag{8.12}$$

矩阵 $\boldsymbol{a}$ 是一个正定矩阵，因此上式第二项不小于零，于是有

$$\Gamma(\boldsymbol{\sigma}_s) \geqslant \Gamma(\boldsymbol{\sigma}) \tag{8.13}$$

等式只有在 $\boldsymbol{\sigma}_s = \boldsymbol{\sigma}$ 时才成立.

精确解与其他静力可能状态的差别在于是否满足位移连续条件. 所以最小余能原理是位移连续条件用变分式表达的数学形式. 事实上从最小余能原理出发，确能导出几何方程 (1.4) 和边界条件 (4.1). 详细的推导见下节.

对于精确解，系统的势能与余能之间存在着关系式

$$\Pi = -\Gamma. \tag{8.14}$$

用此式把公式 (7.9), (8.13) 联系起来，便得到一连串的不等式

$$-\Pi(\boldsymbol{u}_k) \leqslant -\Pi(\boldsymbol{u}) = \Gamma(\boldsymbol{\sigma}) \leqslant \Gamma(\boldsymbol{\sigma}_s). \tag{8.15}$$

§ 6.9 Hellinger-Reissner 二类变量广义变分原理

Hellinger[150] 和 Reissner[264] 先后推广最小余能原理，得到了以应力和位移为自变函数的无条件变分原理1)． 后来这个变分原理便经常叫做 Hellinger-Reissner 变分原理．鹫津[314]、匡震邦[344]、钱伟长[26]和 Hlaváček[156] 先后指出，推导这一类广义变分原理的一个简单的办法是用拉格朗日乘子．

在 § 6.8 已证明了最小余能原理

$$\delta\Gamma=\delta\left\{\frac{1}{2}\iiint\limits_{\Omega}\boldsymbol{\sigma}^T\boldsymbol{a}\boldsymbol{\sigma}d\Omega-\iint\limits_{B_1}\boldsymbol{p}^T\bar{\boldsymbol{u}}dB\right\}=0. \tag{9.1}$$

其中的自变函数 $\boldsymbol{\sigma}$ 要求满足平衡方程 (2.9) 和有关力的边界条件 (4.2)．所以这是一个条件极值原理，为了把它变为无条件的驻立值问题，可采用拉格朗日乘子．这样得到一个新泛函

$$\Gamma^*=\iiint\limits_{\Omega}\left\{\frac{1}{2}\boldsymbol{\sigma}^T\boldsymbol{a}\boldsymbol{\sigma}+[\boldsymbol{E}(\nabla)\boldsymbol{\sigma}+\boldsymbol{f}]^T\boldsymbol{\lambda}\right\}d\Omega-\iint\limits_{B_1}\boldsymbol{p}^T\bar{\boldsymbol{u}}dB-\iint\limits_{B_2}(\boldsymbol{p}^T-\bar{\boldsymbol{p}}^T)\boldsymbol{\mu}dB, \tag{9.2}$$

其中

$$\boldsymbol{\lambda}=[\lambda_1,\lambda_2,\lambda_3]^T,\ \boldsymbol{\mu}=[\mu_1,\mu_2,\mu_3]^T \tag{9.3}$$

是六个拉格朗日乘子． 在泛函 Γ^* 中，$\boldsymbol{\sigma}$ 已可看作是不算限制的自变函数．$\boldsymbol{\sigma}$ 使 Γ^* 取驻立值的条件是

$$\iiint\limits_{\Omega}\{\delta\boldsymbol{\sigma}^T\boldsymbol{\varepsilon}+[\boldsymbol{E}(\nabla)\delta\boldsymbol{\sigma}]^T\boldsymbol{\lambda}\}d\Omega-\iint\limits_{B_1}\delta\boldsymbol{p}^T\bar{\boldsymbol{u}}dB-\iint\limits_{B_2}\delta\boldsymbol{p}^T\boldsymbol{\mu}dB=0. \tag{9.4}$$

在恒等式 (5.3) 中用 $\delta\boldsymbol{\sigma}$ 代替 $\boldsymbol{\sigma}$，用 $\boldsymbol{\lambda}$ 代替 $\boldsymbol{u}$，得到

---

1) 据说 Prange[246]在一篇未发表的文章中得到过二类变量广义变分原理(限于应力边界条件)，所以在Gurtin的书[144]中把这个变分原理叫作Hellinger-Prange-Reissner 变分原理．

$$\iiint_{\Omega} [\boldsymbol{E}(\nabla)\delta\boldsymbol{\sigma}]^T \boldsymbol{\lambda} d\Omega = -\iiint_{\Omega} \delta\boldsymbol{\sigma}^T \boldsymbol{E}^T(\nabla)\boldsymbol{\lambda} d\Omega$$

$$+ \iint_{B} \delta\boldsymbol{p}^T \boldsymbol{\lambda} dB,$$

将此代入 (9.4)，得到

$$\iiint_{\Omega} \delta\boldsymbol{\sigma}^T [\boldsymbol{\varepsilon} - \boldsymbol{E}^T(\nabla)\boldsymbol{\lambda}] d\Omega + \iint_{B_1} \delta\boldsymbol{p}^T(\boldsymbol{\lambda} - \bar{\boldsymbol{u}}) dB$$

$$+ \iint_{B_2} \delta\boldsymbol{p}^T(\boldsymbol{\lambda} - \boldsymbol{\mu}) dB = 0,$$

由此得到

$$\begin{aligned} &\boldsymbol{\varepsilon} - \boldsymbol{E}^T(\nabla)\boldsymbol{\lambda} = 0, \\ &\text{在 } B_1 \text{ 上：} \boldsymbol{\lambda} = \bar{\boldsymbol{u}}, \\ &\text{在 } B_2 \text{ 上：} \boldsymbol{\lambda} - \boldsymbol{\mu} = 0. \end{aligned} \tag{9.5}$$

此式表明，拉格朗日乘子其实就是位移．将 (9.2) 式中的 $\boldsymbol{\lambda}$, $\boldsymbol{\mu}$ 改为 $\boldsymbol{u}$，再将 Γ^* 改为 Γ_2，便得到二类变量广义余能原理

$$\Gamma_2 = \iiint_{\Omega} \left\{ \frac{1}{2} \boldsymbol{\sigma}^T \boldsymbol{a} \boldsymbol{\sigma} + [\boldsymbol{E}(\nabla)\boldsymbol{\sigma} + \boldsymbol{f}]^T \boldsymbol{u} \right\} d\Omega$$

$$- \iint_{B_1} \boldsymbol{p}^T \bar{\boldsymbol{u}} dB - \iint_{B_2} (\boldsymbol{p}^T - \bar{\boldsymbol{p}}^T) \boldsymbol{u} dB, \tag{9.6}$$

$$\delta\Gamma_2 = 0. \tag{9.7}$$

从变分式 (9.7) 除了可导出平衡方程和边界条件以外，还可得到下列方程

$$\boldsymbol{E}^T(\nabla)\boldsymbol{u} = \boldsymbol{a}\boldsymbol{\sigma}. \tag{9.8}$$

这个方程可以作两种力学解释．第一种解释是把方程的右端看作是应变，于是方程(9.8)便是几何方程(1.4)．这是原来的最小余能原理的解释．另一种解释是把方程左端看作是应变，那末方程 (9.8) 便是应力应变关系 (3.13)．这后一种解释已不是原来的最小余能原理的含义．在求解具体问题时，两种解释都有重要的应用．

利用恒等式 (5.3) 以消去 Γ_2 中涉及 $\boldsymbol{E}(\nabla)\boldsymbol{\sigma}$ 的那一项，便得到一个新的数学形式

$$\delta \Pi_2 = 0, \tag{9.9}$$

其中

$$\Pi_2 = \iiint_{\Omega} \left\{ \boldsymbol{\sigma}^T \boldsymbol{E}^T(\nabla)\boldsymbol{u} - \frac{1}{2}\boldsymbol{\sigma}^T \boldsymbol{a}\boldsymbol{\sigma} - \boldsymbol{f}^T\boldsymbol{u} \right\} d\Omega - \iint_{B_1} \boldsymbol{p}^T(\boldsymbol{u} - \bar{\boldsymbol{u}}) dB - \iint_{B_2} \bar{\boldsymbol{p}}^T \boldsymbol{u} dB. \tag{9.10}$$

变分式 (9.9) 是 Reissner 原来提出的形式. 如果把 $\boldsymbol{u}$ 和 $\boldsymbol{\sigma}$ 理解为广义函数, 那末算式 (9.7), (9.9) 是完全等价的, 因为 Π_2, Γ_2 间存在着一个恒等的关系

$$\Pi_2 + \Gamma_2 = 0. \tag{9.11}$$

从力学上看, Π_2 是系统的总势能的一种推广了的算式, 可称为二类变量广义势能; Γ_2 是系统的总余能的一种推广了的算式, 可称为二类变量广义余能.

将 (9.7) 或 (9.9) 式中的变分算子 δ 作用于 Γ_2 或 Π_2 的积分号内, 然后利用虚功原理 (5.3) 以消去自变函数的变分的导数, 得到

$$\iiint_{\Omega} \{\delta\boldsymbol{\sigma}^T[\boldsymbol{E}^T(\nabla)\boldsymbol{u} - \boldsymbol{a}\boldsymbol{\sigma}] - [\boldsymbol{E}(\nabla)\boldsymbol{\sigma} + \boldsymbol{f}]^T\delta\boldsymbol{u}\} d\Omega - \iint_{B_1} \delta\boldsymbol{p}^T(\boldsymbol{u} - \bar{\boldsymbol{u}}) dB + \iint_{B_2} (\boldsymbol{p}^T - \bar{\boldsymbol{p}}^T)\delta u dB = 0. \tag{9.12}$$

这个算式很像伽辽金法中的算式. 但是在单纯的伽辽金法中, 很难说明为什么在 (9.12) 中有几个积分取正号而另几个积分取负号. 改变一下 (9.12) 中某几个积分的正负号, 仍不失为一种可能的伽辽金法, 但这样一改, 它就不相当于某一个变分式了.

如果在 Hellinger-Reissner 二类变量变分原理中命应力事先满足平衡方程和有关力的边界条件, 命位移满足位移边界条件, 这样 (9.12) 式便简化为

$$\iiint_{\Omega} \delta\boldsymbol{\sigma}^T[\boldsymbol{E}^T(\nabla)\boldsymbol{u} - \boldsymbol{a}\boldsymbol{\sigma}] d\Omega = 0. \tag{9.13}$$

此式可用于近似地代替精确的应力应变关系. 在推导许多近似理

论时，变分式(9.13)很有用．

§6.10 胡海昌-鹫津三类变量广义变分原理

胡海昌[11]和鹫津[314]先后推广最小势能原理，得到了以位移、应变和应力为自变函数的无条件变分原理．后来有人把这些变分原理叫做胡海昌-鹫津变分原理．

在§6.7已证明了最小势能原理

$$\delta\Pi=\delta\left\{\iiint\limits_{\Omega}\left(\frac{1}{2}\boldsymbol{\varepsilon}^T\boldsymbol{A}\boldsymbol{\varepsilon}-\boldsymbol{f}^T\boldsymbol{u}\right)d\Omega-\iint\limits_{B_2}\bar{\boldsymbol{p}}^T\boldsymbol{u}dB\right\}=0, \quad (10.1)$$

其中的自变函数 $\boldsymbol{u}$ 和 $\boldsymbol{\varepsilon}$ 要求满足几何方程(1.4)和位移边界条件(4.1)．用适当的拉格朗日乘子将方程(1.4)，(4.1)并入变分式(10.1)之内，便得到

$$\delta\Pi_3=0, \quad (10.2)$$

其中

$$\Pi_3=\iiint\limits_{\Omega}\left\{\frac{1}{2}\boldsymbol{\varepsilon}^T\boldsymbol{A}\boldsymbol{\varepsilon}-\boldsymbol{f}^T\boldsymbol{u}-\boldsymbol{\sigma}^T[\boldsymbol{\varepsilon}-\boldsymbol{E}^T(\boldsymbol{\nabla})\boldsymbol{u}]\right\}d\Omega$$
$$-\iint\limits_{B_1}\boldsymbol{p}^T(\boldsymbol{u}-\bar{\boldsymbol{u}})dB-\iint\limits_{B_2}\bar{\boldsymbol{p}}^T\boldsymbol{u}dB. \quad (10.3)$$

此式中的

$$\boldsymbol{\sigma}^T=[\sigma_x,\sigma_y,\sigma_z,\tau_{yz},\tau_{xz},\tau_{xy}],$$
$$\boldsymbol{p}^T=[p_x,p_y,p_z]$$

起初是作为拉格朗日乘子引进的，不过它们的力学意义就是应力和边界上的面力，所以直接用了 $\boldsymbol{\sigma}$ 和 $\boldsymbol{p}$ 这两个记号．经过如上的推广之后，变分式(10.2)便相当于弹性力学的全部方程和边界条件，包括几何方程(1.4)，平衡方程(2.9)，应力应变关系(3.12)，以及边界条件(4.1)，(4.2)．由于在弹性力学中，具有直接的力学意义的量就是位移、应变和应力三类，所以三类变量广义变分原理是弹性力学中最一般的变分原理，是弹性力学问题的单纯变分法的提法． Hellinger-Reissner 二类变量广义变分原理是三类变量广

义变分原理的特殊情况.

利用恒等式 (5.3) 以消去 (10.3) 中与 $\boldsymbol{E}^T(\nabla)\boldsymbol{u}$ 有关的一项，得到三类变量广义变分原理的一个新的形式

$$\delta\Gamma_3 = 0. \tag{10.4}$$

其中

$$\Gamma_3 = \iiint\limits_{\Omega} \left\{\boldsymbol{\sigma}^T\boldsymbol{\varepsilon} - \frac{1}{2}\boldsymbol{\varepsilon}^T\boldsymbol{A}\boldsymbol{\varepsilon} + [\boldsymbol{E}(\nabla)\boldsymbol{\sigma} + \boldsymbol{f}]^T\boldsymbol{u}\right\} d\Omega - \iint\limits_{B_1} \boldsymbol{p}^T\bar{\boldsymbol{u}}dB - \iint\limits_{B_2} (\boldsymbol{p}^T - \bar{\boldsymbol{p}}^T)\boldsymbol{u}dB. \tag{10.5}$$

从力学意义上看，Π_3 代表系统的总势能的一种推广的表达式，Γ_3 代表系统的总余能的一种推广的表达式，它们可分别称为三类变量广义势能和三类变量广义余能. Π_3 和 Γ_3 之间也存在着一个恒等关系

$$\Pi_3 + \Gamma_3 = 0. \tag{10.6}$$

将 (10.2) 或 (10.4) 式中的变分算子 δ 作用于 Π_3 或 Γ_3 的积分号内，然后用恒等式 (5.3) 以消去自变函数的变分的导数，得到

$$\iiint\limits_{\Omega} \{[\boldsymbol{E}(\nabla)\boldsymbol{\sigma} + \boldsymbol{f}]^T\delta\boldsymbol{u} + [\boldsymbol{\sigma} - \boldsymbol{A}\boldsymbol{\varepsilon}]^T\delta\boldsymbol{\varepsilon} + \delta\boldsymbol{\sigma}^T[\boldsymbol{\varepsilon} - \boldsymbol{E}^T(\nabla)\boldsymbol{u}]\} d\Omega + \iint\limits_{B_1} \delta\boldsymbol{p}^T(\boldsymbol{u} - \bar{\boldsymbol{u}})dB - \iint\limits_{B_2} (\boldsymbol{p}^T - \bar{\boldsymbol{p}}^T)\delta\boldsymbol{u}dB = 0. \tag{10.7}$$

这个算式也很像伽辽金法中的算式. 但是在单纯的伽辽金法中，也很难说明为什么在 (10.7) 式中有些积分取正号，另一些积分取负号. 改变 (10.7) 中某一个积分的正负号，将使它不再相当于某一个变分式.

上面讨论各种变分原理时，都只考虑两种典型的边界条件. Hlaváček[157] 曾讨论过弹性支承以及接触边界条件下的经典变分原理和广义变分原理.

附记：在 1967 年，Tonti[305] 曾提出了一个四类变量的广义变

分原理. 在 Tonti 的广义变分原理中，把位移、应变、应力以及 Beltrami 应力函数看作是四类可以任意变化的自变函数. 这个变分原理适用于无体积力的情况，从这个变分原理可以导得应变协调方程、平衡方程、两种（应变能式和余应变能式）应力应变关系和全部边界条件.

§6.11 从最小余能原理看 Saint-Venant 问题

考虑一个均匀的各向同性的弹性柱体，在端面上受力的平衡问题. 取坐标系 (x, y, z)，使 z 轴平行于柱体的母线，x, y 轴是柱体剖面的主惯性轴. 把柱体的侧面记为 C，柱体的任一横剖面记为 S，端面 $z=0$ 记为 S_0，端面 $z=L$ 记为 S_1. 于是问题的边界条件是

$$\begin{aligned}\text{在 } C \text{ 上：}\quad & l\sigma_x + m\tau_{xy} = 0,\\ & l\tau_{xy} + m\sigma_y = 0,\\ & l\tau_{xz} + m\tau_{yz} = 0,\end{aligned}\tag{11.1}$$

$$\begin{aligned}&\text{在 } S_0 \text{ 上：}\quad \tau_{xz} = \bar{p}_{x0},\quad \tau_{yz} = \bar{p}_{y0},\quad \sigma_z = \bar{p}_{z0},\\ &\text{在 } S_1 \text{ 上：}\quad \tau_{xz} = \bar{p}_{x1},\quad \tau_{yz} = \bar{p}_{y1},\quad \sigma_z = \bar{p}_{z1}.\end{aligned}\tag{11.2}$$

其中 l, m 是侧面法线的方向余弦，$\bar{p}_{x_0}$, $\bar{p}_{y0}$, $\bar{p}_{z0}$, $\bar{p}_{x1}$, $\bar{p}_{y1}$, $\bar{p}_{z1}$ 是已知的 x, y 的函数. 对于任意给定的六个 p 函数（它们当然应该满足柱体的整体平衡条件），要精确地求解弹性力学方程是十分困难的. Saint-Venant 指出，端面上外力的具体分布情况，对柱体中间部份的应力影响不大，有决定性影响的是端面上外力的合力和合力矩. 这便是著名的 Saint-Venant 原理. Saint-Venant 根据这个看法，把边界条件 (11.2) 放松为：

$$\begin{aligned}\text{在 } S_0 \text{ 上：}\quad & \iint_{S_0} \sigma_z dxdy = N,\\ & \iint_{S_0} x\sigma_z dxdy = M_x, \qquad \iint_{S_0} y\sigma_z dxdy = M_y,\end{aligned}$$

$$\iint_{S_0} \tau_{xz} dxdy = Q_x, \qquad \iint_{S_0} \tau_{yz} dxdy = Q_y,$$

$$\iint_{S_0} (x\tau_{yz} - y\tau_{xz}) dxdy = M, \quad (11.3a)$$

在 S_1 上:

$$\iint_{S_1} \sigma_z dxdy = N, \quad \iint_{S_1} x\sigma_z dxdy = M_x + LQ_x,$$

$$\iint_{S_1} y\sigma_z dxdy = M_y + LQ_y, \iint_{S_1} \tau_{xz} dxdy = Q_x,$$

$$\iint_{S_1} \tau_{yz} dxdy = Q_y,$$

$$\iint_{S_1} (x\tau_{yz} - y\tau_{xz}) dxdy = M. \quad (11.3b)$$

这里N, M_x, M_y, Q_x, Q_y, M 是作用在端面 S_0 上的合力和合力矩. 根据柱体的整体平衡条件, 作用在端面 S_1 上的合力和合力矩必须为 N, $(M_x + LQ_x)$, $(M_y + LQ_y)$, Q_x, Q_y, M. 所以条件(11.3b) 是不独立的,事实上可以置之不用. 这个放松了边界条件的问题, 称为 Saint-Venant 问题. Saint-Venant 问题的解显然不是唯一的. Saint-Venant 自己求得了 Saint-Venant 问题的一种解, 这种解的主要特点是[25]:

$$\frac{\partial \tau_{xz}}{\partial z} = 0, \ \frac{\partial \tau_{yz}}{\partial z} = 0. \quad (11.4)$$

Saint-Venant问题的解既然不是唯一的,那末在这么许多解中,哪一种解能使柱体中贮存的应变能 Π^2 取最小值呢? Sternberg 和 Knowles[280] 曾部份地回答过这个问题. 下面我们来推导能使柱体的应变能取最小值的充分而又必要的条件.

设想先有了一种端面上的外力 $\bar{p}_{x0}, \cdots$, $\bar{p}_{x1}\cdots$. 它产生的柱体的位移和应力为 $\boldsymbol{u}$, $\boldsymbol{\sigma}$. 这时柱体中贮存的应变能为 Π^2. 再设想外载荷有了变分 $\delta\bar{p}_{x0}, \cdots, \delta\bar{p}_{x1}, \cdots$, 柱体中的位移、应力和应变能相应地有了变分 $\delta\boldsymbol{u}$, $\delta\boldsymbol{\sigma}$, $\delta\Pi^2$. $\delta\Pi^2$ 的算式可写成为

$$\delta\Pi^2 = \delta \iiint_\Omega \frac{1}{2}\boldsymbol{\varepsilon}^T \boldsymbol{A}\boldsymbol{\varepsilon} d\Omega = \iiint_\Omega \delta\boldsymbol{\sigma}^T \boldsymbol{\varepsilon} d\Omega. \tag{11.5}$$

在虚功原理 (5.1) 中将 $\boldsymbol{\sigma}$ 取为变分状态，$\boldsymbol{u}$ 取为变分前的状态，则有

$$\iiint_\Omega \delta\boldsymbol{\sigma}^T \boldsymbol{\varepsilon} d\Omega = \iint_B \delta\boldsymbol{p}^T \boldsymbol{u} dB$$

$$= \iint_{S_1} (u\delta\bar{p}_{x1} + v\delta\bar{p}_{y1} + w\delta\bar{p}_{z1}) dxdy$$

$$- \iint_{S_0} (u\delta\bar{p}_{x0} + v\delta\bar{p}_{y0} + w\delta\bar{p}_{z0}) dxdy,$$

因此有

$$\delta\Pi^2 = \iint_{S_1} (u\delta\bar{p}_{x1} + v\delta\bar{p}_{y1} + w\delta\bar{p}_{z1}) dxdv$$

$$- \iint_{S_0} (u\delta\bar{p}_{x0} + v\delta\bar{p}_{y0} + w\delta\bar{p}_{z0}) dxdy. \tag{11.6}$$

把柱体任一横剖面上的平均位移 $u_0(z)$, $v_0(z)$, $w_0(z)$ 和平均转动 $\psi_x(z)$, $\psi_y(z)$, $\psi(z)$ 定义为

$$u_0 = \frac{1}{A}\iint_S u dxdy, \quad v_0 = \frac{1}{A}\iint_S v dxdy,$$

$$w_0 = \frac{1}{A}\iint_S w dxdy, \quad \psi_x = \frac{1}{J_x}\iint_S xw dxdy,$$

$$\psi_y = \frac{1}{J_y}\iint_S yw dxdy, \quad \psi = \frac{1}{J_x + J_y}\iint_S (xv - yu) dxdy. \tag{11.7}$$

其中

$$A = \iint_S dxdy, \quad J_x = \iint_S x^2 dxdy, \quad J_y = \iint_S y^2 dxdy. \tag{11.8}$$

再命 u^*, v^*, w^* 为位移与平均位移之差，即

$$u = u_0 - y\psi + u^*, \quad v = v_0 + x\psi + v^*,$$

$$w = w_0 + x\psi_x + y\psi_y + w^*. \tag{11.9}$$

根据定义 (11.7)，位移差有下列特性：

$$\iint_S u^* dxdy = 0, \quad \iint_S v^* dxdy = 0,$$

$$\iint_S (xv^* - yu^*) dxdy = 0, \quad \iint_S w^* dxdy = 0,$$

$$\iint_S xw^* dxdy = 0, \quad \iint_S yw^* dxdy = 0. \tag{11.10}$$

将 (11.9) 代入 (11.6)，并注意到 $\delta\bar{p}_x$, $\delta\bar{p}_y$, $\delta\bar{p}_z$ 满足条件

$$\iint_S \delta\bar{p}_x dxdy = 0, \quad \iint_S \delta\bar{p}_y dxdy = 0,$$

$$\iint_S \delta\bar{p}_z dxdy = 0, \quad \iint_S x\delta\bar{p}_z dxdy = 0,$$

$$\iint_S y\delta\bar{p}_z dxdy = 0, \quad \iint_S (x\delta\bar{p}_y - y\delta\bar{p}_x) dxdy = 0. \tag{11.11}$$

便有

$$\delta\Pi^2 = \iint_{S_1} (u^*\delta\bar{p}_{x1} + v^*\delta\bar{p}_{y1} + w^*\delta\bar{p}_{z1}) dxdy - \iint_{S_0} (u^*\delta\bar{p}_{x0} + v^*\delta\bar{p}_{y0} + w^*\delta\bar{p}_{z0}) dxdy. \tag{11.12}$$

如果 u^*, v^*, w^* 在某个端面上，例如在 S_1 上，不等于零，那末我们便可以取

$$\delta\bar{p}_{x1} = \varepsilon u^*, \quad \delta\bar{p}_{y1} = \varepsilon v^*, \quad \delta\bar{p}_{z1} = \varepsilon w^*, \tag{11.13}$$

其中 ε 为一无穷小常数. 公式 (11.13) 是一种可能的变分，因为它满足条件 (11.11). 对于如 (11.13) 定义的外力变分，公式 (11.12) 给出

$$\delta\Pi^2 = \varepsilon \iint_{S_1} (u^{*2} + v^{*2} + w^{*2}) dxdy. \tag{11.14}$$

由此可知，只有设

在 S_0 和 S_1 上: $u^* = v^* = w^* = 0$, (11.15)

才能使应变能取驻立值. 所以条件 (11.15) 是应变能取最小值的必要条件. 此外应变能的二阶变分显然大于零:

$$\delta^2\Pi^2 = \delta^2 \iiint_{\Omega} U dx dy dz > 0,$$

因此条件 (11.15) 也就是充分条件.

把最小值条件 (11.15) 加入 Saint-Venant 问题原有的边界条件之中,就使问题的解成为唯一的.

条件 (11.15) 的力学意义是: 柱体两个端面在变形时有如两个刚性平面,它相当于在柱体两端面上焊(胶)接两个薄刚体,然后在刚体上加力,使柱体发生拉伸、弯曲和扭转, 如图 11.2 所示. 上述充要条件 (11.15) 可以不通过严格的数学推导而通过定性的说理得到. 设图 11.1 所示的为原有的均匀的柱体. 图 11.2 所示为一想像的柱体, 与原柱体同长, 但在两端一个小的厚度 ε 内,把材料看成是刚性的. 在相同的端面力 p_x, p_y, p_z 作用下, 图 11.2 柱体的应变能显然不大于图 11.1 中的应变能. 当 $\varepsilon \to 0$ 时,图 11.2 便变成了上述最小应变能的边界条件.

由于刚性位移不影响物体内的应力分布, 我们可以假定端面 S_1 是固定不动的. 这样, 保证柱体的应变能取最小值的边界条件可写成为

$$\begin{aligned} \text{在 } C \text{ 上: } & l\sigma_x + m\tau_{xy} = 0, \\ & l\tau_{xy} + m\sigma_y = 0, \\ & l\tau_{xz} + m\tau_{yz} = 0, \\ \text{在 } S_1 \text{ 上: } & u = v = w = 0, \end{aligned} \tag{11.16}$$

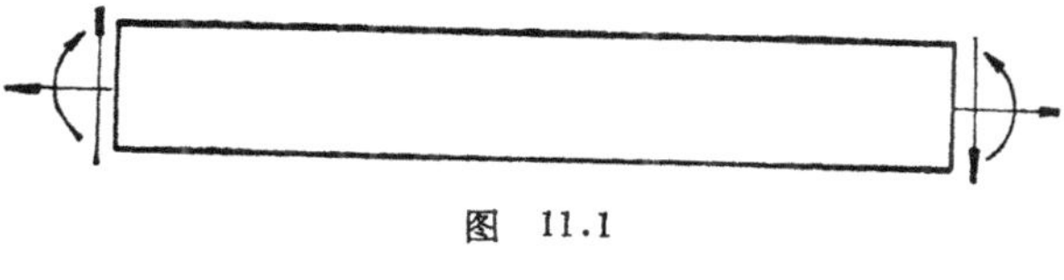

图 11.1

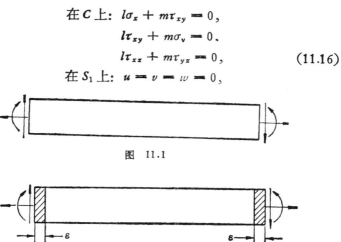

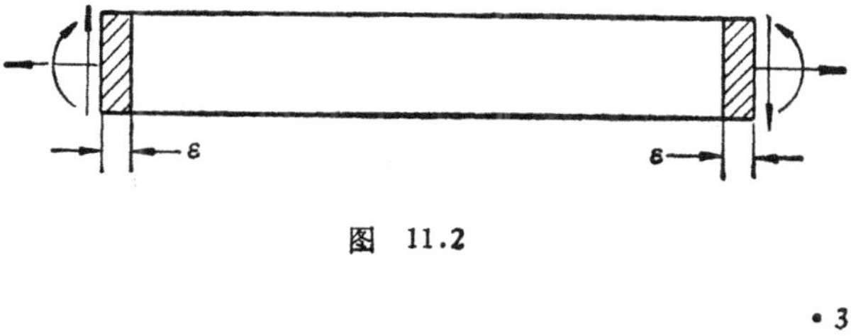

图 11.2

$$\text{在 } S_0 \text{ 上：} \iint_S \sigma_z dxdy = N,$$

$$\iint_S x\sigma_z dxdy = M_x, \quad \iint_S y\sigma_z dxdy = M_y,$$

$$\iint_S \tau_{xz} dxdy = Q_x, \quad \iint_S \tau_{yz} dxdy = Q_y,$$

$$\iint_S (x\tau_{yz} - y\tau_{xz}) dxdy = M,$$

$$u = u_0 - \phi y, \quad v = v_0 + \phi x,$$

$$w = w_0 + \phi_x x + \phi_y y. \tag{11.17}$$

在边界条件(11.17)中共有 $N, M_x, \cdots, u_0, v_0, \cdots$ 等 12 个常数，其中的六个可以事前给定，其余六个则在求解方程的过程中决定．例如我们可以把 N, M_x, M_y, Q_x, Q_y, M 看作是给定的；$u_0, v_0, w_0, \phi_x, \phi_y, \phi$ 看作是待定的．这样的边界条件不属于前面讨论过的典型边界条件．我们也可以把 $u_0, v_0, w_0, \phi_x, \phi_y, \phi$ 看作是给定的，而 N, M_x, M_y, Q_x, Q_y, M 为待求的，这样条件 (12.17) 便属于典型的位移边界条件．

Saint-Venant 问题的 Saint-Venant 解，在许多弹性力学书本中都有叙述．用条件 (11.15) 来衡量，没有一个 Saint-Venant 解满足这个条件，即使对于最简单的单向拉伸和纯弯曲，由于 Poisson 系数会使剖面发生变形，因此也不符合条件 (11.15)．

在 Poisson 系数等于零的特殊情况下，单向拉伸、纯弯曲、横向力弯曲三类问题的 Saint-Venant 解符合最小条件 (11.15)，但是扭转问题的解仍不符合这个条件．

不难证明，Saint-Venant 关于扭转问题的解，在稍小一些的范围内，能使柱体的应变能取最小值，这就是把原来自由度较大的边界条件 (11.3)，改为

$$\text{在 } S_0 \text{ 及 } S_1 \text{ 上：} \sigma_z = 0, \quad \iint_S (x\tau_{yz} - y\tau_{xz}) dxdy = M,$$

$$\iint_S \tau_{xz} dxdy = 0, \quad \iint_S \tau_{yz} dxdy = 0. \tag{11.18}$$

这样一来,应变能取最小值的条件应修改为

$$\text{在 } S_0 \text{ 及 } S_1 \text{ 上}: \ u^* = v^* = 0. \tag{11.19}$$

扭转问题的 Saint-Venant 解是满足这个条件的.

§6.12 柱体的自由扭转问题

本节进一步考虑 Saint-Venant 问题中的一类特殊问题，即柱体的自由扭转问题. 上节已经说明，Saint-Venant 解的特点是(11.4). 对于自由扭转问题,钱伟长[25]已证明从 (11.4) 可推出

$$\sigma_x = \sigma_y = \tau_{xy} = \sigma_z = 0. \tag{12.1}$$

这样,不等于零的应力分量只有 τ_{xz}, τ_{yz} 两个，而它们又与坐标 z 无关. 柱体中的余能等于单位长度内的余能乘以柱体的长度. 因此最小余能原理简化为

$$\delta \Gamma = 0, \tag{12.2}$$

其中

$$\Gamma = \iint_S \frac{1}{2G} (\tau_{xz}^2 + \tau_{yz}^2) dxdy. \tag{12.3}$$

函数 τ_{xz}, τ_{yz} 事先应满足侧面上的边界条件

$$\text{在 } C \text{ 上}: \ l\tau_{xz} + m\tau_{yz} = 0, \tag{12.4}$$

剖面上的合力矩条件

$$\iint_S (x\tau_{yz} - y\tau_{xz}) dxdy = M, \tag{12.5}$$

和平衡方程

$$\frac{\partial \tau_{xz}}{\partial x} + \frac{\partial \tau_{yz}}{\partial y} = 0. \tag{12.6}$$

用拉格朗日乘子将条件 (12.5), (12.6)并入泛函中,得到

$$\delta \Gamma_2 = 0, \tag{12.7}$$

其中

$$\Gamma_2 = \iint_S \left\{ \frac{1}{2G}(\tau_{xz}^2 + \tau_{yz}^2) + w\left(\frac{\partial \tau_{xz}}{\partial x} + \frac{\partial \tau_{yz}}{\partial y}\right) - \alpha(x\tau_{yz} - y\tau_{xz}) \right\} dxdy + \alpha M. \quad (12.8)$$

$w(x, y)$ 和 α 是拉格朗日乘子，依照它们的力学意义分别是 z 轴向的位移和横剖面的扭转率，所以用了 w 和 α 这样两个记号.

变分式 (12.7) 是自由扭转问题中的二类变量广义余能原理，其中的自变函数 τ_{xz}, τ_{yz}, w 和自变数 α，除须满足边界条件 (12.4) 以外，不受其他限制.

在扭转问题的早先的提法中，是已知扭矩 M 求扭转率 α. 为了计算的方便，也可以把问题提成为已知扭转率 α 求扭矩 M. 在这种新的提法中，最小余能原理 (12.2) 中余能 Γ 的算式变为

$$\Gamma = \iint_S \left\{ \frac{1}{2G}(\tau_{xz}^2 + \tau_{yz}^2) - \alpha(x\tau_{yz} - y\tau_{xz}) \right\} dxdy. \quad (12.9)$$

应力分量应事先满足 (12.4), (12.6). 为了满足 (12.6)，可引进一个应力函数 Ψ 如下:

$$\tau_{xz} = \alpha G \frac{\partial \Psi}{\partial y}, \quad \tau_{yz} = -\alpha G \frac{\partial \Psi}{\partial x}. \quad (12.10)$$

在上式中预先引进了常倍数 αG，为的是后面可以简化 Ψ 所满足的方程. 用应力函数来表示，边界条件 (12.4) 变为

$$在 C 上: \; l\frac{\partial \Psi}{\partial y} - n\frac{\partial \Psi}{\partial x} = 0, \; 即 \; \frac{\partial \Psi}{\partial S} = 0.$$

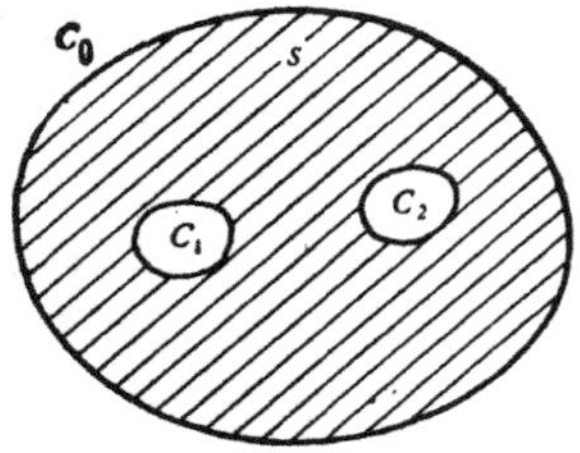

图 12.1

此式表示，在 C 上

$$\Psi = 常数. \quad (12.11)$$

对于单联通的剖面，只有一条边界. 可以命 (12.11) 中的常数为零，于是有

$$在 C 上: \; \Psi = 0. \quad (12.12)$$

对于多联通的区域，剖面有若干条边界线. 把外边界记为 C_0，内部边界记为 C_1, C_2 $\cdots$ 等，如图 12.1

所示. 在外部边界上仍可将常数取为零，在内部边界上则是未知的常数，因此边界条件可写成为

$$
\begin{aligned}
&\text{在 } C_0 \text{ 上: } \Psi = 0, \\
&\text{在 } C_i \text{ 上: } \Psi = k_i, \quad i = 1, 2, \cdots.
\end{aligned} \tag{12.13}
$$

将 (12.10) 代入扭矩的算式 (12.5)，得到

$$
\begin{aligned}
M &= \iint_S (x\tau_{yz} - y\tau_{xz}) dxdy \\
&= -\alpha G \iint_S \left(x \frac{\partial \Psi}{\partial x} + y \frac{\partial \Psi}{\partial y} \right) dxdy,
\end{aligned}
$$

利用高斯积分定理，去掉 Ψ 的导数，得到

$$
M = 2\alpha G \iint_S \Psi dxdy - \alpha G \oint_C (lx + my) \Psi ds,
$$

再利用边界条件 (12.13)，得

$$
\begin{aligned}
M &= 2\alpha G \iint_S \Psi dxdy - \alpha G \sum_i \oint_{C_i} (lx + my) k_i ds \\
&= 2\alpha G \iint_S \Psi dxdy + 2\alpha G \sum_i k_i A_i.
\end{aligned} \tag{12.14}
$$

其中 A_i 是第 i 条内边界所包围的面积. 将 (12.9) 中与 α 有关的那项积分作相同的变换，Γ 便可写成为

$$
\begin{aligned}
\Gamma = \frac{\alpha^2 G}{2} \Bigg\{ &\iint_S \left[\left(\frac{\partial \Psi}{\partial x} \right)^2 + \left(\frac{\partial \Psi}{\partial y} \right)^2 - 4\Psi \right] dxdy \\
&- 4 \sum_i A_i k_i \Bigg\}.
\end{aligned} \tag{12.15}
$$

最小余能原理要求 $\delta\Gamma = 0$，即

$$
\iint_S \left[\frac{\partial \Psi}{\partial x} \frac{\partial \delta\Psi}{\partial x} + \frac{\partial \Psi}{\partial y} \frac{\partial \delta\Psi}{\partial y} - 2\delta\Psi \right] dxdy - 2 \sum_i A_i \delta k_i = 0,
$$

利用高斯积分定理消去 $\delta\Psi$ 的导数，得到

$$
-\iint_S \left(\frac{\partial^2 \Psi}{\partial x^2} + \frac{\partial^2 \Psi}{\partial y^2} + 2 \right) \delta\Psi dxdy
$$

$$+\sum_i\left(\oint_{C_i}\frac{\partial\Psi}{\partial\nu}ds-2A_i\right)\delta k_i=0. \tag{12.16}$$

其中 ν 是边界的法线方向，对于内边界 ν 仍以向外（从柱体到空洞）的方向为正. 由 (12.16) 即得到 Ψ 应满足的微分方程和附加条件

$$\frac{\partial^2\Psi}{\partial x^2}+\frac{\partial^2\Psi}{\partial y^2}=-2, \tag{12.17}$$

$$\text{在 } C_i \text{ 上: } \oint_{C_i}\frac{\partial\Psi}{\partial\nu}ds=2A_i. \tag{12.18}$$

利用 Ψ 所满足的方程 (12.17) 和边界条件 (12.13), (12.18), 可以证明

$$\Gamma=-\frac{1}{2}\alpha M. \tag{12.19}$$

这个公式的力学意义就是能量守恒. 从 (12.15), (12.19) 得到 M 的一个新的算式

$$M=G\left\{\iint_S\left[4\Psi-\left(\frac{\partial\Psi}{\partial x}\right)^2-\left(\frac{\partial\Psi}{\partial y}\right)^2\right]dxdy\right.$$
$$\left.+4\sum_i A_ik_i\right\}. \tag{12.20}$$

柱体的几何扭转刚度 D 定义为

$$D=\frac{M}{\alpha G}. \tag{12.21}$$

相应 M 的两种算式 (12.14), (12.20), D 也有两种算式

$$D=2\iint_S\Psi dxdy+2\sum k_iA_i, \tag{12.22}$$

$$D=\iint_S\left[4\Psi-\left(\frac{\partial\Psi}{\partial x}\right)^2-\left(\frac{\partial\Psi}{\partial y}\right)^2\right]dxdy$$
$$+4\sum_i A_ik_i. \tag{12.23}$$

公式 (12.22) 适用于从微分方程求得 Ψ 后再求 D, 公式 (12.23) 适

用于直接从变分法求 D. 因为精确解使余能取最小值，而 (12.23) 的右端与负的余能成正比，因此精确解使 D 取最大值，这样便得到一个变分式

$$D \geqslant \iint_S \left[4\Psi - \left(\frac{\partial \Psi}{\partial x}\right)^2 - \left(\frac{\partial \Psi}{\partial y}\right)^2\right] dxdy + 4\sum_i A_i k_i. \quad (12.24)$$

其中自变函数 Ψ 只要求满足边界条件 (12.13). 上式中的等式只有在 Ψ 是精确解时才成立.

下面再介绍扭转问题中的最小势能原理及其应用. 从变分式 (12.7) 求对 τ_{xz}, τ_{yz} 的变分，得到方程

$$\tau_{xz} = G\left(\frac{\partial w}{\partial x} - \alpha y\right),\quad \tau_{yz} = G\left(\frac{\partial w}{\partial y} + \alpha x\right). \quad (12.25)$$

这个方程代表几何方程和应力应变关系的结合. 和前一样，继续考虑 α 为给定的情况，为此设

$$w = \alpha\varphi. \quad (12.26)$$

这样应力分量变为

$$\tau_{xz} = \alpha G\left(\frac{\partial \varphi}{\partial x} - y\right),\quad \tau_{yz} = \alpha G\left(\frac{\partial \varphi}{\partial y} + x\right). \quad (12.27)$$

柱体单位长度的势能 Π 是

$$\begin{aligned}\Pi &= \frac{1}{2G}\iint_S (\tau_{xz}^2 + \tau_{yz}^2) dxdy \\ &= \frac{\alpha^2 G}{2}\iint_S \left[\left(\frac{\partial \varphi}{\partial x} - y\right)^2 + \left(\frac{\partial \varphi}{\partial y} + x\right)^2\right] dxdy. \quad (12.28)\end{aligned}$$

最小势能原理要求 φ 使 Π 取最小值，这样得到 φ 应满足的微分方程和边界条件如下:

$$\frac{\partial^2 \varphi}{\partial x^2} + \frac{\partial^2 \varphi}{\partial y^2} = 0. \quad (12.29)$$

$$\text{在 } C \text{ 上:}\ \frac{\partial \varphi}{\partial \nu} = \frac{1}{2}\frac{\partial}{\partial s}(x^2 + y^2). \quad (12.30)$$

对于多联通的区域，在内外边界上 φ 满足相同的边界条件.

又根据能量守恒原理，有

$$\Pi = \frac{1}{2}\alpha M, \tag{12.31}$$

因而有

$$M = \alpha G \iint_S \left[\left(\frac{\partial\varphi}{\partial x} - y\right)^2 + \left(\frac{\partial\varphi}{\partial y} + x\right)^2\right] dxdy, \tag{12.32}$$

$$D = \iint_S \left[\left(\frac{\partial\varphi}{\partial x} - y\right)^2 + \left(\frac{\partial\varphi}{\partial y} + x\right)^2\right] dxdy. \tag{12.33}$$

因为 φ 的精确解使 Π 取最小值，从而也使 D 取最小值. 所以对于任意的函数 φ 必有

$$D \leqslant \iint_S \left[\left(\frac{\partial\varphi}{\partial x} - y\right)^2 + \left(\frac{\partial\varphi}{\partial y} + x\right)^2\right] dxdy. \tag{12.34}$$

此式中的等号只有在 φ 为精确解时才成立.

公式 (12.34) 和 (12.24) 给出了几何扭转刚度的上下限. 在用能量法求近似解时十分有用. 关于用能量法求扭转问题近似解的许多实例，可见钱伟长等人编写的书[28].

§ 6.13 三广义位移平板弯曲理论

对于梁的弯曲问题，前面介绍了两种理论：一种是不考虑横向剪切变形的一个广义位移的理论（经典理论），另一种是考虑横向剪切变形的两个广义位移的理论. 对于板的弯曲问题，前面已介绍过不考虑横向剪切变形的一个广义位移的理论（经典理论），本

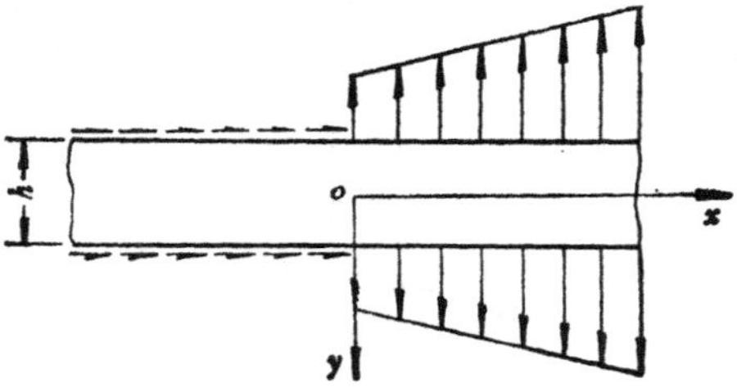

图 13.1

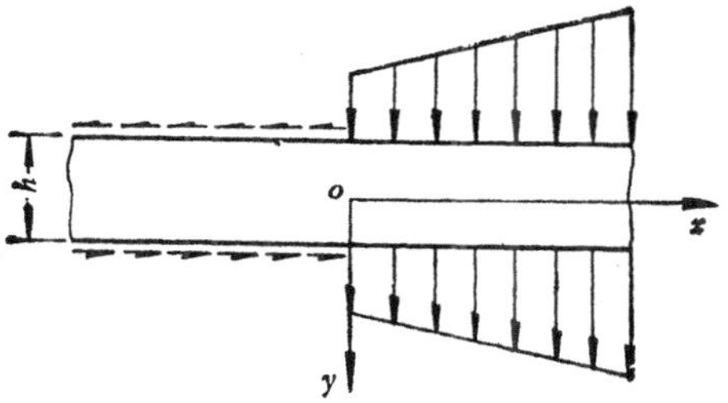

图 13.2

节再介绍一种考虑横向剪切变形的理论．由于板有两个方向的剪切变形，所以广义位移的总数有三个．下面介绍的理论基本上是 Reissner[259][260][262][264]在 1944—1945 年提出来的理论，本节只作了一些细小的修改和补充．自 Reissner 以后，出现了大量的关于中厚板理论的文章，提出了各种各样的理论，最近还出现了专门讨论厚板理论的书［233］．

设有一块等厚度的均匀的各向同性的平板．取板的中面为 xy 平面．假定外力只有作用在板表面上的面载荷而无体积力．对于任意的外载荷总可以分解为对 xy 平面对称的（如图 13.1）和反对称的（如图 13.2）两种载荷．对称的载荷使板处于广义平面应力状态，而反对称的载荷使板产生弯曲变形．本节只讨论板的反对称的弯曲变形．

参考图 13.2，对于反对称的载荷，平板上下两个表面上的边界条件可写成为

$$在 z=\pm\frac{h}{2} 处：\tau_{xz}=-\frac{m_x}{h},\ \tau_{yz}=-\frac{m_y}{h},$$

$$\sigma_z=\pm\frac{p}{2}. \tag{13.1}$$

其中 m_x, m_y, p 是已知的 x, y 的函数，它们分别代表板在单位中面面积内受到的在 xz 平面内的力矩（以从 x 轴经 90° 到 z 轴的转向为正），在 yz 平面内的力矩（以从 y 轴经 90° 到 z 轴的转向为正），z 轴向的力．关于板的侧面（即柱面）上的边界条件，先考虑固支

与自由两种典型形式,于是有

$$\text{在 } C_1 \text{ 上: } u_n = \bar{u}_n,\ v_s = \bar{v}_s,\ w = \bar{w},$$
$$\text{在 } C_2 \text{ 上: } \sigma_n = \bar{\sigma}_n,\ \tau_{ns} = \bar{\tau}_{ns},\ \tau_{nz} = \bar{\tau}_{nz}. \tag{13.2}$$

式中 n 是侧面的法线方向, s 是 xy 平面内的边界线的弧长, 同时也代表它的切线方向. (l, m) 是 n 在 xy 平面内的方向余弦,

$$\begin{aligned} &u_n = lu + mv, \quad v_s = -mu + lv, \\ &\sigma_n = l^2\sigma_x + 2lm\tau_{xy} + m^2\sigma_y, \\ &\tau_{ns} = lm(\sigma_y - \sigma_x) + (l^2 - m^2)\tau_{xy}, \\ &\tau_{nz} = l\tau_{xz} + m\tau_{yz}. \end{aligned} \tag{13.3}$$

$\bar{u}_n$, $\bar{v}_s$, $\bar{w}$, $\bar{\sigma}_n$, $\bar{\tau}_{ns}$, $\bar{\tau}_{nz}$ 是已知的 s, z 的函数,不过 $\bar{u}_n$,$\bar{v}_s$,$\bar{\sigma}_n$,$\bar{\tau}_{ns}$ 应是 z 的奇函数, $\bar{w}$, $\bar{\tau}_{nz}$ 应是 z 的偶函数.

为了近似地求解上面提出的问题, 对板中的位移及应力分布作如下的假设:

$$u = -z\psi_x(x, y),\ v = -z\psi_y(x, y),\ w = w(x, y), \tag{13.4}$$

$$\begin{aligned} &\sigma_x = \frac{12z}{h^3} M_x(x, y),\ \sigma_y = \frac{12z}{h^3} M_y(x, y), \\ &\tau_{xy} = \frac{12z}{h^3} M_{xy}(x, y), \\ &\tau_{xz} = \frac{1}{2h}\left(1 - \frac{12z^2}{h^2}\right) m_x + \frac{3}{2h}\left(1 - \frac{4z^2}{h^2}\right) Q_x(x, y), \\ &\tau_{yz} = \frac{1}{2h}\left(1 - \frac{12z^2}{h^2}\right) m_y + \frac{3}{2h}\left(1 - \frac{4z^2}{h^2}\right) Q_y(x, y), \end{aligned} \tag{13.5}$$

$$\sigma_z = 0. \tag{13.6}$$

假设 (13.4) 是直法线假设, $w(x,y)$是板的挠度, ψ_x,ψ_y 是法线的转角. 假设(13.5),(13.6) 是关于应力分布的假设,其中 M_x,M_y, M_{xy} 是弯矩和扭矩, Q_x, Q_y 是横向剪力.

作了以上的简化假设之后,便可以从 § 6.9 介绍的二类变量广义余能原理导出近似解法中的全部微分方程和边界条件. 二类变量广义余能的算式见 (9.6), 现在先把它作一些简化. 仅在板的

侧面上有一个固支面 C_1，所以 (9.6) 中在 B_1 上的积分化为

$$-\iint_{B_1}(\bar{u}p_x+\bar{v}p_y+\bar{w}p_z)dB$$

$$=-\iint_{C_1-\frac{h}{2}}^{\frac{h}{2}}(\bar{u}_n\sigma_n+\bar{v}_s\tau_{ns}+\bar{w}\tau_{nz})dzds. \qquad (13.7)$$

板的自由面有两类，一类在板的两表面上．在表面上已满足了

$$p_x-\bar{p}_x=0,\ p_y-\bar{p}_y=0,$$

所以相应的面积分化为

$$\iint w\left(-\frac{h}{2}\right)\bar{p}_z\left(-\frac{h}{2}\right)dxdy+\iint w\left(\frac{h}{2}\right)\bar{p}_z\left(\frac{h}{2}\right)dxdy.$$

还有一类自由面在板的侧面，相应的积分为

$$-\iint_{C_2-\frac{h}{2}}^{\frac{h}{2}}[u_n(\sigma_n-\bar{\sigma}_n)+v_s(\tau_{ns}-\bar{\tau}_{ns})$$

$$+w(\tau_{nz}-\bar{\tau}_{nz})]dzds.$$

再把 (9.6) 中的余应变能密度 $\frac{1}{2}\boldsymbol{\sigma}^T\boldsymbol{\alpha}\boldsymbol{\sigma}$ 改称 V_3，把 $\boldsymbol{\Omega}$ 代表的意义改为板中面所占的区域，这样 Γ_2 的算式便变为

$$\begin{aligned}\Gamma_2=&\iint_{\Omega}\int_{-\frac{h}{2}}^{\frac{h}{2}}\left\{V_3+\left(\frac{\partial\sigma_x}{\partial x}+\frac{\partial\tau_{xy}}{\partial y}+\frac{\partial\tau_{xz}}{\partial z}\right)u\right.\\&+\left(\frac{\partial\tau_{xy}}{\partial x}+\frac{\partial\sigma_y}{\partial y}+\frac{\partial\tau_{yz}}{\partial z}\right)v\\&\left.+\left(\frac{\partial\tau_{xz}}{\partial x}+\frac{\partial\tau_{yz}}{\partial y}+\frac{\partial\sigma_z}{\partial z}\right)w\right\}dzdxdy\\&-\iint_{C_1-\frac{h}{2}}^{\frac{h}{2}}(\bar{u}_n\sigma_n+\bar{v}_s\tau_{ns}+\bar{w}\tau_{nz})dzds\\&+\iint_{\Omega}w\left(-\frac{h}{2}\right)\bar{p}_z\left(-\frac{h}{2}\right)dxdy\end{aligned}$$

$$+\iint_{\Omega} w\left(\frac{h}{2}\right)\bar{p}_z\left(\frac{h}{2}\right)dxdy$$

$$-\iint_{C_2-\frac{h}{2}}^{\frac{h}{2}}[u_n(\sigma_n-\bar{\sigma}_n)+v_s(\tau_{ns}-\bar{\tau}_{ns})$$

$$+w(\tau_{nz}-\bar{\tau}_{nz})]dzds. \tag{13.8}$$

由于假设了 $\sigma_z=0$，V_3 的算式简化为

$$V_3=\frac{1}{2E}[\sigma_x^2-2\nu\sigma_x\sigma_y+\sigma_y^2+2(1+\nu)\tau_{xy}^2]$$

$$+\frac{1}{2G}(\tau_{xz}^2+\tau_{yz}^2). \tag{13.9}$$

将假设 (13.4), (13.5) 代入 (13.8), 然后算出对 z 的积分,得到

$$\Gamma_2=\iint_{\Omega}\left\{V-\left(\frac{\partial M_x}{\partial x}+\frac{\partial M_{xy}}{\partial y}-Q_x-m_x\right)\psi_x\right.$$

$$-\left(\frac{\partial M_{xy}}{\partial x}+\frac{\partial M_y}{\partial y}-Q_y-m_y\right)\psi_y$$

$$\left.+\left(\frac{\partial Q_x}{\partial x}+\frac{\partial Q_y}{\partial y}+p\right)w\right\}dxdy$$

$$+\int_{C_1}(\bar{\Psi}_nM_n+\bar{\Psi}_sM_{ns}-\bar{w}Q_n)ds$$

$$+\int_{C_2}[\psi_n(M_n-\bar{M}_n)+\psi_s(M_{ns}-\bar{M}_{ns})$$

$$-w(Q_n-\bar{Q}_n)]ds. \tag{13.10}$$

其中 ψ_n 是法向转角，ψ_s 是切向转角，M_n 是法向弯矩，M_{ns} 是切向扭矩. Q_n 是法向剪力,它们的公式类同公式 (13.3):

$$\begin{aligned}
&\psi_n=l\psi_x+m\psi_y,\ \psi_s=-m\psi_x+l\psi_y,\\
&M_n=l^2M_x+2lmM_{xy}+m^2M_y,\\
&M_{ns}=lm(M_y-M_x)+(l^2-m^2)M_{xy},\\
&Q_n=lQ_x+mQ_y.
\end{aligned} \tag{13.11}$$

而带横的六个已知量由下列公式决定

$$\bar{\psi}_n = -\frac{12}{h^3}\int_{-\frac{h}{2}}^{\frac{h}{2}} z\bar{u}_n dz, \quad \bar{\psi}_s = -\frac{12}{h^3}\int_{-\frac{h}{2}}^{\frac{h}{2}} z\bar{v}_s dz,$$

$$\bar{M}_n = \int_{-\frac{h}{2}}^{\frac{h}{2}} z\bar{\sigma}_n dz, \quad \bar{M}_{ns} = \int_{-\frac{h}{2}}^{\frac{h}{2}} z\bar{\tau}_{ns} dz,$$

$$\bar{Q}_n = \int_{-\frac{h}{2}}^{\frac{h}{2}} \bar{\tau}_{nz} dz,$$

$$\bar{w}(s) = \frac{3}{2h}\int_{-\frac{h}{2}}^{\frac{h}{2}} \left(1 - \frac{4z^2}{h^2}\right) \bar{w}(s, z) dz. \tag{13.12}$$

(13.10) 中的 V 代表单位面积的余应变能，它的公式是

$$V = \frac{6}{Eh^3}[M_x^2 - 2\nu M_x M_y + M_y^2 + 2(1+\nu)M_{xy}^2] + \frac{3}{5Gh}(Q_x^2 + Q_y^2) + \frac{1}{5Gh}(m_x Q_x + m_y Q_y) + \frac{1}{10Gh}(m_x^2 + m_y^2). \tag{13.13}$$

从变分式

$$\delta\Gamma_2 = 0 \tag{13.14}$$

得到如下的方程和边界条件：

平衡方程：

$$\frac{\partial M_x}{\partial x} + \frac{\partial M_{xy}}{\partial y} - Q_x = m_x,$$

$$\frac{\partial M_{xy}}{\partial x} + \frac{\partial M_y}{\partial y} - Q_y = m_y,$$

$$-\frac{\partial Q_x}{\partial x} - \frac{\partial Q_y}{\partial y} = p, \tag{13.15}$$

广义应力应变关系：

$$-\frac{\partial \psi_x}{\partial x} = \frac{12}{Eh^3}(M_x - \nu M_y),$$

$$-\frac{\partial \psi_y}{\partial y} = \frac{12}{Eh^3}(M_y - \nu M_x), \tag{13.16a}$$

$$-\left(\frac{\partial\psi_x}{\partial y}+\frac{\partial\psi_y}{\partial x}\right)=\frac{24(1+\nu)}{Eh^3}M_{xy},$$

$$\frac{\partial w}{\partial x}-\psi_x=\frac{6}{5Gh}Q_x+\frac{1}{5Gh}m_x,$$

$$\frac{\partial w}{\partial y}-\psi_y=\frac{6}{5Gh}Q_y+\frac{1}{5Gh}m_y, \tag{13.16b}$$

边界条件:

$$\text{在 } C_1 \text{ 上: } w=\bar{w},\ \psi_n=\bar{\psi}_n,\ \psi_s=\bar{\psi}_s, \tag{13.17}$$

$$\text{在 } C_2 \text{ 上: } M_n=\bar{M}_n,\ M_{ns}=\bar{M}_{ns},\ Q_n=\bar{Q}_n. \tag{13.18}$$

在 (13.16) 将内力用位移来表示,则得到

$$M_x=-D\left(\frac{\partial\psi_x}{\partial x}+\nu\frac{\partial\psi_y}{\partial y}\right),$$

$$M_y=-D\left(\frac{\partial\psi_y}{\partial y}+\nu\frac{\partial\psi_x}{\partial x}\right),$$

$$M_{xy}=-\frac{1-\nu}{2}D\left(\frac{\partial\psi_x}{\partial y}+\frac{\partial\psi_y}{\partial x}\right). \tag{13.19}$$

$$Q_x+\frac{1}{6}m_x=C\left(\frac{\partial w}{\partial x}-\psi_x\right),$$

$$Q_y+\frac{1}{6}m_y=C\left(\frac{\partial w}{\partial y}-\psi_y\right). \tag{13.20}$$

其中

$$D=\frac{Eh^3}{12(1-\nu^2)},\quad C=\frac{5}{6}Gh. \tag{13.21}$$

D 是板的弯曲刚度, C 是板的剪切刚度.

拿三广义位移和一广义位移平板弯曲理论进行比较，可以看到三广义位移的特点是: (1)不独立的内力 Q_x, Q_y 变为独立的内力, (2) 边界条件从二个变为三个, 特别是在自由边上, 可以而且应该满足三个边界条件.

从上面的推导可以看到，利用广义变分原理推导梁、板、壳等特殊结构的近似理论，在对结构中的应力及位移分布作出简化假设之后, 剩下的便是常规的数学运算. 这些运算迟早能由计算机去完成, 到那个时候, 力学工作者要做的事情便是根据实际情况提

出简化假设.

§6.14 薄板弯曲问题的经典理论

上节利用二类变量广义变分原理，从弹性力学方程导出了三广义位移平板弯曲理论中的方程. 这个做法显然也适用于梁和壳的问题. 这样，通过广义变分原理，便把弹性力学的空间问题，与考虑横向剪切变形的梁、板、壳的理论纳入了一个理论体系之中. 工程上广泛应用的梁、板、壳的经典理论，是否也能纳入这个统一的体系中？直到最近还没有人完成这项工作. 其实，把梁、板、壳的经典理论纳入弹性力学空间问题的体系中，是可能的. 但用二类变量广义变分原理做不到这一点. 要做到这一点，需要一种从三类变量广义变分原理引出的特殊的变分原理. 在以前的变分原理中，不是用应变能密度 U，便是用余应变能密度 V. 在新的变分原理中，要用到一个混合的能量密度函数 W，它的定义为

$$W = V - \tau_{xz}\gamma_{xz} - \tau_{yz}\gamma_{yz}. \tag{14.1}$$

在此式的右端，要用应力应变关系化为 σ_x，σ_y，σ_z，τ_{xy}，γ_{xz}，γ_{yz} 的函数，因而 W 是这六个混合变量的函数. 对于各向同性的物体，W 的算式是

$$\begin{aligned} W = \frac{1}{2E}\{\sigma_x^2 + \sigma_y^2 + \sigma_z^2 - 2\nu(\sigma_y\sigma_z + \sigma_x\sigma_z + \sigma_x\sigma_y) \\ + 2(1+\nu)\tau_{xy}^2\} - \frac{1}{2}G(\gamma_{xz}^2 + \gamma_{yz}^2). \end{aligned} \tag{14.2}$$

从变数 σ_x，σ_y，σ_z，τ_{xy} 来看，W 像余应变能密度；从 γ_{xz}，γ_{yz} 来看，W 像负的应变能密度. 因此 W 是一种混合的能量密度. 应力应变关系可通过 W 表示为

$$\varepsilon_x = \frac{\partial W}{\partial \sigma_x},\quad \varepsilon_y = \frac{\partial W}{\partial \sigma_y},\quad \varepsilon_z = \frac{\partial W}{\partial \sigma_z},\quad \gamma_{xy} = \frac{\partial W}{\partial \tau_{xy}}, \tag{14.3a}$$

$$\tau_{xz} = -\frac{\partial W}{\partial \gamma_{xz}},\quad \tau_{yz} = -\frac{\partial W}{\partial \gamma_{yz}}. \tag{14.3b}$$

这是一种混合型式的应力应变关系，以前很少应用.

所要的变分原理是

$$\delta \Gamma_{\Pi}=0, \tag{14.4}$$

其中

$$\begin{aligned}\Gamma_{\Pi}=\iiint_{\Omega}\Big\{W&+\left(\frac{\partial \sigma_x}{\partial x}+\frac{\partial \tau_{xy}}{\partial y}+\frac{\partial \tau_{xz}}{\partial z}+f_x\right)u\\&+\left(\frac{\partial \tau_{xy}}{\partial x}+\frac{\partial \sigma_y}{\partial y}+\frac{\partial \tau_{yz}}{\partial z}+f_y\right)v\\&+\left(\frac{\partial \tau_{xz}}{\partial x}+\frac{\partial \tau_{yz}}{\partial y}+\frac{\partial \sigma_z}{\partial z}+f_z\right)w\\&+\tau_{xz}\gamma_{xz}+\tau_{yz}\gamma_{yz}\Big\}d\Omega\\&-\iint_{B_1}(\bar{u}p_x+\bar{v}p_y+\bar{w}p_z)dB\\&-\iint_{B_2}\{(p_x-\bar{p}_x)u+(p_y-\bar{p}_y)v\\&\qquad+(p_z-\bar{p}_z)w\}dB.\end{aligned} \tag{14.5}$$

在这个变分原理中，$u, v, w, \gamma_{xz}, \gamma_{yz}, \sigma_x, \sigma_y, \sigma_z, \tau_{yz}, \tau_{xz}, \tau_{xy}$看作是 11 个独立无关的自变函数，它们的变分不受任何限制；而 p_x，p_y，p_z 是代表 (2.1) 式右端的算式，不算是独立的自变函数.

事实上，求 Γ_{Π} 的变分，得到

$$\begin{aligned}\delta\Gamma_{\Pi}=\iiint_{\Omega}\Big\{&\left(\frac{\partial \sigma_x}{\partial x}+\frac{\partial \tau_{xy}}{\partial y}+\frac{\partial \tau_{xz}}{\partial z}+f_x\right)\delta u\\&+\left(\frac{\partial \tau_{xy}}{\partial x}+\frac{\partial \sigma_y}{\partial y}+\frac{\partial \tau_{yz}}{\partial z}+f_y\right)\delta v\\&+\left(\frac{\partial \tau_{xz}}{\partial x}+\frac{\partial \tau_{yz}}{\partial y}+\frac{\partial \sigma_z}{\partial z}+f_z\right)\delta w\\&+\left(\tau_{xz}+\frac{\partial W}{\partial \gamma_{xz}}\right)\delta\gamma_{xz}+\left(\tau_{yz}+\frac{\partial W}{\partial \gamma_{yz}}\right)\delta\gamma_{yz}\\&+\left(\frac{\partial W}{\partial \sigma_x}-\frac{\partial u}{\partial x}\right)\delta\sigma_x+\left(\frac{\partial W}{\partial \sigma_y}-\frac{\partial v}{\partial y}\right)\delta\sigma_y\end{aligned}$$

$$
\begin{aligned}
&+\left(\frac{\partial W}{\partial \sigma_z}-\frac{\partial w}{\partial z}\right)\delta\sigma_z \\
&+\left(\frac{\partial W}{\partial \tau_{xy}}-\frac{\partial u}{\partial y}-\frac{\partial v}{\partial x}\right)\delta\tau_{xy} \\
&+\left(\gamma_{xz}-\frac{\partial u}{\partial z}-\frac{\partial w}{\partial x}\right)\delta\tau_{xz} \\
&+\left(\gamma_{yz}-\frac{\partial v}{\partial z}-\frac{\partial w}{\partial y}\right)\delta\tau_{yz}\Big\}\, d\Omega \\
&+\iint_{B_1}\{(u-\bar{u})\delta p_x+(v-\bar{v})\delta p_y \\
&+(w-\bar{w})\delta p_z\}\, dB-\iint_{B_2}\{(p_x-\bar{p}_x)\delta u \\
&+(p_y-\bar{p}_y)\delta v+(p_z-\bar{p}_z)\delta w\}\, dB. \qquad (14.6)
\end{aligned}
$$

由此可知，变分式 (14.4) 确实相当于弹性力学的全部方程. 平衡方程和边界条件仍保留以前的形式 (2.8) 和 (4.1),(4.2). 而几何方程和应力应变关系采取了新的混合的形式：

$$\gamma_{xz}=\frac{\partial u}{\partial z}+\frac{\partial w}{\partial x},\quad \gamma_{yz}=\frac{\partial v}{\partial z}+\frac{\partial w}{\partial y}, \qquad (14.7)$$

$$\frac{\partial u}{\partial x}=\frac{\partial W}{\partial \sigma_x},\quad \frac{\partial v}{\partial y}=\frac{\partial W}{\partial \sigma_y},\quad \frac{\partial u}{\partial y}+\frac{\partial v}{\partial x}=\frac{\partial W}{\partial \tau_{xy}}. \qquad (14.8)$$

现在回过头来继续考虑上节讨论过的平板的弯曲问题. 在经典理论中，通常假定在板的上下两个表面上只有法向载荷而无切向载荷，因而边界条件 (13.1) 现在简化为

$$在\ z=\pm\frac{h}{2}\ 处:\quad \tau_{xz}=0,\ \tau_{yz}=0,\ \sigma_z=\pm\frac{p}{2}. \qquad (14.9)$$

而边界条件 (13.2) 保持原状不变. 经典理论中的基本假设是

$$
\begin{aligned}
&w=w(x,y),\quad u=-z\frac{\partial w}{\partial x}, \\
&v=-z\frac{\partial w}{\partial y},\quad \gamma_{xz}=\gamma_{yz}=0, \qquad (14.10)
\end{aligned}
$$

$$\sigma_x = \frac{12z}{h^3} M_x(x, y), \quad \sigma_y = \frac{12z}{h^3} M_y(x, y),$$

$$\tau_{xy} = \frac{12z}{h^3} M_{xy}(x, y), \tag{14.11}$$

$$\tau_{xz} = \frac{3}{2h}\left(1 - \frac{4z^2}{h^2}\right) Q'_x(x, y),$$

$$\tau_{yz} = \frac{3}{2h}\left(1 - \frac{4z^2}{h^2}\right) Q'_y(x, y), \tag{14.12}$$

$$\sigma_z = 0. \tag{14.13}$$

在算式 (14.12) 中，我们用了记号 Q'_x, Q'_y 而不用 Q_x, Q_y，这是因为在薄板的经典理论中，Q_x, Q_y 用于代表下列缩写

$$Q_x = \frac{\partial M_x}{\partial x} + \frac{\partial M_{xy}}{\partial y}, \quad Q_y = \frac{\partial M_{xy}}{\partial x} + \frac{\partial M_y}{\partial y}. \tag{14.14}$$

这里我们继续采用这个缩写. 将假设 (14.10)—(14.13) 引入 (14.5)，算出对 z 的积分，得到

$$\begin{aligned}\Gamma_{\Pi} = &\iint_{\Omega} \left\{ V - (Q_x - Q'_x)\frac{\partial w}{\partial x} - (Q_y - Q'_y)\frac{\partial w}{\partial x} \right. \\ &\left. + \left(\frac{\partial Q'_x}{\partial x} + \frac{\partial Q'_y}{\partial y} + p\right) w \right\} dxdy \\ &+ \int_{C_1} \{\bar{\Phi}_x (lM_x + mM_{xy}) \\ &+ \bar{\Phi}_y (lM_{xy} + mM_y) - \bar{w} Q'_n\} ds \\ &+ \int_{C_2} \left\{ (lM_x + mM_{xy} - \bar{P}_x)\frac{\partial w}{\partial x} \right. \\ &+ (lM_{xy} + mM_y - \bar{P}_y)\frac{\partial w}{\partial y} \\ &\left. - (Q'_n - \bar{Q}_n) w \right\} ds,\end{aligned} \tag{14.15}$$

其中

$$\bar{\Phi}_x = -\frac{12}{h^3}\int_{-\frac{h}{2}}^{\frac{h}{2}} z\bar{u}dz, \quad \bar{\Phi}_y = -\frac{12}{h^3}\int_{-\frac{h}{2}}^{\frac{h}{2}} z\bar{v}dz,$$

$$\bar{w}=\int_{-\frac{h}{2}}^{\frac{h}{2}}\bar{w}dz,\quad \bar{P}_x=\int_{-\frac{h}{2}}^{\frac{h}{2}}z\bar{p}_x dz,$$

$$\bar{P}_y=\int_{-\frac{h}{2}}^{\frac{h}{2}}z\bar{p}_y dz,\quad \bar{Q}_n=\int_{-\frac{h}{2}}^{\frac{h}{2}}\bar{p}_z dz. \tag{14.16}$$

还有，(14.5) 中的 Ω 已改指板中面所占的区域，而 V 已是薄板经典理论中的余应变能密度，它是 M_x，M_y，M_{xy} 的函数．对于各向同性的板，V 的算式是

$$V=\frac{6}{Eh^3}[M_x^2-2\nu M_xM_y+M_y^2+2(1+\nu)M_{xy}^2]. \tag{14.17}$$

现在再把 (14.15) 整理一下，使它具有经典理论中通常有的形式．一是把边界上的 $\frac{\partial w}{\partial x}$，$\frac{\partial w}{\partial y}$，$M_x$，$M_y$，$M_{xy}$ 改为 $\frac{\partial w}{\partial n}$，$\frac{\partial w}{\partial s}$，$M_n$，$M_{ns}$，这样有

$$\begin{aligned}&\bar{\Phi}_x(lM_x+mM_{xy})+\bar{\Phi}_y(lM_{xy}+mM_y)\\&\quad=\bar{\Phi}_nM_n+\bar{\Phi}_sM_{ns},\\&(lM_x+mM_{xy}-\bar{P}_x)\frac{\partial w}{\partial x}\\&\quad+(lM_{xy}+mM_y-\bar{P}_y)\frac{\partial w}{\partial y}\\&=(M_n-\bar{M}_n)\frac{\partial w}{\partial n}+(M_{ns}-\bar{M}_{ns})\frac{\partial w}{\partial s}.\end{aligned} \tag{14.18}$$

其中

$$\begin{aligned}&\bar{\Phi}_n=l\bar{\Phi}_x+m\bar{\Phi}_y,\quad \bar{\Phi}_s=-m\bar{\Phi}_x+l\bar{\Phi}_y=\frac{d\bar{w}}{ds},\\&\bar{M}_n=l\bar{P}_x+m\bar{P}_y,\quad \bar{M}_{ns}=-m\bar{P}_x+l\bar{P}_y.\end{aligned} \tag{14.19}$$

条件

$$\bar{\Phi}_s=\frac{d\bar{w}}{ds}.$$

显然是必要的，因为不然的话，问题已超出了经典理论的范围．二是把有关 w，(Q'_x-Q_x)，(Q'_y-Q_y)的面积分转变为线积分：

$$\iint_{\Omega}\left\{(Q'_x - Q_x)\frac{\partial w}{\partial x} + (Q'_y - Q_y)\frac{\partial w}{\partial y} + \left(\frac{\partial Q'_x}{\partial x} + \frac{\partial Q'_y}{\partial y}\right)w\right\}dxdy$$

$$= \iint_{\Omega}\left(\frac{\partial Q_x}{\partial x} + \frac{\partial Q_y}{\partial y}\right)wdxdy + \int_C (Q'_n - Q_n)wds. \tag{14.20}$$

将 (14.18), (14.20) 代入 (14.15), 得到

$$\Gamma_\Pi = \iint_{\Omega}\left\{V + \left(\frac{\partial Q_x}{\partial x} + \frac{\partial Q_y}{\partial y} + p\right)w\right\}dxdy + \int_{C_1}\left\{\bar{\psi}_n M_n + \frac{d\bar{w}}{ds}M_{ns} - \bar{w}Q'_n + w(Q'_n - Q_n)\right\}ds + \int_{C_2}\left\{(M_n - \overline{M}_n)\frac{\partial w}{\partial n} + (M_{ns} - \overline{M}_{ns})\frac{\partial w}{\partial s} - (Q_n - \overline{Q}_n)w\right\}ds. \tag{14.21}$$

现在再对线积分中的两项作一些变换:

$$\int_{C_2}(M_{ns} - \overline{M}_{ns})\frac{\partial w}{\partial s}ds = -\int_{C_2}\left(\frac{\partial M_{ns}}{\partial s} - \frac{d\overline{M}_{ns}}{ds}\right)wds + (M_{ns} - \overline{M}_{ns})|_{C_2}.$$

命 C_2 的起点 (即 C_1 的终点) 为 $s = s_2$, C_2 的终点 (即 C_1 的起点) 为 $s = s_1$, 则上式可化为

$$\int_{C_2}(M_{ns} - \overline{M}_{ns})\frac{\partial w}{\partial s}ds = -\int_{C_2}\left\{\frac{\partial M_{ns}}{\partial s} - \frac{d\overline{M}_{ns}}{ds} - [\delta(s - s_2) - \delta(s - s_1)]\overline{M}_{ns}\right\}wds - \int_{C_1}[\delta(s - s_2) - \delta(s - s_1)]wM_{ns}ds, \tag{14.22}$$

这里 $\delta(s - s_1)$, $\delta(s - s_2)$ 是狄拉克 δ 函数. 类似地有

$$\int_{C_1}\frac{d\bar{w}}{ds}M_{ns}ds = -\int_{C_1}\bar{w}\frac{\partial M_{ns}}{\partial s}ds + \bar{w}M_{ns}|_{C_1}$$
$$= -\int_{C_1}\left\{\bar{w}\frac{\partial M_{ns}}{\partial s}ds - [\delta(s-s_2)-\delta(s-s_1)]\bar{w}M_{ns}\right\}ds. \quad (14.23)$$

将 (14.22), (14.23) 代入 (14.21), 化简后得到

$$\Gamma_{II} = \iint_{\Omega}\left\{V + \left(\frac{\partial Q_x}{\partial x} + \frac{\partial Q_y}{\partial y} + p\right)w\right\}dxdy$$
$$+ \int_{C_1}\left\{\bar{\Phi}_n M_n - \bar{w}\left(\frac{\partial M_{ns}}{\partial s} + Q_n\right) + (w-\bar{w})[Q'_n - Q_n - \delta(s-s_2)M_{ns} + \delta(s-s_1)M_{ns}]\right\}ds$$
$$+ \int_{C_2}\left\{(M_n - \bar{M}_n)\frac{\partial w}{\partial n} - \left[\frac{\partial M_{ns}}{\partial s} + Q_n - \bar{q}\right]w\right\}ds, \quad (14.24)$$

其中

$$\bar{q} = \frac{d\bar{M}_{ns}}{ds} + \bar{Q}_n + [\delta(s-s_2) - \delta(s-s_1)]\bar{M}_{ns}. \quad (14.25)$$

$\bar{q}$ 是自由边界上的综合横向剪力.

将算式 (14.24) 代入变分式 (14.4), 可得到一系列方程和边界条件. 其中只有一个与 Q'_n 有关,它就是

$$\text{在 } C_1 \text{ 上: } Q'_n = Q_n + \delta(s-s_2)M_{ns} - \delta(s-s_1)M_{ns}. \quad (14.26)$$

将此代入 (14.24), Γ_{π} 的算式最后简化为

$$\Gamma_{II} = \iint_{\Omega}\left\{V + \left(\frac{\partial Q_x}{\partial x} + \frac{\partial Q_y}{\partial y} + p\right)w\right\}dxdy$$
$$+ \int_{C_1}\left\{\bar{\Phi}_n M_n - \bar{w}\left(\frac{\partial M_{ns}}{\partial s} + Q_n\right)\right\}ds$$
$$+ \int_{C_2}\left\{(M_n - \bar{M}_n)\frac{\partial w}{\partial n}\right.$$

$$-\left(\frac{\partial M_{ns}}{\partial s}+Q_n-\bar{q}\right)w\right\}ds. \tag{14.27}$$

此式就是薄板经典理论中的二类变量广义余能的算式. 到此便完成了从弹性力学空间问题推出薄板经典理论的全部方程.

上面的推导过程在两个方面比经典理论更为严格. 第一方面是在把自由边上的 $\bar{M}_{ns}$ 换成综合剪力 $\bar{q}$ 时, 公式 (14.25) 不仅计及了分布力 $\frac{d\bar{M}_{ns}}{ds}$, 并且计及了自由边两端的两个集中力. 第二方面,在上面的推导中,多出一个函数 Q'_n. 它与 Q_n 的差别仅在于在固支边的两端有集中力. 自由边端点的集中力与固支边端点的集中力实际上正好相抵消, 所以在经典理论中忽略这一对力是可以的. 但在本节的推导过程中, 把这一对互相抵消的力也反映出来了.

§ 6.15 弹性体的动力学

在弹性体的动力问题中, 待求的未知函数仍然是下列 3 类 15 个: 3 个位移分量, 6 个应变分量, 6 个应力分量. 不过这 15 个量不仅是空间坐标 x, y, z 的函数,而且还是时间 t 的函数. 这些函数应满足下列三类微分方程: 几何方程 (1.4), 应力应变关系 (3.12) 或 (3.13), 还有运动方程

$$\begin{aligned}
&\frac{\partial\sigma_x}{\partial x}+\frac{\partial\tau_{xy}}{\partial y}+\frac{\partial\tau_{xz}}{\partial z}-\rho\frac{\partial^2 u}{\partial t^2}+f_x=0,\\
&\frac{\partial\tau_{xy}}{\partial x}+\frac{\partial\sigma_y}{\partial y}+\frac{\partial\tau_{yz}}{\partial z}-\rho\frac{\partial^2 v}{\partial t^2}+f_y=0,\\
&\frac{\partial\tau_{xz}}{\partial x}+\frac{\partial\tau_{yz}}{\partial y}+\frac{\partial\sigma_z}{\partial z}-\rho\frac{\partial^2 w}{\partial t^2}+f_z=0,
\end{aligned} \tag{15.1}$$

将它写成矩阵则为

$$\boldsymbol{E}(\nabla)\boldsymbol{\sigma}-\rho\frac{\partial^2\boldsymbol{u}}{\partial t^2}+\boldsymbol{f}=0. \tag{15.2}$$

式中 ρ 是物体的密度, $\boldsymbol{f}$ 仍代表体积力, 不过现在一般说来 $\boldsymbol{f}$ 是

x, y, z, t 的函数.

物体的边界条件,仍考虑固支与自由两种典型型式,因此仍可写成 (4.1), (4.2) 的形式,不过现在的 ，$\bar{\boldsymbol{p}}$ 一般都为与 t 有关的函数.

在动力问题中,还必须知道物体在某一时刻的位移和速度,才能使解唯一地确定. 这个条件叫做初始条件. 若把已知初始值的时间取为 $t=0$, 那末初始条件可表达为

$$\text{在 } t=0 \text{ 时: } \boldsymbol{u}=\boldsymbol{u}_0,\ \frac{\partial \boldsymbol{u}}{\partial t}=\dot{\boldsymbol{u}}_0. \tag{15.3}$$

式中 $\boldsymbol{u}_0$, $\dot{\boldsymbol{u}}_0$ 是已知的 x, y, z 的函数.

在动力问题中,有一类问题可以不用初始条件,这就是当外力 $\boldsymbol{f}$, $\bar{\boldsymbol{p}}$ 和边界上的已知位移 $\bar{\boldsymbol{u}}$ 都按规律 $e^{i\omega t}$ 随时间而变化,这时,待求的 15 个未知函数也按规律 $e^{i\omega t}$ 随时间变化,因而有

$$-\frac{\partial^2 \boldsymbol{u}}{\partial t^2}=\omega^2 \boldsymbol{u}. \tag{15.4}$$

这样运动方程变为

$$\boldsymbol{E}(\nabla)\boldsymbol{\sigma}+\rho\omega^2\boldsymbol{u}+\boldsymbol{f}=0. \tag{15.5}$$

§ 6.16 弹性体动力学中的互等定理

上节列举了弹性体动力学中的微分方程、边界条件和初始条件. 现将这些方程和条件对时间 t 作拉普拉斯转换. 设 $\phi(x, y, z, t)$ 为某一函数, 定义于 $t \geqslant 0$. ϕ 的拉普拉斯转换用相应的大写字母 $\Phi(x, y, z, s)$ 来表示,即

$$\Phi(x, y, z, s)=\int_0^{\infty} \phi(x, y, z, t) e^{-st} dt. \tag{16.1}$$

取方程 (1.4), (3.12), (15.2), (4.1), (4.2) 的拉普拉斯转换,得到

$$\mathcal{E}=\boldsymbol{E}^T(\nabla)\boldsymbol{U}, \tag{16.2}$$

$$\boldsymbol{\Sigma}=\boldsymbol{A}\mathcal{E}, \tag{16.3}$$

$$\boldsymbol{E}(\nabla)\boldsymbol{\Sigma} - \rho s^2\boldsymbol{U} + \rho\dot{\boldsymbol{u}}_0 + \rho s\boldsymbol{u}_0 + \boldsymbol{F} = 0, \tag{16.4}$$

$$\text{在 } B_1 \text{ 上：} \boldsymbol{U} = \bar{\boldsymbol{U}}, \tag{16.5}$$

$$\text{在 } B_2 \text{ 上：} \boldsymbol{E}(\nu)\boldsymbol{\Sigma} = \bar{\boldsymbol{P}}. \tag{16.6}$$

方程 (16.2)—(16.6) 规定了一个弹性体的平衡问题，它的位移是 $\boldsymbol{U}$，应变是 $\boldsymbol{\epsilon}$，应力是 $\boldsymbol{\Sigma}$，体积力是 $(-\rho s^2\boldsymbol{U}+\rho\dot{\boldsymbol{u}}_0+\rho s\boldsymbol{u}_0+\boldsymbol{F})$，表面已知位移是 $\bar{\boldsymbol{U}}$，表面已知力是 $\bar{\boldsymbol{P}}$. 在这个平衡问题中，可以应用 § 6.5 介绍的功的互等定理. 命在各字母的右下角加一下标 1 表示第一次的各个量，加一下标 2 表示第二次的各个量，那末便有

$$\iiint\limits_{\Omega} (-\rho s^2\boldsymbol{U}_1 + \rho\dot{\boldsymbol{u}}_{01} + \rho s\boldsymbol{u}_{01} + \boldsymbol{F}_1)^T\boldsymbol{U}_2 d\Omega + \iint\limits_{B} \boldsymbol{P}_1^T\boldsymbol{U}_2 dB$$
$$= \iiint\limits_{\Omega} (-\rho s^2\boldsymbol{U}_2 + \rho\dot{\boldsymbol{u}}_{02} + \rho s\boldsymbol{u}_{02} + \boldsymbol{F}_2)^T\boldsymbol{U}_1 d\Omega + \iint\limits_{B} \boldsymbol{P}_2^T\boldsymbol{U}_1 dB,$$

在此式中消去左右两端相同的项，得到

$$\iiint\limits_{\Omega} (\rho\dot{\boldsymbol{u}}_{01} + \rho s\boldsymbol{u}_{01} + \boldsymbol{F}_1)^T\boldsymbol{U}_2 d\Omega + \iint\limits_{B} \boldsymbol{P}_1^T\boldsymbol{U}_2 dB$$
$$= \iiint\limits_{\Omega} (\rho\dot{\boldsymbol{u}}_{02} + \rho s\boldsymbol{u}_{02} + \boldsymbol{F}_2)^T\boldsymbol{U}_1 d\Omega + \iint\limits_{B} \boldsymbol{P}_2^T\boldsymbol{U}_1 dB. \tag{16.7}$$

这便是弹性体动力学中的互等定理. 若将公式(16.7)恢复到原函数，则有

$$\iiint\limits_{\Omega} (\rho\dot{\boldsymbol{u}}_{01}^T\boldsymbol{u}_2 + \rho\boldsymbol{u}_{01}^T\dot{\boldsymbol{u}}_2 + \boldsymbol{f}_1^T*\boldsymbol{u}_2)d\Omega + \iint\limits_{B} \boldsymbol{p}_1^T*\boldsymbol{u}_2 dB$$
$$= \iiint\limits_{\Omega} (\rho\dot{\boldsymbol{u}}_{02}^T\boldsymbol{u}_1 + \rho\boldsymbol{u}_{02}^T\dot{\boldsymbol{u}}_1 + \boldsymbol{f}_2^T*\boldsymbol{u}_1)d\Omega + \iint\limits_{B} \boldsymbol{p}_2^T*\boldsymbol{u}_1 dB. \tag{16.8}$$

式中的$*$代表卷积. 对于任意两个定义于$t\geqslant 0$的函数$f(t)$, $g(t)$, 它们的卷积定义为

$$f(t)*g(t)=\int_0^t f(t-\tau)g(\tau)d\tau. \tag{16.9}$$

在从(16.7)导出(16.8)的过程中,用了卷积的拉普拉斯变换的公式

$$\int_0^\infty \{f(t)*g(t)\}e^{-st}dt=F(s)G(s). \tag{16.10}$$

公式(16.7)是用拉普拉斯转换表示的互等定理; 公式(16.8)是用原函数表示的互等定理. 在不少实际问题中, 应用公式(16.7)常常更方便些.

下面说明几种有重要意义的特殊情况:

1. 起先是静止的情况　在这种场合, $\boldsymbol{u}_0=0$, $\dot{\boldsymbol{u}}_0=0$, 因此等式(16.7)化为

$$\begin{aligned}&\iiint_{\Omega}\boldsymbol{F}_1^T\boldsymbol{U}_2d\Omega+\iint_B\boldsymbol{P}_1^T\boldsymbol{U}_2dB\\&=\iiint_{\Omega}\boldsymbol{F}_2^T\boldsymbol{U}_1d\Omega+\iint_B\boldsymbol{P}_2^T\boldsymbol{U}_1dB.\end{aligned} \tag{16.11}$$

此式表示,在起先是静止的情况,位移和力的拉普拉斯转换满足平衡问题中的功的互等定理.

公式(16.11)的一个重要特例是: 在物体的一部分表面B_1上固支不动,即

$$在\ B_1\ 上:\ \boldsymbol{u}=0.$$

而在$t<0$时物体是静止的. 在$t=0$时突然加上外力, 以后外力保持不变. 在这种情况,外力与时间无关,因此它们的拉普拉斯转换为

$$\boldsymbol{F}=\frac{\boldsymbol{f}}{s},\quad \bar{\boldsymbol{P}}=\frac{\bar{\boldsymbol{p}}}{s}. \tag{16.12}$$

将此代入(16.11), 然后消去公因子$\frac{1}{s}$, 得到

$$\iiint_{\Omega} \boldsymbol{f}_1^T \boldsymbol{U}_2 d\Omega + \iint_{B_1} \bar{\boldsymbol{p}}_1^T \boldsymbol{U}_2 dB = \iiint_{\Omega} \boldsymbol{f}_2^T \boldsymbol{U}_1 d\Omega + \iint_{B_2} \bar{\boldsymbol{p}}_2^T \boldsymbol{U}_1 dB.$$

由于 $\boldsymbol{f}$, $\bar{\boldsymbol{p}}$ 等都与 s 无关，故将上式恢复到原函数，得到

$$\iiint_{\Omega} \boldsymbol{f}_1^T \boldsymbol{u}_2 d\Omega + \iint_{B_2} \bar{\boldsymbol{p}}_1^T \boldsymbol{u}_2 dB$$

$$= \iiint_{\Omega} \boldsymbol{f}_2^T \boldsymbol{u}_1 d\Omega + \iint_{B_2} \bar{\boldsymbol{p}}_2^T \boldsymbol{u}_1 dB. \tag{16.13}$$

此式与平衡问题中的功的互等定理完全相同.

例如，设有 n 个不变的集中外力 $P_1, P_2, \cdots, P_n$ 同时作用于物体上，设各力作用点相应的位移为 $\Delta_1(t), \Delta_2(t), \cdots, \Delta_n(t)$. 根据线性关系可知

$$\begin{aligned}
\Delta_1 &= P_1\delta_{11}(t) + P_2\delta_{12}(t) + \cdots + P_n\delta_{1n}(t),\\
\Delta_2 &= P_1\delta_{21}(t) + P_2\delta_{22}(t) + \cdots + P_n\delta_{2n}(t),\\
&\cdots\cdots\cdots\cdots\\
\Delta_n &= P_1\delta_{n1}(t) + P_2\delta_{n2}(t) + \cdots + P_n\delta_{nn}(t).
\end{aligned} \tag{16.14}$$

根据上面的互等定理，知

$$\delta_{ij}(t) = \delta_{ji}(t), \quad i, j = 1, 2, \cdots, n. \tag{16.15}$$

这个公式的物理意义是：在 A 点加上一个不变的外力所引起的 B 点的位移，等于 B 点加上一个同样大小的不变的外力所引起的 A 点的位移.

公式 (16.13) 不仅在外力不变的情况下成立，并且在外力虽变但它们的比保持不变的情况下也是成立的. 这是因为在外力之比保持不变的情况下，它们的拉普拉斯转换也具有相同的比，即

$$\boldsymbol{F}:\bar{\boldsymbol{P}} = \boldsymbol{f}:\bar{\boldsymbol{p}}. \tag{16.16}$$

因此从 (16.11) 依旧能得到 (16.13).

由此可知，如果物体起先是静止的，后来加上保持定比的外力，而物体有一部分表面是永远不动的支承面，那末在任何时刻有与平衡问题中的功的互等定理相似的互等定理.

例如设有 n 个集中外力 $P_1\varphi(t)$, $P_2\varphi(t)$, $\cdots$, $P_n\varphi(t)$ 同时作用于一物体上，设各力作用点的位移为 $\Delta_1(t)$, $\Delta_2(t)$, $\cdots$, $\Delta_n(t)$,

那末对于这个问题公式(16.14),(16.15)依旧成立．在这种场合，公式(16.15)的物理意义是：在A点加上外力所引起的B点的位移，等于在B点加上同样大小的同样变化的外力所引起的A点的位移．

2. 自由振动的情况　在这种情况下，外力等于零，因此公式(16.7)简化为

$$\iiint_{\Omega}(\rho\dot{\boldsymbol{u}}_{01}+\rho s\boldsymbol{u}_{01})^T\boldsymbol{U}_2d\Omega=\iiint_{\Omega}(\rho\dot{\boldsymbol{u}}_{02}+\rho s\boldsymbol{u}_{02})^T\boldsymbol{U}_1d\Omega. \quad (16.17)$$

因为$\boldsymbol{u}_0$, $\dot{\boldsymbol{u}}_0$与s无关,所以将(16.17)恢复到原函数便得到

$$\iiint_{\Omega}(\rho\dot{\boldsymbol{u}}_{01}^T\boldsymbol{u}_2+\rho\boldsymbol{u}_{01}^T\dot{\boldsymbol{u}}_2)d\Omega=\iiint_{\Omega}(\rho\dot{\boldsymbol{u}}_{02}^T\boldsymbol{u}_1+\rho\dot{\boldsymbol{u}}_{02}^T\boldsymbol{u}_1)d\Omega. \quad (16.18)$$

如果在$t=0$时只有速度而无位移,那末上式简化为

$$\iiint_{\Omega}\rho\dot{\boldsymbol{u}}_{01}^T\boldsymbol{u}_2d\Omega=\iiint_{\Omega}\rho\dot{\boldsymbol{u}}_{02}^T\boldsymbol{u}_1d\Omega. \quad (16.19)$$

如果在$t=0$时只有位移而无速度，那末公式(16.18)简化为

$$\iiint_{\Omega}\rho\boldsymbol{u}_{01}^T\dot{\boldsymbol{u}}_2d\Omega=\iiint_{\Omega}\rho\boldsymbol{u}_{02}^T\dot{\boldsymbol{u}}_1d\Omega,$$

将此式对时间t积分一次,得到

$$\iiint_{\Omega}\rho\boldsymbol{u}_{01}^T\boldsymbol{u}_2d\Omega=\iiint_{\Omega}\rho\boldsymbol{u}_{02}^T\boldsymbol{u}_1d\Omega. \quad (16.20)$$

弹性体动力学的一般的互等定理,据说是由Graffi[139]首先得到的．又据说Андреев[334]在更早一点时间已指出过线性系统非定常运动时的一般互等定理．按理说，振动问题中的互等定理至少和平衡问题中的功的互等定理具有相同的重要意义．但是Андреев和Graffi的工作似乎没有受到及时的应有的重视，关于互等定理的一些应用,可见文献[12],[113],[235],[332],[168].

§ 6.17　Benthien-Gurtin[70]最小转换能量定理

在§6.16曾用拉普拉斯转换将一般的弹性体的振动问题化为

一个相当的平衡问题．以后把这个平衡问题叫做转换后的平衡问题．转换后的问题由方程 (16.2)—(16.6) 所完全确定．拿转换后的平衡问题与真正的平衡问题相比较，可看到两个特点：(1) 初始位移和初始速度，在转换后的平衡问题中相当于附加的体积力 $\rho(\dot{\boldsymbol{u}}_0+s\boldsymbol{u}_0)$；(2) 惯性力在转换后的平衡问题中相当于体积力 $-\rho s^2\boldsymbol{U}$. 这部份体积力与位移成正比，但方向与位移相反(因为拉普拉斯转换中的 s 是正实数)，因此类似于梁、板、壳中的弹性地基的反作用力．

对于转换后的平衡问题，也有一个相应的最小势能原理．这个原理是首先由 Benthien-Gurtin 得到的，他们称它为最小转换能量定理(原理)．

仿照真正的平衡问题，命

$$\Phi=\frac{1}{2}\boldsymbol{\epsilon}^T\boldsymbol{A}\boldsymbol{\epsilon}. \tag{17.1}$$

它相当于应变能密度．再命

$$\Pi_L=\iiint_\Omega\left\{\Phi+\frac{1}{2}\rho s^2\boldsymbol{U}^T\boldsymbol{U}-(\rho\dot{\boldsymbol{u}}_0+\rho s\boldsymbol{u}_0+\boldsymbol{F})^T\boldsymbol{U}\right\}d\Omega$$
$$-\iint_{B_2}\bar{\boldsymbol{P}}^T\boldsymbol{U}dB. \tag{17.2}$$

它相当于总势能．于是有如下的最小转换能量定理：在所有满足连续条件 (16.2), (16.5) 和应力应变关系 (16.3) 的可能状态中，精确解使转换势能 Π_L 取最小值．

证明步骤和最小势能原理相同．命 $\boldsymbol{U}$ 为精确解，$\boldsymbol{U}_k$ 为某一种变形可能的状态(解)．再命

$$\Delta\boldsymbol{U}=\boldsymbol{U}_k-\boldsymbol{U},\ \boldsymbol{U}_k=\boldsymbol{U}+\Delta\boldsymbol{U}_k. \tag{17.3}$$

命与可能状态 $\boldsymbol{U}_k$ 相应的转换能为 $\Pi_L(\boldsymbol{U}_k)$，命与增量相应的应变能量密度为 $\Phi(\Delta\boldsymbol{U})$，那末根据方程 (16.2)—(16.6) 可证明

$$\Pi_L(\boldsymbol{U}_k)=\Pi_L(\boldsymbol{U})+\iiint_\Omega\left\{\Phi(\Delta\boldsymbol{U})\right.$$

$$+\frac{1}{2}\rho s^2\Delta \boldsymbol{U}^T\Delta \boldsymbol{U}\Big\}\,d\Omega. \tag{17.4}$$

因此对于 s 是实数的情况便有

$$\Pi_L(\boldsymbol{U}_k)\geqslant \Pi_L(\boldsymbol{U}). \tag{17.5}$$

§6.18 Hamilton 与 Gurtin 的变分原理

上节的变分原理是对经拉普拉斯转换后的问题建立的. 对于原来的问题, 也有两类变分原理, 一类是经典的哈密顿变分原理, 另一类是 Gurtin[143] 于 1964 年提出的变分原理.

Hamilton变分原理不是考虑弹性体动力学的初始值问题,而是考虑时间上的边值问题,即不用初始条件 (15.3),而用边值条件:

$$\begin{aligned}&\text{在 } t=0 \text{ 时: } \boldsymbol{u}=\boldsymbol{u}_0,\\&\text{在 } t=t_1 \text{ 时: } \boldsymbol{u}=\boldsymbol{u}_1.\end{aligned} \tag{18.1}$$

其他的方程和边界条件 (1.4), (3.12) 或 (3.13), (15.2), (4.1), (4.2)仍保留不变. 在这个修改后的问题中,满足方程(1.4),(3.12) 或 (3.13), (4.1), (18.1) 的状态称为可能运动状态. Hamilton 原理是指: 在所有的可能运动状态中,精确解使

$$\delta\int_0^{t_1}(\Pi-T)dt=0. \tag{18.2}$$

其中 Π 是弹性体的势能, 它的算式见 (7.3), T 是弹性体的动能, 它的算式是

$$T=\frac{1}{2}\iiint_{\Omega}\rho\,\frac{\partial \boldsymbol{u}^{\mathrm{T}}}{\partial t}\cdot\frac{\partial \boldsymbol{u}}{\partial t}\,d\Omega. \tag{18.3}$$

Hamilton 原理的另一种说法是: 在满足 (1.4), (3.12) 或 (3.13), (4.1), (8.1) 的前提下, 变分式 (18.2) 相当于方程 (15.2) 和边界条件 (4.2). Hamilton 原理的证明很简单,这里从略了.

Hamilton 原理中的泛函不是正定的泛函,对于精确解,它也只取驻立值而不是最小值,这些特点在理论力学书籍中都有说明,这里再强调一次.

工程中的动力问题常常不是 Hamilton 原理中考虑的问题．因此 Hamilton 原理很难直接用于求解具体的工程问题．Hamilton 原理的主要用途在于推导运动方程，和其他理论方面的应用．

Gurtin 变分原理中考虑的问题就是 § 6.15 提出的初始值问题．满足方程(1.4)，(3.12)或(3.13)，(4.1)，(15.3)的状态称为可能运动状态． Gurtin 变分原理从各种可能运动状态中选出精确解．在 § 6.17 已经说明，对于各种可能运动状态的拉普拉斯转换中，精确解使

$$\delta \Pi_L = 0. \tag{18.4}$$

将此变分式恢复到原函数，得到

$$\delta \Lambda = 0, \tag{18.5}$$

其中

$$\Lambda = \iiint_{\Omega} \left(\phi + \frac{1}{2} \rho \frac{\partial \boldsymbol{u}^T}{\partial t} * \frac{\partial \boldsymbol{u}}{\partial t} - \rho \dot{\boldsymbol{u}}_0^T \boldsymbol{u} - \boldsymbol{f}^T * \boldsymbol{u} \right) d\Omega - \iint_{B_2} \bar{\boldsymbol{p}}^T * \boldsymbol{u} dB. \tag{18.6}$$

此式中的算子 * 仍代表两个时间函数的卷积，而函数 ϕ 为

$$\phi = \frac{1}{2} \boldsymbol{\varepsilon}^T * \boldsymbol{A} \boldsymbol{\varepsilon}. \tag{18.7}$$

Gurtin 变分原理就是说：在各种可能运动状态中，精确解使变分式 (18.5) 成立． 换句话说，在 (1.4)，(3.12) 或 (3.13)，(4.1)，(15.3) 成立的前提下，变分式 (18.5) 相当于运动方程 (15.2) 和边界条件 (4.2)．

Gurtin 变分原理中的泛函 Λ 也只取驻立值而不是取极大或极小值．

虽然 Hamilton 原理与 Gurtin 原理都相当于运动方程．但是 Gurtin 原理考虑的是初始值问题，因此它在实际问题中的应用，可能有较多的前景．

上面介绍的 Hamilton 原理与 Gurtin 原理，都相当于平衡问题中的最小势能原理． 采用类似的推广的办法，可以得到与平衡

问题中的最小余能原理以及各种广义变分原理相应的种种变分原理. 为节省篇幅，不一一介绍了，有兴趣的读者可参考 Gurtin 的论文 [143].

§ 6.19 关于固有频率的变分原理之一：位移形式的变分原理

考虑一个线性弹性体，在没有外力作用的情况下作固有振动在讨论固有振动问题时，用 $\boldsymbol{u}$, $\boldsymbol{\varepsilon}$, $\boldsymbol{\sigma}$ 代表位移、应变和应力的振幅. 在这种情况下，运动方程可表达成为:

$$\boldsymbol{E}(\boldsymbol{\nabla})\boldsymbol{\sigma} + \rho\omega^2\boldsymbol{u} = 0. \tag{19.1}$$

关于物体的边界条件，仍考虑固支与自由两种典型情况. 于是有边界条件

$$\text{在 } B_1 \text{ 上: } \boldsymbol{u} = 0, \tag{19.2}$$

$$\text{在 } B_2 \text{ 上: } \boldsymbol{p} = 0, \tag{19.3}$$

这里 $\boldsymbol{p}$ 与 $\boldsymbol{\sigma}$ 的关系仍由公式 (2.3) 决定. 应变与位移的关系，以及应力和应变的关系，与平衡问题相同，仍为 (1.4), (3.12) 或 (3.13).

在振动过程中，物体具有的最大的应变能为

$$\Pi_1 = \iiint_{\Omega} \frac{1}{2} \boldsymbol{\varepsilon}^T \boldsymbol{A} \boldsymbol{\varepsilon} d\Omega. \tag{19.4}$$

物体具有的最大的动能为

$$\omega^2 T = \frac{1}{2} \omega^2 \iiint_{\Omega} \rho \boldsymbol{u}^T \boldsymbol{u} d\Omega. \tag{19.5}$$

根据能量守恒原理，有

$$\omega^2 = \frac{\Pi_1}{T}. \tag{19.6}$$

这便是著名的瑞利分数. 将上式改为一个变分式，得到

$$\omega^2 = \mathrm{st} \frac{\Pi_1}{T}. \tag{19.7}$$

在这个变分式中，自变函数应事先满足方程 (1.4)，(3.12) 或 (3.13)，以及边界条件 (19.2)，因此变分式 (19.7) 等价于运动方程 (19.1) 和力的边界条件 (19.3).

基本固有频率显然等于 (19.7) 右端泛函的最小值.

变分式 (19.7) 相当于平衡问题中的最小势能原理. 从 (19.7) 出发，通过适当的步骤进行推广，可以导出与平衡问题中广义变分原理相当的种种变分原理. 鹫津[314,315]、胡海昌[13]还有 Nemat-Nasser[220]，曾先后把 (19.7) 分子中的一类变量势能 Π_1，推广到二类变量势能 Π_2，从而得到变分式

$$\omega^2 = \mathrm{st}\,\frac{\Pi_2}{T}, \tag{19.8}$$

其中

$$\boldsymbol{\Pi}_2 = \iiint_{\Omega} \left\{ \boldsymbol{\sigma}^T \boldsymbol{E}^T (\boldsymbol{\nabla}) \boldsymbol{u} - \frac{1}{2} \boldsymbol{\sigma}^T \boldsymbol{a} \boldsymbol{\sigma} \right\} d\Omega - \iint_{B_1} \boldsymbol{p}^T \boldsymbol{u} dB. \tag{19.9}$$

此式就是平衡问题中的算式 (9.10). 在变分式 (19.8) 中，$\boldsymbol{u}$ 和 $\boldsymbol{\sigma}$ 中的 9 个函数可以自由地独立地变化，事先不必满足任何条件.

鹫津[314,315]、Rudiger[268]、Nemat-Nasser[220] 还把 (19.7) 中的一类变量势能 Π_1 推广到三类变量广义势能，从而得到变分式

$$\omega^2 = \mathrm{st}\,\frac{\Pi_3}{T}. \tag{19.10}$$

其中

$$\Pi_3 = \iiint_{\Omega} \left\{ \frac{1}{2} \boldsymbol{\varepsilon}^T \boldsymbol{A} \boldsymbol{\varepsilon} - \boldsymbol{\sigma}^T [\boldsymbol{\varepsilon} - \boldsymbol{E}^T (\boldsymbol{\nabla}) \boldsymbol{u}] \right\} d\Omega - \iint_{B_1} \boldsymbol{p}^T \boldsymbol{u} dB. \tag{19.11}$$

此式就是平衡问题中的算式 (10.3). 在变分式 (19.10) 中，$\boldsymbol{u}$、$\boldsymbol{\varepsilon}$，$\boldsymbol{\sigma}$ 中的 15 个函数都可以独立地自由地变化，事先不必满足任何条件.

关于固有频率的广义变分原理，除了可以用作有限元素法的理论基础之外，还可以用于推导梁、板、壳等特殊结构的近似理论.

作为一个例子，考虑一块等厚度的、均匀的，各向同性平板的固有振动问题．和 § 6.13 的平衡问题相似，取板的中面为 xy 平面，并对板中的位移及应力分布作类似的简化假设：

$$u = -z\psi_x(x, y),\ v = -z\psi_y(x, y),\ w = w(x, y), \tag{19.12}$$

$$\begin{aligned}
&\sigma_x = \frac{z}{J} M_x(x, y),\ \sigma_y = \frac{z}{J} M_y(x, y),\\
&\tau_{xy} = \frac{z}{J} M_{xy}(x, y),\ \tau_{xz} = \frac{3}{2h}\left(1 - \frac{4z^2}{h^2}\right) Q_x(x, y),\\
&\tau_{yz} = \frac{3}{2h}\left(1 - \frac{4z^2}{h^2}\right) Q_y(x, y),
\end{aligned} \tag{19.13}$$

$$\sigma_z = 0.$$

其中

$$J = \frac{h^3}{12}. \tag{19.14}$$

将上式代入变分式 (19.8)，算出对 z 的积分，得到

$$\omega^2 = \mathrm{st}\,\frac{\iint H dxdy - \int(-\psi_n M_n - \psi_s M_s + wQ_n)ds}{\frac{1}{2}\iint \rho[J(\psi_x^2 + \psi_y^2) + h\omega^2]dxdy}. \tag{19.15}$$

这里的面积分遍及于板中面所占的区域，而线积分只计算中面边界线上固支的那一段，函数 H 为

$$\begin{aligned}
H = &- M_x \frac{\partial\psi_x}{\partial x} - M_y \frac{\partial\psi_y}{\partial y} - M_{xy}\left(\frac{\partial\psi_x}{\partial y} + \frac{\partial\psi_y}{\partial x}\right)\\
&+ Q_x\left(\frac{\partial w}{\partial x} - \psi_x\right) + Q_y\left(\frac{\partial w}{\partial y} - \psi_y\right)\\
&- \frac{1}{2EJ}[M_x^2 + M_y^2 - 2\nu M_x M_y\\
&+ 2(1 + \nu)M_{xy}^2] - \frac{3}{5Gh}(Q_x^2 + Q_y^2).
\end{aligned} \tag{19.16}$$

ψ_n, ψ_s, M_n, M_{ns}, Q_n 的含义同前，它们的算式仍为 (13.11)．

写出使 (19.15) 取驻立值的条件，得到下列方程

$$-\frac{\partial\psi_x}{\partial x}=\frac{1}{EJ}(M_x-\nu M_y),$$

$$-\frac{\partial\psi_y}{\partial y}=\frac{1}{EJ}(M_y-\nu M_x),$$

$$-\frac{\partial\psi_x}{\partial y}-\frac{\partial\psi_y}{\partial x}=\frac{2(1+\nu)}{EJ}M_{xy},\tag{19.17}$$

$$\frac{\partial w}{\partial x}-\psi_x=\frac{6}{5Gh}Q_x,$$

$$\frac{\partial w}{\partial y}-\psi_y=\frac{6}{5Gh}Q_y.$$

$$-\frac{\partial M_x}{\partial x}-\frac{\partial M_{xy}}{\partial y}+Q_x+\omega^2\rho J\psi_x=0,$$

$$-\frac{\partial M_{xy}}{\partial x}-\frac{\partial M_y}{\partial y}+Q_y+\omega^2\rho J\psi_y=0,$$

$$\frac{\partial Q_x}{\partial x}+\frac{\partial Q_y}{\partial y}+\omega^2\rho hw=0.\tag{19.18}$$

在边界上：$\psi_n=0$ 或 $M_n=0$，

$\psi_s=0$ 或 $M_{ns}=0$，

$w=0$ 或 $Q_n=0$. (19.19)

方程 (19.18) 是近似的运动方程，条件 (19.19) 是近似的边界条件，方程 (19.17) 是近似的应力应变关系，它也可以写成下列形式：

$$M_x=-D\left(\frac{\partial\psi_x}{\partial x}+\nu\frac{\partial\psi_y}{\partial y}\right),$$

$$M_y=-D\left(\frac{\partial\psi_y}{\partial y}+\nu\frac{\partial\psi_x}{\partial x}\right),$$

$$M_{xy}=-\frac{D(1-\nu)}{2}\left(\frac{\partial\psi_x}{\partial y}+\frac{\partial\psi_y}{\partial x}\right),$$

$$Q_x=C\left(\frac{\partial w}{\partial x}-\psi_x\right),\ Q_y=C\left(\frac{\partial w}{\partial y}-\psi_y\right).\tag{19.20}$$

以公式 (19.18)—(19.20) 代表的平板的三广义位移振动理论，有时也称为 Уфлянд[342] Mindlin[204] 理论，因为他们首先提出了这样的理论．这个理论是第三章介绍的 Timoshenko 理论从梁到板的推广，也是 § 6.13 介绍的 Reissner 理论从平衡问题到振动问题的推广．

上面的推导再一次说明，在建立梁、板、壳等结构的近似理论时，一旦对位移及应力分布作出了合理的简化假设之后，广义变分原理便能帮助我们用常规的数学运算获得必要的全套微分方程和边界条件．

从关于固有频率的变分式 (19.7) 出发，可以推导出固有振型的两个正交关系，还可以证明任意函数对固有振型的展开，这些推理步骤与梁、板中的问题完全相同，这里不再重复了．

§ 6.20 关于固有频率的变分原理之二：加速度形式的变分原理

在上节讨论的弹性体的固有振动问题中，是以位移的振幅 $\boldsymbol{u}$ 为未知函数的．命物体各点的加速度为 $\ddot{\boldsymbol{u}}$，则有

$$\ddot{\boldsymbol{u}} = -\omega^2\boldsymbol{u}. \tag{20.1}$$

若以 $\ddot{\boldsymbol{u}}$，$\boldsymbol{\sigma}$ 为基本未知函数，那末固有振动问题的微分方程和边界条件可写成为

$$-\boldsymbol{E}^T(\nabla)\ddot{\boldsymbol{u}} = \omega^2\boldsymbol{a}\boldsymbol{\sigma}, \tag{20.2}$$

$$\boldsymbol{E}(\nabla)\boldsymbol{\sigma} - \rho\ddot{\boldsymbol{u}} = 0, \tag{20.3}$$

$$\text{在 } B_1 \text{ 上：} \ddot{\boldsymbol{u}} = 0, \tag{20.4}$$

$$\text{在 } B_2 \text{ 上：} \boldsymbol{p} = 0. \tag{20.5}$$

值得注意，方程 (20.2) 和 (20.4) 是用 ω^2 乘方程(9.8) 和 (4.1)得到的．当 $\omega \neq 0$ 时，这两组方程完全等价，但当 $\omega = 0$ 时，从 (9.8)，(4.1) 固然仍能推出 (20.2)，(20.4)，但反过来从 (20.2)，(20.4) 却推不出 (9.8)，(4.1)．所以由方程 (20.2)—(20.5) 定义的新的本征值问题，在 $\omega \neq 0$ 时与原有的固有振动问题等价，而在 $\omega = 0$ 时，就与原有的问题不同．即使在某些特殊情况下，新旧两个本征值问题都有本征值 $\omega=0$，但相应的本征函数仍不相当．在

原有的问题中，$\omega=0$ 意味着刚体运动，这时 $\boldsymbol{u}$ 不恒等于零，而 $\ddot{\boldsymbol{u}}$，$\boldsymbol{\sigma}$ 却全是零. $\ddot{\boldsymbol{u}}$，$\boldsymbol{\sigma}$ 全是零的解，在新问题中显然不认为是一个本征函数解. 这也就是说，在以加速度为未知函数的本征值问题中，刚体运动被排除了. 在新的本征值问题中，$\omega=0$ 意味着

$$\boldsymbol{E}(\boldsymbol{\nabla})\ddot{\boldsymbol{u}}=0. \tag{20.6}$$

这表明 $\ddot{\boldsymbol{u}}$ 只有类似于刚体位移的解. 将此解写成标量形式，则是

$$\begin{aligned}\ddot{u}&=a-hy+gz,\\ \ddot{v}&=b-fz+hx,\\ \ddot{w}&=c-gx+fy,\end{aligned} \tag{20.7}$$

其中 a,b,c,f,g,h 为六个常数. 如果物体确有一部份表面固支，则此六个常数必须为零. 如果物体的表面全为自由面，那末单从运动条件看，a,b,c,f,g,h 可不等于零，但这时惯性力 $\rho\ddot{u}$，$\rho\ddot{v}$，$\rho\ddot{w}$ 必须是自相平衡的力系，这又导致 a,b,c,f,g,h 为零. 因此无论在什么情况下，都有

$$\ddot{u}=\ddot{v}=\ddot{w}=0. \tag{20.8}$$

这样运动方程 (20.3) 变为

$$\boldsymbol{E}(\boldsymbol{\nabla})\boldsymbol{\sigma}=0. \tag{20.9}$$

现在只剩下两个方程 (20.9)，(20.5) 用以决定应力分量. 这个解显然相当于物体中可能存在的初应力. 以后就把这个解记为

$$\boldsymbol{\sigma}=\boldsymbol{\sigma}^0. \tag{20.10}$$

上面证明了 $\omega=0$ 确实是新的数学问题中的一个本征值，并且还求得了相应的本征函数. 从力学上看，这是由于用 ω^2 乘了应力应变关系和位移边界条件而混进来的假解，正像求解代数方程时，用某个算式乘原有的方程，可能混进假根.

下面我们来把本征值问题 (20.2)—(20.5) 化成一个变分法的问题. 若把 $\ddot{\boldsymbol{u}}$，$\boldsymbol{\sigma}$ 看作是 9 个可以独立变化的函数，并且假定它们的变分不受任何限制，那末所求的变分式便是

$$\omega^2=\mathrm{st}\,\frac{T_2}{\Gamma}. \tag{20.11}$$

其中 Γ 和 T_2 分别为

$$\Gamma = \iiint_{\Omega} \frac{1}{2} \boldsymbol{\sigma}^T \boldsymbol{a} \boldsymbol{\sigma} \, d\Omega, \tag{20.12}$$

$$T_2 = \iiint_{\Omega} \left\{ [\boldsymbol{E}(\boldsymbol{\nabla})\boldsymbol{\sigma}]^T \ddot{\boldsymbol{u}} - \frac{1}{2} \rho \ddot{\boldsymbol{u}}^T \ddot{\boldsymbol{u}} \right\} d\Omega - \iint_{B_2} \boldsymbol{p}^T \ddot{\boldsymbol{u}} dB. \tag{20.13}$$

为了证明 (20.11)，求此式的变分，得到

$$\delta T_2 - \omega^2 \delta \Gamma = 0. \tag{20.14}$$

根据 (20.13) 有

$$\delta T_2 = \iiint_{\Omega} [\boldsymbol{E}(\boldsymbol{\nabla})\delta\boldsymbol{\sigma}]^T \ddot{\boldsymbol{u}} d\Omega + \iiint_{\Omega} [\boldsymbol{E}(\boldsymbol{\nabla})\boldsymbol{\sigma} - \rho \ddot{\boldsymbol{u}}]^T \delta \boldsymbol{u} d\Omega - \iint_{B_2} (\boldsymbol{p}^T \delta \ddot{\boldsymbol{u}} + \delta \boldsymbol{p}^T \ddot{\boldsymbol{u}}) dB. \tag{20.15}$$

利用恒等式 (5.3) 对上式中的第一个积分作变换，消去 $\delta\boldsymbol{\sigma}$ 的导数，得到

$$\delta T_2 = \iiint_{\Omega} \{ [\boldsymbol{E}(\boldsymbol{\nabla})\boldsymbol{\sigma} - \rho \ddot{\boldsymbol{u}}]^T \delta \ddot{\boldsymbol{u}} - \delta \boldsymbol{\sigma}^T \boldsymbol{E}^T(\boldsymbol{\nabla}) \ddot{\boldsymbol{u}} \} d\Omega + \iint_{B_1} \delta \boldsymbol{p}^T \ddot{\boldsymbol{u}} dB - \iint_{B} \boldsymbol{p}^T \delta \ddot{\boldsymbol{u}} dB. \tag{20.16}$$

再求 $\delta\Gamma$，得到

$$\delta \Gamma = \iiint_{\Omega} \delta \boldsymbol{\sigma}^T \boldsymbol{a} \boldsymbol{\sigma} d\Omega. \tag{20.17}$$

将 (20.16)，(20.17) 代入 (20.14)，得到

$$\iiint_{\Omega} \{ [\boldsymbol{E}(\boldsymbol{\nabla})\boldsymbol{\sigma} - \rho \ddot{\boldsymbol{u}}]^T \delta \ddot{\boldsymbol{u}} - \delta \boldsymbol{\sigma}^T [\boldsymbol{E}^T(\boldsymbol{\nabla}) \ddot{\boldsymbol{u}} + \omega^2 \boldsymbol{a} \boldsymbol{\sigma}] \} d\Omega + \iint_{B_1} \delta \boldsymbol{p}^T \ddot{\boldsymbol{u}} dB - \iint_{B_2} \boldsymbol{p}^T \delta \ddot{\boldsymbol{u}} dB = 0. \tag{20.18}$$

此式与方程 (20.2)—(20.5) 完全等价.

如果函数 $\ddot{\boldsymbol{u}}$，$\boldsymbol{\sigma}$ 事先已满足了方程 (20.3)，(20.5)，那末泛函 T_2 便可简化为

$$T_1 = \frac{1}{2}\iiint_{\Omega} \rho \ddot{\boldsymbol{u}}^T \boldsymbol{u} d\Omega. \tag{20.19}$$

相应的变分式简化为

$$\omega^2 = \mathrm{st}\,\frac{T_1}{T}. \tag{20.20}$$

这个变分式相当于平衡问题中的最小余能原理．利用余能变分原理求固有频率的想法是最先由 Westergaard[321] 提出来的．后来 Reissner[263] 提出了简谐振动的余能变分原理． Chen.[85] 提出了一般的动力问题中的余能变分原理（与 Hamilton 原理相对应）．胡海昌[13]和鹫津[315]又先后建立了关于固有频率的余能变分原理．

第七章　弹性力学平面问题

§7.1　平面变形问题

考虑一个相当长的弹性柱体的平衡问题. 取坐标系 x, y, z, 使 z 轴平行柱体的母线. 对于柱体的性质作如下的限制: (1) 材料的弹性模量与坐标 z 无关, 即材料沿 z 方向是均匀的; (2) xy 平面是弹性对称面[1]. 于是应力应变关系简化为

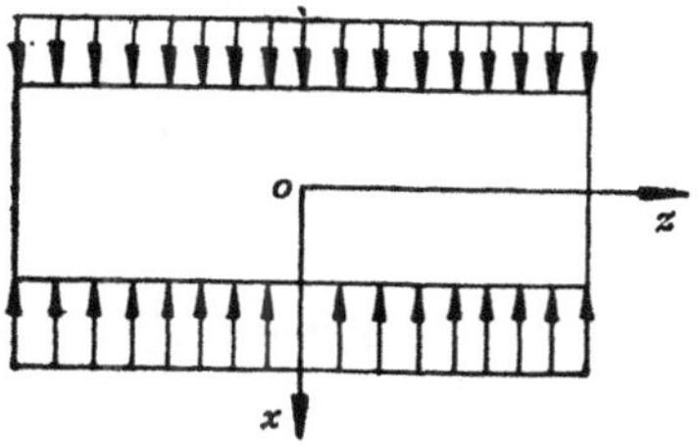

图　1.1

$$
\begin{bmatrix} \sigma_x \\ \sigma_y \\ \sigma_z \\ \tau_{yz} \\ \tau_{xz} \\ \tau_{xy} \end{bmatrix} = \begin{bmatrix} A_{11} & A_{12} & A_{13} & 0 & 0 & A_{16} \\ A_{12} & A_{22} & A_{23} & 0 & 0 & A_{26} \\ A_{13} & A_{23} & A_{33} & 0 & 0 & A_{36} \\ 0 & 0 & 0 & A_{44} & A_{45} & 0 \\ 0 & 0 & 0 & A_{45} & A_{55} & 0 \\ A_{16} & A_{26} & A_{36} & 0 & 0 & A_{66} \end{bmatrix} \begin{bmatrix} \varepsilon_x \\ \varepsilon_y \\ \varepsilon_z \\ \gamma_{yz} \\ \gamma_{xz} \\ \gamma_{xy} \end{bmatrix}. \tag{1.1}
$$

对于柱体的边界条件及作用在柱体上的外力作如下的限制: (1) 体积力 $f_z = 0$, 作用在柱体侧面上的面力 $p_z = 0$; 而其他的体积力 f_x, f_y 和作用在柱体侧面上的面力 p_x, p_y 与坐标 z 无关. (2) 侧面上的位移边界条件(如果有的话)与坐标 z 无关.

在上述限制下, 如果作用在柱体端面上的力又适当, 则在柱体中便产生平面变形, 即

$$
u = u(x, y), \quad v = v(x, y), \quad w = 0. \tag{1.2}
$$

1) xy 平面不是弹性对称面时, 也有一类平面问题, 称为广义平面变形问题, 见 Лехницкий 的书[337].

在平面变形中，

$$\gamma_{xz}=\frac{\partial u}{\partial z}+\frac{\partial w}{\partial x}=0,\quad \gamma_{yz}=\frac{\partial v}{\partial z}+\frac{\partial w}{\partial y}=0,$$

$$\varepsilon_z=\frac{\partial w}{\partial z}=0, \tag{1.3}$$

而另外三个应变分量

$$\varepsilon_x=\frac{\partial u}{\partial x},\quad \varepsilon_y=\frac{\partial v}{\partial y},\quad \gamma_{xy}=\frac{\partial u}{\partial y}+\frac{\partial v}{\partial x} \tag{1.4}$$

与坐标 z 无关．将(1.3)，(1.4)代入(1.1)，可将它写成三个式子：

$$\begin{bmatrix}\sigma_x\\ \sigma_y\\ \tau_{xy}\end{bmatrix}=\begin{bmatrix}A_{11} & A_{12} & A_{16}\\ A_{12} & A_{22} & A_{26}\\ A_{16} & A_{26} & A_{66}\end{bmatrix}\begin{bmatrix}\varepsilon_x\\ \varepsilon_y\\ \gamma_{xy}\end{bmatrix}, \tag{1.5}$$

$$\begin{aligned}&\sigma_z=A_{13}\varepsilon_x+A_{23}\varepsilon_y+A_{36}\gamma_{xy},\\ &\tau_{xz}=\tau_{yz}=0.\end{aligned} \tag{1.6}$$

应力分量应满足平衡方程

$$\frac{\partial\sigma_x}{\partial x}+\frac{\partial\tau_{xy}}{\partial y}+f_x=0,\quad \frac{\partial\tau_{xy}}{\partial x}+\frac{\partial\sigma_y}{\partial y}+f_y=0. \tag{1.7}$$

还有一个平衡方程已自动满足．

把柱体的侧面记为 C．侧面上的边界条件可写成为

$$\text{在 } C_u \text{ 上：}\ u=\bar{u},\quad v=\bar{v}, \tag{1.8}$$

$$\begin{aligned}\text{在 } C_\sigma \text{ 上：}\ &p_x=\sigma_x\cos\theta+\tau_{xy}\sin\theta=\bar{p}_x,\\ &p_y=\tau_{xy}\cos\theta+\sigma_y\sin\theta=\bar{p}_y.\end{aligned} \tag{1.9}$$

这里 θ 是边界的向外法线方向与 x 轴的夹角． 在平面问题中，把边界条件改写成下列形式，有时更为方便：

$$\begin{aligned}\text{在 } C_u \text{ 上：}\ &u_n=u\cos\theta+v\sin\theta=\bar{u}_n,\\ &v_s=-u\sin\theta+v\cos\theta=\bar{v}_s,\end{aligned} \tag{1.10}$$

$$\begin{aligned}\text{在 } C_\sigma \text{ 上：}\ &\sigma_n=\sigma_x\cos^2\theta+2\tau_{xy}\cos\theta\sin\theta+\sigma_y\sin^2\theta=\bar{\sigma}_n,\\ &\tau_{ns}=(\sigma_y-\sigma_x)\cos\theta\sin\theta+\tau_{xy}(\cos^2\theta-\sin^2\theta)=\bar{\tau}_{ns}.\end{aligned} \tag{1.11}$$

总起来说，平面变形问题可归结为决定 8 个 x, y 的函数 u, v,

$\varepsilon_x, \varepsilon_y, \gamma_{xy}, \sigma_x, \sigma_y, \tau_{xy}$，它们应满足几何方程 (1.4)，应力应变关系 (1.5)，平衡方程 (1.7)，和边界条件 (1.10)，(1.11).

§7.2 平面应力问题

考虑一块等厚度的弹性薄平板的平衡问题. 取板的中面为 xy 平面. 如果板的弹性与坐标 z 无关，外载荷沿厚度均匀分布，而又无 z 轴向的分量，板的两个表面自由，那末当板很薄时，就可近似地认为板处于平面应力状态，即

$$\tau_{xz} = \tau_{yz} = \sigma_z = 0, \tag{2.1}$$

$$\sigma_x = \sigma_x(x, y), \ \sigma_y = \sigma_y(x, y), \ \tau_{xy} = \tau_{xy}(x, y). \tag{2.2}$$

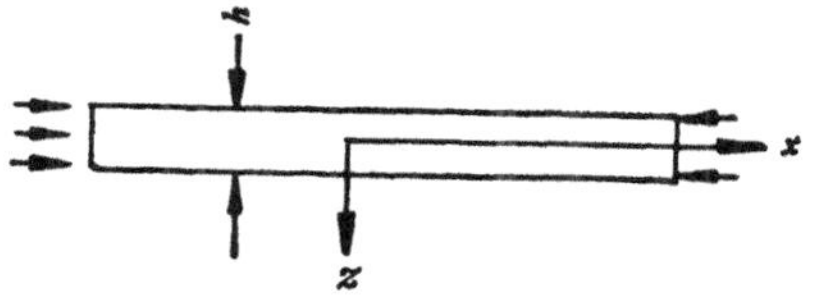

图 2.1

由于板很薄，位移 w 比另两个位移 u, v 小许多，可假设为零. 此外，u, v 沿板厚度的变化也很小，可忽略不计. 因此可对位移作如下的假设

$$u = u(x, y), \ v = v(x, y), \ w = 0. \tag{2.3}$$

将假设 (2.1)—(2.3) 引入二类变量广义势能的算式 §6.9 (9.10)，然后算出对 z 的积分，便得到本问题中的二类变量广义势能的算式. 如果把这个二类变量广义势能记为 $\Pi_2 h$，那末 Π_2 代表单位厚度中贮存的二类变量广义势能，Π_2 的算式是

$$\begin{aligned}\Pi_2 = &\iint_{\Omega} \left\{\sigma_x \frac{\partial u}{\partial x} + \sigma_y \frac{\partial v}{\partial y} + \tau_{xy}\left(\frac{\partial u}{\partial y} + \frac{\partial v}{\partial x}\right)\right. \\ &\left. - V - f_x u - f_y v\right\} dxdy \\ &- \int_{C_u} [p_x(u - \bar{u}) + p_y(v - \bar{v})] ds\end{aligned}$$

$$- \int_{C_\sigma} (\bar{p}_x u + \bar{p}_y v) ds. \tag{2.4}$$

此式又可改写成为

$$\Pi_2 = \iint_\Omega \left\{ \sigma_x \frac{\partial u}{\partial x} + \sigma_y \frac{\partial v}{\partial y} + \tau_{xy} \left(\frac{\partial u}{\partial y} + \frac{\partial v}{\partial x} \right) - V - f_x u - f_y v \right\} dxdy$$

$$- \int_{C_u} [\sigma_n (u_n - \bar{u}_n) + \tau_{ns} (v_s - \bar{v}_s)] ds$$

$$- \int_{C_\sigma} (\bar{\sigma}_n u_n + \bar{\tau}_{ns} v_s) ds. \tag{2.5}$$

其中 Ω 已改指板中面所占的区域，V 是余应变能密度，在平面应力问题中它简化为

$$V = \frac{1}{2} [\sigma_x, \sigma_y, \tau_{xy}] \begin{bmatrix} a_{11} & a_{12} & a_{16} \\ a_{12} & a_{22} & a_{26} \\ a_{16} & a_{26} & a_{66} \end{bmatrix} \begin{bmatrix} \sigma_x \\ \sigma_y \\ \tau_{xy} \end{bmatrix}. \tag{2.6}$$

将变分式

$$\delta \Pi_2 = 0 \tag{2.7}$$

化为微分方程和边界条件，得到

$$\begin{bmatrix} \dfrac{\partial u}{\partial x} \\ \dfrac{\partial v}{\partial y} \\ \dfrac{\partial u}{\partial y} + \dfrac{\partial v}{\partial x} \end{bmatrix} = \begin{bmatrix} \varepsilon_x \\ \varepsilon_y \\ \gamma_{xy} \end{bmatrix} = \begin{bmatrix} a_{11} & a_{12} & a_{16} \\ a_{12} & a_{22} & a_{26} \\ a_{16} & a_{26} & a_{66} \end{bmatrix} \begin{bmatrix} \sigma_x \\ \sigma_y \\ \tau_{xy} \end{bmatrix}, \tag{2.8}$$

$$\frac{\partial \sigma_x}{\partial x} + \frac{\partial \tau_{xy}}{\partial y} + f_x = 0, \quad \frac{\partial \tau_{xy}}{\partial x} + \frac{\partial \sigma_y}{\partial y} + f_y = 0, \tag{2.9}$$

$$\text{在 } C_u \text{ 上：} u_n = \bar{u}_n, \quad v_s = \bar{v}_s, \tag{2.10}$$

$$\text{在 } C_\sigma \text{ 上：} \sigma_n = \bar{\sigma}_n, \quad \tau_{ns} = \bar{\tau}_{ns}. \tag{2.11}$$

总结起来说，平面应力问题也可归结为决定 8 个 x, y 的函数 u, v, ε_x, ε_y, γ_{xy}, σ_x, σ_y, τ_{xy}，它们应满足几何方程及应力应变关系 (2.8)，平衡方程 (2.9)，和边界条件 (2.10)，(2.11).

对比一下平面变形问题和平面应力问题的全部方程，容易看到它们满足完全同类的数学方程，在数学上属于同一类问题. 这两个问题的区别在弹性模量上. 方程 (1.5)，(2.8) 中的两个矩阵 $[A_{ij}]$，$[a_{ij}]$ 并不互为逆矩阵，因为它们是从互为逆矩阵的两个矩阵简化而来的. 如果 $[A_{ij}]$ 和 $[a_{ij}]$ 互为逆矩阵，那末平面变形问题和平面应力问题便变为数学上完全相同的一个问题.

本章以后几节将笼统地讨论平面问题. 只要适当地选择弹性模量，就可把平面问题具体化为平面变形问题，或具体化为平面应力问题.

平面问题和空间问题一样，也有许多变分原理. 变分式 (2.7) 只是其中的一个. 下面列出两个最小值原理.

第一个是最小势能原理. 在平面问题中，单位板厚范围内的总势能 Π 的算式是

$$\Pi=\iint_{\Omega}(U-f_x u-f_y v)dxdy-\int_{C_\sigma}(\bar{\sigma}_n u_n+\bar{\tau}_{ns}v_s)ds. \quad (2.12)$$

式中 U 是应变能密度，看作是位移分量 u, v 的函数. 计算 $\delta\Pi$，得到

$$\begin{aligned}\delta\Pi=&-\iint_{\Omega}\left\{\left(\frac{\partial\sigma_x}{\partial x}+\frac{\partial\tau_{xy}}{\partial y}+f_x\right)\delta u\right.\\&\left.+\left(\frac{\partial\tau_{xy}}{\partial x}+\frac{\partial\sigma_y}{\partial y}+f_y\right)\delta v\right\}dxdy\\&+\int_{C_\sigma}[(\sigma_n-\bar{\sigma}_n)\delta u_n+(\tau_{ns}-\bar{\tau}_{ns})\delta v_s]ds=0. \quad (2.13)\end{aligned}$$

第二个是最小余能原理. 在平面问题中，单位板厚范围内的总余能 Γ 的算式是

$$\Gamma=\iint_{\Omega}Vdxdy-\int_{C_u}(\bar{u}_n\sigma_n+\bar{v}_s\tau_{ns})ds. \quad (2.14)$$

其中 V 是余应变能密度，看作是应力分量 σ_x, σ_y, τ_{xy} 的函数. 计算 $\delta\Gamma$，得到

$$\delta\Gamma=\iint_{\Omega}(\varepsilon_x\delta\sigma_x+\varepsilon_y\delta\sigma_y+\gamma_{xy}\delta\tau_{xy})dxdy$$

$$-\int_{C_u}(\bar{u}_n\delta\sigma_n+\bar{v}_s\delta\tau_{ns})ds=0. \tag{2.15}$$

§7.3 应力函数，以及用应力函数表示的最小余能原理

求解弹性力学平面问题有两条基本的途径. 一条是位移法，即以位移分量为基本未知函数；另一条是力法，即以应力分量为基本未知函数. 在力法中，利用应力函数，则更为方便.

在平面问题中，如果没有体积力，那末平衡方程简化为

$$\frac{\partial\sigma_x}{\partial x}+\frac{\partial\tau_{xy}}{\partial y}=0,\quad \frac{\partial\tau_{xy}}{\partial x}+\frac{\partial\sigma_y}{\partial y}=0. \tag{3.1}$$

由此可知，应力分量可以而且一定可以用一个应力函数 φ 表示如下：

$$\sigma_x=\frac{\partial^2\varphi}{\partial y^2},\ \sigma_y=\frac{\partial^2\varphi}{\partial x^2},\ \tau_{xy}=-\frac{\partial^2\varphi}{\partial x\,\partial y}. \tag{3.2}$$

对应于一个应力函数 φ，只存在一种应力分布，但对应于一种应力分布，却存在不止一个应力函数. 这是因为齐次方程

$$\frac{\partial^2\varphi_0}{\partial x^2}=0,\quad \frac{\partial^2\varphi_0}{\partial y^2}=0,\quad \frac{\partial^2\varphi_0}{\partial x\,\partial y}=0 \tag{3.3}$$

有解. 这个解是

$$\varphi_0=Ax+By+C. \tag{3.4}$$

由此可知，在应力函数中加减一个 x, y 的一次多项式，不改变相应的应力分布.

为了建立应力函数所满足的微分方程，需要利用应变协调方程. 在平面问题中，应变协调方程是

$$\frac{\partial^2\varepsilon_y}{\partial x^2}-\frac{\partial^2\gamma_{xy}}{\partial x\,\partial y}+\frac{\partial^2\varepsilon_x}{\partial y^2}=0, \tag{3.5}$$

将应力应变关系(2.8)代入此式，得到以应力分量表示的应变协调方程. 然后再将公式 (3.2) 代入，便得到以应力函数表示的应变协调方程,此即应力函数应该满足的方程. 对于不均匀的(在 x, y 平面内不均匀)各向异性的弹性体，这个方程十分复杂，这里不写出来了. 对于均匀的各向异性的弹性体,这个方程是

$$a_{22}\frac{\partial^4\varphi}{\partial x^4}-2a_{26}\frac{\partial^4\varphi}{\partial x^3\partial y}+(a_{66}+2a_{12})\frac{\partial^4\varphi}{\partial x^2\partial y^2}$$
$$-2a_{16}\frac{\partial^4\varphi}{\partial x\,\partial y^3}+a_{11}\frac{\partial^4\varphi}{\partial y^4}=0. \tag{3.6}$$

对于均匀的各向同性弹性体,上列方程简化为

$$\frac{\partial^4\varphi}{\partial x^4}+2\frac{\partial^4\varphi}{\partial x^2\partial y^2}+\frac{\partial^4\varphi}{\partial y^4}=0. \tag{3.7}$$

过去许多弹性力学平面问题的解，是以应力函数为基本未知函数而用复变函数和保角变换的方法求得的. 还有少量的解，是以应力函数为基本未知函数而用最小余能原理求得的. 为了正确地应用以应力函数表达的最小余能原理，本节着重讨论一下有关的三个问题：(1) 应力函数的单值性；(2) 自由边上边界条件的简化；(3) 以应力函数表示的最小余能原理.

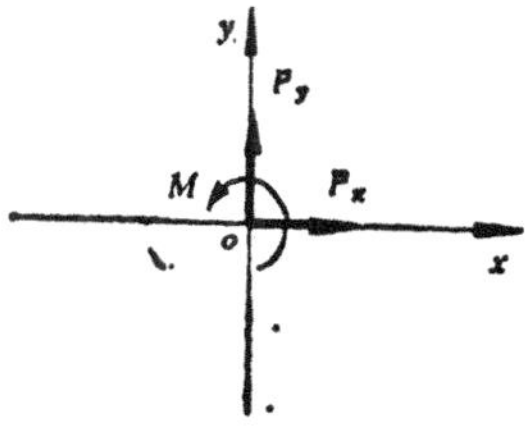

图 3.1

先来讨论应力函数的单值性问题. 本书前几章讲了许多变分法的问题，其中都不加声明地假定了自变函数是坐标的单值函数. 这是符合实际情况的.但是在平面问题中，尽管应力分量总是单值函数，但应力函数却未必是单值的. 例如一个均匀的各向同性的无限大的平板，在坐标轴原点作用有集中力 P_x, P_y 和集中力矩 M，应力分量的公式是[1]

---

1) 例如见 Timoshenko 和 Goodier[278] §38.

$$\sigma_r = -\frac{(3+\nu)P_x}{4\pi}\frac{\cos\theta}{r} - \frac{(3+\nu)P_y}{4\pi}\frac{\sin\theta}{r},$$

$$\sigma_\theta = \frac{(1-\nu)P_x}{4\pi}\frac{\cos\theta}{r} + \frac{(1-\nu)P_y}{4\pi}\frac{\sin\theta}{r},$$

$$\tau_{r\theta} = \frac{(1-\nu)P_x}{4\pi}\frac{\sin\theta}{r} - \frac{(1-\nu)P_y}{4\pi}\frac{\cos\theta}{r} - \frac{M}{2\pi r^2}. \quad (3.8)$$

式中 (r,θ) 是极坐标，$\sigma_r,\sigma_\theta,\tau_{r\theta}$ 是极坐标中的应力分量．与(3.8)相应的应力函数是

$$\varphi = -\frac{P_x}{2\pi}r\theta\sin\theta + \frac{(1-\nu)P_x}{4\pi}r\ln r\cos\theta$$
$$+\frac{P_y}{2\pi}r\theta\cos\theta + \frac{(1-\nu)P_y}{4\pi}r\ln r\sin\theta - \frac{M}{2\pi}\theta. \quad (3.9)$$

显而易见，应力分量是单值函数而应力函数却是多值函数．所以在把应力函数当作自变函数之前，必须先判定一下它是否是单值函数．如它不是单值函数而是多值函数，则须先改造应力函数使它成为单值函数，然后才可作变分运算．

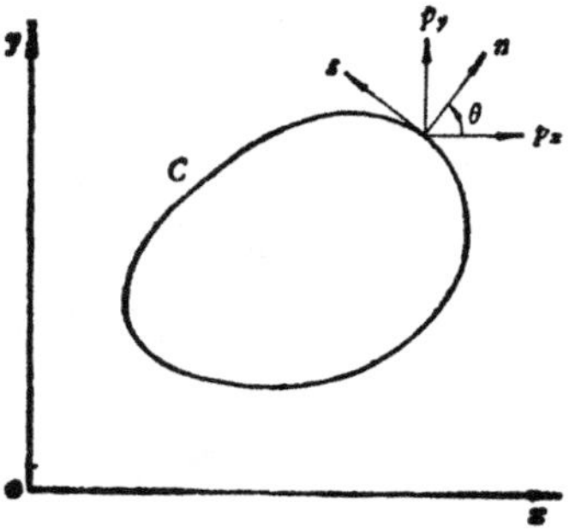

图 3.2

下面来讨论 φ 是单值函数的条件．为此，在板内用一闭合曲线 C 隔离出板的一部份，如图 3.2 所示．命作用在 C 上的应力在 x，y 方向的投影为 p_x,p_y．它们与应力分量的关系同 (1.9)．再将应力函数引入，则有

$$p_x = \sigma_x\cos\theta + \tau_{xy}\sin\theta = \frac{\partial y}{\partial s}\frac{\partial^2\varphi}{\partial y^2} + \frac{\partial x}{\partial s}\frac{\partial^2\varphi}{\partial x\,\partial y}$$
$$= \frac{\partial}{\partial s}\left(\frac{\partial\varphi}{\partial y}\right),$$

$$p_y = \tau_{xy}\cos\theta + \sigma_y\sin\theta = -\frac{\partial y}{\partial s}\frac{\partial^2\varphi}{\partial x\,\partial y} - \frac{\partial x}{\partial s}\frac{\partial^2\varphi}{\partial x^2}$$

$$= -\frac{\partial}{\partial s}\left(\frac{\partial \varphi}{\partial x}\right). \tag{3.10}$$

将此沿整个曲线 C 积分，得到

$$\oint \frac{\partial}{\partial s}\left(\frac{\partial \varphi}{\partial x}\right)ds = -\oint p_y ds, \quad \oint \frac{\partial}{\partial s}\left(\frac{\partial \varphi}{\partial y}\right)ds = \oint p_x ds. \tag{3.11}$$

由此可知，$\frac{\partial \varphi}{\partial x}$，$\frac{\partial \varphi}{\partial y}$ 是单值函数的充要条件是：对于任一个闭合曲线 C 都有

$$\oint p_x ds = 0, \quad \oint p_y ds = 0. \tag{3.12}$$

有了 $\frac{\partial \varphi}{\partial x}$，$\frac{\partial \varphi}{\partial y}$ 为单值函数的条件，便可进一步推导 φ 为单值函数的条件．从 (3.10) 有

$$\begin{aligned}\frac{\partial \varphi}{\partial s} &= \frac{\partial x}{\partial s}\frac{\partial \varphi}{\partial x} + \frac{\partial y}{\partial s}\frac{\partial \varphi}{\partial y} = \frac{\partial}{\partial s}\left(x\frac{\partial \varphi}{\partial x} + y\frac{\partial \varphi}{\partial y}\right) \\ &\quad - x\frac{\partial}{\partial s}\left(\frac{\partial \varphi}{\partial x}\right) - y\frac{\partial}{\partial s}\left(\frac{\partial \varphi}{\partial y}\right) \\ &= \frac{\partial}{\partial s}\left(x\frac{\partial \varphi}{\partial x} + y\frac{\partial \varphi}{\partial y}\right) + xp_y - yp_x,\end{aligned}$$

沿曲线 C 积分一次，假定 (3.12) 已成立，已保证了 $\frac{\partial \varphi}{\partial x}$，$\frac{\partial \varphi}{\partial y}$ 是单值函数，则有

$$\oint \frac{\partial \varphi}{\partial s} ds = \oint (xp_y - yp_x)ds. \tag{3.13}$$

由此得到 φ 是单值函数的附加条件是

$$\oint (xp_y - yp_x)ds = 0. \tag{3.14}$$

总起来说，φ 是单值函数的充要条件是 (3.12)，(3.14)． 这三个条件的力学意义是：作用于任一闭合曲线 C 上的应力的合力和合力矩等于零． 为了满足这些条件，首先在板内不应有集中力和集中力矩（分布力 f_x，f_y 早就设为零了），因为如果在某点有集中力 P_x，P_y 和集中力矩 M（如图 3.1 的原点），那末便可作一条闭合曲

线 C 把力的作用点包含在内，根据隔离体的整体平衡条件便知

$$\oint p_x ds = -P_x, \quad \oint p_y ds = -P_y,$$

$$\oint (xp_y - yp_x) ds = -M. \tag{3.15}$$

这就违背了单值性条件. 其次,对于多联通的物体,作用于每一条边界上的应力的合力和合力矩也必须等于零. 因为如果在某一条边界上合力和合力矩不等于零,我们便可取这条边界为 C,从而得出

$$\oint p_x ds \neq 0 \text{ 或和 } \oint p_y ds \neq 0 \text{ 或和}$$

$$\oint (xp_y - yp_x) ds \neq 0,$$

这又违背了单值性条件.

反过来也可以证明,如果在板内没有集中力和集中力矩,而作用在每一条边界上的应力的合力和合力矩都等于零,那末条件(3.12),(3.14)便一定成立,这时应力函数便是单值函数. 对于单联通的区域,这后一个条件自动满足,因此只要板内无集中力和集中力矩,便可保证应力函数的单值性.

如果在某问题中,单值性条件(3.12),(3.14)不成立,那末必须对应力函数进行改造,然后才能作变分运算. 一种改造办法是不用公式(3.2),而改用

$$\sigma_x = \sigma_x^0 + \frac{\partial^2\varphi}{\partial y^2}, \sigma_y = \sigma_y^0 + \frac{\partial^2\varphi}{\partial x^2}, \tau_{xy} = \tau_{xy}^0 - \frac{\partial^2\varphi}{\partial x\,\partial y}. \tag{3.16}$$

其中 σ_x^0, σ_y^0, τ_{xy}^0 按下列原则选定：第一,它们要满足平衡方程

$$\frac{\partial\sigma_x^0}{\partial x} + \frac{\partial\tau_{xy}^0}{\partial y} = 0, \quad \frac{\partial\tau_{xy}^0}{\partial x} + \frac{\partial\sigma_y^0}{\partial y} = 0. \tag{3.17}$$

第二,在有集中力或集中力矩作用的点上,它们应与已知的集中力或集中力矩维持平衡. 第三,在板的每一条边界上,σ_x^0, σ_y^0, τ_{xy}^0 给出的合力和合力矩必须等于问题中应有的值. 根据上述三条要求选定 σ_x^0, σ_y^0, τ_{xy}^0 之后,公式(3.16)中的应力函数 φ 便是单值函数了.

对于 σ_x^0、σ_y^0、τ_{xy}^0 三个函数，应根据问题的具体情况作适当的选择．如果板的全部边界都是自由边，或者除自由边外还有一段固支边，那末作用在每一条边界上的合力和合力矩是静定的，因而我们能够做到使 σ_x^0，σ_y^0，τ_{xy}^0 中不含有不定的常数．如果在两条或更多条边界上有固支边，那末在这几条边界上的合力和合力矩可能是超静定的．这样在 σ_x^0，σ_y^0，τ_{xy}^0 的算式中也必须含有这些未知的超静定力．在作变分运算时，函数 φ 和边界上的超静定合力和合力矩，都应有变分．

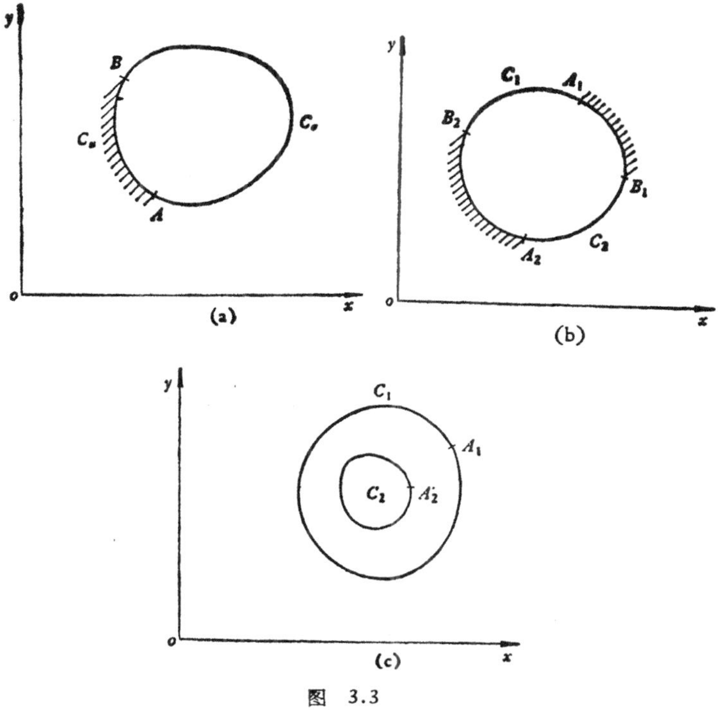

图 3.3

下面接下去讨论自由边的边界条件．自由边上的边界条件的原始形式是 (1.9)．按 (3.16) 引入应力函数后，则化为

$$\text{在 } C_\sigma \text{ 上：} \frac{\partial}{\partial s}\left(\frac{\partial \varphi}{\partial y}\right) + \sigma_x^0 \cos\theta + \tau_{xy}^0 \sin\theta = \bar{p}_x,$$

$$-\frac{\partial}{\partial s}\left(\frac{\partial\varphi}{\partial x}\right)+\tau_{xy}^{0}\cos\theta+\sigma_{y}^{0}\sin\theta=\bar{p}_{y}.\quad(3.18)$$

这个边界条件还可作进一步的简化．板的自由边可以是连续的一段，也可能是彼此不相联接的若干段．图 3.3a 中的自由边为连续的一段．在图 3.3b 中，两段自由边被两段固支边所分开．图 3.3c 示一双联通区域，内外两边都是自由边，但不相连接．设在一般情况下，板的自由边共有N段，把它们记为 $C_1,C_2,\cdots,C_N$．设 C_i 的起点为 A_i，终点为 B_i．如果 C_i 本身便是一条闭合曲线，那末在 C_i 任取一点作为起点和终点．再设A_i的弧长坐标为 $s=s_i$，A_i 的笛卡尔坐标为 $x=x_i$，$y=y_i$．设在 A_i 处 φ，$\frac{\partial\varphi}{\partial x}$，$\frac{\partial\varphi}{\partial y}$ 的值为

$$\text{在 } s=s_i \text{ 处：}\ \varphi=\varphi_i,\ \frac{\partial\varphi}{\partial x}=\alpha_i,\ \frac{\partial\varphi}{\partial y}=\beta_i.\quad(3.19)$$

从条件 (3.18) 知，在 C_i 上有

$$\frac{\partial}{\partial s}\left(\frac{\partial\varphi}{\partial x}\right)=-\bar{p}_y+\tau_{xy}^{0}\cos\theta+\sigma_{y}^{0}\sin\theta,$$

$$\frac{\partial}{\partial s}\left(\frac{\partial\varphi}{\partial y}\right)=\bar{p}_x-\sigma_{x}^{0}\cos\theta-\tau_{xy}^{0}\sin\theta,$$

将此两式对 s 积分一次，利用起点条件 (3.19)，得到

$$\frac{\partial\varphi}{\partial x}=\alpha_i-\int_{s_i}^{s}(\bar{p}_y-\tau_{xy}^{0}\cos\theta-\sigma_{y}^{0}\sin\theta)ds,$$

$$\frac{\partial\varphi}{\partial y}=\beta_i+\int_{s_i}^{s}(\bar{p}_x-\sigma_{x}^{0}\cos\theta-\tau_{xy}^{0}\sin\theta)ds.$$

将此式化为法向及切向导数，得到

$$\frac{\partial\varphi}{\partial n}=\alpha_i\cos\theta+\beta_i\sin\theta+q_x\sin\theta-q_y\cos\theta,\quad(3.20)$$

$$\frac{\partial\varphi}{\partial s}=-\alpha_i\sin\theta+\beta_i\cos\theta+q_x\cos\theta+q_y\sin\theta.\quad(3.21)$$

其中为了书写清楚起见，用了记号

$$q_x=\int_{s_i}^{s}(\bar{p}_x-\sigma_{x}^{0}\cos\theta-\tau_{xy}^{0}\sin\theta)ds,\quad(3.22a)$$

$$q_y = \int_{s_i}^{s} (\bar{p}_y - \tau_{xy}^0 \cos\theta - \sigma_y^0 \sin\theta) ds. \tag{3.22b}$$

公式 (3.21) 还可以对 s 积分一次. 注意到

$$\cos\theta = \frac{\partial y}{\partial s}, \quad \sin\theta = -\frac{\partial x}{\partial s},$$

便得到

$$\begin{aligned} \varphi = \varphi_i + \alpha_i(x - x_i) + \beta_i(y - y_i) \\ + \int_{s_i}^{s} (q_x \cos\theta + q_y \sin\theta) ds. \end{aligned} \tag{3.23}$$

所以总起来说,自由边上的边界条件可以写成 (3.20), (3.23) 的形式.

由于在 φ 中可以加减一个 x, y 的一次多项式而不影响应力分布,因此可以在某一段自由边的起点上设 $\varphi_i = \alpha_i = \beta_i = 0$. 这样在边界条件 (3.20), (3.23) 中 ,一共还有 $3(N-1)$ 个待定常数. 在作变分运算时,这些常数也应有变分,因此有

$$\text{在 } C_i \text{ 上:} \ \frac{\partial \delta\varphi}{\partial n} = \cos\theta\delta\alpha_i + \sin\theta\delta\beta_i,$$

$$\delta\varphi = \delta\varphi_i + (x - x_i)\delta\alpha_i + (y - y_i)\delta\beta_i. \tag{3.24}$$

现在已有条件来讨论第三个问题, 即以应力函数表示的最小余能原理. 将公式 (3.16) 引入余应变能密度的公式 (2.6) 中, 得到

$$V = \frac{1}{2} \begin{bmatrix} \sigma_x^0 + \dfrac{\partial^2\varphi}{\partial y^2} \\ \sigma_y^0 + \dfrac{\partial^2\varphi}{\partial x^2} \\ \tau_{xy}^0 - \dfrac{\partial^2\varphi}{\partial x\,\partial y} \end{bmatrix}^T \begin{bmatrix} a_{11} & a_{12} & a_{16} \\ a_{12} & a_{22} & a_{26} \\ a_{16} & a_{26} & a_{66} \end{bmatrix} \begin{bmatrix} \sigma_x^0 + \dfrac{\partial^2\varphi}{\partial y^2} \\ \sigma_y^0 + \dfrac{\partial^2\varphi}{\partial x^2} \\ \tau_{xy}^0 - \dfrac{\partial^2\varphi}{\partial x\,\partial y} \end{bmatrix}. \tag{3.25}$$

在总余能 Γ 的算式 (2.14) 中, 还出现边界上的应力 σ_n, τ_{ns}, 若用应力函数来表示,则有

$$\sigma_n = \sigma_n^0 + \frac{\partial^2\varphi}{\partial s^2} + \frac{1}{r}\frac{\partial\varphi}{\partial n}, \tag{3.26a}$$

$$\tau_{ns}=\tau_{ns}^0-\frac{\partial}{\partial s}\left(\frac{\partial\varphi}{\partial n}\right)+\frac{1}{r}\frac{\partial\varphi}{\partial s}. \tag{3.26b}$$

式中 σ_n^0, τ_{ns}^0 是与 σ_x^0, σ_y^0, τ_{xy}^0 相应的边界应力，r 是边界曲线的曲率半径，以向外凸者为正. 公式 (3.26) 的推导可见本节的附录. 这样 Γ 的算式变为

$$\Gamma=\iint_\Omega V dxdy-\int_{C_u}\left\{\bar{u}_n\left(\sigma_n^0+\frac{\partial^2\varphi}{\partial s^2}+\frac{1}{r}\frac{\partial\varphi}{\partial n}\right)\right.$$

$$\left.+\bar{v}_s\left[\tau_{ns}^0-\frac{\partial}{\partial s}\left(\frac{\partial\varphi}{\partial n}\right)+\frac{1}{r}\frac{\partial\varphi}{\partial s}\right]\right\}ds. \tag{3.27}$$

求此式的变分，或者利用公式 (2.15)，得到

$$\delta\Gamma=\delta\Gamma_0+\delta\Gamma_\varphi=0, \tag{3.28}$$

其中

$$\delta\Gamma_0=\iint_\Omega(\varepsilon_x\delta\sigma_x^0+\varepsilon_y\delta\sigma_y^0+\gamma_{xy}\delta\tau_{xy}^0)dxdy$$

$$-\int_{C_u}(\bar{u}_n\delta\sigma_n^0+\bar{v}_s\delta\tau_{ns}^0)ds, \tag{3.29}$$

$$\delta\Gamma_\varphi=\iint_\Omega\left(\varepsilon_y\frac{\partial^2\delta\varphi}{\partial x^2}+\varepsilon_x\frac{\partial^2\delta\varphi}{\partial y^2}-\gamma_{xy}\frac{\partial^2\delta\varphi}{\partial x\,\partial y}\right)dxdy$$

$$-\int_{C_u}\left\{\bar{u}_n\left(\frac{\partial^2\delta\varphi}{\partial s^2}+\frac{1}{r}\frac{\partial\delta\varphi}{\partial n}\right)\right.$$

$$\left.+\bar{v}_s\left[-\frac{\partial}{\partial s}\left(\frac{\partial\delta\varphi}{\partial n}\right)+\frac{1}{r}\frac{\partial\delta\varphi}{\partial s}\right]\right\}ds. \tag{3.30}$$

变分 $\delta\sigma_x^0$, $\delta\sigma_y^0$, $\delta\tau_{xy}^0$ 是由边界上的超静定合力和合力矩引起的. 欲对算式 (3.29) 作些简化，只能就具体的问题作具体的处理. 下面仅对算式 (3.30) 作些一般性的简化.

为了简化 (3.30) 中的第一个积分，可以利用 § 4.4 中的数学恒等式 (4.7). 在那个公式中设

$$w=\delta\varphi,\ M_x=\varepsilon_y,\ M_y=\varepsilon_x,\ M_{xy}=-\frac{1}{2}\gamma_{xy},$$

则有

$$
\iint_{\Omega}\left(\varepsilon_y \frac{\partial^2 \delta\varphi}{\partial x^2} + \varepsilon_x \frac{\partial^2\delta\varphi}{\partial y^2} - \gamma_{xy}\frac{\partial^2\delta\varphi}{\partial x\,\partial y}\right) dxdy
$$

$$
= \iint_{\Omega}\left(\frac{\partial^2\varepsilon_y}{\partial x^2} + \frac{\partial^2\varepsilon_x}{\partial y^2} - \frac{\partial^2\gamma_{xy}}{\partial x\,\partial y}\right)\delta\varphi dxdy
$$

$$
- \int_C \lambda_s \delta\varphi ds + \int_C \varepsilon_s \frac{\partial\delta\varphi}{\partial n} ds, \tag{3.31}
$$

其中

$$
\varepsilon_s = \varepsilon_y \cos^2\theta - \gamma_{xy}\cos\theta\sin\theta + \varepsilon_x \sin^2\theta,
$$

$$
\gamma_{ns} = 2(\varepsilon_y - \varepsilon_x)\cos\theta\sin\theta + \gamma_{xy}(\cos^2\theta - \sin^2\theta),
$$

$$
\lambda_s = -\frac{1}{2}\frac{\partial\gamma_{ns}}{\partial s} + \left(\frac{\partial\varepsilon_y}{\partial x} - \frac{1}{2}\frac{\partial\gamma_{xy}}{\partial y}\right)\cos\theta
$$

$$
+ \left(-\frac{1}{2}\frac{\partial\gamma_{xy}}{\partial x} + \frac{\partial\varepsilon_x}{\partial y}\right)\sin\theta. \tag{3.32}
$$

数量 ε_s，λ_s 可以用边界上的法向位移 u_n，切向位移 v_s 以及边界曲线的曲率半径 r 表示如下：

$$
\varepsilon_s = \frac{\partial v_s}{\partial s} + \frac{u_n}{r}, \quad \lambda_s = -\frac{\partial}{\partial s}\left(\frac{\partial u_n}{\partial s} - \frac{v_s}{r}\right). \tag{3.33}
$$

这个公式的推导也见本节的附录．这两个量的几何意义是：ε_s 代表边界曲线变形后的伸长应变，λ_s 代表边界曲线曲率的变化．

(3.30) 中的第二个积分，经过分部积分后可简化为

$$
-\int_{C_u}\left\{\bar{u}_n\left(\frac{\partial^2\delta\varphi}{\partial s^2} + \frac{1}{r}\frac{\partial\delta\varphi}{\partial n}\right)\right.
$$

$$
\left. + \bar{v}_s\left[-\frac{\partial}{\partial s}\left(\frac{\partial\delta\varphi}{\partial n}\right) + \frac{1}{r}\frac{\partial\delta\varphi}{\partial s}\right]\right\} ds
$$

$$
= -\int_{C_u}\left(-\bar{\lambda}_s\delta\varphi + \varepsilon_s\delta\frac{\partial\varphi}{\partial n}\right) ds
$$

$$
- \sum_{i=1}^{N}\left[\bar{u}_n\frac{\partial\delta\varphi}{\partial n} - \left(\frac{d\bar{u}_n}{ds} + \frac{\bar{v}_s}{r}\right)\delta\varphi\right.
$$

$$
\left. + \bar{v}_s\delta\frac{\partial\varphi}{\partial n}\right]\Bigg|_{B_i}^{A_i}, \tag{3.34}
$$

其中

$$\bar{\varepsilon}_s = \frac{d\bar{v}_s}{ds} + \frac{\bar{u}_n}{r}, \ \bar{\lambda}_s = -\frac{d}{ds}\left(\frac{d\bar{u}_n}{ds} - \frac{\bar{v}_s}{r}\right). \tag{3.35}$$

此外，(3.34) 中的最后一项用 A_i, B_i 的 s 坐标代入，这是因为固支边的起点正好是自由边的终点，而固支边的终点，正好是自由边的起点.

将 (3.31), (3.34) 代入 (3.30), 最后得到

$$\begin{aligned}\delta\Gamma_\varphi = & \iint_\Omega \left(\frac{\partial^2\varepsilon_y}{\partial x^2} + \frac{\partial^2\varepsilon_x}{\partial y^2} - \frac{\partial^2\gamma_{xy}}{\partial x\,\partial y}\right)\delta\varphi dxdy \\ & + \int_{C_\sigma}\left(-\lambda_s\delta\varphi + \varepsilon_s\delta\,\frac{\partial\varphi}{\partial n}\right)ds \\ & + \int_{C_u}\left[-(\lambda_s - \bar{\lambda}_s)\delta\varphi + (\varepsilon_s - \bar{\varepsilon}_s)\delta\,\frac{\partial\varphi}{\partial n}\right]ds \\ & - \sum_{i=1}^{N}\left[\bar{u}_n\,\frac{\partial\delta\varphi}{\partial s} - \left(\frac{d\bar{u}_n}{ds} + \frac{\bar{v}_s}{r}\right)\delta\varphi\right. \\ & \left. + \bar{v}_s\delta\,\frac{\partial\varphi}{\partial n}\right]\Bigg|_{B_i}^{A_i}. \end{aligned} \tag{3.36}$$

在需要引用以应力函数表示的最小余能原理时，可以用公式 (3.27) 的泛函形式，也可用(3.28) 的变分形式. 公式 (3.36) 也就是以应力函数表示的虚应力原理.

附录 1　公式 σ_n, τ_{ns} 的推导

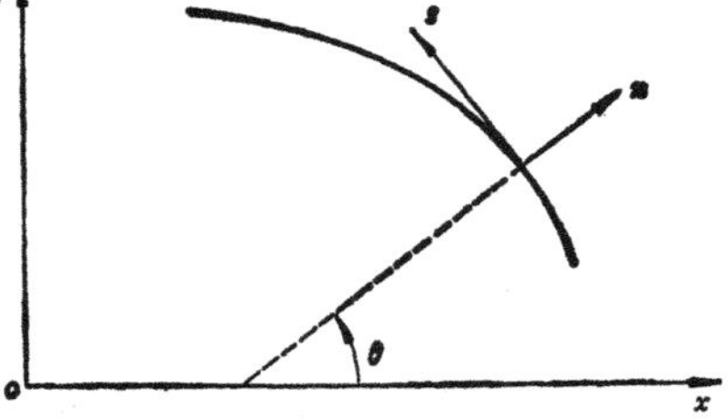

图　3.4

参考图 3.4，命 n 是边界曲线的向外法线方向，s 是边界曲线的切线方向. n 到 s 的转向与 x 到 y 的转向相同. 命 θ 为 n 与 x

轴的夹角．计算 φ 的一阶导数，得到

$$\frac{\partial\varphi}{\partial n}=\frac{\partial\varphi}{\partial x}\cos\theta+\frac{\partial\varphi}{\partial y}\sin\theta,$$

$$\frac{\partial\varphi}{\partial s}=-\frac{\partial\varphi}{\partial x}\sin\theta+\frac{\partial\varphi}{\partial y}\cos\theta. \tag{3.37}$$

将上两式再对 s 微分一次，

$$\frac{\partial}{\partial s}\left(\frac{\partial\varphi}{\partial n}\right)=\frac{\partial}{\partial s}\left(\frac{\partial\varphi}{\partial x}\right)\cos\theta+\frac{\partial}{\partial s}\left(\frac{\partial\varphi}{\partial y}\right)\sin\theta$$
$$+\left(-\frac{\partial\varphi}{\partial x}\sin\theta+\frac{\partial\varphi}{\partial y}\cos\theta\right)\frac{\partial\theta}{\partial s},$$

注意到

$$\frac{\partial\theta}{\partial s}=\frac{1}{r}, \tag{3.38}$$

这里 r 是边界曲线的曲率半径，以向外凸的为正．这样便有

$$\begin{aligned}\frac{\partial}{\partial s}\left(\frac{\partial\varphi}{\partial n}\right)&=-\frac{\partial^2\varphi}{\partial x^2}\cos\theta\sin\theta+\frac{\partial^2\varphi}{\partial x\,\partial y}(\cos^2\theta-\sin^2\theta)\\&\quad+\frac{\partial^2\varphi}{\partial y^2}\cos\theta\sin\theta+\frac{1}{r}\frac{\partial\varphi}{\partial s}\\&=-(\sigma_y-\sigma_x)\cos\theta\sin\theta\\&\quad-\tau_{xy}(\cos^2\theta-\sin^2\theta)+\frac{1}{r}\frac{\partial\varphi}{\partial s}\\&=-\tau_{ns}+\frac{1}{r}\frac{\partial\varphi}{\partial s},\end{aligned}$$

于是得到

$$\tau_{ns}=-\frac{\partial}{\partial s}\left(\frac{\partial\varphi}{\partial n}\right)+\frac{1}{r}\frac{\partial\varphi}{\partial s}. \tag{3.39}$$

类似地有

$$\frac{\partial^2\varphi}{\partial s^2}=-\frac{\partial}{\partial s}\left(\frac{\partial\varphi}{\partial x}\right)\sin\theta+\frac{\partial}{\partial s}\left(\frac{\partial\varphi}{\partial y}\right)\cos\theta$$
$$+\left(-\frac{\partial\varphi}{\partial x}\cos\theta-\frac{\partial\varphi}{\partial y}\sin\theta\right)\frac{\partial\theta}{\partial s}$$

$$
\begin{aligned}
&= \frac{\partial^2\varphi}{\partial x^2}\sin^2\theta - 2\frac{\partial^2\varphi}{\partial x\,\partial y}\cos\theta\sin\theta \\
&\quad + \frac{\partial^2\varphi}{\partial y^2}\cos^2\theta - \frac{1}{r}\frac{\partial\varphi}{\partial n} \\
&= \sigma_x\cos^2\theta + 2\tau_{xy}\cos\theta\sin\theta + \sigma_y\sin^2\theta \\
&\quad - \frac{1}{r}\frac{\partial\varphi}{\partial n} = \sigma_n - \frac{1}{r}\frac{\partial\varphi}{\partial n},
\end{aligned}
$$

所以有

$$
\sigma_n = \frac{\partial^2\varphi}{\partial s^2} + \frac{1}{r}\frac{\partial\varphi}{\partial n}. \tag{3.40}
$$

附录 2　公式(3.33)的推导

参考图 3.4，有

$$
u_n = u\cos\theta + v\sin\theta,\quad v_s = -u\sin\theta + v\cos\theta. \tag{3.41}
$$

求 v_s 的导数，得到

$$
\begin{aligned}
\frac{\partial v_s}{\partial s} &= -\frac{\partial u}{\partial s}\sin\theta + \frac{\partial v}{\partial s}\cos\theta - (u\cos\theta + v\sin\theta)\frac{\partial\theta}{\partial s} \\
&= -\left(-\frac{\partial u}{\partial x}\sin\theta + \frac{\partial u}{\partial y}\cos\theta\right)\sin\theta \\
&\quad + \left(-\frac{\partial v}{\partial x}\sin\theta + \frac{\partial v}{\partial y}\cos\theta\right)\cos\theta - \frac{u_n}{r},
\end{aligned}
$$

于是有

$$
\frac{\partial v_s}{\partial s} + \frac{u_n}{r} = \varepsilon_x\sin^2\theta - \gamma_{xy}\cos\theta\sin\theta + \varepsilon_y\cos^2\theta = \varepsilon_s. \tag{3.42}
$$

再求 u_n 的导数，得到

$$
\frac{\partial u_n}{\partial s} = \frac{\partial u}{\partial s}\cos\theta + \frac{\partial v}{\partial s}\sin\theta + (-u\sin\theta + v\cos\theta)\frac{\partial\theta}{\partial s},
$$

于是有

$$
\begin{aligned}
\frac{\partial u_n}{\partial s} - \frac{v_s}{r} &= \frac{\partial u}{\partial s}\cos\theta + \frac{\partial v}{\partial s}\sin\theta \\
&= \left(-\frac{\partial u}{\partial x}\sin\theta + \frac{\partial u}{\partial y}\cos\theta\right)\cos\theta
\end{aligned}
$$

$$
\begin{aligned}
&+\left(-\frac{\partial v}{\partial x}\sin\theta+\frac{\partial v}{\partial y}\cos\theta\right)\sin\theta \\
=&\left(\frac{\partial v}{\partial y}-\frac{\partial u}{\partial x}\right)\cos\theta\sin\theta \\
&+\frac{1}{2}\left(\frac{\partial u}{\partial y}+\frac{\partial v}{\partial x}\right)(\cos^2\theta-\sin^2\theta) \\
&+\frac{1}{2}\left(\frac{\partial u}{\partial y}-\frac{\partial v}{\partial x}\right)(\cos^2\theta+\sin^2\theta) \\
=&\frac{1}{2}\gamma_{ns}+\frac{1}{2}\left(\frac{\partial u}{\partial y}-\frac{\partial v}{\partial x}\right),
\end{aligned}
$$

再对 s 微分一次，便有

$$
\begin{aligned}
\frac{\partial}{\partial s}\left(\frac{\partial u_n}{\partial s}-\frac{v_s}{r}\right)&=\frac{1}{2}\frac{\partial\gamma_{ns}}{\partial s}+\frac{1}{2}\frac{\partial}{\partial s}\left(\frac{\partial u}{\partial y}-\frac{\partial v}{\partial x}\right) \\
&=\frac{1}{2}\frac{\partial\gamma_{ns}}{\partial s}+\frac{1}{2}\left[-\frac{\partial}{\partial x}\left(\frac{\partial u}{\partial y}-\frac{\partial v}{\partial x}\right)\sin\theta\right. \\
&\qquad\left.+\frac{\partial}{\partial y}\left(\frac{\partial u}{\partial y}-\frac{\partial v}{\partial x}\right)\cos\theta\right] \\
&=\frac{1}{2}\frac{\partial\gamma_{ns}}{\partial s}+\left(\frac{1}{2}\frac{\partial\gamma_{xy}}{\partial y}-\frac{\partial\varepsilon_y}{\partial x}\right)\cos\theta \\
&\qquad+\left(\frac{1}{2}\frac{\partial\gamma_{xy}}{\partial x}-\frac{\partial\varepsilon_x}{\partial y}\right)\sin\theta,
\end{aligned}
\tag{3.43}
$$

由此即可得 (3.33) 的第二个公式.

§7.4 应力函数的微分方程边值问题

弹性力学平面问题可以提成为应力函数的微分方程边值问题. 这种做法的优点是未知函数只有一个，缺点是有些有关位移的条件用应力函数来表示比较麻烦，并且容易出错.

应力函数要满足的微分方程是应变协调方程 (3.5). 边界条件仍只考虑自由和固支两种典型情况. 在上节已把自由边上力的边界条件用 φ 表示出来. 这里不再重复了. 本节的重点是讨论如

何把有关位移的条件也用 φ 表示出来．在文献中提出过多种办法来推导这些条件，其中比较好的办法是利用最小余能原理．当然这里不是用最小余能原理求近似解，而是用它来推导微分方程和边界条件．关于这些问题的讨论可见刘世宁的两篇文章[16][17]．

上节已得到了余能原理的变分式 (3.28)，其中的 $\delta\Gamma$ 的算式见 (3.36)．从 (3.36) 的第一个积分可以得到前已说明的应变协调方程 (3.5)．因为在 C_u 上 $\delta\varphi$ 与 $\delta\dfrac{\partial\varphi}{\partial n}$ 是任意的，所以从(3.36)的第三个积分可得到

$$\text{在 } C_u \text{ 上：} \lambda_s = \bar{\lambda}_s,\ \varepsilon_s = \bar{\varepsilon}_s. \tag{4.1}$$

公式 (3.32) 已指明了 λ_s，ε_s 与 ε_x，ε_y，γ_{xy} 的关系，因此 λ_s，ε_s 可以用应力分量来表示，再进一步便可用应力函数 φ 来表示．

条件(4.1)与位移边界条件 (1.10)，(2.10) 并不完全等价．这是因为 (4.1)实际上是从(1.10)，(2.10)通过对 s 的三次微分(两次对 u_n，一次对 v_s)得到的．因此为了使 (4.1) 与(1.10)，(2.10)等价，还必须附加适当的条件．这些附加条件可以从 (3.36) 中的第二、四两项推导出来．在自由边上，$\delta\varphi$ 与 $\delta\dfrac{\partial\varphi}{\partial n}$ 虽不等于零，但也不是完全任意的．它们包含，也只能包含有三个不定常数，见公式 (3.24)．因此从 (3.36) 的第二个积分与最后一项和数，得知

$$\int_{C_i}\lambda_s ds + \left(\frac{d\bar{u}_n}{ds} + \frac{\bar{v}_s}{r}\right)\Bigg|_{B_i}^{A_i} = 0,$$

$$\int_{C_i}(\lambda_s x + \varepsilon_s\cos\theta)ds + \left[\bar{u}_n\sin\theta + \left(\frac{d\bar{u}_n}{ds} + \frac{\bar{v}_s}{r}\right)x + \bar{v}_s\cos\theta\right]\Bigg|_{B_i}^{A_i} = 0,$$

$$\int_{C_i}(\lambda_s y + \varepsilon_s\sin\theta)ds + \left[-\bar{u}_n\cos\theta + \left(\frac{d\bar{u}_n}{ds} + \frac{\bar{v}_s}{r}\right)y + \bar{v}_s\sin\theta\right]\Bigg|_{B_i}^{A_i} = 0. \tag{4.2}$$

因为在某一段指定的自由边上，可以认为 φ 与 $\dfrac{\partial\varphi}{\partial n}$ 是完全确定的，

相应的变分 $\delta\varphi$, $\delta\frac{\partial\varphi}{\partial n}$ 都为零，所以条件 (4.2) 只适用于其余的 $(N-1)$ 段自由边．这样，(4.2) 共有 $3(N-1)$ 个补充条件．这些条件可以叫做自由边上的补充条件，它们正好可以弥补把 (1.10)，(2.10) 改为 (4.1) 所损失的条件．

在上面的一些公式中，出现了边界上的剪应变 γ_{ns} 和边界曲线的曲率 $\frac{1}{r}$．如果边界上有角点，那末在角点处 γ_{ns} 一般是不连续的，而 $\frac{1}{r}=\infty$．因此有些公式必须按广义函数的意义来理解．这方面的较详细的论述可见刘世宁的文章[16]．

在裴文瑾的文章[22]中，载有多种情况下补充条件的具体形式，读者需要时可去查阅．

§7.5 薄板的平面问题与弯曲问题的相似性

我们已经先后回顾了薄板的弯曲问题和弹性力学平面问题．在板内没有载荷的情况下，这两类问题之间，存在着一个严密的对应关系，现在将对应的量和对应的公式或方程整理成一个对照表（在本节的末尾）．现在先说明几点情况．

两类问题中的相似性，可以概括地理解如下：

（1）两类问题中的标量彼此相等．例如

$$\varphi=-w,\quad \frac{\partial v}{\partial x}-\frac{\partial u}{\partial y}=\frac{\partial \tilde{u}}{\partial x}+\frac{\partial \tilde{v}}{\partial y},$$

等等．

（2）弯曲问题中的矢量转 90° 角后便对应于平面问题中的矢量．例如

$$(u,v)=(-\tilde{v},\tilde{u}),\quad (\omega_x,\omega_y)=(-Q_y,Q_x),$$

等等．平面问题中矢量 (ω_x,ω_y) 的定义见对照表．

（3）二阶张量的关系也相当于转 90° 角．例如

$$\begin{bmatrix}\sigma_x & \tau_{xy}\\ \tau_{xy} & \sigma_y\end{bmatrix}=\begin{bmatrix}k_y & -k_{xy}\\ -k_{xy} & k_x\end{bmatrix},$$

$$\begin{bmatrix} \varepsilon_x & \frac{1}{2}\gamma_{xy} \\ \frac{1}{2}\gamma_{xy} & \varepsilon_y \end{bmatrix} = \begin{bmatrix} M_y & -M_{xy} \\ -M_{xy} & M_x \end{bmatrix},$$

等等.

薄板的平面问题与弯曲问题的相似性,沟通了这两类问题,具有重要的实际意义. 首先是,一类问题中的新理论、新计算方法可以方便地应用于另一类问题. 例如两类问题中的有限元素法可以方便地彼此交流.其次是许多具体问题的解可以彼此通用.再其次是在探索新问题时,人们可以从便于思索想像的一类问题入手.例如弯曲问题中挠度 w 的性质与特点,显然比平面问题中的应力函数 φ 更易于想像. 最后,在作实验分析时,可选择便于测量的一类问题入手.例如,测量平面问题中的应变 ε_x, ε_y, γ_{xy} 可能比测量弯曲问题中的曲率容易些,而在另一方面,弯曲问题中的挠度 w 容易测量,而平面问题中的应力函数 φ 则是无法直接测量的抽象的量.

弹性力学平面问题与薄板弯曲问题的相似性,是首先由 Sou-

薄板的平面问题与弯曲问题的相似性

(板内没有载荷)

平　面　问　题	弯　曲　问　题
φ	$-w$
$\sigma_y = \dfrac{\partial^2\varphi}{\partial x^2}$, $\sigma_x = \dfrac{\partial^2\varphi}{\partial y^2}$,	$k_x = -\dfrac{\partial^2 w}{\partial x^2}$, $k_y = -\dfrac{\partial^2 w}{\partial y^2}$,
$-\tau_{xy} = \dfrac{\partial^2\varphi}{\partial x\partial y}$	$k_{xy} = -\dfrac{\partial^2 w}{\partial x\partial y}$
V	U
$\varepsilon_y = \dfrac{\partial V}{\partial\sigma_x}$, $\varepsilon_x = \dfrac{\partial V}{\partial\sigma_x}$,	$M_x = \dfrac{\partial U}{\partial k_x}$, $M_y = \dfrac{\partial U}{\partial k_y}$,
$-\gamma_{xy} = -\dfrac{\partial V}{\partial\tau_{xy}}$	$2M_{xy} = \dfrac{\partial U}{\partial k_{xy}}$
$\omega_y = \dfrac{\partial\varepsilon_y}{\partial x} - \dfrac{1}{2}\dfrac{\partial\gamma_{xy}}{\partial y}$	$Q_x = \dfrac{\partial M_x}{\partial x} + \dfrac{\partial M_{xy}}{\partial y}$
$-\omega_x = -\dfrac{1}{2}\dfrac{\partial\gamma_{xy}}{\partial x} + \dfrac{\partial\varepsilon_x}{\partial y}$	$Q_y = \dfrac{\partial M_{xy}}{\partial x} + \dfrac{\partial M_y}{\partial y}$
$\dfrac{\partial\omega_y}{\partial x} - \dfrac{\partial\omega_x}{\partial y} = 0$	$\dfrac{\partial Q_x}{\partial x} + \dfrac{\partial Q_y}{\partial y} = 0$

续表

<table>
<tr><th>平 面 问 题</th><th>弯 曲 问 题</th></tr>
<tr><td>$u,\ v$
$\varepsilon_x=\frac{\partial u}{\partial x},\quad \varepsilon_y=\frac{\partial v}{\partial y},$
$\gamma_{xy}=\frac{\partial u}{\partial y}+\frac{\partial v}{\partial x}$
$\omega_x=\frac{1}{2}\frac{\partial}{\partial x}\left(\frac{\partial v}{\partial x}-\frac{\partial u}{\partial y}\right)$
$\omega_y=\frac{1}{2}\frac{\partial}{\partial y}\left(\frac{\partial v}{\partial x}-\frac{\partial u}{\partial y}\right)$
在增加约束的自由边上</td><td>$-\tilde{v},\ \tilde{u}$
$M_y=-\frac{\partial\tilde{v}}{\partial x},\ M_x=\frac{\partial\tilde{u}}{\partial y},$
$-2M_{xy}=-\frac{\partial\tilde{v}}{\partial y}+\frac{\partial\tilde{u}}{\partial x}$
$-Q_y=\frac{1}{2}\frac{\partial}{\partial x}\left(\frac{\partial\tilde{u}}{\partial x}+\frac{\partial\tilde{v}}{\partial y}\right)$
$Q_x=\frac{1}{2}\frac{\partial}{\partial y}\left(\frac{\partial\tilde{u}}{\partial x}+\frac{\partial\tilde{v}}{\partial y}\right)$
在固支边上</td></tr>
<tr><td colspan="2">$\varphi=$ 已知函数 $=-w$
$\frac{\partial\varphi}{\partial n}=$ 已知函数 $=-\frac{\partial w}{\partial n}$</td></tr>
<tr><td>在自由边上</td><td>在具有刚性位移的固支边上</td></tr>
<tr><td colspan="2">$\varphi=$ 已知函数 $+\alpha x+\beta y+\gamma=-w$
$\frac{\partial\varphi}{\partial n}=$ 已知函数 $+\alpha\cos\theta+\beta\sin\theta=-\frac{\partial w}{\partial n}$</td></tr>
<tr><td>在放松条件的固支边上</td><td>在自由边上</td></tr>
<tr><td colspan="2">$\varepsilon_s=$ 已知函数 $=M_n$
$\lambda_s=-\frac{1}{2}\frac{\partial\gamma_{ns}}{\partial s}+\omega_s=$ 已知函数 $=\frac{\partial M_{ns}}{\partial s}+Q_n$
$(\omega_s=\omega_y\cos\theta-\omega_x\sin\theta)$</td></tr>
<tr><td>在固支边上</td><td>在限制外力的自由边上</td></tr>
<tr><td colspan="2">$u=$ 已知函数 $=-\tilde{v}$
$v=$ 已知函数 $=\tilde{u}$</td></tr>
</table>

thwell[279] 指出的. 他的工作似乎没有得到应有的普遍的重视，因此以后断断续续有人强调这个相似性，例如可见文献[17]，[118]，[270]，[149].

§7.6 有限元素法概述

后面几节将介绍几种常用的求解弹性力学平面问题的有限元素法. 根据与薄板弯曲问题的对偶关系，本章只介绍以位移为未知参数、以最小势能原理为依据的有限元素法.

弹性力学平面问题，原先要求在给定的平面区域中决定两个位移分量 u, v. 现将给定的平面区域分割成若干个有限的小元素，通常是三角形或四边形元素，然后用结点上的位移值(有时还可能有它们的导数)来近似地描述整个区域中的位移值. 与某一元素 e 有关的位移参数用列矢量 $\boldsymbol{q}_e$ 来代表. 对于元素内的其他的点，用接近实际的、简便的插入公式求位移分量及其导数的近似值. 根据这些近似值可以计算这个元素 e 的势能 Π_e, 它最后可表达成为

$$\Pi_e = \frac{1}{2}\boldsymbol{q}_e^T \boldsymbol{K}_e \boldsymbol{q}_e - \boldsymbol{F}_e^T \boldsymbol{q}_e, \tag{6.1}$$

其中

$$\frac{1}{2}\boldsymbol{q}_e^T \boldsymbol{K}_e \boldsymbol{q}_e = \iint_{\Omega_e} U dx dy,$$

$$\boldsymbol{F}_e^T \boldsymbol{q}_e = \iint_{\Omega_e} (f_x u + f_y v) dx dy + \int_{C_\sigma} (\bar{\sigma}_n u_n + \bar{\tau}_{ns} v_s) ds. \tag{6.2}$$

当元素 e 的一部份边界为自由边 C_σ 时，在公式 (6.2) 中应有 C_σ 上的线积分. 当元素 e 落在区域内部,或虽在边界上,但没有自由边时,则没有线积分. 矩阵 $\boldsymbol{K}_e$ 仍称为元素 e 的刚度矩阵, 列矢量 $\boldsymbol{F}_e$ 称为作用在元素 e 上的广义外力. 采用先扩张后相加的办法，可把整个系统的势能 Π 表示如下:

$$\Pi = \frac{1}{2}\boldsymbol{q}^T \boldsymbol{K} \boldsymbol{q} - \boldsymbol{F}^T \boldsymbol{q}. \tag{6.3}$$

其中 $\boldsymbol{q}$ 是由全部未知参数组成的列矢量,而

$$\boldsymbol{K} = \sum_e \boldsymbol{K}_e, \quad \boldsymbol{F} = \sum_e \boldsymbol{F}_e. \tag{6.4}$$

矩阵 $\boldsymbol{K}$ 称为刚度矩阵, $\boldsymbol{F}$ 称为广义载荷 (力). 根据最小势能原理得到方程

$$\boldsymbol{K}\boldsymbol{q} = \boldsymbol{F}. \tag{6.5}$$

对于正交各向异性的物体,应变能密度 U 的算式是

$$U = \frac{1}{2} A_{11}\varepsilon_x^2 + A_{12}\varepsilon_x\varepsilon_y + \frac{1}{2} A_{22}\varepsilon_y^2 + \frac{1}{2} A_{66}\gamma_{xy}^2, \tag{6.6}$$

因此元素的刚度矩阵也可写成四项

编号	元素形状及结点	参数性质	参数数	插入公式	参考文献
1	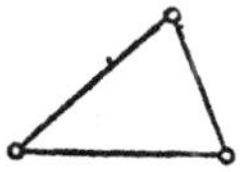	每结点: u, v	6	线性	[54] [309]
2	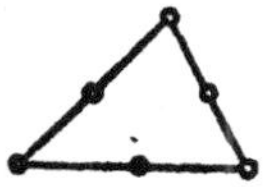	每结点: u, v	12	2 次多项式, 见公式 (7.7)	[55] [127] [212]
3	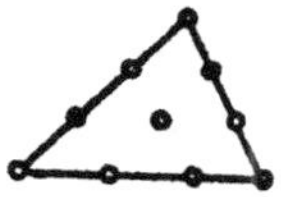	每结点: u, v	20	3 次多项式	[116] [328]
4	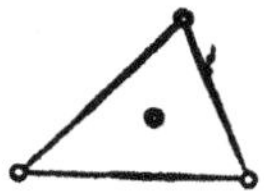	角点: $u, \frac{\partial u}{\partial x}, \frac{\partial u}{\partial y}$ $v, \frac{\partial v}{\partial x}, \frac{\partial v}{\partial y}$ 内点: u, v	20	3 次多项式	[160] [159] [4]
5	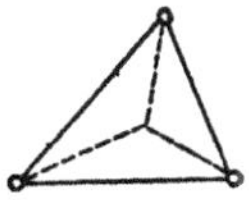	每结点: $u, \frac{\partial u}{\partial x}, \frac{\partial u}{\partial y}$ $v, \frac{\partial v}{\partial x}, \frac{\partial v}{\partial y}$	18	类似于§4.19中w的插入公式	[302]
6		每结点: u, v	8	双线性	[309]
7	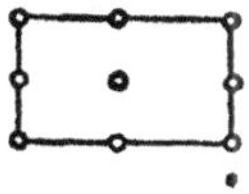	每结点: u, v	18	双 2 次多项式	[119] [328]
8	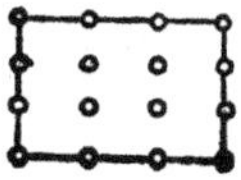	每结点: u, v	32	双 3 次多项式	[119] [328]

续表

编号	元素形状及结点	参数性质	参数数	插入公式	参考文献
9	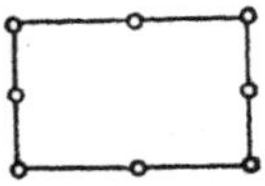	每结点: u, v	16	公式 (8.8)	[119] [328]
10	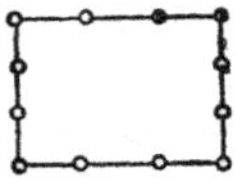	每结点: u, v	24	公式 (8.9)	[119] [328]
11		每结点: $u, \frac{\partial u}{\partial x}, \frac{\partial u}{\partial y}$ $v, \frac{\partial v}{\partial x}, \frac{\partial v}{\partial y}$	24	类似于§4.17中w的插入公式	
12		每结点: $u, \frac{\partial u}{\partial x}, \frac{\partial u}{\partial y}, \frac{\partial^2 u}{\partial x \partial y}$ $v, \frac{\partial v}{\partial x}, \frac{\partial v}{\partial y}, \frac{\partial^2 v}{\partial x \partial y}$	32	类似于§4.18中w的插入公式	

$$K_e = A_{11}L_{e1} + A_{12}L_{e2} + A_{22}L_{e3} + A_{66}L_{e4}, \tag{6.7}$$

其中的四个 L 矩阵由下式决定

$$\frac{1}{2}q_e^T L_{e1} q_e = \frac{1}{2}\iint_{\Omega_e} \varepsilon_x^2 dxdy, \quad \frac{1}{2}q_e^T L_{e2} q_e = \iint_{\Omega_e} \varepsilon_x \varepsilon_y dxdy,$$

$$\frac{1}{2}q_e^T L_{e3} q_e = \frac{1}{2}\iint_{\Omega_e} \varepsilon_y^2 dxdy, \quad \frac{1}{2}q_e^T L_{e4} q_e = \frac{1}{2}\iint_{\Omega_e} \gamma_{xy}^2 dxdy. \tag{6.8}$$

在弹性力学平面问题中，要在元素的公共边上满足位移连续条件并不困难，所以平面问题中用的，几乎都是协调元素或过份协调元素．也正是由于这个原因，平面问题中的有限元素法，不像薄板弯曲问题那样花样繁多．几种常用的三角形元素和矩形元素如附表所示．

§ 7.7 三角形元素

图 7.1 示一典型的三角形元素 123. 最简单的一种做法是:对

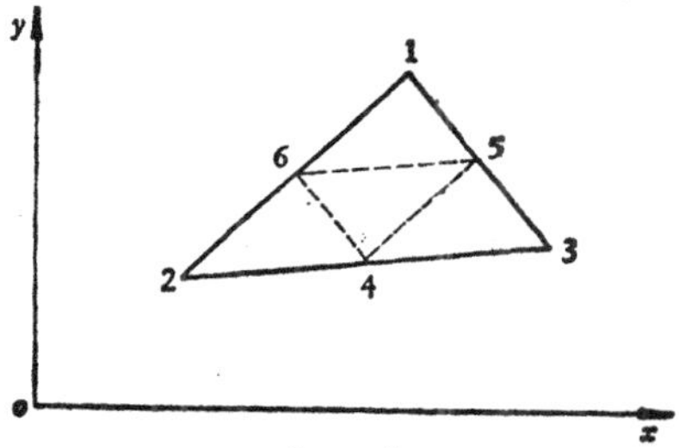

图 7.1

三角形的每一个顶点,赋予它两个位移参数 u_i, v_i. 这样这个元素的位移参数 $\boldsymbol{q}_e$ 为

$$\boldsymbol{q}_e=[u_1, v_1, u_2, v_2, u_3, v_3]^T. \tag{7.1}$$

在三角形内部,对位移作线性插入,这样得到

$$[u, v]=[\xi_1, \xi_2, \xi_3]\begin{bmatrix} u_1 & v_1 \\ u_2 & v_2 \\ u_3 & v_3 \end{bmatrix}, \tag{7.2}$$

式中 ξ_1, ξ_2, ξ_3 是三角形的无量纲的面积坐标(详见 § 4.12). 求 u, v 的导数,得到

$$\begin{bmatrix} \frac{\partial u}{\partial x}, & \frac{\partial v}{\partial x} \\ \frac{\partial u}{\partial y}, & \frac{\partial v}{\partial y} \end{bmatrix}=\begin{bmatrix} \frac{\partial \xi_1}{\partial x}, & \frac{\partial \xi_2}{\partial x}, & \frac{\partial \xi_3}{\partial x} \\ \frac{\partial \xi_1}{\partial y}, & \frac{\partial \xi_2}{\partial y}, & \frac{\partial \xi_3}{\partial y} \end{bmatrix}\begin{bmatrix} u_1, & v_1 \\ u_2, & v_2 \\ u_3, & v_3 \end{bmatrix}$$

$$=\frac{1}{2\Delta}\begin{bmatrix} a_1, & a_2, & a_3 \\ b_1, & b_2, & b_3 \end{bmatrix}\begin{bmatrix} u_1, & v_1 \\ u_2, & v_2 \\ u_3, & v_3 \end{bmatrix}. \tag{7.3}$$

由此计算应变分量,得到

$$\begin{bmatrix}\varepsilon_x\\ \varepsilon_y\\ \gamma_{xy}\end{bmatrix}=\frac{1}{2\Delta}\begin{bmatrix}a_1, & 0, & a_2, & 0, & a_3, & 0\\ 0, & b_1, & 0, & b_2, & 0, & b_3\\ b_1, & a_1, & b_2, & a_2, & b_3, & a_3\end{bmatrix}q_e. \tag{7.4}$$

此式表明，在一个元素内，三个应变分量都是常量，所以这种元素有时也叫做常应变三角形元素.

对于正交各向异性的弹性体，根据公式(6.7)，(6.8)计算元素的刚度矩阵，得到如下的结果

$$\boldsymbol{L}_{e1}=\frac{1}{8\Delta}[a_1, 0, a_2, 0, a_3, 0]^T[a_1, 0, a_2, 0, a_3, 0],$$

$$\boldsymbol{L}_{e2}=\frac{1}{8\Delta}\{[a_1, 0, a_2, 0, a_3, 0]^T[0, b_1, 0, b_2, 0, b_3]$$
$$+[0, b_1, 0, b_2, 0, b_3]^T[a_1, 0, a_2, 0, a_3, 0]\},$$

$$\boldsymbol{L}_{e3}=\frac{1}{8\Delta}[0, b_1, 0, b_2, 0, b_3]^T[0, b_1, 0, b_2, 0, b_3],$$

$$\boldsymbol{L}_{e4}=\frac{1}{8\Delta}[b_1, a_1, b_2, a_2, b_3, a_3]^T[b_1, a_1, b_2, a_2, b_3, a_3]. \tag{7.5}$$

常应变元素的优点是公式简单，但其缺点是收敛性较差. 为了改进收敛性，可提高插入函数的次数. 如果希望用二次函数对 $\boldsymbol{u}$, $\boldsymbol{v}$ 进行插入，那末应该在每个元素上取 6 个结点，例如取三角形的三个顶点 1, 2, 3, 和三条边的中点 4, 5, 6. 对于每个结点，仍赋予它两个位移参数 $\boldsymbol{u}_i$, $\boldsymbol{v}_i$. 这样这个元素的位移参数扩大为

$$\boldsymbol{q}_e=[u_1, v_1, u_2, v_2, \cdots, u_6, v_6]^T. \tag{7.6}$$

而 $\boldsymbol{u}$, $\boldsymbol{v}$ 的插入公式可取为

$$[u, v]=[\xi_1(2\xi_1-1), \xi_2(2\xi_2-1), \xi_3(2\xi_3-1), 4\xi_2\xi_3,$$
$$4\xi_1\xi_3, 4\xi_1\xi_2]\begin{bmatrix}u_1, & v_1\\ u_2, & v_2\\ u_3, & v_3\\ u_4, & v_4\\ u_5, & v_5\\ u_6, & v_6\end{bmatrix}. \tag{7.7}$$

拿二次函数插入与一次函数插入相比，那末二次函数插入相当于把四个三角形 165，246，354，456 用一个解析函数进行插入，如图 7.1 所示．求 u，v 的导数，得到

$$\begin{bmatrix} \dfrac{\partial u}{\partial x}, & \dfrac{\partial v}{\partial x} \\ \dfrac{\partial u}{\partial y}, & \dfrac{\partial v}{\partial y} \end{bmatrix} = \frac{1}{2\Delta}\begin{bmatrix} a_1, & a_2, & a_3 \\ b_1, & b_2, & b_3 \end{bmatrix}$$

$$\times\begin{bmatrix} 4\xi_1-1, & 0, & 0, & 0, & 4\xi_3, & 4\xi_2 \\ 0, & 4\xi_2-1, & 0, & 4\xi_3, & 0, & 4\xi_1 \\ 0, & 0, & 4\xi_3-1, & 4\xi_2, & 4\xi_1, & 0 \end{bmatrix}\begin{bmatrix} u_1, & v_1 \\ u_2, & v_2 \\ u_3, & v_3 \\ u_4, & v_4 \\ u_5, & v_5 \\ u_6, & v_6 \end{bmatrix}. \quad (7.8)$$

由此便可计算应变分量，再进一步便可计算元素的刚度矩阵．最后得到的公式是很繁长的，有需要的读者可去查阅 Moser 和 Swobada 的文章[212]．

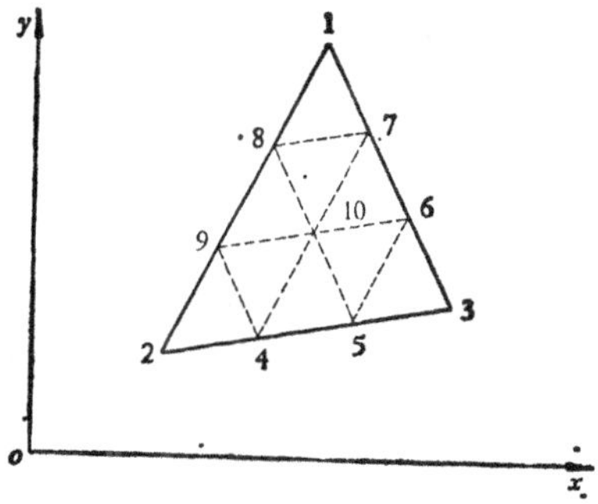

图 7.2

有几位作者曾用过三次函数对位移进行插入．这里又有多种不同的做法．一种做法是对三角形元素取 10 个结点，如图 7.2 所示，其中 4，5，6，7，8，9 六个点在边的三分点上，而第 10 点是在三角形的形心．这相当于把 9 个小三角形内的位移用一个解析函数进行插入．在 Zienkiewicz 的书[328]中有这样的插入公式．

另一种三次插入的做法是：在三角形元素的边界上，仍只取三个顶点 1，2，3 为结点，但每点赋予它六个位移参数：

$$u_i, \frac{\partial u_i}{\partial x}, \frac{\partial u_i}{\partial y}, v_i, \frac{\partial v_i}{\partial x}, \frac{\partial v_i}{\partial y}. \quad (7.9)$$

另外再取形心 10 作为第四个结点，但只赋予它两个位移参数 u_{10}，v_{10}. 这样，对于每一个位移分量 u 和 v，都可以用一个全三次多项式进行插入. 在文献 [160]，[159]，[4] 中曾用过这类三角形元素.

把位移分量的一阶导数也看作是独立的位移参数，便可借用薄板弯曲理论中挠度的插入公式. 在薄板的弯曲问题中，有些插入公式可能只是部分协调的，但一旦借用到平面问题，便成为过份协调的，因为在平面问题中，本来只要求位移分量 u，v 连续，并不要求它们的一阶导数也连续.

Tocher 和 Hartz[302] 曾借用 § 4.19 说明的二次分片插入法来建立平面问题中的有限元素. 他们取三角形元素的三个顶点为结点，而对于每个结点，赋予它 (7.9) 规定的六个位移参数. 在三角形内部，对 u，v 分别用 § 4.19 的办法进行插入.

第四章中介绍的薄板弯曲问题的有限元素法的插入公式，还有不少可以借用到平面问题中来.

§ 7.8 矩形元素

图 8.1 示一典型的矩形元素. 和 § 4.16 相同，取无量纲的局部坐标 ξ，η 如图 8.2 所示. 一种比较通用的矩形元素是对矩形的每个角点赋予它两个位移参数 u_i，v_i. 这样这个元素的位移参数 q_e

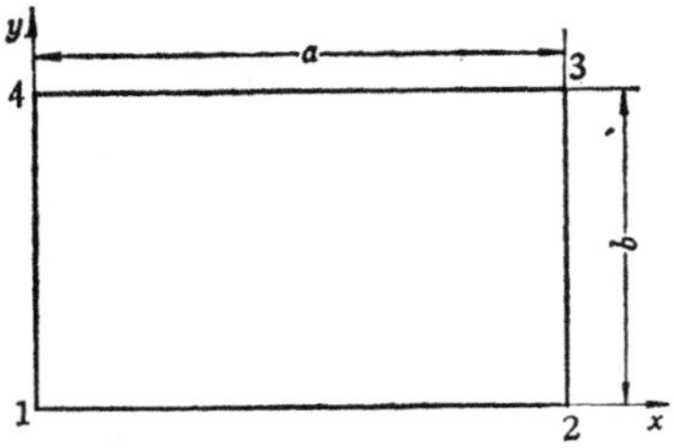

图 8.1

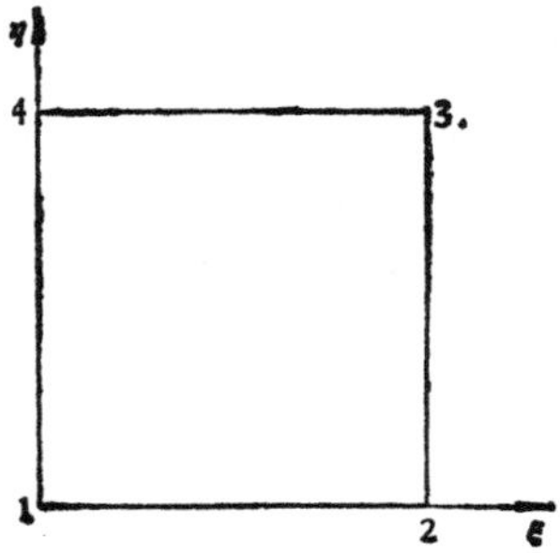

图 8.2

为

$$q_e = [u_1, v_1, u_2, v_2, u_3, v_3, u_4, v_4]^T. \tag{8.1}$$

在矩形元素内部，用双线性函数对位移进行插入，这样得到

$$[u, v] = [(1-\xi)(1-\eta),\ \xi(1-\eta),\ \xi\eta,\ (1-\xi)\eta]\begin{bmatrix} u_1, & v_1 \\ u_2, & v_2 \\ u_3, & v_3 \\ u_4, & v_4 \end{bmatrix}. \tag{8.2}$$

求位移的导数，得到

$$\begin{bmatrix} \dfrac{\partial u}{\partial \xi}, & \dfrac{\partial v}{\partial \xi} \\ \dfrac{\partial u}{\partial \eta}, & \dfrac{\partial v}{\partial \eta} \end{bmatrix} = \begin{bmatrix} -(1-\eta), & 1-\eta, & \eta, & -\eta \\ -(1-\xi), & -\xi, & \xi, & 1-\xi \end{bmatrix} \times \begin{bmatrix} u_1, & v_1 \\ u_2, & v_2 \\ u_3, & v_3 \\ u_4, & v_4 \end{bmatrix}. \tag{8.3}$$

再求应变

$$\varepsilon_x = \frac{1}{a}\frac{\partial u}{\partial \xi}, \quad \varepsilon_y = \frac{1}{b}\frac{\partial v}{\partial \eta}, \quad \gamma_{xy} = \frac{1}{a}\frac{\partial v}{\partial \xi} + \frac{1}{b}\frac{\partial u}{\partial \eta}, \tag{8.4}$$

得到

$$\begin{bmatrix} \varepsilon_x \\ \varepsilon_y \\ \gamma_{xy} \end{bmatrix} = \begin{bmatrix} -\dfrac{1-\eta}{a}, & 0, & \dfrac{1-\eta}{a}, & 0, & \dfrac{\eta}{a}, & 0, & -\dfrac{\eta}{a}, & 0 \\ 0, & -\dfrac{1-\xi}{b}, & 0, & -\dfrac{\xi}{b}, & 0, & \dfrac{\xi}{b}, & 0, & \dfrac{1-\xi}{b} \\ -\dfrac{1-\xi}{b}, & \dfrac{1-\eta}{a}, & -\dfrac{\xi}{b}, & \dfrac{1-\eta}{a}, & \dfrac{\xi}{b}, & \dfrac{\eta}{a}, & \dfrac{1-\xi}{b}, & -\dfrac{\eta}{a} \end{bmatrix} q_e. \tag{8.5}$$

进一步根据公式(6.7),(6.8)求元素的刚度矩阵,得到

$$
\boldsymbol{L}_{e1}=\frac{b}{12a}\begin{bmatrix}
2, & 0, & -2, & 0, & -1, & 0, & 1, & 0 \\
 & 0, & 0, & 0, & 0, & 0, & 0, & 0 \\
 & & 2, & 0, & 1, & 0, & -1, & 0 \\
 & & & 0, & 0, & 0, & 0, & 0 \\
 & & & & 2, & 0, & -2, & 0 \\
 & \text{对} & & & & 0, & 0, & 0 \\
 & & & \text{称} & & & 2, & 0 \\
 & & & & & & & 0
\end{bmatrix} \tag{8.6a}
$$

$$
\boldsymbol{L}_{e2}=\frac{1}{4}\begin{bmatrix}
0, & 1, & 0, & 1, & 0, & -1, & 0, & -1 \\
 & 0, & -1, & 0, & -1, & 0, & 1, & 0 \\
 & & 0, & -1, & 0, & 1, & 0, & 1 \\
 & & & 0, & -1, & 0, & 1, & 0 \\
 & & & & 0, & 1, & 0, & 1 \\
 & \text{对} & & & & 0, & -1, & 0 \\
 & & & \text{称} & & & 0, & -1 \\
 & & & & & & & 0
\end{bmatrix} \tag{8.6b}
$$

$$
\boldsymbol{L}_{e3}=\frac{a}{12b}\begin{bmatrix}
0, & 0, & 0, & 0, & 0, & 0, & 0, & 0 \\
 & 2, & 0, & 1, & 0, & -1, & 0, & -2 \\
 & & 0, & 0, & 0, & 0, & 0, & 0 \\
 & & & 2, & 0, & -2, & 0, & -1 \\
 & & & & 0, & 0, & 0, & 0 \\
 & \text{对} & & & & 2, & 0, & 1 \\
 & & & \text{称} & & & 0, & 0 \\
 & & & & & & & 2
\end{bmatrix} \tag{8.6c}
$$

$$L_{e4}=\frac{b}{24a}$$

$$\times\begin{bmatrix}4\alpha^2, & -3\alpha, & 2\alpha^2, & -3\alpha, & -2\alpha^2, & -3\alpha, & -4\alpha^2, & 3\alpha\\ & 4, & -3\alpha, & 4, & 3\alpha, & 2, & 3\alpha, & -4\\ & & 4\alpha^2, & -3\alpha, & -4\alpha^2, & -3\alpha, & -2\alpha^2, & 3\alpha\\ & & & 4, & 3\alpha, & 2, & 3\alpha, & -2\\ \text{对} & & & & 4\alpha^2, & 3\alpha, & 2\alpha^2, & -3\alpha\\ & & \text{称} & & & 4, & 3\alpha, & -4\\ & & & & & & 4\alpha^2, & -3\alpha\\ & & & & & & & 4\end{bmatrix}\tag{8.6d}$$

其中

$$\alpha=\frac{a}{b}.\tag{8.7}$$

为了改进元素的特性，可用双二次函数对 u,v 进行插入．为此需要在每个矩形元素上取 9 个结点，如图 8.3 所示，而对每个结

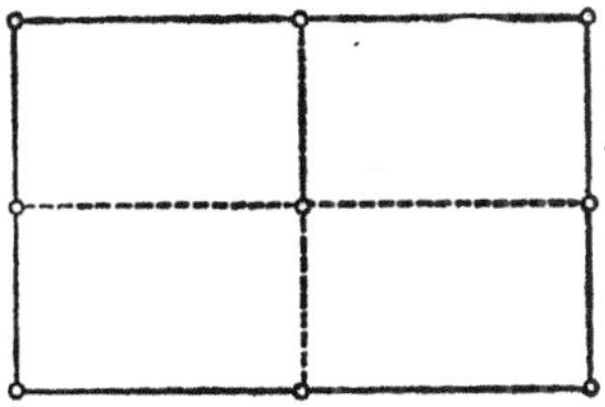

图 8.3

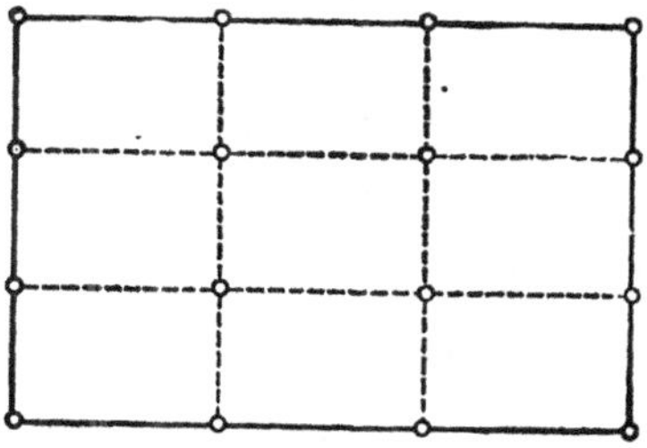

图 8.4

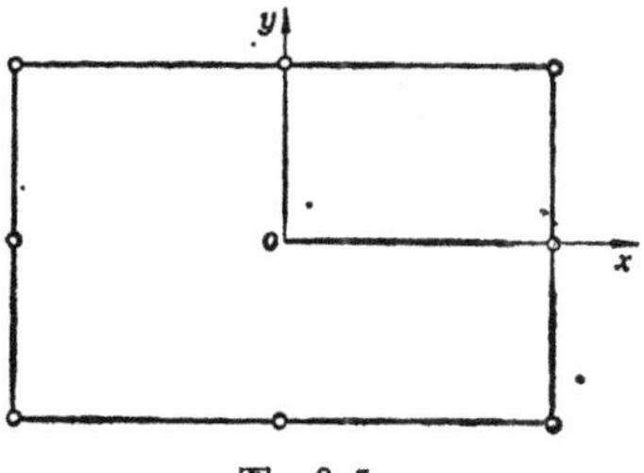

图 8.5

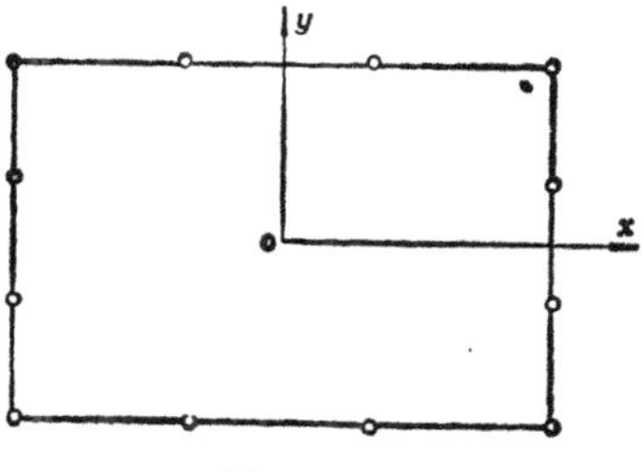

图 8.6

点仍赋予两个位移参数．再进一步，可用双三次函数对 u，v 进行插入．为此在每个元素上取 16 个结点如图 8.4 所示，而对每个结点仍赋予两个位移参数．

上面两种矩形元素，都有内部自由度，这对编制计算程序会造成一些麻烦． 文献 [119] 提出省去内部自由度而得到如图 8.5, 8.6 所示的矩形元素． 对于每一个结点，仍赋予两个位移参数 u，v． 这样，对于图 8.5 所示的元素，只能用缺一项的双二次多项式进行插入． 双二次多项式的最高次项是 x^2y^2，要缺项当然以缺 x^2y^2 比较适宜，因此插入公式为

$$u = a_1 + a_2x + a_3y + a_4x^2 + a_5xy + a_6y^2 + a_7x^2y + a_8xy^2. \tag{8.8}$$

这里 a_i 是 8 个待定的常数．对 v 用同类的插入公式．

对图 8.6 所示的元素，只能用缺 4 项的双三次多项式对 u，v 进行插入． 缺那 4 项，可以有多种不同的选法．一种比较合适的选法是使得对 x 和 y 轴对称或反称的自由度各保留 3 个，即选取

对 x 轴对称， 对 y 轴对称： 1，x^2，y^2，

对 x 轴对称， 对 y 轴反对称：y，x^2y，y^3，

对 x 轴反对称，对 y 轴对称： x，x^3，xy^2，

对 x 轴反对称，对 y 轴反对称：xy，x^3y，xy^3．

这样最后有

$$u = a_1 + a_2x + a_3y + a_4x^2 + a_5xy + a_6y^2 + a_7x^3 + a_8x^2y + a_9xy^2 + a_{10}y^3 + a_{11}x^3y + a_{12}xy^3. \tag{8.9}$$

对 v 用同类的插入公式．

另外还有一类高次插入的办法是借用薄板弯曲问题中挠度的插入公式．这样做的优点是可以只取矩形的角点为结点．例如对于 u，v 都采用类似于 § 4.17，§ 4.18 的插入公式，这样便能建立平面问题中的矩形过分协调元素．

第八章　具有三个广义位移的平板的弯曲理论

§8.1　基本方程的回顾

考虑中面为平面的平板的弯曲问题．取板的中面为 xy 平面，取 z 轴与 x, y 轴垂直．设板的厚度为 h，它可以是 x，y 的函数．板的上下两个表面的方程为

$$z = \pm \frac{1}{2} h. \tag{1.1}$$

板内任一点 $P(x, y, z)$ 在变形后沿 x, y, z 轴向的位移分量记为 $u(x, y, z)$, $v(x, y, z)$, $w(x, y, z)$. 在本章的板的弯曲理论中，对板的变形作如下的假设：在变形前垂直中面的直线段，在变形后仍为直线段．这个假设导致可以用三个广义位移 $\psi_x(x, y)$, $\psi_y(x, y)$, $w(x, y)$ 来表示三个位移分量：

$$u(x, y, z) = -z\psi_x(x, y),\quad v(x, y, z) = -z\psi_y(x, y),$$
$$w(x,y,z) = w(x, y). \tag{1.2}$$

ψ_x, ψ_y 是变形前垂直中面的直线段的转角．ψ_x 是 xz 平面内的转角，以从 x 轴经 90° 到 z 轴的转向为正；ψ_y 是 yz 平面内的转角，以从 y 轴经 90° 到 z 轴的转向为正．w 仍为挠度．

板中的应力假定可以由下列 5 个广义内力所完全决定：

$$M_x = \int_{-\frac{h}{2}}^{\frac{h}{2}} z\sigma_x dz,\quad M_y = \int_{-\frac{h}{2}}^{\frac{h}{2}} z\sigma_y dz,\quad M_{xy} = \int_{-\frac{h}{2}}^{\frac{h}{2}} z\tau_{xy} dz,$$

$$Q_x = \int_{-\frac{h}{2}}^{\frac{h}{2}} \tau_{xz} dz,\quad Q_y = \int_{-\frac{h}{2}}^{\frac{h}{2}} \tau_{yz} dz. \tag{1.3}$$

至于应力和内力的关系，则显然随着板的构造不同而不同，对于沿

z 轴向构造均匀的板，应力与内力的关系为

$$\sigma_x=\frac{12z}{h^3}M_x,\ \sigma_y=\frac{12z}{h^3}M_y,\ \tau_{xy}=\frac{12z}{h^3}M_{xy},$$

$$\tau_{xz}=\frac{3}{2h}\left(1-\frac{4z^2}{h^2}\right)Q_x,\ \tau_{yz}=\frac{3}{2h}\left(1-\frac{4z^2}{h^2}\right)Q_y. \tag{1.4}$$

对于一般的各向异性板，广义内力与广义位移的关系可表达成为

$$\begin{bmatrix}M_x\\M_y\\M_{xy}\end{bmatrix}=\begin{bmatrix}D_{11}&D_{12}&D_{16}\\D_{12}&D_{22}&D_{26}\\D_{16}&D_{26}&D_{66}\end{bmatrix}\begin{bmatrix}k_x\\k_y\\2k_{xy}\end{bmatrix},$$

$$\begin{bmatrix}Q_x\\Q_y\end{bmatrix}=\begin{bmatrix}C_{11}&C_{12}\\C_{12}&C_{22}\end{bmatrix}\begin{bmatrix}\gamma_x\\\gamma_y\end{bmatrix}. \tag{1.5a, b}$$

其中

$$k_x=-\frac{\partial\psi_x}{\partial x},\ k_y=-\frac{\partial\psi_y}{\partial y},$$

$$k_{xy}=-\frac{1}{2}\left(\frac{\partial\psi_x}{\partial y}+\frac{\partial\psi_y}{\partial x}\right),$$

$$\gamma_x=\frac{\partial w}{\partial x}-\psi_x,\ \gamma_y=\frac{\partial w}{\partial y}-\psi_y. \tag{1.6a, b}$$

矩阵 $[D_{ij}]$ 是板的弯曲刚度矩阵，矩阵 $[C_{ij}]$ 是板的剪切刚度矩阵. 广义应变 γ_x，γ_y 代表变形前垂直中面的法线段在变形后与中面夹角的变化，因此它们就是横向剪切应变. 广义应变 k_x, k_y, k_{xy} 的性质，类似于经典理论中的曲率，本章仍用这个名词和记号，虽然它们已经失去了曲率所具有的几何意义.

两个刚度矩阵的具体数值，与板的具体构造有关，这里我们认为它们已经求得，因此是已知的常数或 x，y 的函数.

对于正交各向异性的板[1)]，如果 x，y 轴平行于主方向，则有

$$D_{16}=D_{26}=0,\ C_{12}=0. \tag{1.7}$$

1) 考虑横向剪切变形的正交各向异性板的基本方程是由 Libove 和 Batdorf 首先提出的，见他们的著作 [194].

更进一步，对于各向同性的板[1]，除上式外还有

$$D_{11}=D_{22}=D,\ D_{12}=\nu D,\ D_{66}=\frac{1}{2}(1-\nu)D,$$

$$C_{11}=C_{22}=C. \tag{1.8}$$

因为剪力 Q_x，Q_y 一般总是有限的，所以当剪切刚度为无穷大时，剪应变 γ_x、γ_y 必须为零，于是从 (1.6) 得到

$$\psi_x=\frac{\partial w}{\partial x},\quad \psi_y=\frac{\partial w}{\partial y},$$

这样，本节的三广义位移理论便退回到经典的一广义位移的理论.

内力应变关系也可以通过应变能密度或余应变能密度表示如下：

$$M_x=\frac{\partial U'}{\partial k_x},\ M_y=\frac{\partial U'}{\partial k_y},\ M_{xy}=\frac{1}{2}\frac{\partial U'}{\partial k_{xy}}, \tag{1.9a}$$

$$Q_x=\frac{\partial U''}{\partial \gamma_x},\quad Q_y=\frac{\partial U''}{\partial \gamma_y}, \tag{1.9b}$$

$$k_x=\frac{\partial V'}{\partial M_x},\ k_y=\frac{\partial V'}{\partial M_y},\ 2k_{xy}=\frac{\partial V'}{\partial M_{xy}}, \tag{1.10a}$$

$$\gamma_x=\frac{\partial V''}{\partial Q_x},\ \gamma_y=\frac{\partial V''}{\partial Q_y}. \tag{1.10b}$$

其中 U' 是弯曲应变能密度，V' 是弯曲余应变能密度，U'' 是剪切应变能密度，V'' 是剪切余应变能密度，它们的算式是

$$U'=\frac{1}{2}\begin{bmatrix}k_x\\k_y\\2k_{xy}\end{bmatrix}^T\begin{bmatrix}D_{11}&D_{12}&D_{16}\\D_{12}&D_{22}&D_{26}\\D_{16}&D_{26}&D_{66}\end{bmatrix}\begin{bmatrix}k_x\\k_y\\2k_{xy}\end{bmatrix}, \tag{1.11a}$$

$$U''=\frac{1}{2}\begin{bmatrix}\gamma_x\\\gamma_y\end{bmatrix}^T\begin{bmatrix}C_{11}&C_{12}\\C_{12}&C_{22}\end{bmatrix}\begin{bmatrix}\gamma_x\\\gamma_y\end{bmatrix}, \tag{1.11b}$$

1）考虑横向剪切变形的各向同性板的基本方程是由 Reissner 首先提出的，见他的三篇著作 [259]，[260]，[262]．在 Reissner 的理论中还考虑到横向应变 ε_z 的影响．由于 ε_z 的影响通常是不大的，所以在本章介绍的理论中忽略了 ε_z 的作用。

$$V' = \frac{1}{2}\begin{bmatrix} M_x \\ M_y \\ M_{xy} \end{bmatrix}^T \begin{bmatrix} d_{11} & d_{12} & d_{16} \\ d_{12} & d_{22} & d_{26} \\ d_{16} & d_{26} & d_{66} \end{bmatrix} \begin{bmatrix} M_x \\ M_y \\ M_{xy} \end{bmatrix}, \tag{1.12a}$$

$$V'' = \frac{1}{2}\begin{bmatrix} Q_x \\ Q_y \end{bmatrix}^T \begin{bmatrix} c_{11} & c_{12} \\ c_{12} & c_{22} \end{bmatrix} \begin{bmatrix} Q_x \\ Q_y \end{bmatrix}. \tag{1.12b}$$

刚度系数矩阵与柔度系数矩阵满足互逆关系:

$$\begin{bmatrix} d_{11} & d_{12} & d_{16} \\ d_{12} & d_{22} & d_{26} \\ d_{16} & d_{26} & d_{66} \end{bmatrix} \begin{bmatrix} D_{11} & D_{12} & D_{16} \\ D_{12} & D_{22} & D_{26} \\ D_{16} & D_{26} & D_{66} \end{bmatrix} = \begin{bmatrix} 1 & 0 & 0 \\ 0 & 1 & 0 \\ 0 & 0 & 1 \end{bmatrix}, \tag{1.13}$$

$$\begin{bmatrix} c_{11} & c_{12} \\ c_{12} & c_{22} \end{bmatrix} \begin{bmatrix} C_{11} & C_{12} \\ C_{12} & C_{22} \end{bmatrix} = \begin{bmatrix} 1 & 0 \\ 0 & 1 \end{bmatrix}. \tag{1.14}$$

在三个广义位移的理论中，作用在板上的载荷需要用三个分布载荷（函数）m_x, m_y, p 来确定，它们是作用在单位中面面积内的载荷在 xz 平面内的合力矩，在 yz 平面内的合力矩和在 z 轴向的合力．板的平衡方程是

$$-\frac{\partial M_x}{\partial x} - \frac{\partial M_{xy}}{\partial y} + Q_x + m_x = 0,$$

$$-\frac{\partial M_{xy}}{\partial x} - \frac{\partial M_y}{\partial y} + Q_y + m_y = 0,$$

$$\frac{\partial Q_x}{\partial x} + \frac{\partial Q_y}{\partial y} + p = 0. \tag{1.15}$$

板的边界条件仍考虑固支、简支与自由边三种典型情况，它们的算式是

$$\text{在 } C_1 \text{ 上:}\ w = \bar{w},\ \psi_n = \bar{\psi}_n,\ \psi_s = \bar{\psi}_s, \tag{1.16a}$$

$$\text{在 } C_2 \text{ 上:}\ w = \bar{w},\ \psi_s = \bar{\psi}_s,\ M_n = \bar{M}_n, \tag{1.16b}$$

$$\text{在 } C_3 \text{ 上:}\ M_n = \bar{M}_n,\ M_{ns} = \bar{M}_{ns},\ Q_n = \bar{Q}_n. \tag{1.16c}$$

这里 n 是边界的向外法线方向，s 是边界的切线方向，ψ_n, ψ_s, Q_n, M_n, M_{ns} 与 ψ_x, ψ_y, Q_x, Q_y, M_x, M_y, M_{xy} 的关系为

$$\psi_n = \psi_x \cos\theta + \psi_y \sin\theta,\ \psi_s = -\psi_x \sin\theta + \psi_y \cos\theta,$$

$$Q_n = Q_x \cos\theta + Q_y \sin\theta,$$

$$M_n = M_x \cos^2\theta + 2M_{xy}\cos\theta\sin\theta + M_y\sin^2\theta,$$

$$M_{ns} = (M_y - M_x)\cos\theta\sin\theta + M_{xy}(\cos^2\theta - \sin^2\theta). \quad (1.17)$$

式中 θ 是法线 n 与 x 轴的夹角.

上面介绍的具有三个广义位移的平板的弯曲理论，是第四章薄板弯曲经典理论的推广. 这个推广类似于从一个广义位移梁的理论到两个广义位移梁的理论，其核心内容是放弃了横向剪应变 γ_x，γ_y 等于零的假设，这就导致了广义位移和广义载荷从一个增加到三个，剪力 Q_x，Q_y 从不独立的内力变为独立的内力，并且导致了边界条件的个数从两个增加到三个. 在梁的问题中，考虑横向剪切变形虽然也会增加广义位移和广义载荷的个数，但不增加边界条件的个数. 因此最后一个特点是板的问题所独有的，它与板中的边界效应现象有着密切的联系.从问题的类型来看，三个广义位移的平板的弯曲理论，能够更好地解决板的高阶振动问题（例如可参见文献 [342],[204]），稍厚一点的板、复合材料层板和夹层板的平衡、稳定和振动问题（例如可参见文献[40]），板的接触问题（例如可参见文献 [120]，[124]，[122]），以及在弹性地基上的板的问题（例如可参见文献 [214],[133],[239]）. 在二广义位移梁的理论中，已经强调过横向剪切变形在这些问题中的作用，因此本章不再举例说明这些问题了. 除此之外，三广义位移平板理论，还能较好地解决应力集中（包括小孔附近和裂缝附近的应力集中）问题，并能较合理地说明自由边附近的应力分布. 这后两类问题是板所独有的，在梁里没有对应的问题. 后面 § 8.3，§ 8.4 将举例说明这两类问题的特点.

§ 8.2 等厚度的各向同性板的特殊情况

对于等厚度的各向同性板的特殊情况，上节介绍的方程可作许多简化. 首先是广义内力与广义应变的关系 (1.5) 可简化为

$$M_x = -D\left(\frac{\partial\phi_x}{\partial x} + \nu\frac{\partial\phi_y}{\partial y}\right),$$

$$M_y = -D\left(\frac{\partial\psi_y}{\partial y} + \nu\frac{\partial\psi_x}{\partial x}\right),$$

$$M_{xy} = -\frac{1}{2}(1-\nu)D\left(\frac{\partial\psi_x}{\partial y} + \frac{\partial\psi_y}{\partial x}\right),$$

$$Q_x = C\left(\frac{\partial w}{\partial x} - \psi_x\right),\ Q_y = C\left(\frac{\partial w}{\partial y} - \psi_y\right). \tag{2.1}$$

式中 D, ν, C 都为已知的常数，将 (2.1) 代入平衡方程 (1.15)，得到

$$D\left(\frac{\partial^2\psi_x}{\partial x^2} + \frac{1-\nu}{2}\frac{\partial^2\psi_x}{\partial y^2} + \frac{1+\nu}{2}\frac{\partial^2\psi_y}{\partial x\partial y}\right) + C\left(\frac{\partial w}{\partial x} - \psi_x\right) + m_x = 0,$$

$$D\left(\frac{1+\nu}{2}\frac{\partial^2\psi_x}{\partial x\partial y} + \frac{1-\nu}{2}\frac{\partial^2\psi_y}{\partial x^2} + \frac{\partial^2\psi_y}{\partial y^2}\right) + C\left(\frac{\partial w}{\partial y} - \psi_y\right) + m_y = 0,$$

$$C\left(\frac{\partial^2 w}{\partial x^2} + \frac{\partial^2 w}{\partial y^2} - \frac{\partial\psi_x}{\partial x} - \frac{\partial\psi_y}{\partial y}\right) + p = 0. \tag{2.2}$$

这便是以广义位移表示的平衡方程. 在

$$m_x = m_y = 0 \tag{2.3}$$

的情况下，方程 (2.2) 还可作进一步的归并. 本人在文献 [15] 中指出，在此情况下，广义位移 ψ_x, ψ_y, w 可用两个函数 F, f 表示如下:

$$\psi_x = \frac{\partial F}{\partial x} + \frac{\partial f}{\partial y},\quad \psi_y = \frac{\partial F}{\partial y} - \frac{\partial f}{\partial x},$$

$$w = F - \frac{D}{C}\nabla^2 F. \tag{2.4}$$

这里 ∇^2 是拉普拉斯算子，而 F, f 分别满足下列方程

$$D\nabla^2\nabla^2 F = p, \tag{2.5}$$

$$\frac{1}{2}(1-\nu)D\nabla^2 f - Cf = 0. \tag{2.6}$$

在有些问题中，函数

$$f = 0, \tag{2.7}$$

因而公式 (2.4) 简化为

$$\psi_x = \frac{\partial F}{\partial x}, \quad \phi_y = \frac{\partial F}{\partial y}, \quad w = F - \frac{D}{C}\nabla^2 F. \tag{2.8}$$

属于这类问题的有：周边简支的多边形板，轴对称变形的圆板，以及其他剪力 Q_x, Q_y 是静定的各种问题[40]. 对于这类问题，F 或等于经典理论中的挠度，或只与它相差一个常数，因此利用经典理论中的已有结果便可得到新理论中这一类问题的解.

表达式 (2.4) 的一个突出的优点是便于研究剪切刚度 C 很大时解的渐近性质. 函数 f 满足的方程 (2.6) 相当于弹性地基上薄膜的平衡方程. 如果把 f 比之于薄膜的挠度，那末 $\frac{1}{2}(1-\nu)D$ 相当于薄膜中的张力，而 C 相当于地基的刚性. 设板的平面尺寸的一个代表量为 l, 从 D, C, l 可以组成一个无量纲的参数.

$$\varepsilon = \sqrt{\frac{D}{C}}\, l.$$

当 C 很大因而 ε 很小时，薄膜中的张力要比地基的刚性小许多，这时函数 f 具有明显的边界效应：f 只在板的边界附近才有值得计及的数值，而在板的中间部份，f 几乎等于零而可忽略不计 边界效应的宽度大致是 $\sqrt{\frac{D}{C}}$ (即 εl) 的量级. 这样公式 (2.7), (2.8) 近似地适用于板的中间部份.

在板的边界附近，函数 f 变化得很快. 再细分析一下可以进一步看到，f 在切向 s 和法向 n 的变化快慢又大不一样. $\frac{\partial f}{\partial s}$ 的大小基本上取决于边界条件，它大致是 $\frac{f}{l}$ 的量级；而 $\frac{\partial f}{\partial n}$ 的大小基本上取决于方程 (2.6)，它大致是 $\sqrt{\frac{C}{D}}\, f$ 的量级. 概括起来有

$$\frac{\partial f}{\partial s} \sim \frac{f}{l}, \ \frac{\partial f}{\partial n} \sim \frac{f}{\varepsilon l}, \ \frac{\partial f}{\partial n} \gg \frac{\partial f}{\partial s}.$$

这里以 ε 作为小量的量级. 根据上面的量级分析, 我们就可能分析当 $\varepsilon \to 0$ 时边界条件趋近于怎样的极限.

为了说明方便起见, 先约定下述记法: 从函数 F 引出的各个量, 用下标 0 作标记, 例如 $w_0, \psi_{x0}, \psi_{y0}, M_{x0}, \cdots$ 等等. 从函数 f 引出的各个量用下标 1 作标记, 例如 $w_1, \psi_{x1}, \psi_{y1}, M_{x1}, \cdots$ 等等. 对于从 f 引出的各个量, 有下列公式

$$\begin{aligned}
&w_1 = 0, \ \psi_{x1} = \frac{\partial f}{\partial y}, \ \psi_{y1} = -\frac{\partial f}{\partial x}, \\
&M_{x1} = -(1-\nu)D\frac{\partial^2 f}{\partial x \partial y}, \ M_{y1} = (1-\nu)D\frac{\partial^2 f}{\partial x \partial y}, \\
&M_{xy1} = -\frac{1}{2}(1-\nu)D\left(\frac{\partial^2 f}{\partial y^2} - \frac{\partial^2 f}{\partial x^2}\right), \\
&Q_{x1} = -C\frac{\partial f}{\partial y}, \ Q_{y1} = C\frac{\partial f}{\partial x}.
\end{aligned} \tag{2.9}$$

根据上式计算边界条件中有关的几个量, 得到

$$\begin{aligned}
&\psi_{n1} = \frac{\partial f}{\partial s}, \ \psi_{s1} = -\frac{\partial f}{\partial n}, \\
&Q_{n1} = -C\frac{\partial f}{\partial s},
\end{aligned} \tag{2.10}$$

$$\begin{aligned}
M_{n1} &= -(1-\nu)D\left[\left(\frac{\partial^2 f}{\partial y^2} - \frac{\partial^2 f}{\partial x^2}\right)\cos\theta\sin\theta \right.\\
&\quad \left. + \frac{\partial^2 f}{\partial x \partial y}(\cos^2\theta - \sin^2\theta)\right] \\
&= -(1-\nu)D\left[\frac{\partial}{\partial s}\left(\frac{\partial f}{\partial n}\right) - \frac{1}{r}\frac{\partial f}{\partial s}\right], \\
M_{ns1} &= -(1-\nu)D\left[\frac{1}{2}\left(\frac{\partial^2 f}{\partial y^2} - \frac{\partial^2 f}{\partial x^2}\right)(\cos^2\theta - \sin^2\theta) \right.\\
&\quad \left. - 2\frac{\partial^2 f}{\partial x \partial y}\cos\theta\sin\theta\right]
\end{aligned}$$

$$= -(1-\nu)D\left[\frac{\partial^2 f}{\partial y^2}\cos^2\theta - 2\frac{\partial^2 f}{\partial x\partial y}\cos\theta\sin\theta\right.$$

$$\left.+\frac{\partial^2 f}{\partial x^2}\sin^2\theta\right] + \frac{1}{2}(1-\nu)D\left(\frac{\partial^2 f}{\partial x^2}+\frac{\partial^2 f}{\partial y^2}\right)$$

$$= -(1-\nu)D\left(\frac{\partial^2 f}{\partial s^2}+\frac{1}{r}\frac{\partial f}{\partial n}\right) + Cf. \qquad (2.11)$$

这里 r 是边界曲线的曲率半径，以向外凸正为正．根据上面的量级分析，公式 (2.11) 可简化为

$$M_{n1} = -(1-\nu)D\frac{\partial}{\partial s}\left(\frac{\partial f}{\partial n}\right),\quad M_{ns1} = Cf. \qquad (2.12)$$

下面我们根据公式 (2.10), (2.12) 来简化边界条件．

固支边上的条件原为 (1.16a)，它可以写成为

$$\text{在 } C_1 \text{ 上：}\ w_0 = \bar{w},\ \psi_{s0} + \psi_{s1} = \bar{\Phi}_s,\ \psi_{n0} + \psi_{n1} = \bar{\Phi}_n.$$

如果 $\frac{\partial f}{\partial n}$, $\bar{\Phi}_s$, $\bar{\Phi}_n$ 是同量级的，那末 $\frac{\partial f}{\partial s}$ 便小一个量级，略去 $\frac{\partial f}{\partial s}$ 后，固支边上的条件便简化为

$$\text{在 } C_1 \text{ 上：}\ w_0 = \bar{w},\ \psi_{n0} = \bar{\Phi}_n, \qquad (2.13a)$$

$$-\frac{\partial f}{\partial n} = \bar{\Phi}_s - \psi_{s0}. \qquad (2.13b)$$

简支边上的条件原为 (1.16b)，它可以写成为

$$\text{在 } C_2 \text{ 上：}\ w_0 = \bar{w},\ \psi_{s0} + \psi_{s1} = \bar{\Phi}_s,$$

$$M_{n0} + M_{n1} = \bar{M}_n.$$

将公式 (2.10), (2.12) 代入，得到

$$\text{在 } C_2 \text{ 上：}\ w_0 = \bar{w},\ M_{n0} - (1-\nu)D\frac{\partial}{\partial s}\left(\frac{\partial f}{\partial n}\right) = \bar{M}_n,$$

$$\psi_{s0} - \frac{\partial f}{\partial n} = \bar{\Phi}_s,$$

此式又可改写成为下列便于应用的形式

$$\text{在 } C_2 \text{ 上：}\ w_0 = \bar{w},$$

$$M_{n0} - (1-\nu)D\frac{\partial \psi_{s0}}{\partial s} = \bar{M}_n - (1-\nu)D\frac{\partial \bar{\Phi}_s}{\partial s}, \qquad (2.14a)$$

$$-\frac{\partial f}{\partial n}=\bar{\Phi}_s-\psi_{s0}. \tag{2.14b}$$

自由边上的条件原为 (1.16c)，它可以写成为

$$\text{在 } C_3 \text{ 上: } M_{n0}+M_{n1}=\bar{M}_n,\ M_{ns0}+M_{ns1}=\bar{M}_{ns},$$

$$Q_{n0}+Q_{n1}=\bar{Q}_n.$$

将公式 (2.10), (2.12) 代入，得到

$$\text{在 } C_3 \text{ 上: } M_{n0}-(1-\nu)D\frac{\partial}{\partial s}\left(\frac{\partial f}{\partial n}\right)=\bar{M}_n,$$

$$M_{ns0}+Cf=\bar{M}_{ns},\ Q_{n0}-C\frac{\partial f}{\partial s}=\bar{Q}_n.$$

如果 $\frac{\bar{M}_n}{l}$, $\bar{Q}_n$, $C\frac{\partial f}{\partial s}$ 是同量级的，那末 $(1-\nu)D\frac{\partial}{\partial s}\left(\frac{\partial f}{\partial n}\right)$ 就比 $\bar{M}_n$ 小一个量级．略去这个小量后，自由边上的条件便可简化为

$$\text{在 } C_3 \text{ 上: } M_{n0}=\bar{M}_n,\ \frac{\partial M_{ns0}}{\partial s}+Q_{n0}=\frac{\partial \bar{M}_{ns}}{\partial s}+\bar{Q}_n, \tag{2.15a}$$

$$f=\frac{1}{C}(\bar{M}_{ns}-M_{ns0}). \tag{2.15b}$$

简化后的三种典型边界条件的特点是：前两个都只与函数 F 有关，并且当 $\varepsilon\to 0$ 时它们趋于经典理论中的边界条件． 方程 (2.5) 汇同边界条件 (2.13a), (2.14a), (2.15a) 便可决定函数 F． 当 $\varepsilon\to 0$ 时 F 便趋近于经典理论中的挠度 w．在求得 F 之后，方程 (2.6) 汇同边界条件 (2.13b), (2.14b), (2.15b) 便可决定函数 f． 这样就把原来耦合在一起的两个函数的问题，简化为先后相继的两个函数的问题．

从 f 的边界条件 (2.13b), (2.14b), (2.15b) 可以看到，如果在固支及简支边上 $\bar{\Phi}_s=\psi_{s0}$，并且在自由边上 $\bar{M}_{ns}=M_{ns0}$，那末当 $\varepsilon\to 0$ 时 f 便一致地趋近于零，而无边界效应． 如果在固支或简支边上 $\bar{\Phi}_s\neq\psi_{s0}$，或者在自由边上 $\bar{M}_{ns}\neq M_{ns0}$，那末就有边界效应现象．f 在边界附近不等于零，当 $\varepsilon\to 0$ 时，f 不能一致地趋近于零． 所以在三广义位移的平板理论中，不仅在自由边附近可能有边界效应，在固支边及简支边附近也会有边界效应．在 § 8.4

中将介绍自由边附近边界效应的几个例子.

在上面的推导过程中，附带地证明了经典理论中自由边上的边界条件是合理的，它的确反映了 C 趋近于无穷大时的情况.

上面关于边界效应的讨论，对于用能量法求问题的近似解也是有一定的指导意义的.若用经典的里兹法求近似解，那末应该注意到，有了边界效应，会使级数的收敛性减慢(例如见文献[343]).正如用正弦三角级数解弹性地基上的简支梁，地基的刚性愈大，级数的收敛速度愈差.若用有限元素法求近似解，那末在有边界效应的地方，元素的尺寸应取得小一些，不然边界效应便反映不出来.

还有一点也值得注意，为了检验有些新的近似解法的适用性，人们常常用四边简支的矩形板的精确解作为标准，看看近似解是否与标准解接近. 但是前已说明，对于四边简支的矩形板，函数 f 等于零，边界效应全部消失. 所以这样的标准解虽然很精确，但在考虑剪切应变的板的理论中，却不是一种有代表性的典型问题.

上面关于边界效应的分析，虽然是对等厚度的各向同性的板作的，但是定性地看来，对于不等厚度的或各向异性的板也会有类似的边界效应现象. 不过后者的情况更为复杂，不像前者那样能简单地分辨清楚. 在应用能量法求近似解时，无论是等厚度的还是不等厚度的，也无论是各向同性的还是各向异性的，都应该注意有可能存在边界效应.

表达式 (2.4) 的另外一个优点是：函数 F 和 f 都是标量函数，因此在作坐标变换时，用它们便比较方便. 例如将公式 (2.4) 转换到极坐标系统，便得到

$$\psi_r = \frac{\partial F}{\partial r} + \frac{1}{r}\frac{\partial f}{\partial \theta}, \quad \psi_\theta = \frac{1}{r}\frac{\partial F}{\partial \theta} - \frac{\partial f}{\partial r},$$

$$w = F - \frac{D}{C}\nabla^2 F. \tag{2.16}$$

而 F, f 仍满足方程 (2.5), (2.6), 只是在极坐标系统中，拉普拉斯算子变为

$$\nabla^2 = \frac{\partial^2}{\partial r^2} + \frac{1}{r}\frac{\partial}{\partial r} + \frac{1}{r^2}\frac{\partial^2}{\partial \theta^2}. \tag{2.17}$$

在极坐标系统中，内力矩 $M_r, M_\theta, M_{r\theta}$ 横向剪力 Q_r, Q_θ 与 ψ_r, ψ_θ, w 的关系为

$$M_r = -D\left[\frac{\partial \psi_r}{\partial r} + \nu\left(\frac{1}{r}\frac{\partial \psi_\theta}{\partial \theta} + \frac{\psi_r}{r}\right)\right],$$

$$M_\theta = -D\left[\frac{1}{r}\frac{\partial \psi_\theta}{\partial \theta} + \frac{\psi_r}{r} + \nu\frac{\partial \psi_r}{\partial r}\right], \tag{2.18}$$

$$M_{r\theta} = -\frac{1}{2}(1-\nu)D\left[\frac{1}{r}\frac{\partial \psi_r}{\partial \theta} + \frac{\partial \psi_\theta}{\partial r} - \frac{\psi_\theta}{r}\right],$$

$$Q_r = C\left(\frac{\partial w}{\partial r} - \psi_r\right), \quad Q_\theta = C\left(\frac{1}{r}\frac{\partial w}{\partial \theta} - \psi_\theta\right). \tag{2.19}$$

若将 (2.16) 代入这些公式，便可将内力矩和横向剪力都表示为 F 和 f 的函数.

§ 8.3　圆孔附近的应力集中

设有一块等厚度的各向同性的无限大的板，在板的中间有一半径为 a 的圆孔. 设板在无限远处的状态是 x 轴向纯弯曲，即

$$M_x = M_0, \quad M_y = M_{xy} = 0, \quad Q_x = Q_y = 0. \tag{3.1}$$

改用极坐标，上述条件变为

$$\begin{aligned} \text{在 } \infty \text{ 处: } M_r &= \frac{1}{2}M_0(1+\cos 2\theta), \\ M_{r\theta} &= -\frac{1}{2}M_0 \sin 2\theta, \\ M_\theta &= \frac{1}{2}M_0(1-\cos 2\theta) \\ Q_r &= 0, \quad Q_\theta = 0. \end{aligned} \tag{3.2}$$

圆孔是个自由边，因此有边界条件

$$\text{在 } r = a \text{ 处: } M_r = 0, \quad M_{r\theta} = 0, \quad Q_r = 0. \tag{3.3}$$

这个问题是首先由 Reissner[260] 提出并解决的. 他研究的是沿 z 轴

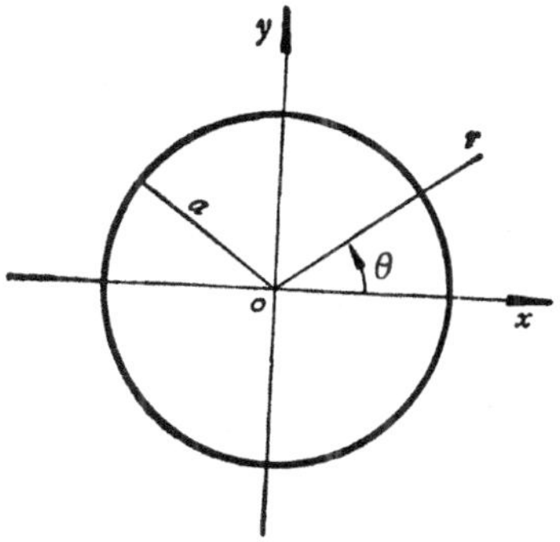

图 3.1

向也是均匀的板．命板的厚度为 h，则有

$$D = \frac{Eh^3}{12(1-\nu^2)}, \quad C = \frac{5}{6}hG = \frac{5Eh}{12(1+\nu)}. \qquad (3.4)$$

Reissner 求得内力的公式如下：

$$\frac{M_r}{M_0} = \frac{1}{2}\left(1 - \frac{a^2}{r^2}\right) + \cos 2\theta\left(\frac{1}{2} - \nu B\frac{a^2}{r^2} - F\frac{a^4}{r^4}\right)$$
$$- B\cos 2\theta\left\{\frac{12a^2}{\xi^2 r^2} - \beta\left[\frac{12\mathrm{K}_2(\xi)}{\xi^2} + \frac{4\mathrm{K}_1(\xi)}{\xi}\right]\right\},$$

$$\frac{M_\theta}{M_0} = \frac{1}{2}\left(1 + \frac{a^2}{r^2}\right) + \cos 2\theta\left(-\frac{1}{2} - B\frac{a^2}{r^2} + F\frac{a^4}{r^4}\right)$$
$$+ B\cos 2\theta\left\{\frac{12a^2}{\xi^2 r^2} - \beta\left[\frac{12\mathrm{K}_2(\xi)}{\xi^2} + \frac{4\mathrm{K}_1(\xi)}{\xi}\right]\right\},$$

$$\frac{M_{r\theta}}{M_0} = \sin 2\theta\left(-\frac{1}{2} + \frac{1-\nu}{2}\frac{Ba^2}{r^2} - F\frac{a^4}{r^4}\right)$$
$$- B\sin 2\theta\left\{\frac{12a^2}{\xi^2 r^2} - \beta\left[\frac{12\mathrm{K}_2(\xi)}{\xi^2}\right.\right.$$
$$\left.\left.+ \frac{4\mathrm{K}_1(\xi)}{\xi} + \mathrm{K}_0(\xi)\right]\right\},$$

$$\frac{aQ_r}{M_0} = \frac{2Ba\cos 2\theta}{r}\left[\frac{a^2}{r^2} - \beta\mathrm{K}_2(\xi)\right],$$

$$\frac{aQ_\theta}{M_0} = \frac{2Ba\sin 2\theta}{r}\left\{\frac{a^2}{r^2} - \beta\left[\mathrm{K}_2(\xi) + \frac{\xi}{2}\mathrm{K}_1(\xi)\right]\right\}. \qquad (3.5)$$

其中

$$\xi=\frac{\sqrt{10}\,r}{h},\ \mu=\frac{\sqrt{10}\,a}{h}, \tag{3.6}$$

$$B=\frac{K_2(\mu)}{\frac{1+\nu}{2}K_2(\mu)+K_0(\mu)},\ \beta=\frac{1}{K_2(\mu)}, \tag{3.7}$$

$$F=\frac{\frac{1-3\nu}{4}K_2(\mu)+\frac{4}{\mu}K_1(\mu)+\frac{1}{2}K_0(\mu)}{\frac{1+\nu}{2}K_2(\mu)+K_0(\mu)}.$$

K_0, K_1, K_2 是修正的 Bessel 函数.

在圆孔的边界上,切向弯矩 M_θ 的公式为

$$\frac{M_\theta(a.\theta)}{M_0}=1-\frac{1}{2}\cos 2\theta \times\left\{1+\frac{\frac{3}{2}(1+\nu)K_2(\mu)-K_0(\mu)}{\frac{1}{2}(1+\nu)K_2(\mu)+K_0(\mu)}\right\}. \tag{3.8}$$

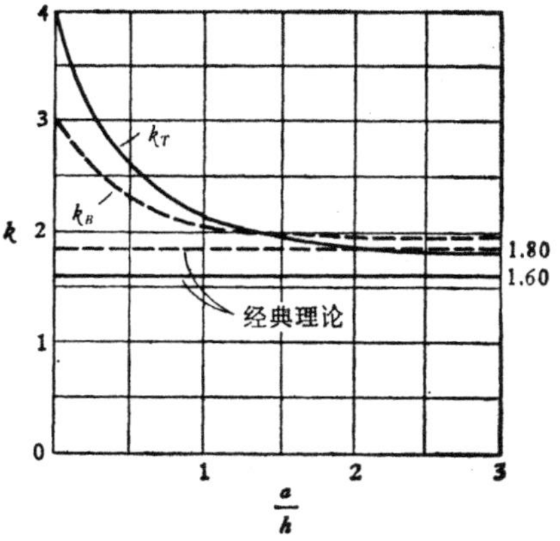

图 3.2

M_θ 的最大值发生在 $\theta=\frac{\pi}{2}$ 处:

$$\frac{M_\theta\left(a,\frac{\pi}{2}\right)}{M_0}=k_B=\frac{3}{2}$$

$$+\frac{1}{2}\cdot\frac{\frac{3}{2}(1+\nu)\mathrm{K}_2(\mu)-\mathrm{K}_0(\mu)}{\frac{1}{2}(1+\nu)\mathrm{K}_2(\mu)+\mathrm{K}_0(\mu)}. \tag{3.9}$$

比值 k_B 是应力集中系数，k_B 是 $\frac{a}{h}$ 的函数. k_B 对 $\frac{a}{h}$ 的曲线画在图 3.2 中$\left(取\nu=\frac{1}{3}\right)$. 当 $\frac{a}{h}$很大时，μ 很大，修正的 Bessel 函数可以用渐近公式

$$\mathrm{K}_n(\mu)=\sqrt{\frac{\pi}{2\mu}}\,e^{-\mu}\left(1+\frac{4n^2-1}{8\mu}\right), \tag{3.10}$$

于是有

$$\lim_{\frac{a}{h}\to\infty}k_B=\frac{3}{2}+\frac{1+3\nu}{2(3+\nu)}. \tag{3.11}$$

这个结果与板的经典理论相同. 对于各种 $\frac{a}{h}$ 值，k_B 都大于(3.11)给出的值，$\frac{a}{h}$ 愈小，则大得愈多，如图 3.2 所示. 当 $\frac{a}{h}$ 趋近于零时，有

$$\lim_{\mu\to 0}\frac{\mathrm{K}_0(\mu)}{\mathrm{K}_2(\mu)}=0,$$

因而有

$$\lim_{\frac{a}{h}\to 0}k_B=\frac{3}{2}+\frac{3}{2}=3. \tag{3.12}$$

这个数值恰好等于平面问题中的应力集中系数.

利用上面的公式还可以求得纯扭情况下的应力集中系数，因为纯扭可以看作是两垂直方向上的正反弯曲. 在纯扭情况下，圆孔边缘上切向弯矩 M_θ 的公式为

$$\frac{M_\theta(a,\theta)}{M_1}=-k_T\cos 2\theta,$$

$$k_T = 1 + \frac{\frac{3}{2}(1+\nu)\mathrm{K}_2(\mu) - \mathrm{K}_0(\mu)}{\frac{1}{2}(1+\nu)\mathrm{K}_2(\mu) + \mathrm{K}_0(\mu)}. \tag{3.13}$$

这里 M_1 代表无穷远处的扭矩. 应力集中系数 k_T 也是参数 μ 的函数,它的两个极限值是

$$k_T(\infty) = 1 + \frac{1+3\nu}{3+\nu}, \quad k_T(0) = 4. \tag{3.14}$$

$k_T(\infty)$ 的值与板的经典理论相同, 而 $k_T(0)$ 仍与平面问题的应力集中系数相同. k_T 对 $\frac{a}{h}$ 的曲线也画在图 3.2 中$\left(\nu = \frac{1}{3}\right)$.

考虑横向剪切变形之后, 板弯曲问题中的应力集中系数将有所增加. 这一现象对理论和实用都有重要的意义. Naghdi[213] 曾计算过椭圆孔附近的应力集中系数, 发现有同样的现象, Савин 和 Пелех[341] 作过这方面的文献总结.

§ 8.4 自由边附近的应力分布

考虑横向剪切变形后, 在边界上可以而且应该有三个边界条件. 对于自由边,能够满足

$$M_n = 0, \; M_{ns} = 0, \; Q_n = 0. \tag{4.1}$$

不考虑横向剪切变形的经典理论, 在边界上只能满足两个边界条件,对于自由边,通常不可能满足 (4.1) 而只能满足

$$M_n = 0, \quad \frac{\partial M_{ns}}{\partial s} + Q_n = 0. \tag{4.2}$$

因此对于无论多么薄的板, 两种理论在自由边附近总是有差别的.

Reissner[259] 在提出他的平板弯曲理论时, 就指出在他的理论中有边界效应现象. 他计算过一个简单的例子: 半无限长条板, 两条半无限长边简支,另一边自由,在自由边上有按正弦或余弦规律分布的弯矩、扭矩和横向剪力.

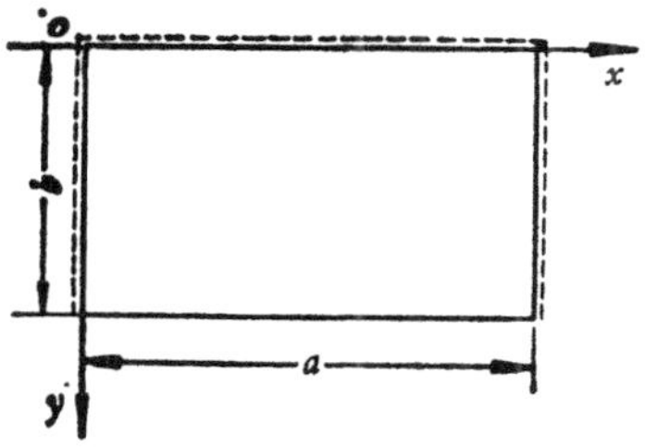

图 4.1

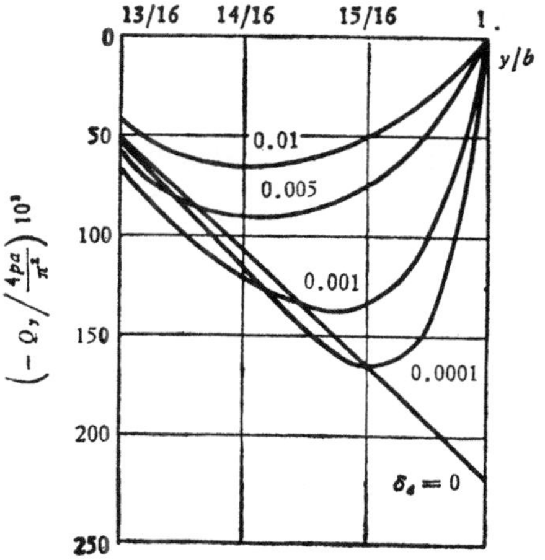

图 4.2 $\nu = 0.3,\ \frac{b}{a} = \frac{1}{2},\ x = \frac{a}{2}$

在专著[40]中曾计算了三边简支一边自由的矩形板在均布载荷 p 作用下的弯曲问题. 书中曾对几组参数画出了在直线 $x = \frac{a}{2}$ 上 Q_y 的分布情况，如图 4.2 所示，其中

$$\delta_a = \frac{D}{Ca^2}. \tag{4.3}$$

δ_a 愈大，剪切变形愈大. $\delta_a = 0$ 相当于不考虑剪切变形的经典理论. 从图 4.2 可以看到，在远离自由边的板的中间部，考虑或不考虑剪切变形，都给出几乎相同的 Q_y. 但在自由边附近，考虑剪切变形之后就使 Q_y 在自由边附近急剧减小，而在自由边上等于零. δ 愈小，这急剧变化的过渡区域愈小，专著 [40] 的计算还表明，综合剪力

$$\frac{\partial M_{xy}}{\partial x} + Q_y$$

在自由边上等于零，在自由边附近它只有缓慢的变化，并且几乎与参数 δ_a 无关. 这说明在板的经典理论中，在自由边上采用综合剪力为零的条件是合理的.

上节讨论的圆孔附近的应力集中问题可作为自由边的第三个

例子．为了便于与经典理论比较，假设

$$\frac{a}{h} \gg 1, \text{于是有 } \mu \gg 1, \ \xi \gg 1. \tag{4.4}$$

于是修正的 Bessel 函数可以用渐近公式 (3.10)，这样便有

$$B = \frac{2}{3+\nu}, \quad F = \frac{3(1-\nu)}{2(3+\nu)},$$

$$\beta K_n(\xi) = \sqrt{\frac{\mu}{\xi}}\, e^{-(\xi-\mu)}. \tag{4.5}$$

$M_{r\theta}$，Q_r 的公式最后可简化为

$$\frac{M_{r\theta}}{M_0} = \sin 2\theta \left\{ \frac{1-\nu}{3+\nu}\left(\frac{a^2}{r^2}-1\right) - \frac{3(1-\nu)}{2(3+\nu)}\left(\frac{a^4}{r^4}-1\right) \right.$$
$$\left. - \frac{2}{3+\nu}\left[1-\sqrt{\frac{\mu}{\xi}}\, e^{-(\xi-\mu)}\right]\right\},$$

$$\frac{aQ_r}{M_0} = \frac{4}{3+\nu}\cdot\frac{a\cos 2\theta}{r}\left[\frac{a^2}{r^2}-\sqrt{\frac{\mu}{\xi}}\, e^{-(\xi-\mu)}\right]. \tag{4.6}$$

在圆孔的边缘上，$r=a$. $M_{r\theta}$ 和 Q_r 都等于零．当 r 稍稍大于 a 之后，由于指数函数衰减得很快，上式便可简化为

$$\frac{M_{r\theta}}{M_0} = \sin 2\theta \left\{ -\frac{2}{3+\nu} + \frac{1-\nu}{3+\nu}\left(\frac{a^2}{r^2}-1\right) \right.$$
$$\left. - \frac{3(1-\nu)}{2(3+\nu)}\left(\frac{a^4}{r^4}-1\right)\right\},$$

$$\frac{aQ_r}{M_0} = \frac{4}{3+\nu}\cdot\frac{a^3}{r^3}\cos 2\theta, \quad (r>a). \tag{4.7}$$

这便是经典理论中的公式．所以在本问题中，剪切变形的影响也集中在自由边的附近，它表现为公式 (4.6) 中的指数函数．

从公式 (4.6) 计算综合剪力 q_r，得到

$$\frac{aq_r}{M_0} = \frac{a}{M_0}\left(\frac{1}{r}\frac{\partial M_{r\theta}}{\partial\theta} + Q_r\right)$$
$$= \frac{\imath\cos 2\theta}{r}\left\{\frac{6-2\nu}{3+\nu}\left(\frac{a^2}{r^2}-1\right)\right.$$

$$-\frac{3(1-\nu)}{3+\nu}\left(\frac{a^4}{r^4}-1\right)\bigg\}. \tag{4.8}$$

在这个公式中不出现指数函数，因此没有边界效应. 公式 (4.8) 与经典理论中的公式相同. 这个例子又一次说明在经典理论中采用综合剪力的边界条件是合理的.

§8.5 虚功原理与功的互等定理

前面几章已不止一次地讲过虚功原理和功的互等定理，因此这里只作一些简单的说明便可以了. 在本章介绍的理论中，虚功原理的数学表达式是:

$$\begin{aligned}&-\iint_{\Omega}\left[M_x\frac{\partial\psi_x}{\partial x}+M_{xy}\left(\frac{\partial\psi_x}{\partial y}+\frac{\partial\psi_y}{\partial x}\right)+M_y\frac{\partial\psi_y}{\partial y}\right]dxdy\\&\quad+\iint_{\Omega}\left[Q_x\left(\frac{\partial w}{\partial x}-\psi_x\right)+Q_y\left(\frac{\partial w}{\partial y}-\psi_y\right)\right]dxdy\\&=\iint_{\Omega}(m_x\psi_x+m_y\psi_y+pw)\,dxdy\\&\quad+\int_C(Q_nw-M_n\psi_n-M_{ns}\psi_s)ds. \qquad (5.1)\end{aligned}$$

式中 Ω 是板所占的区域，C 是 Ω 的边界. 此式中的内力 M_x, M_{xy}, M_y, Q_x, Q_y 应与外载荷维持平衡，即应满足平衡方程 (1.15)，而广义位移 ψ_x, ψ_y, w 只要求是连续和有一阶导数便可以了. 如果把 ψ_x, ψ_y, w 理解为广义函数，则它们的连续性要求便可以放宽. 公式 (5.1) 的左端代表内力所作之功，而右端代表外力所作之功.

如果把公式 (5.1) 中的外载荷用内力表示出来，则有

$$\begin{aligned}&-\iint_{\Omega}\left[M_x\frac{\partial\psi_x}{\partial x}+M_{xy}\left(\frac{\partial\psi_x}{\partial y}+\frac{\partial\psi_y}{\partial x}\right)+M_y\frac{\partial\psi_y}{\partial y}\right]dxdy\\&\quad+\iint_{\Omega}\left[Q_x\left(\frac{\partial w}{\partial x}-\psi_x\right)+Q_y\left(\frac{\partial w}{\partial y}-\psi_y\right)\right]dxdy\end{aligned}$$

$$= \iint_{\Omega} \left[\left(\frac{\partial M_x}{\partial x} + \frac{\partial M_{xy}}{\partial y} - Q_x \right) \psi_x \right.$$

$$+ \left(\frac{\partial M_{xy}}{\partial x} + \frac{\partial M_y}{\partial y} - Q_y \right) \psi_y$$

$$\left. - \left(\frac{\partial Q_x}{\partial x} + \frac{\partial Q_y}{\partial y} \right) w \right] dxdy$$

$$+ \int_C (Q_n w - M_n \psi_n - M_{ns} \psi_s) ds. \tag{5.2}$$

在这个公式中，M_x，M_{xy}，M_y，Q_x，Q_y，ψ_x，ψ_y，w 是 8 个独立无关的函数，因此公式 (5.2) 是一个数学恒等式．将公式 (5.2) 右端的面积分移至左端，然后加以整理，得到

$$\iint_{\Omega} \left[\frac{\partial}{\partial x} (Q_x w - M_x \psi_x - M_{xy} \psi_y) \right.$$

$$\left. + \frac{\partial}{\partial y} (Q_y w - M_{xy} \psi_x - M_y \psi_y) \right] dxdy$$

$$= \int_C (Q_n w - M_n \psi_n - M_{ns} \psi_s) ds. \tag{5.3}$$

这个式子便不难用数学办法加以证明．

功的互等定理在本章理论中的数学形式是：

$$\iint_{\Omega} (m_{x1} \psi_{x2} + m_{y1} \psi_{y2} + p_1 w_2) dxdy$$

$$+ \int_C (Q_{n1} w_2 - M_{n1} \psi_{n2} - M_{ns1} \psi_{s2}) ds$$

$$= \iint_{\Omega} (m_{x2} \psi_{x1} + m_{y2} \psi_{y1} + p_2 w_1) dxdy$$

$$+ \int_C (Q_{n2} w_1 - M_{n2} \psi_{n1} - M_{ns2} \psi_{s1}) ds. \tag{5.4}$$

这里 m_{x1}，m_{y1}，p_1，w_1，ψ_{x1}，ψ_{y1} 是第一种情况下的载荷和位移，m_{x2}，m_{y2}，p_2，w_2，ψ_{x2}，ψ_{y2} 是第二种情况下的载荷和位移．

§8.6 几种变分原理

前面几章已对各种变分原理讲过多次了，因此本节只把结果罗列一下以便应用，而省去全部证明.

第一个是最小势能原理.在这个原理中比较的状态，要求满足连续条件，其中包括几何方程 (1.6) 和下列位移边界条件

$$
\begin{aligned}
&\text{在 } C_1 \text{ 上：} w=\bar{w},\ \psi_n=\bar{\psi}_n,\ \psi_s=\bar{\psi}_s,\\
&\text{在 } C_2 \text{ 上：} w=\bar{w},\ \psi_s=\bar{\psi}_s.
\end{aligned}
\tag{6.1}
$$

精确解使板的总势能 Π_1 取最小值，Π_1 的算式是

$$
\Pi_1=\iint_{\Omega}(U'+U''-m_x\psi_x-m_y\psi_y-pw)dxdy
+\int_{C_2+C_3}\bar{M}_n\psi_n ds+\int_{C_3}(\bar{M}_{ns}\psi_s-\bar{Q}_n w)ds. \tag{6.2}
$$

式中 U', U'' 是应变能密度函数，它们的算式见 (1.11).

第二个是最小余能原理. 在这个原理中比较的状态要求满足平衡条件，其中包括平衡方程 (1.15) 和下列力的边界条件：

$$
\begin{aligned}
&\text{在 } C_2 \text{ 上：} M_n=\bar{M}_n,\\
&\text{在 } C_3 \text{ 上：} M_n=\bar{M}_n,\ M_{ns}=\bar{M}_{ns},\ Q_n=\bar{Q}_n.
\end{aligned}
\tag{6.3}
$$

精确解使板的总余能 Γ_1 取最小值. Γ_1 的算式是

$$
\Gamma_1=\iint_{\Omega}(V'+V'')dxdy+\int_{C_1+C_2}(\bar{\psi}_s M_{ns}-\bar{w}Q_n)ds
+\int_{C_1}\bar{\psi}_n M_n ds. \tag{6.4}
$$

式中 V', V'' 是余应变能密度函数. 它们的算式见 (1.12).

对于精确解有恒等式

$$
\Pi_1+\Gamma_1=0. \tag{6.5}
$$

第三个是二类变量广义变分原理.在这个原理中比较的是ψ_x, ψ_y, w, M_x, M_y, M_{xy}, Q_x, Q_y 等 8 个函数，它们事前不必满足任何条件： 精确解使二类变量广义势能 Π_2 和二类变量广义余能 Γ_2

取驻立值. Π_2 和 Γ_2 的算式是

$$\Pi_2 = \iint_{\Omega} \left[-M_x \frac{\partial \psi_x}{\partial x} - M_{xy} \left(\frac{\partial \psi_x}{\partial y} + \frac{\partial \psi_y}{\partial x} \right) - M_y \frac{\partial \psi_y}{\partial y} + Q_x \left(\frac{\partial w}{\partial x} - \psi_x \right) + Q_y \left(\frac{\partial w}{\partial y} - \psi_y \right) - V' - V'' - m_x \psi_x - m_y \psi_y - pw \right] dxdy + \int_{C_1+C_2} [M_{ns}(\psi_s - \bar{\Psi}_s) - Q_n(w - \bar{w})] ds + \int_{C_3} (\bar{M}_{ns}\psi_s - \bar{Q}_n w) ds + \int_{C_1} M_n(\psi_n - \bar{\Psi}_n) ds + \int_{C_2+C_3} \bar{M}_n \psi_n ds, \tag{6.6}$$

$$\Gamma_2 = \iint_{\Omega} \left[V' + V'' + \left(-\frac{\partial M_x}{\partial x} - \frac{\partial M_{xy}}{\partial y} + Q_x + m_x \right) \psi_x + \left(-\frac{\partial M_{xy}}{\partial x} - \frac{\partial M_y}{\partial y} + Q_y + m_y \right) \psi_y + \left(\frac{\partial Q_x}{\partial x} + \frac{\partial Q_y}{\partial y} + p \right) w \right] dxdy + \int_{C_1+C_2} (\bar{\Psi}_s M_{ns} - \bar{w} Q_n) ds + \int_{C_3} [(M_{ns} - \bar{M}_{ns})\psi_s - (Q_n - \bar{Q}_n) w] ds + \int_{C_1} \bar{\Psi}_n M_n ds + \int_{C_2+C_3} (M_n - \bar{M}_n) \psi_n ds. \tag{6.7}$$

对于任意的 8 个函数，有恒等式

$$\Pi_2 + \Gamma_2 = 0. \tag{6.8}$$

在利用变分原理求具体问题的近似解时，或建立有限元素法时，事前多满足一些条件就能使独立的自变函数少一些；反之，如果希望事前少满足一些条件，那末独立的自变函数便会多一些. 这是一对矛盾，在解题时应根据问题的性质对这对矛盾作适当的处理. 在不少问题中，取 ψ_x，ψ_y，w，Q_x，Q_y 这 5 个函数为独立的自变函数比较适宜．这时假定 M_x, M_y, M_{xy}, 和 ψ_x, ψ_y 已满足关系式 (1.5a), (1.6a), 这样便有

$$-M_x\frac{\partial\psi_x}{\partial x}-M_{xy}\left(\frac{\partial\psi_x}{\partial y}+\frac{\partial\psi_y}{\partial x}\right)-M_y\frac{\partial\psi_y}{\partial y}-V'=U',$$

这里的 U' 已可用 ψ_x, ψ_y 来表示，这样 Π_2 的算式简化为

$$\begin{aligned}\Pi_2=&\iint_\Omega\left[U'+Q_x\left(\frac{\partial w}{\partial x}-\psi_x\right)+Q_y\left(\frac{\partial w}{\partial y}-\psi_y\right)\right.\\&\left.-V''-m_x\psi_x-m_y\psi_y-pw\right]dxdy\\&+\int_{C_1+C_2}[M_{ns}(\psi_s-\bar{\psi}_s)-Q_n(w-\bar{w})]ds\\&+\int_{C_3}(\bar{M}_{ns}\psi_s-\bar{Q}_nw)ds+\int_{C_1}M_n(\psi_n-\bar{\psi}_n)ds\\&+\int_{C_2+C_3}\bar{M}_n\psi_nds.\end{aligned}\tag{6.9}$$

第四个是三类变量广义变分原理．在这个原理中比较的是 ψ_x, ψ_y, w, k_x, k_y, k_{xy}, γ_x, γ_y, M_x, M_y, M_{xy}, Q_x, Q_y 等 13 个函数，它们事前不必满足任何条件． 精确解使三类变量广义势能 Π_3 和三类变量广义余能 Γ_3 取驻立值，Π_3 和 Γ_3 的算式是

$$\begin{aligned}\Pi_3=&\iint_\Omega\left\{U'+U''-M_x\left(k_x+\frac{\partial\psi_x}{\partial x}\right)\right.\\&-M_{xy}\left(2k_{xy}+\frac{\partial\psi_x}{\partial y}+\frac{\partial\psi_y}{\partial x}\right)-M_y\left(k_y+\frac{\partial\psi_y}{\partial y}\right)\\&-Q_x\left(\gamma_x-\frac{\partial w}{\partial x}+\psi_x\right)-Q_y\left(\gamma_y-\frac{\partial w}{\partial y}+\psi_y\right)\\&\left.-m_x\psi_x-m_y\psi_y-pw\right\}dxdy\\&+\int_{C_1+C_2}[M_{ns}(\psi_s-\bar{\psi}_s)-Q_n(w-\bar{w})]ds\\&+\int_{C_3}(\bar{M}_{ns}\psi_s-\bar{Q}_nw)ds\\&+\int_{C_1}M_n(\psi_n-\bar{\psi}_n)ds+\int_{C_2+C_3}\bar{M}_n\psi_nds,\end{aligned}\tag{6.10}$$

$$
\begin{aligned}
\Gamma_3 = \iint_{\Omega} \Big\{ & M_x k_x + 2M_{xy} k_{xy} + M_y k_y + Q_x \gamma_x \\
& + Q_y \gamma_y - U' - U'' \\
& + \left(-\frac{\partial M_x}{\partial x} - \frac{\partial M_{xy}}{\partial y} + Q_x + m_x \right) \psi_x \\
& + \left(-\frac{\partial M_{xy}}{\partial x} - \frac{\partial M_y}{\partial y} + Q_y + m_y \right) \psi_y \\
& + \left(\frac{\partial Q_x}{\partial x} + \frac{\partial Q_y}{\partial y} + p \right) w \Big\} dxdy \\
& + \int_{C_1+C_2} (\bar{\psi}_s M_{ns} - \bar{w} Q_n) ds \\
& + \int_{C_3} [(M_{ns} - \bar{M}_{ns}) \psi_s - (Q_n - \bar{Q}_n) w] ds \\
& + \int_{C_1} \bar{\psi}_n M_n ds + \int_{C_2+C_3} (M_n - \bar{M}_n) \psi_n ds. \qquad (6.11)
\end{aligned}
$$

对于任意的 13 个函数，有恒等式

$$
\Pi_3 + \Gamma_3 = 0. \qquad (6.12)
$$

§ 8.7　有限元素法综述

用有限元素法解三广义位移平板的弯曲问题，基本精神和板的经典理论中的有限元素法相同，因此这里不再重复．本节仅补充说明一下三广义位移理论特有的一个问题．

前已说明，当剪切刚度趋近于无穷大时，板内便无横向剪切变形，于是三广义位移理论便退回到经典理论．在有限元素法中，人们自然而然要求这些方法在剪切刚度趋近于无穷大时，能趋近于经典理论中的某些有限元素法．换句话说，人们希望各种有限元素法对剪切刚度来说有相当宽的适用范围，其中包括剪切刚度等于无穷大这样一种特殊情况．

上述要求，对建立有限元素法带来一定的困难．这个困难的根源在于位移的独立性和不独立性之间的矛盾．当剪切刚度不等于无穷大时，挠度 w 及两个转角 ψ_x，ψ_y 是三个独立的变量，而当剪切刚度等于无穷大时，ψ_x，ψ_y 就不是独立的量．因此在一个元素内的插入公式中，必须既能使 w，ψ_x，ψ_y 为三个独立的函数，又能使 ψ_x，ψ_y 按经典理论的要求依赖于 w．

从这个要求看来，从经典理论的有限元素法出发，加以推广以建立三广义位移理论中的有限元素法，最简单的要算内力模式和混合模式，其次是杂交模式，位移模式倒反成了最麻烦的一种．下面我们便按从简到繁的顺序介绍几种有代表性的有限元素法．

§ 8.8 内力模式与混合模式的有限元素

在内力模式中，以结点上的 M_x，M_y，M_{xy}，Q_x，Q_y 为未知参数，而以最小余能原理作为建立有限元素的根据．所以在内力模式中，可以借用经典理论中的参数选取和插入公式（因为在 $m_x = m_y = 0$ 时，平衡方程相同），所不同的只是在余能的算式 (6.4) 中增加了剪切余应变能密度 V'' 这么一项．当剪切刚度趋近于无穷大时，这一项便自动趋近于零．

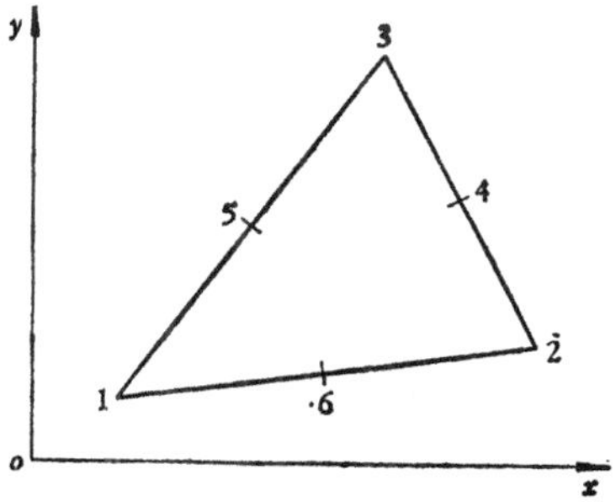

图 8.1

Anderheggen[50] 曾用内力模式分析过经典理论和三广义位移理论板的弯曲问题．他用的是三角形元素．对三角形的每个角点，赋予 5 个内力参数 M_x，M_y，M_{xy}，Q_x，Q_y；对于三条边的三个中点，各赋予 3 个内力参数 M_x，M_y，M_{xy}．这样在三角形内部，内力矩可各用二次多项式进行插入，而剪力可各用一次多项式进行插入．为了满足平衡方程，上述 24 个结点参数必须满足 7 个条件．如果从 7 个平衡条件中消去 7 个参数，这样做虽能减少未知数的数目，但是却使在元素公用边界上满足内力的连续条件变得相当困难，所以 Anderheggen 采用了求余能的条件极值的办法，用拉格朗日乘子来保证平衡方程得到满足．他的做法实质上相当于利用二类变量广义余能原理来建立有限元素法的方程．

在 Anderheggen 之前，Herrmann[151] 已用过二类变量广义变分原理来建立混合参数的三角形元素．他对三角形的每个角点，各赋予 4 个参数：w，M_x，M_y，M_{xy}．在三角形内部，对 w，M_x，M_y，M_{xy} 都作线性插入，而剪力 Q_x，Q_y 根据平衡方程 (1.15) 的前两个决定．此外，在自由边 C_3 上，事先就满足 (1.16c) 的前两个，由于满足了上述的部份平衡条件，二类变量广义余能的算式 (6.7) 简化为

$$\begin{aligned}\Gamma_2 = &\iint_{\Omega}\left[V + \left(\frac{\partial Q_x}{\partial x} + \frac{\partial Q_x}{\partial y} + p\right) w\right] dxdy \\ &+ \int_{C_1+C_2} (\bar{\Phi}_s M_{ns} - \bar{w} Q_n)\, ds \\ &- \int_{C_3} (Q_n - \bar{Q}_n)\, w ds + \int_{C_1} \bar{\Phi}_n M_n ds.\end{aligned} \tag{8.1}$$

这个泛函的特点是其中不出现转角 ψ_x，ψ_y．所以在这种特定情况下，所谓二类变量实质上只涉及 w，M_x，M_y，M_{xy} 4 个自变函数．

最近 Lee 和 Pian[192] 曾用二类变量广义变分原理建立过几种混合型的有限元素．

§ 8.9　杂交模式的有限元素

杂交模式的基本思想仍然是：对于整块板用最小势能原理求近似解，对于每一个元素，用最小余能原理求近似解．为了用最小余能原理，假设的元素内部的内力分布应满足平衡方程，并应包含有足够多的适当的未定常数（应大于或等于元素边界上的自由度数）．因为在三广义位移的理论中，平衡方程和经典理论中的相

同，因此元素内部的内力分布也可假设得与经典理论中的杂交模式相同，这里不再重复说明了.

杂交模式中的困难在于如何假设元素边界上的位移分布. 参考图 9.1，设 AB 是元素的某一条边，A，B 是它的两个端点. 在 AB 上取一无量纲的局部坐标 α，β 如图 9.1 所示. 再命 AB 的切线方向为 s，法线方向为 n. 通常的做法是对于每个结点各赋予它三个位移参数 w，ψ_s，ψ_n. 命 A，B 两结点的位移参数为 w_1，ψ_{s1}，ψ_{n1}，w_2，ψ_{s2}，ψ_{n2}. 在元素的边界上，不少作者(例如见 [237] 和 [62]) 用了线性插入公式，即假定

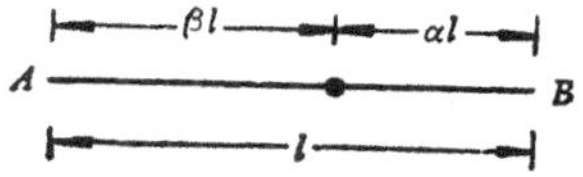

图 9.1

$$w = \alpha w_1 + \beta w_2,\quad \psi_s = \alpha\psi_{s1} + \beta\psi_{s2}, \tag{9.1}$$

$$\psi_n = \alpha\psi_{n1} + \beta\psi_{n2}. \tag{9.2}$$

这样一组插入公式，用起来比较简便，在剪切刚度不很大时，效果也是好的. 但在剪切刚度等于无穷大时，公式 (9.1) 与经典理论不一致，因为在经典理论中必须有

$$\psi_s = \frac{\partial w}{\partial s}. \tag{9.3}$$

所以根据边界插入公式 (9.1)，(9.2) 建立的杂交模式，不适用于剪切刚度很大的场合.

Bartelds 和 Ottens[64] 曾提出在 AB 间增设一个结点，在此结点上也赋予三个位移参数. 这样在 AB 上，w，ψ_s，ψ_n 便可用二次函数进行插入. 但是仍不能使 (9.3) 成立.

Cook[94] 曾提出下列插入公式:

$$\begin{aligned} w &= \alpha w_1 + \beta w_2 + \frac{1}{2}\alpha\beta(\psi_{s1} - \psi_{s2}), \\ \psi_s &= \alpha\psi_{s1} + \beta\psi_{s2},\quad \psi_n = \alpha\psi_{n1} + \beta\psi_{n2}. \end{aligned} \tag{9.4}$$

这个插入公式对 w 作了变动，使得 w 不仅与 w_1，w_2 有关，并且还与 ψ_{s1}，ψ_{s2} 有关. Cook 的插入公式 (9.4) 虽比 (9.1) 有所改进，

但是当剪切刚度等于无穷大时，(9.4) 仍然不能与经典理论相重.

为了弥补上述缺陷，曾经提出过多种办法. 贺大拙[1]指出，为了得到能过渡的插入公式，在这个公式中必须包括刚度比这样一个参数. 他建议用计及剪应变的等剖面梁的公式，作为边界上的插入公式:

$$
\begin{aligned}
w &= G_0^1 w_1 + l G_1^1 \psi_{s1} + G_0^2 w_2 + l G_1^2 \psi_{s2}, \\
\psi_s &= \frac{1}{l} J_0^1 w_1 + J_1^1 \psi_{s1} + \frac{1}{l} J_0^2 w_2 + J_1^2 \psi_{s2},
\end{aligned} \tag{9.5}
$$

其中

$$
\begin{aligned}
&G_0^1 = \frac{1}{1+\lambda} \mathrm{H}_0^1 + \frac{\lambda}{1+\lambda} \alpha, \qquad G_1^1 = \frac{1}{1+\lambda} \mathrm{H}_1^1 + \frac{\lambda}{1+\lambda} \cdot \frac{1}{2} \alpha\beta, \\
&G_0^2 = \frac{1}{1+\lambda} \mathrm{H}_0^2 + \frac{\lambda}{1+\lambda} \beta, \qquad G_1^2 = \frac{1}{1+\lambda} \mathrm{H}_1^2 - \frac{\lambda}{1+\lambda} \cdot \frac{1}{2} \alpha\beta, \\
&J_0^1 = -\frac{6}{1+\lambda} \alpha\beta, \qquad J_1^1 = \frac{1}{1+\lambda} \alpha(\alpha - 2\beta) + \frac{\lambda}{1+\lambda} \alpha, \\
&J_0^2 = \frac{6}{1+\lambda} \alpha\beta, \qquad J_1^2 = \frac{1}{1+\lambda} \beta(\beta - 2\alpha) + \frac{\lambda}{1+\lambda} \beta
\end{aligned} \tag{9.6}
$$

这里 H_0^1, H_1^1, H_0^2, H_1^2 是 Hermite 函数，

$$
\lambda = \frac{12 D_s}{C_s l^2}. \tag{9.7}
$$

对于各向同性板，D_s, C_s 取为板的弯曲刚度 D 和剪切刚度 C; 对于各向异性的板，D_s, C_s 取为 s 方向的弯曲刚度和剪切刚度.

当剪切刚度很大时，$\lambda = 0$，公式 (9.5) 便退回到经典理论中的插入公式. 当剪切刚度很小时，$\lambda = \infty$，于是公式 (9.5) 变为

---

1) 贺大拙：未发表的一篇论文，

Cook 的插入公式.

另有一种改进办法是对每一个结点,多给几个位移参数,例如把挠度及转角的一阶甚至高阶导数也作为未知参数,如下节位移模式中的那样. 但是这样一来,内力分布中包含的不定常数也要相应地增加,给计算带来许多麻烦. 所以目前还很少用这种杂交模式.

§ 8.10 位移模式的有限元素

以结点上的位移为未知参数,依据最小势能原理来建立联立方程的有限元素法,在板的三广义位移理论中也有多种多样的具体做法. 在本节的附表中,汇集了 15 种具体的有限元素. 下面不准备对这 15 种做法作个别的说明,仅讨论几个共同性的问题.

在这 15 种有限元素法中,有 4 种同时适用于板的经典理论. 这类元素可称为通用元素,即通用于板的两种理论. 其中编号为 3、6、14 的三种,以结点上的 w, γ_x, γ_y 以及它们的导数为未知参数,而转角 ψ_x, ψ_y 由下列公式导出

$$\psi_x = \frac{\partial w}{\partial x} - \gamma_x, \quad \psi_y = \frac{\partial w}{\partial y} - \gamma_y. \tag{10.1}$$

这类有限元素显然能用于板的经典理论,因为当剪切刚度趋近于 ∞ 时,γ_x, γ_y 趋近于 0,于是公式 (10.1) 便变为板的经典理论中的一个基本假设:

$$\psi_x = \frac{\partial w}{\partial x}, \quad \psi_y = \frac{\partial w}{\partial y}. \tag{10.2}$$

编号为 7 的有限元素法适用于板的经典理论,这是由于为了在元素内部使假设 (10.2) 成立,只要按下列规则选取结点上的转角(及其导数)便可以了:

在角点上:

$$\psi_x = \frac{\partial w}{\partial x}, \quad \frac{\partial \psi_x}{\partial x} = \frac{\partial^2 w}{\partial x^2}, \quad \frac{\partial \psi_x}{\partial y} = \frac{\partial^2 w}{\partial x \partial y},$$

$$\psi_y = \frac{\partial w}{\partial y}, \quad \frac{\partial \psi_y}{\partial x} = \frac{\partial^2 w}{\partial x \partial y}, \quad \frac{\partial \psi_y}{\partial y} = \frac{\partial^2 w}{\partial y^2}, \tag{10.3a}$$

在边界中点上： $\psi_n = \dfrac{\partial w}{\partial n}, \quad \psi_s = \dfrac{\partial \bar{w}}{\partial s},$ (10.3b)

在元素内的结点上： $\psi_x = \dfrac{\partial w}{\partial x}, \quad \psi_y = \dfrac{\partial w}{\partial y},$ (10.3c)

这里 $\bar{w}$ 是该边界上挠度的插入公式，它只与该边两端点的 w，$\dfrac{\partial w}{\partial s}$，$\dfrac{\partial^2 w}{\partial s^2}$ 有关．w 是元素内挠度的插入公式． 这样选定的转角（及其导数），在角点上只与该角点的挠度及其导数有关，在边界上，只与该边上的挠度及其转角有关． 如果有两个元素公用一条边界，或者有几个元素公用一个角点，上述选法能够在几个元素内同时使假设（10.2）成立，因而最后便能在整板内使假设（10.2）成立．

按公式（10.3）选定转角及其导数后，第 7 号有限元素便退化为 § 4.15 介绍的过份协调的元素．

对于其他的11种有限元素法，如果单从一个元素来看，那末适当地选择转角及其导数，多数也能使假设（10.2）成立．不过这样决定的转角（及其导数），在角点上可能与其他角点上的挠度及其导数有关，在边界上可能与其他边上的挠度及其导数有关． 因此如果有两个元素公用一条边，或有几个元素公用一个角点，人们就没法在几个元素内同时使（10.2）成立． 这就是这些元素不适用于板的经典理论的原因．

例如第 4 号元素，如果从一个元素来看，我们可以把挠度的插入公式代入（10.2）以求转角的插入公式，然后再由这两个公式计算结点上的 ψ_x，ψ_y． 但这样决定的在边界中点处的 ψ_n，不仅与该边上的挠度及其导数有关，并且与其他边上的挠度及其导数也有关，因此如果有两个元素公用一条边界，那末人们就难于找到一个 ψ_n 能在两个元素内都使（10.2）成立．

这些不适用于经典理论的元素可以叫做非通用元素。

从理论上看，非通用元素不适用于板的经典理论，从实用上看，当板的剪切刚度很大时，非通用元素就难于得到可靠的结果了。

为了改造非通用元素，使它们也能用于经典理论，有几位作者（例如见文献[331]，[234]，[330]，[166]，[165]，[255]）提出了一种称为节减积分（reduced integration）的凑合方法。对于各向同性的等厚度的板，板的剪切应变能 Π_s'' 是

$$\Pi_s'' = \sum_e \frac{C}{2} \iint_\Omega \left[\left(\frac{\partial w}{\partial x} - \psi_x\right)^2 + \left(\frac{\partial w}{\partial y} - \psi_y\right)^2\right] dxdy. \quad (10.4)$$

若把 w, ψ_x, ψ_y 的插入公式代入上式，算出积分，则可把 Π_s'' 表示成为

$$\Pi_s'' = \frac{C}{2} \boldsymbol{q}^T \boldsymbol{K}_s \boldsymbol{q}. \quad (10.5)$$

这里 $\boldsymbol{q}$ 是全部结点参数组成的列矩阵，$C\boldsymbol{K}_s$ 是由剪切刚度提供的刚度矩阵。再设由弯曲刚度提供的刚度矩阵为 $D\boldsymbol{K}_b$，那末有限元素法最后得到的方程是

$$[D\boldsymbol{K}_b + C\boldsymbol{K}_s]\boldsymbol{q} = \boldsymbol{F}. \quad (10.6)$$

由于在非通用的有限元素法中，人们没法在整个板内使（10.2）成立，因此（10.4）是一个正泛函，相应地 $\boldsymbol{K}_s$ 成为一个正定的矩阵，于是当 $C \to \infty$ 时，从（10.6）便有

$$\boldsymbol{K}_s\boldsymbol{q} = 0, \quad \boldsymbol{q} = 0. \quad (10.7)$$

这是一个不合理的结果。节减积分法的要点是在求（10.4）中积分时，有目的地舍弃一些项，使得这样得到的剪切刚度矩阵 $C\boldsymbol{K}_s^r$ 成为适当退化的半正定矩阵。用节减积分后，方程（10.6）变为

$$(D\boldsymbol{K}_b + C\boldsymbol{K}_s^r)\boldsymbol{q} = \boldsymbol{F}. \quad (10.8)$$

当 $C \to \infty$ 时，上列方程可用 § 3.9 介绍的奇异摄动或别的方法求解。只要在求积分时节减的办法处理得当，方程（10.8）的解有可能很接近精确解。关于节减积分的经验，可参考前引的几篇文章。

最近 Lee 和 Pian[192]，还有 Hughes, Cohen 和 Haron[165] 同时指出，节减积分法可看作是混合模式的某种特殊情况。

附　　表

编号	元素形状及结点	参数总数	参数性质	插入公式	对 γ_x, γ_y 的说明	能否用于经典理论	参考文献
1	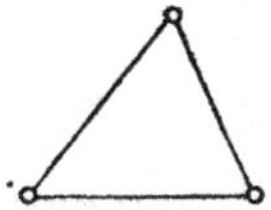	9	角点：w, ψ_x, ψ_y.	$w = \alpha_1 + \alpha_2 x + \alpha_3 y + \frac{1}{2}[\beta_2 x^2 + (\beta_3 + \gamma_2)xy + \gamma_3 y^2]$, $\psi_x = \beta_1 + \beta_2 x + \beta_3 y$, $\psi_y = \gamma_1 + \gamma_2 x + \gamma_3 y$.	在边界上 γ_s 为常数	×	[196]
2	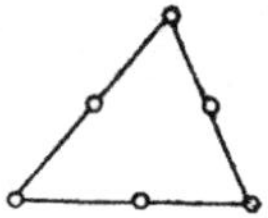	12	角点：w, ψ_x, ψ_y, 边中点：w.	w：2 次多项式， $\left.\begin{matrix}\psi_x\\ \psi_y\end{matrix}\right\}$：1 次多项式.		×	[196] [35]
3	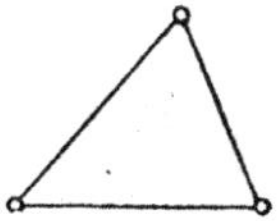	15	角点： $w, \frac{\partial w}{\partial x}, \frac{\partial w}{\partial y}$, γ_x, γ_y	w：与 § 4.19 相同. γ_x, γ_y：线性分布 $\left(\psi_x = \frac{\partial w}{\partial x} - \gamma_x, \psi_y = \frac{\partial w}{\partial y} - \gamma_y\right)$	线性分布	√	[90]
4	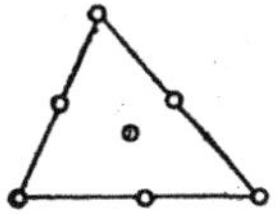	22	角点：$w, \frac{\partial w}{\partial x}, \frac{\partial w}{\partial y}$, ψ_x, ψ_y, 边中点：ψ_x, ψ_y, 内点：w.	w：3 次多项式， $\left.\begin{matrix}\psi_x\\ \psi_y\end{matrix}\right\}$：2 次多项式.		×	[64]

5	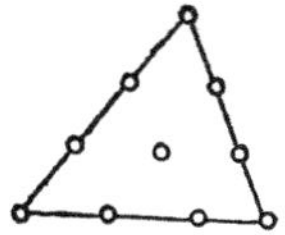	30	每结点：w, ψ_x, ψ_y.	$\left.\begin{matrix} w \\ \psi_x \\ \psi_y \end{matrix}\right\}$：3 次多项式.		×	[225a]
6	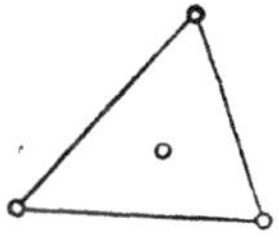	38	角点：$w, \frac{\partial w}{\partial x}, \frac{\partial w}{\partial y}, \frac{\partial^2 w}{\partial x^2}, \frac{\partial^2 w}{\partial x \partial y}, \frac{\partial^2 w}{\partial y^2}, \gamma_x, \frac{\partial \gamma_x}{\partial x}, \frac{\partial \gamma_x}{\partial y}, \gamma_y, \frac{\partial \gamma_y}{\partial x}, \frac{\partial \gamma_y}{\partial y}$, 内点：$\gamma_x, \gamma_y$.	w：5 次多项式（边界上 $\frac{\partial w}{\partial n}$ 为 3 次多项式） $\left.\begin{matrix} \gamma_x \\ \gamma_y \end{matrix}\right\}$：3 次多项式		✓	[311]
7	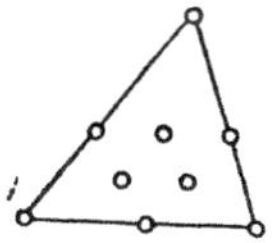	51	角点：$w, \frac{\partial w}{\partial x}, \frac{\partial w}{\partial y}, \frac{\partial^2 w}{\partial x^2}, \frac{\partial^2 w}{\partial x \partial y}, \frac{\partial^2 w}{\partial y^2}, \psi_x, \frac{\partial \psi_x}{\partial x}, \frac{\partial \psi_x}{\partial y}, \psi_y, \frac{\partial \psi_y}{\partial x}, \frac{\partial \psi_y}{\partial y}$, 边中点：$\frac{\partial w}{\partial n}, \psi_x, \psi_y$, 内点：$\psi_x, \psi_y$.	w：5 次多项式， $\left.\begin{matrix} \psi_x \\ \psi_y \end{matrix}\right\}$：4 次多项式.		✓	[58]

续　　表

编号	元素形状及结点	参数总数	参数性质	插入公式	对 γ_x，γ_y 的说明	能否用于经典理论	参考文献
8		12	角点：w，ψ_x，ψ_y.	$w = a_1 + a_2x + a_3y + a_4xy + \frac{1}{2}(b_2x^2 + c_3y^2 + b_4x^2y + c_4xy^2)$， $\psi_x = b_1 + b_2x + b_3y + b_4xy$， $\psi_y = c_1 + c_2x + c_3y + c_4xy$.	$\frac{\partial \gamma_x}{\partial x} = 0$ $\frac{\partial \gamma_y}{\partial y} = 0$	×	[141]
9	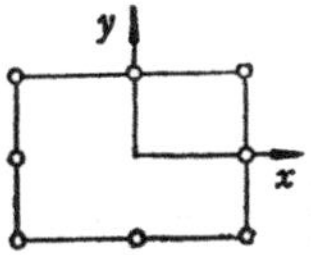	16	角点：w，ψ_x，ψ_y， 边中点：w.	$w = a_1 + a_2x + a_3y + a_4xy + a_5x^2 + a_6y^2 + a_7x^2y + a_8xy^2$， $\psi_x = b_1 + b_2x + b_3y + b_4xy$， $\psi_y = c_1 + c_2x + c_3y + c_4xy$.		×	[141] [265]
10	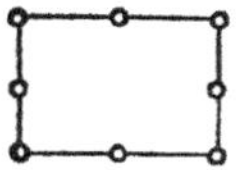	24	每结点：w，ψ_x，ψ_y.	对每一个函数都用第七章公式 (8.8) 进行插入.		×	[225a] [225b]
11	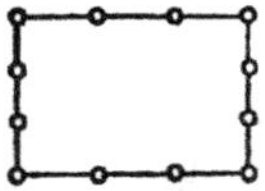	36	每结点：w，ψ_x，ψ_y.	对每一个函数都用第七章公式 (8.9) 进行插入.		×	[225a] [225b]

12	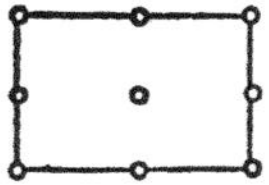	27	每结点：w, ψ_x, ψ_y	$\left.\begin{array}{l} w \\ \psi_x \\ \psi_y \end{array}\right\}$：双 2 次式.		×	[225b]
13	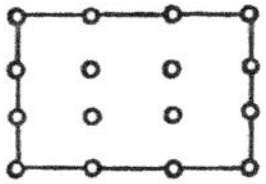	48	每结点：w, ψ_x, ψ_y,	$\left.\begin{array}{l} w \\ \psi_x \\ \psi_y \end{array}\right\}$：双 3 次式.		×	[225b]
14		20	每结点： $w, \psi_x, \psi_y, \gamma_x, \gamma_y$.	$\frac{\partial w}{\partial x} = \psi_x + \gamma_x, \quad \frac{\partial w}{\partial y} = \psi_y + \gamma_y$, w 用 § 4.17 公式 (17.3), γ_x, γ_y：双线性插入.	双线性分布	✓	[248] [256] [47]
15		48	每结点： $w, \frac{\partial w}{\partial x}, \frac{\partial w}{\partial y}, \frac{\partial^2 w}{\partial x \partial y}$, $\psi_x, \frac{\partial \psi_x}{\partial x}, \frac{\partial \psi_y}{\partial y}, \frac{\partial^2 \psi_x}{\partial x \partial y}$. $\psi_y, \frac{\partial \psi_y}{\partial x}, \frac{\partial \psi_y}{\partial y}, \frac{\partial^2 \psi_y}{\partial x \partial y}$.	对 w, ψ_x, ψ_y 都用类似于 § 4.18 对 w 的插入公式.		×	[225a] [225b] [207]

能归入位移模式的有限元素中，还有有限条法. 本章理论中的有限条法与 § 4.25 介绍的方法基本相同，因此这里不作说明了. 有兴趣的读者可参考有关的文献，例如见 [69]，[153]，[154]，[107].

§ 8.11 固有振动问题

考虑板的固有振动问题. 命 ω 为固有频率. 在固有振动问题中，以 w，ϕ_x，ϕ_y，M_x，M_y，M_{xy}，Q_x，Q_y 等代表各个量振动时的幅值. 在振动过程中板的最大的动能 $K.E.$ 为

$$K.E. = \omega^2 T, \tag{11.1}$$

其中

$$T = \frac{1}{2}\iint_{\Omega} [\rho h w^2 + \rho J(\phi_x^2 + \phi_y^2)]dxdy. \tag{11.2}$$

式中 ρh 是单位面积的质量，ρJ 是单位面积的转动惯量. 对于均匀的板，ρ 是材料的密度，h 是板的厚度，J 是断面的惯性矩.

关于固有频率的一类变分原理是

$$\omega^2 = \mathrm{st}\,\frac{\Pi}{T}. \tag{11.3}$$

这里 Π 代表板的最大的势能. Π 可以取一类变量的算式 (6.2)，或二类变量的算式 (6.6)，或三类变量的算式 (6.10) (在这些算式中应把已知的边界值 $\bar{w}$，$\bar{\phi}_n$，$\bar{\phi}_s$，$\bar{M}_n$，$\bar{M}_{ns}$，$\bar{Q}_n$ 都取为零)，相应地 (11.3) 便代表一类变量变分原理，或二类变量变分原理或三类变量变分原理.

设 ω_i，ω_j 为两个不相等的固有频率，命 w_i，ϕ_{xi}，ϕ_{yi}，w_j，ϕ_{xj}，ϕ_{yj} 为相应的固有振型. 本章理论中的正交关系是

$$\iint_{\Omega} \{\rho h w_i w_j + \rho J(\phi_{xi}\phi_{xj} + \phi_{yi}\phi_{yj})\}dxdy = 0. \tag{11.4}$$

$$\iint_{\Omega}\{U'(i,j)+U''(i,j)\}dxdy=0, \tag{11.5}$$

其中

$$U'(i,j)=\frac{1}{2}\begin{bmatrix}\dfrac{\partial\phi_{xi}}{\partial x}\\ \dfrac{\partial\phi_{yi}}{\partial y}\\ \dfrac{\partial\phi_{xi}}{\partial y}+\dfrac{\partial\phi_{yi}}{\partial x}\end{bmatrix}^T\begin{bmatrix}D_{11} & D_{12} & D_{16}\\ D_{12} & D_{22} & D_{26}\\ D_{16} & D_{26} & D_{66}\end{bmatrix}\times\begin{bmatrix}\dfrac{\partial\phi_{xj}}{\partial x}\\ \dfrac{\partial\phi_{yj}}{\partial y}\\ \dfrac{\partial\phi_{xj}}{\partial y}+\dfrac{\partial\phi_{yj}}{\partial x}\end{bmatrix}, \tag{11.6a}$$

$$U''(i,j)=\frac{1}{2}\begin{bmatrix}\dfrac{\partial w_i}{\partial x}-\phi_{xi}\\ \dfrac{\partial w_i}{\partial y}-\phi_{yi}\end{bmatrix}^T\begin{bmatrix}C_{11} & C_{12}\\ C_{12} & C_{22}\end{bmatrix}\begin{bmatrix}\dfrac{\partial w_j}{\partial x}-\phi_{xj}\\ \dfrac{\partial w_j}{\partial y}-\phi_{yj}\end{bmatrix}. \tag{11.6b}$$

从变分式(11.3)可以导出固有振动问题中的全套微分方程和边界条件：应力应变关系和平衡问题相同，仍为(1.9)或(1.10)；运动方程为

$$\begin{aligned}&-\frac{\partial M_x}{\partial x}-\frac{\partial M_{xy}}{\partial y}+Q_x+\omega^2\rho J\phi_x=0,\\&-\frac{\partial M_{xy}}{\partial x}-\frac{\partial M_y}{\partial y}+Q_y+\omega^2\rho J\phi_y=0,\\&\frac{\partial Q_x}{\partial x}+\frac{\partial Q_y}{\partial y}+\omega^2\rho hw=0;\end{aligned} \tag{11.7}$$

和边界条件为

$$\begin{aligned}&\text{在 } C_1 \text{ 上：} w=0,\ \phi_s=0,\ \phi_n=0,\\&\text{在 } C_2 \text{ 上：} w=0,\ \phi_s=0,\ M_n=0,\\&\text{在 } C_3 \text{ 上：} M_n=0,\ M_{ns}=0,\ Q_n=0.\end{aligned} \tag{11.8}$$

在三广义位移的理论中，也有许多板的固有振动问题已经求得精确解或近似解．早期的结果大多已收集在专著［193］之中．在许多近似解法中，有限元素法和瑞利-里兹法是常用的两种方法．这两种近似解法和板的经典理论中的同类方法基本相同，因此这里不再作介绍．需要特别说明的是 § 3.15 介绍分解刚度法，原来是在板的问题中首先提出来的，为了便于理解它的实质，以及它和能量法的关系，提前在梁的问题中作了介绍，这里不用再作更多的说明了．

在梁的二广义位移理论中，我们曾经把 ρJ 和 $\frac{1}{C}$ 看作是小参数而导出了一个计算固有频率的近似公式 § 3.13 的（13.27）．在板的三广义位移理论中，通常也可把 ρJ 和 $\frac{1}{C}$ 看作是小参数，从而导得一个与 § 3.13 的（13.27）类似的公式

$$\frac{\delta(\omega^2)}{\omega_0^2}=-\lambda-\mu. \tag{11.9}$$

式中 ω_0 是板的经典理论中的固有频率，$\delta(\omega^2)$ 是由小参数 ρJ 和 $\frac{1}{C}$ 引起的 ω^2 的变化，而 λ, μ 各为

$$\lambda=\frac{\iint\limits_{\Omega}\rho J(\psi_{x0}^2+\psi_{y0}^2)dx}{\iint\limits_{\Omega}\rho h w_0^2 dx}, \tag{11.10}$$

$$\mu=\frac{\iint\limits_{\Omega}V_0'' dx}{\iint\limits_{\Omega}V_0' dx}. \tag{11.11}$$

在（11.10）式中，w_0 是经典理论中的挠度，ψ_{x0}，ψ_{y0} 是经典理论中的转角，即

$$\psi_{x0}=\frac{\partial w_0}{\partial x},\quad \psi_{y0}=\frac{\partial w_0}{\partial y}; \tag{11.12}$$

在(11.11)式中，V_0' 是经典理论中的(余)弯曲应变能密度；V_0'' 为根

据经典理论中的剪力 Q_{x0}, Q_{y0} 计算得到的(余)剪切应变能密度.

§ 3.13 公式 (13.27) 是根据余能变分原理得到的.其实用二类变量广义变分原理来推导这类公式要更方便一些. 二类变量广义势能的算式是

$$\begin{aligned}\Pi_2 = \iint_\Omega \Big\{ & -M_x \frac{\partial \psi_x}{\partial x} - M_{xy}\left(\frac{\partial \psi_x}{\partial y} + \frac{\partial \psi_y}{\partial x}\right) \\ & - M_y \frac{\partial \psi_y}{\partial y} + Q_x\left(\frac{\partial w}{\partial x} - \psi_x\right) \\ & + Q_y\left(\frac{\partial w}{\partial y} - \psi_y\right) - V' - V'' \Big\} dxdy \\ & + \int_{C_1+C_2} (M_{ns}\psi_s - Q_n w)\, ds + \int_{C_1} M_n \psi_n ds. \end{aligned} \tag{11.13}$$

将此代替 (11.3) 中的分子 Π, 便得到二类变量变分原理. 在这个原理中命

$$\rho J = 0,\ \frac{1}{C} = 0$$

便得到经典理论中的二类变量变分原理. ω_0 与 w_0 是经典理论中的精确解,故有

$$\omega_0^2 = \frac{\iint_\Omega V_0' dxdy}{\frac{1}{2}\iint_\Omega \rho h w_0^2 dxdy}. \tag{11.14}$$

对固有频率的二类变量广义变分原理, 用 § 2.10 与 § 2.19 的小参数法以求 ρJ 和 $\frac{1}{C}$ 对 ω 的影响,便得到公式 (11.9).

§ 8.12 等厚度的各向同性板的固有振动问题

上节已列举了固有振动问题中的全套微分方程和边界条件. 和平衡问题类似, 对于等厚度的各向同性的板, 这套方程能够进行归并. 首先将 (2.1) 代入 (11.7), 得到以振幅表示的运动方程

如下：

$$D\left(\frac{\partial^2\psi_x}{\partial x^2}+\frac{1-\nu}{2}\frac{\partial^2\psi_x}{\partial y^2}+\frac{1+\nu}{2}\frac{\partial^2\psi_y}{\partial x\partial y}\right)$$

$$+C\left(\frac{\partial w}{\partial x}-\psi_x\right)+\omega^2\rho J\psi_x=0,$$

$$D\left(\frac{1+\nu}{2}\frac{\partial^2\psi_x}{\partial x\partial y}+\frac{1-\nu}{2}\frac{\partial^2\psi_y}{\partial x^2}+\frac{\partial^2\psi_y}{\partial y^2}\right)$$

$$+C\left(\frac{\partial w}{\partial y}-\psi_y\right)+\omega^2\rho J\psi_y=0,$$

$$C\left(\frac{\partial^2 w}{\partial x^2}+\frac{\partial^2 w}{\partial y^2}-\frac{\partial\psi_x}{\partial x}-\frac{\partial\psi_y}{\partial y}\right)+\omega^2\rho hw=0. \quad (12.1)$$

和平衡问题类似，上列方程的解也可用两个函数 F，f 表示如下：

$$\psi_x=\frac{\partial F}{\partial x}+\frac{\partial f}{\partial y},\quad \psi_y=\frac{\partial F}{\partial y}-\frac{\partial f}{\partial x},$$

$$w=\left(1-\frac{\omega^2\rho J}{C}\right)F-\frac{D}{C}\nabla^2 F, \quad (12.2)$$

而 F，f 分别满足下列方程

$$-D\nabla^2\nabla^2 F-\omega^2\rho J\left(1+\frac{hD}{JC}\right)\nabla^2 F$$

$$+\omega^2\rho h\left(1-\frac{\omega^2\rho J}{C}\right)F=0, \quad (12.3)$$

$$\frac{1}{2}(1-\nu)\nabla^2 f-(C-\omega^2\rho J)f=0. \quad (12.4)$$

和平衡问题类似，对于周边简支的多边形板，函数 F，f 分别代表两种不同类型的振动．第一类是

$$f=0, \quad (12.5)$$

于是有

$$\psi_x=\frac{\partial F}{\partial x},\quad \psi_y=\frac{\partial F}{\partial y},$$

$$w=\left(1-\frac{\omega^2\rho J}{C}\right)F-\frac{D}{C}\nabla^2 F. \quad (12.6)$$

第二类是

$$F = 0, \tag{12.7}$$

于是有

$$\psi_x = \frac{\partial f}{\partial y}, \quad \psi_y = -\frac{\partial f}{\partial x}, \quad w = 0. \tag{12.8}$$

对于轴对称的圆板，也有上述两种不同类型的振动．公式(12.5)，(12.6)代表轴对称的振动，而公式(12.7)，(12.8)代表扭转振动．

公式(12.7)，(12.8)代表的第二类振动，是一种很特殊的振动，在板的经典理论里没有与它相应的振动．在这类振动中挠度 $w = 0$，因此外表上看不出有什么振动．这些振动都是在板的厚度范围内进行的．挠度虽等于零，弯矩和横向剪力一般都不等于零．

如果我们的目的只在于计算基本固有振动，那末可以在方程(12.3)，(12.4)中略去一些小量．对于工程上用到的板，通常有

$$\frac{\omega^2 \rho J}{C} \ll 1, \tag{12.9}$$

这也就是说转动惯量 ρJ 只起很小的作用．略去这个小量后，公式(12.2)简化为与平衡问题相同的公式(2.4)，而方程(12.3)，(12.4)简化为

$$D\nabla^2\nabla^2 F - \omega^2 \rho h \left(F - \frac{D}{C}\nabla^2 F\right) = 0, \tag{12.10}$$

$$\frac{1}{2}(1-\nu)D\nabla^2 f - Cf = 0. \tag{12.11}$$

方程(12.11)仍是弹性地基上薄膜的平衡方程．这样在 ε 很小时仍可利用 f 的边界效应对边界条件进行简化．这样最后得到

$$\begin{aligned}
&\text{在 } C_1 \text{ 上：} w_0 = 0, \ \psi_{n0} = 0, \\
&\text{在 } C_2 \text{ 上：} w_0 = 0, \ M_{n0} - (1-\nu)D\frac{\partial \psi_{s0}}{\partial s} = 0, \\
&\text{在 } C_3 \text{ 上：} M_{n0} = 0, \ \frac{\partial M_{ns0}}{\partial s} + Q_{n0} = 0,
\end{aligned} \tag{12.12}$$

和

$$\text{在 } C_1 \text{ 上及 } C_2 \text{ 上:} \quad \frac{\partial f}{\partial n} = \psi_{s0},$$

$$\text{在 } C_3 \text{ 上:} \qquad f = -\frac{M_{ns0}}{C}. \tag{12.13}$$

方程 (12.10) 汇同边界条件 (12.12) 已经能够决定基本固有频率和相应的函数 F (差一个常倍数). 基本固有频率是一种整体特征，边界效应对它的影响不大. 所以通常已无必要再去决定 f. 如果确有需要决定 f，那末可以在求得 F 之后，再根据方程 (12.11) 和边界条件 (12.13) 求 f.

§ 8.13 板的稳定问题

先来考虑板在中面力 N_x, N_y, N_{xy} 和横向载荷联合作用下的平衡问题. 中面力的存在，不影响应力应变关系，公式 (1.5)，(1.6) 继续成立. 和板的经典理论相同，中面力在板变形后将产生一个相当的横向分布载荷

$$p' = N_x \frac{\partial^2 w}{\partial x^2} + 2N_{xy} \frac{\partial^2 w}{\partial x \partial y} + N_y \frac{\partial^2 w}{\partial y^2}, \tag{13.1}$$

因此板的平衡方程现在变为

$$\begin{aligned}
&-\frac{\partial M_x}{\partial x} - \frac{\partial M_{xy}}{\partial y} + Q_x + m_x = 0,\\
&-\frac{\partial M_{xy}}{\partial x} - \frac{\partial M_y}{\partial y} + Q_y + m_y = 0,\\
&\frac{\partial Q_x}{\partial x} + \frac{\partial Q_y}{\partial y} + N_x \frac{\partial^2 w}{\partial x^2} + 2N_{xy} \frac{\partial^2 w}{\partial x \partial y}\\
&\qquad + N_y \frac{\partial^2 w}{\partial y^2} + p = 0.
\end{aligned} \tag{13.2}$$

固支边和简支边上的边界条件不受中面力的影响，仍为 (1.16a)，(1.16b)，但自由边上的条件受到中面力的影响. 因此在本问题中典型的边界条件为

$$\text{在 } C_1 \text{ 上:} \quad w = \bar{w}, \quad \psi_s = \bar{\psi}_s, \quad \psi_n = \bar{\psi}_n, \tag{13.3a}$$

在 C_2 上：$w=\bar{w}$，$\psi_s=\bar{\Phi}_s$，$M_n=\bar{M}_n$，　　(13.3b)

在 C_3 上：$M_n=\bar{M}_n$，$M_{ns}=\bar{M}_{ns}$，

$$Q_n+N_n\frac{\partial w}{\partial n}+N_{ns}\frac{\partial w}{\partial s}=\bar{Q}_n. \tag{13.3c}$$

上面列举的是问题的微分方程边值问题的提法．下面再把它化为几种变分原理．这里仅介绍最小势能原理和广义势能原理，它们可以统一表示为

$$\delta\left\{\Pi+\frac{1}{2}\iint_{\Omega}\left[N_x\left(\frac{\partial w}{\partial x}\right)^2+2N_{xy}\frac{\partial w}{\partial x}\frac{\partial w}{\partial y}+N_y\left(\frac{\partial w}{\partial y}\right)^2\right]dxdy\right\}=0. \tag{13.4}$$

如果在此式中 Π 取 (6.2) 式给出的 Π_1，则得到最小势能原理．在最小势能原理中，自变函数是 ψ_x，ψ_y，w，它们应事前满足位移边界条件．如果 (13.4) 式中的 Π 取 (6.6) 式给出 Π_2，则得到二类变量广义势能原理[1)]．在这个变分原理中自变函数是 ψ_x,ψ_y,w,M_x，M_y，M_{xy}，Q_x，Q_y，它们事前不必满足任何条件．最后，如果 (13.4) 式中的 Π 取 (6.10) 式给出的 Π_3，则得到三类变量广义势能原理．在这个原理中，自变函数是 ψ_x，ψ_y，w，k_x，k_y，k_{xy}，γ_x，γ_y，M_x，M_y，M_{xy}，Q_x，Q_y，它们事前不必满足任何条件．

在板的稳定问题中，没有横向载荷，边界条件也都是齐次的，而中面力通常正比于一个参数 λ．若把中面力写成为 λN_x，λN_y，λN_{xy}，那末板失稳的临界条件是

$$\min\left\{\Pi_1+\frac{\lambda}{2}\iint_{\Omega}\left[N_x\left(\frac{\partial w}{\partial x}\right)^2+2N_{xy}\frac{\partial w}{\partial x}\frac{\partial w}{\partial y}+N_y\left(\frac{\partial w}{\partial y}\right)^2\right]dxdy\right\}=0. \tag{13.5}$$

式中

$$\Pi_1=\iint_{\Omega}(U'+U'')dxdy, \tag{13.6}$$

---

1) Rudiger[269] 曾讨论过这类变分原理．

而 min 是对 ψ_x, ψ_y, w 取的，它们事前应满足位移边界条件.

变分式(13.5)也可写成本征值的形式

$$\lambda = \operatorname{st}\left\{\Pi_1\Big/\left\{-\frac{1}{2}\iint_\Omega\left[N_x\left(\frac{\partial w}{\partial x}\right)^2+2N_{xy}\frac{\partial w}{\partial x}\frac{\partial w}{\partial y}+N_y\left(\frac{\partial w}{\partial y}\right)^2\right]dxdy\right\}\right\}. \tag{13.7}$$

此式给出的本征值有无穷多个，大于零的本征值中最小的一个和小于零的本征值中最大的一个，便是待求的临界载荷.

如果把(13.7)中的分子 Π_1 改为二类变量广义应变能 Π_2，或三类变量广义应变能 Π_3，则得到关于临界载荷的二类变量广义变分原理和三类变量广义变分原理. Π_2 和 Π_3 的算式是

$$\begin{aligned}\Pi_2 = &\iint_\Omega\left[-M_x\frac{\partial\psi_x}{\partial x}-M_{xy}\left(\frac{\partial\psi_x}{\partial y}+\frac{\partial\psi_y}{\partial x}\right)\right.\\ &-M_y\frac{\partial\psi_y}{\partial y}+Q_x\left(\frac{\partial w}{\partial x}-\psi_x\right)\\ &\left.+Q_y\left(\frac{\partial w}{\partial y}-\psi_y\right)-V'-V''\right]dxdy\\ &+\int_{C_1+C_2}(M_{ns}\psi_s-Q_nw)ds+\int_{C_1}M_n\psi_nds,\end{aligned} \tag{13.8}$$

$$\begin{aligned}\Pi_3 = &\iint_\Omega\left\{U'+U''-M_x\left(k_x+\frac{\partial\psi_x}{\partial x}\right)\right.\\ &-M_{xy}\left(2k_{xy}+\frac{\partial\psi_x}{\partial y}+\frac{\partial\psi_y}{\partial x}\right)\\ &-M_y\left(k_y+\frac{\partial\psi_y}{\partial y}\right)-Q_x\left(\gamma_x-\frac{\partial w}{\partial x}+\psi_x\right)\\ &\left.-Q_y\left(\gamma_y-\frac{\partial w}{\partial y}+\psi_y\right)\right\}dxdy\\ &+\int_{C_1+C_2}(M_{ns}\psi_s-Q_nw)ds+\int_{C_1}M_n\psi_nds.\end{aligned} \tag{13.9}$$

式中 U' 看作是 k_x, k_y, k_{xy} 的函数，U'' 看作是 γ_x, γ_y 的函数.

在 § 5.7 讨论薄板稳定问题的经典理论时，介绍过关于临界载荷的许多定性的特性，这些特性也都适用于三广义位移的理论。这里不再重复说明了。

计及横向剪切变形的板的临界载荷的许多具体公式，已收集在有关夹层板的手册中，例如见 [333]，[92]。有需要的读者可去查阅。

对于工程上应用的板，多数的 $\frac{1}{C}$ 可看作是一个小量，于是从关于临界载荷的二类变量广义变分原理出发，应用与 § 2.10 相同的小参数法，可导出临界载荷的近似公式。

$$\frac{\delta\lambda}{\lambda_0}=-\frac{\iint\limits_{\Omega} V_0'' dxdy}{\iint\limits_{\Omega} V_0' dxdy}. \tag{13.10}$$

式中 λ_0 是经典理论中的临界载荷，$\delta\lambda$ 为由有限的剪切刚度所引起的临界载荷的变化，V_0' 是经典理论中板的（余）弯曲应变能密度，V_0'' 是根据经典理论中的剪力 Q_{x0}，Q_{y0} 计算得到的（余）剪切应变能密度。

§ 8.14　等厚度的各向同性板的稳定性

上节已列举了稳定问题中的全套微分方程和边界条件。与平衡问题、振动问题类似，对于等厚度的各向同性板，这套方程能够进行归并。若以 N_x，N_y，N_{xy} 代表中面力，那末以广义位移 ψ_x，ψ_y，w 表示的平衡方程是

$$D\left(\frac{\partial^2\psi_x}{\partial x^2}+\frac{1-\nu}{2}\frac{\partial^2\psi_x}{\partial y^2}+\frac{1+\nu}{2}\frac{\partial^2\psi_y}{\partial x\partial y}\right)$$

$$+C\left(\frac{\partial w}{\partial x}-\psi_x\right)=0,$$

$$D\left(\frac{1+\nu}{2}\frac{\partial^2\psi_x}{\partial x\partial y}+\frac{1-\nu}{2}\frac{\partial^2\psi_y}{\partial x^2}+\frac{\partial^2\psi_y}{\partial y^2}\right)$$

$$+ C\left(\frac{\partial w}{\partial x} - \psi_y\right) = 0,$$

$$C\left(\frac{\partial^2 w}{\partial x^2} + \frac{\partial^2 w}{\partial y^2} - \frac{\partial \psi_x}{\partial x} - \frac{\partial \psi_y}{\partial y}\right)$$

$$+ N_x \frac{\partial^2 w}{\partial x^2} + 2N_{xy}\frac{\partial^2 w}{\partial x \partial y} + N_y \frac{\partial^2 w}{\partial y^2} = 0. \quad (14.1)$$

此式的前面两个与平衡问题完全相同. 因此和平衡问题类似，上列方程的解也可以用两个函数 F, f 表示如下:

$$\psi_x = \frac{\partial F}{\partial x} + \frac{\partial f}{\partial y}, \quad \psi_y = \frac{\partial F}{\partial y} - \frac{\partial f}{\partial x},$$

$$w = F - \frac{D}{C}\nabla^2 F, \quad (14.2)$$

而 F 与 f 分别满足下列方程

$$\frac{1}{2}(1-\nu)D\nabla^2 f - Cf = 0, \quad (14.3)$$

$$D\nabla^2\nabla^2 F - \left(N_x \frac{\partial^2}{\partial x^2} + 2N_{xy}\frac{\partial^2}{\partial x \partial y} + N_y \frac{\partial^2}{\partial y^2}\right)$$

$$\times\left(1 - \frac{D}{C}\nabla^2\right)F = 0. \quad (14.4)$$

和平衡问题类似，对于周边简支的多边形板和轴对称失稳的圆板

$$f = 0. \quad (14.5)$$

于是剩下需要决定的只有一个函数 F.

对于工程上通常用到的板，函数 f 具有边界效应现象. 因此在板的中间部份仍可近似地认为(14.5)成立,而在板的边界附近，公式(2.10),(2.12)也依然近似地成立. 采用与平衡问题类似的办法,边界条件(13.3)可简化为

在 C_1 上: $w = 0$, $\psi_{n0} = 0$,

在 C_2 上: $w_0 = 0$, $M_{n0} - (1-\nu)D\dfrac{\partial \psi_{s0}}{\partial s} = 0$,

$$\text{在 } C_3 \text{ 上：} M_{n0} = 0, \quad \frac{\partial M_{ns0}}{\partial s} + Q_{n0} + N_n \frac{\partial w_0}{\partial n} + N_{ns} \frac{\partial w_0}{\partial s} = 0, \tag{14.6}$$

以及

$$\text{在 } C_1 \text{ 和 } C_2 \text{ 上：} \frac{\partial f}{\partial n} = \psi_{s0},$$

$$\text{在 } C_3 \text{ 上：} \quad f = -\frac{M_{ns0}}{C}. \tag{14.7}$$

方程 (14.4) 汇同边界条件 (14.6) 已经能够决定临界载荷和函数 F（差一个常倍数）．所以通常已无必要再去决定 f．如果确有需要决定 f，那末在求得 F 之后可以根据方程 (14.3) 和边界条件 (14.7) 求 f．

第九章　扁　　壳

§9.1　基本方程的回顾[1)]

中面为曲面的片状结构称为壳体．壳体一般有三个特征几何尺寸:厚度 h，中面的平面尺寸 l，曲率半径 r．根据这三个尺寸的不同比例,壳体分为许多类型．壳体理论讨论的壳体都要求

$$\frac{h}{r} \ll 1. \tag{1.1}$$

此外,如果

$$\frac{h}{l} \ll 1, \tag{1.2}$$

则称这类壳体为薄壳．最后,如果

$$\frac{l}{r} \ll 1, \tag{1.3}$$

则称这类壳体为扁壳． 本章只讨论薄的扁壳，假设 (1.1)—(1.3) 全成立.

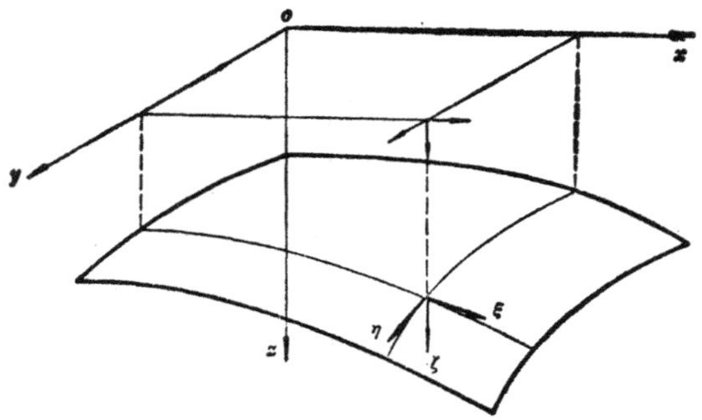

图　1.1

1) 扁壳方程较详细的推导可见 [36].

扁壳的几何形状与平板相差不多，因此又称微弯平板．取扁壳的最大投影面为 xy 平面，取 z 轴垂直 xy 平面，如图 1.1 所示．扁壳中面的方程可以表示为

$$z=z(x,\ y). \tag{1.4}$$

因为这个中面与平面相差不多，所以有

$$\left(\frac{\partial z}{\partial x}\right)^2\ll 1,\quad \left(\frac{\partial z}{\partial y}\right)^2\ll 1. \tag{1.5}$$

中面的初始曲率可以表达为

$$k_x=-\frac{\partial^2 z}{\partial x^2},\quad k_y=-\frac{\partial^2 z}{\partial y^2},\quad k_{xy}=-\frac{\partial^2 z}{\partial x\,\partial y}. \tag{1.6}$$

曲率 k_x, k_y, k_{xy} 构成平面上的一个二阶对称张量．这个张量有两个不变式，它们是

$$\frac{1}{2}(k_x+k_y)=\frac{1}{2}(k_1+k_2),\quad k_xk_y-k_{xy}^2=k_1k_2. \tag{1.7}$$

式中 k_1, k_2 是壳体中面的两个主曲率．(1.7) 中的第一个不变式，称为平均曲率，第二个不变式称为高斯曲率．在壳体理论中，高斯曲率是一个很重要的特征量．若壳体中面各点的高斯曲率都大于零，则称为正高斯曲率壳．正高斯曲率壳的主曲率同号，因此壳体凸向一边．球面壳是典型的正高斯曲率壳．若壳体中面各点的高斯曲率都等于零，则称为零高斯曲率壳．零高斯曲率壳必有一个主曲率等于零．柱面壳和锥面壳是零高斯曲率壳的例子．若壳体中面各点的高斯曲率都小于零，则称为负高斯曲率壳．负高斯曲率壳的两个主曲率异号，马鞍形壳是负高斯曲率壳的典型例子．

在扁壳的中面上再取一流动坐标 ξ, η, ζ，使 ζ 轴为中面的法线，并且与 z 轴夹一小角；使 ξ 轴为中面的切线，并且在 xz 平面内，与 x 轴夹一小角；使 η 轴也为中面的切线，但在 yz 平面内，与 y 轴夹一小角．根据假设 (1.5) 略去二阶小量以后，两个坐标系之间的方向余弦如下页表所示：

	x	y	z
ξ	1	0	$\dfrac{\partial z}{\partial x}$
η	0	1	$\dfrac{\partial z}{\partial y}$
ζ	$-\dfrac{\partial z}{\partial x}$	$-\dfrac{\partial z}{\partial y}$	1

(1.8)

严格说来，ξ, η 两个方向一般不相正交，但在忽略二阶小量后，可以近似地认为它们是正交的. 同样，曲线弧长 $d\xi$, $d\eta$ 在忽略二阶小量后可以认为与 dx, dy 相等.

在壳体理论中，关于形变的假设与平板理论相同，其中最基本的仍然是：变形前垂直中面的法线在变形后仍然垂直变形后的中面. 这样扁壳的变形状态可以用中面上各点的三个位移分量 u, v, w 来确定. 这里 u 是 ξ 方向的位移，v 是 η 方向的位移，w 是 ζ 方向的位移. u, v 是中面内的位移，w 又称挠度. 要注意，位移在 ξ, η, ζ 轴中的分量与在 x, y, z 轴中的分量稍不相同，两者的联系可根据方向余弦表 (1.8) 得到.

扁壳的曲率变化为

$$\kappa_x = -\frac{\partial^2 w}{\partial x^2}, \quad \kappa_y = -\frac{\partial^2 w}{\partial y^2}, \quad \kappa_{xy} = -\frac{\partial^2 w}{\partial x\, \partial y}. \tag{1.9}$$

此式与平板弯曲理论中的公式相同. 扁壳中面的应变，在考虑到中面的初曲率的影响后为[1)]

$$\varepsilon_x = \frac{\partial u}{\partial x} + k_x w, \quad \varepsilon_y = \frac{\partial v}{\partial y} + k_y w, \tag{1.10a}$$

1) 严格说来，中面应变最好记为 ε_ξ, ε_η, $\gamma_{\xi\eta}$，但习惯上都记为 ε_x, ε_y, γ_{xy}. 后面将要引进的中面内力 N_x, N_y, N_{xy} 和外载荷 p_x, p_y, p_z，同样也应理解为 N_ξ, N_η, $N_{\xi\eta}$, 和 p_ξ, p_η, p_ζ.

$$\gamma_{xy} = \frac{\partial u}{\partial y} + \frac{\partial v}{\partial x} + 2k_{xy}w. \tag{1.10b}$$

从此式消去 u, v, 得到扁壳理论中的应变协调方程

$$\frac{\partial^2 \varepsilon_x}{\partial y^2} - \frac{\partial^2 \gamma_{xy}}{\partial x \partial y} + \frac{\partial^2 \varepsilon_y}{\partial x^2} = \nabla_k^2 w. \tag{1.11}$$

式中 ∇_k^2 代表一个二阶微分算子，它有三种等价的算式如下：

$$\begin{aligned}\nabla_k^2 w &= k_y \frac{\partial^2 w}{\partial x^2} - 2k_{xy}\frac{\partial^2 w}{\partial x \partial y} + k_x \frac{\partial^2 w}{\partial y^2} \\ &= \frac{\partial}{\partial x}\left(k_y \frac{\partial w}{\partial x}\right) - \frac{\partial}{\partial y}\left(k_{xy}\frac{\partial w}{\partial x}\right) \\ &\quad - \frac{\partial}{\partial x}\left(k_{xy}\frac{\partial w}{\partial y}\right) + \frac{\partial}{\partial y}\left(k_x \frac{\partial w}{\partial y}\right) \\ &= \frac{\partial^2}{\partial x^2}(k_y w) - 2\frac{\partial^2}{\partial x \partial y}(k_{xy} w) \\ &\quad + \frac{\partial^2}{\partial y^2}(k_x w).\end{aligned} \tag{1.12}$$

在推导上式时用了公式 (1.6)．Ониашвили[339] 曾把 ∇_k^2 写成为

$$\nabla_k^2 w = \frac{\partial}{\partial x}\left(k_y \frac{\partial w}{\partial x}\right) - 2k_{xy}\frac{\partial^2 w}{\partial x \partial y} + \frac{\partial}{\partial y}\left(k_x \frac{\partial w}{\partial y}\right),$$

在 k_{xy} 不为常数时，他的算式是错误的．

对于正高斯曲率扁壳，算子 ∇_k^2 是椭圆型算子；对于负高斯曲率扁壳，∇_k^2 是双曲型算子；对于零高斯曲率扁壳，∇_k^2 是抛物线型算子．这种数学区分，在研究扁壳的无矩理论时是有用的．

壳体中的应力分布需要用六个广义内力来确定：三个中面内力（又称薄膜内力）N_x, N_y, N_{xy}, 和三个内力矩 M_x, M_y, M_{xy}. 中面力引起的应力沿壳体厚度均匀分布；内力矩引起的应力沿壳体厚度线性分布，而在中面上等于零．广义内力与广义应变间的关系假定与平面应力问题和薄板弯曲问题相同，即

$$N_x = \frac{\partial U'}{\partial \varepsilon_x}, \quad N_y = \frac{\partial U'}{\partial \varepsilon_y}, \quad N_{xy} = \frac{\partial U'}{\partial \gamma_{xy}}, \tag{1.13a}$$

或

$$\varepsilon_x = \frac{\partial V'}{\partial N_x}, \quad \varepsilon_y = \frac{\partial V'}{\partial N_y}, \quad \gamma_{xy} = \frac{\partial V'}{\partial \gamma_{xy}}, \tag{1.13b}$$

$$M_x = \frac{\partial U''}{\partial \kappa_x}, \quad M_y = \frac{\partial U''}{\partial \kappa_y}, \quad M_{xy} = \frac{1}{2}\frac{\partial U''}{\partial \kappa_{xy}}, \tag{1.14a}$$

或

$$\kappa_x = \frac{\partial V''}{\partial M_x}, \quad \kappa_y = \frac{\partial V''}{\partial M_y}, \quad 2\kappa_{xy} = \frac{\partial V''}{\partial M_{xy}}. \tag{1.14b}$$

式中 U' 是中面应变的应变能密度，V' 是中面内力的余应变能密度，U'' 是中面弯曲的应变能密度，V'' 是弯矩的余应变能密度．这四个函数的算式是

$$U' = \frac{1}{2}\begin{bmatrix} \varepsilon_x \\ \varepsilon_y \\ \gamma_{xy} \end{bmatrix}^T \begin{bmatrix} B_{11} & B_{12} & B_{16} \\ B_{12} & B_{22} & B_{26} \\ B_{16} & B_{26} & B_{66} \end{bmatrix} \begin{bmatrix} \varepsilon_x \\ \varepsilon_y \\ \gamma_{xy} \end{bmatrix}, \tag{1.15a}$$

$$V' = \frac{1}{2}\begin{bmatrix} N_x \\ N_y \\ N_{xy} \end{bmatrix}^T \begin{bmatrix} b_{11} & b_{12} & b_{16} \\ b_{12} & b_{22} & b_{26} \\ b_{16} & b_{26} & b_{66} \end{bmatrix} \begin{bmatrix} N_x \\ N_y \\ N_{xy} \end{bmatrix}, \tag{1.15b}$$

$$U'' = \frac{1}{2}\begin{bmatrix} \kappa_x \\ \kappa_y \\ 2\kappa_{xy} \end{bmatrix}^T \begin{bmatrix} D_{11} & D_{12} & D_{16} \\ D_{12} & D_{22} & D_{26} \\ D_{16} & D_{26} & D_{66} \end{bmatrix} \begin{bmatrix} \kappa_x \\ \kappa_y \\ 2\kappa_{xy} \end{bmatrix}, \tag{1.16a}$$

$$V'' = \frac{1}{2}\begin{bmatrix} M_x \\ M_y \\ M_{xy} \end{bmatrix}^T \begin{bmatrix} d_{11} & d_{12} & d_{16} \\ d_{12} & d_{22} & d_{26} \\ d_{16} & d_{26} & d_{66} \end{bmatrix} \begin{bmatrix} M_x \\ M_y \\ M_{xy} \end{bmatrix}. \tag{1.16b}$$

$$[B_{ij}][b_{ij}] = I, \quad [D_{ij}][d_{ij}] = I. \tag{1.17}$$

扁壳元素的平衡方程一共有六个，其中绕 ζ 轴的力矩平衡方程已恒等于零,因此需要列出的平衡方程为下列五个:

$$\frac{\partial N_x}{\partial x} + \frac{\partial N_{xy}}{\partial y} + p_x = 0, \tag{1.18}$$

$$\frac{\partial N_{xy}}{\partial x} + \frac{\partial N_y}{\partial y} + p_y = 0, \tag{1.19}$$

$$\frac{\partial M_x}{\partial x} + \frac{\partial M_{xy}}{\partial y} - Q_x = 0, \tag{1.20}$$

$$\frac{\partial M_{xy}}{\partial x}+\frac{\partial M_y}{\partial y}-Q_y=0, \tag{1.21}$$

$$\frac{\partial Q_x}{\partial x}+\frac{\partial Q_y}{\partial y}-k_xN_x-2k_{xy}N_{xy}-k_yN_y+p_z=0. \tag{1.22}$$

其中 p_x, p_y, p_z 是单位中面面积内的载荷在 ξ, η, ζ 轴向的投影, Q_x, Q_y 是横向剪力. 在变分原理中, Q_x, Q_y 不作为独立的变量而只看作是一种缩写. 在平衡方程 (1.18), (1.19) 中没有考虑横向剪力 Q_x, Q_y 的作用,而在平衡方程 (1.22) 中考虑了中面力 N_x, N_y, N_{xy} 的作用. 这一点与前面在公式 (1.9) 中没有考虑中面位移 u, v 的影响而在公式 (1.10) 中考虑了挠度 w 的影响是相对应的. 根据变分原理,这两套方程不是独立无关的.

如果在上面的一系列方程中命

$$k_x=k_y=k_{xy}=0, \tag{1.23}$$

那末上述方程便可分解为两组独立无关的方程. 一组就是平板的平面应力问题中的方程, 另一组就是平板的弯曲问题中的方程. 由此可知壳体的一个重要特点是: 平面应力状态和弯曲状态互相交织在一起. 代表这种交互作用的是: 在中面应变公式 (1.10) 中出现 w, 而在平衡方程 (1.22) 中出现中面内力.

在扁壳的边界上有四个边界条件, 其中两个相当于平面应力问题中的边界条件,另两个相当于薄板弯曲问题中的边界条件.因为边界条件的可能组合为数甚多, 所以扁壳理论中很难根据边界条件的可能组合对边界进行命名. 一种比较可行的办法是对四对边界条件分别进行命名. 这样, 在本书中我们把典型的边界条件写成为

$$\text{在 } C_{u_n} \text{ 上: } u_n=\bar{u}_n, \quad \text{在 } C_{N_n} \text{ 上: } N_n=\bar{N}_n, \tag{1.24a, b}$$
$$C_{u_n}+C_{N_n}=C;$$

$$\text{在 } C_{v_s} \text{ 上: } v_s=\bar{v}_s, \quad \text{在 } C_{N_{ns}} \text{ 上: } N_{ns}=\bar{N}_{ns}, \tag{1.25a, b}$$
$$C_{v_s}+C_{N_{ns}}=C;$$

$$\text{在 } C_w \text{ 上: } w = \bar{w}, \text{ 在 } C_q \text{ 上: } \frac{\partial M_{ns}}{\partial s} + Q_n = \bar{q}, \quad (1.26\text{a, b})$$

$$C_w + C_q = C;$$

$$\text{在 } C_{\psi_n} \text{ 上: } \frac{\partial w}{\partial n} = \bar{\Phi}_n, \text{ 在 } C_{M_n} \text{ 上: } M_n = \bar{M}_n, \quad (1.27\text{a, b})$$

$$C_{\psi_n} + C_{M_n} = C.$$

式中 C 代表扁壳的全部边界，n 是边界的法线方向，s 是边界的切线方向. u_n, v_s, N_n, N_{ns}, $\frac{\partial w}{\partial n}$, M_n, M_{ns}, Q_n 的公式是

$$\begin{aligned}
&u_n = u\cos\theta + v\sin\theta, \quad v_s = -u\sin\theta + v\cos\theta,\\
&N_n = N_x\cos^2\theta + 2N_{xy}\cos\theta\sin\theta + N_y\sin^2\theta,\\
&N_{ns} = (N_y - N_x)\cos\theta\sin\theta + N_{xy}(\cos^2\theta - \sin^2\theta),\\
&\frac{\partial w}{\partial n} = \frac{\partial w}{\partial x}\cos\theta + \frac{\partial w}{\partial y}\sin\theta,\\
&M_n = M_x\cos^2\theta + 2M_{xy}\cos\theta\sin\theta + M_y\sin^2\theta,\\
&M_{ns} = (M_y - M_x)\cos\theta\sin\theta + M_{xy}(\cos^2\theta - \sin^2\theta),\\
&Q_n = Q_x\cos\theta + Q_y\sin\theta,
\end{aligned} \quad (1.28)$$

式中 θ 是法线 n 与 x 轴的夹角.

§9.2 等厚度的各向同性的扁壳

对于等厚度的各向同性的扁壳，上节的许多方程可进行适当的归并. 一种办法是把三个位移分量 u, v, w 作为基本未知函数，而把广义内力表示成 u, v, w 的函数. 这样有

$$\begin{aligned}
&N_x = B\left[\frac{\partial u}{\partial x} + \nu\frac{\partial v}{\partial y} + (k_x + \nu k_y)w\right],\\
&N_y = B\left[\nu\frac{\partial u}{\partial x} + \frac{\partial v}{\partial y} + (\nu k_x + k_y)w\right],\\
&N_{xy} = \frac{1}{2}(1-\nu)B\left[\frac{\partial u}{\partial y} + \frac{\partial v}{\partial x} + 2k_{xy}w\right],
\end{aligned} \quad (2.1)$$

$$M_x = -D\left(\frac{\partial^2 w}{\partial x^2} + \nu\frac{\partial^2 w}{\partial y^2}\right),\quad M_y = -D\left(\nu\frac{\partial^2 w}{\partial x^2} + \frac{\partial^2 w}{\partial y^2}\right),$$

$$M_{xy} = -(1-\nu)D\frac{\partial^2 w}{\partial x\,\partial y} \tag{2.2}$$

式中 B 是拉压刚度，D 是弯曲刚度，它们的算式是

$$B = \frac{Eh}{1-\nu^2},\quad D = \frac{Eh^3}{12(1-\nu^2)}. \tag{2.3}$$

将公式 (2.1)，(2.2) 代入方程 (1.18)—(1.22)，整理后得到

$$B\left\{\frac{\partial^2 u}{\partial x^2} + \frac{1-\nu}{2}\frac{\partial^2 u}{\partial y^2} + \frac{1+\nu}{2}\frac{\partial^2 v}{\partial x\,\partial y} + (k_x + \nu k_y)\frac{\partial w}{\partial x} + (1-\nu)k_{xy}\frac{\partial w}{\partial y} + \left(\frac{\partial k_x}{\partial x} + \frac{\partial k_{xy}}{\partial y}\right)w\right\} + p_x = 0, \tag{2.4}$$

$$B\left\{\frac{1+\nu}{2}\frac{\partial^2 u}{\partial x\,\partial y} + \frac{1-\nu}{2}\frac{\partial^2 v}{\partial x^2} + \frac{\partial^2 v}{\partial y^2} + (1-\nu)k_{xy}\frac{\partial w}{\partial x} + (\nu k_x + k_y)\frac{\partial w}{\partial y} + \left(\frac{\partial k_{xy}}{\partial x} + \frac{\partial k_y}{\partial y}\right)w\right\} + p_y = 0, \tag{2.5}$$

$$D\nabla^2\nabla^2 w + B\left\{(k_x + \nu k_y)\frac{\partial u}{\partial x} + (1-\nu)k_{xy}\frac{\partial u}{\partial y} + (1-\nu)k_{xy}\frac{\partial v}{\partial x} + (\nu k_x + k_y)\frac{\partial v}{\partial y} + [(k_x + k_y)^2 + 2(1-\nu)(k_{xy}^2 - k_x k_y)]w\right\} = p_z \tag{2.6}$$

这是用位移分量表示的平衡方程.

在 $p_x = p_y = 0$ 的情况下，引进应力函数后可将基本未知函数的个数降低到两个. 在这种情况下，仿照弹性力学平面问题，把中面内力用一个应力函数 φ 表示如下：

$$N_x = \frac{\partial^2 \varphi}{\partial y^2}, \quad N_y = \frac{\partial^2 \varphi}{\partial x^2}, \quad N_{xy} = -\frac{\partial^2 \varphi}{\partial x \partial y}. \tag{2.7}$$

若以 w 和 φ 为基本未知函数，平衡方程 (1.22) 简化为

$$D\nabla^2\nabla^2 w + \nabla_k^2 \varphi = p_z. \tag{2.8}$$

式中 ∇_k^2 仍为由 (1.12) 定义的微分算子. w, φ 应满足的第二个方程是应变协调方程. 将 (2.7) 代入应力应变关系

$$\varepsilon_x = \frac{1}{Eh}(N_x - \nu N_y), \quad \varepsilon_y = \frac{1}{Eh}(N_y - \nu N_x),$$

$$\gamma_{xy} = \frac{2(1+\nu)}{Eh} N_{xy}, \tag{2.9}$$

然后再代入 (1.11)，经简化后得到

$$\frac{1}{Eh}\nabla^2\nabla^2\varphi - \nabla_k^2 w = 0. \tag{2.10}$$

方程 (2.8), (2.10) 便是 w 和 φ 应满足的两个方程.

以 u, v, w 为基本未知函数的优点是：可以顾及各种中面载荷，边界条件的表达也比较简单；缺点是未知函数较多，方程形式也不够整齐. 以 w 和 φ 为基本未知函数的优缺点正好与上述的相反. 对于有些边界支承情况，要用 w 和 φ 来表示边界条件颇不容易. 后面将专门讨论这个问题.

对于常曲率扁壳，Власов[335] 指出还可将 w 和 φ 归并为一个未知函数. 根据方程 (2.10) 引进一个函数 F 使得

$$w = \nabla^2\nabla^2 F, \quad \varphi = Eh\nabla_k^2 F, \tag{2.11}$$

将此代入 (2.8)，得到 F 应满足的方程

$$D\nabla^2\nabla^2\nabla^2\nabla^2 F + Eh\nabla_k^2\nabla_k^2 F = p_z. \tag{2.12}$$

公式(2.11),(2.12)是否给出了问题的全解尚有待于研究，但对于球面扁壳，公式 (2.11), (2.12) 却只给出一种特解. 这是因为对于球面扁壳，

$$k_x = k_y = k, \quad k_{xy} = 0, \quad \nabla_k^2 = k\nabla^2; \tag{2.13}$$

公式 (2.11) 变为

$$w = \nabla^2\nabla^2 F, \quad \varphi = Ehk\nabla^2 F, \tag{2.14}$$

由此得到恒等式

$$\nabla^2\varphi - Ehkw = 0. \tag{2.15}$$

但从原来的协调方程 (2.10) 只能得知

$$\nabla^2\varphi - Ehkw = H, \tag{2.16}$$

式中 H 是一个任意的调和函数. 可见在公式 (2.15) 中漏掉了一个任意的调和函数, 因此它只适用于 $H=0$ 的一类问题. 上述著作的译者, 还有文献 [3] 讨论过这个问题.

§ 9.3 扁壳的无矩理论

壳体抵抗外力的刚度有两类. 一类是弯曲刚度, 另一类是拉压刚度. 对于各向同性的壳体, 这两个刚度的算式已由公式 (2.3) 给出. 在不少工程问题中, 弯曲刚度的作用要比拉压刚度小许多. 如果完全忽略弯曲刚度的作用, 则得到壳体的无矩理论(有时也叫薄膜理论). 在无矩理论中, 壳体可以有弯曲变形, 但不产生内力矩和横向剪力. 不要把壳体的无矩理论理解为没有弯曲变形的理论. 有变形而无相应的内力, 在刚度等于零的情况下是允许的.

在中面载荷 $p_x = p_y = 0$ 的情况下, 平衡方程 (1.18), (1.19) 仍可通过引进应力函数 (2.7) 而得到满足. 平衡方程 (1.22) 现在简化为

$$k_x N_x + 2k_{xy} N_{xy} + k_y N_y = p_z. \tag{3.1}$$

将 (2.7) 代入上式, 得到 φ 满足的一个方程

$$\nabla_k^2 \varphi = p_z. \tag{3.2}$$

这个方程也可在方程 (2.8) 中命 $D=0$ 而得到.

在无矩理论中, 有些问题是静定的, 即根据平衡方程和适当的边界条件便可决定应力函数 φ, 对于轴对称的问题, 甚至不用边界条件而单用平衡方程 (3.2) 就可决定 φ. 不过另外也有不少问题是超静定的. 求解超静定的无矩理论问题有两种基本的办法. 一种是除了用平衡方程外再用几何方程 (1.10) 和应力应变关系 (1.13). 另一种是用最小余能原理求超静定内力(见 § 9.7).

§ 9.4 等厚度的各向同性的球面扁壳

等厚度的各向同性的球面扁壳，是一种比较简单的扁壳. 这种壳除有一定的实用意义外，在理论上最便于说明壳体的许多特性，尤其是局部效应现象. 所以本节对这类壳体作更多的说明.

在只有法向载荷 $p_z = p$ 作用时，等厚度的各向同性的球面扁壳问题可归结为决定挠度 w 和应力函数 φ，它们应满足方程

$$D\nabla^2\nabla^2 w + k\nabla^2\varphi = p, \tag{4.1}$$

$$\frac{1}{Eh}\nabla^2\nabla^2\varphi - k\nabla^2 w = 0. \tag{4.2}$$

中面内的位移 u, v 与 w, φ 的关系为

$$\begin{aligned}
&\frac{\partial u}{\partial x} + kw = \frac{1}{Eh}\left(\frac{\partial^2\varphi}{\partial y^2} - \nu\frac{\partial^2\varphi}{\partial x^2}\right),\\
&\frac{\partial v}{\partial y} + kw = \frac{1}{Eh}\left(\frac{\partial^2\varphi}{\partial x^2} - \nu\frac{\partial^2\varphi}{\partial y^2}\right),\\
&\frac{\partial u}{\partial y} + \frac{\partial v}{\partial x} = -\frac{2(1+\nu)}{Eh}\frac{\partial^2\varphi}{\partial x\,\partial y}.
\end{aligned} \tag{4.3}$$

用代入验算的办法可以证明，方程 (4.1)—(4.3) 的解可以用一个实函数 $\varphi_0(x, y)$，两个共轭的复函数 $\varphi_1(x, y)$，$\varphi_2(x, y)$，和一个复变函数 $f(x + iy)$ 表示如下：

$$\varphi = \varphi_0 + \varphi_1 + \varphi_2, \tag{4.4}$$

$$\left.\begin{aligned}
&w = \frac{1}{Ehk}[\nabla^2\varphi + \mathrm{Re}\, f'(x+iy)],\\
&u = -\frac{1+\nu}{Eh}\frac{\partial\varphi}{\partial x} - \frac{1}{Eh}\mathrm{Re}\, f(x+iy),\\
&v = -\frac{1+\nu}{Eh}\frac{\partial\varphi}{\partial y} - \frac{1}{Eh}\mathrm{Im} f(x+iy),
\end{aligned}\right\} \tag{4.5}$$

而 φ_0, φ_1, φ_2 分别满足下列方程

$$\nabla^2\varphi_0 = \frac{p}{k}, \tag{4.6}$$

$$\nabla^2\varphi_1 - 2i\mu^2\varphi_1 = -\frac{p}{2k}, \tag{4.7a}$$

$$\nabla^2\varphi_2 + 2i\mu^2\varphi_2 = -\frac{p}{2k}, \tag{4.7b}$$

式中

$$\mu = \sqrt{\frac{Ehk^2}{4D}}. \tag{4.8}$$

函数 φ_1，φ_2 是共轭的复数，因此 $(\varphi_1 + \varphi_2)$ 和 $i(\varphi_1 - \varphi_2)$ 都是实数．从方程 (4.7) 可知

$$(\nabla^2\nabla^2 + 4\mu^2)(\varphi_1 + \varphi_2) = -\frac{1}{k}\nabla^2 p. \tag{4.9}$$

这个方程相当于弹性地基上板的方程，$(\varphi_1 + \varphi_2)$ 相当于板的挠度．所以复函数 φ_1，φ_2 也可看作相当于弹性地基上板的挠度．

四个函数 φ_0，φ_1，φ_2，f 代表球面扁壳中的四种不同的变形状态．函数 φ_0 只产生中面内力，而不产生挠度和弯曲，因此它给出了壳体中的无弯曲状态．虽然 φ_0 满足的方程 (4.6) 就是无矩理论中的方程 (3.2)，但是不能把无弯曲状态与无矩理论混为一谈．在无弯曲状态中，壳体曲率没有改变，因此尽管壳体有弯曲刚度，也没有弯矩．在无矩理论中，壳体的曲率是有变化的，只因为假设了弯曲刚度等于零，才使弯矩等于零．函数 φ_1，φ_2 相当于弹性地基上板的挠度，因此它们给出的变形状态具有明显的局部效应现象．函数 f 给出两种状态，一种是刚性位移，另一种是中面只有弯曲而无伸缩变形的状态．后一种状态可称为纯弯曲状态，这种状态正好与无弯曲状态相反而又互相补充．下面举几个例子看看这几种变形状态．

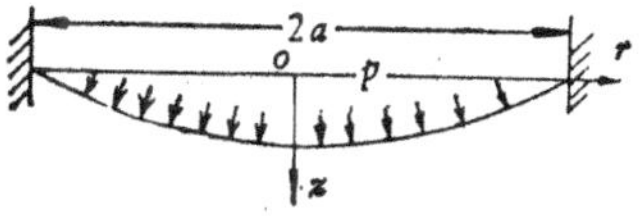

图 4.1

例 1　圆底球面扁壳在均布内压作用下的轴对称变形．

在轴对称问题中，取圆柱坐标 r, θ, z 比较方便. 由于轴对称,拉普拉斯算子简化为

$$\nabla^2 = \frac{d^2}{dr^2} + \frac{1}{r}\frac{d}{dr} = \frac{1}{r}\frac{d}{dr}\left(r\frac{d}{dr}\right). \tag{4.10}$$

在本例中,函数 φ_0, φ_1, φ_2, f 的算式是

$$\begin{aligned}
\varphi_0 &= \frac{p}{4k} r^2, \\
\varphi_1 &= \frac{p}{4k}\left\{-\frac{i}{\mu^2} + \frac{1}{2}(A + iB)\right. \\
&\quad \left.\times \left[\operatorname{ber}(\sqrt{2}\mu r) + i\operatorname{bei}(\sqrt{2}\mu r)\right]\right\}, \\
\varphi_2 &= \frac{p}{4k}\left\{\frac{i}{\mu^2} + \frac{1}{2}(A - iB)\right. \\
&\quad \left.\times \left[\operatorname{ber}(\sqrt{2}\mu r) - i\operatorname{bei}(\sqrt{2}\mu r)\right]\right\}, \\
f &= \frac{p}{4k}\cdot C(x + iy).
\end{aligned} \tag{4.11}$$

式中 A, B, C 是三个待定的实常数，$\operatorname{ber}(\xi)$, $\operatorname{bei}(\xi)$ 是两个称为 Thomson 函数的特殊函数. 当其中的变量 $\xi = \sqrt{2}\mu r$ 较大时，它们的渐近展开式是

$$\begin{aligned}
\operatorname{ber}(\sqrt{2}\mu r) &= \frac{e^{\mu r}}{\sqrt{2\sqrt{2}\mu r}}\cos\left(\mu r - \frac{\pi}{8}\right), \\
\operatorname{ber}'(\sqrt{2}\mu r) &= \frac{e^{\mu r}}{\sqrt{2\sqrt{2}\mu r}}\cos\left(\mu r + \frac{\pi}{8}\right), \\
\operatorname{bei}(\sqrt{2}\mu r) &= \frac{e^{\mu r}}{\sqrt{2\sqrt{2}\mu r}}\sin\left(\mu r - \frac{\pi}{8}\right), \\
\operatorname{bei}'(\sqrt{2}\mu r) &= \frac{e^{\mu r}}{\sqrt{2\sqrt{2}\mu r}}\sin\left(\mu r + \frac{\pi}{8}\right).
\end{aligned} \tag{4.12}$$

式中 $\operatorname{ber}'(\xi)$, $\operatorname{bei}'(\xi)$ 是 $\operatorname{ber}(\xi)$, $\operatorname{bei}(\xi)$ 对 ξ 的导数. 这两个函数的渐近展开式与弹性地基上梁的挠度函数十分相似. 它们都在

壳的边缘部份大，中间部份小，代表一种明显的边界效应.

将 (4.11) 代入 (4.4)，先计算 φ 和 w，然后计算径向中面力 N_r 和径向中面位移 u_r，得到

$$\varphi = \frac{p}{4k}\left[r^2 + A\,\mathrm{ber}(\sqrt{2}\mu r) - B\,\mathrm{bei}(\sqrt{2}\mu r)\right],$$

$$w = \frac{p}{4Ehk^2}\{4 + C - 2\mu^2[A\,\mathrm{bei}(\sqrt{2}\mu r)$$

$$+ B\,\mathrm{ber}(\sqrt{2}\mu r)]\},$$

$$rN_r = \frac{p}{4k}\{2r + \sqrt{2}\mu[A\,\mathrm{ber}'(\sqrt{2}\mu r)$$

$$- B\,\mathrm{bei}'(\sqrt{2}\mu r)]\},$$

$$u_r = -\frac{p}{Ehk}\{2(1+\nu)r + Cr + (1+\nu)\sqrt{2}\mu$$

$$\times [A\,\mathrm{ber}'(\sqrt{2}\mu r) - B\,\mathrm{bei}'(\sqrt{2}\mu r)]\}. \quad (4.13)$$

常数 A，B，C 应根据边界条件决定. 例如对于完全固支的情况，有边界条件

$$\text{在 } r = a \text{ 处：} w = 0,\ \frac{dw}{dr} = 0,\ u_r = 0. \quad (4.14)$$

将 (4.13) 代入，得到联立方程

$$4a^2 + a^2C - 2\mu^2a^2[A\,\mathrm{bei}(\sqrt{2}\mu a) + B\,\mathrm{ber}(\sqrt{2}\mu a)] = 0,$$

$$A\,\mathrm{bei}'(\sqrt{2}\mu a) + B\,\mathrm{ber}'(\sqrt{2}\mu a) = 0,$$

$$2(1+\nu)a^2 + a^2C + (1+\nu)\sqrt{2}\mu a$$

$$\times [A\,\mathrm{ber}'(\sqrt{2}\mu a) - B\,\mathrm{bei}'(\sqrt{2}\mu a)] = 0. \quad (4.15)$$

这个方程的系数很复杂，不便于求解. 若将其中的 Thomson 函数用渐近公式 (4.12) 代入，则可把它简化为

$$4a^2 + a^2C - \frac{2\eta^2}{\varepsilon}\left[A\sin\left(\eta - \frac{\pi}{8}\right) + B\cos\left(\eta - \frac{\pi}{8}\right)\right] = 0,$$

$$A\sin\left(\eta + \frac{\pi}{8}\right) + B\cos\left(\eta + \frac{\pi}{8}\right) = 0,$$

$$2(1+\nu)a^2 + a^2C + \frac{(1+\nu)\sqrt{2}\,\eta}{\varepsilon}$$

$$\times\left[A\cos\left(\eta+\frac{\pi}{8}\right) - B\sin\left(\eta+\frac{\pi}{8}\right)\right] = 0. \tag{4.16}$$

其中

$$\eta = \mu a, \quad \varepsilon = \sqrt{2\sqrt{2}\,\pi\eta}\, e^{-\eta}. \tag{4.17}$$

解出方程 (4.16)，得到

$$A = -\frac{\sqrt{2}(1-\nu)\varepsilon a^2}{\eta(\eta-1-\nu)}\cos\left(\eta+\frac{\pi}{8}\right),$$

$$B = \frac{\sqrt{2}(1-\nu)\varepsilon a^2}{\eta(\eta-1-\nu)}\sin\left(\eta+\frac{\pi}{8}\right),$$

$$C = -\frac{2(1+\nu)(\eta-2)}{\eta-1-\nu}. \tag{4.18}$$

当 η 很大时，ε 很小，上式化为

$$A = -\frac{\sqrt{2}(1-\nu)\varepsilon a^2}{\eta^2}\cos\left(\eta+\frac{\pi}{8}\right),$$

$$B = \frac{\sqrt{2}(1-\nu)\varepsilon a^2}{\eta^2}\sin\left(\eta+\frac{\pi}{8}\right),$$

$$C = -2(1+\nu)\left(1-\frac{1-\nu}{\eta}\right). \tag{4.19}$$

将 (4.19) 以及渐近公式 (4.12) 代入 (4.13)，得到壳体边界附近的几个渐近公式

$$\varphi = \frac{p}{4k}\left\{r^2 - \frac{\sqrt{2}(1-\nu)a^2}{\eta^2}\sqrt{\frac{a}{r}}\, e^{-\mu(a-r)} \times \cos\left[\mu(a-r)+\frac{\pi}{4}\right]\right\},$$

$$w = \frac{(1-\nu)p}{2Ehk^2}\left\{1 - \sqrt{2}\sqrt{\frac{a}{r}}\, e^{-\mu(a-r)} \times \sin\left[\mu(a-r)+\frac{\pi}{4}\right]\right\},$$

$$N_r = \frac{p}{2k}\left\{1 - \frac{1-\nu}{\eta}\frac{a}{r}\sqrt{\frac{a}{r}}\, e^{-\mu(a-r)} \cos\mu(a-r)\right\},$$

$$u_r = \frac{2(1-\nu^2)p}{Ehk}\frac{r}{\eta}\left\{1 - \frac{a}{r}\sqrt{\frac{a}{r}}\, e^{-\mu(a-r)} \times \cos\mu(a-r)\right\}. \tag{4.20}$$

上列公式表明，当壳体的弯曲刚度趋近于零时，也即

$$\eta = \mu a \to \infty \tag{4.21}$$

时，壳体中各个量的公式趋近于无矩理论中的公式

$$\varphi_0 = \frac{p}{4k} r^2, \quad w_0 = \frac{(1-\nu)p}{2Ehk^2},$$

$$N_{r0} = \frac{p}{2k}, \quad u_{r0} = 0. \tag{4.22}$$

从公式 (4.20) 减去公式 (4.22)，得到

$$\varphi - \varphi_0 = -\frac{p}{4k}\frac{\sqrt{2}(1-\nu)a^2}{\eta^2}\sqrt{\frac{a}{r}}\, e^{-\mu(a-r)} \times \cos\left[\mu(a-r) + \frac{\pi}{4}\right],$$

$$w - w_0 = -\frac{(1-\nu)p}{2Ehk^2}\cdot\sqrt{2}\sqrt{\frac{a}{r}}\, e^{-\mu(a-r)} \times \sin\left[\mu(a-r) + \frac{\pi}{4}\right],$$

$$N_r - N_{r0} = -\frac{p}{2k}\cdot\frac{1-\nu}{\eta}\cdot\frac{a}{r}\sqrt{\frac{a}{r}} \times e^{-\mu(a-r)}\cos\mu(a-r),$$

$$u_r - u_{r0} = \frac{2(1-\nu^2)p}{Ehk}\cdot\frac{r}{\eta}\left\{1 - \frac{a}{r}\sqrt{\frac{a}{r}} \times e^{-\mu(a-r)}\cos\mu(a-r)\right\}. \tag{4.23}$$

此式的右端是对无矩理论的修正，它们代表了壳体的弯曲刚度的

作用．再仔细分析一下可以看到，对 φ_0，w_0，N_{r0}，u_{r0} 修正的性质不完全相同．φ_0，w_0，N_{r0} 只需要在壳体边界附近进行修正，其中对 w_0 的修正达到与 w_0 同等的量级，对 N_{r0} 的修正则小一个量级，对 φ_0 的修正小两个量级．对 u_{r0} 的修正虽然只有 $1/\eta$ 的量级，但是这个修正并不局限于壳体的边界附近，而深入到了壳体内部．裘春航[31]在计算周边固支的矩形底球面扁壳时也曾发现，对无矩理论的修正不能局限于边界附近而必须深入到壳体的内部．

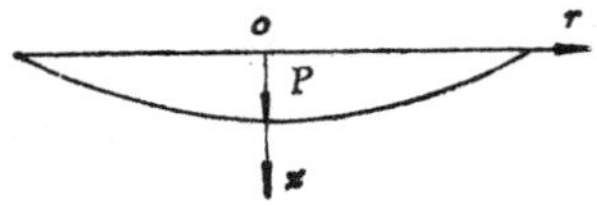

图 4.2

例 2 圆底球面扁壳在顶点处有一个法向集中力 P 产生的轴对称变形[1)]．

在本例中，分布载荷 p 的算式可表达为

$$p(r)=P\delta(r).$$

这里 $\delta(r)$ 代表奇点在坐标轴原点的二维 δ 函数．在本例中，函数 φ_0，φ_1，φ_2，f 的特解可取为

$$\begin{aligned}
\varphi_0&=\frac{P}{2\pi k}\ln r,\\
\varphi_1&=\frac{P}{4\pi k}[\operatorname{ker}(\sqrt{2}\,\mu r)+i\operatorname{kei}(\sqrt{2}\,\mu r)],\\
\varphi_2&=\frac{P}{4\pi k}[\operatorname{ker}(\sqrt{2}\,\mu r)-i\operatorname{kei}(\sqrt{2}\,\mu r)],\\
f&=0.
\end{aligned}\tag{4.24}$$

与此对应的 φ 和 w 的特解为

$$\varphi=\frac{P}{2\pi k}[\ln r+\operatorname{ker}(\sqrt{2}\,\mu r)].$$

$$w=-\frac{P}{2\pi k}\cdot\frac{2\mu^2}{Ehk}\operatorname{kei}(\sqrt{2}\,\mu r).\tag{4.25}$$

式中 $\operatorname{ker}(\xi)$，$\operatorname{kei}(\xi)$ 是两个特殊函数，也叫 Thomson 函数．当 r 很小时有如下的展开式

1）这个问题是首先由 Reissner[261] 解决的．

$$\operatorname{ker}(\sqrt{2}\,\mu r)=\ln\frac{\sqrt{2}}{\mu r}-\gamma,\quad \operatorname{ker}'(\sqrt{2}\,\mu r)=-\frac{1}{r},$$

$$\operatorname{kei}(\sqrt{2}\,\mu r)=-\frac{\pi}{4}-\left(\ln\frac{\mu r}{\sqrt{2}}+\gamma-1\right)\frac{\mu^2r^2}{2},$$

$$\operatorname{kei}'(\sqrt{2}\,\mu r)=-\left(\ln\frac{\mu r}{\sqrt{2}}+\gamma-\frac{1}{2}\right)\frac{\mu r}{\sqrt{2}},\tag{4.26}$$

式中 γ 为欧拉常数，其值为

$$\gamma=0.5772157.$$

当 r 很大时，又有如下的渐近展开

$$\operatorname{ker}(\sqrt{2}\,\mu r)=\sqrt{\frac{\pi}{2\sqrt{2}\,\mu r}}\,e^{-\mu r}\cos\left(\mu r+\frac{\pi}{8}\right),$$

$$\operatorname{ker}'(\sqrt{2}\,\mu r)=-\sqrt{\frac{\pi}{2\sqrt{2}\,\mu r}}\,e^{-\mu r}\cos\left(\mu r-\frac{\pi}{8}\right),$$

$$\operatorname{kei}(\sqrt{2}\,\mu r)=-\sqrt{\frac{\pi}{2\sqrt{2}\,\mu r}}\,e^{-\mu r}\sin\left(\mu r+\frac{\pi}{8}\right),$$

$$\operatorname{kei}'(\sqrt{2}\,\mu r)=\sqrt{\frac{\pi}{2\sqrt{2}\,\mu r}}\,e^{-\mu r}\sin\left(\mu r-\frac{\pi}{8}\right).\tag{4.27}$$

函数 $\operatorname{ker}(\sqrt{2}\,\mu r)$，$\operatorname{kei}(\sqrt{2}\,\mu r)$ 在原点有一个对数型的奇点。随着 r 的增加，它们衰减得很快。它们代表了集中载荷附近的局部效应[1)]。在离集中载荷稍远一点的地方，φ_1，φ_2 就比 φ_0 小许多，因此实际上只有 φ_0 在起作用，即壳体已处于无矩状态。

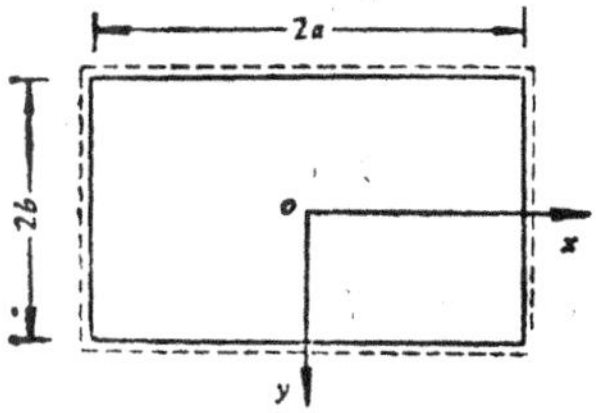

图 4.3

公式(4.25)没有考虑到壳体的边界条件。在边界附近，φ_1 和 φ_2 已可忽略不计，因此为了满足边

1) 显而易见，与 φ_0 相应的中面力也随 r 的增加而减小，但这是按 $1/r$ 的规律减小。这类减小不作局部效应考虑。本书中所说的局部效应，仅指按指数函数的规律衰减的现象。

界条件，只需对 φ_0 进行修正便可以了.

例 3 四边简支的矩形底球面扁壳，在均匀外压 $p=-q$ 作用下的变形[1]. 取坐标轴如图 4.3 所示. 在本例中边界条件为

$$\begin{aligned}&在\ x=\pm a\ 处:\ N_x=0,\ v=0,\ w=0,\ M_x=0,\\&在\ y=\pm b\ 处:\ N_y=0,\ u=0,\ w=0,\ M_y=0.\end{aligned}\tag{4.28}$$

用代入验算的办法可以证明，为了满足上列边界条件，只要取

$$f=0,\tag{4.29}$$

$$在边界上:\ \varphi_0=\varphi_1=\varphi_2=0,\tag{4.30}$$

便可以了. 再在方程 (4.6), (4.7) 中命 $p=-q$，得到

$$\nabla^2\varphi_0=-\frac{q}{k},\tag{4.31}$$

$$\left.\begin{aligned}\nabla^2\varphi_1-2i\mu^2\varphi_1=\frac{q}{2k},\\ \nabla^2\varphi_2+2i\mu^2\varphi_2=\frac{q}{2k}.\end{aligned}\right\}\tag{4.32}$$

方程 (4.31) 和边界条件 (4.30) 表明，φ_0 相当于柱体扭转问题中的应力函数. 借用文献[28]中的公式 (4.10)，即有

$$\varphi_0=\frac{q}{2k}(a^2-x^2)-\frac{16a^2q}{\pi^3k}\sum_{n=0}^{\infty}\frac{(-1)^n\operatorname{ch}\frac{(2n+1)\pi y}{2a}}{(2n+1)^3\operatorname{ch}\frac{(2n+1)\pi b}{2a}}\times\cos\frac{(2n+1)\pi x}{2a},\tag{4.33}$$

下面把与 φ_0 对应的中面内力记为 N_x^0, N_y^0, N_{xy}^0，即

$$N_x^0=\frac{\partial^2\varphi}{\partial y^2},\quad N_{xy}^0=-\frac{\partial^2\varphi_0}{\partial x\,\partial y},\quad N_y^0=\frac{\partial^2\varphi_0}{\partial x^2}.\tag{4.34}$$

方程 (4.32) 和边界条件 (4.30) 说明函数 φ_1, φ_2 相当于弹性地基上板的挠度. 在壳体的中心部位，可近似地认为

1) 何广乾等和胡海昌曾先后用边界效应理论研究过这个问题，见他们的著作 [5], [7], [14].

$$\varphi_1 = i \cdot \frac{q}{4k\mu^2}, \quad \varphi_2 = -i \cdot \frac{q}{4k\mu^2}. \tag{4.35}$$

于是在壳体的中心部位，其他各个量的近似公式为

$$\varphi = \varphi_0, \quad N_x = N_x^0, \quad N_y = N_y^0, \quad N_{xy} = N_{xy}^0,$$

$$u = -\frac{1+\nu}{Eh}\frac{\partial\varphi_0}{\partial x}, \quad v = -\frac{1+\nu}{Eh}\frac{\partial\varphi_0}{\partial y}, \quad w = -\frac{q}{Ehk^2}. \tag{4.36}$$

利用弹性地基板的边界效应，还可求得壳体边界附近以及角点附近各个量的近似公式。在求边界附近的 φ_1，φ_2 的近似公式时，可以认为其他三边的影响很小而把它们推向无穷远处，这样我们得到一个半无限壳，如图 4.4 所示。将坐标原点移到边界上，那末 φ_1，φ_2 的边界条件便可写成为

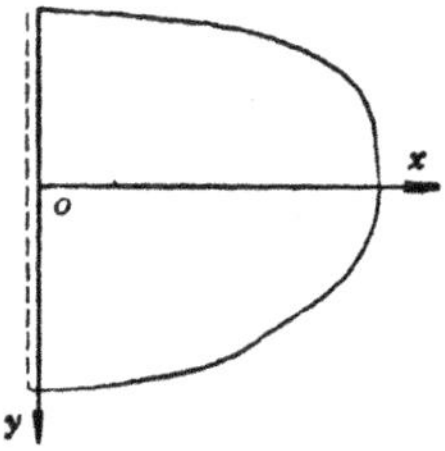

图 4.4

$$\begin{aligned} &在\ x = 0\ 处：\varphi_1 = \varphi_2 = 0, \\ &在无穷远处：\varphi_1，\varphi_2\ 都有限. \end{aligned} \tag{4.37}$$

方程 (4.32) 的满足边界条件 (4.37) 的解是

$$\varphi_1 = i \cdot \frac{q}{4k\mu^2}[1 - e^{-\mu x}(\cos\mu x - i\sin\mu x)],$$

$$\varphi_2 = -i \cdot \frac{q}{4k\mu^2}[1 - e^{-\mu x}(\cos\mu x + i\sin\mu x)]. \tag{4.38}$$

由此得到边界附近各个量的近似公式

$$\varphi = \varphi_0 - \frac{q}{2k\mu^2}e^{-\mu x}\sin\mu x,$$

$$w = -\frac{q}{Ehk^2}(1 - e^{-\mu x}\cos\mu x). \tag{4.39}$$

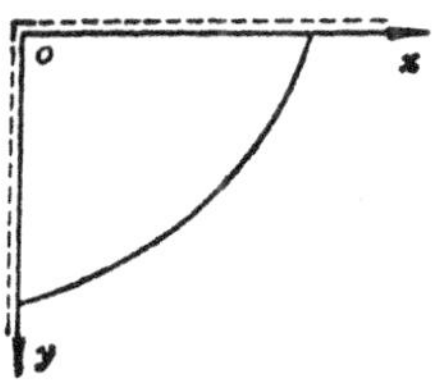

图 4.5

为了推导壳体角点附近函数 φ_1，φ_2 的近似公式，可先把坐标原点移至角点上，然后将其余两边推向无穷远处而得到一个 1/4 无限壳，如图 4.5 所

示. 于是 φ_1, φ_2 的边界条件可以写成为

$$\begin{aligned}&\text{在 } x=0 \text{ 及 } y=0 \text{ 处:} \quad \varphi_1=\varphi_2=0,\\ &\text{在无穷远处:} \quad \varphi_1, \varphi_2 \text{ 有限.}\end{aligned} \tag{4.40}$$

方程 (4.32) 在上列边界条件下的解, 可以用重正弦积分表示如下:

$$\varphi_1=-\frac{2q}{k\pi^2}\int_0^\infty\int_0^\infty\frac{\sin\xi x\sin\eta y}{\xi\eta(\xi^2+\eta^2+2i\mu^2)}d\xi d\eta,$$

$$\varphi_2=-\frac{2q}{k\pi^2}\int_0^\infty\int_0^\infty\frac{\sin\xi x\sin\eta y}{\xi\eta(\xi^2+\eta^2-2i\mu^2)}d\xi d\eta. \tag{4.41}$$

据此再计算 φ 和 w, 得到

$$\varphi=\varphi_0-\frac{4q}{k\pi^2}\int_0^\infty\int_0^\infty\frac{(\xi^2+\eta^2)\sin\xi x\sin\eta y}{\xi\eta[(\xi^2+\eta^2)^2+4\mu^4]}d\xi d\eta,$$

$$w=\frac{4q}{D\pi^2}\int_0^\infty\int_0^\infty\frac{\sin\xi x\sin\eta y}{\xi\eta[(\xi^2+\eta^2)^2+4\mu^4]}d\xi d\eta. \tag{4.42}$$

在角点附近, 比较大的内力是 N_{xy}, M_{xy}. 这两个内力恰好可以用 Thomson 函数表示如下:

$$N_{xy}=N_{xy}^0+\frac{2q}{\pi k}\operatorname{ker}(\sqrt{2}\,\mu\sqrt{x^2+y^2}),$$

$$M_{xy}=\frac{(1-\nu)q}{\pi\mu^2}\operatorname{kei}(\sqrt{2}\,\mu\sqrt{x^2+y^2}). \tag{4.43}$$

例 4　四边简支的矩形底球面扁壳由于支座不均匀沉陷产生的变形. 取坐标如图 4.6 所示. 刘世宁和胡定钟[19]指出, 本例的精确解为

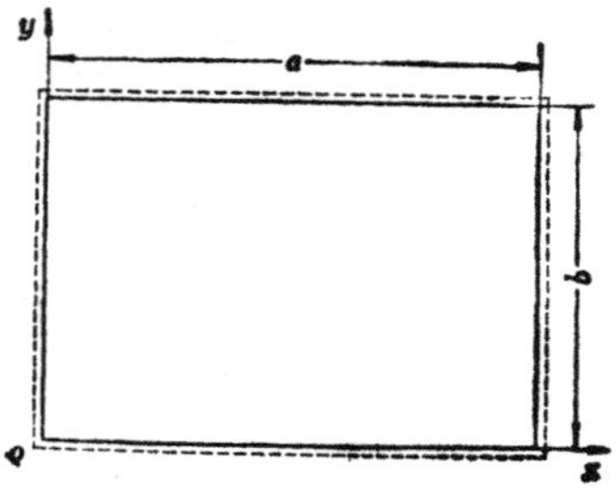

图 4.6

$$\varphi = 0, \qquad w = \delta \cdot \frac{xy}{ab},$$

$$u = -\delta \cdot \frac{k}{ab}\left(\frac{1}{2} x^2 y - \frac{1}{6} y^3\right),$$

$$v = -\delta \cdot \frac{k}{ab}\left(\frac{1}{2} x y^2 - \frac{1}{6} x^3\right). \tag{4.44}$$

式中 δ 代表支座的不均匀沉陷量，即角点 (a, b) 相对于其他三个角点的沉陷量．与这个解相对应的函数是

$$\varphi_0 = \varphi_1 = \varphi_2 = 0,$$

$$f(x + iy) = -\delta \cdot \frac{iEhk}{6ab}(x + iy)^3. \tag{4.45}$$

在上面举的四个例子中，例 1 和例 3 说明了边界效应的现象和利用边界效应的近似计算方法；例 2 说明了集中载荷附近的局部效应；例 4 说明了即使对于球面扁壳这样一类正高斯曲率壳体，也有实用上重要的纯弯状态． 这些例子在壳体理论中是很典型的．了解壳体的这些特点，对于无论是什么样的计算方法(局部效应方法，经典能量法，有限元素法以及其他方法)都有重要的指导意义．

§9.5 虚功原理，功的互等定理，以及局部效应的互换性

前已指出，扁壳的内力状态相当于平板的平面应力状态和弯曲状态的综合．扁壳理论中的虚功原理也相当于上述两种状态的综合．具体的数学表达式是

$$\iint_{\Omega}\left\{N_x\left(\frac{\partial u}{\partial x} + k_x w\right) + N_{xy}\left(\frac{\partial u}{\partial y} + \frac{\partial v}{\partial x} + 2k_{xy} w\right) + N_y\left(\frac{\partial v}{\partial y} + k_y w\right)\right\} dxdy$$

$$- \iint_{\Omega}\left(M_x \frac{\partial^2 w}{\partial x^2} + 2M_{xy}\frac{\partial^2 w}{\partial x\,\partial y} + M_y \frac{\partial^2 w}{\partial y^2}\right) dxdy$$

$$= \iint_{\Omega} (p_x u + p_y v + p_z w) dxdy$$

$$+ \int_C (N_n u_n + N_{ns} v_s) ds$$

$$+ \int_C \left\{ \left(\frac{\partial M_{ns}}{\partial s} + Q_n \right) w - M_n \frac{\partial w}{\partial n} \right\} ds. \tag{5.1}$$

式中Ω是壳体所占的区域，C 是Ω的边界. 此式中的内力 N_x, N_{xy}, N_y, M_x, M_{xy}, M_y (仍用以往的习惯，Q_x, Q_y 不算独立的内力，只算作是一种简写)应与外载荷维持平衡，即应满足平衡方程(1.18)—(1.22). 中面内的位移 u, v 应是连续的和有一阶导数的函数，挠度 w 应是连续的并且有一阶、二阶导数的函数. 如果把 u, v, w 理解为广义函数，那末它们的连续性要求便可以放宽. 公式 (5.1) 的左端代表内力所作之功，而右端代表外力所作之功.

如果把公式 (5.1) 中的外载荷用内力来表示，则有

$$\iint_{\Omega} \left\{ N_x \left(\frac{\partial u}{\partial x} + k_x w \right) + N_{xy} \left(\frac{\partial u}{\partial y} + \frac{\partial v}{\partial x} + 2k_{xy} w \right) \right.$$

$$\left. + N_y \left(\frac{\partial v}{\partial y} + k_y w \right) \right\} dxdy$$

$$- \iint_{\Omega} \left(M_x \frac{\partial^2 w}{\partial x^2} + 2M_{xy} \frac{\partial^2 w}{\partial x \partial y} + M_y \frac{\partial^2 w}{\partial y^2} \right) dxdy$$

$$= - \iint_{\Omega} \left\{ \left(\frac{\partial N_x}{\partial x} + \frac{\partial N_{xy}}{\partial y} \right) u + \left(\frac{\partial N_{xy}}{\partial x} + \frac{\partial N_y}{\partial y} \right) v \right.$$

$$+ \left(\frac{\partial Q_x}{\partial x} + \frac{\partial Q_y}{\partial y} - k_x N_x - 2k_{xy} N_{xy} \right.$$

$$\left. \left. - k_y N_y \right) w \right\} dxdy + \int_C (N_n u_n + N_{ns} v_s) ds$$

$$+ \int_C \left\{ \left(\frac{\partial M_{ns}}{\partial s} + Q_n \right) w - M_n \frac{\partial w}{\partial n} \right\} ds. \tag{5.2}$$

在这个公式中，N_x, N_{xy}, N_y, M_x, M_{xy}, M_y, u, v, w 是 9 个独立无关的函数，因此公式 (5.2) 是 9 个函数的一个数学恒等式. 公式 (5.2) 当然能用纯数学的办法给予证明. 但是证明步骤较长，

这里为了节省篇幅而从略了.

功的互等定理在扁壳理论中的数学形式是

$$\begin{aligned}\iint_{\Omega}&(p_{x1}u_2+p_{y1}v_2+p_{z1}w_2)dxdy\\&+\int_C(N_{n1}u_{n2}+N_{ns1}v_{s2})ds\\&+\int_C\left\{\left(\frac{\partial M_{ns1}}{\partial s}+Q_{n1}\right)w_2-M_{n1}\frac{\partial w_2}{\partial n}\right\}ds\\=\iint_{\Omega}&(p_{x2}u_1+p_{y2}v_1+p_{z2}w_1)dxdy\\&+\int_C(N_{n2}u_{n1}+N_{ns2}v_{s1})ds\\&+\int_C\left\{\left(\frac{\partial M_{ns2}}{\partial s}+Q_{n2}\right)w_1-M_{n2}\frac{\partial w_1}{\partial n}\right\}ds.\end{aligned}\tag{5.3}$$

在上节中我们曾就球面扁壳的特殊情况说明了集中载荷附近的局部效应和边界附近的边界效应. 利用功的互等定理可以证明, 对于任意的扁壳, 这两种局部效应要么同时存在, 要么同时不存在. 例如, 设已知在某扁壳中集中法向载荷 P_z (设 P_z 的作用点为 $x=\xi$, $y=\eta$) 产生的挠度具有局部效应性质[1], 而中面力没有这种性质. 现在在功的互等定理中取第一种状态为 $P_z=1$ 的状态, 第二种状态为由非齐次边界条件产生的状态. 于是从公式 (5.3) 可求得第二种状态中在 P_z 作用点处的挠度 $w_2(\xi,\eta)$ 的算式

$$\begin{aligned}w_2(\xi,\eta)=\int_C&(N_{n2}u_{n1}+N_{ns2}v_{s1}-N_{n1}u_{n2}-N_{ns1}v_{s2})ds\\&+\int_C\left\{\left(\frac{\partial M_{ns2}}{\partial s}+Q_{n2}\right)w_1-M_{n2}\frac{\partial w_1}{\partial n}\right.\\&\left.-\left(\frac{\partial M_{ns1}}{\partial s}+Q_{n1}\right)w_2+M_{n1}\frac{\partial w_2}{\partial n}\right\}ds.\end{aligned}\tag{5.4}$$

此式中的第一个积分给出了边界上 N_{n2}, N_{ns2}, u_{n2}, v_{s2} 引起的 (ξ,

---

1) 参见 §9.4 例 2 中的注脚.

η)点的挠度,第二个积分给出了边界上M_{n2}, M_{ns2}, Q_{n2}, w_2, $\frac{\partial w_2}{\partial n}$引起的挠度. 当$P_z$的作用点远离边界时，边界值$M_{n1}$, M_{ns1}, Q_{n1}, w_1, $\frac{\partial w_1}{\partial n}$减小得很快(因已知有局部效应)，因而第二个积分也必减小得很快,这表明边界上M_{n2}, M_{ns2}, Q_{n2}, w_2, $\frac{\partial w_2}{\partial n}$对挠度的影响是局部性质的，仅是一种边界效应. 但当(ξ, η)远离边界时，边界值N_{n1}, N_{ns1}, u_{n1}, v_{s1}并不很快地减小（因已知中面力没有局部效应的性质), 因而第一个积分一般地说减小得不快，这表明边界上的N_{n2}, N_{ns2}, u_{n2}, v_{s2}对挠度的影响不是局部性质的，即不存在边界效应.

对于其他的情况可以作类似的证明. 再推而广之则可以证明,对于其他的线性弹性结构,集中载荷附近的局部效应与边界附近的边界效应,也要么同时存在,要么同时不存在.

§9.6 最小势能原理,从最小势能原理看无矩理论

在扁壳理论中,系统的总势能Π的算式是

$$\Pi=\iint_{\Omega}(U'+U''-p_x u-p_y v-p_z w)\,dxdy$$
$$-\int_{C_{N_n}}\bar{N}_n u_n ds-\int_{C_{N_{ns}}}\bar{N}_{ns}v_s ds$$
$$-\int_{C_q}\bar{q}w ds+\int_{C_{M_n}}\bar{M}_n\frac{\partial w}{\partial n}ds. \tag{6.1}$$

式中U'仍代表中面应变的应变能密度，看作是u, v, w的函数；U''仍代表中面弯曲的应变能密度，看作是w的函数. 从形式上看，Π相当于平板的平面应力问题中的势能与弯曲问题中的势能的简单叠加. 但实质上在Π中包含了两种状态的交互作用. 这个作用反映在现在U'是u, v, w的函数，而在平面问题中，U'仅仅是u, v的函数.

最小势能原理指出，在所有满足位移边界条件 (1.24a)—(1.27a) 和连续条件的可能位移中，精确解使总势能 Π 取最小值.

在同样的位移分布情况下，U' 与壳体的伸缩刚度成正比，U'' 与壳体的弯曲刚度成正比. 对于工程上经常遇到的扁壳结构，在化成适当的无量纲参数后，弯曲刚度要比伸缩刚度小许多. 如果在壳体的边界上又无横向力和法向弯矩(即 $\bar{q}=0$，$\bar{M}_n=0$)，那末我们可以在 Π 的算式 (6.1) 中略去 U''，而得到简化的总势能的算式:

$$\Pi'=\iint_{\Omega}(U'-p_x u-p_y v-p_z w)dxdy - \int_{C_{N_n}}\bar{N}_n u_n ds-\int_{C_{N_{ns}}}\bar{N}_{ns}v_s ds. \tag{6.2}$$

Π' 便是扁壳的无矩理论中的总势能.

从 Π 简化到 Π'，从形式上看仅仅是略去了一项，但从后果上看，不仅 Π 与 Π' 的数值不相等，并且更重要的是它们对自变函数的要求不相同. U'' 是 w 的二阶导数的二次函数，因此 Π 要求 w 的二阶导数必须是有限的，从而 w 的一阶导数必须是连续的. 但是在 Π' 的算式中，只出现 w 而不出现它的导数，从而 w 本身便允许有间断，更不用说它的一阶导数了. 可见由于略去了 U''，自变函数 w 的允许范围是扩大了. 对 Π 是可能的挠度，对 Π' 也一定是可能的；但对 Π' 是可能的挠度，对 Π 却不一定是可能的.

忽略弯曲刚度后，边界条件 (1.26b)，(1.27b) 已自动满足(因已假定 $\bar{q}=0,\bar{M}_n=0$). 又由于 w 可以有间断，边界条件 (1.26a)，(1.27a) 实际上已不起作用. 因此在无矩理论中位移边界条件只剩下 (1.24a)，(1.25a) 两个. 这样无矩理论中的最小势能原理可叙述为：在所有满足位移边界条件 (1.24a)，(1.25a) 的可能位移中，精确解使 Π' 取最小值.

如果在某个具体问题中，无矩理论精确解中的位移，是有矩理论中的可能位移，那末当壳体的弯曲刚度很小时，在 Π 中忽略 U'' 是合理的. 对于这类问题，无矩理论的精确解可以看作是有矩理论的近似解.

如果在某个具体问题中,无矩理论精确解中的位移,在某些点上或线上不符合有矩理论对可能位移的要求，即挠度 w 或及其一阶导数有间断,那末即使壳体的弯曲刚度很小很小,但只要它不等于零，在这些间断点或线附近略去 U'' 也是不合理的. 对于这类问题,无矩理论的精确解不能简单地看作是有矩理论的近似解,因为在间断点或线附近会产生局部效应. 在这类问题中，无矩理论加局部效应修正,方可看作是有矩理论的近似解.

最后,如果在某个具体问题中,无矩理论根本不能使壳体保持平衡，那末在 Π 中忽略 U'' 是完全不合理的. 如果壳体的两个刚度的确相差很大，那末可用下面两种办法作简化. 一种是不把弯曲刚度看作零,而把伸缩刚度看作无穷大. 这样得到中面无伸缩变形的近似理论. 还有一种办法是用非线性（大位移）的无矩理论.

无矩理论加局部效应修正以作为有矩理论的近似解的例子，在 §9.4 已举过好几个了. 在那里还有一个非用有矩理论不可的例子(例 4). 下面再举一个例子，说明无矩理论根本不能使壳体维持平衡.

例 1 四边简支的常曲率马鞍形扁壳在均布法向载荷作用下的变形.

为了简单起见,假定两个方向的曲率大小相等，方向相反，于是有

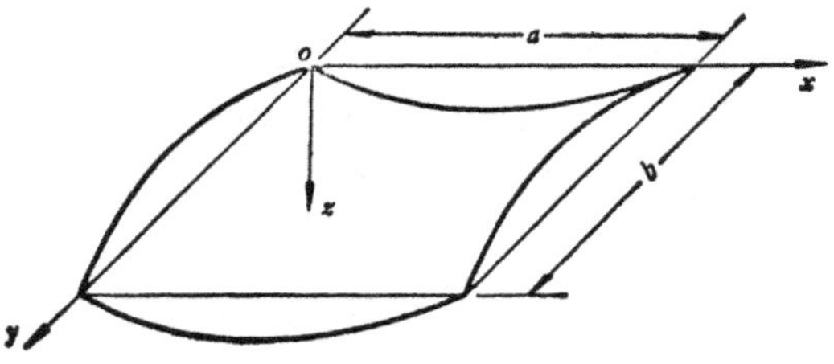

图 6.1

$$k_x = k, \quad k_y = -k, \quad k_{xy} = 0,$$

$$\nabla_k^2 = -k\left(\frac{\partial^2}{\partial x^2} - \frac{\partial^2}{\partial y^2}\right), \tag{6.3}$$

这样方程 (2.8), (2.10) 简化为

$$D\nabla^2\nabla^2 w - k\left(\frac{\partial^2\varphi}{\partial x^2} - \frac{\partial^2\varphi}{\partial y^2}\right) = p,$$

$$\frac{1}{Eh}\nabla^2\nabla^2\varphi + k\left(\frac{\partial^2 w}{\partial x^2} - \frac{\partial^2 w}{\partial y^2}\right) = 0. \tag{6.4}$$

简支边的边界条件经整理后可写成为

$$\text{在边界上:} \quad w = 0, \quad \nabla^2 w = 0, \quad \varphi = 0, \quad \nabla^2\varphi = 0. \tag{6.5}$$

因为我们的目的不是求适用于作数字计算的公式，而是作一些定性的讨论，所以用重正弦级数来求解．这样可得到

$$w = \frac{16p}{Eh\pi^2}\sum_{m=1,3}^{\infty}\sum_{n=1,3}^{\infty}$$

$$\times \frac{\left(\frac{m^2}{a^2}+\frac{n^2}{b^2}\right)^2 \sin\frac{m\pi x}{a}\sin\frac{n\pi y}{b}}{mn\left[\frac{\pi^4 D}{Eh}\left(\frac{m^2}{a^2}+\frac{n^2}{b^2}\right)^4 + k^2\left(\frac{m^2}{a^2}-\frac{n^2}{b^2}\right)^2\right]},$$

$$\varphi = -\frac{16kp}{\pi^4}\sum_{m=1,3}^{\infty}\sum_{n=1,3}^{\infty}$$

$$\times \frac{\left(\frac{m^2}{a^2}-\frac{n^2}{b^2}\right)\sin\frac{m\pi x}{a}\sin\frac{n\pi y}{b}}{mn\left[\frac{\pi^4 D}{Eh}\left(\frac{m^2}{a^2}+\frac{n^2}{b^2}\right)^4 + k^2\left(\frac{m^2}{a^2}-\frac{n^2}{b^2}\right)^2\right]}. \tag{6.6}$$

如果在上列公式中设 $D = 0$, 则得到无矩理论中的解

$$w_0 = \frac{16p}{\pi^2 Ehk^2}\sum_{m=1,3}^{\infty}\sum_{n=1,3}^{\infty}\frac{\left(\frac{m^2}{a^2}+\frac{n^2}{b^2}\right)^2 \sin\frac{m\pi x}{a}\sin\frac{n\pi y}{b}}{mn\left(\frac{m^2}{a^2}-\frac{n^2}{b^2}\right)^2}, \tag{6.7a}$$

$$\varphi_0 = -\frac{16p}{\pi^4 k}\sum_{m=1,3}^{\infty}\sum_{n=1,3}^{\infty}\frac{\sin\frac{m\pi x}{a}\sin\frac{n\pi y}{b}}{mn\left(\frac{m^2}{a^2}-\frac{n^2}{b^2}\right)}. \tag{6.7b}$$

但是这两个级数是不收敛的，这是因为分母有可能等于零，即

$$\frac{m}{a}-\frac{n}{b}=0 \tag{6.8}$$

有可能成立．当壳体的边长比 a/b 为一有理数时，条件 (6.8) 能严格地成立，当 a/b 为无理数时，条件 (6.8) 虽然不能严格地成立，但可能无限接近于零．其实有理数与无理数的区别是没有实际意义的，因为在工程问题中谁也说不出 a/b 到底是有理数还是无理数．总之级数 (6.8) 不收敛，说明无矩理论不能使壳体维持平衡．为了使壳体能保持平衡，或者必须考虑它的弯曲刚度，或者改用非线性(大挠度)的无矩理论．

有些壳体在无矩理论中根本不能维持平衡，说明在忽略弯曲刚度之后它已成为一个可动的机构，或危形结构．所以要鉴定一个扁壳在无矩理论中是否能维持平衡，并不一定要去试着求解平衡方程．看看它是否已成为一个可动的机构(或危形结构)也足以说明问题．如果某扁壳在无矩理论中已成为一个可动的机构（或危形结构)，那末必存在一种不恒等于零的位移，使得

$$\varepsilon_x = \frac{\partial u}{\partial x} + k_x w = 0, \quad \varepsilon_y = \frac{\partial v}{\partial y} + k_y w = 0,$$

$$\gamma_{xy} = \frac{\partial u}{\partial y} + \frac{\partial v}{\partial x} + 2k_{xy} w = 0. \tag{6.9}$$

如果这组方程汇同应有的位移边界条件有不恒等于零的解，那末就表明此壳体在无矩理论中已成为可动的机构（或危形结构)，反之则不是机构也不是危形结构．

例如对于上例中的马鞍形壳体，曲率的值为 (6.3)，方程 (6.9) 化为

$$\frac{\partial u}{\partial x} + kw = 0, \quad \frac{\partial v}{\partial y} - kw = 0, \quad \frac{\partial u}{\partial y} + \frac{\partial v}{\partial x} = 0. \tag{6.10}$$

简支边的边界条件是

$$\begin{aligned} &\text{在 } x=0 \text{ 及 } x=a \text{ 处:} \quad v=0, \\ &\text{在 } y=0 \text{ 及 } y=b \text{ 处:} \quad u=0. \end{aligned} \tag{6.11}$$

设方程 (6.10), (6.11) 的解为

$$w=A\sin\frac{m\pi x}{a}\sin\frac{n\pi y}{b},$$

$$u=B\cos\frac{m\pi x}{a}\sin\frac{n\pi y}{b},$$

$$v=C\sin\frac{m\pi x}{a}\cos\frac{n\pi y}{b}. \tag{6.12}$$

其中 A, B, C 为常数, m, n 为正整数. 算式 (6.12) 已满足了边界条件 (6.11). 将 (6.12) 代入 (6.10), 约去公因子后得到

$$-\frac{m\pi}{a}B+kA=0, \quad -\frac{n\pi}{b}C-kA=0,$$

$$\frac{n\pi}{b}B+\frac{m\pi}{a}C=0.$$

因为 A, B, C 不全为零,由此即得到前已导出的条件 (6.8).

§9.7 最小余能原理

在扁壳理论中,总余能 Γ 的算式是

$$\Gamma=\iint_{\Omega}(V'+V'')dxdy-\int_{C_{u_n}}\bar{u}_nN_nds-\int_{C_{v_s}}\bar{v}_sN_{ns}ds$$
$$-\int_{C_w}\bar{w}\left(\frac{\partial M_{ns}}{\partial s}+Q_n\right)ds+\int_{C_{\psi_n}}\bar{\psi}_nM_nds. \tag{7.1}$$

式中 V' 仍代表中面内力的余应变能密度,看作是中面内力 N_x, N_y, N_{xy} 的函数; V'' 仍代表弯矩的余应变能密度,看作是弯矩 M_x, M_y, M_{xy} 的函数。

最小余能原理指出:在所有满足平衡条件的内力中,精确解使总余能取最小值。在扁壳理论中,平衡条件包括平衡方程 (1.18)—

(1.22) 和有关力的边界条件 (1.24b)—(1.27b).

Γ 的算式 (7.1) 是相当的平板的平面应力问题中的余能和弯曲问题中的余能的简单叠加. 但是扁壳理论中的余能原理却不是平面应力问题的余能原理和弯曲问题的余能原理的简单叠加. 余能原理要求事先满足平衡方程. 在平衡方程 (1.22) 中出现有中面内力，它反映了平面应力状态和弯曲状态的交互作用. 在最小余能原理中，通过方程 (1.22) 反映了两种状态的交互作用.

在扁壳的无矩理论中假设了 $M_x = M_y = M_{xy} = 0$，因而无矩理论中总余能 Γ' 的算式是

$$\Gamma' = \iint_{\Omega} V' dxdy - \int_{C_{u_n}} \bar{u}_n N_n ds - \int_{C_{v_s}} \bar{v}_s N_{ns} ds. \tag{7.2}$$

在无矩理论中，平衡方程 (1.20)，(1.21) 和力的边界条件 (1.26b)，(1.27b) 已自动满足，因此剩下需要设法去满足的只有 (1.18)，(1.19)，(1.22) (其中应设 $Q_x = Q_y = 0$)，(1.24b)，(1.25b).

在无矩理论中，有些问题是静定的. 对于静定的问题，虽然也可算出余能 Γ' 的值，但已无最小余能原理可言，因为中面内力既已静定，就无变分了. 对于超静定的无矩理论问题，才有最小余能原理，并可用最小余能原理来确定中面内力中的超静定部份.

对于精确解，势能与余能之间仍存在恒等关系

$$\Pi + \Gamma = 0, \quad \Pi' + \Gamma' = 0. \tag{7.3}$$

§9.8 二类变量广义变分原理

在扁壳理论中，二类变量广义变分原理是

$$\delta\Pi_2 = 0, \quad \delta\Gamma_2 = 0. \tag{8.1}$$

二类变量广义势能 Π_2 和二类变量广义余能 Γ_2 的算式是

$$\Pi_2 = \Pi_2' + \Pi_2'' + \iint_{\Omega} (k_x N_x + 2k_{xy} N_{xy} + k_y N_y) w dxdy, \tag{8.2}$$

$$\Gamma_2 = \Gamma_2' + \Gamma_2'' - \iint_{\Omega} (k_x N_x + 2k_{xy} N_{xy} + k_y N_y) w dxdy. \tag{8.3}$$

其中

$$\Pi_2' = \iint_\Omega \left\{ N_x \frac{\partial u}{\partial x} + N_{xy}\left(\frac{\partial u}{\partial y} + \frac{\partial v}{\partial x}\right) + N_y \frac{\partial v}{\partial y} - V' - p_x u - p_y v \right\} dxdy - \int_{C_{N_n}} \bar{N}_n u_n ds - \int_{C_{u_n}} (u_n - \bar{u}_n) N_n ds - \int_{C_{N_{ns}}} \bar{N}_{ns} v_s ds - \int_{C_{v_s}} (v_s - \bar{v}_s) N_{ns} ds, \tag{8.4a}$$

$$\Pi_2'' = \iint_\Omega \left(- M_x \frac{\partial^2 w}{\partial x^2} - 2M_{xy} \frac{\partial^2 w}{\partial x \partial y} - M_y \frac{\partial^2 w}{\partial y^2} - V'' - p_z w \right) dxdy - \int_{C_q} \bar{q} w ds - \int_{C_w} (w - \bar{w}) \left(\frac{\partial M_{ns}}{\partial s} + Q_n \right) ds + \int_{C_{M_n}} \bar{M}_n \frac{\partial w}{\partial n} ds + \int_{C_{\psi_n}} \left(\frac{\partial w}{\partial n} - \bar{\psi}_n \right) M_n ds, \tag{8.4b}$$

$$\Gamma_2' = \iint_\Omega \left\{ V' + \left(\frac{\partial N_x}{\partial x} + \frac{\partial N_{xy}}{\partial y} + p_x \right) u + \left(\frac{\partial N_{xy}}{\partial x} + \frac{\partial N_y}{\partial y} + p_y \right) v \right\} dxdy - \int_{C_{u_n}} \bar{u}_n N_n ds - \int_{C_{N_n}} (N_n - \bar{N}_n) u_n ds - \int_{C_{v_s}} \bar{v}_s N_{ns} ds - \int_{C_{N_{ns}}} (N_{ns} - \bar{N}_{ns}) v_s ds, \tag{8.5a}$$

$$\Gamma_2'' = \iint_\Omega \left\{ V'' + \left(\frac{\partial Q_x}{\partial x} + \frac{\partial Q_y}{\partial y} + p_z \right) w \right\} dxdy - \int_{C_w} \bar{w} \left(\frac{\partial M_{ns}}{\partial s} + Q_n \right) ds - \int_{C_q} \left(\frac{\partial M_{ns}}{\partial s} + Q_n - \bar{q} \right) w ds$$

$$+\int_{C_{\psi_n}} \bar{\Psi}_n M_n ds + \int_{C_{M_n}} (M_n - \bar{M}_n) \frac{\partial w}{\partial n} ds. \quad (8.5b)$$

泛函 Π_2', Γ_2' 相当于平面应力问题中的二类变量广义势能和二类变量广义余能. 泛函 Π_2'', Γ_2'' 相当于薄板弯曲问题中的二类变量广义势能和二类变量广义余能. 算式 (8.2), (8.3) 中的第三项, 代表了扁壳问题中平面应力状态和弯曲状态的交互作用. 在广义变分原理中,能清楚地看出扁壳问题中这两种状态的联系.

从 (8.2), (8.3) 可得到恒等关系

$$\Pi_2 + \Gamma_2 = \Pi_2' + \Gamma_2' + \Pi_2'' + \Gamma_2'' = 0. \quad (8.6)$$

刘世宁在文献 [16] 中把二类变量广义势能的算式写成为

$$\Pi_2 = -\Gamma_2' + \Pi_2'' + \iint_{\Omega} (k_x N_x + 2k_{xy} N_{xy} + k_y N_y) w dx dy. \quad (8.7)$$

在有些问题中,用算式 (8.7) 比用 (8.2) 更为方便.

前已说明, 在 $p_x = p_y = 0$ 的情况下, 按 (2.7) 式引进应力函数 φ 之后, 可以把扁壳问题归结为决定两个函数 w 和 φ. 下面来推导在这种情况下以 w 和 φ 为自变函数的广义变分原理. 引进应力函数后, 平衡方程 (1.18), (1.19) 已自动满足. 再设边界条件 (1.24b), (1.25b) 也已满足. 这样,相当的平面问题中的二类变量广义余能 Γ_2' 便退化为普通的余能 Γ':

$$\Gamma' = \iint_{\Omega} V' dx dy - \int_{C_{u_n}} \bar{u}_n \left(\frac{\partial^2 \varphi}{\partial s^2} + \frac{1}{r} \frac{\partial \varphi}{\partial n} \right) ds$$
$$- \int_{C_{v_s}} \bar{v}_s \left[-\frac{\partial}{\partial s} \left(\frac{\partial \varphi}{\partial n} \right) + \frac{1}{r} \frac{\partial \varphi}{\partial s} \right] ds. \quad (8.8)$$

这里用了与 § 7.3 公式 (3.39), (3.40) 相当的两个公式

$$N_n = \frac{\partial^2 \varphi}{\partial s^2} + \frac{1}{r} \frac{\partial \varphi}{\partial n}, \quad N_{ns} = -\frac{\partial}{\partial s} \left(\frac{\partial \varphi}{\partial n} \right) + \frac{1}{r} \frac{\partial \varphi}{\partial s}. \quad (8.9)$$

再设应力应变关系 (1.14b) 和边界条件 (1.26a), (1.27a) 已经满足,那末相当的薄板弯曲问题中的二类变量广义势能 Π_2'' 退化到普通的势能 Π'':

$$\Pi'' = \iint_{\Omega} (U'' - p_z w)\, dxdy - \int_{C_q} \bar{q} w ds + \int_{C_{M_n}} \overline{M}_n \frac{\partial w}{\partial n} ds. \tag{8.10}$$

这样,广义势能的算式 (8.7) 便简化为

$$\Pi_2 = -\Gamma' + \Pi'' + \iint_{\Omega} w \nabla_k^2 \varphi dxdy. \tag{8.11}$$

这便是用 w 和 φ 表示的二类变量广义势能的一种特殊的算式.

用二类变量广义变分原理解题时,有时用上列的泛函形式 (8.11) 比较方便,有时用变分形式比较方便. 求 (8.11) 的变分,得到

$$\delta\Pi_2 = -\delta\Gamma' + \delta\Pi'' + \iint_{\Omega} w \nabla_k^2 \delta\varphi dxdy + \iint_{\Omega} \nabla_k^2 \varphi \delta w dxdy = 0. \tag{8.12}$$

仿照 § 7.3 的办法求 $\delta\Gamma'$,得到

$$\begin{aligned}
\delta\Gamma' = & \iint_{\Omega} \left(\varepsilon_y \frac{\partial^2 \delta\varphi}{\partial x^2} - \gamma_{xy} \frac{\partial^2 \delta\varphi}{\partial x \partial y} + \varepsilon_x \frac{\partial^2 \delta\varphi}{\partial y^2} \right) dxdy \\
& - \int_{C_{u_n}} \bar{u}_n \left(\frac{\partial^2 \delta\varphi}{\partial s^2} + \frac{1}{r} \frac{\partial \delta\varphi}{\partial n} \right) ds \\
& - \int_{C_{v_s}} \bar{v}_s \left[-\frac{\partial}{\partial s} \left(\frac{\partial \delta\varphi}{\partial n} \right) + \frac{1}{r} \frac{\partial \delta\varphi}{\partial s} \right] ds \\
= & \iint_{\Omega} \left(\frac{\partial^2 \varepsilon_y}{\partial x^2} + \frac{\partial^2 \varepsilon_x}{\partial y^2} - \frac{\partial^2 \gamma_{xy}}{\partial x \partial y} \right) \delta\varphi dxdy \\
& - \int_C \lambda_s \delta\varphi ds + \int_C \varepsilon_s \frac{\partial \delta\varphi}{\partial n} ds \\
& - \int_{C_{u_n}} \left(\frac{d^2 \bar{u}_n}{ds^2} \delta\varphi + \frac{\bar{u}_n}{r} \frac{\partial \delta\varphi}{\partial n} \right) ds \\
& - \int_{C_{u_n}} \frac{\partial}{\partial s} \left[\bar{u}_n \frac{\partial \delta\varphi}{\partial s} - \frac{d\bar{u}_n}{ds} \delta\varphi \right] ds
\end{aligned}$$

$$
+\int_{C_{v_s}}\left[-\frac{d\bar{v}_s}{ds}\frac{\partial\delta\varphi}{\partial n}+\frac{d}{ds}\left(\frac{\bar{v}_s}{r}\right)\delta\varphi\right]ds
$$

$$
-\int_{C_{v_s}}\frac{\partial}{\partial s}\left[-\bar{v}_s\frac{\partial\delta\varphi}{\partial n}+\frac{\bar{v}_s}{r}\delta\varphi\right]ds. \tag{8.13}
$$

式中的 ε_s, λ_s 仍由 §7.3 公式 (3.32) 决定. 参照 §4.5 的办法求 $\delta\Pi''$, 得到

$$
\delta\Pi''=-\iint_{\Omega}\left(\frac{\partial Q_x}{\partial x}+\frac{\partial Q_y}{\partial y}+p_z\right)\delta w dxdy
$$

$$
+\int_{C_q}\left(\frac{\partial M_{ns}}{\partial s}+Q_n-\bar{q}\right)\delta w ds
$$

$$
-\int_{C_{M_n}}(M_n-\bar{M}_n)\frac{\partial\delta w}{\partial n}ds. \tag{8.14}
$$

用分部积分变换 (8.12) 右端的第三项,得到

$$
\iint_{\Omega}w\nabla_k^2\delta\varphi dxdy=\iint_{\Omega}\nabla_k^2 w\delta\varphi dxdy
$$

$$
+\int_C w\left\{\left(k_y\frac{\partial\delta\varphi}{\partial x}-k_{xy}\frac{\partial\delta\varphi}{\partial y}\right)\cos\theta\right.
$$

$$
\left.+\left(-k_{xy}\frac{\partial\delta\varphi}{\partial x}+k_x\frac{\partial\delta\varphi}{\partial y}\right)\sin\theta\right\}ds
$$

$$
-\int_C\left\{\left(k_y\frac{\partial w}{\partial x}-k_{xy}\frac{\partial w}{\partial y}\right)\cos\theta\right.
$$

$$
\left.+\left(-k_{xy}\frac{\partial w}{\partial x}+k_x\frac{\partial w}{\partial y}\right)\sin\theta\right\}\delta\varphi ds
$$

$$
=\iint_{\Omega}\nabla_k^2 w\delta\varphi dxdy
$$

$$
+\int_C\left[\frac{\partial}{\partial s}(k_{ns}w)\delta\varphi+k_s w\frac{\partial\delta\varphi}{\partial n}\right]ds
$$

$$
-\int_C\left(-k_{ns}\frac{\partial w}{\partial s}+k_s\frac{\partial w}{\partial n}\right)\delta\varphi ds. \tag{8.15}
$$

式中 k_s, k_{ns} 代表边界切线方向的曲率和扭率:

$$
k_s=k_y\cos^2\theta-2k_{xy}\cos\theta\sin\theta+k_x\sin^2\theta,
$$

$$k_{ns}=(k_y-k_x)\cos\theta\sin\theta+k_{xy}(\cos^2\theta-\sin^2\theta). \tag{8.16}$$

将 (8.13)—(8.15) 代入 (8.12)，再经整理后，得到

$$\begin{aligned}
\delta\Pi_2=&-\iint_{\Omega}\left(\frac{\partial^2\varepsilon_y}{\partial x^2}-\frac{\partial^2\gamma_{xy}}{\partial x\,\partial y}+\frac{\partial^2\varepsilon_x}{\partial y^2}-\nabla_k^2 w\right)\delta\varphi dxdy\\
&+\int_C\left[\lambda_s+\frac{\partial}{\partial s}(k_{ns}w)+k_{ns}\frac{\partial w}{\partial s}-k_s\frac{\partial w}{\partial n}\right]\delta\varphi ds\\
&+\int_C(-\varepsilon_s+k_s w)\frac{\partial\delta\varphi}{\partial n}ds\\
&+\int_{C_{u_n}}\left(\frac{d^2\bar{u}_n}{ds^2}\delta\varphi+\frac{\bar{u}_n}{r}\frac{\partial\delta\varphi}{\partial n}\right)ds\\
&-\int_{C_{v_s}}\left[-\frac{d\bar{v}_s}{ds}\frac{\partial\delta\varphi}{\partial n}+\frac{d}{ds}\left(\frac{\bar{v}_s}{r}\right)\delta\varphi\right]ds\\
&-\int_{C_{u_n}}\frac{\partial}{\partial s}\left[\bar{u}_n\frac{\partial\delta\varphi}{\partial s}-\frac{d\bar{u}_n}{ds}\delta\varphi\right]ds\\
&+\int_{C_{v_s}}\frac{\partial}{\partial s}\left[-\bar{v}_s\frac{\partial\delta\varphi}{\partial n}+\frac{\bar{v}_s}{r}\delta\varphi\right]ds\\
&+\iint_{\Omega}\left(-\frac{\partial Q_x}{\partial x}-\frac{\partial Q_y}{\partial y}-p_z+\nabla_k^2\varphi\right)\delta w dxdy\\
&+\int_{C_q}\left(\frac{\partial M_{ns}}{\partial s}+Q_n-\bar{q}\right)\delta w ds\\
&-\int_{C_{M_n}}(M_n-\bar{M}_n)\frac{\partial\delta w}{\partial n}ds=0
\end{aligned} \tag{8.17}$$

§9.9 用 w 和 φ 表示边界条件

在扁壳问题中，把 w 和 φ 作为基本未知函数，有许多优点：未知函数较少，方程比较简单整齐，变分原理中的泛函也比较简单整齐．但同时也带来一个问题，即首先必须把边界条件也用 w 和 φ 表示出来．要正确地表示边界条件，并不是一件容易的事情．扁壳问题比平面问题还要复杂麻烦得多．何广乾、陈伏[6]曾经指出，Das Gupta[101] 在计算四边简支的扭壳问题时，列错了边界条件，并

导致了性质上错误的数字结果．何广乾、陈伏给出了四边简支扁壳的正确的边界条件．各种情况下边界条件的正确表达方法，是首先由刘世宁[16]用他提出的广义变分原理作了全面的系统的研究和分析．在他的论文中，还讨论到中面位移的单值条件．后来裴文瑾[22]又用结构力学的方法来说明和推导各种边界条件．在他们的文章中，还附有矩形底扁壳在许多情况下的补充条件，有需要的读者可去查阅．下面举两个例子说明一下问题的性质．这两个例子都只限于等厚度的各向同性的扁壳．

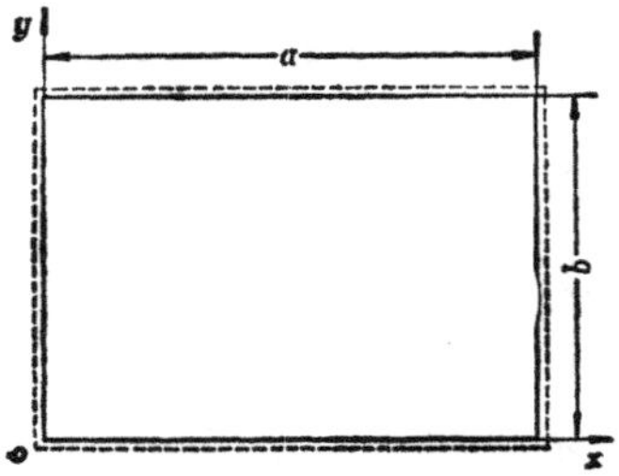

图 9.1

例 1 四边简支的矩形底扁壳

应有的边界条件是

$$\left.\begin{aligned}&\text{在 } x=0 \text{ 及 } x=a \text{ 处：} w=0,\ \frac{\partial^2 w}{\partial x^2}=0,\\&\text{在 } y=0 \text{ 及 } y=b \text{ 处：} w=0,\ \frac{\partial^2 w}{\partial y^2}=0,\end{aligned}\right\}\qquad(9.1)$$

$$\left.\begin{aligned}&\text{在 } x=0 \text{ 及 } x=a \text{ 处：} N_x=0,\ v=0,\\&\text{在 } y=0 \text{ 及 } y=b \text{ 处：} N_y=0,\ u=0.\end{aligned}\right\}\qquad(9.2)$$

条件 (9.1) 已经是用 w 表示的条件，现在只要设法把 (9.2) 也用 w 和 φ 来表示．为此先将 (9.2) 放松为

$$\text{在 } x=0 \text{ 及 } x=a \text{ 处：} N_x=0,\ \varepsilon_y=\frac{\partial v}{\partial y}+k_y w=0,$$

$$\text{在 } y=0 \text{ 及 } y=b \text{ 处：} N_y=0,\ \varepsilon_x=\frac{\partial u}{\partial x}+k_x w=0.\qquad(9.3)$$

利用应力应变关系，上式又可写成为

$$\begin{aligned}&\text{在 } x=0 \text{ 及 } x=a \text{ 处：} N_x=N_y=0,\\&\text{在 } y=0 \text{ 及 } y=b \text{ 处：} N_y=N_x=0.\end{aligned}$$

引进应力函数 φ，上式变为

$$\text{在 } x=0 \text{ 及 } x=a \text{ 处：} \frac{\partial^2\varphi}{\partial y^2}=0,\ \frac{\partial^2\varphi}{\partial x^2}=0, \tag{9.4a}$$

$$\text{在 } y=0 \text{ 及 } y=b \text{ 处：} \frac{\partial^2\varphi}{\partial x^2}=0,\ \frac{\partial^2\varphi}{\partial y^2}=0. \tag{9.4b}$$

和平面问题相同，应力函数 φ 中有一个一次多项式可由我们随意指定，因此我们可以随意指定边界上不在同一条直线上的某三点的 φ 值．例如我们可设

$$\text{在 } (0,0),\ (0,b),\ (a,0) \text{ 三点：} \varphi=0. \tag{9.5}$$

这样，将 (9.4a) 的第一个对 y 积分两次，(9.4b) 的第一个对 x 积分两次，利用条件 (9.5) 后便有

$$\begin{aligned}
&\text{在 } x=0 \text{ 处：} \varphi=0,\ \frac{\partial^2\varphi}{\partial x^2}=0,\\
&\text{在 } y=0 \text{ 处：} \varphi=0,\ \frac{\partial^2\varphi}{\partial y^2}=0,\\
&\text{在 } x=a \text{ 处：} \varphi=A\frac{y}{b},\ \frac{\partial^2\varphi}{\partial x^2}=0,\\
&\text{在 } y=b \text{ 处：} \varphi=A\frac{x}{a},\ \frac{\partial^2\varphi}{\partial y^2}=0.
\end{aligned} \tag{9.6}$$

式中 A 代表 (a, b) 点上的 φ 值．在边界条件 (9.6) 中常数 A 是未定的，因此还需要补充一个条件来确定 A．这一类条件在本书中便叫做补充条件．本例中需要补充条件的原因是：从 (9.2) 到 (9.3) 求了四次导数，损失了四个常数．其中有三个常数相当于刚体位移，对内力无影响．所以从决定内力的角度来看，损失了一个常数．补充条件就是为了恢复这部份对内力有影响的损失掉的边界条件．

何广乾和陈伏[6]注意到

$$\frac{\partial^2\varphi}{\partial x\,\partial y}=-N_{xy}=-\frac{Eh}{2(1+\nu)}\left(\frac{\partial u}{\partial y}+\frac{\partial v}{\partial x}+2k_{xy}w\right), \tag{9.7}$$

将此式在整个壳体的投影面内积分，利用已导得的边界条件，有

$$\iint_{\Omega} \frac{\partial^2 \varphi}{\partial x \partial y} dxdy = \varphi(a, b) - \varphi(a, 0) - \varphi(0, b) + \varphi(0, 0) = A,$$

$$\iint_{\Omega} \left(\frac{\partial u}{\partial y} + \frac{\partial v}{\partial x}\right) dxdy = \int_0^a dx \int_0^b \frac{\partial u}{\partial y} dy + \int_0^b dy \int_0^a \frac{\partial v}{\partial x} dx = 0. \tag{9.8}$$

于是得到补充条件

$$A = -\frac{Eh}{1+\nu} \iint_{\Omega} k_{xy} w dxdy. \tag{9.9}$$

何广乾和陈伏的方法虽然简单，但难于推广到其他各种情况中去. 用变分原理则可以适应各种各样的情况. 在本例中，边界条件中有一个常数不确定，在变分式中便多一个可变常数 A，因此可多得到一个方程. 在其他问题中，边界上有几个不定常数，在变分式中便有几个可变常数，最后便可求得几个补充条件. 用了变分原理，补充条件的个数和性质自动与边界上不确定的常数相适应.

在本例中，设 A 有变分 δA，取相应的 w, φ 的变分为[1)]

$$\delta w = 0, \quad \delta\varphi = \frac{xy}{ab} \delta A. \tag{9.10}$$

δA 确定后，边界上的 $\delta\varphi$ 便已确定，但在壳体内部的 $\delta\varphi$, δw 是不确定的，我们可以根据具体情况尽量选取简单的 $\delta\varphi$ 和 δw. (9.10) 便是比较简单的一种.

将 (9.10) 代入 (8.12) 求 $\delta\Pi_2$，得到

---

1) δw, $\delta\varphi$ 的取法只要求

在 C_w 上：$\delta w = 0$，在 $C_{\phi n}$ 上：$\dfrac{\partial \delta w}{\partial n} = 0$,

在 C_{N_n} 上：$\dfrac{\partial^2 \delta\varphi}{\partial s^2} + \dfrac{1}{r}\dfrac{\partial \delta\varphi}{\partial n} = 0$,

在 $C_{N_{ns}}$ 上：$-\dfrac{\partial}{\partial s}\left(\dfrac{\partial \delta\varphi}{\partial n}\right) + \dfrac{1}{r}\dfrac{\partial \delta\varphi}{\partial s} = 0$.

其他则可以是任意的. (9.10) 的取法满足上列要求.

$$\delta\Pi_2 = -\iint_\Omega \delta V' dxdy + \iint_\Omega w\nabla_k^2 \delta\varphi dxdy$$
$$= -\iint_\Omega \frac{2(1+\nu)}{Eh} N_{xy}\delta N_{xy} dxdy$$
$$+ \iint_\Omega 2k_{xy} w \delta N_{xy} dxdy$$
$$= \frac{2(1+\nu)}{Eh}\iint_\Omega \left(N_{xy} - \frac{Eh}{1+\nu}k_{xy}w\right)\frac{\delta A}{ab} dxdy = 0,$$

即

$$\iint_\Omega \left(N_{xy} - \frac{Eh}{1+\nu}k_{xy}w\right) dxdy = 0.$$

由此即可推出 (9.9).

上面介绍的变分法，要求在壳体内部也选取适当的 δw, $\delta\varphi$, 还有另一种做法可以不用壳体内部的 δw 和 $\delta\varphi$, 而只用到边界上的 $\delta\varphi$ 和 $\delta\dfrac{\partial\varphi}{\partial n}$ (在本例中只涉及 $\delta\varphi$). 这就是利用公式 (8.17). 由于我们的问题是求补充条件，因此可以认为微分方程和边界条件都已满足. 这样在本例中算式 (8.17) 便简化为

$$\int_C \left(\lambda_s - k_s\frac{\partial w}{\partial n}\right)\delta\varphi ds = 0. \tag{9.11}$$

根据边界条件 (9.6) 有

$$\text{在 } x = 0 \text{ 及 } y = 0 \text{ 处: } \delta\varphi = 0,$$
$$\text{在 } x = a \text{ 处: } \quad \delta\varphi = \frac{y}{b}\delta A,$$
$$\text{在 } y = \quad \text{处: } \quad \delta\varphi = \frac{x}{a}\delta A. \tag{9.12}$$

将此代入 (9.11), 得到

$$\frac{1}{a}\int_0 \left(\lambda_x - k_x\frac{\partial w}{\partial x}\right)\Big|_{y=b} xdx$$
$$+ \frac{1}{b}\int_0^b \left(\lambda_y - k_y\frac{\partial w}{\partial y}\right)\Big|_{x=a} ydy = 0. \tag{9.13}$$

根据 § 7.3 公式 (3.32) 有

$$
\lambda_x = \frac{\partial \varepsilon_x}{\partial y} - \frac{\partial \gamma_{xy}}{\partial x} = \frac{1}{Eh}\left[\frac{\partial^3 \varphi}{\partial y^3} + (2+\nu)\frac{\partial^3 \varphi}{\partial x^2 \partial y}\right],
$$

$$
\lambda_y = \frac{\partial \varepsilon_y}{\partial x} - \frac{\partial \gamma_{xy}}{\partial y} = \frac{1}{Eh}\left[\frac{\partial^3 \varphi}{\partial x^3} + (2+\nu)\frac{\partial^3 \varphi}{\partial x \partial y^2}\right]. \quad (9.14)
$$

因此 (9.13) 可化为

$$
\frac{1}{a}\int_0^a \left\{\frac{1}{Eh}\left[\frac{\partial^3 \varphi}{\partial y^3} + (2+\nu)\frac{\partial^3 \varphi}{\partial x^2 \partial y}\right] - k_x \frac{\partial w}{\partial x}\right\}\bigg|_{y=b} x dx + \frac{1}{b}\int_0^b \left\{\frac{1}{Eh}\left[\frac{\partial^3 \varphi}{\partial x^3} + (2+\nu)\frac{\partial^3 \varphi}{\partial x \partial y^2}\right] - k_y \frac{\partial w}{\partial y}\right\}\bigg|_{x=a} y dy = 0. \quad (9.15)
$$

此式实质上与 (9.9) 等价，不过形式上没有 (9.9) 那么简单.

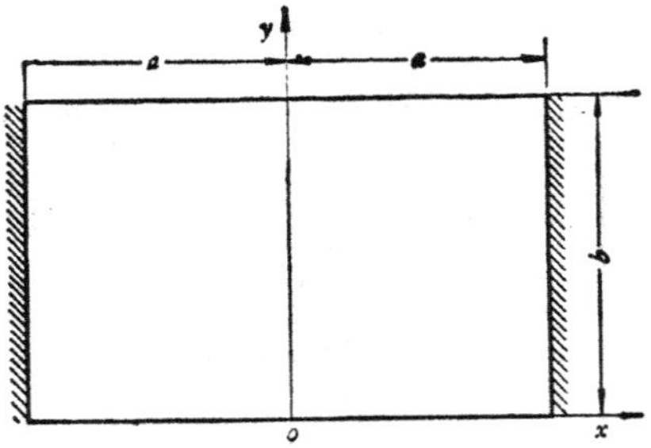

图 9.2

例 2 两对边固支、两对边自由的矩形底扁壳.

取坐标轴如图 9.2 所示. 边界条件的原始形式是

$$
\left.\begin{aligned}
&\text{在 } x = \pm a \text{ 处:} && w = 0,\ \frac{\partial w}{\partial x} = 0,\\
&\text{在 } y = 0 \text{ 及 } y = b \text{ 处:} && \frac{\partial^2 w}{\partial y^2} + \nu \frac{\partial^2 w}{\partial x^2} = 0,\\
& && \frac{\partial^3 w}{\partial y^3} + (2-\nu)\frac{\partial^3 w}{\partial x^2 \partial y} = 0,
\end{aligned}\right\} \quad (9.16)
$$

在 $x = \pm a$ 处: $\quad u = 0,\ v = 0,$ (9.17a)

$$\text{在 } y=0 \text{ 及 } y=b \text{ 处: } \frac{\partial^2\varphi}{\partial x^2}=0,\ \frac{\partial^2\varphi}{\partial x\,\partial y}=0. \tag{9.17b}$$

边界条件 (9.16) 已经用 w 表示了. 现在设法将 (9.17) 也用 w 和 φ 来表示. 先通过微分将 (9.17a) 放松为

在 $x=\pm a$ 处:

$$\frac{\partial^2 u}{\partial y^2}=\frac{\partial}{\partial y}(\gamma_{xy}-k_{xy}w)-\frac{\partial}{\partial x}(\varepsilon_y-k_y w)=0,$$

$$\frac{\partial v}{\partial y}=\varepsilon_y-k_y w=0. \tag{9.18}$$

再利用应力应变关系和边界条件 (9.16) 便可将上式用中面力来表示，最后便可用应力函数 φ 表示如下:

$$\text{在 } x=\pm a \text{ 处: } \frac{\partial^2\varphi}{\partial x^2}-\nu\frac{\partial^2\varphi}{\partial y^2}=0,$$

$$\frac{\partial^3\varphi}{\partial x^3}+(2+\nu)\frac{\partial^3\varphi}{\partial x\,\partial y^2}=0. \tag{9.19}$$

在本例中，φ 中的任意的一次多项式适宜于用下列条件来确定

$$\text{在 } (-a,0),(a,0),(0,b) \text{ 三点上: } \varphi=0. \tag{9.20}$$

这样，将 (9.17b) 的第一个对 x 积分两次，第二个对 x 积分一次后，得到

$$\text{在 } y=0 \text{ 处: } \varphi=0,\ \frac{\partial\varphi}{\partial y}=A,$$

$$\text{在 } y=b \text{ 处: } \varphi=Cx,\ \frac{\partial\varphi}{\partial y}=B. \tag{9.21}$$

这里 A, B, C 是三个不确定的常数. 为了确定它们，需要三个补充条件. 这三个补充条件可以从变分原理得到. 当 A, B, C 有变分 δA, δB, δC 时，

$$\text{在 } y=0 \text{ 处: } \delta\varphi=0,\quad \delta\frac{\partial\varphi}{\partial y}=\delta A,$$

$$\text{在 } y=b \text{ 处: } \delta\varphi=x\delta C,\ \delta\frac{\partial\varphi}{\partial y}=\delta B. \tag{9.22}$$

和例 1 相似，假设 w 和 φ 已满足了微分方程和边界条件 (9.16)，

(9.17b), (9.18), 这样变分式 (8.17) 简化为

$$\int_C \left\{\lambda_s + \frac{\partial}{\partial s}(k_{ns}w) + k_{ns}\frac{\partial w}{\partial s} - k_s\frac{\partial w}{\partial n}\right\}\delta\varphi ds$$
$$+ \int_C (-\varepsilon_s + k_s w)\delta\frac{\partial \varphi}{\partial n}ds = 0. \qquad (9.23)$$

在 $x = \pm a$ 两边上,已有

$$w = 0,\ \frac{\partial w}{\partial y} = 0,\ \varepsilon_y = 0,\ \lambda_y = 0,$$

因此 (9.23) 的线积分只需在 $y = 0$ 及 $y = b$ 两边上求积. 在求积时将 (9.22) 代入, 然后命 δA, δB, δC 的系数分别等于零, 得到

$$\int_{-a}^{a}(-\varepsilon_y + k_y w)\Big|_{y=0}dx = 0,$$
$$\int_{-a}^{a}(-\varepsilon_y + k_y w)\Big|_{y=b}dx = 0, \qquad (9.24)$$

$$\int_{-a}^{a}\left\{\lambda_x + \frac{\partial}{\partial x}(k_{xy}w) + k_{xy}\frac{\partial w}{\partial x} - k_x\frac{\partial w}{\partial y}\right\}\Big|_{y=b}xdx = 0. \quad (9.25)$$

这便是所求的三个补充条件. 条件 (9.24) 代表两条自由边的长度没有变化, 条件 (9.25) 代表 $(-a, b)$, (a, b) 两角点在 y 轴向的位移相同. (9.24), (9.25) 合在一起, 代表两条固支边没有相对位移.

§ 9.10 中面为非光滑曲面的扁壳

工程上用到的大多数扁壳,它们的中面为光滑的曲面,在整个中面内,曲率处处有限. 工程上还用到一些扁壳,它们的中面不是光滑的曲面. 若仍以公式 (1.4) 表示中面的方程, 那末在非光滑中面的情况下,虽然 z 处处连续, $\frac{\partial z}{\partial x}$, $\frac{\partial z}{\partial y}$ 处处存在, 但是 $\frac{\partial z}{\partial x}$, $\frac{\partial z}{\partial y}$ 可能在某些线上不连续. 这样在这些线上曲率 k_x, k_y, k_{xy} 中的一个乃至三个可能等于无穷大. 用几个简单的曲面组合成一个

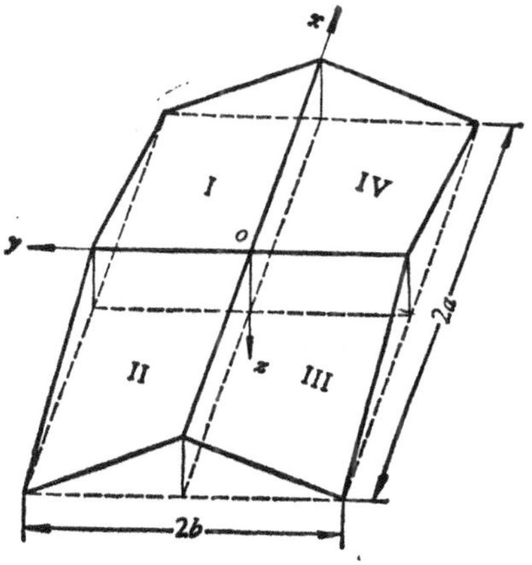

图 10.1

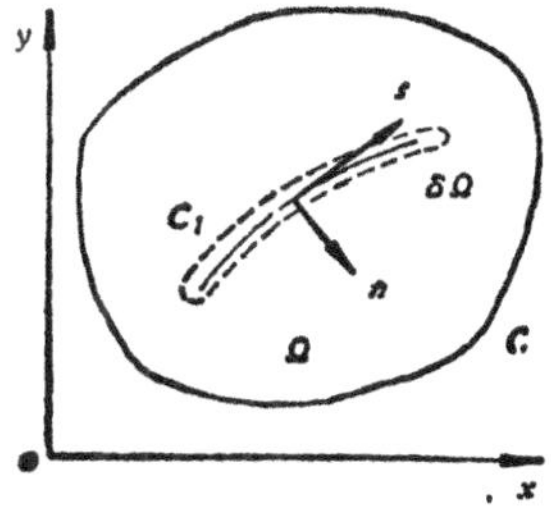

图 10.2

联合曲面经常出现这种情况．图 10.1 示意一种建筑上常用的由四块扭壳组合成的组合扭壳．这个组合壳的中面的方程是

$$\text{在区域 I 和 III:}\quad z=f\cdot\frac{xy}{ab},$$

$$\text{在区域 II 和 IV:}\quad z=-f\cdot\frac{xy}{ab}.$$

在 x 轴和 y 轴上，这个中面的斜率 $\frac{\partial z}{\partial y}$ 和 $\frac{\partial z}{\partial x}$ 有间断．

本章介绍的扁壳方程，如果把 k_x, k_y, k_{xy} 理解为普通的函数，那末就只适用于光滑的中面而不适用于非光滑的中面．但如果把 k_x，k_y，k_{xy} 以及其他有关的各个量理解为广义函数，那末就同样适用于非光滑的中面．但鉴于广义函数尚未普及，本节对非光滑中面的扁壳再作一些补充说明．

命扁壳的中面在 xy 平面上的投影为 Ω．Ω 的边界为 C．设在 Ω 内有一条曲线 C_1，在 C_1 的两边，中曲面的斜率不连续．在 C_1 上取法向 n 和切向 s，如图 10.2 所示．在 C_1 两边 z 是连续的，因而 $\frac{\partial z}{\partial s}$ 也是连续的，不连续只是 $\frac{\partial z}{\partial n}$．在 C_1 上，曲率 k_{ns}，k_s 是有限的，只有 k_n 等于无穷大．

为了以后说明方便起见，先约定一个记法：若某个量 f 在 C_l 的两边不连续，则用 f^+ 代表法线正向一侧的值，用 f^- 代表法线负向一侧的值.

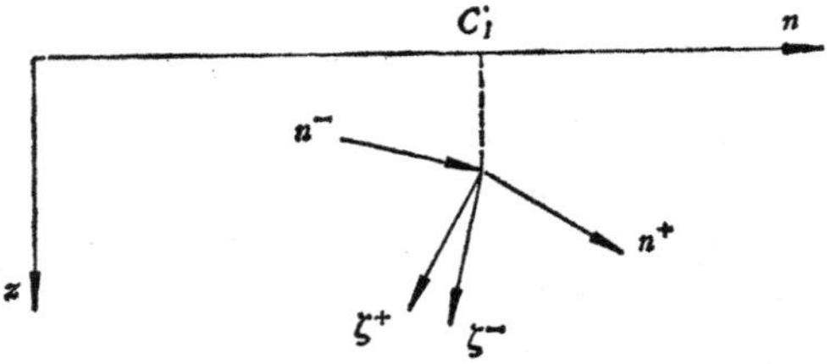

图 10.3

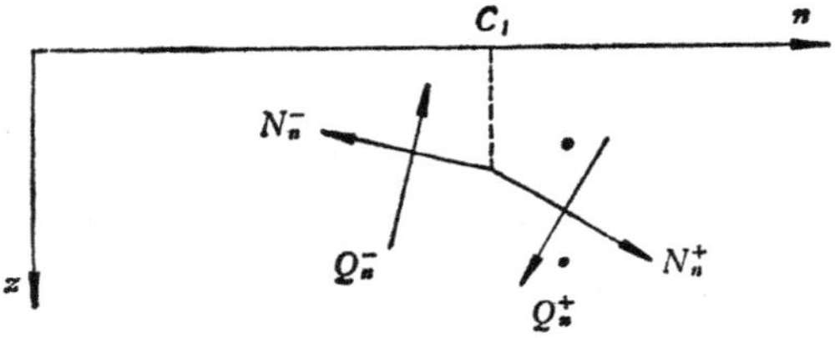

图 10.4

投影面上的方向 s，在壳体中面上相当于另一个方向 σ，但按扁壳理论中的惯例，在无十分必要时不区分 s，σ 两个方向. 投影面上的一个方向 n，在扁壳的中面上相当于两个不同的方向. 按前面说明的规定，把它们记为 n^+ 与 n^-，如图 10.3 所示. 图中画的是与 C_l 垂直的一个剖面. 在 C_l 上，中面的法线方向也有两个，分别记为 ζ^+ 与 ζ^-. 由于 σ 只是一个方向，所以有

$$v_s^+ = v_s^- = v_s, \quad \frac{\partial w^+}{\partial n} = \frac{\partial w^-}{\partial n} = \frac{\partial w}{\partial n}. \tag{10.1}$$

又由于 u_n^+，w^+ 是位移在 n^+，ζ^+ 方向上的投影，u_n^-，w^- 是位移在 n^-，ζ^- 方向上的投影，所以严格说来，$u_n^+ \neq u_n^-$，$w^+ \neq w^-$. 利用 (1.8) 给出的方向余弦表，把位移投影到 n，z 两方向上，则得到连续条件

$$w^+ + u_n^+ \frac{\partial z^+}{\partial n} = w^- + u_n^- \frac{\partial z^-}{\partial n},$$

$$u_n^+ - w^+ \frac{\partial z^+}{\partial n} = u_n^- - w^- \frac{\partial z^-}{\partial n}. \tag{10.2}$$

在扁壳理论中，通常假设中面位移要比挠度小一个量级，因此上式中 $u_n^\pm \frac{\partial z^\pm}{\partial n}$ 要比 $w^\pm$ 小两个量级．略去这些二阶小量，则有

$$w^+ = w^- = w, \quad u_n^+ - u_n^- = w\left(\frac{\partial z^+}{\partial n} - \frac{\partial z^-}{\partial n}\right). \tag{10.3}$$

小结上面所述，在 C_I 的两边位移有如下的连续条件：挠度 w 与切向中面位移 v_s 连续，而法向中面位移不连续，但应满足关系式(10.3)．

内力 N_{ns}^+，N_{ns}^-，M_n^+，M_n^-，M_{ns}^+，M_{ns}^- 代表同方向上的三对内力，因此是连续的：

$$N_{ns}^+ = N_{ns}^- = N_{ns}, \quad M_n^+ = M_n^- = M_n,$$
$$M_{ns}^+ = M_{ns}^- = M_{ns}. \tag{10.4}$$

内力 N_n^+，N_n^-，Q_n^+，Q_n^- 代表不同方向上的两对内力，如图 10.4 所示，因此严格说来，它们是不连续的．把这些内力投影到 n，z 轴上，得到平衡条件：

$$N_n^+ - Q_n^+ \frac{\partial z^+}{\partial n} = N_n^- - Q_n^- \frac{\partial z^-}{\partial n},$$
$$Q_n^+ + N_n^+ \frac{\partial z^+}{\partial n} = Q_n^- + N_n^- \frac{\partial z^-}{\partial n}. \tag{10.5}$$

因为在扁壳理论中通常假设 $Q_n^\pm$ 要比 $N_n^\pm$ 小一个量级，所以 $Q_n^\pm \frac{\partial z^\pm}{\partial n}$ 要比 $N_n^\pm$ 小两个量级．忽略这些二阶小量后，便有

$$N_n^+ = N_n^- = N_n, \quad Q_n^+ - Q_n^- = -N_n\left(\frac{\partial z^+}{\partial n} - \frac{\partial z^-}{\partial n}\right). \tag{10.6}$$

小结上面所述，在 C_I 的两边有如下的平衡条件：N_n，N_{ns}，M_n，M_{ns} 连续，而横向剪力 $Q_n^\pm$ 不连续，但它们应满足平衡条件(10.6)．

§9.8 介绍的广义变分原理，如果把其中的各种函数理解为广义函数，就能用于中面为非光滑曲面的扁壳，如果不用广义函数，则要作一些变换以去掉被积函数中的无穷大．罗恩、邵卓民、魏文

郎、林春哲[21]曾就图 10.1 所示的组合扭壳，提出了二类变量广义变分原理. 下面对一般的非光滑中面扁壳，推导二类变量广义势能的一种算式. 为了便于作变换，先将二类变量广义势能 Π_2 的算式改写为

$$\Pi_2 = \Pi_2' - \Gamma_2'' + \iint_\Omega (k_x N_x + 2k_{xy} N_{xy} + k_y N_y) w dx dy.$$

将 Π_2', Γ_2'' 的算式代入，稍作整理后得到

$$\begin{aligned}
\Pi_2 = & \iint_\Omega \left\{ N_x \left(\frac{\partial u}{\partial x} + k_x w \right) + N_{xy} \left(\frac{\partial u}{\partial y} + \frac{\partial v}{\partial x} + 2k_{xy} w \right) \right. \\
& \left. + N_y \left(\frac{\partial v}{\partial y} + k_y w \right) - V' - p_x u - p_y v \right\} dx dy \\
& - \int_{C_{N_n}} \overline{N}_n u_n ds - \int_{C_{u_n}} (u_n - \overline{u}_n) N_n ds \\
& - \int_{C_{N_{ns}}} \overline{N}_{ns} v_s ds - \int_{C_{v_s}} (v_s - \overline{v}_s) N_{ns} ds \\
& - \iint_\Omega \left\{ V'' + \left(\frac{\partial Q_x}{\partial x} + \frac{\partial Q_y}{\partial y} + p_z \right) w \right\} dx dy \\
& + \int_{C_w} \overline{w} \left(\frac{\partial M_{ns}}{\partial s} + Q_n \right) ds \\
& + \int_{C_q} \left(\frac{\partial M_{ns}}{\partial s} + Q_n - \overline{q} \right) w ds \\
& - \int_{C_{\psi_n}} \overline{\psi}_n M_n ds - \int_{C_{M_n}} (M_n - \overline{M}_n) \frac{\partial w}{\partial n} ds.
\end{aligned} \tag{10.7}$$

在这个算式的面积分中，有些量在 C_I 上等于无穷大，需要特殊处理. 为此，围绕 C_I 划出一个很窄的长条，如图 10.2 的虚线所示. 把这个长条区域记为 $\delta\Omega$. 再记

$$\overline{\Omega} = \Omega - \delta\Omega, \tag{10.8}$$

于是有

$$\iint_\Omega \quad = \iint_{\overline{\Omega}} \quad + \iint_{\delta\Omega} \tag{10.9}$$

由于 $\delta\Omega$ 很小，在 $\delta\Omega$ 上的被积函数只需要保留等于无穷大的那一部份. 这样 Π_2 的算式 (10.7) 可化为

$$\Pi_2 = \bar{\Pi}_2 + \Pi_2^{\delta}, \tag{10.10}$$

式中 $\bar{\Pi}_2$ 代表在公式 (10.7) 中将 Ω 改为 $\bar{\Omega}$ 后得到的算式，而 Π_2^{δ} 代表

$$\Pi_2^{\delta} = \iint_{\delta\Omega} \left\{ N_x \left(\frac{\partial u}{\partial x} + k_x w \right) + N_{xy} \left(\frac{\partial u}{\partial y} + \frac{\partial v}{\partial x} + 2k_{xy} w \right) \right.$$
$$\left. + N_y \left(\frac{\partial v}{\partial y} + k_y w \right) - \left(\frac{\partial Q_x}{\partial x} + \frac{\partial Q_y}{\partial y} \right) w \right\} dxdy. \tag{10.11}$$

在这个算式中，被积函数只保留了有可能等于无穷大的量，其他有把握是有限的量都已忽略了. 将算式 (10.11) 转换到 n, s 坐标，并逐步略去有把握是有限的量，得到

$$\begin{aligned}\Pi_2^{\delta} &= \iint_{\delta\Omega} \left\{ N_n \varepsilon_n + N_{ns} \gamma_{ns} + N_s \varepsilon_s \right. \\ &\quad \left. - \left(\frac{\partial Q_n}{\partial n} + \frac{\partial Q_s}{\partial s} \right) w \right\} dnds \\ &= \iint_{\delta\Omega} \left\{ N_n \left(\frac{\partial u_n}{\partial n} + k_n w \right) - \frac{\partial Q_n}{\partial n} w \right\} dnds \\ &= \int ds \int \left\{ N_n \left(\frac{\partial u_n}{\partial n} - \frac{\partial^2 z}{\partial n^2} w \right) - \frac{\partial Q_n}{\partial n} w \right\} dn.\end{aligned}$$

N_n 和 w 在 C_I 两边连续，因此它们在 n 方向上的变化可以忽略不计，这样上式化为

$$\Pi_2^{\delta} = \int_{C_I} \left\{ N_n \left[u_n^+ - u_n^- - \left(\frac{\partial z^+}{\partial n} - \frac{\partial z^-}{\partial n} \right) w \right] \right.$$
$$\left. - (Q_n^+ - Q_n^-) w \right\} ds. \tag{10.12}$$

将 (10.12) 代入 (10.10)，便得到 Π_2 的算式. 在这个算式中所有的被积函数都是有限的，避开了广义函数.

§9.11 关于固有频率的变分原理

采用与前几章相同的记法，在本节中也以 u, v, w, N_x, N_{xy}, N_y, M_x, M_{xy}, M_y 等代表各个量在振动过程中的幅值. 设振动过程中扁壳的最大势能为 Π，最大动能为 $\omega^2 T$，那末关于固有频率的一个变分原理便是

$$\omega^2 = \mathrm{st}\,\frac{\Pi}{T}. \tag{11.1}$$

Π 和 T 的算式是

$$\Pi = \iint_\Omega (U' + U'')dxdy, \tag{11.2}$$

$$T = \frac{1}{2}\iint_\Omega \rho h(u^2 + v^2 + w^2)dxdy. \tag{11.3}$$

式中 ρh 是单位中面面积内的质量，即所谓面密度. 在变分式(11.1) 中以位移分量 u, v, w 为自变函数，它们事前应满足位移边界条件.

基本固有频率相应于(11.1)式的最小值.

从变分式(11.1)可以导出固有振型的正交关系，和任意函数对本征函数的展开. 这些推理和梁的振动问题类似，这里不再重复说明了.

前已说明，在扁壳理论中假定了中面位移 u, v 要比挠度 w 小一个量级. 这样 u^2, v^2 就要比 w^2 小两个量级. 在 T 的算式(11.3)中略去二阶小量，则得到简化的算式

$$T'' = \frac{1}{2}\iint_\Omega \rho h w^2 dxdy. \tag{11.4}$$

这个简化算式的精度是与扁壳理论的精度相适应的. 对于前几阶固有频率，u, v 的确要比 w 小一个量级. 对于较高阶的固有频率，首先应该考虑横向剪切变形的影响，其次才是中面位移和转动惯量的影响. 若用 T'' 代替(11.1)中的 T，那末 u, v 只出现在分子

中，这样关于固有频率的变分式化为

$$\omega^2 = \underset{w}{\mathrm{st}}\ \underset{u,v}{\min}\ \frac{\Pi}{T''}. \tag{11.5}$$

在平衡问题中，有不少问题可以用无矩理论求解. 在固有振动问题中，也有不少问题可以用无矩理论求解. 柳春图[20]曾指出过这种可能性. 在公式(11.2)中略去U''，便得到无矩理论中的变分原理

$$\omega^2 = \underset{w}{\mathrm{st}}\ \underset{u,v}{\min}\ \frac{2\iint\limits_{\Omega} U'dxdy}{\iint\limits_{\Omega} \rho h w^2 dxdy}. \tag{11.6}$$

由于在上式中只出现w而不出现它的导数，所以在无矩理论中有关w的位移边界条件可以置之不顾.

由于 U'' 是一个不小于零的量，所以根据无矩理论计算得到的频率决不大于根据有矩理论得到的频率.

和平衡问题类似，固有振动问题中无矩理论的适用性也要分三种情况分别考虑.

第一，如果在某具体问题中无矩理论中的振型是有矩理论中的一种可能位移，那末当弯曲刚度很小时，无矩理论便可作为有矩理论的一种近似.

第二，如果在某具体问题中无矩理论中的振型在某些点或及线上不符合有矩理论对可能位移的要求，那末在这些点或及线附近将有局部效应. 但因为频率是一个整体特性，局部效应对它的影响不大，所以对于固有频率仍可近似地用无矩理论. 但如果要计算振动时的应力分布，那末就必须用无矩理论加局部效应修正.

第三，如果对于某个具体的壳体忽略弯曲刚度将使这个壳体成为一个可动的机构(或危形结构)，那末弯曲刚度当然不能忽略，无矩理论也就完全不能应用. 这时倒可应用中面无伸缩变形的近似理论. 如果忽略弯曲刚度后，壳体虽不成为一个可动的机构(或

危形结构)，但如果无矩理论中的挠度w是一个波长很短的函数，这时无矩理论还是不能应用.

如果用二类变量广义势能Π_2代替(11.5)中的分子Π，则得到关于固有频率的二类变量广义变分原理

$$\omega^2 = \mathrm{st}\,\frac{\Pi_2}{T''}, \tag{11.7}$$

其中

$$\Pi_2 = \Pi_2' + \Pi_2'' + \iint_\Omega (k_x N_x + 2k_{xy} N_{xy} + k_y N_y) w\,dxdy, \tag{11.8}$$

而Π_2', Π_2''各有两种完全等价的算式

$$\begin{aligned}\Pi_2' = \iint_\Omega \Big\{ & N_x \frac{\partial u}{\partial x} + N_{xy}\left(\frac{\partial u}{\partial y} + \frac{\partial v}{\partial x}\right) \\ & + N_y \frac{\partial v}{\partial y} - V' \Big\} dxdy \\ & - \int_{C_{u_n}} u_n N_n ds - \int_{C_{v_s}} v_s N_{ns} ds,\end{aligned} \tag{11.9a}$$

$$\begin{aligned}\Pi_2' = -\iint_\Omega \Big\{ & V' + \left(\frac{\partial N_x}{\partial x} + \frac{\partial N_{xy}}{\partial y}\right) u \\ & + \left(\frac{\partial N_{xy}}{\partial x} + \frac{\partial N_y}{\partial y}\right) v \Big\} dxdy \\ & + \int_{C_{N_n}} N_n u_n ds + \int_{C_{N_{ns}}} N_{ns} v_s ds,\end{aligned} \tag{11.9b}$$

$$\begin{aligned}\Pi_2'' = \iint_\Omega \Big(& - M_x \frac{\partial^2 w}{\partial x^2} - 2M_{xy} \frac{\partial^2 w}{\partial x \partial y} \\ & - M_y \frac{\partial^2 w}{y^2} - V'' \Big) dxdy \\ & - \int_{C_w} w \left(\frac{\partial M_{ns}}{\partial s} + Q_n\right) ds + \int_{C_{\psi_n}} M_n \frac{\partial w}{\partial n} ds,\end{aligned} \tag{11.10a}$$

$$\Pi_2'' = -\iint_\Omega \left\{ V'' + \left(\frac{\partial Q_x}{\partial x} + \frac{\partial Q_y}{\partial y}\right) w \right\} dxdy$$

$$+\int_{C_q} w\left(\frac{\partial M_{ns}}{\partial s}+Q_n\right)ds-\int_{C_{M_n}} M_n\frac{\partial w}{\partial n}ds. \quad (11.10b)$$

在变分式 (11.7) 中，自变函数为 $u, v, w, N_x, N_{xy}, N_y, M_x, M_{xy}, M_y$，它们事前不必满足任何条件.

二类变量广义变分原理的一种比较实用的形式是以挠度 w 和应力函数 φ 为自变函数. 由于忽略了中面位移产生的惯性力，中面运动方程变得与平衡方程相同：

$$\frac{\partial N_x}{\partial x}+\frac{\partial N_{xy}}{\partial y}=0,\quad \frac{\partial N_{xy}}{\partial x}+\frac{\partial N_y}{\partial y}=0. \quad (11.11)$$

据此便可引进应力函数 (2.7). 再设 φ 已满足了中面力的边界条件

$$\text{在 } C_{N_n} \text{ 上：} N_n=0,\quad \text{在 } C_{N_{ns}} \text{ 上：} N_{ns}=0. \quad (11.12)$$

将 (2.7), (11.12) 引入 (11.9b)，得到

$$\Pi_2'=-\Gamma_1'=-\iint_\Omega V'dxdy. \quad (11.13)$$

将 M_x, M_{xy}, M_y 表示为 w 的函数并不难. 因此实用上常可假定关系式 (1.14) 已成立. 如果再假定 w 已满足了位移边界条件

$$\text{在 } C_w \text{ 上：} w=0,\quad \text{在 } C_{\psi_n} \text{ 上：} \frac{\partial w}{\partial n}=0, \quad (11.14)$$

那末 Π_2'' 便简化为

$$\Pi_2''=\Pi''=\iint_\Omega U''dxdy. \quad (11.15)$$

这样便得到一个以 w 和 φ 为自变函数的广义变分原理：

$$\omega^2=\operatorname*{st}_{w}\operatorname*{max}_{\varphi}\frac{2\iint_\Omega (U''-V'+w\nabla_k^2\varphi)dxdy}{\iint_\Omega \rho h w^2 dxdy}. \quad (11.16)$$

关于扁壳的固有频率的广义变分原理首见于柳春图的文章[20]. 在他的文章中曾用广义变分原理计算过两种支承情况下矩

形底球面扁壳的固有频率.

若在 (11.16) 中略去 U'', 则得到无矩理论中的二类变量广义变分原理

$$\omega^2 = \underset{w}{\mathrm{st}} \underset{\varphi}{\max} \frac{2\iint_{\Omega} (w\nabla_k^2\varphi - V')\,dxdy}{\iint_{\Omega} \rho h w^2 dxdy}. \tag{11.17}$$

在此式中也只出现 w 而不出现它的导数, 所以有关 w 的位移边界条件也可置之不顾.

参 考 文 献

[1] 蔡承武，陈树坚，刘世宁，薄板混合型有限单元体及其在船坞底板计算中的应用，中山大学学报(自然科学版)，1975，1期，46页.

[2] 高征铨，崔俊芝，赵超燮，完全协调三角形元分析板弯曲问题，«有限元素法及其应用»，中国科学院计算技术研究所，1975年12月.

[3] 顾绍德，圆底球扁壳微分方程的积分问题，土木工程学报，**11**(1965)，**1**，69页.

[4] 国家建委建研院结构所，18个节点参数三角形单元的平面有限元分析，1978.

[5] 何广乾，曹资，陈振鹏，张维嶽，常曲率双曲薄扁壳的简化计算法，土木工程学报，**6**(1959)，7，515页.

[6] 何广乾，陈伏，确定矩形底四边简支或滑动固支扁壳在任意法向载荷作用下的边界值 φ_r 的计算公式，力学学报，**5**(1962)，3，**186** 页.

[7] 何广乾，张维嶽等，关于"常曲率双曲薄扁壳的简化计算法"一文的讨论和补充，土木工程学报，**6**(1959)，12，1027页.

[8] 何善堉，定跨度变截面梁的弯曲问题，物理学报，**11**(1955)1，37页.

[9] Hu Hai-chang, Approximate solution of boundary value problems at a point, *Science Record*, **5**(1952), p.59

[10] Hu Hai-chang, Small deflection of plates and beams under tension or compression by eigenfunctions of buckling problems, *Science Record*, **5** (1952), p. 69.

[11] 胡海昌，论弹性体力学与受范性体力学中的一般变分原理，物理学报，**10** (1954)，3，259 页

[12] 胡海昌，论弹性体动力学中的倒易定理及它的一些应用，力学学报，**1**(1957)，**1**，63 页

[13] 胡海昌，关于弹性体固有频率的两个变分原理，力学学报，**1**(1957)，2，169页.

[14] 胡海昌，四边简支矩形底球面扁壳楼盖的简化计算方法，力学学报，**5**(1962)，1，31页.

[15] 胡海昌，各向同性夹层板反对称小挠度的若干问题，力学学报，**6**(1963)，1，53页.

[16] 刘世宁，弹性扁壳的广义变分原理及扁壳理论的某些问题，力学学报，**6**(1963)，1，61页.

[17] 刘世宁，关于"非均匀各向同性介质弹性力学平面问题"，力学学报，**6**(1963)，4，330页.

[18] 刘世宁，陈树坚，薄板弯曲的一种9自由度快速收敛三角形单元体，中山大学学报(自然科学版)，1974，4期，46页.

[19] 刘世宁，胡定钟，关于支座不均匀沉陷时对扁壳的影响问题，力学学报，**5** (1962)，4，207页.

[20] 柳春图，应用广义变分原理计算扁壳的固有频率，力学学报，**5**(1962)，3，190页.

[21] 罗恩，邵卓民，魏文郎，林春哲，组合型带肋扭壳的广义变分原理及内力分析，力学学报，1978，2期，107页.

[22] 裴文瑾，关于弹性扁壳边界补充条件问题，力学学报，8(1965)，4，330 页.
[23] 钱令希，余能原理，中国科学，1(1950)，449 页.
[24] 钱令希，超静定结构学，上海科学卫生出版社，初版 1951，再版 1958 年.
[25] 钱伟长，圣维南扭转问题的物理假定，物理学报，9(1953)，3,215 页.
[26] 钱伟长，关于弹性力学广义变分原理及其在板壳问题上的应用，1964（未发表）.
[27] 钱伟长，弹性理论中广义变分原理的研究及其在有限元计算中的应用.力学与实践，1979，1 期，16 页，2 期，18 页.
[28] 钱伟长，林鸿荪，胡海昌，叶开沅，弹性柱体的扭转理论，科学出版社，1956.
[29] 钱伟长，谢志成，郑思梁，王瑞五，协调三角形弯曲有限元的形函数及其有关刚度矩阵，清华大学，1978.
[30] Weinstein, A., Chien, W. Z., On the vibrations of a clamped plate under tension. *Quarterly of Applied Mathematics*. **1**(1943), **1**, p.61.
[31] 裘春航，球面扁壳的计算，大连工学院学报，1978，1 期，63 页.
[32] 施振东，用弹性薄板广义变分原理解某些综合边界支承矩形板在均匀压力作用下的屈曲问题，力学学报，7(1964)，1,81页.
[33] 舒德坚，施振东，用弹性薄板广义变分原理解某些综合边界支承矩形板的平衡问题，北京航空学院学报，1957 年 2 期 20 页.
[34] 舒德坚，施振东，弹性薄板广义变分原理及其应用，北京航空学院学报，1957，1 期，27 页
[35] 杨海元，张敬宇，弹性板壳的一种三角形有限单元. 1978 年教育部高等学校"计算结构力学学术交流会"论文集第 1 集，1978.
[36] 杨式德，龙驭球，古国纪，壳体结构概论，人民教育出版社，1963.
[37] 张福范，弹性薄板，科学出版社，1963.
[38] 浙江大学《新技术译丛》编译组，平板分析中的有限单元体法，浙江大学，1973.
[39] 钟万勰，关于弹性体静力稳定性的一般变分原理，1963（未发表）.
[40] 中国科学院北京力学所固体力学研究室板壳组，夹层板的弯曲、稳定和振动，科学出版社，1977.
[41] 固体力学中的有限元素法译文集，科学出版社，上集，1975；下集，1977.
[42] Matrix Methods in Structural Mechanics, (Proceedings of the Conference held at Wright-Patterson Air Force Base, Ohio, 26—28 October 1965). AD 646300, 1966.
[43] Proceedings of the Second Conference on Matrix Methods in Structural Mechanics (Proceedings of the Conference held at Wright-Patterson Air Force Base, Ohio, 15—17 October. 1968). AD 703685, 1969.
[44] High Speeding Computing of elastic Structures. Tom 1, 2 (Proceedings of the Symposium of International Union of Theoretical and Applied Mechanics, held in Liege from Augest 23—28, 1970) 1971.
[45] Abbas, B. A. H., Thomas, T., Static stability of plates using fully conforming element. *International Journal for Numerical Methods in Engineering*. **11**(1977), 6, p. 995.
[46] Abel, J. F., Desai, C. S., Comparison of finite elements for plate ben-

ding. *Journal of the Structural Division, Proc. ASCE,* **98**(1972), ST9 p. 2143.
[47] Ahmed, K. M., Static and dynamic analysis of sandwich structures by the method of finite elements. *Journal of Sound and Vibration*. **18**(1971). 1. p. 75.
[48] Allman, D. J., Triangular finite element plate bending with constant and linearly varying bending moments. 文献 [44] Tom 1, p. 105.
[49] Altman, W., Venancio-Filho, F., Stability of plates using a mixed finite element formulation. *Computers and Structures*. **4**(1974), 2, p. 437.
[50] Anderheggen, E., Finite element plate bending equilibrium analysis. *Journal of the Engineering Mechanics Division*, Proc. ASCE, **95**(1969), EM4, p. 841.
[51] Anderheggen, E., A conforming triangular finite element plate bending solution, *International Journal for Numerical Methods in Engineering*, **2**(1970), p. 259.
[52] Anderson, R. G., Irons, B. M., Zienkiewicz, O. C., Vibration and stability of plates using finite elements, *International Journal of Solids and Structures*, **4**(1968), 4, p. 1031.
[53] Archer, J. S., Consistent matrix formulations for structural analysis using finite-element techniques, *AIAA Journal*, **3**(1965), 10, p. 1910.
[54] Argyris, J. H., Energy Theorems and Structural Analysis, Butterworth 1960. (J. H. 阿吉里斯，能量原理与结构分析，科学出版社，1978 年).
[55] Argyris, J. H., Triangular elements with linearly varying strain for the matrix displacement method, *Journal of the Royal Aeronautical Society*, **69**(1965), p. 711.
[56] Argyris, J. H., Buck, K. E., A sequel to technical note 14 on the TUBA family of plate elements, *Aeronautical Journal*, **72**(1968), 695, p. 977.
[57] Argyris, J. H., Fried, I., Scharpf, D. W., The TUBA family of plate elements for the matrix displacement method, *Aeronautical Journal of the Royal Aeronautical Society*. **72**(1968), p. 701.
[58] Argyris, J. H., Scharpf, D. W., Finite element theory of plates and shells including transverse shear strain effects, 文献 [44] Tom 1, p. 253.
[59] Argyris, J. H., Scharpf, D. W., Matrix displacement analysis of shells and plates including tranverse shear strain effects, *Computer Methods in Applied Mechanics and Engineering*. **1**(1972), p. 81.
[60] Atluri, S., An assumed stress hybrid finite element model for linear elastodynamic analysis, *AIAA Journal*, **11**(1973), p. 1028.
[61] Austin, R. N., Caughfield, D. A., Plass, H. J., Jr., Application of Reissner's variational principle to the vibration analysis of square flat plate with various root support conditions, Development in Theore-

tical and Applied Mechanics, **1**(1963), p. 1.

[62] Barnard, A. J., A sandwich plate finite element, in "The Mathematics of Finite Elements and Applications" ed. Whiteman, J. R., 1973.

[63] Barnett, R. L., Minimum-weight design of beams for deflection, *Transactions of ASCE*, **128**(1963), 1, p. 221.

[64] Hartelds, G., Ottens, H. H., Finite element analysis of sandwich panels, 文献 [44] Tom 1, p. 357.

[65] Bassily, S. F., Dickinson, S. M., On the use of beam functions for problems of plates involving free edges, *Journal of Applied Mechanics*, **42**(1975), 4, p. 858.

[66] Bazeley, C. P., Cheung, Y. K., Irons, B. M., Zienkiewicz, O. C., Triangular elements in plate bending——conforming and non-conforming solutions, 文献 [42] p. 547.

[67] Bell, K., A refined triangular plate bending element, *International Journal for Numerical Methods in Engineering*, **1**(1969), p. 101.

[68] Bellman, R., Introduction to Matrix Analysis, 1960.

[69] Benson, P. R., Hinton, E., A thick finite strip solution for static, free vibration and stability problems, *International Journal for Numerical Methods in Engineering*, **10**(1976), 3, p. 665.

[70] Benthien, G., Gurtin, M. E., A principle of minimum transformed energy in elastodynamics, *Journal of Applied Mechanics*, **31**(1970), 4, p. 1147.

[71] Bijlaard, P. P., Analysis of the elastic and plastic stability of sandwich plates by the method of split rigidities *Journal of Aeronantical Sciences*, **18**(1951), 5, 12, **19**(1952), 7.

[72] Birkhoff, G., Garabedian, H. L., Smooth surface interpolation, *Journal of Mathematics and Physics*, **39**(1960), 4, p. 258.

[73] Bogner, F. K., Fox, R. L., Schmit, L. A., The generation of interelement compatible stiffness and mass matrices by the use of interpolation formulae, 文献 [42] p. 441.

[74] Brach, R. M., On the extremal fundamental frequencies of vibrating beams, *International Journal of Solids and Structures*, **4**(1968), p. 667.

[75] Brandt, K., Calculation of vibration frequencies by a hybrid element method based on a generalized complementary energy principle, *International Journal for Numerical Methods in Engineering*. **11**(1977), 2, p. 231.

[76] Bron, J., Dhatt, G., Mixed quadrilateral elements for bending, AIAA Journal, **10**(1972), 10, p. 1359.

[77] Brunelle, E. J., Stability and vibration of transversely isotropic beams under initial stress, *Journal of Applied Mechanics*. **39**(1972), 3, p. 819.

[78] Brunnelle, E. J., Robertson, S. R., Initial stressed Mindlin plates,

AIAA Journal, **12**(1974), 3, p. 1036.
[79] Bufler, H., Die verallgemeinerten Variationsgleichungen der dünnen Platte bei Zulassung diskontinuierlicher Schnittkrafte und Verschiebungsgrössen, *Ingenieur-Archiv*, **39**(1970), 5, p. 330.
[80] Bufler, H., Stein, E, Zur Plattenberechnung mittels finiter Elemente, *Ingenieur-Archiv*, **39**(1970), 4, p. 248.
[81] Butlin, G. A., Ford. R., A compatible triangular plate bending finite element, *International Journal of Solids and Structures*, **6**(1970), 3, p. 323.
[82] Carnegie, W., Thomas, J., Dokumaci, E., An improved method of matrix displacement analysis in vibration problems. *Aeronautical Quarterly*, **20**(1969). 4, p. 321.
[83] Carson, W. G., Newton, R. E., Plate buckling analysis using a fully compatible finite element, *AIAA Journal*, **7**(1969), 3, p. 527.
[84] Chatterjee, A., Setlur, A. V., A mixed finite element formulation for plate problems. *International Journal for Numerical Methods in Engineering*, **4**(1972), 1, p. 67.
[85] Chen, Y., Remarks on variational principles in elastodynamics, *Journal of the Franklin Institute*, **278**(1964), 1, p. 1.
[86] Cheung, Y. K., Finite strip method analysis of elastic slabs, *Journal of the Engineering Mechanics Division, Proceedings of the ASCE*, **94**(1968). EM6, p. 1365.
[87] Cheung, Y. K., Finite strip method in the analysis of elastic plates with two opposite simply supported ends, *Proceedings of the Institution of Civil Engineers*, **40**(1968), 1, p. 1.
[88] Cheung, Y. K., Finite strip method in structural analysis, 1976 (结构分析的有限条法，人民交通出版社，1980 年).
[89] Chugh, A. K., Stiffness matrix for a beam element including transverse shear and axial force effects, *International Journal for Numerical Methods in Engineering*, **11**(1977), 11, p. 1681.
[90] Clough, R. W., Felippa, C. A., A refined quadrilateral element for analysis of plate bending, 文献 [43] p. 399.
[91] Clough, R. W., Tocher, J. L., Finite element stiffness matrices for analysis of plate in bending. 文献 [42] p. 515. 中译本见文献 [41] 下集 p. 35.
[92] Column Research Committee of Japan, Handbook of Structural Stability, 1971.
[93] Cook, R. D., Eigenvalue problems with a mixed plate element, *AIAA Journal*, **7**(1969), 5, p. 982.
[94] Cook, R. D., Two hybrid elements for analysis of thick, thin and sandwich plates, *International Journal for Numerical Methods in Engineering*, **5**(1972), 2, p. 277.
[95] Cook, R. D., Some elements for analysis of plate bending, *Journal*

of the Engineering Mechanics Division, Proceedings of the ASCE, **98**(1972), 6, p. 1453.
[96] Cook, R. D., Al-Abdulla, J. K., Some plane quadrilateral hybrid finite elements, *AIAA Journal*, **7**(1969), 11, p. 2184.
[97] Cowper, G. R., The shear coefficients in Timoshenko's beam theory, *Journal of Applied Mechanics*, **33**(1966), p. 335.
[98] Cowper, G. R., On the accuracy of Timoshenko's beam theory, *Journal of the Engineering Mechanics Division, Proceedings of the ASCE*, **94** (1968), EM6, p. 1447.
[99] Cowper, G. R., Kosko, E., Lindberg, G. M., Olson, M. D., Statics and dynamics of a high-precision triangular plate bending element, *AIAA Journal*, 7(1969), 10, p. 1957.
[100] Crandall, S. H., The Timoshenko beam on elastic foundation, Proceedings of the 3rd Midwestern Conference on Solid Mechanics, 1957, p. 146.
[101] Das Gupta, N. C., Using finite difference equations to find the stresses in hypar shells, *Civil Engineering*, **56**(1961), 655, p. 199.
[102] Davies, R. M., A critical study of the Hopkins pressure bar, *Philosophical Transactions of the Royal Society, Ser. A.*, **240**(1948), p. 454.
[103] Davis, R., Henshell, R. D., Warburton, G. B., A Timoshenko beam element, *Journal of Sound and Vibration*, **22**(1972), p. 475.
[104] Dawe, D. J., A finite element approach to plate vibration problems, *Journal of Mechanical Engineering Sciences*, 7(1965), 1, p. 28.
[105] Dawe, D. J., On assumed displacements for the rectangular plate bending element, *Journal of the Royal Aeronautical Society*, **71**(1967), p. 722.
[106] Dawe, D. J., Finite strip buckling analysis of curved plate assembles under biaxial loading, *International Journal of Solids and Structures*, **13**(1977), 11, p. 1141.
[107] Dawe, D. J., Finite strip models for vibration of Mindlin plates, *Journal of Sound and Vibration*, **59**(1978), 3, p. 441.
[108] Dawe, D. J., A finite element for the vibration analysis of Timoshenko beams, *Journal of Sound and Vibration*, **60**(1978), 1, p. 11.
[109] Dawson, B., Rotatory inertia and shear in beam vibration treated by the Ritz method, *Aeronautical Journal*, **72**(1968), 688, p. 341.
[110] Deak, A. L., Pian, T. H. H., Application of the smooth surface interpolation to the finite element analysis, *AIAA Journal*, **5**(1967), 1, p. 187.
[111] Dean, T. S., Plass, H. J., Jr., A dynamic variational principle for elastic bodies, and its application to approximations in vibration problems, Development in Mechanics, **3**(1967), p. 107.
[112] Dickinson, S. M., Clough-Tocher triangular plate-bending element in

vibration, *AIAA Journal*, **7**(1969), 3, p. 560.

[113] DiMaggio. F. L., Bleigh, H. H., An application of a dynamic reciprocal theorem, *Journal of Applied Mechanics*, **26**(1959), 4, p. 678.

[114] Dugan, R., Severn, R. T., Taylor, P. R., Vibration of plate and shell structures using triangular finite elements, *Journal of Strain Analysis*, **2**(1967). 1, p. 73.

[115] Dunham, R. S., Pister, K. S., A Finite element application of the Hellinger-Reissner variation theorem, 文献 [43] p. 471.

[116] Dunne, P. C., Complete polynomial displacement fields for finite element methods, *Aeronautical Journal* **72**(1968), 687, p. 245. 对此文的讨论,**72**(1968) p. 709.

[117] Egle, D. M., An approximate theory for transverse shear deformation and rotatory inertia effects in vibrating beams, NASA CR-1317, 1969.

[118] Elias, Z. M., Duality in finite element methods, *Journal of the Engineering Mechanics Division, Proceedings of the ASCE*, **94**(1968), EM4, p. 931. 中译见文献[38].

[119] Ergatoudis, J. G., Irons, B. M., Zienkiewicz, O. C., Curved, isoparametric, quadrilateral elements for finite element analysis, *International Journal of Solids and Structures*, **4**(1968), 1, p. 31.

[120] Essenburg, F., On a class of nonlinear axisymmetric plate problems, *Journal of Applied Mechanics*, **27**(1960), p. 677.

[121] Essenburg, F., Shear deformation in beams on elastic foundations, *Journal of Applied Mechanics*, **29**(1962), p. 313.

[122] Essenburg, F., On surface constraints in plate problems, *Joumal of Applied Mechanics*, **29**(1962), p. 340.

[123] Essenburg, F., Gulati, S. T., On the contact of two axisymmetric plates, *Journal of Applied Mechanics*, **33**(1966), p. 241.

[124] Essenburg, F., Koller, R. C., On a type of clamped edge condition for plate problems, *Journal of Acronautical Sciences*, **28**(1961), p. 813.

[125] Farshad, M., Variation of eigenvalues and eigenfunctions in continuum mechanics, *AIAA Journal*, **12**(1974), 4, p. 560.

[126] Fox, R. L., Kappor, M. P., Rates of change of eigenvalues and eigenvetors, *AIAA Journal*, **6**(1968), 12, p. 2426.

[127] Fraeijs de Veubeke, B., Displacement and equilibrium models in the finite element method, in ''Stress Analysis'', ed. Zienkiewicz, O. C., Holister, G. S., p. 145, 1965.

[128] Fraeijs de Veubeke, B., Bending and stretching of plates, special models for upper and lower bounds, 文献 [42].

[129] Fraeijs de Veubeke, B., A conforming finite element for plate bending, *International Journal of Solids and Structures*, 4(1968), 1, p. 95.

[130] Fraeijs de Veubeke, B., Variational principles and the patch test,

International Journal for Numerical Methods in Engineering, **8**(1974), 4, p. 783.

[131] Fraeijs de Veubeke, B., Sander, G., On equilibrium model for plate bending, *International Journal of Solids and Structures*, **4**(1968), 4, p. 447.

[132] Fraeijs de Veubeke, B., Zienkiewicz, O. C., Strain-energy bounds in finite element analysis by slab analogy, *Journal of Strain Analysis*, **2**(1967), 4, p. 265.

[133] Frederick, D., On some problems in bending of thick circular plates on elastic foundation, *Journal of Applied Mechanics*, **23**(1956), p. 195.

[134] Fried, I., Some aspects of the natural coordinate system in the finite element method, *AIAA Journal*, **7**(1969), 7, p. 1366.

[135] Geradin, M., Computational efficiency of equilibrium models in eigenvalue analysis, 文献 [44] Tom **2**, p. 589.

[136] Gladwell, G. M. L., Zimmermann, G., On energy and complementary energy formulations of acoustic and structural vibration problems, *Journal of Sound and Vibration*, **3**(1966), 3, p. 233.

[137] Gopalacharyulu, S., Clamped semi-infinite rectangular plate, *Journal of Applied Mechanics*, **33**(1966), p. 205.

[138] Gopalacharyulu, S., A high order conforming, rectangular plate element, *International Journal for Numerical Methods in Engineering*, **6**(1973), 2, p. 305. 讨论及更正, **10**(1976), 2, p. 473.

[139] Graffi, D., Sui teoremi di reciprocita nei fenomeni dependenti dal tempo, *Annali di Matematica*, **18**(1939), p. 173.

[140] Greene, B. E., Jones, R. E., Mclay, R. W., Strome, D. R., Generalized variational principles in the finite element method, *AIAA Journal*, **7**(1969), 7, p. 1254.

[141] Greimann, L. F., Lynn, P. P., Finite element of plate bending with transverse shear deformation, *Nuclear Engineering and Design*, **14**(1970), 2, p. 223.

[142] Gurtin, M. E., A generalization of the Beltrami stress functions in continuous mechanics, *Archive for Rational Mechanics and Analysis*, **13**(1963), 5, p. 321.

[143] Gurtin, M. E., Variational principles for linear elastodynamics, *Archive for Rational Mechanics and Analysis*, **16**(1964), 1, p. 34.

[144] Gurtin, M. E., The Linear Theory of Elasticity, Encyclopedia of Physics, VIa/2, Mechanics of Solids, II, 1972.

[145] Guyan, R. J., Reduction of stiffness and mass matrices, *AIAA Journal*, **3**(1965), 2, p. 380.

[146] Guyan, R. J., Distributed mass matrix for plate bending element, *AIAA Journal*, **3**(1965), 3, p. 567.

[147] Harvey, J. H., Kelsey, S., Triangular plate bending elements with

enforced compatibility, *AIAA Journal*, **9**(1971), p. 1023.

[148] Haug, E. J., Jr., Kirmser, P. G., Minimum weight design of beams with inequality constraints on stress and deflection, *Journal of Applied Mecnanics*, **34**(1967), 4, p. 999.

[149] Hellan, K., On the unity of the constant strain/constant moment finite element methods, *International Journal for Numerical Methods in Engineering*, **6**(1973), 2, p. 191.

[150] Hellinger, E., Die allgemeine Ansatz der Mechanik der Kontinua, Encyclopadie der Mathematischen Wissenschaften, 4 卷 4 部分, s. 602, 1914.

[151] Herrmann, L. R., A bending analysis for plates, 文献 [42] p. 577.

[152] Herrmann, L. R., Finite element bending analysis for plates, *Journal of the Engineering Mechanics Division, Proceedings of the ASCE*, **93**(1967), EM5, p. 13. 中译本见文献[41]下集62页.

[153] Hinton, E., Flexure of composite laminates using the thick finite strip method, *Computers and Structures*, **7**(1977), 2, p. 217.

[154] Hinton, E., Buckling of initially stressed Mindlin plates using a finite strip method, *Computers and Structures*, **8**(1978), 1, p. 99.

[155] Hirai, I., Kashiwaki. M., Derivatives of eigenvectors of locally modified structures, *International Journal for Numerical Methods in Engineering*, **11**(1977), 11, p. 1769.

[156] Hlaváček, I., Derivation of non-classical variational principles in the theory of elasticity, *Aplikace Matematiky*, **12**(1967), 1, p. 15.

[157] Hlaváček, I., Variational principles in the linear theory of elasticity for general boundary conditions, *Aplikace Matematiky*, **12**(1967), 6, p. 425.

[158] Hodge, P. G., A consistent finite element model for the two-dimensional continuum, *Ingènieur-Archiv*, **39**(1970), 6, p. 375.

[159] Holand, I., The finite element method in plane stress analysis. in "Finite Element Methods in Stress Analysis", ed. Holand, I. and Bell, K., 1969. 中译本见文献[41]上集285页.

[160] Holand, I., Bergan, P. G., High-order finite element for plane stress, *Journal of the Engineering Mechanics Division, Proceedings of the ASCE*, **94**(1968), EM2, p. 698.

[161] Huang, N. C., On principle of stationary mutual complementary energy and its application to optimal structural design, *Zeitschrift für angewandte Mathematik und Physik*, **22**(1971), p. 608.

[162] Huang, T. C., Effect of rotatory inertia and shear on the vibrations of beams treated by the approximate methods of Ritz and Galerkin, Proceedings of the 3-rd U. S. National Congress of Applied Mechanics, p. 189, 1958.

[163] Huang, T. C., The effect of rotatory inertia and of shear deformation on the frequency and normal mode equations of uniform

beams with simple end conditions. *Journal of Applied Mechanics*, **28**(1961), p. 579.
[164] Huang, T. C., Orthogonality and normalizing conditions of normal modes and forced vibration of Timoshenko beams, Development in Mechanics, **3**(1967), p. 63.
[165] Hughes, T. J. R., Cohen, M., Haron, M., Reduced and selective integration techniques in the finite element analysis of plates, *Nuclear Engineering and Design*, **46**(1978), p. 203.
[166] Hughes, T. J. R., Taylor, R. L., Kanoknukulchai, W., A simple and efficient finite element for plate bending, *International Journal for Numerical Methods in Engineering*, **11**(1977), 10, p. 1529.
[167] Hutchinson J. R., Benitou, J. J., Variable order finite elements for plate vibration, *Journal of the Engineering Mechanics Division, Proceedings of the ASCE*, **103**(1977), EM5, p. 779.
[168] Iesan, D., On reciprocal theorems and variational theorems in linear elasto-dynamics, *Bulletin de l'Academie Polonaise des Sciences, Serie des Sciences Techniques*, **22**(1974), 5, p. 273.
[169] Irons, B. M., Structural eigenvalue problems——elimination of unwanted variables, *AIAA Journal*, **3**(1965), p. 961.
[170] Irons, B. M., A conforming quartic triangular element for plate bending, *International Journal for Numerical Methods in Engineering* **1**(1969), 1, p. 29.
[171] Irons, B. M., Draper, K. J., Lagrange multiplier technique in structural analysis, *AIAA Journal*, **3**(1965), 6, p. 1172.
[172] Johnson, M. W., Jr., Mclay, R. W., Convergence of the finite element method in the theory of elasticity, *Journal of Applied Mechanics*, **35**(1968), 2, p. 274.
[173] Jones, P. N., The orthogonal property——a proof by virtual work, *Journal of Applied Mechanics*, **23**(1956), 2, p. 318.
[174] Jones, R. E., A generalization of the direct stiffness method of structural analysis, *AIAA Journal*, **2**(1964), 5, p. 821.
[175] Kapur, K. K., Vibrations of a Timoshenko beam, using a finite element approach, *Journal of the Acoustical Society of America*, **40**(1966), 5, p. 1058.
[176] Kapur, K. K., Prediction of plate vibrations using a consistent mass matrix, *AIAA Journal*, **4**(1966), p. 565.
[177] Kapur, K. K., Hartz, B. J., Stability of plates using the finite element method, *Journal of the Engineering Mechanics Division, Proceedings of the ASCE*, **92**(1966), EM2, p. 175.
[178] Karihaloo, B. L., Niordson, F. I., Optimum design of vibrating cantilevers, *Journal of Optimization Theory and Applications*, **6**(1973), 11.
[179] Karnopp, B. H., On complementary variation principles in linear

vibrations. *Journal of the Franklin Institute*, **284**(1967) 1, p. 56.
[180] Keer, L. M., Silva, M. A. G., Bending of a cantilever brought gradually into contact with a cylindrical supporting surface, *International Journal of Mechanical Sciences*, **12**(1970), p. 751.
[181] Keller, J. B., The shape of the strongest column, *Archive for Rational Mechanics and Analysis*, 5(1960), p. 275.
[182] Key, S. W., A specialization of Jones' generalization of the direct stiffness method of structural analysis, *AIAA Journal*, **9**(1971), 5, p. 984.
[183] Kikuchi, F., Theory and examples of partial approximation in the finite element method, *International Journal for Numerical Methods in Engineering*, **10**(1976), 1, p. 115.
[184] Kikuchi, F., Ando, Y., A new variational functional for the finite-element method and its application to plate and shell problems, *Nuclear Engineering and Design*, **21**(1972), 1, p. 95.
[185] Kikuchi, F., Ando, Y., Some finite element solutions for plate bending problems by simplified hybrid displacement method, *Nuclear Engineering and Design*, **23**(1972), 2, p. 155.
[186] Kikuchi, F., Ando, Y., Rectangular finite element for plate bending analysis based on Hellinger-Reissner's variational principle, *Journal of Nuclear Science and Technology*, **9**(1972), 1, p. 28.
[187] Kikuchi, F., Ando, Y., Finite element analysis of vibration of thin elastic plates by simplified hybrid displacement method, *Journal of Nuclear Science and Technology*, **9**(1972), 3, p. 189.
[188] Koloušek, V., Dynamics in Engineering Structures, 1973.
[189] Krahula, J. L., Polhemas, J. F., Use of Fourier series in the finite element method, *AIAA Journal*, **6**(1968), 4, p. 726.
[190] Lang, K. W., Nemat-Nasser, S., Vibration and buckling of composite beams, *Journal of Structural Mechanics*, **5**(1977), 4, p. 395.
[191] Lee, H. C., A generalized minimum principle and its application to the vibration of a wedge with rotatory inertia and shear, *Journal of Applied Mechanics*, **30**(1963), 2, p. 176.
[192] Lee, S. W., Plan, T. H. H., Improvement of plate and shell finite elements by mixed formulations, *AIAA Journal*, **16**(1978), 1, p. 29.
[193] Leissa, A. W., Vibration of plates. NASA SP-160, 1969.
[194] Libove, C., Batdorf, S., A general small-deflection theory for flat sandwich plates, NASA TN1526, R899, 1948.
[195] Link, M., Zur Berechnung von Platten nach der Theorie II Ordnung mit Hilfe eines hybriden Deformationsmodells, *Ingenieur-Archiv*, **42**(1973), 6, s. 381.
[196] Lynn, P. P., Dhillon, B. S., Triangular thick plate bending element, Proceedings of the 1st International Conference on Structural Mechanics in Reactor Technology, M6/5. 1971.

[197] Mang, H. A., Gallagher, R. H., A critical assessment of the simplified hybrid displacement method, *International Journal for Numerical Methods in Engineering*, **11**(1977), 1, p. 145.

[198] Mason, V., Rectangular finite elements for analysis of plate vibrations, *Journal of Sound and Vibration*, **7**(1968), 3, p. 437. 中译本见文献[38]p. 70.

[199] Masur, E. F, Popelar, C. H., On the use of the complementary energy in the solution of buckling problems, *International Journal of Solids and Structures*, **12**(1976), 3, p. 203.

[200] Mclay, R. W., A special variational principle for the finite element method, *AIAA Journal*, 7(1969). 3, p. 533.

[201] Mei, C., Yang, T. Y., Free vibration of finite element plates to complex middle-plane force systems, *Journal of Sound and Vibration*, **23** (1972), 2. p. 145.

[202] Melosh, R. J., A stiffness matrix for the analyses of thin plates in bending, *Journal of Aero-Space Sciences*, **28**(1961), 1, p. 34. ,

[203] Melosh, R. J. Basis of derivation of matrices for the direct stiffness methods, *AIAA Journal*, **1**)1963), 7, p. 1631.

[204] Mindlin, R. D., Influence of rotatory inertia and shear on flexural motion of isotropic elastic plates, *Journal of Applied Mechanics*, **18** (1951), 1, p. 31.

[205] Mohr, G. A., A triangular finite element for thick slab, *Computers and Structures*, **9**(1978), 6, p. 595.

[206] Monforton, G. R., Schmit, L. A., Jr., Finite element analysis of skew plates in bending, *AIAA Journal*, **6**(1968), 6, p. 1150.

[207] Monforton, G. R., Schmit, L. A., Jr., Finite element analysis of sandwich plates and cylindrical shells with laminated faces, 文献 [43] p. 573.

[208] Morley, L. S. D., A triangular equilibrium element with linearly varying bending moment for plate bending problems, *Journal of the Royal Aeronautical Society*, **71**(1967), 682, p. 715.

[209] Morley, L. S. D., The triangular equilibrium element in the solution of plate bending problems, *Aeronautical Quarterly*, **19**(1968), 2, p. 149.

[210] Morley, L. S. D., On the constant moment plate bending element, *Journal of Strain Analysis*, **6**(1971), 1. p. 20.

[211] Morley, L. S. D., Merrifield, B. C., On the conforming cubic triangular element for plate bending, *Computers and Structures*, **2**(1972), 5/6, p. 875.

[212] Moser, K., Swoboda, G., Explicit stiffness matrix of the linearly varying strain triangular element, *Computers and Structures*, **8**(1978), 2, p. 311.

[213] Naghdi, P. M., The effect of elliptic holes on the bending of thick

plates, *Journal of Applied Mechanics*, **22**(1955), p. 89.

[214] Naghdi, P. M., Rowley, J. C., On the bending of axially symmetric plates on elastic foundations, Proceedings of the 1st Midwestern Conference on Solid Mechanics, p. 119, 1953.

[215] Narayanawami, R., Adelman, H. M., Inclusion of transverse shear deformation in finite element displacement formulations, *AIAA Journal*, **12**(1974), p. 1613.

[216] Neale, B. K., Henshell, R. D., Edwards, G., Hybrid plate bending elements, *Journal of Sound and Vibration*, **23**(1972), 1, p. 101.

[217] Nemat-Nasser, S., A general variational method for waves in elastic composites, *Journal of Elasticity*, **2**(1972), 2, p. 73.

[218] Nemat-Nasser, S., Harmonic waves in layered composites, *Journal of Applied Mechanics*, **39**(1972), 3, p. 850.

[219] Nemat-Nasser, S., On variational methods in finite and incremental elastic deformation problems with discontinuous fields, *Quarterly of Applied Mathematics*, **30**(1972), 2, p. 143.

[220] Nemat-Nasser, S., General variational principles in nonlinear and linear elasticity with application, Mechanics Today, **1**(1974), p. 214.

[221] Nemat-Nasser, S., Lee, K. N., Application of general variational methods with discontinuous fields to bending, buckling and vibration of beams, *Computer Methods in Applied Mechanics and Engineering*, **2**(1973), 1, p. 33.

[222] Nemat-Nasser, S., Lee, K. N., Finite element formulations of elastic plates by general variational statements with discontinuous fields, Developments in Mechanics, v. 7, p. 979, 1973.

[223] Nickel, R. E., Secor, G. A., Convergence of consistently derived Timoshenko beam finite elements, *International Journal for Nnmerical Methods in Engineering*, **5**(1972), 2, p. 243.

[224] Niordson, F. I., On the optimal design of a vibrating beam, *Quarterly of Applied Mathematics*, **23**(1965), 1, p. 47.

[225a] Noor, A. K., Mathers, M. D., Shear-flexible finite element models of laminated composite plates and shells, NASA TN D-8044.

[225b] Noor, A. K., Mathers, M. D., Finite element analysis of anisotropic plates, *International Journal for Numerical Methods in Engineering*, **11**(1977), 2, p. 289.

[226] Oden, J. T., Calculation of geometric stiffness matrices for complex structures, *AIAA Journal*, **4**(1966), p. 1480.

[227] Oden, J. T., Reddy, J. N., An introduction to the mathematical theory of finite elements, 1976.

[228] Olhoff, N., Rasmussen, S. H., On single and bimodal optimum buckling loads of clamped columns, *International Journal of Solids and Structures*, **13**(1977), 7, p. 605.

[229] Oliveira, E. R. A., Theoretical foundations of the finite element method, *International Journal of Solids and Structures*, **4**(1968), 10, p. 929.

[230] Oran, C., Complementary energy method for buckling, *Journal of the Engineering Mechanics Division, Proceedings of the ASCE*. **93**(1967), EM1, p. 57.

[231] Oran, C., Complementary energy method for buckling of plates, *Journal of the Engineering Mechanics Division, Proceedings of the ASCE*, **94** (1968), EM2, p. 621.

[232] Orris, R. M., Petyt, M., A finite element study of the vibration of trapezoidal plates, *Journal of Sound and Vibration*, **27**(1973), 3, p. 325.

[233] Panc, V., Theories of elastic plates, 1975.

[234] Pawsey, S. F., Clough, R. W., Improved numerical integration of thick shell finite elements, *International Journal for Numerical methods in Engineering*, **3**(1971), p. 545.

[235] Payton, R. G., An application of the dynamic Betti-Rayleigh reciprocal theorem to moving point load in elastic media, *Quarterly of Applied Mathematics*, **21**(1964), 4, p. 299.

[236] Pian, T. H. H., Derivation of element stiffness matrices by assumed stress distribution, *AIAA Journal*, 2(1964), p. 1333.

[237] Pian, T. H. H., Tong, P., Rationalization in deriving element stiffness matrix by assumed stress approach, 文献 [43] p. 441.

[238] Pian, T. H. H., Tong, P., Basis of finite element methods for solid continua, *International Journal for Numerical Methods in Engineering*, **1**(1969), 1, p. 3. 中译本见文献[41]下集 1页.

[239] Pister, K. S., Westmann, R. A., Bending of plates on an elastic foundation, *Journal of Applied Mechanics*, **29**(1962), 2, p. 369.

[240] Plank, R. J., Wittrik, W. H., Buckling under combined loading of thin, flat-walled structures by a complex finite strip method, *International Journal for Numerical Methods in Engineering*, **8**(1974), 2, p. 323.

[241] Plass, H. J., Jr., Games, J. H., Newson, C. D., Application of Reissner's variational principle to cantilever plate deflection and vibration problems, *Journal of Applied Mechanics*, **29**(1962), 1, p. 127.

[242] Popplewell, N., McDonald, D., Conforming rectangular and triangular plate bending element, *Journal of Sound and Vibration*, **19**(1971), 3, p. 333.

[243] Prager, W., Variational principles of linear elastostatics for discontinuous displacements, strains and stresses, Recent Progress in Applied Mechanics, The Folke-Odquist Volume, 1967.

[244] Prager, W., Variational principles for elastic plates with relaxed continuity requirements, *International Journal of Solids and Structures*, **4**(1968), 9, p. 837.

[245] Prager, W., Taylor, J. E., Problems of optimal structural design, *Journal of Applied Mechanics*, **35**(1968), 1, p. 102.

[246] Prange, G., Die Variations- und Minimalprinzipe der Statik der Baukonstruktionen, Habititationsschrift, Tech, Univ, Hannover, 1916.

[247] Prasad, K. S. R. K., Krishna Murty, A. V., Rao. A. K., A finite element analogue of the modified Rayleigh-Ritz method in vibration problems, *International Journal for Numerical Methods in Engineering*, **5**(1972), 2, p. 163.

[248] Pryor, C. W., Jr., Barker, R. M., Finite element bending analysis of Reissner plates, *Journal of the Engineering Mechanics Division, Proceedings of the ASCE*, **96**(1970), EM6, p. 967. 中译本见文献 [38].

[249] Przemieniecki, J. S., Triangular plate elements in the matrix force method of structural analysis, *AIAA Journal*, **1**(1963), p. 1895.

[250] Przemieniecki, J. S., Equivalent mass matrices for rectangular plates in bending, *AIAA Journal*, **4**(1966), 5, p. 949.

[251] Przemieniecki, J. S, Quadratic matrix equations for determining vibration modes and frequences of continuous elastic systems, 文献 [42] 779 页.

[252] Przemieniecki, J. S., Theory of Matrix Structural Analysis, McGraw-Hill, 1968 (J. S. 普齐米尼斯基,矩阵结构分析理论,国防工业出版社,1974 年).

[253] Przemieniecki, J. S., Matrix analysis of local instability in plates stiffened panels and columns, *International Journal for Numerical Methods in Engineering*, 5(1972), p. 209.

[254] Przemieniecki, J. S., Finite element structural analysis of local instability, *AIAA Journal*, **11**(1973), 1, p. 33.

[255] Pugh, E. D. L., Hinton, E., Zienkiewicz, O. C. A study of quadrilateral plate bending elements with reduced integration, *International Journal for Numerical Methods in Engineering*, **12**(1978), 7, p. 1059.

[256] Rao, M. N. B., Gurswamy, P., Sampathkumaran, K. S., Finite element analysis of thick annular and sector plates, *Nuclear Engineering and Design*, **41**(1977), 2, p. 247.

[257] Reddy, J. N., On complementary variational principles for the linear theory of plates, *Journal of Structural Mechanics*, 4(1976), 4, p. 417.

[258] Reddy, J. N., Tsay, C. S., Stability and vibration of thin rectangular plates by simplified mixed finite element, *Journal of Sound and Vibration*, **55**(1977), p. 289.

[259] Reissner, E., On the theory of bending of elastic plates, *Journal of Mathematics and Physics*, **23**(1944), p. 184.

[260] Reissner, E., The effect of transverse shear deformation on the bending of elastic plates, *Journal of Applied Mechanics*, **12**(1945), 2, p. A69.

[261] Reissner, E., Stresses and small displacements of shallow spherical shells, II, *Journal of Mathematics and Physics*, **25**(1947), p. 279.

[262] Reissner, E., On bending of elastic plates, *Quarterly of Applied Mathematics*, **5**(1947), 1, p. 55.

[263] Reissner, E., Note on the method of complementary energy, *Journal of Mathematics and Physics*, **27**(1948), p. 159.

[264] Reissner, E., On a variational theorem in elasticity, *Journal of Mathematics and Physics*, **29**(1950), 2. p. 90.

[265] Rock, T., Hinton, E., Forced vibration and transient response of thick and thin plates by the finite element Method, *Earthquake Engineering and Structural Dynamics*, **3**(1947), 1, p. 51.

[266] Rogers, L. C., Derivatives of eigenvalues and eigenvectors, *AIAA Journal*. **8**(1970), 5, p. 943.

[267] Rüdiger, D., Eine Verallgemeinungen des Prinzips vom Minimum der potentiellen Energie elastischer körper, *Ingenieur-Archiv*, **27**(1959), 6, s. 421.

[268] Rüdiger, D., Ein neues Variationsprinzip in der Elastizitätstheorie, *Ingenieur-Archiv*, **30**(1961), 3, s. 220.

[269] Rüdiger, D., Zur Stabilität der Platten, *Zeitschrift für angewandte Mathematik und Mechanik*, **42**(1962), 3, p. 120.

[270] Sanders, G., Application of the dual analysis principle, 文献 [44] Tom **1**, p. 167.

[271] Schaefer, H., Eine einfache Konstruktion von Koordinatenfunktion für die numerische Lösung zweidimensionaler Randwertprobleme nach Rayleigh-Ritz, *Ingenieur-Archiv*, **35**(1966), s. 73.

[272] Schaefer, H., Die Spannungsfunktionen der Plattenbiegung, *Ingenieur-Archiv*, **38**(1969), 4—5, s. 241.

[273] Severn, R. T., Inclusion of shear deformation in the stiffness matrix for a beam element, *Journal of Strain Analysis*, **5**(1970), 4, p. 239.

[274] Severn, R. T., Taylor, P. R. The finite element method for flexure of slabs where stress distributions are assumed, *Proceedings of the Institution of Civil Engineers*. **34**(1966), p. 153.

[275] Sheu, C. Y., Elastic minimum weight design for specified fundamental frequency, *International Journal of Solids and Structures*, **4**(1968), p. 453.

[276] Shieh, W. Y. J., Parmalee, R. A., Analysis of plate bending by triangular elements, *Journal of the Engineering Mechanics Division, Proceedings of the ASCE*, **94**(1968), EM5, p. 1089.

[277] Slyper, H. A., Development of explicit stiffness and mass matrices for a triangular plate element, *International Journal of Solids and Structures*, 5(1969), 3, p. 241.

[278] Smith, I. M., A finite element analysis for moderately thick rectangular plates in bending, *International Journal of Mechanical Sciences*, **10**

(1968), 7, p. 563.

[279] Southwell, R. v., On the analogues relating flexure and extension of flat plate, *Quarterly Journal of Mechanics and Applied Mathematics*, **3**(1950), p. 257.

[280] Sternberg, E., Knowles, J. K., Minimum energy characterization of Saint-Venant's solution to the relaxed Saint-Venant problem, *Archive for Rational Mechanics and Analysis*, **21**(1966), 2, p. 89.

[281] Stickforth, J., On the derivation of the conditions of compatibility from Castigliano's principle by means of three-dimensional stress functions, *Journal of Mathematics and Physics*, **44**(1965), p. 214.

[282] Stricklin, J. A., Haisler, W. E., Tisdale, P. R. Gunderson, R., A rapid converging triangular plate element, *AIAA Journal*, **7**(1969), 1, p. 180.

[283] Sun, C. T., On the equations of a Timoshenko beam under initial stress, *Journal of Applied Mechanics*, **39**(1972), 1, p. 282.

[284] Synge, J. L., The hypercircle in mathematical physics, 1957.

[285] Szabo, B. A., Kassos. T., Linear equality constraints in finite element approximation, *International Journal for Numerical Methods in Engineering*, **9**(1975), 3, p. 563.

[286] Tabarrok, B., Complementary energy methods in elastodynamics, 文献[44] **2**, p. 625.

[287] Tabarrok, B., A variational principle for the dynamic analysis of continua by hybrid finite element method, *International Journal of Solids and Structures*, **7**(1971), 3, p. 251.

[288] Tabarrok, B., Karnopp, B. H, Analysis of the oscillations of the Timoshenko beam, *Zeitschrift für angewandte Mathematik und Physik*, **18** (1967), 4, p. 580.

[289] Tabarrok, B., Sakaguchi, R. L., Complementary formulation for plate vibration problems, *Zeitschrift für angewandte Mathematik und Physik*, **20**(1969), 3, p. 423.

[290] Tabarrok, B., Simpson, A., On equilibrium finite element model for buckling analysis of plates, *International Journal for Numerical Methods in Engineering*, **11**(1977), 11, p. 1733.

[291] Tabarrok, B., Sodhi, D. S., The generalization of stress function procedure for dynamic analysis of plates, *International Journal for Numerical Methods in Engineering*, **5**(1973), p. 523.

[292] Tadjbakhsh, I., Keller, J. B., Strongest columns and isoperimetric inequalities for eigenvalue, *Journal of Applied Mechanics*, **29**(1962), 1, p. 159.

[293] Thomas, D. L., Wilson, J. M., Wilson, R. R., Timoshenko beam finite element, *Journal of Sound and Vibration*, **31**(1973), 3, p. 315.

[294] Thomas, J., Abbas, B. A. H., Finite element model for dynamic analysis of Timoshenko beam, *Journal of Sound and Vibration*, **41**(1975), **3**, p. 291. 讨论及答复，**46**(1976)，285 页和 288 页。

[295] Timoshenko, S. P., On the correction for shear of the differential equation for transverse vibration of prismatic bars, *Philosophical Magazine*, **41**(1921), p. 744.

[296] Timoshenko, S. P., On the transverse vibrations of bars of uniform cross-sections, *Philosophical Magazine*, **43**(1922), p. 125.

[297] Timoshenko, S., Strength of Materials, Part II, Advanced Theory and Problems, 3rd ed., 1957年（S. 铁摩辛柯，材料力学(高等理论及问题)，科学出版社，1964 年）.

[298] Timoshenko, S. P., Goodier, J. N., Theory of Elasticity, 3rd ed., 1970 年(S. 铁摩辛柯，J. N. 古地尔，弹性理论，第二版，人民教育出版社，1964 年).

[299] Timoshenko, S. P., Gere, J. M., Theory of Elastic Stability, 2nd ed., 1961（S. P. 铁摩辛柯，J. M. 盖莱，弹性稳定理论，科学出版社，1965 年）.

[300] Timoshenko, S., Woinowsky-Krieger, S., Theory of Plates and Shells, 2nd ed., 1959 年(S. 铁摩辛柯，S. 沃诺斯基，板壳理论，科学出版社，1977 年).

[301] Timoshenko, S., Young, D. H., Weaver, W., Jr., Vibration Problems in Engineering, 4th ed., 1974(S. 铁摩辛柯、D. H. 杨和 W. 小韦孚，工程中的振动问题，人民铁道出版社，1978 年).

[302] Tocher, J. L., Hartz, B. J., High-order finite element for plane stress, *Journal of the Engineering Mechanics Division, Proceedings of the ASCE*, **93**(1967), EM4, p. 149.

[303] Tong, P., New displacement hybrid finite element models for solid continua, *International Journal for Numerical Methods in Engineering*, **2**(1970), 1, p. 73.

[304] Tong, P., Pian, T. H. H., A variational principle and the convergence of a finite-element method base on assumed stress distribution, *International Journal of Solids and Structures*, **5**(1969), 5, p. 463.

[305] Tonti, E., Variational principles in elastostatics, *Meccanica*, **2**(1967), 4, p. 201.

[306] Torbe, I., Church, K., A general quadrilateral plate element, *International Journal for Numerical Methods in Engineering*, **9**(1975), 4, p. 855.

[307] Trahair, N. S., Booker, J. R., Optimum elastic columns, *International Journal of Mechanical Sciences*, **12**(1970), 11, p. 973.

[308] Tsay, C. S., Reddy, J. N., Bending, stability and free vibration of thin orthotropic plates by simplified mixed finite elements, *Journal of Sound and Vibration*, **59**(1978), 2, p. 307.

[309] Turner, M. J., Clough, R. W., Martin, H. C., Topp, L. C., Stiffness and deflection analysis of complex structures, *Journal of Aeronautical Sciences*, **23**(1956), 9, p. 805.

[310] Venkateswara Rao, G., Venkateramana, J., Prakasa Rao, B., Vibrations of thick plates using a high precision triangular element, *Nucleu*

Engineering and Design, **31**(1974), p. 102.
[311] Venkateswara Rao, G., Venkateramana J., Kanaka Raju, K., Stability of modelately thick rectangular plates using a high precision triangular element, *Computers and Structures*, **5**(1975), 4, p. 257.
[312] Visser, W., A refined mixed type plate bending element, *AIAA Journal*, **7**(1969), 9, p. 1801.
[313] Wallerstein, D. V., A general linear geometric matrix for a fully compatible element, *AIAA Journal*, **10**(1972), 4, p. 545.
[314] Washizu, K., On the variational principles of elasticity and plasticity, Aeroelastic and Structures Research Laboratory, Massachusetts Institute of Technology, Technical Report 25-18, March 1955.
[315] Washizu, K., Note on the principle of stationary complementary energy applied to free vibration of an elastic body, *International Journal of Solids and Structures*, **2**(1966), 1, p. 27.
[316] Washizu, K., Variational Methods in Elasticity and Plasticity (第1版1968年,第2版1975年).
[317] Watwood, V. B., Hartz, B. J., An equilibrium stress field model for finite element solution of two-dimensional elastostatic problems, *International Journal of Solids and Structures*, **4**(1968), 9, p. 857.
[318] Weinstein, A., The buckling of plates and beams by the method of zero Lagrangian multipliers and zero divisors, *International Journal of Solids and Structures*, **4**(1968), 5, p.579.
[319] Weissenburger, J. T., Effect of local modifications on the vibration characteristics of linear systems, *Journal of Applied Mechanics*, **35**(1968), 2, p. 327.
[320] Wemper, G. A., Oden, J. T., Kross, D. K., Finite element analysis of thin shells, *Journal of the Engineering Mechanics Division, Proceedings of the ASCE*, **94**(1968), p. 1273.
[321] Westergaard, H. M., On the method of complementary energy and its applications to structures stressed beyond the proportional limit, to buckling and vibrations, and to suspension bridges, *Proceedings of the ASCE*, **67**(1941), 2, p. 199.
[322] Wittrick, W. H., Rates of change of eigenvalues with reference to buckling and vibration problems, *Journal of the Royal Aeronautical Society*, **66**(1962), 621, p. 590.
[323] Wolf, J. P., Generalized hybrid stress finite-element models, *AIAA Journal*, **11**(1973), 3, p. 386.
[324] Wolf, J. P., Alternate hybrid stress finite element models, *International Journal for Numerical Methods in Engineering*, **9**(1975), 3, p. 601.
[325] Yam, L. C. P., A conforming finite element with internal equilibrium for two-dimensional problems, *International Journal for Numerical Methods in Engineering*, **4**(1972), p. 367.

[326] Yamamoto, Y., Finite element with the aid of analytical solutions, Recent Advances in Matrix Methods of Structural Analysis and Design, p. 85, 1969.

[327] Yu, Y.-Y., Generalized Hamilton's principle and variational equation of motion in nonlinear elasticity theory with application to plate theory, *Journal of the Acoustical Society of American*, **36**(1964), 1, p. 111.

[328] Zienkiewicz, O. C., The Finite Element Method in Engineering Science, (第2版) 1971. The Finite Element method, (第3版) 1977.

[329] Zienkiewicz, O. C., Cheung, Y. K., The finite element method for analysis of elastic isotropic and orthotropic slabs, *Proceedings of the Institution of Civil Engineers*, **28**(1964), p. 471.

[330] Zienkiewicz, O. C., Hinton, E., Reduced integration, function smoothing and non-conformity in finite element analysis (with special reference to thick plates), *Journal of the Franklin Institute*, **302** (1976), 5/6, p. 443.

[331] Zienkiewicz, O. C., Taylor, R. L., Too, J. M., Reduced integration techniques in general analysis of plates and shells, *International Journal for Numerical Methods in Engineering*, **3**(1971), p. 275.

[332] Айнола, Л. Я., К теореме взаимности для динамических задач теории упругости, *Прикладная Математика и Механика*, **31**(1976), 1 с. 176.

[333] Александров, А. Я., Бюккер, Л. Э., Куршин, Л. М., Прусаков, А. П., Расчёт трехслойных панелей, 1960.

[334] Андреев, Н. Н., Теорема взаимности в теорий колебаний и акустике, Физ. Словарь, **1**(1936), с. 458.

[335] Власов, В. З., Общая теория оболочек и её приложении в технике, 1949 (瓦.札.符拉索夫，壳体的一般理论及其在工程上的应用，高等教育出版社，1960年).

[336] Канторович, Л. В., Крылов, В. И., Приближенные методы высшего анализа, Изд. 5е, 1962 (Л. В. 康脱洛维契，В. И. 克雷洛夫，高等分析近似方法(上册)，科学出版社，1966年).

[337] Лехницкий, С. Г., Теория упругости анизотропного тела, 1950.

[338] Лехницкий, С. Г., Анизотропные пластинки, Изд 2-е, 1957年 (С. Г. 列赫尼茨基，各向异性板，科学出版社，1963年).

[339] Ониашвили, О. Д., Некоторые динамические задачи теории оболочек, 1957.

[340] Папкович, П. Ф., Строительная механика корабля, ч. II, 1941.

[341] Савин, Г. Н., Пелех, Б. Л., Концентрация напряжений около отверстий в пластинах и оболочках с учетом явлений обусловленных деформациями поперечного сдвига, *Прикладная Механика*, **7**(1971), 2, с. 3,

[342] Уфлянд, Я. С., Распространение волн при поперечных колебаниях стержней и пластин, *Прикладная Математика и Механика*, **12**(1948), с. 287.

[343] 胡海昌,能量法与局部效应,力学学报,1979 年 4 期 353 页.
[344] 匡震邦,广义变分与弹性薄板理论,西安交通大学科技报告(油印),1964 年.
[345] Baranski, W., Furmanczyk, S., Golubiewski, M., A note on variational principles of elastostatics for discontinuous displacement and stresses, *Bulletin de l'Academie Polonaise des Sciences, serie des Sciences Techniques*, **23** (1975), 9, p. 427.
[346] Barr, A. D. S., An extension of the Hu-Washizu variational principle in linear elasticity for dynamic problems, *Journal of Applied Mechanics*, **33**(1966), 2, p. 465.
[347] Ben-Amoz, M., On some extremum principles in linear elastodynamics, *International Journal of Engineering Sciences*, **5**(1967), 11, p. 869.
[348] Courant, R., Variational methods for the solution of problems of equilibrium and vibration, *Bulletin of the American Mathematical Society*, **49**(1943), 1, p. 1.
[349] Hashin, Z., Shtrikman, S., On some variational principles in anisotropic and nonhomogeneous elasticity, *Journal of Mechanics and Physics of Solids*, **10**(1962), 4, p. 335.
[350] Knothe, K., Hieronimus, K., Ein neues gemischtes Variationsprinzip der Elastostatik, *Zeitschrift für angewandte Mathematik und Mechanik.*, **53**(1973), 5, s. 278.
[351] Oden, J. T., Reddy, J. N., Variational methods in theoretical mechanics, 1976.
[352] Oliveira, E. R. A., The patch test and the general convergence criteria of the finite element method, *International Journal of solids and Structures*, **13**(1977), 3, p. 159.
[353] Pian, T. H. H., Tong, P., Luck, C. H., Elastic crack analysis by a finite element hybrid method, *Proceedings of the 3-rd Conference on Matrix Methods in Structural Mechanics*, AD 785 968, p. 661, 1973.
[354] Reiss, R., Minimum principles for linear elastodynamics *Journal of Elasticity*, **8**(1978), 1, p. 35.
[355] Shield, R. T., Anderson, C. A., Some least work principle for elastic bodies, *Zeitschrift für angewandte Mathematik und Phyzik*, **17**(1966), 6, p. 663.
[356] Villaggio, P., Qualitative methods in elasticity, 1977.
[357] Washizu, K., A note on the variational principles for the bending of a thin plate under the Kirchhoff hypothesis, *Transactions of the Japan Society for Aeronautical and Space Sciences*, **19**(1976), 43, p. 23.
[358] Абовский, Н. П., Андреев, Н. П., Деруга, А. П., Вариационные принципы теории упругости и теории оболочек, «Наука», 1978.
[359] Бабич, И. Ю., Гузь, А, Н., О вариационных принципах типа Ху-Вашицу для линеаризованных задач несжимаемых тел при высокоэластических деформациях, *Прикладная Механика*, 8(1978),3,с.113.
[360] Розин, Л. А., Вариационные постановки задач для упругих систем. Изд. Ленинградского Университета, 1978.